LUCA DI FULVIO

LES ENFANTS DE VENISE

*Traduit de l'italien
par Françoise Brun*

Slatkine & Cie

Titre original :
LA RAGAZZA CHE TOCCAVA IL CIELO

Pocket, une marque d'Univers Poche,
est un éditeur qui s'engage pour la préservation
de son environnement et qui utilise du papier fabriqué
à partir de bois provenant de forêts
gérées de manière responsable.

© 2013 Bastei Lübbe AG, Cologne, Allemagne
© Slatkine & Cie 2017 pour la traduction française
ISBN 978-2-266-27244-5
Dépôt légal : avril 2018

À mon Elisa

J'aurais beau parler toutes les langues des hommes et des anges, […] j'aurais beau être prophète, avoir toute la science des mystères et toute la connaissance de Dieu, j'aurais beau avoir toute la foi jusqu'à transporter les montagnes, s'il me manque l'amour, je ne suis rien.

Lettre de saint Paul aux Corinthiens, I, 13

Première partie

Automne 1515 – Hiver 1516

Rome – Narni – Apennin central –
Mer Adriatique – Delta du Pô – Territoire d'Adria –
Mestre – Venise – Rimini

1

Le chariot des ordures, le "char à merde", comme on l'appelait dans le quartier de l'Angelo, passait une fois par semaine, le lundi.

Ce lundi-là, après cinq jours de pluie ininterrompue, il peinait à avancer dans l'espace étroit du vico della Pescheria, et par moments, les moyeux des roues frottaient contre les murs des maisons. Les cinq forçats enchaînés aux brancards, de la boue jusqu'aux chevilles, ahanaient pour tirer les roues hors des trous où elles s'embourbaient. Leurs chausses de mauvaise laine, lourdes et trouées, étaient crottées jusqu'à l'aine. À l'avant du chariot, deux forçats, enchaînés l'un à l'autre, ramassaient les seaux remplis d'ordures et d'excréments déposés devant les portes ou les cours d'immeuble, et les vidaient dans le grand baquet fixé à la plate-forme. Quatre hommes d'armes surveillaient l'écœurante procession : deux à l'avant, deux à l'arrière.

Une petite foule hétérogène, composée essentiellement d'étrangers, comme souvent dans la Ville sainte, s'était amassée derrière : deux savants allemands avec de gros livres sous le bras ; trois bonnes sœurs avançant

15

tête basse sous de grandes cornettes, un Maure couleur de noisette grillée ; deux soldats espagnols en chausses bicolores jaunes et rouges, pressés de réintégrer leurs quartiers après une nuit de beuverie et luttant, les yeux mi-clos, contre le mal de tête ; et même un chameau, qui ne cessait de blatérer, agacé par le froid, et qu'un Indien à turban menait vers le cirque de l'autre côté du Tibre ; enfin, un marchand juif, reconnaissable à son bonnet jaune.

Tous avaient une expression de plus en plus dégoûtée à mesure qu'on approchait de la piazza Sant'Angelo in Pescheria, où la puanteur des ordures se mêlait à l'odeur du marché aux poissons dont les déchets pourrissaient depuis six jours sur le sol.

La voie s'élargissant, les gens qui piétinaient derrière le chariot le dépassèrent pour se disperser dans la petite Babel de la foule qui emplissait la place.

Le marchand juif, qui se nommait Shimon Baruch, accéléra le pas à son tour. Il regardait nerveusement autour de lui, trahissant sa nature craintive. Il venait de conclure une excellente affaire au marché aux cordes, non loin de là, en vendant un grand lot de cordages tressés qui venaient d'arriver dans le port de Ripa Grande. Et pour une fois, il avait encaissé la somme en espèces, au lieu des habituelles lettres de change. Inquiet de marcher dans les rues de Rome avec cette bourse de cuir pleine de pièces d'or à la ceinture, il avançait tout courbé, ramenant les pans de sa cape autour de lui. Il remarqua le dignitaire d'un pays exotique, avec de grandes moustaches, escorté par deux Maures gigantesques aux longs cimeterres historiés dont la poignée était sculptée dans une défense d'éléphant. Il vit des jongleurs à la peau olivâtre, peut-être

16

des Macédoniens, ou des Albanais. Et un petit groupe de vieux, assis devant leurs logis sur des chaises de paille, qui jouaient aux dés dans une caisse en bois à même le sol. Trois pauvresses tournicotaient autour des étals à poissons en marbre, où restaient quelques corbeilles d'osier contenant des maquereaux d'Isola Sacra et des perches de Bracciano. Elles fouillaient parmi les détritus, à la recherche d'une tête ou d'une queue qui enrichiraient ce soir leur maigre bouillon d'herbes sauvages. Deux de ces femmes, dans la quarantaine, avaient les lèvres serrées par le froid sur une cruelle absence de dents. La troisième était très jeune, avec des cheveux d'un roux sombre et une peau qu'on devinait, sous la crasse, blanche et transparente comme l'albâtre. Shimon Baruch se dit qu'elle ressemblait à Suzanne assaillie par les vieillards dans le Livre du prophète Daniel.

« Poussez-vous, grognasses, ou je vous jette aussi dans le baquet », dit un des forçats qui s'approchait des étals à poissons, brandissant sa pelle. Les hommes d'armes, en riant, firent signe aux femmes de s'éloigner.

Shimon Baruch fonça tête baissée vers le Théâtre de Marcellus, pour mettre enfin ses pièces d'or en sécurité. Il se retourna une dernière fois pour regarder la jolie fille aux cheveux cuivrés, et la vit lancer un regard à un gamin en haillons au teint jaunâtre. Assis un peu plus loin dans les ruines du Portique d'Octavie, ses longs cheveux sales collés à la tête, il lançait des pierres sur une chèvre qui broutait les herbes des murs et les orties. Shimon Baruch eut un instant l'impression d'avoir déjà vu ce gamin le matin même, peut-être au marché aux cordes. Tandis qu'il le regardait et courbait encore plus les épaules, le gamin croisa son regard et cria : « Ton bonnet est de belle étoffe, messire Juif ! Prospérité ! Prospérité ! »

Shimon Baruch se détourna sans répondre, et vit alors un jeune homme gigantesque, à l'air ahuri, jaillir de l'autre côté de la place et s'élancer vers lui, la main tendue. C'était un géant à la chevelure épaisse couleur du son qu'on donne aux mulets, plantée bas sur un front bestial. Vêtu de guenilles, trapu, il agitait maladroitement dans sa course de petites jambes robustes et des bras courts, disproportionnés. Un nain qui serait un géant, pensa le marchand. Il vit tout de suite que c'était un fou. En s'approchant, le géant plissa les yeux comme s'il craignait d'être battu et parla d'une voix gutturale, dans une langue où les syllabes se faisaient la guerre : « Aga la pièce, messire… aga la bonté, aga la pièce à l'aumône, votre majesté tant l'illustre.

— Ôte-toi de mon chemin », lui dit sèchement le marchand en agitant la main comme pour chasser une mouche.

Le géant, effrayé, se protégea le visage mais resta collé à lui, répétant : « 'Ne tit' pièce, messire excellentissime, 'ne tit' pièce seulement. » Et juste devant la façade de l'église de Sant'Angelo, il lui saisit le bras avec fougue.

Shimon Baruch se retourna. « Ne pose pas tes sales pattes sur moi ! », gronda-t-il, tâchant de cacher la peur qui lui serrait la gorge.

Au même moment surgit au coin de l'église un garçon d'environ seize ans, la peau mate et les cheveux noirs comme de la poix, maigre et dégingandé, un bonnet jaune crânement rabattu sur le côté. Il manqua de renverser le marchand, et s'agrippa à son épaule

18

pour ne pas tomber. « Pardon, monsieur », s'excusa-t-il aussitôt. Puis, à la vue du bonnet que Shimon portait, il ajouta : « *Shalom aleichem* », et inclina la tête en signe de respect.

« *Aleichem shalom* », répondit machinalement Shimon Baruch, rassuré de voir un coreligionnaire, tout en luttant pour échapper à la prise du fou.

Le géant, saisi de colère, protesta : « Non, je l'ai vu premier moi ! Bon messire fait l'aumône à moi ! » Et, sans lâcher le bras du marchand, il repoussa violemment le nouvel arrivant. « Va-t'en !

— Laisse-moi, misérable ! », hurla Shimon Baruch, d'une voix où perçait la frayeur.

« Laisse-le ! », hurla à son tour le garçon en se jetant sur le géant. Celui-ci, d'un seul coup de poing dans l'estomac, le fit se plier en deux. Mais le garçon ne renonça pas et se jeta de nouveau sur lui, le frappant au visage.

Le géant poussa un cri guttural, lâcha le marchand, attrapa le garçon avec fureur, le fit pirouetter en l'air et le lança contre Shimon Baruch, ce qui eut pour résultat de les faire rouler tous deux à terre.

Les gardes, d'abord en alerte, éclatèrent de rire à voir les deux "bonnets jaunes" enlacés dans la boue, comme s'ils se battaient. Les vendeuses de poissons riaient aussi, mains sur les hanches, en faisant ballotter leurs seins. De même que les deux Maures aux longs cimeterres et le dignitaire du Grand Vizir. Les jongleurs albanais avaient cessé de lancer leurs balles, et les deux soldats espagnols, sans pour autant ralentir, marchaient la tête tournée pour ne rien perdre du spectacle. Les savants allemands s'étaient arrêtés pour chausser leurs lunettes. « Tue-les ! », cria le gamin que Shimon avait vu jeter des pierres aux chèvres, pour encourager le fou.

Même les forçats riaient, et l'un d'eux hurla au géant : « Montre-leur ! Donnes-y des coups de pied ! »

Tandis que le garçon au bonnet jaune aidait le marchand à se relever, le géant lui lança un coup de pied dans le ventre. Le garçon poussa un gémissement, se tourna vers Shimon Baruch et lui dit, les yeux pleins de terreur : « Sauvez-vous, par pitié ! » Puis, dans un hurlement, avec la force du désespoir, il se jeta sur le géant et le frappa de nouveau avant de prendre la fuite. Le géant s'élança à sa poursuite, en direction des rives du Tibre, et le gamin au teint jaune se colla aussitôt à leurs basques, en criant : « Youpin de merde ! T'es mort, youpin de merde ! »

Shimon Baruch songea un instant à aider son jeune coreligionnaire. Mais la peur qui tyrannisait sa vie le fit se sauver dans l'autre sens, vers le Théâtre de Marcellus. Sur la piazza Sant'Angelo in Pescheria, tous regardaient à présent le gamin et le géant lancés à la poursuite du garçon au bonnet jaune.

Profitant de la confusion, la fille à la peau d'albâtre qui fouillait parmi les détritus tendit la main vers une corbeille qui se trouvait au bord d'un des étals de marbre et s'empara de quelques maquereaux qu'elle glissa dans sa manche. Puis elle s'éloigna en catimini, retenant son souffle, sans que les marchandes l'aient remarquée. Le garçon au bonnet jaune, lui, avait tourné au coin de la rue, et ses deux poursuivants le rattrapaient peu à peu, hurlant des insultes contre les Juifs. Un ivrogne, les bras écartés, lui barra la route en chancelant et cria : « Arrête-toi, abominable Iscariote ! »

Le garçon s'arrêta net.

« Réponds à la question : de un à dix, combien t'es con ? », lui demanda-t-il.

L'ivrogne le regarda, l'air hébété.

Le garçon se mit à rire, ôta son bonnet et le lui claqua sur la tête. « Allez, va boire un autre verre, ça vaudra mieux. » Il fourra le bonnet dans sa poche et se retourna vers les deux autres qui l'avaient rejoint. « On bouge », ordonna-t-il.

L'ivrogne les fixait tous trois sans comprendre.

« Couillon », lui dit le gamin à la peau jaune, en crachant par terre.

Ils marchèrent vite, du même pas, en silence. Au coin de rue suivant, le garçon donna un coup de coude au géant. « Idiot, faut que t'apprennes à cogner sans faire mal. »

Le géant prit un air penaud. « Esscuse… », gémit-il.

Le jeune homme se tourna vers le gamin. « Tiens mieux ta bête. » Il se courba en deux. « Tu m'as bousillé l'estomac avec ton coup de pied, espèce d'idiot.

— Demande pardon, dit le gamin au géant fou.

— Esscuse, Mercurio…, pleurnicha le géant. Fais pas couteau à Ercole, s'te plaît.

— Non, je ferai pas *couteau*, grosse bête, dit Mercurio, en se redressant.

— Tu te rappelleras que t'es fort comme un éléphant ? dit le gamin en donnant une chiquenaude au géant.

— Oui, Zolfo, acquiesça le géant mortifié. Ercole grosse bête.

— Allez, ça va, grommela Zolfo. Puis, à Mercurio : Tu verras, il fera attention… »

Un hurlement leur parvint alors de la piazza Sant'Angelo in Pescheria. « On m'a détroussé ! Au voleur ! », criait le marchand. On entendit des rires dans la foule, qui avait tout compris. « Je suis ruiné ! Au voleur ! Maudits ! Soyez maudits ! » Et plus Shimon Baruch hurlait, désespéré, plus les rires étaient sonores, comme une explosion, comme au théâtre.

« Tirons-nous », dit Mercurio.

Ils escaladèrent la digue en face de l'île Tibérine, et ils descendaient vers une grille d'égout cachée sous les ronces quand la fille aux cheveux cuivrés et à la peau d'albâtre les rejoignit. « On a de quoi dîner, dit-elle toute fière, en montrant les maquereaux volés au marché.

— On a bien plus que ça, Benedetta », dit Zolfo.

Mercurio sortit la bourse du marchand remplie de pièces. Il remarqua qu'une main rouge y était peinte. Il dénoua le lacet, s'accroupit et versa les pièces par terre. Le soleil couchant les fit étinceler comme des braises.

« De l'or ! », s'exclama Zolfo.

Mercurio resta bouche bée. Il compta rapidement les pièces et fit le partage, prenant pour lui le double de ce qu'il donnait aux autres.

« Mais on est quatre…, protesta Zolfo.

— L'idée du coup, c'est moi, dit Mercurio d'un ton sec. Celui qui a pensé l'embrouille, c'est moi. Vous, à ma place, vous vous seriez fait prendre. » Il les toisa avec mépris. « Vous êtes deux comparses – un et demi, même, parce que le débile compte pour une moitié –, et une guetteuse. » Il remit ses propres pièces dans la bourse de cuir et la referma. Debout, il désigna les pièces par terre. « Voilà votre part, et je suis généreux. Si vous n'êtes pas d'accord, mettez-vous à votre compte. » Puis il les fixa d'un air de défi.

22

« C'est bon », dit Benedetta, soutenant son regard.

Zolfo se pencha pour ramasser les pièces.

« Au moins, on a compris qui de vous trois est le chef, dit Mercurio en riant.

— Tu veux manger le poisson avec nous ? », demanda Benedetta.

Zolfo regarda Mercurio, plein d'espoir.

« Je préfère manger seul, répondit Mercurio avec brusquerie. Si j'ai besoin de vous, je sais où vous trouver. » Il ouvrit la grille d'égout. « Et ne dites rien à Scavamorto, sinon il se débrouillera pour vous les voler.

— On pourrait rester avec toi, dit Zolfo.

— Lâchez-moi les couilles, lança Mercurio. Je suis bien comme ça. Et ici, c'est chez moi. »

Puis il disparut dans la canalisation d'égout où il vivait.

2

Quand ils se furent éloignés en traînant les pieds, Mercurio referma la grille derrière lui et avança à quatre pattes dans le boyau étroit. Le fond, fait de pierres carrées descellées couvertes d'algues visqueuses, en était glissant. Dès qu'il sentit sous sa main une certaine pierre lisse, il se mit debout en penchant la tête à gauche pour éviter la saillie sous la voûte.

La clameur de la Ville sainte ne parvenait pas jusque-là. Tout était silence. Un silence épais, rompu seulement par l'eau qui gouttait et les cavalcades des rats. Mercurio sentit un vide en lui. Un froid sur l'estomac. Il rebroussa chemin en direction de la grille, pour aller leur dire qu'ils pouvaient passer la nuit avec lui. Mais quand il arriva au sommet de la digue, Benedetta, Zolfo et Ercole n'étaient plus là. "Tu n'es qu'un crétin orgueilleux", se disait-il en progressant de nouveau dans le passage voûté, marqué tous les dix pas par un pilier de brique. Au centre s'écoulait paresseusement un ruisselet d'eaux souillées. Au niveau du troisième pilier, il se glissa dans une ouverture creusée dans le tuf. Il frotta un briquet et alluma une torche plantée dans le mur.

Les chiffons imbibés de poix produisirent une flamme tremblante qui éclaira un espace carré, mesurant bien une perche de haut. Au centre, une construction de bois sommaire et qui semblait peu stable : quatre montants et des planches en travers sur une largeur de quelques pieds, où Mercurio dormait sur la paille, loin de l'humidité du sol, avec deux couvertures de cheval aux armes du pape volées dans une écurie. Une partie de la construction était fermée par ce qui ressemblait à une ancienne voile, déchirée en plusieurs endroits.

Mercurio se hissa sur la petite échelle. Il plaça la torche dans un trou qu'il avait creusé dans le mur avec un ciseau. Il ouvrit la bourse volée au marchand et versa les pièces de monnaie sur les planches. Il les regarda briller. Les recompta. Vingt-quatre pièces d'or. Une fortune. Mais il entendait toujours la malédiction du marchand, et il eut peur qu'un malheur ne plane déjà sur lui. On disait que les Juifs étaient des sorciers, qu'ils avaient partie liée avec le diable. Mercurio fit un signe de croix. Il regarda la main rouge peinte sur la bourse en cuir. Elle lui fit peur. Il la jeta et mit les pièces dans un sac plus léger, en toile.

Il prit dans une besace un morceau de pain dur, et commença à le grignoter, enroulé dans les couvertures, luttant contre la tentation de quitter cet endroit. Depuis trois mois, le silence et la solitude de l'égout l'angoissaient. Il se pencha par-dessus le bord de la plate-forme et scruta le fond humide.

« Il n'y a pas de danger », se dit-il à voix haute. Il mâcha encore un peu de pain, se recroquevilla un peu plus. « Dors », s'ordonna-t-il. Mais il n'y arrivait pas. Dans sa tête résonnait toujours le grondement terrible de l'eau quand elle avait envahi les égouts, trois mois plus tôt. Et les couinements des rats qui cherchaient une issue. Il écarquilla les yeux et s'assit, le souffle court. Il inspecta de nouveau le sol. Pas d'eau. Les égouts ne débordaient pas, il le savait. Mais cela faisait un an maintenant qu'il avait échappé aux griffes de Scavamorto, et il ne s'habituait pas à la solitude. Sauf qu'il refusait de se l'avouer.

Il entendit une voix : « Mercurio… »

Puis de nouveau : « Mercurio… t'es là ? »

Il sauta de la plate-forme, la torche à la main. Penché à l'entrée de son refuge, il vit devant lui Benedetta, Zolfo et Ercole. « Qu'est-ce que vous voulez ? Je vous ai dit de partir », dit-il. Pour rien au monde il n'aurait avoué qu'il était content de les voir.

« À l'Osteria de' Poeti…, commença à raconter Benedetta, les larmes aux yeux, eh ben, l'aubergiste…

— Il nous a volé une pièce d'or ! conclut Zolfo.

— Et alors ? fit Mercurio, agitant sa torche devant leur visage.

— On a donné nos poissons à des mendiants, continua Benedetta. Nous, on voulait manger comme les riches… Alors je suis allée à l'auberge et j'ai commandé plein de bonnes choses, et le patron… il m'a demandé si j'avais de quoi payer. Moi, j'ai montré ma pièce d'or. Il l'a mordue pour voir si elle était vraie. Puis il m'a dit : "Elle est à moi, cette pièce. Tu peux aller te plaindre aux gardes de Sa Sainteté, si tu veux. Tu seras bien en peine de prouver d'où elle vient, cette pièce d'or, vu que tu pues la voleuse à une lieue. Disparais." Il s'est mis à rire, et j'étais déjà partie qu'il riait encore…

— Le maudit voleur ! », s'exclama Zolfo.

Mercurio les fixa. « Et qu'est-ce que vous voulez ? »

Benedetta parut surprise. « Je…, commença-t-elle à dire.

— Nous… », bafouilla Zolfo.

Mercurio les fixait sans rien dire.

« Aide-nous, finit par dire Benedetta.

— Oui, aide-nous, dit Zolfo en écho.

— Et pourquoi je devrais ? », demanda Mercurio.

Les deux autres baissèrent la tête. Il y eut un bref silence.

« On s'en va, dit Benedetta. On a eu tort de venir. »

Mercurio les dévisagea sans parler. Ils avaient l'air de trois chiens perdus, comme ceux qui errent dans les rues de Rome lorsqu'il fait nuit noire, la peau sur les os, prêts à dresser le poil au moindre bruit et à s'enfuir devant une ombre. Comme eux, ils retroussaient les babines, espérant passer pour des bêtes féroces, alors qu'ils n'avaient qu'une peur : prendre des coups. Mercurio savait ce qu'ils ressentaient. Parce qu'il le ressentait aussi.

« Attendez, dit-il aux trois compagnons qui s'apprêtaient à repartir. C'est qui, cet aubergiste ?

— Pourquoi, ça t'intéresse ? », demanda Benedetta.

Mercurio sourit. Il avait peut-être trouvé un moyen de les retenir. Sans transiger avec son orgueil. « Moi, je m'en fous. Mais ça serait amusant de trouver un système pour le baiser.

— Faut réfléchir, dit Benedetta.

— Venez, dit Mercurio en se glissant dans son refuge. Mais que ce soit clair : je vous aide à récupérer votre pièce d'or, et après c'est chacun pour soi.

— Je suis bien d'accord, répliqua Benedetta, pas besoin d'un marmot de plus à torcher. »

Mercurio éclata de rire et lui indiqua le chemin : « Les dames d'abord. »

Aussitôt entrés, en voyant la drôle de construction suspendue, ils restèrent bouche bée, impressionnés.

« Y a quoi derrière la toile ? demanda Zolfo.

— Mêle-toi de tes affaires, dit Mercurio en se hissant sur la plate-forme. Et rappelez-vous qu'ici c'est chez moi.

— Un trou d'égout, oui, qui pue la merde. Tu peux te le garder. Qui voudrait habiter dans les égouts ? dit Benedetta en le suivant.

— Moi, répondit Mercurio.

— Si c'est que ça, tu peux même t'y noyer.

— Ne dis plus jamais ça ! », lâcha Mercurio, furieux et les yeux exorbités.

Benedetta fit un pas en arrière. La plate-forme trembla. Ils se turent tous les quatre.

« Quelle idée idiote j'ai eue ! », maugréa Mercurio. Il se glissa sous une couverture. Leur lança l'autre. « Vous vous la partagez. C'est tout ce qu'il y a. Et venez pas me coller. »

Benedetta arrangea la paille et fit se coucher Zolfo et Ercole. Puis elle s'étendit à son tour. « T'éteins pas la torche ? demanda-t-elle à Mercurio.

— Non, répondit-il.

— T'as peur du noir ? », ricana-t-elle.

Il ne répondit pas.

« Ercole aga pas peur du noir, dit le fou, avec la fierté d'un enfant.

— Tais-toi », maugréa Zolfo.

Un silence embarrassant s'abattit. On n'entendait que le crépitement de la torche et les rats qui couraient dans leurs trous.

« Je déteste leurs petites pattes de merde », fit Mercurio, comme s'il parlait pour lui-même.

Aucun des trois autres ne broncha.

« Il y a trois mois, le fleuve a grossi d'un coup… », commença doucement Mercurio. Pour ce qu'il en savait, les autres pouvaient tout aussi bien s'être endormis. N'importe, il avait besoin de parler. C'était la première fois qu'il racontait. « Les eaux dégueulasses du Tibre ont envahi la fosse. Je ne savais pas quoi faire… L'eau montait, montait… les rats nageaient et poussaient ces petits cris horribles… des dizaines de rats… des centaines… » Il s'arrêta. Sa respiration s'étranglait dans sa gorge, les larmes lui venaient aux yeux. Il avait encore peur. Mais il ne voulait pas le montrer.

« Et puis… ? », demanda la voix de Benedetta.

Zolfo se serra contre Ercole.

« Les rats allaient vers l'endroit par où l'eau entrait…, reprit Mercurio, dans un filet de voix. C'était horrible, j'en avais jamais vu autant… alors je suis allé dans l'autre direction, vers les tunnels plus profonds, les plus dégoûtants, sous la ville… et là j'ai rencontré un pauvre type… un ivrogne… Je le connaissais parce que je le volais chaque fois qu'il était soûl… Et lui… lui, il m'a attrapé par la veste et il m'a crié de suivre les rats. "Les rats, il disait, les rats ils savent. Nage avec eux." Et moi… je ne sais pas pourquoi je l'ai

29

écouté… c'était juste un ivrogne de merde… "Suis les rats !", il criait. Alors, même si c'était l'horreur, j'ai suivi les rats… il y en avait qui montaient sur mon dos et sur ma tête… et ils poussaient tous ces petits cris… dégoûtants… »

Benedetta frissonna. Zolfo s'agrippa à Ercole.

« Et puis l'eau a tout envahi, et les rats ont plongé… Je ne voyais rien mais pendant que je nageais sous l'eau je les sentais… je les sentais sous mes mains… et je croyais que mes poumons allaient exploser… » Mercurio haletait, comme s'il revivait cette longue apnée. « Je suis arrivé à la grille, je l'ai poussée et je suis remonté à la surface… J'ai atteint la rive en même temps que les rats et je suis resté là, en attendant l'ivrogne… pour lui dire merci. Et je regrettais de l'avoir si souvent volé, ce couillon, qui m'avait… sauvé, en somme… Je suis resté là toute la journée… mais rien. Une semaine après, quand le fleuve a baissé, je suis revenu. Pendant que j'essayais de récupérer mes affaires en remontant un boyau vers l'est… » Mercurio se tut.

Aucun des trois autres ne parla.

« Il était là, reprit Mercurio après un instant, la voix encore plus basse. Il n'avait pas suivi les rats parce qu'il ne savait pas nager. Il s'était enfoncé encore plus vers l'intérieur. Comme je voulais faire avant de le rencontrer. Il était tout gonflé, avec sa langue violette qui sortait… ses yeux étaient écarquillés, et rouges, on aurait dit qu'ils étaient en verre… il avait encore les mains agrippées aux barreaux d'une grille qui n'avait pas voulu s'ouvrir… »

Les trois autres ne respiraient plus.

Mais le récit de Mercurio n'était pas terminé. Il avait encore quelque chose à raconter. Une image qui le tourmentait. Il inspira profondément. « Les rats étaient revenus… et ils avaient faim… »

Le silence retomba.

Et dans ce silence on entendit : « Maintenant Ercole aga peur du noir. »

3

À la neuvième heure, la galéasse se mit sous le vent.

L'équipage était composé pour la majeure partie de Macédoniens. Leur visage sombre, cuit par le sel et la glace, était marqué de rides profondes. Çà et là, sur leur peau couleur café au lait, comme dans leurs cheveux noirs qui tombaient par paquets, apparaissaient des taches grumeleuses comme des fraises écrasées. Quand certains de ces hommes parlaient, découvrant leurs gencives, on voyait un jus rouge clair, mouillé de salive, couler de leurs dents jaunes déchaussées par cette maladie que les grands voyageurs de la mer connaissaient sous le nom de scorbut. Pour en venir à bout, les remèdes étaient nombreux. Mais les marins restaient convaincus que la seule méthode était de porter une amulette spéciale : le Qalonimus.

Une antique légende parlait d'une sainte, martyrisée par les barbares, qu'un médecin charitable aurait soignée ; il avait rendu sa mort plus douce et recueilli ses dernières volontés. La sainte voulait que ses restes soient rapportés dans sa patrie et y reçoivent une sépulture digne de ce nom. Mais pour éviter que le scorbut ne tue les marins auxquels sa dépouille mortelle serait confiée, elle avait murmuré avant son trépas à l'oreille du médecin la composition d'un mélange d'herbes miraculeuses. Les marins qui la porteraient sur eux, quelle que soit leur religion, seraient protégés de la maladie. La légende avait oublié le nom de la sainte mais pas celui du médecin, Qalonimus, et l'amulette avait pris son nom.

En fait, la légende n'avait rien d'antique. Elle avait été inventée moins de vingt ans plus tôt, et ni la sainte ni le médecin n'avaient jamais existé. Le seul à le savoir était le créateur de la légende, qui s'était enrichi en vendant aux marins crédules et superstitieux une amulette de son invention composée d'un simple mélange d'herbes malodorantes enfermé dans un petit sac de cuir avec une lourde plaque de fer. Mais une semaine plus tôt, l'escroc avait tenu à raconter la vérité à sa fille, une adolescente de quinze ans.

Le nom de l'escroc, qui prétendait descendre du médecin de la légende inventée par lui, était Yits'aq Qalonimus da Negroponte ; sa fille s'appelait Yeoudith.

Le père et la fille se trouvaient à présent sur le pont de la galéasse, main dans la main, torse bombé, prêts à recevoir le salut du capitaine et de la chiourme de Macédoniens qui les avait amenés jusqu'ici, dans cette partie de la mer Adriatique, peu profonde et peu salée, face à l'embouchure du Pô.

« Votre voyage se termine ici, dit le capitaine, un homme à la mine patibulaire. Vous connaissez la loi vénitienne. Les Juifs ne peuvent entrer dans Venise par le port. »

L'escroc s'inclina respectueusement. « Merci, vous avez fait plus que je ne l'espérais.

33

— Votre réputation vous a précédé », répondit le capitaine.

Yits'aq savait bien que le capitaine mentait. Il se tourna vers la chiourme clairsemée. Chacun de ces marins n'avait qu'une hâte : se débarrasser d'eux.

Le capitaine fit signe de descendre une chaloupe. Les poulies de bois gémirent, dans une odeur d'huile brûlée. « Amène… Amène… », rythma la voix du marin à la manœuvre qui, penché sur le bastingage, vérifiait le bon amerrissage de la chaloupe à quatre rameurs.

« Mes hommes vous mèneront jusqu'à la rive sur ce bras du fleuve, dit le capitaine en montrant une vaste étendue d'eau bordée de roseaux. Vous êtes dans les environs de l'antique cité d'Adria. Dans la campagne, il y a une auberge où passer la nuit. Ensuite, vous vous dirigerez vers le nord-est. Vous trouverez Venise.

— Ma fille et moi vous serons redevables à vie », dit pompeusement Yits'aq Qalonimus da Negroponte. Puis il laissa aller son regard vers les trois grandes malles fermées avec des chaînes et des cadenas.

« Vos biens seront remis à Asher Meshullam, dans son palais de San Polo, comme vous l'avez demandé, dit le capitaine. Ne vous inquiétez pas.

— Je me fie totalement à vous », répondit Yits'aq, en continuant à fixer ses trois malles, comme s'il ne voulait pas s'en séparer. Puis il tourna son regard vers les marins, et perçut leur impatience, leur cupidité. Il regarda de nouveau le capitaine, si exagérément aimable mais tout aussi pressé, à voir l'agitation de sa jambe droite et ses mains qui ne cessaient de s'entre-croiser comme deux araignées en amour. « Je me fie à vous… », répéta-t-il, mais plus qu'une affirmation, c'était manifestement une question. Ou une supplique.

Le capitaine sourit. Ou plutôt, un ricanement contracta sa face, entre nervosité et plaisir. « Partez… ou la nuit vous surprendra en chemin. Et le monde est plein de gens malintentionnés », dit-il, avec un geste d'agacement.

Yits'aq acquiesça, la tête basse, résigné, puis poussa sa fille vers l'échelle de corde que les marins avaient lancée. « Allons-y, mon petit. »

À ce moment-là, un vieux marin rongé par le scorbut se détacha du groupe et se jeta aux pieds d'Yits'aq. « Touchez le Qalonimus, votre Seigneurie, que je puisse guérir du mal », dit-il.

Le capitaine frappa le vieux marin d'un coup de pied et pesta, incapable de contenir sa rage : « Couillon ! » Se tournant vers Yits'aq, il tenta de minimiser l'incident. « Vous devez y aller…

— Permettez, capitaine. Cela ne prendra qu'un instant », dit Yits'aq. Il se pencha sur l'homme. Regarda ses dents, ses gencives et les ecchymoses sur son cou. « As-tu encore foi dans le Qalonimus ? lui demanda-t-il, surpris.

— Bien sûr, votre Seigneurie, dit le vieux marin.

— C'est bien », soupira l'escroc, et il pensa avec nostalgie aux temps anciens où tous les marins croyaient aux pouvoirs mystérieux du Qalonimus, quand chacun payait trois sous d'argent pour le porter autour du cou.

« Touchez le Qalonimus, Illustrissime », répéta le vieux marin.

Il y eut un mouvement d'impatience parmi les membres de l'équipage, comme une vibration qui passa de l'un à l'autre. Mais nul ne parla.

Yits'aq Qalonimus da Negroponte se pencha sur le marin et prit entre ses doigts l'amulette qui l'avait rendu riche pendant des années. C'était un sachet contenant une plaque de fer pour l'alourdir et de simples herbes cueillies près de sa maison. Une vieille femme l'avait cousu pour quelques pièces. Elle était morte aujourd'hui. Yits'aq ferma les yeux et murmura, d'une voix basse : « Par l'autorité de la sainte dont le nom s'est perdu, et en vertu de mon sang, qui est le sang de mon prestigieux ancêtre le docteur Qalonimus, je confère à la prescription miraculeuse une force de guérison nouvelle. » Il ouvrit les yeux, lâcha l'amulette et posa les deux mains sur la tête du marin. « Voici ma *berakhah*, dit-il avec solennité. Tu es béni et sauvé. » Puis il se tourna vers sa fille, lui fit un sourire rapide comme le coup de griffe d'un chat, mi-embarrassé, mi-complice, et dit : « Allez, partons. »

Yeoudith passa le sac en bandoulière qu'elle avait confectionné dans un kilim persan aux couleurs éclatantes, et releva ses jupes jusqu'aux genoux, attirant le regard de tous les matelots sur ses jolies jambes. Elle attrapa les montants en cèdre du Liban de l'échelle qui pendait le long des flancs de la galéasse et commença à descendre. D'un bond agile, elle sauta dans la chaloupe. Le père salua une nouvelle fois le capitaine et rejoignit sa fille.

« Vogue », annonça le timonier. Les marins plongèrent leurs rames dans l'eau, en cadence. La chaloupe commença à bouger lentement, tandis que les bois grinçaient dans les dames de nage. Puis, en un instant, elle prit de la vitesse et commença à glisser sur l'eau, vers le fleuve paresseux.

Yeoudith tourna la tête en direction de la galéasse et vit que le capitaine et la chiourme des Macédoniens se jetaient sur leurs précieuses malles. Elle se tourna vers son père, le regard inquiet.

« Je le sais, mon enfant. Les sauterelles sont déjà à l'œuvre, lui dit Yits'aq tout bas, pour ne pas être entendu des rameurs.

— Mais nos affaires… ? », répondit Yeoudith, angoissée.

Son père lui prit délicatement la tête et la tourna vers l'embouchure du Pô. « Regarde devant. »

Yeoudith ne comprenait pas. Sa respiration se faisait plus haletante dans sa poitrine, là où sa robe, depuis un an, avait commencé à se remplir. Elle secoua la tête, comme si elle se rebellait devant cette injustice. « Ce sont des voleurs, père, murmura-t-elle avec inquiétude.

— Oui, ma chérie », répondit Yits'aq.

Yeoudith tenta de se dégager de l'étreinte de son père. « Comment peux-tu supporter une chose pareille ? », siffla-t-elle.

Yits'aq la retint, avec force. « Maintenant arrête, dit-il d'un ton sévère.

— Mais père…

— J'ai dit arrête. » Il la regarda, de ses yeux noirs comme ceux de certains béliers.

Yeoudith tenta à nouveau de se dégager mais son père la retint, lui faisant presque mal, jusqu'à ce que la jeune fille se rende.

La chaloupe quitta le large et entra dans l'embouchure du Pô, franchissant aisément la légère ride où l'eau douce rencontrait l'eau salée.

Le fleuve surgit devant eux, mystérieux et fécond comme leur avenir. Les talus boueux, irréguliers, flottaient dans un marécage de roseaux. Un oiseau au long cou prit son envol sur leur passage. Une barque plate, sans rames, que des pêcheurs au visage émacié poussaient à l'aide d'une longue perche, tirait derrière elle ses filets comme un escargot sa bave humide. On apercevait au milieu du marais une cabane de pêche sur pilotis, faite de paille et de roseaux.

Le soleil commençait à se coucher et colorait d'ambre rougeâtre tout le paysage. De l'eau s'élevaient des vapeurs de brouillard, maintenues basses par le froid.

Alors, Yits'aq, qui s'était rapidement tourné vers la galéasse, dit, presque indifférent : « Les cadenas et les chaînes ont tenu assez longtemps, race d'incapables. »

Yeoudith sentit son père relâcher sa prise. Elle se retourna elle aussi vers la galéasse et vit le capitaine, qui n'était plus qu'un petit point noir, faire de grands gestes dans leur direction pour appeler l'attention des rameurs et du timonier. Derrière lui, les marins faisaient eux aussi de grands gestes, comme un animal tentaculaire. Ils devaient crier, mais on était bien trop loin pour les entendre. Yeoudith, en pleine confusion, regarda son père.

Yits'aq, sans sourire, à sa manière brusque, dit : « Je suis désolé de laisser à ces imbéciles de pirates trois malles aussi belles. » Il soupira. « Et tous ces précieux cailloux de notre île…

— Des cailloux… ?

— Tu aurais préféré que je remplisse les malles avec de l'or et de l'argent ? » Il la serra contre lui.

38

Yeoudith regarda le profil de son père, au nez aquilin, noble et effilé, avec son menton volontaire sur lequel frisait une petite barbe en pointe. Le monde d'Yits'aq Qalonimus da Negroponte était bien plus complexe qu'elle ne l'avait imaginé. Mais cette étreinte, forte et chaude, suffit pour qu'elle se sente en sécurité, même si elle savait depuis quelques jours qu'Yits'aq était un charlatan et un escroc. Elle fronça ses épais sourcils noirs, puis pencha la tête et s'abandonna sur l'épaule de son père.

Leur vie passée était bien finie. C'était une nouvelle vie qui commençait, avec de nouvelles règles.

« Des cailloux », répéta-t-elle, en riant doucement.

4

On les avait débarqués sur un ponton planté de guingois sur l'eau. Le timonier avait tendu le bras vers le nord-est : « Ville ! Venise ! » Puis, alors que les marins s'éloignaient dans la chaloupe, pressés de disputer le butin à leurs comparses, le timonier s'était retourné et avait indiqué le nord-est en criant : « Sentier ! Deux lieues ! Locanda di Orso. » Et pour finir il s'était tapé plusieurs fois sur la tête : « Bonnet jaune ! Juifs ! »

Yits'aq et Yeoudith restèrent sur la rive, regardant la chaloupe disparaître dans le brouillard. Ils étaient seuls maintenant. Dans un monde inconnu. Yits'aq pointa le bras vers le nord-est et dit, d'une voix forcée et caricaturale : « Ville ! Venise ! »

Yeoudith rit. Mais elle avait le regard perdu.

« *Ribbonò shel olàm*, le Seigneur du Monde, nous protège à l'ombre de ses ailes, dit Yits'aq pour la rassurer. Ne t'inquiète pas. »

Yeoudith pointa le bras vers le nord-est et répéta : « Auberge ! Faim ! »

Yits'aq sourit, avec une expression mortifiée : « Désolé, ma chérie. Nous n'irons pas à la Locanda di Orso.

— Mais… pourquoi ?

— Le capitaine n'appréciera pas du tout la plaisanterie des cailloux, dit Yits'aq. Je me suis débrouillé pour attirer leur attention sur nos trois malles afin d'éviter que l'envie leur prenne de nous trancher la gorge. Ils croyaient avoir un trésor à portée de main, inutile dans ce cas de risquer la pendaison. Tu comprends ?

— Non… » Yeoudith avait répondu d'une petite voix. Elle voyait le visage de son père se brouiller dans les larmes qu'elle retenait.

Yits'aq la prit dans ses bras. « Ma chérie, ils pourraient décider de débarquer et de venir à l'auberge d'Orso pour se venger. Nous n'allons pas faire ce plaisir à un troupeau de Macédoniens puants, n'est-ce pas ? »

Yeoudith hocha la tête, cédant aux larmes. « Non…

— Bien. Par conséquent nous allons nous rendre là où ils ne nous chercheront pas.

— Où ?

— Nous allons nous éloigner de Venise.

— Mais…

— Et dans quelques jours, nous reviendrons en arrière. C'est un peu tortueux comme itinéraire mais bien plus prudent, qu'en penses-tu ? », dit Yits'aq.

Yeoudith acquiesça, appuya son visage contre l'épaule de son père et renifla.

« Tu te mouches dans ma casaque ? », fit Yits'aq.

Yeoudith s'écarta brusquement. « Père, tu es dégoûtant ! Tu aurais dû avoir un fils !

— Tu t'es mouchée, oui ou non ?

— Non !

— Je vérifie ?

41

— Père ! » Et sur le visage effrayé de Yeoudith apparut un timide sourire.

« Viens ici », dit Yits'aq.

Lentement Yeoudith s'approcha de lui, en se balançant, les mains croisées dans le dos.

Yits'aq sortit alors deux objets en tissu jaune de sa besace. Il en passa un à sa fille. « Tu as entendu, n'est-ce pas ? Bonnet jaune. Juifs. » Puis, avec une sorte de solennité, il mit le sien et attendit que sa fille en fasse autant. « À partir de ce moment, nous sommes officiellement des Juifs d'Europe, dit-il. Et à partir de ce moment, mon nom est Isacco da Negroponte et le tien Giuditta.

— Giuditta…

— Ça sonne bien.

— Oui…

— Et tu es jolie, même avec ce bonnet d'imbécile sur la tête. »

Giuditta rougit.

« Ah non, hein ? S'il te plaît ! Ne fais pas la fille, tu sais que je ne le supporte pas ! », dit Isacco.

Giuditta regarda son père, se demandant s'il plaisantait.

« Je ne plaisante pas. »

Giuditta rougit de nouveau. « Excuse-moi, je ne voulais pas… », dit-elle tout de suite.

Isacco fit un bruit, comme un grognement, et leva les yeux au ciel. Puis il indiqua un sentier étroit et fangeux qui allait vers l'ouest. « Ça doit bien mener quelque part. » Mais il prit soin auparavant de laisser des empreintes sur le chemin qui allait vers l'auberge d'Orso. Il revint sur ses pas en marchant sur le bord herbu. « Ils seront soûls et furieux. Ils n'y verront que du feu. Il faut toujours soigner les détails, souviens-t'en.

— Où as-tu appris tout cela, père ? demanda Giuditta.

— Tu n'as pas besoin de tout savoir », répondit Isacco, embarrassé. Il se dirigea vers l'ouest, mais sans marcher dans la boue du sentier. « Reste derrière moi. Nous allons marcher un peu entre les roseaux pour ne pas laisser… »

Il y eut un son sourd, suivi d'un bruit d'eau et d'un gémissement étouffé.

Isacco se retourna.

Giuditta avait posé son pied gauche au mauvais endroit et sa jambe s'était enfoncée dans l'eau.

« Décidément, tu es une plaie ! », s'exclama Isacco. Il l'attrapa solidement et la souleva pour la remettre sur la terre ferme. « Écoute… », lui dit-il, se sentant en faute, il fit des gestes embarrassés et bafouilla « Je… je plaisantais.

— Désolée de ne pas avoir ri, alors, répondit Giuditta froidement. On peut se remettre en route ? »

Isacco la regarda, sa respiration s'accéléra mais il se retint et reprit sa marche. Au bout de quelques pas, il s'arrêta. Il se tourna vers sa fille, en soufflant par les narines comme un taureau. Il était écarlate. « Bon, d'accord, lâcha-t-il. Je ne plaisantais pas. Satisfaite ? »

Giuditta le regarda sans parler. Elle cherchait à faire la fière mais son père lut de la frayeur dans ses yeux.

Isacco pensa qu'elle ressemblait extraordinairement à sa mère. Et qu'il était tellement dommage que Giuditta ne l'ait pas connue. « Écoute, je suis désolé, dit-il. Je ne sais pas bien comment on se comporte avec une fille. J'aurais dû t'élever mais je ne l'ai pas fait. Voilà. On arrête, maintenant ? »

Giuditta arqua un sourcil.

« Ça veut dire oui ou ça veut dire non ? »

Giuditta haussa les épaules. « Oui.

— Bien », maugréa Isacco, qui se sentait de plus en plus coupable. Il se tourna et se remit en marche. « Fais attention où tu mets les pieds », dit-il avec rudesse. Et se mordant les lèvres d'avoir parlé sur ce ton : « Essaie de me suivre. » Il respira à fond. « Je veux dire… si tu peux… Bon, t'as compris, non ? »

Giuditta ne répondit pas.

« T'as compris ?

— Oui. »

Ils restèrent silencieux pendant une bonne lieue. Puis le sentier s'élargit en une petite route, tout aussi boueuse. Le soleil se dirigeait lentement vers l'horizon, faible et voilé par le brouillard.

Giuditta, pendant tout ce temps, n'avait pas cessé de penser à une question qui lui brûlait les lèvres. Une question qu'elle s'était déjà posée des dizaines et des dizaines de fois dans sa tête, depuis qu'elle était toute petite.

« Père… »

Mais elle n'avait jamais eu le courage.

« Quoi ? »

Elle ne comptait plus les fois où elle avait failli le demander. Mais elle avait toujours eu peur. Peur de la question, et aussi de la réponse. Peur de perdre le peu qu'elle avait.

« Père…

— Eh bien, que veux-tu ? », demanda Isacco d'un ton désagréable, qu'il jugeait simplement expéditif.

Giuditta regarda autour d'elle. Regarda ce monde nouveau qui promettait une vie nouvelle. Regarda le dos de son père. Il n'était pas parti tout seul, il l'avait emmenée. Giuditta prit une longue inspiration. Elle entendait son cœur qui battait fort. Elle avait tellement peur qu'elle n'entendait plus rien d'autre. « Père, je voudrais te demander quelque chose », dit-elle tout à trac, les yeux fermés, d'une petite voix qui tremblait. Et elle continua, vite, avant de succomber à sa peur pressante, avant qu'Isacco ne se retourne : « Tu es en colère après moi parce que j'ai tué ma mère ? C'est pour ça que j'ai été élevée par grand-mère et que je ne te voyais jamais, n'est-ce pas ? »

Isacco s'apprêtait à se retourner mais la question le glaça. Il rentra les épaules, comme après un coup terrible et inattendu. Il n'arrivait pas à se retourner, sentait qu'il avait un nœud à l'estomac. « Marchons, dit-il finalement, sans avoir le courage de la regarder. Bientôt il fera nuit et… Marchons, allez. » Après quelques pas, il parla, doucement, d'une voix rauque, mais sans regarder sa fille qui suivait, la tête basse. « Ta mère… est morte en couches. Ce n'est pas toi qui l'as tuée. Cela fait une énorme différence… et j'espère que dans ton cœur tu pourras le comprendre. Je n'ai jamais pensé que… J'étais absent parce que…, disons, parce que la vie que je menais… bref, la vie que je t'ai racontée… plus ou moins… Et si tu as grandi avec ta grand-mère maternelle, ce n'est pas parce que je ne voulais pas te voir, mais parce que j'avais confiance en elle… et toi… toi… » Isacco s'arrêta. Toujours incapable de se retourner. Il sentait sa fille derrière lui. Il sentait qu'elle retenait son souffle. Et il la vit soudain pour ce qu'elle était, cette enfant qu'il avait toujours jugée indépendante : une petite fille qui avait grandi en croyant que son père la détestait. « Comment j'ai pu être aussi stupide… », dit-il tout bas. Il esquissa encore un pas. « Comment j'ai pu ? », cria-t-il presque, et il s'arrêta net.

Giuditta, qui avançait derrière lui, avait tendu la main quand son père s'était arrêté, et l'avait appuyée contre son dos. Sentant Isacco se raidir, elle l'avait enlevée aussitôt, en murmurant : « Pardon. »

Ils restaient là tous deux, immobiles. Isacco incapable de se retourner. Giuditta, la main encore suspendue dans l'air.

« Je t'ai raconté que mon père était médecin… », reprit Isacco, sachant que cette phrase allait amener une souffrance qu'il aurait voulu éviter. « Un bon médecin, le meilleur de l'île de Negroponte. Le médecin personnel du gouverneur vénitien… du *bailo*[1], comme on l'appelait. Je n'ai pas connu ce monde-là, je suis né en 1470, quand les Turcs ont occupé l'île et chassé les Vénitiens. Mon père n'a pas été tué. Les Turcs lui ont permis d'exercer la médecine, mais seulement à l'intérieur de l'île, où il n'y avait que de pauvres gens, des bergers. Il s'est plié à cette exigence, en ressassant sa colère et la nostalgie de sa vie passée. C'était l'homme le plus orgueilleux, le plus fier, le plus tyrannique et le plus têtu qui ait jamais existé. » Isacco s'arrêta. « Cela ne te rappelle pas quelqu'un ? », dit-il avec un sourire triste, pensant à lui-même.

Giuditta effleura de la main le dos de son père, timidement. « Non, père », dit-elle.

1. Titre donné à l'ambassadeur de la République vénitienne auprès de la porte Ottomane. (*Toutes les notes sont de la traductrice.*)

Isacco sentit son cœur saisi par l'émotion. Et une chaleur dans son dos, là où Giuditta avait posé sa main. « Il nous a obligés à vivre pendant des années, ma mère, mes trois frères et moi, dans une baraque affreuse, avec deux chèvres pour avoir du lait. Les gens qu'il soignait n'avaient pas de quoi le payer. Mais chaque soir il nous parlait de Venise et de sa civilisation supérieure, des brocarts, des épices et de l'or. Il nous a même appris à parler vénitien… ce salaud. Il s'est mis à creuser des dents, inciser des abcès, faire naître des enfants et des agneaux, castrer le bétail et couper les jambes gangrenées des êtres humains. Il est devenu une sorte de barbier, en somme. Lui, le grand médecin du *bailo* de Venise. Et il m'emmenait dans ses tournées… il disait que j'étais le seul de ses fils qui n'avait pas peur du sang. Et d'un ton méprisant, ce salaud ajoutait toujours pour ses patients : "Il n'a pas peur du sang parce qu'il n'a pas de cœur." Et sais-tu pourquoi ? Parce qu'il avait découvert que j'allais sur le port et que je me débrouillais pour trouver de la nourriture, quitte à la voler, pour ma mère, qui s'affaiblissait de plus en plus. Mais lui, jamais un seul compromis. Monsieur le médecin du *bailo* de Venise… ce salaud… »

Giuditta s'approcha encore plus et l'enlaça, par derrière, appuyant sa tête contre le dos maigre de son père.

Isacco serra les lèvres et fronça les sourcils, essayant de retenir les larmes de rage qui montaient en lui. « Et un jour je suis parti. Je venais juste d'inventer la légende de la sainte et du docteur Qalonimus. C'est là que j'ai rencontré ta mère. On se comprenait, tu vois ? De toute ma vie, c'est la seule femme que j'aie

47

comprise. Elle avait été chassée de chez elle par un père qui ressemblait au mien. C'était peut-être pour ça : je savais ce qu'elle ressentait. Et un an après, elle donnait naissance à notre première fille… C'était toi. Mais quelque chose s'est mal passé. La sage-femme… » Isacco se plia en deux. « Oh, Seigneur du Monde, aide-moi à le supporter ! »

Giuditta se baissa sur lui, sans le lâcher.

« Comment un nouveau-né innocent pourrait-il tuer sa propre mère ? dit Isacco, la voix brisée par l'émotion. Même s'il le voulait, il ne le pourrait pas. Moi, par contre… moi, je n'ai pas pu l'aider… je croyais avoir tout appris de ce salaud de grand médecin du *bailo*… Mais je l'ai tuée. Si quelqu'un l'a tuée… c'est moi… » Isacco se redressa et trouva la force de se tourner vers sa fille. Il prit son visage entre ses mains. « Je me racontais que si j'étais absent, c'était parce que j'avais une vie compliquée… » Il sourit, mélancolique. « Je te l'ai même dit tout à l'heure… » Il attira Giuditta contre lui. Il ne pouvait pas la regarder longtemps dans les yeux. « J'étais rarement à la maison parce que je me sentais coupable envers toi… pour t'avoir privée de ta mère… parce que je n'avais pas été capable de… »

Ils restèrent enlacés, en silence.

« Père…

— Chut… ne dis rien, mon enfant. »

Ils continuèrent de se tenir enlacés. Isacco et sa douleur, son sentiment de culpabilité qu'il avait réussi pour la première fois à nommer. Giuditta avec son père. Si différent de ce qu'elle avait toujours cru. Qui était un charlatan et un escroc. Et qui n'était pas en colère contre elle à cause de la mort de sa mère.

« Père…, dit de nouveau Giuditta, après un long moment.

— Chut… tu n'as besoin de rien dire.

— Si, père, au contraire.

— Alors, dis-moi.

— Les moustiques sont en train de me dévorer. »

Isacco s'écarta. « Tu ressembles à ta mère, mais tu as mon esprit », dit-il en s'abandonnant à un sonore éclat de rire. Il l'étreignit de nouveau et dit : « Allons, marchons. On dirait deux filles.

— Mais *je suis* une fille !

— Ah oui, c'est vrai ! rit encore Isacco en rabattant le bonnet jaune sur les yeux de sa fille. Regarde où tu mets les pieds, espèce de plaie. »

Le soleil venait de se coucher quand ils aperçurent une ferme basse, dont la cheminée produisait une fumée dense. Sur la façade, le dessin grossier et tout craquelé d'une anguille, qui ressemblait plutôt à un monstre marin. La porte était fermée.

Isacco s'arrêta et regarda Giuditta. « Écoute, je ne t'échangerais pour aucun fils au monde », lui dit-il tout d'un trait.

Giuditta, surprise, rougit de nouveau.

« Encore ? Allons ! », s'exclama Isacco.

Elle rougit de plus en plus.

« Tu ne me facilites pas la tâche », marmonna Isacco.

On entendit la cloche des vêpres au loin.

« Entrons et n'en parlons plus », dit Isacco. Il frappa et ouvrit.

Père et fille furent assaillis par un flux d'air agréablement tiède. On y respirait une odeur de nourriture et d'étable. La salle était séparée en deux moitiés par un muret et un petit portail de bois, l'une destinée aux clients, l'autre réservée aux animaux, deux vaches laitières et un mulet. Le plafond était bas et oppressant, les fenêtres minuscules. Sur la longue table de planches mal dégrossies brûlait une lampe à huile faite d'un métal sans valeur, avec une boîte en guise de réservoir et une mèche qui brûlait entre deux plaques de miroir au mercure devenues opaques. Plus loin, une grande lampe tout aussi simple pendait à une poutre. Le fond de la pièce était plongé dans la pénombre.

Deux clients étaient assis autour de la table, le regard fixe, devant une carafe de vin. Ils se tournèrent pour voir les nouveaux arrivants, trouvant la force de soulever à nouveau leur godet de terre cuite. Puis ils retombèrent dans leur hébétude. L'un d'eux avait les paupières qui se fermaient et la tête qui penchait.

« Bonsoir, braves gens », dit Isacco d'une voix forte, pour faire venir l'aubergiste.

De l'étage au-dessus parvint un gémissement qui se transforma bientôt en cri. C'était une voix d'enfant. Quelques instants après, le cri s'éteignit.

« Bonsoir, braves gens », répéta Isacco tourné vers l'étage.

On entendit une porte s'ouvrir et se refermer. Puis une femme, jeune mais recrue de fatigue, se pencha par-dessus la rampe. Le regard angoissé, elle tenait une lanterne fermée où brûlait une chandelle de suif.

« Bonsoir, brave femme, dit Isacco. Nous sommes des voyageurs et nous voudrions passer la nuit ici, et manger quelque chose de chaud, si possible. »

L'aubergiste les fixait comme si elle pensait à autre chose. Enfin, machinalement, elle dit : « C'est un demi-sol d'argent.

« — Très bien, dit Isacco.

— Mais il n'y a rien à manger, dit la femme. Juste du pain et du vin.

— Nous nous en contenterons. »

L'aubergiste acquiesça mais ne bougea pas. Puis un nouveau gémissement, qui, cette fois, ne se transforma pas en cri, la fit se retourner. Encore plus angoissée, elle porta la main à sa bouche. Elle descendit l'escalier de planches rabotées, ouvrit un buffet qui se trouvait dans le recoin sombre de la salle, sortit une miche de pain enveloppée d'une toile de lin grège et tira d'un tonnelet une carafe de vin rouge. Elle mit le tout sur la table, puis apporta deux verres ébréchés et un couteau pour le pain.

« Je n'ai pas fait la cuisine aujourd'hui, dit-elle sans force. Ma fille est tombée malade…

— Je suis désolé, dit Isacco.

— Je deviens folle, continua la femme avec un regard embué qui laissait percevoir toute sa peine.

— Et le docteur, qu'a-t-il dit ? », s'informa Isacco.

La femme le regarda d'un air ahuri. Puis elle hocha la tête, perdue dans ses pensées. « Aucun docteur ne vient par ici, dit-elle. On fait nos enfants seuls dans notre lit et on y meurt seuls, quand l'heure est venue. »

Giuditta regarda la femme, dont elle sentait toute la douleur.

Un nouveau gémissement parvint de l'étage.

La femme tressaillit, serrant les lèvres. Son visage disgracieux montrait, presque avec indécence, la souffrance qui la traversait.

Alors sans réfléchir, Giuditta, dit : « Mon père est médecin. »

5

Quand, au matin, Mercurio sauta en bas de la plate-forme, il dit : « Ma mère était comédienne. Comédien, en fait. » Il regarda les trois autres, qui descendaient et l'écoutaient. « Vous savez que les femmes n'ont pas le droit de jouer au théâtre ? », ajouta-t-il.

Benedetta et Zolfo se regardèrent. « Bien sûr, mentit Benedetta.

— Ah oui ? fit Mercurio. Eh bien, ma mère, pour jouer, elle s'est déguisée en homme pendant des années. Et tout le monde y croyait. Et elle était tellement mignonne en homme qu'on lui faisait faire les rôles de femme. »

Benedetta et Zolfo l'écoutaient, fascinés mais perdus dans tous ces changements de sexe.

Mercurio attrapa un pan de la toile sale et rapiécée accrochée à la plate-forme. « Vous êtes prêts ? », dit-il avant de le tirer d'un geste théâtral, révélant ce qu'il cachait.

Benedetta, Ercole et Zolfo restèrent bouche bée.

On se serait cru dans un atelier de couture. Ou dans un magasin : une soutane de curé et une robe de bure côtoyaient un habit noir de copiste et une livrée de domestique à rayures ; un uniforme de soldat du pape avec son gilet de cuir renforcé à la poitrine dépassait sous des chausses de l'armée espagnole, une jambe amarante et une jambe safran ; un gilet à manches bouffantes scintillant de broderies était suspendu près d'un tablier de forgeron, d'une grande cape noire et d'une houppelande de voyage en toile cirée. D'un panier d'osier sortaient chapeaux, perruques, lunettes, monocles, fausses barbes, bourses et parchemins. Et d'un autre une multitude d'objets : une petite épée, un marteau de forgeron, un autre plus fin de maréchal-ferrant, une ceinture de cuir avec des ciseaux et des gouges de graveur, un rasoir de barbier, des scies de menuisier et des cachets-tampons de secrétaire, des plumes d'oie, des encriers. Il y avait des chaussures basses, des bottes, des pantoufles et des sabots de vendeur de poisson. Enfin, une robe de courtisane bleu cobalt, rehaussée de fausses pierres précieuses en verre coloré, voisinait avec un ensemble vert foncé pour jeune fille de bonne famille, à l'élégance discrète, et une tenue de servante plus modeste, grise et marron, à tablier à grande poche, complétée d'une coiffe blanche.

« Putain de Dieu ! », s'exclama Benedetta.

Mercurio se dandinait, tout fier. « Mettons-nous au travail, dit-il. Il m'est venu une idée pour reprendre la pièce d'or à cet aubergiste.

— Où as-tu trouvé tout ça ? demanda Benedetta comme si elle n'avait pas entendu.

— Ma mère me l'a laissé en héritage, dit Mercurio. C'est elle qui m'a appris à me déguiser. Sauf que je suis une espèce de comédien un peu différent… ajouta-t-il en riant.

— T'es pas orphelin ? demanda Zolfo.

— Si, mais en mourant ma mère a demandé au directeur de la troupe de me retrouver et de me donner toutes ses affaires, avec sa bénédiction. » Mercurio les regarda : ils étaient suspendus à ses lèvres. « Écoutez, c'est une longue histoire. Disons que ma mère couchait avec un comédien de la compagnie qui savait qu'elle était une femme. C'est comme ça que je suis né et que ma mère a été obligée de…

— De t'abandonner dans le tour comme Ercole et moi, dit Zolfo, et il cracha par terre.

— Le tour, ricana Ercole.

— Tais-toi, imbécile, lui dit Zolfo.

— Non. Ma mère ne m'aurait jamais abandonné. Elle m'a confié à une femme à qui elle a donné de l'argent pour m'élever. Sauf que la femme a gardé l'argent, et m'a laissé sur la roue à l'orphelinat de San Michele Arcangelo.

— La salope !

— Bref, après ça, ma mère est tombée malade et elle est morte. Le directeur de troupe m'a retrouvé, et il m'a donné tout ce qu'elle possédait, c'est-à-dire les costumes de tous les rôles qu'elle interprétait. C'est lui qui m'a raconté son histoire. Il m'a dit que c'était la meilleure comédienne de toute sa compagnie et qu'…

— … qu'elle t'avait toujours aimé ? demanda Zolfo, les yeux pleins d'espoir et d'envie.

— Exactement !

— Mais comment il a fait pour te retrouver et savoir que c'était toi ? s'interposa Benedetta.

— C'est compliqué, coupa Mercurio. Maintenant, occupons-nous de l'aubergiste. Lave-toi la figure et les mains, lui dit-il. Il y a de l'eau dans le seau.

— Pas question ! lâcha-t-elle.

— Lave-toi, répéta Mercurio.

— Pourquoi je devrais ?

— Parce que ça fait partie de mon plan. Lave-toi et tu verras. » Il prit le costume vert de jeune fille de bonne famille. « Il devrait t'aller, dit-il en le lui tendant.

— L'eau est froide, se lamenta Benedetta qui commença par se nettoyer les yeux avec deux doigts.

— Fais pas de chichis, tu dois avoir l'air propre.

— Je déteste me laver, répondit-elle, d'un ton maussade.

— Ça, tu peux être sûre qu'on le sent ! »

Et Mercurio éclata de rire.

Benedetta le foudroya du regard, plongea ses deux mains dans l'eau et se frotta la figure avec rage.

« Bien. Maintenant change-toi, dit Mercurio, après avoir vérifié que le noir sous ses ongles avait disparu.

— Où ? »

Mercurio eut une expression étonnée. « Comment ça, où ?

— Tu crois pas que je vais me montrer toute nue ? répliqua Benedetta.

— Ben… j'ai qu'une seule pièce, si tu vois ce que je veux dire…

— Tournez-vous ! Et vous avez pas intérêt à regarder ! », ordonna la jeune fille. On entendit des bruissements d'étoffe. Peu après, elle dit : « J'ai fini. »

Zolfo et Ercole restèrent bouche bée. « Tu es magnifique ! », s'exclama le premier. Et l'autre répéta : « Ercole aussi dit mifique. »

Benedetta rougit fortement. « Idiots ! », lança-elle, et elle regarda Mercurio, qui dit alors : « Commencez à sortir. J'arrive et je vous explique mon plan. »

Une petite demi-heure plus tard, ils étaient dans la rue, marchant d'un pas vif.

Benedetta se plaça à côté de Mercurio. « Elle jouait quel rôle, avec ce costume ?

— Qui ?

— Ta mère.

— Ah, oui… Elle jouait… la duchesse.

— La duchesse ? », s'étonna Benedetta. Elle passa la main sur le costume, en se dandinant. Elle fit encore quelques pas, bombant la poitrine. « Écoute, je suis désolée pour hier soir.

— À quel sujet ? demanda Mercurio.

— Je parlais pas sérieusement… quand je disais que tu pouvais aussi bien t'y noyer, dans ton égout… Si j'avais su…

— C'est bon. »

Benedetta lui toucha l'épaule de la main.

Mercurio s'écarta. « Je veux pas d'amis.

— Et moi donc… », dit-elle. Puis elle le toisa et se mit à rire. « T'as vraiment l'air d'un curé. »

Mercurio sourit, satisfait. Il portait une longue soutane noire à boutons rouges, avec sur la poitrine un cœur sanglant couronné d'épines. Et sur la tête, un chapeau noir et brillant.

« C'est pas encore parfait », dit-il. Il s'approcha du râtelier de deux mulets, prit une poignée de foin qu'il roula en boule et glissa sous sa soutane, à la hauteur du ventre : « Les curés déjeunent, dînent et soupent tous les jours. Pas comme nous. C'est pour ça qu'ils sont si gras. » Puis il attrapa une pomme à la volée sur un étal de fruits, en coupa deux tranches et les mit dans sa bouche, coincées entre les gencives et la joue. « Voigà, baintenant je suis farfait, et il rit. Il fuffit de barcher un feu flus lourdement... » Et il changea son rythme de marche.

« C'est fou ! s'exclama Benedetta.

— Bour ze déguiser, il ne fuffit bas...

— Je comprends rien à ce que tu dis », fit Benedetta.

Mercurio enleva les tranches de pomme de sa bouche et les jeta. « Non, ça va pas. Autre règle : jamais exagérer. Si l'aubergiste ne comprend pas ce que je dis, tout se casse la figure. Je disais : pour se déguiser, il ne suffit pas de mettre une tenue différente de ta tenue habituelle. Tu dois te débrouiller pour qu'elle devienne *habituelle*. Te déplacer avec comme si tu la mettais tous les matins.

— Comment je devrais me déplacer dans cette robe de duchesse ? demanda Benedetta.

— Tu devrais déjà tortiller du cul.

— Va te faire foutre », fit Benedetta, mais quelques pas plus loin elle éclata de rire et se mit à se déhancher.

Ils tournèrent dans le vico de' Funari. « Attends ici. Reste en vue, dit Mercurio à Benedetta. Vous deux, ne vous montrez pas. »

L'aubergiste du vico de' Funari était un homme fort, au visage rougi par l'excès de boisson et à l'air plein d'assurance. L'Osteria de' Poeti était vaste et lumineuse, avec de grandes entrées et des portes à quatre panneaux repliables, que les serviteurs étaient en train de fixer au mur. Contre le mur de droite, deux énormes tonneaux de vin, qui montraient la richesse du patron, étaient exposés.

Dans le dos de l'aubergiste une voix résonna : « Bonne journée, mon frère.

— J'ai pas de frère », répondit l'autre d'un ton hargneux, se retournant vers le jeune prêtre.

« Notre-Seigneur, aujourd'hui, veut te donner une chance », dit Mercurio avec un sourire suave.

L'aubergiste le toisa de la tête aux pieds. « Si tu cherches des offrandes, tu viens taper dans la mauvaise poche, curé », répondit-il. Et il fit mine de lui tourner le dos.

« Brave homme, tu ne comprends pas. C'est Notre-Seigneur qui, dans son immense générosité, veut te faire, à toi, une offrande. »

L'aubergiste le regarda, fronça les sourcils. « Quelle offrande ?

— Il te donne la possibilité de réparer un tort. »

L'aubergiste devint suspicieux. Il croisa les bras et redressa le buste. Les lèvres serrées, il fixa le petit curé.

Mercurio soutint son regard.

« Et ça serait quoi, ce tort ? », finit par céder l'aubergiste.

Mercurio eut un sourire béat. « Son Excellence Révérendissime l'évêque de Carpi, *Monsignor* Tommaso Barca di Albissola, que j'ai le très haut honneur de servir comme secrétaire, *in saecula saeculorum atque voluntas Dei*…

— Arrête de dégoiser en latin et parle. Et vite, fit l'homme, qui avait perdu un peu de sa superbe, à entendre un nom aussi long.

— Il ne sert à rien que je parle. Il te suffira de regarder cette jeune fille pour comprendre. » Et en disant ces mots, il se tourna vers la ruelle et montra Benedetta. « Tu la reconnais ?

— Pourquoi ? Je devrais ? dit l'aubergiste, sur la défensive.

— Parce que, hier tu lui as retenu une pièce d'or qui était en sa légitime possession, dit Mercurio.

— Que je sois damné si c'est vrai... »

Mercurio hocha la tête, plissant les lèvres en signe de désapprobation. « Notre-Seigneur, par la main de l'humble serviteur que je suis, t'offre une chance, et tu la gaspilles aussi vilainement ? Je représente la main de Dieu et la bourse de sa Seigneurie. La pièce que tu as soustraite à la jeune fille appartient à l'évêque, en visite à Rome auprès du Saint Père comme chaque année. Et Son Excellence ne sait encore rien de tout cela... »

L'aubergiste était partagé. Il avait peur de se faire avoir, mais ne voulait pas se mettre à dos un prélat. S'il n'entendait pas se séparer d'une pièce d'or si facilement gagnée, il connaissait bien la férocité de la justice administrée par les puissants.

« Elle avait l'air d'une voleuse, toute sale et mal habillée..., marmonna-t-il.

— Évidemment. Elle sortait de l'orphelinat de San Michele Arcangelo, où l'évêque choisit ses... servantes. Et l'épreuve d'hier était la première qu'elle devait surmonter. À chaque nouvelle fille je dois donner une pièce d'or et l'envoyer commander de la nourriture. Si elle revient avec le dîner et la monnaie, elle peut recevoir une éducation. Mais si elle disparaît avec, elle est recherchée par les gardes et traitée comme la voleuse qu'elle est... » Pour attirer l'attention de son pigeon sur un détail et l'empêcher de réfléchir, il souleva son chapeau, riant intérieurement. Sa réponse était toute prête.

Comme il s'y attendait, l'aubergiste eut un regard hésitant et dit : « Elle est où, ta tonsure ? Qui me dit que t'es un curé et pas un escroc ?...

— Je suis un *novitium saecularis* », répondit Mercurio, se délectant de cette expression inventée lors d'une escroquerie précédente.

Il prit le petit sac de toile où il avait mis les pièces d'or volées au marchand, les fit tinter puis dénoua le lacet et ouvrit le sac. Il le posa sur sa paume et le tendit sous le nez de l'aubergiste. « Aubergiste de peu de foi, sache que c'est la miséricorde qui me guide. Regarde ces pièces. Ne sont-elles pas identiques à celle que tu as prise à cette jeune fille ? N'ont-elles pas toutes un lys sur une face et un Saint Jean-Baptiste sur l'autre ? Ces pièces ne sont pas courantes à Rome. »

L'aubergiste tendit le cou et regarda. Puis il glissa la main dans sa poche et prit la pièce volée. « Comment je pouvais savoir ? », bafouilla-t-il, et il la lança en l'air, nerveusement, avant de la reprendre à la volée.

Mercurio ne dit rien.

L'homme regarda vers Benedetta. « Comment je pouvais savoir ? », répéta-t-il, sur le point de céder. Et il lança encore la pièce, plus haut, pour retarder le moment de s'en séparer.

À cet instant, un hurlement féroce retentit dans tout le vico de' Funari.

« Voleurs ! Maudits voleurs ! »

L'aubergiste se retourna et vit un Juif qui désignait Benedetta et deux autres jeunes gens. Il comprit qu'on avait voulu l'arnaquer.

Mais la pièce était encore en l'air que Mercurio, vif comme un chat, s'en était déjà saisi. « Grand couillon », dit-il en éclatant de rire, avant de prendre ses jambes à son cou.

« Au voleur, au voleur ! », s'écria l'aubergiste lancé à sa poursuite.

Mercurio était plus rapide, mais il n'avait pas d'autre issue que de partir dans la direction du marchand, qui était toujours en train de s'en prendre à Benedetta, Zolfo et Ercole. Il se faufila dans l'espace qui restait entre le mur de la ruelle et leur groupe. Dans sa fuite, la paille qui avait servi de bedaine sous sa soutane tomba.

Shimon Baruch, sans comprendre, laissa passer Mercurio.

Mais en voyant ce curé semer du foin derrière lui, le marchand comprit et se lança aussitôt à sa poursuite. « Au voleur ! Au voleur ! »

Derrière lui courait aussi l'aubergiste : « Au voleur ! Au voleur ! »

Plus personne ne s'occupant d'eux, Benedetta s'éloigna dans la direction opposée, suivie de Zolfo et Ercole, qui avait pris un regard d'enfant effrayé. À peine avaient-ils passé le coin de la rue qu'après quelques pas Benedetta s'arrêta et regarda Zolfo. « Il faut l'aider. »

Mercurio courait le plus vite possible pour semer le marchand, mais la soutane le ralentissait. L'aubergiste, lui, avait très vite renoncé. Mercurio l'avait vu se plier en deux, le souffle court, dès les premières ruelles. Chaque fois qu'il se retournait, le marchand était plus près. Il obliqua vers San Paolo alla Regola. Là-bas commençait un dédale de ruelles où l'on perdrait sa trace. Mais le marchand regagnait du terrain. Derrière, Mercurio eut l'impression de voir Benedetta courant comme une furie, les jupes relevées. Il l'imita, releva sa soutane et accéléra sa course. Ses pieds s'enfonçaient dans la boue, ses poumons brûlaient. S'il jetait le sac de pièces d'or, le marchand s'arrêterait pour le ramasser, et il serait sauvé. Mais il ne voulait pas s'en séparer. Il tourna vers San Salvador in Campo et vit qu'il avait de plus en plus de mal à courir. "Ne craque pas", se dit-il. Il se faufila dans une succession de petites rues et se retourna pour vérifier. Le marchand n'allait pas tarder. Il tourna dans une ruelle remplie des détritus du marché aux légumes tout proche. Mais aussitôt entré, il comprit son erreur : une impasse. Il entendait le marchand approcher. Il s'aplatit entre deux colonnes de brique rouge, dans un renfoncement de mur, et retint son souffle.

Shimon Baruch arriva au croisement des ruelles. Malgré l'interdiction faite aux Juifs de porter des armes, il avait acheté une petite épée, à double tranchant et à longue poignée. Devant lui, trois autres ruelles, deux à droite et une à gauche, minuscule et sale.

« Sois maudit ! », s'écria-t-il en entrant dans l'impasse. Il resta immobile, écrasé par le désespoir de l'avoir perdu. « Maudit ! », cria-t-il encore. Il sortit de la ruelle. Aussitôt, il entendit un craquement : de la verdure piétinée. Il revint sur ses pas comme une furie.

Mercurio s'était jeté à terre derrière le tas de légumes, attirant l'attention du marchand.

« Voleur ! Te voilà ! s'exclama Shimon Baruch. Rends-moi mon argent !

— Votre Seigneurie…, dit Mercurio, levant les mains en signe de reddition, je l'ai pas… »

Shimon Baruch avait les yeux rouges, exorbités, les narines dilatées. Sa bouche ouverte bavait, il était essoufflé d'avoir couru. Sa main qui tenait l'arme tremblait. Il tenta une première attaque, en hurlant : « Rends-moi mon argent ! »

Derrière lui apparurent Benedetta, Zolfo et Ercole. Benedetta fit signe à Mercurio de se taire. Puis elle murmura quelque chose à l'oreille d'Ercole. Mercurio vit que le géant faisait non de la tête. Il avait les yeux emplis de terreur.

Shimon Baruch avança encore, ignorant ce qui se passait dans son dos. « Maudit chien, tu voulais me ruiner, hein ? Rends-moi mon argent ou je te tue ! » Il fit un pas, l'épée pointée sur la poitrine de Mercurio. Effrayé par sa propre folie, il ne savait s'il devait éventrer son voleur ou prendre ses jambes à son cou. Il tremblait de tout son être, et cependant continuait d'approcher, les yeux exorbités, la gorge sèche. Il poussa un long cri rauque pour se donner du courage.

Mercurio était terrorisé. Il ferma les yeux.

Benedetta poussa Ercole.

« Ercole aga peur ! », pleurnicha le géant.

Zolfo lui donna un coup de pied.

Le marchand se retourna d'un bond, son épée au bout du bras, à l'instant même où Ercole s'élançait les mains tendues pour le désarmer. Mais Ercole, parce qu'il avait peur, ou par maladresse, trébucha et tomba sur le marchand, lequel, dans sa frayeur, lui enfonça l'épée dans le ventre.

Mercurio entendit un gémissement étouffé. Il ouvrit les yeux et vit la pointe effilée, rouge de sang, ressortir du dos d'Ercole, percé de part en part.

Shimon Baruch recula pour retirer l'arme et fixa Ercole, qui mourait par sa main. « Je ne voulais pas… Je ne voulais pas… », bredouilla-t-il.

Le géant s'écroula au sol, lentement. « Ercole… aga… mal…

— Non ! hurla Zolfo.

— Je ne voulais pas », répéta Shimon Baruch. Puis il regarda Mercurio, redoublant de haine. « C'est ta faute, tout ça ! C'est ta faute ! », hurla-t-il en se jetant sur lui.

Cette fois, Mercurio ne ferma pas les yeux. Il réussit à attraper la main armée du marchand. En luttant, ses forces démultipliées par la terreur, il tenta de contenir la fougue du premier assaut. Il tomba à genoux, sans lâcher sa prise sur le poignet du marchand qui tenait l'épée. La lame ensanglantée arracha un éclat de mur au-dessus de sa tête.

« C'est ta faute ! C'est ta faute ! », hurlait le marchand.

Mercurio, toujours serrant son poignet, pivota sur lui-même en prenant appui sur la hanche du marchand. Il agissait sans réfléchir. Soudain, l'épaule de son adversaire cogna contre le mur et céda. Son coude se plia d'une manière étrange. Son poignet se retourna. Et le poids de Mercurio poussa le poignet vers le bas, involontairement.

La lame entra dans la gorge du marchand.

Mercurio entendit un bruit de cartilage, comme une blatte qu'on écrase ; il sentit le goût du sang qui lui éclaboussait la bouche. Il se releva, terrorisé. Ses yeux se reflétèrent dans ceux de Shimon Baruch, qui s'éteignaient peu à peu. Il resta là à le fixer, immobile, l'arme à la main. Il lâcha l'épée qui tomba, avec une vibration de métal.

« Non… », dit doucement Benedetta.

Alors Mercurio, tout à coup, comme sortant de sa léthargie, détacha de sa ceinture le sac de toile avec les pièces qu'il avait volées. « C'est ça que tu voulais ? hurla-t-il, comme devenu fou. C'est ça, hein ? » Et il le lança sur le marchand qui râlait à terre, les mains serrées contre sa gorge. « Prends-les, tes pièces ! Elles sont à toi ! Prends-les, maintenant !

— Viens, Mercurio, on s'en va », lui dit Benedetta en lui touchant le bras.

Mercurio se retourna sans la voir, puis la reconnut peu à peu. Il regarda Ercole : une tache de sang s'élargissait sur sa casaque, à hauteur de l'estomac. Il l'aida à se remettre debout.

« Tiens-le de l'autre côté », dit-il à Zolfo.

Zolfo pleurait.

« Tiens-le ! », ordonna Mercurio. Il regarda Benedetta. « Partons. »

Ils partirent, laissant le marchand derrière eux, et disparurent dans le dédale des ruelles de Rome.

Quand les gardes arrivèrent, une vieille femme se mit à sa fenêtre et dit : « C'est un curé qui l'a tué. »

Un garde se pencha sur Shimon Baruch. « Il est pas mort, fit-il.

— C'est un curé qui l'a tué », répétait la vieille.

6

La tenancière tourna vivement la tête, plantant son regard vif dans les yeux de Giuditta. Sur son visage se lisait presque de la peur : celle des pauvres gens sur qui tombe soudain une chance inespérée.

« Comment tu dis ? demanda-t-elle dans un filet de voix.

— Mon… mon père… est », bredouilla Giuditta.

La femme se tourna lentement vers Isacco.

« Brave femme… », commença celui-ci, hochant à peine la tête et cherchant les mots pour se sortir de cette situation.

Mais la tenancière l'interrompit, et laissa échapper un torrent de paroles. « Vous êtes docteur ? Vous paierez pas la chambre, je vous cuisinerai ce que vous voulez mais, je vous en prie, sauvez ma petite fille ! dit-elle avec emphase. Sauvez-la, docteur. »

Isacco lança un regard désapprobateur à sa fille. Il se sentait le dos au mur. « Je ferai ce que je peux, brave femme, dit-il d'un ton incertain. Montrez-la-moi. »

La tenancière courut vers l'escalier.

Isacco lança un regard aux deux ivrognes à la table à côté. « Viens avec moi », dit-il à Giuditta.

« Mon mari est mort l'an passé de malaria, raconta la femme tandis qu'ils parcouraient le bref couloir étroit en haut de l'escalier. Je n'ai plus qu'elle », et elle ouvrit une porte.

« Attends ici », ordonna Isacco à Giuditta, avant d'entrer dans une pièce au plafond si bas qu'il dut se courber. Il ôta son bonnet jaune et le passa à sa ceinture. Dans un coin, sur un tabouret, une vieille femme habillée de noir filait, à moitié dans l'obscurité, avec cet air qu'ont souvent les vieilles personnes qui font semblant de ne pas voir la mort à l'œuvre. Isacco supposa que c'était la mère de la tenancière, ou celle du mari mort. Et près du lit où gisait la petite fille malade qui gémissait et s'agitait, un moine était agenouillé, tournant le dos. Vêtu d'une robe de bure râpeuse qui avait dû être noire, une corde autour des hanches, il avait les pieds nus et sales. Isacco éprouva une sensation de malaise. Il n'avait jamais aimé les curés. Avant de s'approcher du lit, il se tourna vers la porte et regarda Giuditta dans la pénombre. Il se rendit compte, avec surprise, qu'il n'était pas en colère contre elle. Au contraire.

Le moine avait le front posé contre la paillasse. Il ne leva pas la tête à l'entrée du nouvel arrivant et continua à marmonner ses prières.

Isacco posa la main sur le front de la petite fille, qui devait avoir une dizaine d'années. Elle était brûlante. Il souleva les couvertures. La petite était recroquevillée sur le côté. Il se demanda ce que son père aurait fait. Alors il essaya de la tourner et de lui étendre les jambes. Elle hurla aussitôt de douleur, portant ses mains à son abdomen.

Le moine leva les yeux. Il n'avait pas plus d'une trentaine d'années, mais son visage semblait momifié, tant sa peau collait à son crâne. Ses joues creuses étaient sillonnées de rides profondes qui ressemblaient à des cicatrices. Il avait l'aspect d'un homme qui jeûne depuis de nombreuses semaines. Ses petits yeux d'un bleu intense étaient comme possédés, injectés de sang ; ils se posèrent d'emblée sur le bonnet jaune qui pendait à la ceinture d'Isacco. D'un bond, il fut debout et pointa vers lui le crucifix qui pendait à son cou.

« Satan ! rugit-il. Que fais-tu ici ? »

Isacco cessa de palper l'abdomen de la petite fille.

« C'est un médecin, mon frère, dit la tenancière. Il est là pour ma fille. »

Le religieux se tourna vers elle, la toisant avec sévérité, comme si elle faisait injure au nom du Seigneur. « C'est un Juif, dit-il d'une voix grave.

— C'est un médecin », répéta la tenancière.

Le moine leva les yeux au ciel. « Père, pourquoi envoies-tu le serpent chez Ève affaiblie ? » Il pointa ses yeux de possédé sur Isacco. « Envoie-le plutôt à moi, que je puisse l'écraser sous mon talon. »

« Qu'est-ce qu'elle a ma petite fille, docteur ? », demanda la tenancière à Isacco, avec une inquiétude dans la voix, comme si elle comprenait que bientôt plus personne ne pourrait plus rien pour elle.

Isacco avait vu son père aux prises avec cette inflammation qui frappait plus souvent les enfants. « Il faut inciser et attacher…, commença-t-il, en fixant le religieux.

— Tais-toi, impie ! hurla le frère, qui se tourna de nouveau vers la mère de la malade. As-tu perdu tout sens commun, femme ? Comment peux-tu laisser toucher ta fille, consacrée en Christ, par les mains répugnantes d'un Juif ? Après le contact avec ce chancre, sa maladie empirera, femme ignorante. Ne comprends-tu pas qu'il lui prendra son âme et la vendra à son maître Satan, femme stupide ? Si Notre-Seigneur a décidé de sauver ton enfant, Il la sauvera par mes prières, et s'Il a décidé au contraire de la rappeler à Lui, c'est pour la placer au milieu d'un chœur d'anges, femme ingrate. Mais si elle mourait par la main de l'hébreu impie, elle irait griller en enfer avec les porcs comme lui. » Le frère se tut, le crucifix tendu vers Isacco, et s'avança vers lui. « *Vade retro, Satanas*. Ôte tes pattes de cette malade. *Vade retro, Satanas*. Tu n'auras pas l'âme de cette innocente créature.

— Il faut inciser », répéta Isacco en reculant. Il regardait la tenancière : c'était à elle de décider.

« Sortez, dit alors la femme, à contrecœur.

— Et tu ne logeras pas l'impie, ainsi est-il écrit dans les textes sacrés, déclama le prédicateur avec emphase, afin que ses péchés ne souillent point ta maison. »

Dès qu'ils furent seuls dans l'obscurité du couloir, la femme, la tête basse, dit à Isacco : « Allez tout de suite dans la chambre avec votre fille. Il ne sera pas dit que je chasse de chez moi un chrétien, même s'il est juif.

— Il faut inciser », insista Isacco.

La tenancière secoua la tête avec force, comme si elle voulait chasser de ses oreilles les paroles d'Isacco. « Ne vous montrez pas aux alentours. » Puis elle lui donna une chandelle de suif et un briquet.

Isacco et Giuditta s'enfermèrent dans la chambre.

« Tout est ma faute », dit Giuditta.

Isacco ne répondit pas, ne lui fit pas une caresse, ne la regarda pas. Il s'étendit sur la paillasse, en silence.

À l'aube, la petite fille était morte.

Isacco le sut aux cris désespérés de la mère qui retentissaient dans toute l'auberge. Au même moment, les cloches annoncèrent les laudes. Les sons poussifs se répercutaient dans le brouillard dense. À l'arrière-plan, la voix du frère débitait une prière en latin.

« Lève-toi, vite, dit Isacco à sa fille. Il faut partir. »

Ils ouvrirent la porte de la chambre, descendirent l'escalier sans bruit et se dirigèrent vers la sortie.

Quand ils furent dans la cour, délimitée par des pieux cloués et une clôture de joncs marquant surtout un périmètre pour les poules qui grattaient le sol, la tenancière vint à la petite fenêtre de la chambre du haut pour l'ouvrir et laisser ainsi s'échapper l'âme de son enfant. Voyant qu'ils s'esquivaient en douce, ivre de sa propre douleur, à peine consciente de ce qu'elle disait, épuisée par une nuit passée à prier aux côtés du frère, elle hurla : « Maudits Juifs ! Vous avez amené le malheur dans ma maison ! Que Dieu vous maudisse !

— Ne te retourne pas et marche », ordonna Isacco à Giuditta, alors qu'ils croisaient des paysans venus des fermes voisines apporter le réconfort de leurs prières.

« Que Dieu vous maudisse ! », cria encore la tenancière, qui avait perdu la raison.

Un paysan aux mains larges comme des bêches les regardait sans un mot, en crachant par terre.

70

À la tenancière vint s'ajouter le moine qui, le crucifix à la main, se pencha tellement par la fenêtre de la chambre qu'on aurait cru qu'il allait tomber. De son ton de prédicateur, il tonna : « Suppôts de Satan ! Suppôts de Satan ! »

Isacco vit que Giuditta regardait derrière eux. « Ne te retourne pas, ordonna-t-il à nouveau, d'une voix basse et ferme. Et ne marche pas trop vite. »

« Juifs, suppôts de Satan », répéta une vieille qui faisait partie du petit cortège de paysans. Et d'autres l'imitèrent, criant des insultes.

Puis une pierre toucha Isacco à la nuque. Ses jambes, un court instant, le lâchèrent. Mais il redressa son bonnet jaune sur sa tête et continua, sans se mettre à courir. C'était ce qu'il fallait faire en présence d'un ours ou d'un chien de berger, et aussi ce que lui dictait son expérience d'escroc. Du coin de l'œil, il regarda sa fille, raide, obéissante, le visage sillonné de larmes.

« Allez-vous-en, maudits ! », résonna une dernière fois la voix de la tenancière, avant que le père et la fille ne tournent pour s'engager sur la grand-route.

Ils avaient fait à peu près un quart de lieue d'un pas soutenu, dans un silence total, sans se regarder, quand Isacco, à proximité d'un petit bois, dit : « Suis-moi. » Il coupa à travers champs et s'aventura dans les broussailles. Arrivé au tronc d'un grand arbre abattu par la foudre, il s'y assit et fit signe à Giuditta d'en faire autant. Il prit dans sa besace la miche de pain de la veille et la partagea.

« Mange. C'est tout ce qu'il y a. »

Giuditta sortit de son propre sac trois biscuits durs aux raisins et aux amandes, faits de farine de seigle. « Il y a ça aussi. »

71

Son père la serra dans ses bras. « Je n'aurais jamais cru que de vieux biscuits puissent me rendre aussi heureux. »

Ils venaient de terminer leur frugale collation quand ils entendirent des voix sur la route.

« Enlève ton bonnet, dit Isacco.

— Mais la loi…, tenta de répliquer Giuditta.

— Enlève ce maudit bonnet ! », siffla Isacco.

Puis il se leva et alla s'installer en un point d'où l'on pouvait contrôler la route sans être vu. Il s'agenouilla derrière un buisson. Giuditta le rejoignit. Ils virent le moine marcher à la tête d'une petite troupe de paysans, des faux et des fourches sur l'épaule.

« Ce sont des hérétiques qui ne reconnaissent pas que Notre-Seigneur Jésus-Christ est l'Agneau de Dieu ! hurlait le prédicateur de sa voix de stentor.

— Amen, répondaient en chœur les paysans.

— Ce sont des impies qui se gaussent de l'Annonciation et de l'Immaculée Conception !

— Amen !

— Ils ne sont pas dignes de vivre auprès de Notre-Père !

— Amen ! »

Un paysan, s'écartant du groupe, s'écria : « Et ils enlèvent nos nouveau-nés pour boire leur sang ! »

Alors, tous, en un chœur désordonné, crièrent : « À mort les Juifs ! »

Giuditta, effrayée, se serra encore plus contre son père. « Pourquoi ? », demanda-t-elle dans un filet de voix, au milieu des larmes.

Isacco, sévère, la fixa de son œil de bélier.

« Même si je t'appelle mon enfant, tu n'es plus une enfant, lui dit-il d'un ton dur. Arrête de pleurnicher. »

Giuditta s'écarta de lui. Elle pensa qu'il la détestait. Mais elle avait cessé de pleurer. Et elle avait moins peur.

Alors Isacco se rapprocha d'elle et lui dit : « Maintenant je vais t'apprendre ce que fait le renard, quand le chasseur a lâché les chiens. »

7

« Tournons ici », dit Mercurio à bout de souffle, soutenant Ercole, de plus en plus lourd à mesure qu'il perdait son sang. Ils s'engagèrent dans la via dell'Orto di Napoli.

Mercurio se retourna et regarda derrière eux, inquiet.

« Sois tranquille, personne nous suit, dit Benedetta.

— Tranquille ? lâcha Mercurio. J'ai tué un homme ! Je l'ai volé et je l'ai tué. S'ils m'attrapent, je suis condamné à mort. »

Il voulut repartir et trébucha.

« Je reste en arrière pour surveiller », proposa Benedetta.

Mercurio acquiesça. « Et toi, arrête de pleurnicher, ça sert à rien, dit-il à Zolfo. Appuie fort. »

Zolfo renifla et pressa le bout de chiffon sur la blessure d'Ercole, qui gémit. « Excuse-moi… dit-il, tout effrayé.

— Appuie plus fort ! », supplia Mercurio. Quand ils virent des gardes au fond de la via del Cavalletto, ils se cachèrent dans le vicolo di Margutta, une petite rue aux senteurs de crottin sur laquelle donnaient les écuries des palais. Mercurio n'en pouvait plus. Il jeta un coup d'œil sur la via del Cavalletto. Les cloches de Santa Maria del Popolo entonnèrent les vêpres.

« La charrette de Scavamorto va bientôt passer. On y déposera Ercole. »

Benedetta le regarda, soucieuse.

« T'as une meilleure idée ? », lui demanda-t-il.

Elle secoua la tête, avec ce regard apeuré que Scavamorto suscitait chez tous les gamins qui travaillaient pour lui.

Quand ils virent arriver la charrette, Mercurio se fit reconnaître du garçon qui la conduisait. Derrière, une petite procession de malheureux le fixa d'un œil éteint, aveuglés qu'ils étaient par leur propre douleur. La ville, autour d'eux, continuait sa vie intense et chacun détournait les yeux de la charrette des réprouvés : les mendiants, les prostituées, les Juifs, les comédiens, tous ceux qui ne pouvaient pas être enterrés en terre consacrée.

« Aide-moi à le monter », dit Mercurio.

Ils installèrent Ercole sur la plate-forme.

« Bénissez ma fille, mon père », dit soudain une jeune femme aux yeux gonflés de pleurs, qui baisa la main de Mercurio et lui montra une créature minuscule, coincée entre deux cadavres de vieillards si ridés qu'ils semblaient embaumés.

Mercurio traça rapidement un signe de croix dans les airs. Puis il ordonna à Zolfo de monter dans la charrette et de continuer d'appuyer sur la blessure d'Ercole. « Combien de fois faut-il te le répéter ? », pesta-t-il.

Tandis qu'ils marchaient derrière la charrette au milieu de la voie encombrée, Benedetta vint près de Mercurio. « Merci », dit-elle doucement.

Mercurio ne répondit pas. C'était plutôt lui qui aurait dû la remercier, mais il n'en était pas capable.

« Tiens », dit Benedetta en lui tendant le petit sac de toile contenant les pièces qu'il avait lancé contre le marchand. Il le prit sans rien dire.

Benedetta ne dit rien non plus.

Ils arrivèrent bientôt sous la grande Porta del Popolo, prise dans les murailles de la cité, contre lesquelles des générations de Romains avaient pissé. Ils suivirent ensuite la via Flaminia, tournèrent à gauche vers le fleuve et atteignirent une zone de terrain en contrebas : devant eux s'ouvraient les fosses communes.

L'odeur de pourriture dégagée par les corps en décomposition y était insupportable. Les "gamins des morts", comme on les appelait en ville, attendaient la charrette. Aussitôt ils s'activèrent, et chacun fut à son poste de travail. Soudain, les plus anciens reconnurent Mercurio en la personne de ce jeune prêtre. Ils s'arrêtèrent, et le regardèrent dans un silence admiratif. C'était une célébrité parmi les gamins des fosses communes, tous des orphelins achetés par les curés pour quelques sous. Comme Benedetta et Zolfo, ils avaient tous entendu parler de Pietro Mercurio, des orphelins de San Michele Arcangelo. Le seul capable de tenir tête à Scavamorto, et l'un des rares à être partis.

Mercurio salua les anciens. « On amène Ercole », dit-il ensuite.

Les garçons se hissèrent rapidement sur la charrette et descendirent le géant, de plus en plus pâle. Ils le placèrent sur une civière rudimentaire faite de deux perches de bois et d'une toile tachée.

« À la baraque, ordonna Mercurio.

— Qu'est-ce que vous faites ? Déchargez, tas de fainéants ! », tonna une voix de baryton.

Les garçons qui aidaient Mercurio courbèrent l'échine.

« Il est blessé, Scavamorto », dit Mercurio, sans se montrer impressionné par cet homme grand et mince, vêtu de manière voyante d'une casaque violette, une grande écharpe orange enroulée autour de la taille, d'où dépassait un coutelas recourbé à la turque.

En voyant Mercurio, Scavamorto releva le menton et eut un sourire encore plus féroce. « Tiens donc... », dit-il avant d'éclater d'un rire théâtral. « *Père* Mercurio, quel plaisir inespéré me donne votre visite. » Il s'approcha sans le quitter des yeux. Il le dépassait d'une bonne toise. « Ah, l'imbécile... », dit-il en se penchant sur Ercole pour examiner la plaie. « Il est foutu. Jetez-le directement dans la fosse », ajouta-t-il pour les gamins.

Zolfo éclata en sanglots.

« Aide-nous, dit Mercurio. Soigne-le.

— T'as pas compris ? Il est foutu, répéta Scavamorto avec un demi-sourire, comme s'il en tirait un plaisir subtil.

— Je peux te payer », dit Mercurio en soutenant son regard.

Le visage maigre de Scavamorto devint sérieux. « Mon gars, t'as fini par croire aux légendes qui courent sur toi, lui souffla-t-il à la figure. On n'achète pas Scavamorto, morpion, siffla-t-il en sortant son coutelas. Si je voulais ton argent, je le prendrais.

— Je t'en supplie », dit Benedetta.

Scavamorto la regarda. « Le curé, c'est lui. Tes prières, adresse-les à lui », et il rit de sa plaisanterie.

« Je t'en supplie », répéta Mercurio.

Scavamorto ferma à demi les yeux, les narines dilatées, comme s'il respirait un parfum exquis. Il promena alentour un regard sans pitié, mais ne semblait voir aucun des gamins. Il revint examiner Ercole, qui avait cessé de s'agiter. Il cogna deux doigts sur son front bas. « Toc, toc, y a quelqu'un ? » Il rit quand le géant poussa un faible soupir. Puis il répéta : « Il est foutu. Jetez-le dans la fosse.

— Non ! cria Zolfo, en se jetant sur le corps d'Ercole.

— Aide-nous », dit encore Benedetta à Scavamorto.

Scavamorto regarda Mercurio.

« Aide-nous… je t'en supplie, fit Mercurio sans aucune expression de défi dans les yeux.

— Portez-le à la baraque », fit Scavamorto.

Les gamins des morts soulevèrent la civière et se dirigèrent vers une grande construction de bois et de pierre, bâtie sans plan, et agrandie en fonction des besoins.

Benedetta et Zolfo suivirent la civière.

Scavamorto secouait la tête. « Ça servira à rien », dit-il à Mercurio.

Celui-ci ne répondit rien.

« Va me chercher un pot de purée d'achillée et d'equisetum, et de la décoction de renouée, lui dit Scavamorto. Tu te rappelles où je range mes médecines ?

— Je me rappelle tout de cet endroit », répondit Mercurio. Il se précipita vers une baraque plus petite au conduit de cheminée tordu. Scavamorto entra dans celle vers laquelle les gamins s'étaient dirigés. Il fit

78

couper la chemise d'Ercole pour mettre la blessure à nu, et la regarda sans rien dire.

Zolfo, serré contre Benedetta, retenait son souffle.

« Va travailler, nabot, si tu veux manger et dormir ce soir », lui dit Scavamorto avec dureté.

Zolfo ouvrit la bouche pour répliquer, les yeux gonflés par des pleurs de rage, mais Scavamorto lui envoya une gifle. « Il y a une charrette à vider. Va travailler ! »

Benedetta attira Zolfo contre elle et lui murmura : « Vas-y. »

Scavamorto enfila son index profondément à l'intérieur de la blessure d'Ercole, qui se mit à gémir. Puis il renifla son doigt, et secoua la tête.

Zolfo sortit de la baraque en pleurant.

« Va travailler toi aussi », fit Scavamorto à Benedetta.

Benedetta baissa la tête et sortit. À Mercurio qui revenait, elle dit : « Je le déteste. »

Mercurio ne répondit pas et remit à Scavamorto les ingrédients demandés.

« Tu connais l'extrême-onction, curé ? », dit ce dernier en riant. Il fit boire à Ercole une gorgée de décoction de renouée. Puis il prit sur le bout du doigt un peu de purée d'achillée et equisetum, et l'étala à l'intérieur de la blessure. De nouveau, Ercole gémit. Mais plus doucement. Scavamorto pointa son index encore trempé de sang et d'onguent en direction de Mercurio. « C'est du gaspillage. Je sais même pas pourquoi je le fais. » Il regarda le géant. « Tu tiendras pas jusqu'à demain matin, tu le sais, ça, imbécile ? »

Ercole avait un sourire idiot.

« Heureux les simples d'esprit, le royaume des cieux leur appartient, dit Scavamorto. Mettez un linge sur la blessure, pour éloigner les mouches. Et partagez-vous ses vêtements. Demain il sera dans la fosse. » Il se releva et partit.

Mercurio frémissait de rage. « Donnez-lui une couverture. Et celui qui essaie de lui enlever ses vêtements avant qu'il soit mort, c'est à moi qu'il en rendra compte », dit-il d'une voix sombre. Il sortit et chercha Zolfo. Il s'approcha de la charrette que quatre garçons déchargeaient. Les cadavres avaient été déshabillés par les filles, chargées de récupérer les vêtements à revendre ou qui pourraient servir aux orphelins. Alors les garçons attrapaient un corps, deux par les bras et deux par les jambes, le balançaient dans les airs comme s'ils jouaient, puis le lançaient dans le vide. Les corps atterrissaient avec un bruit sourd dans la fosse.

Mercurio se pencha. Au fond du trou, il vit Zolfo. Il descendit et lui prit la pelle des mains. « Va auprès d'Ercole », lui dit-il. Zolfo fondit en larmes, mais Mercurio ne le consola pas. Le petit garçon remonta l'escarpement et disparut. Mercurio, avec l'habileté de celui qui connaît son affaire, mêla la chaux vive à la terre. Il travailla jusqu'à la nuit sans s'arrêter, avec une énergie qui lui évitait de penser. Dans la baraque, il mangea une écuelle de soupe de chou noir, aqueuse, où flottaient des lambeaux d'oignon.

Benedetta et Zolfo se tenaient auprès d'Ercole, qui délirait.

Mercurio ressortit. Il marcha lentement dans le champ des fosses communes, regardant à l'intérieur de chacune, sous une lune descendante voilée de fins nuages.

« Toujours ton vieux vice, gamin ? », dit une voix dans son dos.

Mercurio se retourna vers la silhouette dégingandée de Scavamorto. « Quel vice ?

— Quand je t'ai acheté aux moines de San Michele Arcangelo, tu passais des heures à regarder dans les fosses. Un jour, je t'ai demandé pourquoi, et tu m'as répondu que tu regardais s'il y avait ta mère. » Il n'y avait pas trace de sarcasme dans la voix de Scavamorto.

Mercurio ne dit rien, mais se raidit.

Scavamorto rit : « Tu ne te souviens pas ?

— Laisse-moi tranquille.

— Tu disais que même si tu l'avais jamais vue, tu la reconnaîtrais forcément, parce que c'était ta mère.

— Des histoires de môme, répondit Mercurio, l'air sombre.

— Peut-être. Mais tu la cherchais parmi les morts, pas parmi les vivants. T'étais sacrément en colère.

— J'en ai rien à foutre, Scavamorto.

— Quoi ? Tu la cherches pas parmi les morts ?

— Je la cherche pas, c'est tout. »

Scavamorto rit encore. Doucement, cependant, sans sa méchanceté habituelle. « Allez… c'était qui, ta mère, Mercurio ? » Il lui posa la main sur la nuque, sans serrer, comme l'aurait fait un père, ou un maître.

Et Mercurio ne se rebella pas. Il sentit un nœud dans sa gorge. « C'était une dame de la noblesse… commença-t-il à dire, comme s'il récitait une leçon. Elle était triste et elle avait un mari de merde, qui faisait la guerre dans tous les coins du monde… Alors elle s'est retrouvée à coucher avec un serviteur, jeune et beau, et elle est tombée enceinte. Et avant le retour

81

de son mari, elle s'est débarrassée du bâtard et elle a fait tuer le serviteur…

— Ou bien ? demanda Scavamorto.

— Ma mère était une servante triste… avec un maître de merde qui n'allait jamais à la guerre et qui la violait toutes les nuits. Et quand il s'aperçut qu'elle attendait un enfant, il la jeta à la rue. Elle m'abandonna dans le tour, poignarda son maître et fut pendue sur la piazza del Popolo.

— Ou bien ?

— J'en ai marre de ce jeu, Scavamorto, fit Mercurio en s'écartant. Je suis plus un gamin.

— Ou bien… ?

— Ma mère… »

Les yeux de Mercurio se voilèrent de tristesse.

« … était une orpheline, suggéra Scavamorto.

— … et un curé l'a sautée, dit Mercurio. Ce qui fait que son fils porte aujourd'hui cette soutane imbécile. »

Scavamorto rit. « Ou bien, c'était…

— Ça suffit. C'est de la merde, ce jeu.

— Qui était ma mère ?… C'est un jeu magnifique. J'y joue avec les gamins. Mais aucun n'est aussi bon que toi. Ces petits cons, ils se fixent sur une histoire et ils n'arrivent pas à aller plus loin. Toi, par contre, t'es capable de t'inventer tous les jours une mère différente…

— Scavamorto…

— Ils n'ont pas d'imagination.

— Aujourd'hui, j'ai tué un homme », lâcha Mercurio tout d'un trait.

Scavamorto remua un peu de terre du bout de sa botte.

« Je vais être pendu », ajouta Mercurio, d'une voix si basse que lui-même l'entendit à peine.

Ils restèrent sans parler. Les nuages qui glissaient en silence devant la lune faisaient apparaître et disparaître les cadavres dans la fosse.

Mercurio ferma les yeux et dit : « J'ai peur.

— Je comprends.

— J'ai peur de mourir », répéta Mercurio.

Scavamorto ramassa une poignée de terre. Il la jeta dans la fosse. « Rien ne dit que tu vas mourir, mon gars. »

Mercurio ne se tourna pas vers lui.

« Il faut t'enfuir. Franchir la frontière des États pontificaux.

— Et ensuite ?

— T'as toujours été le plus malin de mes gamins. » Il lui donna une chiquenaude sur la tête. « Recommence une nouvelle vie. C'est l'occasion ou jamais. Ou alors t'as peur de regretter ta fosse d'égout en face de l'île Tibérine ?

— Tu savais que j'étais là-bas ? Et t'es jamais venu me reprendre ? Tu m'avais acheté, pourtant... »

Scavamorto sourit, sans répondre.

Mercurio baissa les yeux.

« Demain, à l'aube, tu me voleras la charrette légère. Celle avec les deux chevaux, pas les mulets, ils sont trop vieux et trop lents, dit Scavamorto. À cette heure-là, Ercole sera déjà mort. Emmène les deux autres avec toi.

— Mais je les connais à peine...

— Arrête de parler comme un imbécile, le moucha Scavamorto. À quoi ça sert de faire le sentimental à l'envers ?

— Ça veut dire quoi le "sentimental à l'envers" ?

— Un type comme moi, répondit Scavamorto avec légèreté. Vivre sans avoir personne… ça veut pas dire que t'as pas besoin de quelqu'un. » Il tapa doucement son index contre le front de Mercurio. « Mais si tu t'y habitues, t'es cuit… après t'arrives plus à changer. Change, pendant qu'il est encore temps. Zolfo est ce qu'il est. Un faible. Mais la fille est bien. Elle a survécu à la vie que sa mère lui a fait mener… Il y a des fois où c'est une chance d'être laissé dans le tour. »

Mercurio resta silencieux.

« Garde ton costume de curé. Il pourra servir si vous rencontrez des brigands. Pars vers le nord. Ne reste pas dans les campagnes. Un filou des villes comme toi, ça finirait dans un piège à gibier. Il y a deux endroits qui seraient bien pour toi. Milan ou Venise. »

Scavamorto fit mine de repartir dans sa baraque. Mais après trois pas il s'arrêta, puis revint près de Mercurio. « J'oubliais un détail. Pour me voler la charrette, il faut me payer. Combien t'as ? »

Ils recommençaient à se mesurer comme ils l'avaient toujours fait.

« Un sol.

— D'argent ? »

Scavamorto cracha par terre.

« D'or. »

Scavamorto le fixa. « C'est pas assez. Il en faut au moins trois.

— Je les ai pas.

— Mon cul.

— Deux.

— Et le troisième, c'est tes associés qui le mettent.

— Ils n'ont rien. »

84

Scavamorto rit. « Bouffon. Tu leur as certainement donné leur part. T'es un filou honnête.

— Bon d'accord, trois. » Mercurio aussi cracha par terre. « Usurier. » La paume de Scavamorto se tendit, avec ses longs doigts d'araignée qui s'agitaient. Mercurio glissa la main dans sa soutane et en sortit trois pièces.

Rattrapé par son personnage, Scavamorto dit, de sa voix méchante et venimeuse de toujours : « De toute façon tu finiras par te faire tuer, mon gars. »

Mercurio le regarda. Il sourit. « Merci. »

Au moment où Scavamorto ouvrait la porte de sa cabane, le silence fut brisé par un cri obscène, entre l'accès de toux et le rot. Et aussitôt après, un hurlement de Zolfo : « Non ! »

— La mort l'a pris plus tôt que prévu, dit Scavamorto. Va-t'en tout de suite, mon gars. » Et il referma sa porte.

Dans le froid de la nuit, Mercurio frissonna.

Il alla jusqu'à l'enclos. Prit par la bride les deux chevaux bas et râblés attelés à la charrette que Scavamorto utilisait pour circuler dans Rome. Il alla jusqu'à la baraque et entra. « Ercole ne finira pas dans la fosse tout nu, dit-il à voix haute, en scandant bien les mots. Il était l'un des nôtres. »

Les gamins des morts acquiescèrent en silence.

On n'entendait que les pleurs étouffés de Zolfo.

Mercurio s'approcha de Benedetta. « Vous deux, vous venez avec moi. »

8

Quand le frère prêcheur et sa troupe hétéroclite de paysans eurent disparu, Isacco fit signe à Giuditta de rester cachée. « Ils ne le suivront pas jusqu'au bout du monde », lui dit-il.

Au bout d'une demi-heure, en effet, on vit revenir les paysans, silencieux en l'absence du prédicateur et regrettant déjà la perte de précieuses heures de travail pour une bataille qu'ils ne comprenaient pas bien.

Isacco rassura Giuditta : « Tu verras, Venise est une ville amie des Juifs. »

Ils recommencèrent à marcher, longeant la route depuis le bois comme les animaux sauvages. Ils marchèrent longtemps, en silence, ne s'arrêtant qu'une fois pour manger une tranche de pain. Quand le soir arriva, Isacco expliqua à sa fille que le renard ne dormait pas dans les auberges, surtout s'il y avait des chiens. Il coupa des branchages, et construisit une sorte de couchage couvert, invitant sa fille à s'étendre le plus près possible de lui.

« Nous sentirons moins le froid », lui dit-il.

À l'aube, ils se levèrent, transis, traversèrent la grand-route, puis revinrent en arrière mais par l'autre versant, là où le bois était plus touffu.

« Je suis une idiote, fit Giuditta en s'arrêtant. Si je n'avais pas dit à cette femme que tu étais docteur, nous marcherions en ce moment sur la grand-route. »

Isacco se retourna.

« Je suis une idiote », répéta-t-elle d'une voix rageuse, se mordant les lèvres pour ne pas pleurer.

Son père la saisit aux épaules, le regard grave. « Oui », dit-il.

Giuditta baissa la tête, mortifiée.

Isacco lui mit un doigt sous le menton et releva son visage. « Tu as fait une chose stupide. » Il la fixa de ses yeux profonds. « Essaie de comprendre. Les gens comme moi… je veux dire, ceux qui vivent comme moi… bref, les gens comme moi veulent rester maîtres de leur propre destin et de leurs propres mensonges. Tu comprends ça ?

— Oui, père, dit Giuditta. Je suis désolée », et elle voulut se jeter dans ses bras.

Isacco la tint à distance pour mieux la regarder dans les yeux. « Tu t'es trompée. Tu es un très mauvais comparse. » Et tout à coup il rit de bon cœur, avec une légèreté qui surprit sa fille. « Mais d'un autre côté, tu as fait un geste extraordinaire. Et ce geste, j'arrive seulement maintenant, après des lieues et des lieues de route, à l'accepter…

— Quoi ? », demanda Giuditta, surprise.

Le regard d'Isacco se voila, perdu dans un passé ancien. Il regarda sa fille. « Tu es belle, mon enfant, lui dit-il. Comme ta mère, qui était une vraie beauté. »

Il lui caressa le visage. « Sais-tu ce que tu as fait d'extraordinaire ?

— Quoi ? répéta Giuditta.

— Tu m'as donné un avenir, dit Isacco.

— Que veux-tu dire, père ? », demanda la jeune fille, troublée.

Avant qu'Isacco ait le temps de répondre, on entendit un bruit sourd, indéfinissable, mais constant. La terre vibrait. Par instants montaient des chants lointains. Père et fille se cachèrent dans l'ombre.

Isacco porta un doigt à ses lèvres et murmura : « Silence. »

Au bout de quelques minutes apparut au détour d'un virage une procession de chariots, cavaliers et fantassins. Certains portaient une armure, d'autres avaient des bandages rouges de sang. Les chariots transportaient des blessés couchés, tandis que d'autres marchaient à leurs côtés en s'aidant de leur épée ou de leur lance. Aux ridelles des chariots et aux selles des chevaux pendaient des arbalètes, des arcs, et des carquois portant des traits et des flèches. Cela ne ressemblait pas à la retraite après une défaite, car ils chantaient. Les cavaliers avaient fière allure. Ils ne s'abandonnaient pas au déhanchement de l'animal, mais chevauchaient en bombant le torse, malgré les blessures. Et en tête de la colonne claquaient les étendards de la Sérénissime.

« Des Vénitiens », murmura Isacco.

Il y avait une dizaine de chariots, et guère plus d'une centaine de soldats, cavaliers et fantassins. Isacco jugea imprudent de se joindre à eux pour aller à Venise. Surtout accompagné d'une jolie fille. L'envie de festoyer, pensa-t-il, était parfois pire que la colère.

Ils restèrent accroupis dans le bois, laissant les soldats s'éloigner.

Isacco donna à sa fille le signal du départ. « Nous les suivrons à bonne distance. Une caravane de soldats, c'est comme un balai sur un carrelage rempli de cafards, ça nettoie le passage. »

Sortant des bois, ils traversèrent un champ détrempé. Au bord de la route, ils virent une pierre miliaire en granit, carrée. Elle indiquait Venise à trente-neuf lieues.

« C'est encore bien loin. » Isacco vit le regard désemparé de Giuditta. « *Ha-Shem*, le Seigneur, que Son nom soit béni, nous guidera. »

On entendait encore les chants des soldats.

« Marchons », dit Isacco, qui se mit en route.

Mais deux cavaliers d'arrière-garde, comme jaillis du néant, se précipitèrent sur eux au galop, l'épée dégainée. Ils s'arrêtèrent à quelques pas d'Isacco, qui recula avec dignité et sans tomber.

« Qui êtes-vous ? dit l'un des deux.

— Mon nom est…

— Pourquoi nous suivez-vous ? coupa l'autre, d'un ton rude.

— Nous nous rendons à Venise et nous nous sentons plus en sûreté à voyager derrière les troupes de la République Sérénissime, valeureux guerrier », répondit Isacco d'un ton si grave qu'il en parut pompeux.

Ce qui fit rire les cavaliers.

« Ce qui est sûr, c'est que vous n'êtes pas vénitiens, même si vous parlez notre langue, dit le premier. Vous avez la peau plus foncée que la nôtre, et aussi les yeux et les cheveux. À vous regarder, je dirais que vous êtes juifs. Toi particulièrement, avec cette barbiche de chèvre. Mais vous n'êtes peut-être pas juifs, puisque vous ne portez pas le bonnet jaune prescrit par la loi. »

Le cavalier à l'épée dégainée, en souriant, enfonça un coup dans la besace de velours d'Isacco et y harponna le bonnet. L'autre, qui gardait son arme basse, la pointe vers la terre, fit tourner son cheval autour de Giuditta, en la toisant.

Isacco, le visage pâle, dit : « Ne faites pas de mal à ma fille. » Il fit un pas vers le cheval dont les sabots piétinaient nerveusement dans la boue. Puis il ajouta : « Je vous en supplie, cavalier. »

Le soldat, en riant, approcha son épée des fesses de Giuditta, comme aurait fait un berger avec une brebis pour la ramener au sein du troupeau, et toucha à peine le tissu moelleux tissé par les vieilles femmes dans les montagnes de l'île de Negroponte. Giuditta fit un bond en avant, là où le voulait le cavalier, regagnant le milieu de la grand-route.

« Marchons », ordonna le premier cavalier, sans agressivité.

Ils les escortèrent pour rattraper le groupe des blessés. Là, ils les remirent au capitaine Andrea Lanzafame, un bel homme de quarante ans, robuste, aux yeux clairs pénétrants, les cheveux dépeignés par la guerre, et la barbe naissante. Le capitaine descendit de cheval et fixa Isacco. Isacco comprit que ce n'était pas un homme patient et qu'il fallait lui parler sans détour.

Le capitaine demanda : « Vous êtes juifs ?

— Oui, monsieur.

— Pourquoi ne portez-vous pas le bonnet jaune ?

— Parce qu'on nous courait après pour nous tuer. »

90

Le capitaine Lanzafame l'étudia en silence, acquiesçant vaguement. « Qui êtes-vous ?

— Mon nom est Isacco da Negroponte. » Isacco se tourna vers sa fille qui le fixait, effrayée. Elle ressemblait tant à H'ava, la femme qui lui avait donné le jour, celle qu'il avait tendrement aimée et se reprochait de n'avoir pu sauver. À l'auberge, au moment d'entrer dans la chambre de la petite fille malade, il s'était retourné vers Giuditta qui le fixait depuis la pénombre du couloir. Et il avait eu l'impression que sa femme, à travers cette fille qui lui ressemblait tant, lui envoyait sa bénédiction. Giuditta avait parlé pour H'ava, quand elle avait dit qu'il était docteur. H'ava, par son entremise, avait fait savoir à Isacco qu'elle ne le considérait pas comme responsable de sa mort, et lui avait indiqué le chemin. Un nouveau destin. Il sourit, puis se tourna vers le capitaine.

« Mon nom est Isacco da Negroponte, médecin, connaissant les humeurs internes, et dentiste, dit-il fièrement.

— Tu es tailleur ? lâcha le capitaine Lanzafame.

— *Tailleur ?* demanda Isacco, perplexe.

— Tu coupes et tu couds ? Tu es chirurgien ? insista le capitaine.

— … Oui, je suis aussi tailleur », répondit-il, et il eut l'impression que le capitaine le regardait avec plus de respect qu'il n'en aurait eu pour un médecin ou pour un noble.

« As-tu tes instruments, docteur ? lui demanda-t-il, en le traitant immédiatement comme un subalterne à ses ordres.

— Non…, hésita Isacco.

91

— Alors tu te serviras de ceux de Candia, le dentiste de la troupe. Il est mort de la fièvre il y a deux jours… J'espère que ses instruments ne te porteront pas malheur. »

Isacco se tourna vers sa fille.

« Il ne lui arrivera rien, dit le militaire.

— Avec tous ces soldats ? demanda Isacco, préoccupé.

— Ce sont *mes* soldats. Et je suis leur capitaine. »

Isacco l'observa. Personne ne sait mieux qu'un escroc lire dans le cœur des hommes. Une qualité indispensable, dans un métier aussi incertain et totalement privé de règles. L'expression du capitaine Lanzafame, quoique dure et fière, reflétait un cœur sincère.

« Je vous crois, dit Isacco.

— Elle est sous ma protection, dit alors le capitaine. Maintenant, va faire ton devoir. Sur les chariots, il y a des garçons qui aimeraient bien revoir leur famille. » Il mit ses mains en porte-voix et hurla : « Donnola ! »

L'instant d'après apparut un petit homme, avec une tête plus petite encore et deux yeux minuscules, qui ressemblait, sinon à une belette[1], du moins à un drôle d'animal, pointu et chauve. Il n'avait qu'une vague ombre roussâtre au-dessus de la lèvre supérieure et sur le bout du menton. La peau autour de ses yeux plissait comme un fruit sec, tandis que celle de ses joues glabres était lisse, grasse et luisante. L'ensemble ressemblait à un vieux bébé.

« Voici le docteur Negroponte. Donne-lui la trousse et les instruments de Candia, ordonna le capitaine. Et oblige-le à cracher dessus, en face de tes hommes,

1. C'est le sens du mot *donnola*.

92

pour enlever la malédiction de cette fièvre qui l'a tué. S'il refuse, fouette-le, prends-le à coups de pied au cul, débrouille-toi. Mais une fois qu'il aura craché, tu seras sous ses ordres. Ne les discute pas. » Il se tourna vers Isacco.

« Nous allons bivouaquer ici. Je veux que tu commences tout de suite. Tu n'as qu'à suivre Donnola. »

Isacco s'approcha de sa fille « Merci, lui dit-il.

— Père… », commença à dire Giuditta.

Mais Isacco la fit taire en la prenant dans ses bras. Puis il lui murmura à l'oreille : « Perds l'habitude de relever tes jupes quand tu descends d'un bateau ou quand tu montes dans un chariot. »

Isacco suivit Donnola vers le premier chariot, d'où arrivait une forte odeur de pourriture. "Gangrène", pensa Isacco.

« J'ai faim ! », hurla à ce moment-là le capitaine.

En montant sur le chariot, bâché d'une toile déchirée en plusieurs endroits, Isacco entendit le militaire ordonner à un soldat : « Et la fille aussi doit avoir faim. Pas de porc. Allez, allumez les feux ! »

Plongeant au milieu des corps humains entassés, Isacco pensa qu'il devait jouer son rôle jusqu'au bout. Il s'assit à côté du premier blessé – un garçon qui n'avait pas vingt ans, les yeux dilatés par la peur –, toucha sa jambe réduite en bouillie par les sabots d'un lourd cheval de guerre et remarqua les esquilles d'os ; les bords de la blessure jaunissaient déjà. Il savait comment agir. Son père avait été un bon maître. "Merci, foutu salaud", pensa-t-il.

« Crache sur les instruments, ça enlève la malédiction », dit Donnola en ouvrant sous son nez une trousse en cuir tanné, grande comme une valise et bourrée à craquer d'instruments chirurgicaux.

Isacco cracha sans hésiter puis, à haute voix, de façon que tous les blessés du chariot entendent, déclara : « La malédiction de la fièvre de Candia s'en est allée. »

Donnola était stupéfait. « Les docteurs, ils rechignent toujours quand on leur demande ce genre de chose… fit-il à mi-voix, soupçonneux. Ils disent que ça va contre la science.

— Donc je ne suis pas un docteur ? », lui demanda Isacco en le fixant droit dans les yeux, avec cette assurance qu'une vie entière de faussaire lui avait appris à afficher.

L'autre resta à le regarder, sans rien dire.

« Fais-lui boire quelque chose de fort, de l'eau-de-vie plutôt que du vin, attache-le serré et donne-moi une scie droite et une scie courbe. Et fais chauffer un fer plat, dit Isacco. Naturellement, quand tu auras décidé que je suis un vrai docteur… »

Donnola se secoua, se pencha sur la trousse et attrapa deux instruments. « Scie droite et scie courbe… À votre service, monsieur le docteur. »

Isacco empoigna les instruments. Il pria intérieurement. "H'ava, si c'est ce que tu as voulu pour moi, guide ma main."

Tandis que le capitaine offrait à Giuditta du pain et de la viande de veau salée, le hurlement du jeune homme s'entendit dans tout le camp et fit courir des frissons.

Les chants s'interrompirent un instant. Puis ils reprirent, plus fort.

Isacco, au moment de mordre avec les dents de la scie dans la jambe du jeune homme, se sentit submergé par une violente émotion. Les larmes lui montèrent aux yeux et sa gorge se serra.

"Sois près de moi, mon amour, supplia-t-il encore. Fais que j'en tue le moins possible."

9

Isacco passa la première moitié de la journée dans le chariot, puis se transporta dans le deuxième. Les heures passées à se pencher sur les blessés couraient, identiques et toutes terribles, rythmées çà et là dans la campagne par les coups plaintifs des cloches qui annonçaient les prières chrétiennes. Quand le soleil se coucha, Isacco, sans discontinuer, avait scié des os, cautérisé des amputations et des hémorragies, réduit des fractures, recousu des déchirures, extrait des pointes d'arbalète, étalé des emplâtres sur des blessures. Et il avait achevé son travail dans le second chariot.

Il descendit l'échelle de bois branlante, suivi par Donnola portant la trousse, et aussitôt dehors il se cambra pour se masser le dos, les yeux tourné vers le soleil pâle voilé par la brume. Ses vêtements étaient trempés de sang.

Donnola apporta deux tasses de bouillon chaud, deux saucisses et deux morceaux de pain dur. Isacco prit le bouillon et le pain.

« Ah, c'est vrai, votre religion vous interdit de manger du porc, dit Donnola. Vous ne savez pas ce que vous perdez », ajouta-t-il en mordant dans la première saucisse.

Isacco acquiesça distraitement, habitué à ce genre de commentaire, et trempa son pain dans le bouillon pour le ramollir. Ils restèrent là debout, dans le froid, mangeant en silence.

Puis Isacco respira à fond, deux fois, trois fois. « On n'y pense jamais, mais l'air, ça sent bon », dit-il. Il se remplit encore une fois les poumons, pour en faire provision avant de retrouver la puanteur des chariots. « Je dois faire mes besoins », ajouta-t-il, et il regarda son assistant.

Donnola lui rendit son regard sans expression particulière. Puis, voyant que le docteur continuait à le fixer, il dit : « Faites.

— Il n'y a pas de latrines ? » demanda alors Isacco, confus.

Donnola haussa les épaules. « Le monde entier est une latrine », et il rit. Comme Isacco ne bougeait pas et continuait de le regarder d'un œil indécis, il ajouta : « Vous êtes timide, docteur ? »

Isacco se reprit et regarda autour de lui. Avisant un buisson non loin du camp, il se dirigea vers lui.

Donnola riait de sa pudibonderie. « Même les meilleurs d'entre nous chient, docteur. Il n'y a pas de quoi avoir honte ! », lui cria-t-il.

Isacco ne se retourna pas pour lui répondre. Il atteignit le buisson, l'inspecta, vérifia qu'il n'y avait personne et qu'on ne le voyait plus. Quand il fut certain d'être bien caché, il déboutonna sa houppelande verte, baissa ses chausses et son caleçon de laine, et s'accroupit. Son visage, en même temps que l'effort, exprima de la douleur. Isacco serra les dents. Il ferma

97

les yeux et poussa un léger gémissement, puis un soupir de soulagement. Alors, sans se lever, il glissa ses mains sous lui et fouilla sur le sol. Il saisit un petit paquet enveloppé qu'il nettoya sur l'herbe. Il dénoua le lacet qui le fermait. C'était un boyau de mouton, à l'intérieur duquel se trouvaient cinq pierres précieuses qui brillèrent à la lumière du couchant quand Isacco les versa dans la paume de sa main. Deux grosses émeraudes, deux gros rubis et un diamant, plus petit que les autres pierres, mais plus précieux encore.

À ce moment-là, il entendit un léger bruit. Il tressaillit, et cacha les pierres dans son poing fermé, le regard inquiet.

« Qui va là ? », dit-il. Il tendit encore l'oreille. « Allez-vous-en, je suis en train de chier. »

Pas d'autre bruit. "Un animal", pensa Isacco, et il se détendit. Il se nettoya avec de grandes feuilles rêches, remit les pierres dans le boyau, noua solidement le cordon et, pour finir, avec un certain effort, renfila le précieux paquet là où personne ne le trouverait.

« Vous sous sentez mieux ? », demanda Donnola quand il le vit revenir.

Isacco ne répondit pas, monta dans le troisième chariot, cracha sur les instruments, annonça que la fièvre qui avait tué le précédent chirurgien était conjurée et se consacra aux blessés.

Quand la nuit fut tombée, le capitaine Lanzafame monta dans le chariot. Il éclaira avec une lanterne le visage d'Isacco, épuisé de fatigue. « Va te coucher, ordonna-t-il. Je ne peux pas empêcher que la guerre tue mes hommes, mais je peux empêcher un tailleur à moitié endormi de le faire. »

Le docteur, comme en rêve, termina le bandage d'un soldat.

Le capitaine Lanzafame l'attendait dehors. Il lui indiqua le chariot à vivres. « Ta fille est là. Il y a une couverture et un réchaud à charbon. »

Isacco marchait comme un fantôme.

Quand ils furent près du chariot, le capitaine ajouta : « Les hommes disent que tu es un boucher. »

Isacco baissa la tête.

Il avait scié quatre jambes au genou, une presque jusqu'à la hanche – et le soldat n'avait pas survécu à l'hémorragie –, deux bras à la hauteur du coude, une main et une douzaine de doigts. Il avait utilisé les trois rouleaux de fil pour suturer les blessures puis, quand il n'en eut plus, il avait fait découdre un vêtement par Donnola. À la fin, il y avait eu trois morts. Et deux étaient dans une situation critique.

« Ils disent que tu es un boucher, répéta le capitaine Lanzafame, en regardant dans l'obscurité de la nuit. Mais dans quelques jours, quand ils embrasseront de nouveau leur famille, ils se rendront compte que tu leur as sauvé la peau, ajouta-t-il avec une grimace de satisfaction. Va dormir. Tu l'as mérité. »

Isacco le regarda avec reconnaissance. Il ne dit rien. Se contenta d'acquiescer. Puis, d'un pas lourd, il monta les trois marches qui permettaient d'accéder au chariot à vivres. Seule une petite lampe à huile brûlait. Giuditta se réveilla en sursaut. En le voyant, elle cria et se rencogna entre deux caisses.

« C'est moi, dit Isacco.

— Tu ressemblais à un soldat », fit Giuditta, qui, la frayeur passée, éprouvait du respect pour cet homme couvert de sang, comme un héros. « Je t'ai mis de la viande de côté, même si elle n'est pas pure. Couche-toi, tu dois être fatigué. »

Isacco s'écroula presque sur la paillasse, et sentit la tiédeur de la couverture et du réchaud. Giuditta lui donna le morceau de bœuf sec. Il porta la viande à sa bouche et commença à mâcher mais s'endormit à l'instant même. Giuditta lui sortit le morceau de la bouche et lui baisa délicatement le front.

Isacco se réveilla à l'aube. « Je dois y aller », dit-il à sa fille. Il se leva et sortit la tête du chariot. Donnola était déjà là, au pied de l'échelle, enveloppé dans une couverture de cheval, la tête sur la trousse à instruments. Il bondit sur ses pieds, prit deux quarts de vin, deux morceaux de pain, une saucisse de porc et un morceau de bœuf, et ils mangèrent.

Puis ils grimpèrent sur le troisième chariot pour finir le travail laissé en suspens. L'un des blessés, pendant ces quelques heures, était mort d'une hémorragie.

« J'aurais pu le sauver », murmura Isacco.

Donnola couvrit le visage du mort et donna l'ordre à deux soldats de porter le cadavre sur le chariot des morts. « Les Vénitiens, on les ramène à leur famille pour leur donner une sépulture chrétienne, expliqua-t-il.

— Amen », dit tout doucement un soldat dans un coin.

L'état des blessés de ce chariot était moins grave. Isacco n'eut besoin de la scie que pour le soldat qui avait dit « Amen ». Et celui-là survécut.

La neuvième heure avait déjà sonné quand Isacco et Donnola eurent terminé le troisième chariot. Fatigués et intoxiqués par l'odeur du sang et des incontinences des blessés, ils sortirent à l'air libre. Tout était dans la pénombre, une autre journée avait passé. Le soleil proche du crépuscule n'arrivait plus à percer la couche épaisse de nuages et un brouillard désagréable se levait. Les contours des chariots et les silhouettes des hommes s'estompaient. Plus personne ne chantait.

Tout à coup, dans ce silence, on entendit un gémissement. Et aussitôt après, un cri : « Ah ! Je t'ai attrapé, sale voleur ! »

Isacco et Donnola avancèrent en direction de la voix.

« C'est le cuisinier, dit Donnola.

— Lâche-moi ! Lâche-moi ! », criait un gamin, dont la voix exprimait plus la colère que la frayeur.

À quelques pas du chariot des vivres et du grand baril pansu qui contenait le bœuf salé, laissé ouvert à côté du feu, Isacco et Donnola virent un grand bonhomme qui tenait au collet un gamin squelettique au teint jaunâtre, les cheveux longs et sales.

« Arrête de bouger ! », lui ordonna le cuisinier. Mais l'autre se débattait comme un fou, et lui lança un coup de pied dans le tibia. Le cuisinier, de sa main libre, répondit par une violente gifle. Dans l'air dense, on entendit le gamin gémir.

« Qu'est-ce qui se passe ? », demanda le capitaine Lanzafame, alerté par le tapage. Giuditta avait sorti la tête du chariot à vivres en entendant ce vacarme ; mais le capitaine lui avait ordonné de rester à l'intérieur et de ne pas se promener dans le camp. Une jolie fille au milieu des soldats aurait entraîné des problèmes.

« J'avais déjà remarqué qu'il y avait quelque chose de bizarre, capitaine, expliqua le cuisinier. Maintenant j'en suis sûr, on a un voleur. »

Le capitaine regarda le gamin. Il saignait du nez. « Lâche-le », ordonna-t-il au cuisinier.

Le bonhomme fut tenté de répliquer mais obéit, lâchant le garçon. Celui-ci s'élança aussitôt pour s'échapper. Mais le capitaine Lanzafame avait prévu la chose : avec une rapidité extraordinaire il se pencha, bras tendu dans une fente de spadassin, et frappa la jambe du gamin, lui faisant ainsi perdre l'équilibre. Le capitaine fut aussitôt sur lui, le prit sous les bras et le souleva d'un coup, sans effort. Puis il le reposa, comme s'il le plantait en terre.

« Ne bouge pas », lui intima-t-il. Sa voix était ferme et autoritaire.

Le petit voleur resta immobile.

« Comment tu t'appelles ? »

Le gamin serra les lèvres et regarda autour de lui.

« Comment tu t'appelles ? répéta le capitaine, d'un ton plus agressif.

— Il s'appelle Zolfo », dit une voix derrière eux.

Puis, du néant, surgit un jeune prêtre, avec une longue soutane noire à boutons rouges et un cœur sanglant couronné d'épines brodé sur la poitrine. Il portait un chapeau noir et brillant qu'il souleva en s'approchant. Derrière lui, une jeune fille, radieuse dans sa robe verte. Le capitaine nota sa peau couleur d'albâtre et ses longs cheveux cuivrés.

« Qui es-tu ? demanda le militaire, voyant que le prêtre était très jeune lui aussi.

— Je m'appelle Mercurio da San Michele », dit-il en venant se mettre sous le nez du capitaine, nullement impressionné. Puis il désigna Zolfo. « Pardonnez-lui, il n'a pas résisté aux affres de la faim. Nous avons marché toute la journée et nous n'avons pas pu trouver d'auberge dans ce brouillard. Nos chevaux et notre voiture nous ont été volés par des brigands, nous sommes vivants par miracle et…

— Tu es prêtre ?

— Non, je suis un *novitium saecularis*, je suis promis au Christ, Notre-Seigneur, répondit Mercurio en souriant. Et je suis le secrétaire de son Excellence Révérendissime l'Évêque de Carpi, *Monsignor* Tommaso Barca di Albissola, qui nous attend à Venise pour rencontrer ces deux malheureux frère et sœur, de la pieuse congrégation des Orphelins de San Michele Arcangelo, auxquels…

— Je ne connais aucun évêque à Venise du nom que tu as dit, fit le capitaine, soupçonneux.

— Parce que c'est à Carpi qu'il réside, répondit promptement Mercurio. Mais actuellement son Excellence est en visite à Venise, et c'est là que nous devons le rejoindre. »

Le capitaine le fixait en silence.

« Nous avons de l'argent pour payer la viande que ce garçon vous a volée », ajouta Mercurio.

Lanzafame ne prêta aucune attention à ce détail. « Et pourquoi ton évêque est-il si pressé de rencontrer ces deux orphelins ? demanda-t-il plutôt.

— Eh bien… c'est une affaire… ecclésiastique. Et privée. »

Le capitaine Lanzafame continua à le fixer.

« Il veut dire que ces deux-là sont les bâtards de l'évêque », dit le cuisinier en éclatant de rire, suivi des autres soldats.

Le capitaine foudroya ses hommes du regard. « Lequel d'entre vous connaît avec certitude son propre père ? Pourtant je ne vous ai jamais appelés bâtards. »

Les soldats baissèrent la tête.

Les yeux bleus du capitaine cherchèrent un instant la jeune fille à la peau d'albâtre.

Benedetta ne lui sourit pas. Mais son regard montrait du respect.

Le capitaine s'adressa de nouveau à Mercurio. Il avait l'air plus détendu. « Il aurait été plus prudent de nous demander de la nourriture. Au pire, vous auriez risqué un refus, mais pas la mort. Vous auriez pu être pris pour des espions ou des ennemis, vous vous en rendez compte ?

— Nous ne savions pas si, dans cette partie du monde, il y avait des personnes vivant dans la crainte de Dieu ou bien des barbares, dit Mercurio.

— Des barbares ? se mit à rire le capitaine. Tu me parais bien perdu, mon garçon. » Puis il se tourna vers le cuisinier. « Donnez-leur à manger. » Il fit mine de partir mais s'arrêta, revint sur ses pas et posa la main sur l'épaule de Mercurio, en l'emmenant à l'écart. « Tu es prêtre ou pas, en conclusion ?

— Pas encore, Excellence.

— Quoi qu'il en soit, mes hommes seront réconfortés d'avoir quelqu'un pour les bénir. Ils sont entre la vie et la mort, et ils voient des fantômes. Ils sont épouvantés, ils sentent le souffle du démon sur leur cou. Bénis-les et absous-les de tous leurs péchés. Tu connais bien quelques prières, non ?

— Oui, Excellence.

— Et cesse avec ton "Excellence", je suis capitaine de la Sérénissime.

— Oui, capitaine. »

Lanzafame sourit. Ce petit curé lui plaisait. Il se dit qu'un garçon comme celui-là, prêtre, c'était du gâchis. Mais ce n'étaient pas ses affaires. « Donnola ! »,

cria-t-il, et quand l'autre apparut, il lui ordonna :
« Emmène ce prêtre avec toi.

— Venez, mon père… enfin, mon garçon, se
corrigea-t-il.

— Appelle-le comme un prêtre, Donnola. Sinon tu
vas bientôt l'appeler l'Esprit-Saint. »

Les soldats se mirent à rire. Donnola accompagna
le jeune homme jusqu'au chariot où Isacco était déjà
au travail.

Mercurio s'agenouilla aux côtés de l'homme que le
docteur était en train de panser et pria. « Nous te sup-
plions, saint Michel Archange, que toi et tout le chœur
des archanges et les neuf chœurs des anges, ayez pitié
de cet homme dans cette vie présente, et qu'il reste
sous ta protection, toi le vainqueur de Satan, qu'il
puisse jouir de tes divines bontés, avec toi, dans le
Saint Paradis.

— Amen, murmura le blessé, et son visage s'apaisa.
Merci, mon père. »

Puis Isacco se leva et alla vers un autre soldat, qui
avait perdu connaissance. Mercurio s'agenouilla de
nouveau près de lui.

« Tu es fort, mon garçon, murmura Isacco à
Mercurio. Mais j'ai l'œil et je sais que tu n'es pas ce
que tu dis être. »

Mercurio le regarda d'un air interrogateur, en se rai-
dissant un peu.

« Tu es un imposteur », dit tout doucement Isacco.

Mercurio ne répondit pas. Il continuait de fixer le
médecin.

« Mais je ne dirai rien, continua Isacco à mi-voix.
Ces malheureux ont besoin d'un prêtre.

— Merci. » Sur le visage de Mercurio apparut un sourire, à peine esquissé. « J'étais dans les bois quand vous vous êtes mis à l'écart pour satisfaire un besoin naturel. »

Il regarda de nouveau Isacco dans les yeux, en silence.

« Et moi non plus, je ne dirai rien. » Le sourire de Mercurio s'élargit. « Ces malheureux ont besoin d'un docteur. »

Isacco le fixa, examina le jeune imposteur. Ce n'était pas une menace de sa part. Juste une manière de signifier, avec une grande efficacité, qu'il était loin d'être bête. Isacco éclata de rire.

Et Mercurio rit avec lui.

« Qu'y a-t-il à rire ? », demanda Donnola.

Isacco et Mercurio ne répondirent pas. Ils se regardaient dans les yeux et se reconnaissaient, amusés.

« Allons, faisons notre travail, dit enfin Isacco.

— Oui, dit Mercurio. Faisons notre travail. »

10

Benedetta et Zolfo avaient été emmenés au chariot des vivres. « N'allez pas vous promener dans le camp », avait dit le capitaine Lanzafame, en regardant uniquement Benedetta.

Le chariot ressemblait à une petite maison à lui tout seul. Partout s'entassaient des barils noirs et des caisses. Au milieu, une jarre gigantesque en terre cuite était immobilisée par quatre cordes, nouées à des poteaux fixés au plancher et au toit. En temps de guerre, on protège plus le vin que la nourriture.

Benedetta et Zolfo regardèrent autour d'eux et virent Giuditta entre deux rangées de caisses. La jeune fille leur lança un sourire incertain. Elle fit un pas en avant et prit un plat cabossé, en fin métal. Elle le tendit aux nouveaux arrivants.

« Bœuf salé et pain noir, dit-elle. Mangez. » Puis, comme une brave maîtresse de maison, elle montra deux paillasses improvisées sur le sol. « Nous avons aussi un réchaud. Asseyez-vous. »

Benedetta sourit. « Tu es qui ?

— La fille du docteur.

— J'ai faim. » Zolfo se jeta sur le plat et s'assit près du réchaud. Il mordit dans la viande salée. « Pas de saucisses ? », demanda-t-il la bouche pleine, en levant les yeux vers Giuditta.

Elle haussa les épaules.

« Ils n'ont pas de saucisses ? insista Zolfo.

— Je ne sais pas, répondit Giuditta en haussant de nouveau les épaules.

— T'es quoi, juive ? », se mit à rire Zolfo, en replongeant la tête dans le plat. Mais bien vite il s'arrêta et fixa Giuditta qui avait l'air sérieux, ses yeux sombres plus ouverts que la normale. Le regard de Zolfo se promena rapidement à l'intérieur du chariot, tandis qu'il cessait de mâcher. Quand il vit les deux besaces de voyage, il posa le plat, se pencha vers celle d'Isacco et en sortit un bonnet jaune. Il se dressa sur ses pieds, le bonnet à la main. Il cracha ce qu'il était en train de mâcher. « T'es juive !, dit-il avec agressivité en s'approchant de Giuditta, le bonnet tendu au bout du bras. T'es juive ! », répéta-t-il, criant presque, et il le lui lança à la figure.

Giuditta recula, effrayée.

« Zolfo, qu'est-ce qui te prend ? fit Benedetta, surprise.

— Vous êtes des merdes ! cria Zolfo. Salauds de Juifs !

— Zolfo, calme-toi ! » Benedetta se mit entre lui et Giuditta. Elle le regarda. Les yeux de Zolfo étaient comme fous, emplis de haine. « Qu'est-ce qui t'arrive ?

— Ils ont tué Ercole, voilà ce qui m'arrive ! », gronda Zolfo, et il la repoussa, tentant de s'approcher de Giuditta.

Benedetta se mit de nouveau entre eux. « Elle n'a rien fait, elle, dit-elle en haussant la voix dans l'espoir de raisonner Zolfo.

— C'est tous des assassins ! Salauds de Juifs ! »

La porte du chariot s'ouvrit tout à coup.

« Que se passe-t-il ? », demanda le capitaine Lanzafame.

Zolfo se retourna d'un bond. « C'est une Juive ! Moi je reste pas dans un chariot où il y a des salauds de Juifs ! »

Le capitaine jeta un regard à Benedetta, puis attrapa Zolfo et le tira de force à l'extérieur du chariot. « Alors tu dormiras dehors, lui dit-il d'un ton autoritaire. Je ne veux pas de problèmes. Et quand on se remettra en marche, tu suivras à pied. »

Au même moment, Mercurio et Isacco avaient sorti la tête de leur chariot. Le garçon rejoignit le capitaine au pas de course. « Qu'est-ce qui se passe ? »

Isacco l'avait rejoint.

Zolfo pointa le docteur du doigt. « Mercurio, c'est un Juif ! » Et après avoir craché rageusement par terre, il ajouta, la voix tremblante : « Ils ont tué Ercole ! » Puis il éclata en sanglots irrépressibles qui le secouaient comme une tempête.

Benedetta se précipita pour le prendre dans ses bras.

Mercurio ne savait que faire. Il regarda d'abord Isacco, puis Giuditta, puis le capitaine Lanzafame. Et enfin il ouvrit largement les bras. « C'était un ami à lui… », dit-il tout bas, se rendant compte que sa phrase ne voulait rien dire pour ces gens. Depuis qu'ils avaient quitté les fosses communes, Zolfo n'avait jamais pleuré. Il était monté dans la charrette de Scavamorto et le froid de la nuit avait gelé les larmes sur ses joues. Et peut-être aussi dans son cœur. Depuis lors, et jusqu'à maintenant, pas une larme, pas un mot sur Ercole. « Ça va lui passer », dit Mercurio au capitaine, qui attendait en silence, droit et imposant.

Lanzafame hocha la tête, pointant un doigt vers Zolfo. « Je ne veux pas d'histoires, gamin. Tu m'as compris ? Sinon je te chasse à coups de pied au cul ! » Et il s'éloigna.

Benedetta prit Zolfo à part. Le petit garçon n'arrivait pas à calmer ses sanglots. Mercurio fit un pas vers eux, mais Benedetta l'arrêta d'un geste de la main.

Alors Mercurio se tourna vers Isacco. « Je suis désolé », dit-il. Il regarda Giuditta. Elle avait le regard fier, des sourcils noirs légèrement arqués, presque une expression de défi.

Isacco monta les marches et la serra dans ses bras.

Mercurio, malgré le froid et la fatigue, se promena à l'intérieur du camp, seul. Enfin, il prit une saucisse et une tranche de pain noir, s'assit sur un baril vide jeté là, de l'autre côté de la route. Il entendit des pas derrière lui mais ne se retourna pas.

« Tu bois, demi-curé ? lui demanda le capitaine Lanzafame. Il tenait à la main deux quarts en métal remplis de vin.

— Oui, dit Mercurio.

— Tous les prêtres boivent, se mit à rire le capitaine, en regardant les taillis transformés par la nuit en épais fourrés noirs.

— C'est vrai…

— Le sang du Christ », rit encore le capitaine en buvant d'une seule gorgée plus de la moitié de son quart. Puis il fit claquer sa langue. « Le prends pas mal, demi-curé. Je suis un soldat, c'est mon métier de rire de tout. Ça n'est ni contre toi ni contre l'Église. »

Mercurio sourit et but.

« Le gamin, tu es capable de le contrôler ? »

Mercurio acquiesça, même s'il en doutait un peu.

« Demain, on se remet en marche et après-demain on sera à Venise, dit le capitaine. Et avec tout le respect que je dois à ton vœu de chasteté, demi-curé, moi j'ai juste besoin d'un lit et d'une femme pour me remettre sur pied. » Il rit de nouveau. « Le docteur a fini. » Puis, la tête basse, d'une voix sérieuse, il ajouta : « J'en pouvais plus de les entendre hurler. Je ne sais pas pourquoi, mais c'est pire que la bataille ». Et après une claque énergique sur l'épaule de Mercurio, il se leva et partit.

« Capitaine..., l'appela Mercurio, comme si les mots sortaient tout seuls de sa bouche. Qu'est-ce qu'on ressent quand on tue quelqu'un ? » Sa voix tremblait imperceptiblement.

« Rien.

— Rien ? Même la première fois ?

— Je me souviens pas. C'était il y a si longtemps. Pourquoi ?

— Comme ça... »

Le capitaine l'observa en silence. « Tu as quelque chose à me dire ? »

Mercurio sentait la nécessité de partager ce poids avec quelqu'un. Mais le capitaine était un soldat, et il l'arrêterait peut-être.

« Il y a quelque raison... particulière pour laquelle tu as endossé la soutane, mon garçon ? »

Mercurio respira à fond. Le capitaine n'était pas la bonne personne à qui se confier. Il tourna entre ses mains son quart de vin, hésitant. « Ma mère était… une ivrogne. Quand son ventre a grossi, elle ne se rappelait plus de qui j'étais l'enfant. Elle m'a confié aux curés… C'est pour ça que je suis devenu prêtre. Je ne connais pas d'autre métier. Voilà. »

Le capitaine le regarda attentivement. Il acquiesça et s'éloigna.

Mercurio resta seul. Sentant un haut-le-cœur, il s'empressa d'ingurgiter le dernier bout de saucisse et le pain noir. Il ferma les yeux. Dans le noir se chevauchaient les images des soldats blessés, les chairs coupées et recousues, les regards plus stupéfaits que souffrants, la peur de la mort dans leurs yeux. Il se leva d'un bond. Il ne voulait pas rester là, seul, dans ce camp. Il se dirigea d'un pas décidé vers le chariot des vivres.

Il trouva Benedetta et Zolfo au pied de l'échelle.

« Tu t'es calmé ? », demanda-t-il à Zolfo, sans reproche dans la voix.

Celui-ci le regarda. Il avait les yeux rouges. Il ressemblait de plus en plus à un enfant. « Je veux pas dormir avec ces Juifs, dit-il. Moi les Juifs, je les déteste tous. »

Mercurio se glissa dans le chariot. « Je te prends une couverture. » Quand il reparut à la porte, la couverture à la main, il dit à Benedetta : « Le capitaine ne veut pas que tu restes dehors, surtout la nuit. »

Elle fit un signe d'assentiment. « J'arrive dans pas longtemps. »

Mercurio regarda Zolfo. « Bonne nuit. »

Le petit garçon renifla et mit la couverture sur ses épaules.

Mercurio lui tendit aussi son quart de vin. « Tiens, ça te réchauffera. »

Zolfo le prit et eut de nouveau envie de pleurer. Mais il se retint et but tout le vin d'un trait. Puis il toussa.

Mercurio rentra dans le chariot. L'air était tiède et sentait la nourriture. Il regarda Isacco et Giuditta, recroquevillée entre les bras de son père. « Nous partons demain », dit-il à l'adresse du docteur, mais son regard continuait d'aller vers elle. Les filles ne l'avaient jamais intéressé, elles n'apportaient que des ennuis. Celle-ci, pourtant, avait quelque chose qui retenait son attention.

« Bien, dit Isacco.

— Le capitaine dit que dans deux jours nous serons à Venise », ajouta Mercurio pour briser le silence embarrassé qui avait suivi. Ou peut-être pour sourire à la fille. Il savait qu'il ne l'avait jamais vue, et pourtant dans son cœur il lui semblait la connaître.

« Bien », répéta Isacco.

Mercurio s'étendit sur la paillasse et tira la couverture. "Les filles, ça n'apporte que des ennuis", pensa-t-il, en essayant de garder son regard loin de la fille du docteur.

« Prends le réchaud pour ton ami », lui dit Isacco.

La porte du chariot s'ouvrit. Mercurio se mit sur un coude. « Apporte le réchaud à Zolfo », fit-il à Benedetta, qui le prit et le passa à Zolfo, rencogné sur les marches comme un chien.

« Je veux rien des Juifs, entendit-on.

— Crétin, c'est Mercurio qui te le donne », répliqua Benedetta. Puis elle ferma la porte. Regarda autour d'elle. Elle ne savait pas où se coucher. Les nuits précédentes, elle avait dormi contre Zolfo. Mercurio s'était toujours tenu un peu à distance. Mais Zolfo n'était pas là et elle ne savait pas où dormir. Puis elle remarqua que la fille du docteur regardait Mercurio à la dérobée. Alors elle s'assit près de lui, pour marquer sa possession. Ce simple geste, cependant, fit naître une pensée angoissante : elle eut peur que Mercurio ne la chasse, aussi s'éloigna-t-elle brusquement pour s'enrouler dans la couverture. « Bonne nuit tout le monde, dit-elle très vite.

— Bonne nuit », répondirent les autres, successivement.

Puis Isacco souffla sur la lanterne et le chariot plongea dans l'obscurité.

Mercurio aurait voulu lui dire de la laisser allumée, mais l'idée de passer pour un gamin lui déplaisait. Il ne ferma pas les yeux, il savait où l'emmenaient ces images abominables des soldats blessés. Il les garda grands ouverts, fixant la petite fenêtre en face de lui, dans l'espoir que la pâle luminescence de la nuit éclairerait bientôt toute cette obscurité. Mais il ne put arrêter les pensées qui se pressaient en lui. Et tandis qu'il essayait de résister, se forma devant ses yeux l'image qu'il fuyait depuis des jours. Il vit la gorge du marchand qui s'ouvrait en deux. Il entendit le bruit visqueux de la lame qui pénètre la chair et le craquement de la trachée qui s'ouvre. Il s'assit brusquement, les poings serrés. Il ignorait combien de temps s'était écoulé. Benedetta, à sa droite, avait une respiration régulière. Elle dormait. Et il lui sembla entendre des respirations profondes du côté du docteur et de sa fille.

« Tu n'arrives pas à dormir ? dit tout doucement la voix d'Isacco.

— Et vous ? répondit un instant après Mercurio.

— Non. »

Suivit un long silence. Puis Mercurio entendit un froissement. L'instant d'après, Isacco était à côté de lui.

« Ton ami, là, dehors, il connaît mon secret ? », dit Isacco le plus bas qu'il put.

Mercurio ne répondit pas tout de suite. « Ne vous inquiétez pas.

— Ça ne veut dire ni oui ni non.

— Nous sommes des voleurs et des escrocs, comme vous. Pour aucun de nous, il n'est bon d'être découvert.

— Mais nous, nous sommes juifs. »

Mercurio savait ce que voulait dire Isacco. Et il avait raison. « Il ne sait rien de votre trésor, soyez tranquille… docteur.

— Merci », dit l'homme, en retournant s'étendre.

« Venise, murmura-t-il bientôt d'une voix rêveuse.

— Oui… Venise », dit Mercurio en écho.

Mais pour lui ce nom ne voulait rien dire.

11

Shimon Baruch ouvrit les yeux.

Il se sentit perdu. Il ne savait pas où il était.

Puis il se rappela.

Chaque jour, c'était la même chose. Chaque matin, depuis une semaine qu'il s'était réveillé. Depuis que *Ha-Shem*, le Tout-Puissant, le Saint Béni, comme disaient les médecins et sa femme, avait décidé de le sauver. Il se réveillait et il ne savait pas où il était. Lui qui savait toujours tout dans les moindres détails, lui qui avait vécu une vie toute petite, veillant à ne pas se faire remarquer, à éviter les problèmes. Depuis une semaine, il se réveillait et il ne reconnaissait rien. Mais un changement radical s'était produit, que Shimon Baruch ne maîtrisait pas : dès qu'il se rappelait qui il était et où il se trouvait, l'image de ce garçon qui l'avait trompé et volé s'imposait à son esprit. Sa face maigre, ses cheveux foncés et ses yeux noirs, ce sourire effronté. Ensuite, Shimon voyait briller la lame de l'épée ; et une sensation sombre, lourde comme une cape, l'enveloppait, prolongeant cette transformation qui se faisait en lui depuis une semaine.

Il remua doucement dans le lit. Près de lui, il entendait la respiration légère de sa femme. Ces derniers jours, dès qu'elle le savait réveillé, elle se levait d'un bond, lui préparait une collation, le couvrait d'attentions, le lavait, le rasait. Sans cesser un seul instant de parler et pleurer.

Mais il avait envie d'être seul.

Surtout ce matin, qui serait peut-être sa dernière matinée d'homme libre. La première audience de son procès était fixée au lendemain. Dès qu'on l'avait jugé en voie de guérison, la hache de la justice s'était abattue sur lui. C'était uniquement parce que son avocat avait des relations haut placées – privilège pour lequel il se faisait grassement payer – qu'il avait pour le moment évité d'être enfermé dans la prison de Curia Savella.

Mais rien ne le sauverait de la condamnation, il le savait. Il était juif, armé, et accusé de meurtre. Un chrétien qui aurait été détroussé aurait pu faire un massacre et bénéficier des circonstances atténuantes, parce qu'il aurait tué un criminel. Mais lui, il avait tué une brebis du troupeau, et le Berger suprême le lui ferait payer cher. L'avocat disait qu'il pouvait s'en tirer avec quatre ou cinq ans de prison et une sanction pécuniaire très élevée. *S'en tirer*, il avait vraiment dit ça.

« Cher mari, tu es réveillé depuis longtemps ? », demanda sa femme, en s'apercevant qu'il avait les yeux ouverts.

Shimon ne la regarda pas. Il retint un mouvement d'agacement.

« Que voudrais-tu manger pour reprendre des forces, aujourd'hui ? », continua-t-elle en urinant dans le pot de chambre.

Shimon ne bougea pas un muscle.

« Du hareng et du pain azyme ? Ou tu préfères autre chose ? » La femme du marchand rabattit sa chemise de nuit et jeta le contenu du pot par la fenêtre. Elle fit le tour du lit et se mit face à son mari. « Alors ? Dis-moi. »

Shimon tourna son regard vers elle. Il aurait voulu lui dire d'aller au diable. De s'étrangler avec ses harengs et son pain azyme. Lui dire qu'il ne voulait pas se retrouver en prison, et qu'il ne pouvait pas payer l'avocat ni l'amende qui l'attendait.

Il aurait voulu déverser sur elle un flot de paroles.

Mais il ne le pouvait pas.

Depuis que la lame de l'épée s'était plantée dans sa gorge, Shimon Baruch était devenu muet.

Il se leva du lit et alla jusqu'à la table, où sa femme avait installé, comme dans chaque pièce de la maison, une écritoire avec du parchemin, une plume d'oie et un encrier toujours plein : Shimon Baruch n'avait plus d'autre moyen pour communiquer.

"Bouillon", écrivit-il.

Sa femme se précipita à la cuisine, piaillant ses ordres à la servante.

Shimon toucha sa gorge. Le bandage était encore humide de sang. Il se plaça devant un miroir de vif-argent et s'y regarda.

Sa femme revint dans la chambre. « Maintenant je vais t'aider à t'habiller, mon cher mari. Mais d'abord je t'aide à te laver. Et si tu veux, je t'aide à prier. » Elle se mit derrière lui et commença à pleurnicher. « Qu'allons-nous faire, mon cher mari ? Quel drame ! Pourquoi fallait-il que ça nous arrive ? Quel mal avons-nous fait ? Pourquoi *Ha-Shem* a-t-il décidé de nous mettre à l'épreuve ? »

Elle le prit dans ses bras.

Shimon la repoussa, avec colère. Puis il ouvrit la bouche pour crier, avec tout le souffle qu'il avait dans la gorge. Mais il n'en sortit qu'un sifflement. Terrible. Plus effrayant que n'importe quel cri. Sur le bandage, le sang se mit à mousser. Shimon l'arracha, chercha de nouveau à crier jusqu'à gonfler les veines de son cou. Du sang jaillit sur le miroir.

« Oh, mon cher mari, non… », se lamenta sa femme.

Shimon se retourna. Dans ses yeux, il y avait du mépris et de la haine. Il alla à l'écritoire.

"Tu ne sais pas ce qu'il y a en moi, écrivit-il. Je ne suis plus le même."

Sa femme sanglota.

"Va-t'en", écrivit Shimon.

La femme, se traînant presque, sortit de la pièce.

Resté seul, Shimon Baruch sentit que la haine et la colère qu'il éprouvait le rendaient plus fort. Plus vivant. "Je n'ai rien d'autre", pensa-t-il. Il enroula une bande propre autour de son cou, revint devant le miroir. "La haine et la colère", se répéta-t-il. Mais dans ses yeux il vit autre chose. "La peur." Il était comme paralysé, incapable de détourner son regard. Et il sentait sa peur grandir. Bientôt, s'il restait devant ce miroir, elle prendrait toute la place. Mais ses pieds ne voulaient pas bouger. Alors il se pencha en avant et, de toutes ses forces, frappa le miroir avec son front. Il sentit l'impact, le bruit, les éclats qui lui coupaient la peau, le sang chaud qui lui coulait dans les yeux.

La porte de la chambre s'ouvrit. Sa femme, sur le seuil, cria, porta les mains devant sa bouche et se précipita vers son mari.

Shimon l'arrêta. Il se mit à rire, puis la poussa dehors et claqua la porte avec violence.

"Tu ne te regarderas plus jamais dans un miroir", se dit-il.

Il prit un pan du drap dans lequel il avait dormi et tamponna la blessure sur son front. Le sang cessa bientôt de couler. Elle ne devait pas être très profonde. Rien qui puisse impressionner un homme capable d'enfiler son index dans le trou de sa gorge, et d'y sentir l'air entrer et sortir.

"Tu n'écouteras plus jamais la peur."

Shimon Baruch s'habilla puis ouvrit la porte. Il fit signe à sa femme de lui apporter le bouillon et de se taire. Et il savoura le bouillon et le silence.

"Dis aux gardes que je suis allé au fleuve pour me tuer", écrivit-il.

« Non ! Mon cher mari, non ! », dit sa femme en éclatant en sanglots.

Shimon leva la main, comme pour la gifler. Sa femme recula. Il ne l'avait jamais frappée jusque-là, et pourtant il pensa qu'il n'aurait pas de déplaisir à le faire. Mais pas de plaisir non plus. Il baissa la main sans la frapper et trempa de nouveau la plume d'oie dans l'encrier, avant de se rendre compte qu'il n'avait plus rien à lui dire. Plus maintenant. Il jeta la plume sur la table et se dirigea vers la porte d'entrée sans prendre son bonnet jaune. Mais il prit tout l'argent.

Il marcha jusqu'à l'église de San Serapione Anacoreta. C'était une petite église des faubourgs, fréquentée par de pauvres gens qui se reproduisaient comme des lapins.

Shimon avait calculé qu'elle serait déserte à cette heure-là. Il entra dans la sacristie. Elle était froide, malgré une petite cheminée allumée. Le curé, un vieux prêtre grassouillet, les ongles noirs comme la poix, buvait du vin, les coudes posés sur le bois mangé aux vers. À la même table était assise sa bonne, qui buvait avec lui. Le prêtre sembla agacé de recevoir de la visite, mais quand Shimon lui montra une pièce d'argent il fut aussitôt debout et commença à frétiller obséquieusement autour de lui.

Shimon écrivit au curé qu'il était devenu muet à la suite d'un accident qui lui avait fait perdre la mémoire. Mais il savait qu'il avait été baptisé dans cette paroisse, et il devait donc rester une trace de son identité.

« Te souviens-tu en quelle année, mon fils ? », demanda le curé.

"1474", écrivit Shimon.

« Tu as donc quarante et un ans, fit le prêtre en le regardant.

— Il fait plus, dit la bonne.

— Tais-toi, malheureuse, la tança le curé.

— Vous le pensez vous aussi.

— Excuse-la, elle ne tient pas le vin », dit-il, et il alla dans une pièce contiguë. Sur une étagère arquée par le poids des documents, il prit un gros livre poussiéreux à couverture rigide qui portait l'inscription : "1470 – 1475". Il le posa sur la table et se gratta la tête. « Comment allons-nous te trouver si tu ne te souviens plus de ton nom ? »

Shimon se frappa la poitrine, pour dire qu'il avait la réponse. Il ouvrit le grand livre et commença à parcourir les dizaines et dizaines de noms. De temps en temps, il trouvait un feuillet non relié et jauni par les années, glissé entre les pages. Il demanda par gestes ce que c'était.

« Des certificats de baptême qui n'ont pas été réclamés, soupira le curé. Les gens du peuple sont ignorants, tu sais ce que c'est. Ils ne comprennent pas que le certificat de baptême vaut n'importe quel document. »

Shimon acquiesça. Il le savait bien, et il finit par trouver ce qu'il cherchait. Prenant un certificat, il se désigna. Puis il désigna de nouveau le certificat.

« C'est toi, ça, mon fils ? Le curé lut le certificat. Tu es Alessandro Rubirosa ? Mais ici, il est marqué qu'il est né en 1471, et pas en 1474. »

Shimon haussa les épaules, montra de nouveau le certificat et se battit encore la poitrine.

« C'est bizarre, mon fils, marmonna le prêtre. Et puis pourquoi tu n'as pas retiré le certif...

— Alessandro Rubirosa ? intervint la bonne. Impossible ! Je le connais. »

Shimon se figea.

« Je me le rappelle parce qu'il est mort depuis... combien ça fait ? Un couple de mois, pas plus, continua la femme, en tapant sur l'épaule du curé. Allons, vous devez vous rappeler vous aussi. C'est celui qui s'est fait tuer dans la bagarre à l'auberge dell'Ippocampo.

— Celui-là ? fit le curé en plissant les yeux pour tenter de se souvenir. Tu es sûre qu'il s'appelait comme ça ?

— Aussi sûre que les hémorroïdes me bouffent le cul », dit la bonne en croisant les bras sur sa poitrine.

Le curé hocha la tête, nullement choqué. Se tournant vers Shimon, il agita devant lui le bout de papier. « Ce n'est pas comme ça que tu t'appelles, mon fils. Tu vois ? Ce pauvre malheureux est mort. » Il se dirigea vers la cheminée. « Et il ne risque pas de venir réclamer son certificat. Eh bien, ça fera de la paperasse en moins », et il s'apprêta à jeter le papier dans la cheminée.

Shimon bondit et le lui arracha des mains.

« Ce n'est pas toi, mon cher fils, insista le curé. Je suis désolé… »

Shimon plia le certificat et le mit dans sa poche.

« Mais que fais-tu ? Comprends-le, ce n'est pas toi. »

Shimon prit la plume et écrivit sur une page du grand livre : "C'est vrai. Ce n'est pas moi."

« Mais alors… ? » Le curé était perplexe.

Shimon arracha la page sur laquelle il avait écrit et la jeta dans la cheminée. Puis il saisit solidement le tisonnier, se retourna et frappa le curé au front. Le prêtre gémit et s'écroula au sol. La bonne resta pétrifiée pendant que Shimon achevait le curé. Quand vint son tour d'être massacrée, elle voulut s'échapper mais un premier coup l'atteignit à la nuque. Le second lui fracassa le crâne.

Puis Shimon Baruch remit le livre en place, vida le tronc des offrandes et enfila la soutane du curé. Pendant quelques jours, il serait un prêtre. Dans une ville comme Rome, il se ferait moins remarquer. Même sa femme ne l'aurait pas reconnu. Il sourit. Relut le certificat de baptême d'Alessandro Rubirosa qui lui offrait une nouvelle vie.

"Tu ne seras plus jamais un Juif", se dit-il en sortant de San Serapione Anacoreta. Il laissa la colère et la haine grandir en lui. "Et tu n'auras plus la paix tant que tu n'auras pas retrouvé ce maudit garçon et que tu ne l'auras pas fait souffrir."

12

À l'aube, les ordres du capitaine Lanzafame résonnèrent dans tout le camp.

Mercurio se tourna aussitôt vers Giuditta, qui lui rendit son regard. Il pensa qu'il aurait été naturel de lui sourire, mais ne le fit pas. Il la fixait avec gravité, et continuait de se demander pourquoi il avait l'impression de la connaître. Ou peut-être se reconnaissait-il en elle. Quelque chose les liait, mais il ne savait pas donner de nom à ce lien.

Benedetta lui donna une tape dans le dos, avec rudesse. « Je vais voir comment va Zolfo. Tu viens ? »

Mercurio acquiesça et se leva. Il détacha son regard de Giuditta, et se sentit en faute.

Dehors, Zolfo était réveillé. La couverture sur le dos, il bavardait avec des soldats. Sa main tenait une épée si grande qu'il pouvait à peine la soulever. Il riait. Mercurio lui trouva une expression bizarre.

Il leur montra l'arme. « Un coup bien envoyé, et je coupe la tête à tous ces Juifs, fit-il, avec un sourire méchant.

— Arrête avec ces idioties, dit Mercurio.

125

« — Les Juifs, c'est tous des merdes, ajouta Zolfo, en le défiant presque.

— Donne ça, gamin », intervint alors un soldat qui lui enleva l'épée des mains. Les autres soldats aussi avaient cessé de rire. « Ce chirurgien a sauvé la vie de beaucoup d'entre nous. Écoute ce que te dit ton ami, et arrête. »

Les soldats s'éloignèrent et Zolfo cracha par terre. Ce n'était plus un petit garçon, il avait un regard dur, se dit Mercurio. Il lui faisait penser à un champ dévasté par les flammes, aride mais encore brûlant. Puis Zolfo se tourna vers le chariot des vivres. Mercurio se tourna aussi, et vit qu'Isacco et la fille s'apprêtaient à sortir pour se restaurer.

Zolfo marmonna quelque chose, les dents serrées.

« Arrête, siffla Mercurio.

— Vous vous en fichez, mais pas moi, dit Zolfo d'une voix pleine de rancune. Ils ont tué Ercole. Je leur pardonnerai jamais.

— C'est pas *eux* qui l'ont tué, tenta de le raisonner Benedetta.

— Et l'homme qui l'a tué est mort, tu l'as vu de tes propres yeux, ajouta Mercurio. C'est moi qui l'ai tué…

— C'était pas un homme, c'était un Juif, dit Zolfo d'une voix sombre.

— Écoute-moi. » Mercurio lui donna une chiquenaude sur l'épaule. « On peut pas se permettre de marcher seuls. »

Un peu avant la frontière des États pontificaux, un groupe de soldats errants avait "réquisitionné" – selon leurs propres termes – leurs chevaux, la charrette et leurs provisions. Ils n'avaient pas trouvé les

126

pièces d'or. Ils avaient palpé Benedetta, sans aller plus loin. La soutane de prêtre, comme l'avait prédit Scavamorto, les avait peut-être retenus.

« Regarde-moi, idiot, pesta Mercurio. Il y a peut-être des brigands dans cette région. Tu veux qu'à cause de tes conneries, Benedetta se fasse violer jusqu'à ce qu'elle en crève ? »

Zolfo changea d'expression, l'espace d'un instant. Puis il regarda de nouveau en direction d'Isacco et de Giuditta, et sourit. « D'accord, dit-il en esquissant un pas vers le docteur et sa fille. Je vais m'excuser. »

Mercurio sentait que quelque chose n'allait pas. Il s'apprêtait à rattraper Zolfo mais Benedetta l'arrêta.

Zolfo était à deux pas de Giuditta. Toujours avec ce sourire bizarre.

Puis un des soldats avec lequel Zolfo bavardait quelques instants plus tôt dit, d'une voix forte : « Où est mon couteau ? »

Mercurio se tourna d'un coup vers le soldat puis de nouveau vers Zolfo.

Celui-ci sortit le couteau de sa manche et le brandit.

« Non ! hurla Mercurio en se précipitant vers lui.

— Ça, c'est pour Ercole ! », dit Zolfo en abaissant sa main armée.

Pendant que Mercurio se jetait entre Zolfo et Giuditta, l'image du marchand lui revint. « Non ! », hurla-t-il à pleins poumons.

Le coup tomba, plus hystérique que violent. La lame déchira la soutane de Mercurio au niveau du poignet et poursuivit sa course en se plantant dans le dos de sa main, superficiellement, entre le pouce et l'index.

Giuditta cria, terrorisée.

Benedetta cria.

Mercurio gémit, en tombant.

Isacco courut vers sa fille, qu'il attrapa et écarta vivement.

Zolfo avait une expression hagarde, comme s'il n'était pas là. Il serrait encore le couteau dans sa main.

Mercurio, toujours à terre, lui lança un coup de pied dans le ventre. Zolfo se plia en deux ; il ne s'était pas encore redressé que le capitaine Lanzafame était déjà sur lui et le frappait d'un coup de poing terrible, qui le fit voler dans les airs.

« Attachez-le et mettez-le dans un chariot ! », hurla Lanzafame. Puis il chercha parmi les hommes celui qui s'était fait voler son couteau. Quand il l'eut repéré, il pointa un doigt vers lui. « Et toi, t'es un soldat ou quoi ? »

Giuditta se dégagea de l'étreinte de son père et rejoignit Mercurio, qui se relevait. Elle tenait un mouchoir et tamponna sa blessure en le fixant avec effroi, emplie d'une émotion qu'elle n'aurait pas su définir. Qui lui coupait le souffle, qui faisait battre son cœur. Elle s'aperçut qu'elle serrait sa main et, qu'en même temps, elle se perdait dans ses yeux. Mais elle était incapable de parler.

Mercurio était dans une confusion identique. Il n'avait pas réfléchi, s'était élancé d'instinct. Il respirait avec difficulté mais sa blessure ne le faisait pas souffrir ; il ressentait juste une chaleur réconfortante au contact de Giuditta. « Je ne suis pas prêtre, lui murmura-t-il. Je ne suis pas prêtre », répéta-t-il, comme si cette affirmation voulait dire beaucoup plus.

Isacco rejoignit sa fille. Il l'obligea à se pousser. « Laisse-moi faire. »

128

Giuditta s'écarta, elle avait encore à la main le mouchoir avec lequel elle avait tamponné la blessure de Mercurio. Et elle n'arrivait pas à détacher son regard de ses yeux si intenses. « Merci », parvint-elle à dire.

« Oui, merci, fit Isacco en écho. Viens, mon garçon », et il l'emmena vers le chariot où étaient ses bandages et ses onguents.

« Je devrais faire confiance à un faux docteur ? », dit tout bas Mercurio pendant qu'Isacco le soignait.

Isacco sourit. « S'il y avait un vrai prêtre dans les environs, je lui dirais de prier pour toi.

— Je suis désolé », dit Mercurio.

Isacco hocha la tête. « En tout cas, merci, mon garçon. »

À peine une demi-heure plus tard, on entendait résonner les trompettes. Puis il y eut un cri : « En avant, marche ! »

Ils avancèrent doucement, car les roues des chariots s'enfonçaient dans la boue. Cette nuit-là, ils dormirent non loin de Mestre.

Benedetta avait eu la permission du capitaine Lanzafame de parler à Zolfo. Uniquement en présence du soldat qui en était maintenant le gardien, celui-là même qui s'était laissé voler son couteau. Mais Zolfo s'était enfermé dans un mutisme obstiné et rageur.

« Je ne le reconnais pas, dit Benedetta à Mercurio alors qu'ils se couchaient. On dirait que ce n'est plus la même personne. »

Mercurio connaissait bien la colère. C'était comme si un animal féroce enfermé en soi se nourrissait de la chair qui l'abritait. Il avait lui aussi du mal à la tenir en respect. « J'ai sommeil », dit-il à Benedetta. Il se tourna de l'autre côté. Dans la pénombre du chariot, il chercha le regard de Giuditta. Elle-même semblait attendre son regard, comme un bonsoir. Mais son père aussi le regardait et Mercurio ferma vite les yeux. Il les rouvrit peu après. Giuditta dormait. Ou semblait dormir. Mercurio se dit qu'il aurait aimé connaître ses rêves. Et même, s'y introduire. Entrer dans sa tête. "Pourquoi tu penses à ces idioties", se dit-il en se tournant de l'autre côté. Il avait le souffle court et éprouvait une agréable sensation de malaise. "Les filles, ça n'apporte que des ennuis", se répéta-t-il.

À l'aube, dans le campement, résonnèrent de nouveau les trompettes. En sortant du chariot, Mercurio avait lancé un regard furtif à Giuditta qui lui avait souri. La tête lui avait tourné. "Les filles n'apportent que des ennuis", se dit-il encore, de moins en moins convaincu.

Dès que Mercurio et Benedetta furent sortis, Giuditta se leva. Elle sentit une crampe terrible dans son ventre et gémit. Elle ferma les yeux et serra les dents, puis elle sentit quelque chose couler le long de ses jambes. Sans se soucier de la présence d'Isacco, elle souleva sa jupe et vit un filet de sang. « Père ! », hurla-t-elle.

Isacco se tourna et vit le sang qui coulait le long de la cuisse gauche de sa fille. Il se retourna aussitôt, gêné. « Giuditta !

— Père, dit-elle d'une voix inquiète, je saigne…

— Évidemment que tu saignes ! », dit Isacco, d'une voix trop forte. Puis il se rendit compte que sa fille n'avait aucune idée de ce qui lui arrivait. « Tu n'as jamais… je veux dire… tu n'as jamais saigné ?

— Non, père… » La voix de Giuditta était moins effrayée. Elle comprenait à la réaction paternelle qu'elle ne devait pas s'inquiéter.

« Que diable, mais… ta grand-mère ne t'a pas… » Isacco s'agitait, toujours le dos tourné. « Elle ne t'a jamais expliqué… ? Putain de misère ! » Et il tapa violemment du pied contre le plancher du chariot.

Giuditta sursauta.

« Excuse-moi, mon enfant… » Isacco se retourna mais Giuditta avait encore la jupe relevée.

Il se tourna de nouveau vivement et éclata : « Baisse-moi cette jupe ! » Puis il ajouta : « Écoute, maintenant il te faut mettre quelque chose… je veux dire, un morceau de tissu… à cet endroit-là… » Il souffla, mal à l'aise. « C'est une affaire de femmes… Et puis, au diable, attends-moi ici. »

Il alla chercher Benedetta, la prit à part et lui demanda, tout à trac : « Tu as déjà eu tes règles, jeune fille ? »

Benedetta devint toute rouge. Elle leva la main pour lui lancer une gifle. « Espèce de porc ! »

Isacco devint écarlate. Il ouvrit de gros yeux. « C'est pour ma fille ! lui dit-il. Elle vient d'avoir ses règles et… bref, c'est une affaire de femmes. Explique-lui, toi. » Il prit une grande respiration. « S'il te plaît. »

Quand Benedetta monta dans le chariot, Giuditta avait baissé sa jupe.

« Tu as tes règles. Tu es devenue une femme, lui dit Benedetta. Tu sais ce que ça veut dire ? »

Giuditta fit signe que non.

« Qu'à partir de maintenant si tu baises, tu risques de mettre au monde un bâtard », expliqua Benedetta. Elle n'avait aucune sympathie pour cette fille. « Mets-toi un linge entre les cuisses, ajouta-t-elle. Dans quelques jours tu arrêteras de saigner. Et dans un mois ça recommencera. T'as des questions ? »

Giuditta fit signe que non.

Benedetta s'en alla sans rien ajouter.

Aussitôt seule, Giuditta se laissa aller sur sa couche. Recroquevillée sur elle-même, elle remonta la couverture sur son ventre et ferma les yeux. Ces derniers jours avaient été intenses. Pleins d'émotions. De peur. D'excitation.

"Je suis devenue une femme", se dit-elle.

Puis elle ressentit une douleur à l'abdomen. Sa main tenait le mouchoir. Elle la glissa sous sa jupe et mit le mouchoir entre ses cuisses. Et c'est seulement à ce moment-là qu'elle prit conscience que c'était le mouchoir qui avait servi à tamponner la blessure de Mercurio. Sur ce mouchoir, il y avait le sang du garçon qui l'avait sauvée. Et maintenant il y avait aussi le sien.

"Je suis devenue femme pour lui", pensa-t-elle.

Leurs sangs étaient unis. C'était le signe d'un destin, d'une promesse.

"Je suis à lui."

Puis elle s'endormit.

13

« Que va-t-il arriver à Zolfo ? », demanda Mercurio le lendemain matin au capitaine Lanzafame, avant qu'ils ne se remettent en route. Benedetta, angoissée, se tenait derrière lui.

« Il a essayé d'assassiner une jeune fille », répondit gravement le capitaine. Regardant Benedetta : « Il risque la peine de mort.

— Non… »

Benedetta se mordit la lèvre.

« Il avait un couteau, et si vous n'étiez pas intervenu…

— Il ne voulait pas la tuer ! l'interrompit Benedetta. Vous ne le connaissez pas, il ne ferait pas de mal à une mouche !

— À une mouche peut-être pas, mais à un Juif si. » Lanzafame la regarda encore. Il se dit qu'elle était jolie. Trop jeune, peut-être.

« Que va-t-il lui arriver ? », demanda de nouveau Mercurio.

Le capitaine ne répondit pas tout de suite. Il lança un dernier regard à Benedetta. « Je dois y réfléchir », dit-il en s'éloignant.

Mercurio courut derrière lui. « Capitaine, je vous en supplie… »

Lanzafame s'arrêta. Il baissa la voix. « Zolfo est un faible… »

Exactement ce qu'avait dit Scavamorto, pensa Mercurio.

« Je connais les êtres humains mieux que quiconque, parce que je les regarde en face quand ils essaient de me tuer. Et ce gamin-là est un faible et un traître. Ne te fie pas à lui. Jamais !

— Capitaine, fit Mercurio. Il voulait lui faire peur… Peut-être lui faire du mal. Mais pas la tuer. »

Lanzafame le fixa. « Tu n'y crois pas toi-même.

— Faites-le pour Benedetta… »

Le capitaine regarda la jeune fille à la peau d'albâtre. Elle avait la tête penchée et la lumière jouait dans ses cheveux cuivrés. De nouveau il pensa qu'elle était très jolie. Et très jeune. « Peut-être qu'à l'embarquement, le gamin sera mal attaché…

— Merci, capitaine, fit Mercurio.

— De quoi ? », dit Lanzafame, et il s'en alla, criant à ses hommes de se mettre en marche.

Dans la nuit, le capitaine avait envoyé une estafette à Mestre pour annoncer leur arrivée. L'après-midi, quand ils atteignirent la Fidélissime, ainsi qu'on appelait l'antichambre de Venise, les combattants furent accueillis par une foule en liesse, même s'ils n'étaient qu'une petite caravane de blessés rentrant chez eux. Les commandants en chef et le gros des troupes alliées avec les Français du roi François Ier de Valois continuaient la guerre. Mais le peuple, après la peur des années précédentes, n'avait qu'un seul désir : fêter la victoire de Marignan, qui avait eu lieu quelque dix jours plus tôt :

elle semblait marquer un tournant dans la terrible crise vénitienne et rendait à la Sérénissime une grande partie de ses territoires sur la terre ferme.

Le capitaine Andrea Lanzafame marchait en tête de la colonne, derrière les porteurs d'étendards. Droit sur sa selle, une main sur le pommeau de l'épée qui pendait à son flanc gauche, l'autre menant son puissant hongre, il souriait à la foule qui chantait à la gloire des combattants. Sur son armure cabossée par les coups de l'ennemi claquait sa tunique sans manches, aux couleurs et aux armes de sa ville et de sa maison : croix d'or sur champ de gueules à deux sarments de vigne fruités de grappes d'or, indiquant qu'il descendait des seigneurs siciliens de Capo Peloro.

Depuis le chariot des vivres, Mercurio, Benedetta, Isacco et Giuditta regardaient par les petites fenêtres latérales la foule bigarrée. Ils franchirent un affluent du Marzenego, le *flumen de Mestre*, puis passèrent sous la porte Belfredo del Castelnuovo, au nord de la cité.

Mercurio compta onze tours, dont l'une portait une grande horloge. Les remparts étaient en mauvais état, montrant les traces profondes d'un incendie. Il trouva le château gigantesque, pendant que la procession pénétrait à l'intérieur d'un plan en forme d'écu. Au centre se dressait une tour plus grande et plus haute que les autres, le Mastio, siège du Proveditorat, devant lequel les plus hautes autorités de Mestre, en grande tenue de cérémonie, attendaient le retour de ces premiers héros.

Placée à la gauche de Mercurio, Giuditta était si absorbée par cette vision que, tout excitée, elle serra sa main blessée, croyant peut-être avoir son père à côté d'elle. Au début, Mercurio se raidit, à la fois parce qu'il était surpris et qu'il avait eu mal. Mais il répondit ensuite à l'étreinte, avec chaleur. Giuditta se tourna vers lui, étonnée. Il avait le visage rouge et la fixait, le cœur battant la chamade, emporté par une émotion intense. Et il comprenait maintenant, à ce contact, pourquoi on disait que les filles n'apportent que des ennuis.

Giuditta tenta de dégager sa main.

Mercurio la retint.

Elle le laissa la retenir.

Ils se regardèrent un long moment. Autour d'eux, c'était comme si le silence s'était fait.

Puis Isacco, se tournant vers sa fille, s'exclama : « Et ça, ce n'est rien, tu vas voir Venise ! »

Les mains de Giuditta et Mercurio se dénouèrent à l'instant même.

Le garçon se détourna, embarrassé, ne montrant plus au docteur que son dos. Il rencontra les yeux de Benedetta, qui le fixait d'un air renfrogné. Elle aussi était devenue rouge. Mais de colère, pensa Mercurio. Et de cela aussi il fut surpris. Il détourna les yeux, mais ne savait plus où regarder.

Giuditta, elle, continuait de sourire exagérément à son père, les joues empourprées.

« Pourquoi fais-tu cette tête ? demanda Isacco, soup-çonneux.

— J'ai chaud », fit Giuditta, en s'éventant avec sa main. Isacco vit qu'elle avait du sang sur les doigts. Elle n'était pas blessée. Alors il regarda Mercurio, qui lui tournait le dos, obstinément. « Nettoie ta main », dit-il sévèrement à Giuditta. Et il déplaça sa fille pour s'interposer entre Mercurio et elle.

136

À ce moment, la porte du chariot s'ouvrit.

« Descendez festoyer avec nous, docteur », dit Donnola.

L'espace d'un instant, la tension se dilua dans la lueur du jour, au milieu des cris de la foule et dans une ambiance de fête. En descendant du chariot, les deux jeunes gens se frôlèrent et de nouveau rougirent. Isacco prit sa fille et la tira derrière lui. Giuditta, en s'éloignant, lança un coup d'œil furtif à Mercurio, qui lui sourit à peine, encore bouleversé par ses propres émotions.

« Restons ensemble », dit Benedetta d'une voix pleine de colère ; et elle rejoignit Zolfo, qui était attaché par les mains à un cheval. Mercurio la suivit, évitant son regard.

Le capitaine Lanzafame, au milieu de la foule, retenait son cheval avec peine. Il pointa l'index vers Isacco. « Ressors ton bonnet jaune. Ici, il faut respecter la loi. »

Puis ils se joignirent aux autorités, qui guidèrent les valeureux combattants vers la Fossa Gradeniga, où trois grosses barges, des navires marchands, les attendaient pour les emmener à Venise, piazza San Marco, en plein cœur des festoiements.

« Montez avec nous, dit Lanzafame à Isacco, faisant signe aussi à Mercurio. En temps de guerre, les étrangers n'ont pas le droit d'embarquer pour Venise, mais vous avez gagné votre passage. »

Une large passerelle de planches de hêtre était construite sur le rivage, surélevée pour rendre visibles les valeureux soldats et faciliter l'embarquement des chariots et des invalides. Les nuages s'étaient dispersés çà et là dans le ciel gris, laissant par endroits filtrer le soleil, qui éclairait la Route de l'Eau.

Alors qu'Isacco et Giuditta montaient sur la passerelle, suivis par Mercurio, Benedetta et Zolfo toujours attaché, un cri retentit.

« Satan ! Je t'ai retrouvé !

— Ne te retourne pas », ordonna Isacco à sa fille, en reconnaissant la voix.

En revanche, tous les autres se retournèrent.

Le frère prêcheur qu'Isacco et Giuditta avaient rencontré à l'auberge et qui les avait pourchassés s'avançait maintenant à grands pas, le crucifix à la main, jouant des coudes pour s'ouvrir un chemin. Ses cheveux étaient collés à son crâne et sa barbe inculte incrustée de restes de nourriture.

« Suppôts de Satan ! Impies, pécheurs, ne semez pas votre chancre parmi nos troupes ! » Puis, à court d'insultes, il cria : « Espèce de Juifs ! »

Isacco poussa sa fille derrière le cheval du capitaine Lanzafame.

« Hérétiques ! », hurla le frère, qui se jeta presque sur la passerelle.

L'animal, nerveux, fit un écart.

« Ils ont déjà amené le malheur à quelques lieues d'ici ! Une petite fille innocente est morte par leur faute, une créature de Dieu ! Ils m'ont échappé une fois, mais Satan aujourd'hui ne me jouera pas un nouveau tour.

— Que veux-tu, frère ? », l'apostropha Lanzafame.

Mercurio s'aperçut que les yeux de Zolfo s'étaient de nouveau enflammés, et il lui donna une claque sur la tête.

« Ne laisse pas ce chancre empester tes valeureux soldats », dit le frère avec emphase.

Le capitaine laissa ses yeux errer sur les gens. Ils ne savaient de quel côté pencher, esclaves qu'ils étaient des superstitions religieuses. « Cet homme a soigné mes soldats, dit-il de façon à ce que tous l'entendent. Et c'est grâce à lui qu'ils rentrent dans leurs familles. »

La foule comprit la valeur de cette dernière phrase. Elle chanta des hymnes et se rangea aux côtés du capitaine, sinon du médecin.

Le frère avait perdu du terrain. Mais l'Église, et surtout la vie, l'avaient forgé pour la bataille. Il ne cherchait pas la victoire ou la défaite comme un quelconque mercenaire, mais l'élan vers la guerre, comme tous les fanatiques. « Satan ! Tu as donc déjà lâché tes diables ? » Il sauta sur la passerelle, essaya de contourner le cheval du capitaine. « Alors je serai là pour te combattre, sans céder d'un seul pas ! »

Lanzafame tira son épée et la brandit avec une expression rageuse. La foule retint son souffle. Puis l'arme vola et vint se planter entre les pieds du prédicateur après avoir transpercé sa lourde robe de bure, l'ancrant à la passerelle. « Arrête-toi, oiseau de malheur ! Tu tortures mes oreilles, quand je n'ai envie d'entendre que la joie de mon peuple ! »

La foule applaudit, aussi amusée que scandalisée.

« Que le dernier récupère mon épée, si le frère ne l'a pas avalée ! », hurla le capitaine, qui éperonna son cheval. Puis il dit à Isacco : « Dépêche-toi de monter sur le bateau.

— Suppôts de Satan ! », hurlait le moine.

Les marins dénouèrent les cordes qui retenaient les barges – larges et plates, aux flancs peints de noir brillant – et appuyèrent leur longue rame contre le mouillage pour se pousser au milieu du canal.

À ce moment-là, comme l'avait dit le capitaine Lanzafame, les liens qui emprisonnaient Zolfo se défirent : le soldat qui l'avait sous sa garde avait tiré un grand coup sur le nœud.

« Va-t'en, couillon », maugréa l'homme.

Aussitôt qu'il se retrouva libre, Zolfo, au lieu de s'échapper, fit un pas vers Isacco. « Suppôts de Satan ! », cria-t-il. Et avant que quiconque puisse intervenir, il escalada le parapet de l'embarcation, sauta sur le mouillage et s'enfuit en courant.

Benedetta regarda Mercurio. Puis, voyant que la barge commençait à s'éloigner du mouillage, elle bondit à son tour à terre et s'élança à la poursuite de Zolfo.

Mercurio était immobile. Il aurait voulu sentir encore la main de Giuditta dans la sienne. Le bateau était trop éloigné pour qu'il saute sur la terre ferme.

Au milieu des gens, sur le mouillage, Benedetta le regardait.

Mercurio se tourna vers Giuditta. « Je te retrouverai », lui dit-il.

Le capitaine Lanzafame le fixait, l'air contrarié.

« Allez au diable ! », s'écria Mercurio et il se jeta dans l'eau. Elle était glacée et boueuse, avec une odeur de vase.

À terre, les gens rirent et applaudirent.

En quelques brasses, il rejoignit le mouillage. Puis des mains et des bras forts le hissèrent au sec, au milieu des ricanements. Mercurio repoussa ceux qui l'avaient aidé et se tourna vers la barge. Giuditta le regardait. « Je te retrouverai », scanda-t-il, espérant qu'elle lirait sur ses lèvres. Puis il courut vers Benedetta. Quand il la rejoignit, elle était avec Zolfo près du moine.

« Qu'est-ce que tu veux ? », demandait le frère à Zolfo en l'examinant de ses yeux fous, animés par le fanatisme, comme s'il voulait le transpercer du regard.

« Je hais les Juifs ! », répondit le petit garçon, qui semblait répéter un mot d'ordre.

Le frère sembla l'évaluer. Le seul, parmi tous ces gens, qui lui prêtât l'oreille. Il pointa le doigt vers les embarcations déjà loin au milieu du canal. « Tu les hais tant que ça ?, demanda-t-il gravement.

— Oui ! », répondit Zolfo, avec un enthousiasme valant apparemment aussi pour Mercurio et Benedetta qui, debout à côté, se taisaient, surpris et embarrassés.

Mercurio, ruisselant, continuait de regarder vers la Fossa Gradeniga, où les barges s'éloignaient. Giuditta n'était plus qu'un petit point.

« Suivez-moi, soldats du Christ ! », s'exclama le frère, les mains au ciel.

Puis il s'élança d'un bon pas, fendant la foule.

14

Quand Mercurio s'était jeté dans le canal, Giuditta avait eu la tentation de le retenir. Ou de s'y jeter avec lui. Elle ne voulait pas renoncer à la sensation de sa main dans la sienne. Elle ne voulait pas renoncer à lui. Déjà, les nuits précédentes, dans le chariot, elle avait senti une forte attraction pour les yeux de cet étrange garçon. Elle n'avait jamais regardé de cette façon les garçons de l'île de Negroponte. Et elle n'avait jamais rien ressenti de ce genre quand eux la regardaient. Et aucun ne l'avait sauvée d'un coup de couteau. Aucun n'avait uni son sang au sien. Tout à coup, le souffle lui manqua. Elle était effrayée. Qu'est-ce qui lui avait pris ? se demanda-t-elle. Qui était ce garçon ? Il n'était pas prêtre, il le lui avait avoué. Quels mots avait-il dits en sautant du bateau ? Elle se souvenait à peine. Sa tête se faisait légère. "Je te retrouverai", voilà ce qu'il avait dit. Elle s'accrocha à son père.

« Regarde », lui dit Isacco en la serrant contre lui, la tirant ainsi du labyrinthe d'émotions dans lequel elle se perdait. Il tendit le bras devant lui. « Regarde », répéta-t-il.

Et là, au fond du canal, comme un fantôme, silhouette confuse voilée de brume, Giuditta la vit.

« Venise », dit Isacco, comme s'il murmurait un nom sacré.

Les lourdes barges filaient en silence, fendant l'eau saumâtre.

« Docteur Negroponte, dit Donnola dans le dos d'Isacco, d'un ton officiel. Je vous salue et je vous souhaite le meilleur.

— Merci, Donnola. Tu as été un excellent assistant », lui répondit Isacco, tout aussi solennellement.

Donnola balançait sa tête pointue, semblant acquiescer. Et soudain, oubliant les formalités, s'approchant un peu plus d'Isacco, il dit à voix basse : « Si vous avez encore besoin d'un assistant, vous me trouverez toujours derrière le Rialto, au marché aux poissons. Je pourrais vous procurer des clients. »

Isacco ne sut que répondre, surpris. Gêné. Il n'avait pas poussé ses projets jusqu'à ce point. « Ça me paraît une proposition intéressante, dit-il, très vague. Alors c'est moi qui viendrai te chercher. À Rialto.

— Pas à Rialto, précisa Donnola. Au marché aux poissons. *Derrière* le Rialto.

— Juste, dit Isacco. Derrière le Rialto. Je m'en souviendrai.

— Et si vous voulez acheter les instruments que vous avez utilisés ces derniers jours, reprit Donnola tout bas, je pourrais vous les faire avoir pour une somme avantageuse.

— Non, merci, Donnola. » Isacco avait refusé d'instinct. Il n'avait pas encore réellement décidé ce qu'il allait faire. Il craignait que dans une cité telle que Venise, n'importe qui soit à même de comprendre qu'il n'était pas un vrai docteur. Puis il sentit que Giuditta pressait sa main contre son flanc. Il la regarda.

« Et pourquoi pas… docteur ? » Les yeux noirs et intelligents de sa fille semblaient lui ordonner d'accepter.

« Au moins, parlez-en à vos collègues. Peut-être que quelqu'un cherchera des instruments, insista Donnola.

— Peut-être, à bien y réfléchir…, se reprit Isacco, peut-être que ça pourrait m'être utile. » Il fit un clin d'œil à Giuditta. « Si tu me fais un bon prix. »

Le visage de Donnola s'éclaira d'un sourire, aussitôt suivi d'une sombre expression. « Le prix que je peux vous faire est avantageux, c'est sûr…, commença-t-il, mais je devrai donner la plus grande part de l'argent à la famille de Candia, et il m'en restera bien peu pour moi… »

Isacco le regarda en silence. Il ne dirait pas un seul mot. Donnola cherchait à faire monter le prix au maximum, mais il le laisserait se passer le nœud coulant tout seul.

« D'un autre côté…, reprit Donnola, brisant le silence, on ne peut pas dire que ce barbier avait une famille très nombreuse… » Il rit. Il savait reconnaître quand il tombait sur un os. Et ce médecin, indéniablement, en était un, et un dur. Autant lâcher du lest et le coincer sur un autre front. « Proposez vous-même votre prix, docteur, dit-il. Et puis on pensera à une petite commission pour chaque client que je vous trouverai. »

Isacco sourit avec complaisance. Donnola était un filou de première, il connaissait son affaire. Il l'avait mis dos au mur. À présent, il était presque obligé d'accepter sa collaboration. Mais dans le fond, ce serait un bon associé. « D'accord, Donnola. Marché conclu. » Et en disant ces mots, comme si son destin ou le chant d'une sirène l'appelait, Isacco voulut se tourner vers la Cité promise pour ne pas perdre un seul instant de cet événement prodigieux.

Quand la Sérénissime commença de se dévoiler, les marbres des palais lui parurent bien plus brillants qu'il ne l'aurait jamais imaginé. Ce qu'il n'avait pas prévu, c'étaient les barbes d'algues qui ondoyaient à fleur d'eau comme de vertes bannières déployées. Mais il n'avait pas imaginé non plus cette finesse des colonnes et des chapiteaux, ces rosaces, ces têtes d'animaux et ces figures mythologiques sculptées dans le marbre qui soutenait les balcons. Et ces tuyaux de cheminée partout, hauts et fins comme les pattes osseuses d'un grand crabe le ventre à l'air. Tandis que grandissait en lui une émotion qu'il ne parvenait pas à contrôler, il pensait qu'il allait réaliser le rêve que son père avait poursuivi sa vie durant. Il regardait les verres soufflés des fenêtres sertis de plomb, les lourdes tentures à larges rayures vives avec plumets et pendeloques, soutenues par des piquets de bois noir orné de feuilles et de boutons de fleur dorés. Et même s'il en avait déjà entendu parler, il s'étonna de voir ces barques particulières qu'on ne voyait qu'à Venise, longues et minces, capables d'habiles manœuvres dans les endroits les plus étroits, arquées tant à la poupe, où l'on voguait à l'aide d'une seule rame, qu'à la proue, où une sorte de serpent stylisé en métal représentait le Grand Canal avec tous ses *sestieri*, ces six quartiers qui formaient la structure de la Sérénissime. Il regarda avec émerveillement le grand pont du Rialto qui s'ouvrait pour laisser passer une galère à deux mâts. Et enfin, là où le Grand Canal s'élargissait en une sorte de petite mer, il vit à sa gauche la piazza San Marco, le campanile, le palais des Doges et une foule démesurée qui commença à pousser des cris aussitôt qu'apparurent les barges portant les enseignes de la bataille.

Giuditta percevait les états d'âme de son père et vibrait à l'unisson, éblouie par la majesté de cette ville, par son absurdité architecturale mythique. Elle fut reconnaissante à son père de s'être décidé à franchir ce pas. Elle se sentit en proie à une exaltation intense qu'elle n'avait jamais éprouvée jusque-là, et se dit qu'à Venise elle trouverait l'amour. Son imagination courut au beau visage de Mercurio. Elle rougit et se tourna vers son père, qui était ému, le regard tourné vers la grande place remplie de monde, et elle lui dit : « Merci. »

Isacco ne l'entendit pas. Dans ses oreilles se mélangeaient les trompettes et les tambours de la Sérénissime.

Les barges, comme si elles glissaient sur de l'huile, rames levées, pointèrent la proue vers le mouillage de la place. Puis elles virèrent et, avec un léger craquement de bois, bas et sourd, vinrent s'appuyer contre les pilotis et les grands sacs de protection, faits de corde remplie de chiffons. En quelques instants, les amarres furent lancées et de larges passerelles abaissées, et l'on déroula au centre un tapis de drap rouge.

Le capitaine Lanzafame n'était pas descendu de cheval de tout le trajet. Il regarda d'abord la foule qui les acclamait puis ses hommes, avec une expression fière et joyeuse. Il tira son épée et la brandit en l'agitant. Tous ses hommes, y compris les blessés et les invalides, répondirent en levant leurs armes. Puis le capitaine se tourna vers Isacco et lui sourit.

Isacco vit qu'il avait les yeux brillants, comme quand on a de la fièvre. Et il comprit que lui aussi devait avoir ce regard.

« Tu es arrivé », lui dit le capitaine et, avant même qu'Isacco ait pu répondre, il éperonna son cheval si fort que celui-ci se cabra presque. L'animal sauta sans hésiter sur la passerelle. L'épée encore levée, le capitaine mena son hongre sur les dallages humides de la place.

La foule poussa un cri d'excitation.

Après la cavalerie descendirent les soldats qui pouvaient marcher, auxquels se joignirent Isacco et Giuditta. Derrière eux, les chariots des blessés.

La lumière étincelait des mille chandelles de couleur allumées en gigantesque auréole autour de la tête coupée de saint Jacques *Pater Domini*, une des cent reliques que possédait, au moins, la Sérénissime. Les restes sacrés se trouvaient dans un reliquaire hissé au sommet d'un poteau doré, haut de deux perches et quatre paumes, et ils étaient protégés par une mâchoire et une calotte crânienne en argent. Les autres reliques sacrées – des mains, des pieds, des momies, des clous et des morceaux de la sainte Croix, le bras de sainte Lucie, l'œil de saint Zorzi, l'oreille de saint Côme – étaient portées en procession par une troupe de moines de San Salvador et San Giorgio Maggiore, qui s'étaient disputé ce rôle important dans le déroulement de la fête.

Les spectateurs, comme des possédés, tendaient les bras pour toucher les objets sacrés, repoussés à grand-peine par les hommes d'armes qui les protégeaient. Immédiatement après venaient les évêques, avec leurs ornements sacrés, et le vicaire de Saint-Marc qui portait l'Évangile écrit de la main de l'Apôtre. Au fond de ce couloir humain, qui ondulait sous la poussée de ceux qui voulaient regarder et toucher, le doge octogénaire Leonardo Loredan et le patriarche de Venise, Antonio II Contarini, attendaient les héros pour l'étreinte de la Patrie.

Isacco et Giuditta n'avaient pas fait trois pas entre les murs compacts de la foule que quatre gardes du Doge, au commandement d'un haut fonctionnaire de la Sérénissime en grand uniforme, les arrêtèrent.

« Suivez-moi. Vous n'avez pas le droit d'être ici », dit le fonctionnaire.

Les gardes du Doge les arrachèrent au cortège.

Le capitaine Lanzafame, qui s'était tourné pour encourager ses hommes, vit la scène. Ses yeux croisèrent ceux d'Isacco. Il n'y eut ni signe de tête, ni crispation des lèvres, ni main qui se levait. Juste ce long regard muet entre deux hommes fiers, sculptés dans la pierre. Le capitaine savait qu'on les éloignait, mais qu'on ne les arrêtait pas. Il fallait simplement que ces deux bonnets jaunes disparaissent de la procession. Le médecin ne serait pas mentionné dans les actes officiels, comme s'il n'avait jamais existé. Mais en regardant ses hommes, qui agitaient dans l'air leurs moignons ensanglantés, aussi effrayants que les très saintes reliques – et acclamés comme des reliques par le peuple –, il pensa qu'en dépit de ce qui serait écrit dans les chroniques officielles, un valeureux médecin, pendant des jours et des nuits, avait œuvré avec art.

« Rien à foutre de ces conneries », dit à ce moment-là Donnola en se détachant du cortège pour rejoindre Isacco et Giuditta, enivrés par les fastes de cette procession orgiaque. « Venez », dit Donnola et, prenant

Isacco par le bras, il les entraîna dans une ruelle plus calme. « Vous avez besoin d'une auberge pour dormir et manger, je parie.

— Et moi, je parie que tu as déjà ton idée, se mit à rire Isacco.

— La meilleure de la ville, je vous le jure, dit Donnola en posant la main droite sur son cœur. Des lits propres, pas trop de punaises, on y mange sain et bon marché. Vraiment la meilleure auberge de la ville… » Il fit une pause, embarrassé. « Et ils ne tiqueront pas devant des bonnets jaunes.

— Je croyais que cette ville était libérée des préjugés du monde chrétien.

— Elle l'est, docteur, je le jure, et Donnola posa de nouveau la main sur son cœur. Mais pour parler franchement, vous devez bien comprendre que vous êtes quand même juifs. »

15

« Pourquoi on va avec lui et cet autre débile ? »,
demanda Mercurio à Benedetta, tandis qu'ils suivaient
le moine et Zolfo. Après son plongeon dans le canal,
il était gelé. Il laissait derrière lui un sillage d'eau
saumâtre.

Benedetta haussa les épaules.

« Où on va ? demanda Mercurio au moine, d'une
voix forte et d'un ton rageur.

— Quelque part où tu pourras te sécher et te
changer », répondit le frère, en continuant à marcher.
Il fit encore quelques pas, puis se retourna, fixant
Mercurio de ses petits yeux acérés. « T'as quand
même pas l'intention de me faire croire que tu es
prêtre ? »

Mercurio, pris à contre-pied, s'arrêta. Les yeux du
moine le mettaient mal à l'aise. « Non, bafouilla-t-il.
Je... on a été attaqués par des brigands, pendant
qu'on venait ici... Ils m'ont volé mes vêtements et
j'ai trouvé ça », et il montra sa soutane. À ses pieds
s'étalait une flaque d'eau. « C'est arrivé comme ça »,
dit-il en regardant Benedetta, dans l'espoir qu'elle lui
viendrait en aide.

Mais elle ne dit pas un mot.

« Allons-y », fit le frère, en reprenant sa marche.

Mercurio courba les épaules et lança un regard mauvais à Benedetta. « Il ne me plaît pas ce frère, murmura-t-il.

— Moi, aucun curé me plaît. »

Mercurio crut sentir une fêlure dans sa voix. « Même pas moi ? », dit-il en plaisantant.

Elle ne répondit pas, mais fit quelques pas et dit : « Merci de pas nous avoir quittés. »

Mercurio fit semblant de n'avoir pas entendu. C'était grâce à elle si le marchand ne l'avait pas tué, dans les ruelles de Rome. Pour cette raison, il se sentait obligé de lui montrer sa gratitude. Mais en même temps il la détestait, parce qu'il ne supportait pas de se sentir redevable. Cela ressemblait trop à ce qu'il avait éprouvé pour l'ivrogne qui l'avait sauvé dans la fosse d'égout. Et puis, il aurait voulu rester avec Giuditta. Il se demandait pourquoi. Peut-être que Benedetta, étant une fille, saurait le lui expliquer. Mais il n'avait pas l'habitude de se confier aux filles. Et surtout, elle n'aurait pas envie de parler de Giuditta. En tout cas, le terrain lui semblait glissant, à éviter.

Se dirigeant vers le sud, ils sortirent du petit centre habité de Mestre et se retrouvèrent dans une sorte de faubourg avec quelques chaumières alignées sur le côté droit de la route, éloignées les unes des autres d'une cinquantaine de pas. Chacune, basse et trapue, possédait un jardin potager. À gauche courait un canal aux rives irrégulières où poussaient des touffes de joncs.

Le moine frappa à la porte de l'une des chaumières. La porte était légère comme celle des granges, faite de planches de bois maintenues par des traverses clouées.

On entendit une tirette glisser dans une clenche. Une femme dans la quarantaine, avec des cernes immenses comme si elle ne cessait de pleurer, ouvrit la porte. « Bienvenue, frère Amadeo », dit-elle d'une voix monocorde mais agréable. Quand elle vit les trois jeunes gens, un sourire éclaira son visage. Puis, remarquant la soutane trempée de Mercurio, elle s'exclama : « Oh, Vierge Marie ! Rentre vite et mets-toi près du feu, mon garçon ! » Elle fit un pas à l'extérieur et le prit par la main, avec une gentillesse décidée.

Mercurio se laissa entraîner dans l'unique pièce du rez-de-chaussée jusqu'à la grande cheminée allumée, où une personne pouvait tenir debout.

La femme prit une chaise et la mit près du feu, contre un des murs de brique. « Qu'est-ce que tu as fait à ta main ? », demanda-t-elle en voyant le bandage.

Mercurio haussa les épaules sans répondre, et regarda Zolfo. Celui-ci, qui ne quittait pas le prédicateur des yeux, n'eut pas conscience de son regard.

La femme vérifia le bandage. « Celui qui l'a fait a l'habitude des blessures, dit-elle. Et je m'y connais. » Elle regarda sa main. « Ce n'est rien, tu guériras vite. »

De nouveau, Mercurio haussa les épaules.

« Déshabille-toi, avant d'attraper du mal aux poumons », l'exhorta la femme, qui commença même à lui déboutonner sa soutane.

Mercurio l'arrêta net, embarrassé.

152

« Oh, allez, ne fais pas ton timide. J'en ai vu, des hommes nus, sans parler de mon mari. » Puis elle fit un rapide signe de croix. « Ne te méprends pas, mon garçon. J'ai toujours été une femme honnête et craignant Dieu. » Elle se mit à rire et recommença à déboutonner la soutane. « Depuis que mon mari est mort, je loue des lits aux saisonniers. Et après une journée de pluie, il n'y a pas de meilleur remède que de se réchauffer la peau nue devant le feu. »

Mercurio se tourna vers Benedetta. Il lui fit un signe, en mettant la main dans la poche de sa soutane.

Elle comprit immédiatement. Elle vint près de lui et, tout en prenant le sac avec les pièces d'or que Mercurio lui passait, lui dit : « Allons, elle a raison, déshabille-toi. » D'un mouvement vif et naturel, comme si elle arrangeait ses vêtements, elle glissa les pièces dans sa tunique.

« D'accord, d'accord », dit Mercurio qui, en un instant, se retrouva en caleçon.

Benedetta rit, et Mercurio se couvrit comme il put.

La femme aussi se mit à rire et se dirigea vers un coffre. Elle l'ouvrit, en tira une couverture et la jeta sur les épaules du garçon. « Voilà, maintenant tu peux enlever aussi ton caleçon. » Quand Mercurio l'eut ôté, la femme s'en empara et l'accrocha avec la soutane à de gros clous plantés entre les briques rouges du mur intérieur de la cheminée. Et elle orienta les chaussures ouvertes vers la chaleur.

« Il va lui falloir des vêtements », dit alors le frère.

La femme le regarda d'un air interrogateur.

« Peut-être que plus tard il deviendra un bon prêtre, dit-il, mais pour l'instant c'est seulement un garçon avec une soutane qui n'est pas à lui. »

La femme s'approcha de Mercurio et passa la main dans ses cheveux mouillés, écartant la mèche sur son front. Elle prit un torchon posé sur le manche d'une grande casserole et, sans façons, lui frotta la tête. Pour finir, elle lui arrangea de nouveau les cheveux.

Mercurio fut étonné. Il n'avait jamais imaginé permettre à quiconque de faire une chose pareille.

« Je m'appelle Anna del Mercato, tout le monde me connaît sous ce nom-là, dit la femme à Mercurio qui ne semblait pas décidé à parler. Trempé comme un poussin et muet, ajouta-elle en riant à l'adresse du moine. Qui donc m'as-tu apporté, frère Amadeo ?

— Pietro Mercurio des Orphelins de San Michele Arcangelo », déclara d'un trait Mercurio.

La femme éclata d'un grand rire. Mais sans malice. Avec une chaleur aussi agréable que celle de la cheminée, pensa Mercurio.

« Quel nom ! Ça pourrait être un noble espagnol, avec un nom aussi long. Mais ce n'est pas possible parce que saint Michel Archange est le saint patron de Mestre. Autrement dit, tu es tombé pile dans la bonne ville, mon garçon. »

Mercurio sourit. La chaleur commençait à engourdir ses pensées. Il sentait ses paupières devenir lourdes.

« Repose-toi, c'est le mieux pour la santé », dit Anna del Mercato, et elle attisa le feu à l'aide d'une longue canne de jonc noircie.

Benedetta s'assit sur le seuil de la cheminée, à côté de Mercurio. « Et maintenant, qu'est-ce qu'on fait ? », demanda-t-elle tout bas. Du coin de l'œil, elle regarda le prédicateur et Zolfo.

Le frère s'était assis à table et s'était versé un verre de vin rouge. Zolfo était près de lui.

« On dirait son petit clerc », grommela Mercurio.

Anna del Mercato redescendit, des vêtements à la main. Mercurio vit qu'elle avait les yeux brillants, comme si elle avait pleuré ou retenait ses larmes. Mais elle continuait de sourire avec la même pureté solaire.

« Voilà, dit Anna avec un soupir. Ceux-là devraient bien t'aller. La tunique est en futaine, mais je l'ai fourrée de peau de lapin. Elle est très chaude, tu verras. » Elle sourit de nouveau. « Les chausses ne sont pas à la dernière mode, mais c'est de la bonne laine. » Son regard s'embua, comme à l'évocation d'un souvenir. Mais elle n'en dit pas plus.

Elle posa les vêtements, avec une chemise de lin brut et un tricot de laine bouillie, sur le dossier de la chaise. Elle fixa Mercurio, toujours de ce regard embué qui l'emmenait on ne savait où, vers des souvenirs lointains. Puis elle se reprit. « Il y a un peu de soupe. Quelque chose de chaud, ça vous fera du bien. » Elle prit des écuelles en bois et les remplit. Elle en passa une à chacun des jeunes gens et au moine. « Il n'y a pas de cuillère, débrouillez-vous, ce n'est pas une auberge de luxe, ici », dit-elle en souriant de nouveau.

Mercurio avala sa part en un instant. Ça sentait bon. Il y avait des choux et des navets.

Anna del Mercato touilla dans la marmite et en sortit une demi-côte de porc, avec un peu de viande et de lard encore attachés, et la lui passa. « C'était la dernière, je suis désolée, dit-elle aux autres qui la regardaient, pleins d'espoir. Il en a plus besoin que vous », ajouta-t-elle. Elle se tourna pour vérifier si le caleçon était sec et le lança à Mercurio. « Voyons si les vêtements te vont. »

155

Mercurio enfila son caleçon puis passa le tricot, la chemise, le pantalon et la tunique. C'était un peu large mais dans l'ensemble, cela lui allait.

Anna acquiesça, les yeux brillants. « Et maintenant, reposez-vous », dit-elle en montrant des couches posées sur le sol.

Le frère ne quitta pas la table et Zolfo resta collé à lui. Benedetta prit la couverture de Mercurio, la jeta sur ses épaules et se coucha sur une paillasse dans un coin, en lançant à la dérobée un coup d'œil à Zolfo. Mercurio, lui, resta assis sur la chaise à l'intérieur de la cheminée. Le froid ne l'avait toujours pas quitté.

Alors Anna prit un tabouret qu'elle installa à côté de lui et s'assit. Elle resta quelques instants à fixer le feu en silence. Puis, à voix basse, elle commença à parler, mais sans quitter les flammes des yeux. « Lui, ça ne lui allait pas aussi bien qu'à toi… »

Mercurio, en se tournant, vit que de nouveau ses yeux brillaient.

« Mon mari était un homme trapu, il n'était pas beau comme toi, reprit doucement Anna. Mais c'était mon homme. Et c'était un homme bon. Il ne m'a jamais frappée, pas une seule fois. » Elle se tourna vers Mercurio. Toucha la tunique qu'elle avait fourrée de peau de lapin. « Le bon Dieu ne nous a pas fait la grâce d'un enfant, mais il ne me l'a jamais reproché et n'a jamais cherché une autre femme. Il disait que nous aurions dû adopter un orphelin, qu'il nous aurait aidés pour bêcher la terre et pour faire le marché. La vérité, c'est qu'il aurait voulu un fils. » Elle caressa la joue de Mercurio, qui ne s'écarta pas. « Il serait content de voir ses habits sur un beau garçon comme toi. »

Mercurio aurait voulu lui répondre quelque chose de gentil, mais il n'arrivait pas à parler. « Oui… », dit-il seulement.

Ils restèrent encore en silence, à fixer le feu.

Puis Mercurio lui demanda : « La première fois… toi et ton mari… vous vous êtes… pris par la main ? »

Le regard d'Anna del Mercato se brouilla, perdu dans le passé. Puis elle éclata de rire. « Ben… pas exactement. » Elle rit encore, d'une manière qui égaya Mercurio à son tour. « Quelque chose de ce genre, mon garçon. Tu me comprends ?

— Ben… »

Anna del Mercato lui ébouriffa les cheveux. « Évidemment non, que je suis bête. Tu es encore tout jeune… bref, je veux dire que nos mains… à tous les deux… d'une manière ou d'une autre… avaient quelque chose à voir là-dedans.

— Ah, bien sûr », dit Mercurio en feignant d'avoir compris.

Anna del Mercato rit doucement, embarrassée. « Oh, mon garçon… mais qu'est-ce que tu me fais dire ? » Elle baissa les yeux. De nouveau se perdit dans ses souvenirs. Caressa la tunique. « Tu verras, elle te tiendra chaud.

— Oui…

— C'étaient les derniers souvenirs que j'avais. Maintenant je n'ai plus rien qui lui appartienne. Il m'avait offert un collier, dit-elle tout doucement, comme si elle se parlait à elle-même. Un beau collier. Un fil d'or bas tressé et un pendentif en forme de croix, en or bas lui aussi, avec une pierre verte

157

au milieu. » Elle se leva brusquement. « Je vais me coucher. Tâche de te reposer toi aussi, mon garçon. » Mais elle ne bougea pas, resta debout, à l'intérieur de la grande cheminée, fixant les braises. « Il est mort il y a deux ans, tu sais ? dit-elle enfin. Écrasé par une charrette, au marché. Ce n'était même pas la sienne, c'était celle d'un inconnu. Il s'était embourbé, et lui, il l'aidait. Une roue a cédé, la charrette s'est renversée et lui a défoncé la poitrine, et ce grand cœur qu'il avait s'est arrêté. »

Mercurio la trouva très digne. Il se tourna vers Zolfo, qui discutait intensément avec le frère, les lèvres tendues comme s'il grinçait des dents. Lui aussi avait perdu quelqu'un de très important. Mais il réagissait à la douleur par la colère. De nouveau il regarda la femme. Elle, non. Mais elle n'en paraissait pas moins forte pour autant.

« J'ai dépensé les quelques sous que j'avais pour lui payer un cercueil comme il se devait. Et un enterrement. J'ai essayé de reprendre le travail que je faisais avant de le rencontrer. Je m'occupais des achats de victuailles pour quelques familles importantes de Venise qui étaient dans la difficulté. Étant à Mestre, je pouvais leur garantir un meilleur prix. La marchandise coûte moins cher ici. Mais personne n'a plus voulu de moi. Ces familles-là étaient redevenues riches, et elles avaient honte de m'avoir entre les pattes parce que je leur rappelais les temps difficiles. J'étais comme un oiseau de mauvais augure… Anna soupira. Alors j'ai essayé de m'en sortir en louant des lits aux saisonniers, mais personne ne travaille la terre en hiver, et cette année le gel a brûlé tout mon potager. » Elle se toucha la poitrine, sous le cou, comme si elle cherchait quelque chose qui avait toujours été là. Ses yeux se remplirent de larmes. « J'ai dû mettre en gage mon beau collier. Même si je m'étais juré de ne jamais le faire. Isaia Saraval, l'usurier de la grand-place, m'en a donné vingt pièces d'argent. » Elle baissa les yeux, honteuse encore de cette décision. « Je n'arriverai jamais à avoir assez de sous pour le racheter. »

C'était dommage qu'elle n'ait pas eu d'enfant, pensa Mercurio. Jamais elle ne l'aurait abandonné dans le tour d'un horrible orphelinat. "Ma mère était une maraîchère qui allait tous les matins au marché…" S'il était né de cette femme, il ne serait jamais devenu un voyou et il n'aurait jamais tué le marchand. Mais il en avait été autrement. Et penser ce genre de choses n'avançait à rien.

« Je suis désolé », dit-il avec froideur, tentant de mettre une distance entre eux.

Anna del Mercato hocha vaguement la tête, et le regarda sans la moindre rancœur. « Je t'ai suffisamment ennuyé, mon garçon. » Elle lui passa encore une fois la main dans les cheveux et s'en alla.

« Qu'est-ce qu'elle voulait ? lui demanda Benedetta quand Mercurio s'assit à côté d'elle sur la paillasse.

— Rien », répondit-il. Mais il se rendit compte qu'il n'était pas arrivé à dresser un mur entre Anna del Mercato et lui. Il lui semblait sentir encore sa main dans ses cheveux.

« Les deux, là, ils n'ont pas arrêté un instant de parler, fit Benedetta en désignant Zolfo et le frère d'un signe du menton.

— J'ai sommeil », la coupa Mercurio, et il lui tourna le dos. Il ferma les yeux.

"Ma mère était une maraîchère et elle vendait des légumes au marché. Elle me mettait sur sa petite charrette, à côté des navets et des oignons. Elle m'avait cousu un pourpoint de futaine et l'avait fourré de peaux de lapin qui me protégeaient du froid…"

16

Shimon Baruch était sale et fatigué. Il ne savait pas combien de jours il était resté caché dans cette cave des faubourgs de la Ville sainte. Il n'avait guère dormi, quasiment pas mangé, et il était frigorifié. Sa soutane de curé était souillée de cette humidité particulière du tuf, blanche et collante.

Il avait vécu comme un animal traqué, recroquevillé dans les excavations creusées à flanc de colline, écoutant chaque bruit, chaque frôlement. Mais jamais la peur n'avait eu le dessus : plus il souffrait, plus la colère et la haine croissaient en lui. Il comprenait que rien ne forme autant un homme. Rien ne peut le rendre plus fort.

Les anciennes valeurs, les objectifs, les jours de sa vie passée n'avaient plus aucun sens. Ce n'étaient que fantômes et chimères. Sa vie avait été celle d'un figurant obéissant aux lieux communs, aux commandements de la communauté.

Ce n'était pas sa vraie nature, il était autre. Et il ne renoncerait pas à cet autre lui-même, maintenant qu'il l'avait rencontré.

Sa nouvelle vie, son nouveau destin, il les avait dans sa poche. Quand il se sentait plus faible, que sa volonté vacillait, sa main touchait ce bout de parchemin qui disait qu'il était Alessandro Rubirosa, chrétien, baptisé dans la petite église de San Serapione Anacoreta, *Anno Domini* 1471.

Le jour où il se sentit prêt, il rabattit sa capuche, se dirigea vers la ville et arriva piazza Sant'Angelo in Pescheria, là où tout avait commencé.

Il regarda autour de lui. La place était exactement telle que ce jour-là. Il sentit croître en lui la haine et la colère, et revécut chaque détail de la scène. D'abord la fille aux cheveux roux qui avait troublé ses sens, puis le gamin à la peau jaunâtre qui hurlait quelque chose dans son dos et aussitôt le fou gigantesque qui marchait sur lui sous prétexte de demander l'aumône. Il voyait maintenant ce qu'il aurait dû voir ce jour-là. Les échanges de regards, la coordination. Le plan avait été bien étudié. Et le chef était certainement celui que Shimon haïssait plus que tout. Ce garçon avec son bonnet de Juif qui lui avait souhaité la paix dans leur langue, qui avait fait semblant de se battre avec le fou pour le défendre. Mais ce que Shimon Baruch se rappelait surtout, c'était la peur qui l'avait tenaillé. Quel imbécile il avait été ! C'était précisément sur cette peur que reposait le plan de ces criminels. La peur du Juif peureux.

"Tu n'auras plus jamais peur, se répéta-t-il. Et tu ne seras plus jamais un Juif."

Il partit dans la direction où les trois jeunes gens s'étaient enfuis en faisant semblant de se poursuivre. Il prit le même chemin puis tourna à droite. Il se retrouva aussitôt dans un dédale de ruelles qui se perdaient dans le cœur de Rome, et se dit que les voleurs devaient avoir plutôt cherché un endroit isolé pour s'y cacher. Revenant sur ses pas, il tourna à gauche. La rue se rétrécit jusqu'à la digue bordant le Tibre, en face de l'île Tibérine.

Il regarda le fleuve depuis la digue, et réfléchit. Impossible qu'ils aient eu une barque. Agacé, il s'apprêta à faire demi-tour. Ce n'était pas ainsi qu'il les trouverait.

Mais un bruit attira soudain son attention : cela venait d'un buisson de ronces à mi-pente.

« Ah, malédiction ! », jura une silhouette dégingandée qui apparut à l'improviste, comme surgie du néant. C'était un homme à l'air sombre, en tunique violette, avec un coutelas à la turque glissé dans une large ceinture orange. « Quel endroit de merde ! », maugréa-t-il. Il se tourna vers l'égout dont il venait de sortir et hurla d'une voix désagréable : « Grouillez-vous, bande d'idiots ! »

Un peu plus loin attendait une voiture légère à deux roues, toute neuve, attelée à un petit cheval arabe nerveux et vif.

L'homme qui venait de sortir de l'égout cracha par terre et se dirigea vers la voiture.

Quelques instants après, quatre gamins en haillons sortirent par la même grille d'égout derrière le buisson. Peinant et glissant, ils escaladèrent la digue boueuse, chargés de vêtements et de corbeilles en osier.

« Grouillez-vous ! », hurla encore l'homme, assis sur le coffre, un fouet à la main.

Les gamins pressèrent le pas jusqu'à la voiture et lancèrent les vêtements en vrac dans le coffre à l'arrière. Le plus petit, chargé comme un baudet, ne voyait pas où il marchait tant il transportait de choses. Il perdit l'équilibre et lâcha tout. Les vêtements et la grande corbeille en osier roulèrent sur le sol.

« Imbécile ! », cria l'homme. Puis il fit claquer son fouet sur les deux premiers. « Allez l'aider », ordonnat-il.

Shimon avait observé la scène avec curiosité : dans la corbeille renversée, des perruques, des bérets de cuisinier et de peintre, des paires de lunettes en tout genre et des fausses barbes. Et surtout, un bonnet jaune. Pris d'excitation, il s'était approché.

Les gamins veillèrent à tout ramasser avant de rejoindre leur maître au pas de course. Mais le plus petit s'aperçut qu'un objet que personne n'avait vu était tombé derrière un buisson.

Shimon eut un coup au cœur et bondit vers le gamin pour lui arracher ce qu'il venait de ramasser.

C'était un petit sac de cuir fermé d'un lacet sur lequel était peinte une main stylisée rouge, une *hamsa,* qui protégeait du mauvais œil.

« Qu'est-ce que tu fais, curé ? Lâche ça tout de suite ! », hurla l'homme dans la voiture.

Shimon regardait ce petit sac, les larmes aux yeux.

« T'as entendu, curé ? fit l'homme, qui descendit et s'approcha d'un pas décidé. C'est à moi. Lâche ça tout de suite », dit-il en lui arrachant des mains le sac qui avait contenu les trente-six florins d'or gagnés pour cette grosse vente de cordages.

Shimon le regarda. L'homme avait une expression méchante. Mais Shimon n'avait plus peur de personne. Il aurait pu lui tirer son coutelas de la ceinture et l'égorger, là, devant tout le monde. Et s'il avait pu parler, en le regardant mourir il aurait murmuré à son oreille : « Non. C'est à moi. » Et il aurait ri.

« Qu'est-ce que tu regardes, curé ? », dit l'homme, toujours agressif mais moins sûr de lui.

Shimon sourit.

« Alors ? Qu'est-ce que tu veux ? »

Shimon ne pouvait pas répondre. Et ne le voulait pas non plus. Il continua à le fixer. Sans peur.

L'homme se détourna, embarrassé peut-être, et remonta dans sa voiture. Il fit claquer son fouet et, furieux, hurla aux gamins : « Je vous attends aux fosses. Ne traînez pas ! » Le petit cheval arabe fit un écart puis partit, rapide.

Shimon sentit une grande paix en lui.

"Je t'ai retrouvé", pensa-t-il.

Il laissa les gamins se mettre en route puis les suivit, de loin.

Arrivé aux fosses communes, il huma l'air. C'était l'odeur que devaient avoir maintenant le curé et sa bonne. Cette pensée le mit de bonne humeur. Il s'assit sur une petite hauteur d'où il pouvait tout surveiller discrètement. Il vit l'homme au loin. Il terrorisait tous les gamins, même les plus grands. À cette distance, l'endroit tout entier ressemblait à une fabrique industrieuse où chacun s'occupait à sa tâche. La mort était un travail comme un autre.

Au soir, Shimon se leva, massa ses fesses engourdies, ramassa un bâton court et solide, et descendit vers les fosses. Il tapa son bâton contre sa paume pour l'avoir bien en main et entra dans la baraque de l'homme. Celui-ci se leva de table et empoigna son coutelas turc, mais Shimon l'atteignit d'un coup violent à la tempe, asséné avec froideur. L'autre s'écroula, évanoui. Le Juif

165

se servit de la grande ceinture orange pour lui attacher les poignets au pilier central de la baraque. Puis il s'assit et mangea sa soupe, avala son poulet et but son vin.

L'homme s'était réveillé et le regardait sans rien dire. Shimon chercha du papier et une plume, qu'il finit par trouver dans le tiroir d'un meuble branlant. Il y avait un livre, qu'il feuilleta. C'était un registre des morts, ou cela y ressemblait. La plume était ébréchée et l'encre de mauvaise qualité, peut-être coupée d'eau par économie.

"Comment tu t'appelles ?", écrivit-il.

« Scavamorto. »

"Où est le garçon qui vit dans les égouts ?", écrivit-il de nouveau.

« Qui ? »

Shimon frappa Scavamorto sur la bouche avec le bâton. Puis il lui montra de nouveau la question qu'il avait écrite.

L'autre le regarda, sans peur. « Il est parti. »

"Comment s'appelle-t-il ?"

« Mercurio. »

"Et où est-il parti ?"

« Qu'est-ce qui te fait penser que je le sais ? »

"Parce que je l'espère pour toi. Sinon tu vas beaucoup souffrir." Scavamorto sourit.

Shimon lui sourit en retour. Cet homme lui plaisait, au fond. Il était comme lui. "Tu n'as pas peur de mourir ?", lui écrivit-il.

« La mort est ma meilleure amie. Elle m'a donné de quoi vivre. »

Shimon acquiesça. Oui, cet homme méritait le respect. Il lui posa de nouveau la question qui le taraudait. "Où est-il parti ?"

166

« À Milan ou à Venise. Et tu peux bien m'arracher les yeux avec tes ongles, je n'ai aucune idée de la direction qu'il a choisie. »

Shimon le fixa. Il disait la vérité. Mais peut-être pouvait-il obtenir un peu plus. Il avait lu quelque chose dans ses yeux. "Tu y tiens, à ce Mercurio, hein ?"

L'autre ne répondit pas mais la lumière dans son regard changea.

Shimon savait que cela voulait dire oui. "Il écoute ce que tu lui dis." Il n'y avait pas de point d'interrogation.

Scavamorto continua à le fixer sans parler.

Shimon écrivit sa question "Milan ou Venise, à ton avis ?"

L'homme baissa les yeux, pour la première fois.

Shimon se dit qu'il allait mentir.

« Venise. »

Shimon acquiesça, puis le frappa à la tempe avec le bâton. Pendant que Scavamorto était inconscient, il le déshabilla et enfila ses vêtements et ses bottes. Puis il se laissa gagner par la curiosité et, même s'il s'était promis de ne plus le faire, il se regarda dans un grand miroir posé sur le sol. Ces vêtements lui plaisaient. Un Juif n'en aurait jamais porté d'aussi vulgaires.

Il vit alors que le bandage sur son cou avait pris une teinte jaune. Il sentait une forte brûlure, comme une meurtrissure. La blessure s'infectait. Il défit le bandage et le renifla : ça sentait mauvais. Il le frotta sur la blessure, enlevant toute la matière jaunâtre qui s'était formée. Mais il savait que ce ne serait pas suffisant, elle se reformerait. Shimon prit une grande inspiration et hurla de toutes ses forces. La blessure s'ouvrit, et il en jaillit du sang et du pus. Il cria encore et encore, jusqu'à ce que ne sorte plus que du sang rouge et brillant. Alors il chercha autour de lui. Ce serait très douloureux mais il n'y avait pas d'autre solution.

Il ouvrit tous les tiroirs des meubles sans trouver ce qu'il cherchait. Contrarié, il lança un grand coup de pied dans une chaise. Et au même moment il entendit un bruit venir de la botte droite prise à Scavamorto. Il tâta l'intérieur et trouva une cachette cousue sur le côté. Et là, trois pièces d'or. Des florins. Ses pièces.

Il comprit que par une ironie du sort il avait trouvé ce qu'il lui fallait. Un peu de sang jaillissait encore de sa blessure.

Il ouvrit le poêle qui brûlait au centre de la baraque et serra la pièce d'or entre les deux extrémités d'une pince qu'il mit dans le feu. Il l'y maintint jusqu'à ce qu'elle devînt rouge, proche de la fusion.

Alors, d'un geste aussi rapide que désespéré, il posa la pièce à plat sur les lèvres de la blessure. S'il avait pu hurler, on l'aurait entendu dans tout Rome. Il s'écroula à terre, presque inconscient. Il respira, tentant de résister à la douleur. Puis se concentra sur ce qu'il verrait quand il réussirait à se regarder dans le miroir. Alors, les larmes aux yeux, il se mit à rire, et trouva la force de se relever et d'aller se regarder. Il approcha une lampe à huile de sa gorge.

Cela commençait à gonfler et à se boursoufler. Mais la brûlure allait guérir, et la blessure se fermer et cicatriser. Il approcha encore la lumière. On commençait à voir ce qui, dans quelques semaines, apparaîtrait clairement. Une fleur de lys. Et, gravé à l'envers dans sa chair, le bord en relief de la pièce de monnaie. Chaque matin, au réveil, sa gorge lui rappellerait la tâche à accomplir. Shimon se mit à rire de nouveau.

« Tu es fou », dit derrière lui la voix de Scavamorto, qui s'était réveillé et frissonnait, nu.

« Il ne t'a pas tué…, ajouta doucement Scavamorto, comprenant seulement alors à qui il avait affaire. C'est toi, le Juif ! »

Shimon détourna le regard, comme s'il redevenait l'espace d'un instant le marchand peureux de toujours.

"Tu n'auras plus jamais peur, se répéta-t-il mentalement. Et tu ne seras plus jamais un Juif."

Il regarda Scavamorto. Cet homme lui plaisait. Mais il ne pouvait pas le laisser en vie.

Shimon donna un grand coup de pied dans le poêle, qui se renversa sur le sol. Puis il sortit, trouva la voiture légère et fouetta le petit cheval arabe jusqu'au sang.

Au moment de quitter les fosses communes, il se retourna. Une fumée dense et noire s'élevait de la baraque.

Les hurlements de Scavamorto commencèrent à monter jusqu'au ciel, comme une terrible prière.

17

La nuit dans la chaumière d'Anna del Mercato fut tranquille. Le feu pétillait doucement dans la cheminée. Avant l'aube, elle descendit le ranimer et mettre du bouillon à chauffer.

Une fois le moine parti aux latrines dans le fond du potager, Mercurio s'approcha de Zolfo en grignotant une moitié d'oignon et un quignon de pain trempé dans le bouillon, et lui dit : « Quand il revient, tu lui dis au revoir et on s'en va.

— Non. Je reste avec lui.

— T'es bête ou quoi ? lâcha Mercurio. Tu veux être son petit clerc, c'est ça ? »

Sans lui répondre, Zolfo se tourna vers Benedetta : « Viens toi aussi.

— Je vais pas avec les curés, répliqua-t-elle d'un ton décidé.

— On combattra ensemble contre les Juifs et on vengera Ercole.

— Qu'est-ce que t'as donc dans la tête ? demanda Mercurio.

— Frère Amadeo dit que je pourrai raconter mon histoire pour faire comprendre aux chrétiens que les

Juifs sont un fléau pire que les sauterelles envoyées par Dieu à Pharaon, répondit Zolfo tout d'un trait. J'ai trouvé un père et un idéal.

— Mais comment tu parles ? dit Benedetta. Tu répètes tout ce que te dit ce moine…

— Laisse. C'est qu'un gamin idiot », l'interrompit Mercurio. Puis, à Zolfo, avec colère, le doigt pointé : « Nos pères n'ont même pas su qu'on était nés, et nos mères nous ont jetés à la rue en se foutant complètement de savoir si on serait vivants le lendemain matin. Si tu cherchais un père, t'avais qu'à rester avec Scavamorto.

— Tu peux parler, je m'en fiche », répondit Zolfo en croisant les bras sur sa poitrine. Puis il s'adressa à Benedetta : « Tu viens avec moi ? »

Benedetta le regarda. Ses yeux se remplirent de peine. « Ma mère m'a vendue à un prêtre, dit-elle doucement. C'était ma première fois. » Elle se mordit les lèvres pour ne pas pleurer. « Non, je ne viens pas. »

La confidence de Benedetta avait eu sur Mercurio l'effet d'un coup de poing dans l'estomac. Zolfo, lui, la regarda comme si cela ne le concernait pas. Mais Mercurio savait que c'était une manière de combattre la peur. « Viens avec nous », lui dit-il, en lui touchant le bras.

Zolfo s'écarta vivement. Sa voix était dure. « Non. Et je veux ma part des pièces. »

Benedetta regarda Mercurio, qui fit oui de la tête. Elle compta six pièces d'or et les posa sur la table. Zolfo referma aussitôt le poing sur elles.

Frère Amadeo revint et perçut la tension dans l'air. Il posa la main sur l'épaule de Zolfo, comme on conforte un fanatisé. Les deux autres lui firent face.

Zolfo ouvrit sa paume et montra les pièces au prédica-teur, avec un regard de défi à Benedetta et Mercurio.

Frère Amadeo ouvrit de grands yeux. « Avec cet argent, le Seigneur bénit notre sainte croisade.

— Au moins, Scavamorto t'aurait pris tes pièces sans jouer les hypocrites, couillon », siffla Mercurio. Il posa un quart de sol d'argent sur la table. « Ça, c'est pour Anna del Mercato. Fais en sorte que ça ne dispa-raisse pas dans tes poches, moine. » Il soutint le regard de frère Amadeo et, passant près de lui, se dirigea vers la porte. « Benedetta, on s'en va. »

Elle regarda Zolfo, sachant que, derrière ce masque dur, il n'était qu'un gamin. Mais elle secoua la tête et sortit à son tour.

Anna del Mercato les vit partir alors qu'elle était dans son potager. C'était toujours comme ça : ils arri-vaient le soir et s'en allaient au matin. Pourtant, ce garçon n'était pas comme les autres : il portait les vêtements de son mari. Son cœur se mit à battre plus fort. Elle leva sa sarclette, mais visa mal et fendit en deux un chou noir qui avait survécu au gel.

« Où on va ? », demanda Benedetta après qu'ils eurent marché quelque temps.

Mercurio était troublé par ce que Benedetta avait dit à Zolfo. Vendue à un prêtre. Pour chacun d'eux, la vie avait été horrible, mais il comprenait maintenant ce que Scavamorto avait voulu dire le dernier soir : être abandonné par sa mère pouvait parfois être une chance. Il ne répondit pas.

« Alors, où on va ? », demanda de nouveau Benedetta.

Mercurio la regarda. « Tu sais ce qu'Anna del Mercato m'a dit ce matin, quand je me suis réveillé ? Elle m'a demandé si j'avais un projet.

— Qu'est-ce que ça veut dire ?

— Elle dit qu'un être humain doit toujours avoir un projet, sinon c'est comme s'il ne vivait pas vraiment.

— Et elle, c'est quoi son projet ? demanda insolemment Benedetta.

— Son projet, c'était son mari. » La voix de Mercurio se fit incertaine. « Et maintenant il est mort. Elle dit qu'elle est un peu morte avec lui.

— Et qu'est-ce que ça peut nous faire ?

— Je sais pas… » Mercurio lança un coup de pied dans un caillou. « J'ai juste pensé que j'ai jamais eu de projet. En tout cas, je crois pas.

— C'est des idioties de vieille femme.

— Ouais… »

Ils marchèrent en silence. Mercurio lançait des coups de pied dans les cailloux. Benedetta rentrait les épaules, en frissonnant.

« Quel projet on a, nous, en ce moment ? », demanda-t-elle ensuite.

Mercurio la regarda. Mais c'était Giuditta qu'il voyait. « On va sur la grand-place. Il faut trouver un bateau pour Venise. »

La place du marché et des affaires était encore endormie, en cette heure très matinale. Mercurio s'adressa à un batelier qui répondit qu'en temps de guerre les étrangers n'avaient pas le droit d'entrer à Venise. Ils restèrent un peu à flâner. Mercurio aperçut une boutique abritée par un grand auvent bleu. Les rares clients qui la fréquentaient avaient l'air triste. Intrigué, il s'approcha et vit que c'était un prêteur sur gages.

« C'est qui, l'usurier ? demanda-t-il à quelqu'un qui passait.

— Isaia Saraval », lui répondit-on.

Il regarda à l'intérieur de la boutique. Un grand costaud le dévisagea. Mercurio le salua mais l'autre, sans répondre, continua de le tenir à l'œil. Il comprit que c'était une sorte de garde. Puis, derrière un rideau damassé, apparut un homme dans la cinquantaine, le visage long et effilé, l'air aimable. Il portait une longue chaîne où pendait une loupe. Mercurio ressortit, en se disant qu'il avait dû s'en servir pour évaluer le collier d'Anna del Mercato.

« Et maintenant, on fait quoi ? », demanda Benedetta.

Mercurio repéra une auberge en face de la boutique et s'y dirigea. Benedetta y mangea comme quatre. Mercurio ne toucha pas à sa tête de cochon rôtie accompagnée de chou-fleur bouilli. Regardant vers la boutique du prêteur sur gages, il vit un garçon y entrer d'une manière louche et dit à Benedetta : « Reste là. » Il alla attendre devant la boutique. Bientôt, l'énergumène qui veillait sur les avoirs d'Isaia Saraval renvoya le garçon. « La prochaine fois que tu reviens, mon patron te dénonce.

— Espèce de merde », marmonna l'autre en s'éloignant.

Mercurio s'approcha de lui. « Bonjour, l'ami. »

Le garçon le regardait d'un air soupçonneux.

« T'as voulu mettre en gage quelque chose qui t'appartenait pas, c'est ça ? demanda Mercurio.

— T'es qui, toi ? Tire-toi.

— Je suis comme toi, compère, dit Mercurio pour le rassurer. Et je cherche un bateau qui m'emmènerait à Venise. Je peux payer. »

L'autre fut soudain très intéressé. « Fallait le dire tout de suite, l'ami. Combien tu peux payer ?

— On est deux, répondit Mercurio.

— Un sol d'argent chacun.

— Un sol d'argent pour deux.

— Bon, d'accord. » Le garçon, qui ressemblait un peu à un rat, tendit la main. « Donne-moi l'argent et on se retrouve demain matin au canal Salso.

— Tu me prends pour un con ?

— Il faut que je trouve un bateau…

— Tu verras l'argent quand on sera à bord. Alors, tu veux conclure l'affaire ou pas ? »

Le garçon hocha la tête. « Bon. Demain matin à l'aube au canal Salso. » Puis il ajouta : « Tu dors où ? Si tu veux, pour un demi-sol, je te trouve une chambre dans une maison sûre. »

Mercurio imagina que le jeune homme et ses comparses les égorgeraient la nuit même. « À l'aube, au canal Salso, dit-il.

— Au quai au poisson. La barque s'appelle la Zitella. Dis que c'est Zarlino qui t'envoie. Zarlino, c'est moi, ajouta le jeune vaurien. Tu peux pas te tromper.

— Je me tromperai pas, Zarlino. » Mercurio revint à l'auberge, où Benedetta avait mangé aussi sa tête de porc et bu trop de vin. « Il faut trouver un endroit pour dormir », dit Mercurio. Benedetta bafouilla : « Je voudrais que Zolfo soit là. »

Mercurio demanda à l'aubergiste s'il avait une chambre pour sa sœur et lui. Une chambre s'était justement libérée, « avec des matelas de son et quasiment pas de poux », selon l'aubergiste.

Mercurio dut presque porter Benedetta à l'étage. Aussitôt sur la paillasse, elle poussa un soupir de plaisir et s'endormit. Mercurio regarda la grand-place par la lucarne. En face, le grand auvent bleu de la boutique du prêteur sur gages bougeait légèrement.

Le soir tombait presque lorsqu'il sortit. Avec bien des précautions, il avait pris son sac de pièces d'or dans la tunique de Benedetta. Il flâna un peu sur la grand-place puis se décida à entrer chez le prêteur sur gages.

Quand Mercurio avait refermé la porte, Benedetta s'était réveillée, la tête alourdie par le vin. Elle s'aperçut aussitôt de la disparition du sac de toile et se précipita à la lucarne. « Salaud », marmonna-t-elle. Elle se rinça le visage dans l'eau de la bassine, revint à la lucarne et vit Mercurio tourner au coin d'une ruelle qui donnait sur la place. « Salaud », répéta-t-elle, et elle courut à sa poursuite.

Elle le suivit discrètement, nourrissant des pensées amères et réfléchissant à toutes les manières possibles de tuer ce voleur de Mercurio. Pire, ce traître. Mais quand elle le vit se glisser dans la chaumière d'Anna del Mercato pour en ressortir aussitôt après, elle demeura interdite. Elle se cacha derrière un arbre mort et, quand Mercurio fut à quelques pas, lui barra la route.

« Qu'est-ce que tu fais là ? dit Mercurio, avec un étonnement que Benedetta jugea coupable.

— C'est plutôt à toi qu'il faudrait le demander.

— Ça te regarde pas.

— Tu as mon argent. Donc, ça me regarde. »

Mercurio tenta de la dépasser. Il était pressé. C'était louche.

176

Benedetta lui bloqua le passage. À ce moment-là, on entendit un grand cri dans la chaumière et Benedetta reconnut la voix d'Anna del Mercato. « Qu'est-ce que t'as fait ? », lui demanda-t-elle, inquiète.

Un second cri. Et Benedetta comprit alors que c'était un cri de joie.

« Par la Sainte-Vierge ! criait Anna del Mercato. Mon collier ! Mon collier ! » Puis on l'entendit pleurer.

Mercurio poussa Benedetta derrière l'arbre. Ils virent Anna del Mercato sortir en courant et regarder de tous côtés. Elle essuya ses larmes, baisa le collier qu'elle serrait dans ses mains. « Où que tu sois, mon garçon, tu as gagné ton paradis ! », cria-t-elle avant de rentrer chez elle.

« C'est quoi, ce collier ? demanda Benedetta.

— Retournons à l'auberge.

— Ça a quelque chose à voir avec l'histoire du projet ?

— Laisse-moi tranquille. Occupe-toi de tes affaires. » Mercurio se dirigeait d'un pas vif vers le centre de Mestre.

Benedetta peinait derrière lui. « Je croyais que tu voulais me laisser.

— Sois pas aussi pot de colle », répondit-il d'un ton désobligeant.

Benedetta sourit, à la dérobée.

18

Fra' Amadeo da Cortona, en dépit de son nom de famille, était né dans une gargote de la ville haute de Bergame. Sa mère était la fille du patron et elle était morte à quinze ans en le mettant au monde.

Le père de la jeune fille, bouleversé de douleur, avait enroulé le nouveau-né encore couvert de sang dans une couverture. Affrontant le gel de la nuit, sourd aux pleurs et aux prières de sa femme, il s'était rendu au couvent des dominicains, l'ordre des Frères prêcheurs. Là, il avait frappé rageusement au portail et ordonné au frère gardien de réveiller immédiatement le frère herboriste.

Celui-ci, suivi d'une grande partie des autres moines du couvent, était arrivé effrayé au guichet ; l'aubergiste, les yeux exorbités, lui avait crié : « Tiens, voilà ton bâtard ! Il a tué sa mère pour naître ! Que son crime retombe doublement sur tes épaules, toi qui l'as engendré ! Que tu brûles pour l'éternité dans le feu de l'Enfer ! Je te maudis, chien de moine ! Et je maudis ce bâtard avec toi ! » Et sur ces mots, il avait déposé par terre le nouveau-né, qui pleurait de plus en plus faiblement, à demi-mort de froid. Puis de retour à sa gargote, l'aubergiste avait éclaté en sanglots, pleurant la perte de sa fille unique qui s'était laissé séduire par le moine.

Le frère herboriste s'appelait Reginaldo da Cortona.

L'enfant avait survécu. La question de son avenir s'était posée. On pouvait le confier à un orphelinat, comme c'était la coutume. Mais frère Reginaldo da Cortona avait demandé à le garder, en rappel constant de sa faiblesse et de son péché. « C'est ma croix », avait-il dit, ne pensant qu'à lui-même, comme de nombreux religieux fanatiques, sans comprendre qu'il condamnait l'enfant.

Baptisé Amadeo, le petit avait grandi tel l'appendice peccamineux de son père, qui l'emmenait partout avec lui. S'il rencontrait un étranger, il s'empressait de lui raconter toute la scandaleuse affaire, sans lésiner sur les détails, battant sa coulpe, en présence de l'enfant.

À l'âge de dix ans, une fin d'après-midi, Amadeo s'était enfui du couvent. Son but : rejoindre la gargote où il était né, où sa mère était morte. Arrivé dans la salle sombre et sordide, il avait aussitôt repéré le patron, son grand-père, et la femme du patron, sa grand-mère. Il s'était approché timidement de l'homme, tandis que les quelques clients présents s'étaient tus en le reconnaissant, les yeux fixés sur lui. L'aubergiste savait qui il était.

« Je suis désolé pour ce que j'ai fait à ma mère », avait alors dit Amadeo d'une petite voix en s'agenouillant, parce que l'expiation des péchés était la seule leçon qu'il avait apprise de son père pendant toutes ces années.

L'aubergiste avait hésité un instant, comme s'il était susceptible de s'émouvoir – et sa femme, certainement

179

émue, avait croisé ses mains devant sa bouche –, avant de lui répondre : « Elle a été ma fille pendant quinze ans. Elle n'a été ta mère que les quelques instants qu'il t'a fallu pour la tuer. Je t'interdis de l'appeler ta mère en ma présence. »

Blessé, l'enfant avait baissé la tête. Ravalant son humiliation, il avait trouvé la force de dire : « Je suis désolé pour ce que j'ai fait à ta fille. »

La grand-mère avait fondu en larmes, sans plus se retenir, et elle aurait sûrement couru embrasser son petit-fils – qui avait les mêmes petits yeux bleus et acérés que sa fille – mais son mari l'avait arrêtée d'un geste. Puis l'aubergiste avait fixé le petit garçon, le doigt pointé vers lui. « Va-t'en, créature immonde ! » Et il avait ajouté, ne trouvant pas mieux pour exprimer sa haine : « Seuls les Juifs sont plus abominables que toi. »

Amadeo, de retour au couvent, avait été puni. Cependant, à partir de ce jour, il avait commencé à se renseigner sur les Juifs, découvrant surtout qu'ils étaient les assassins de Notre-Seigneur Jésus-Christ, ceux qui l'avaient mis en croix et qui portaient depuis lors sur leurs épaules l'effroyable péché du Calvaire. Alors, dans son esprit simple d'enfant, la lumière s'était faite. Il était logique que les Juifs soient pires que lui. Au fond, eux avaient tué le Fils de Dieu, lui seulement une pauvre jeune fille. Et pour la première fois de sa brève existence, il avait éprouvé une sensation de soulagement. Il n'était plus le pire excrément de la société, il avait enfin quelqu'un à mépriser de tout son être, comme les autres le méprisaient.

Les Juifs étaient le prix de son rachat. Bien vite, ils devinrent sa raison de vivre. La haine qu'il déversait sur eux le faisait se sentir meilleur, dans la juste voie. Sa haine des Juifs était un acte d'amour envers Dieu, et il s'abandonna corps et âme à cette haine sacrée, décidant de consacrer sa vie à lutter contre le peuple de Satan. Avec le temps, Amadeo, devenu lui aussi frère prêcheur, avait oublié les mots prononcés au hasard par son grand-père et ne se rappelait plus la genèse de sa haine. Il l'avait assimilée comme une chose naturelle.

Pour entretenir la haine de Zolfo, il n'eut aucun mal à trouver les mots justes.

« Nous raconterons ton histoire au monde pour montrer les voies empruntées par Satan, qui va bras dessus bras dessous avec ses serviteurs les Juifs, disait-il encore au gamin alors qu'ils se dirigeaient vers le mouillage du canal Salso. Mais il faudra y apporter… quelques petites corrections. On ne dira pas que vous aviez détroussé le marchand, par exemple. Comme ça le péché du peuple juif tout entier sera plus évident, tu comprends ? »

Zolfo acquiesça, prêt à jurer le faux pour se venger des Juifs, coupables de l'assassinat d'Ercole.

« Maintenant nous allons nous embarquer pour Venise, poursuivit frère Amadeo. Venise, c'est la ville des Juifs. C'est là qu'ils tiennent leur sabbat et leurs commerces peccamineux. C'est là, avant tout, que notre action purificatrice est requise. »

Arrivé au mouillage, le frère s'approcha d'une grosse embarcation chargée de poisson destiné au marché du Rialto. « Mon bon, dit-il à l'un des pêcheurs, serais-tu disposé à nous emmener à Venise ? »

Le pêcheur le regarda, hésitant. Ses yeux se posèrent sur une grosse corbeille en osier installée à la proue et maculée d'une toile couverte du sang des entrailles de poisson, d'où s'élevait une terrible puanteur.

« On peut payer, dit Zolfo, qui avait deviné la pensée du pêcheur.

— Combien ? dit celui-ci en regardant le moine.

— Combien tu veux ? », demanda Zolfo, qui semblait plus à même de mener la négociation, et il fixa la corbeille. L'espace d'un instant, il eut l'impression qu'elle bougeait. Puis il lui sembla voir deux doigts passer entre les mailles d'osier. Il fit un pas en avant, sur le mouillage, et descendit une des marches glissantes pour mieux voir. Les doigts avaient disparu à l'intérieur de la corbeille.

Le pêcheur était mal à l'aise.

« Combien tu veux ? », redemanda Zolfo.

Le pêcheur allait répondre quand il jeta un coup d'œil autour de lui. Il vit deux gardes approcher. « Allez-vous-en », dit-il promptement.

Zolfo regarda les gardes, arrivés à une dizaine de pas, puis de nouveau la corbeille. Il était sûr maintenant qu'elle ne contenait pas du poisson. « Si tu réponds pas, je dirai aux gardes que tu caches un fugitif », menaça-t-il.

Le pêcheur devint livide. « Allez-vous-en, je vous en supplie.

— Combien ? », répéta Zolfo en se penchant vers la grande corbeille. S'il avait tendu la main, il aurait pu la renverser. Et ce fut alors qu'il entendit une voix venir de l'intérieur.

« Zolfo, murmura la voix. Ne nous trahis pas… »

Zolfo reconnut la voix de Benedetta. Il recula, surpris. Regarda le pêcheur et frère Amadeo. Ni l'un ni l'autre n'avaient entendu.

Recroquevillée à l'intérieur de la corbeille, Benedetta tressaillit. Mercurio, à côté d'elle, lui serra la main. « Ne bouge pas », murmura-t-il. Ils avaient payé le petit vaurien et embarqué à l'aube. Cela faisait plus d'une heure qu'ils étaient enfermés dans l'odeur nauséabonde du poisson. Ils avaient observé la scène par les mailles de la corbeille, tremblant d'être découverts.

Ils virent Zolfo faire un pas en arrière et tirer la manche du moine en disant : « Cherchons quelqu'un d'autre.

— Non, je veux que cet homme nous emmène à Venise », s'exclama frère Amadeo à voix trop haute.

Un des gardes l'entendit : « On ne peut pas aller à Venise.

— Moi, je le dois ! s'exclama le moine avec arrogance. Par la volonté de Dieu !

— Venise, on y va par la volonté du doge, répondit le garde.

— Tu interdirais à un ministre de la sainte Église… », commença frère Amadeo en pointant le doigt vers le ciel.

Mais le garde l'interrompit aussitôt : « Pour un espion, ce ne serait pas bien difficile de se cacher sous un froc de moine. » Il le regarda avec gravité. « En temps de guerre, la lagune est fermée aux étrangers.

— Tu voudrais m'en empêcher ? » Le frère se fit menaçant face au garde, sûr de la puissance que lui conférait le crucifix pendu à son cou. « Mais j'embarquerai.

— Et moi, je t'arrêterai.

— Je voudrais bien voir si tu en es capable. »

De leur cachette, Mercurio et Benedetta virent le garde faire signe à l'autre de le rejoindre. « Prends le gamin », lui dit-il. Puis il saisit le moine par le bras, avec vigueur. « Tu es en état d'arrestation, au nom de la Sérénissime, suspect d'être un espion », déclara-t-il d'une voix dure en le traînant vers la garnison de Mestre.

« Qu'est-ce qu'on fait ? demanda Benedetta, angoissée.

— Ne bouge pas », lui ordonna de nouveau Mercurio.

La barque commençait à quitter le quai. Le pêcheur, profitant de la confusion, avait donné ordre à ses hommes d'appareiller.

« Mais ils sont en train de l'arrêter, protesta Benedetta, en regardant le garde qui emmenait Zolfo.

— Ne bouge pas », siffla encore Mercurio.

Les rameurs avaient poussé la barque loin du quai et, assis sur les bancs, ils glissaient les rames dans les dames de nage.

À travers les mailles, Mercurio vit que les gardes relâchaient Zolfo et frère Amadeo. Le moine et le gamin s'éloignèrent tête basse. Zolfo, avant de prendre le sentier, lança un regard vers la corbeille.

Benedetta eut l'impression que Zolfo était triste. « Il ne me plaît pas, ce moine, dit-elle doucement.

— Ce moine est un démon », confirma Mercurio.

19

« Stoppez la nage ! », cria tout à coup une voix que Mercurio et Benedetta entendirent de l'intérieur de la corbeille à poisson.

« Je veux pas d'ennuis, répliqua la voix du pêcheur.

— Le demi-sol, t'as pas craché dessus, quand même, répondit d'un ton dur la voix de Zarlino, le jeune vaurien qui avait organisé le transport clandestin.

— Salaud, murmura Mercurio.

— Qui est-ce ? », demanda Benedetta, alarmée.

Mercurio, sans répondre, prit le sac de toile et en tira silencieusement tous les sols d'argent qu'il avait changés à l'auberge, pour éviter d'éveiller les soupçons en payant avec de l'or. Puis il cacha le sac contenant les pièces d'or restantes sous les planches de l'embarcation. Enfin, il arracha un pan de sa chemise, y mit les sols d'argent et le noua. Il passa le paquet à Benedetta et lui fit signe de le glisser dans son décolleté. « Je suis désolé, lui dit-il.

— De quoi ? », demanda Benedetta.

À l'instant même, on entendit des bois se heurter. On avait abordé leur embarcation.

« Je veux pas d'ennuis, répéta le pêcheur d'une voix plaintive.

— Alors ferme ta gueule, répondit Zarlino. Tu les as cachés où ? »

L'instant d'après, un violent coup de pied faisait voler la grande corbeille dans laquelle étaient cachés Mercurio et Benedetta.

« Salut, l'ami », dit Zarlino à Mercurio en éclatant de rire, un couteau à la main.

Sur l'autre embarcation, petite et mal en point, ses trois comparses rirent aussi. Ils avaient de vilaines faces, marquées par la pauvreté, presque sans dents malgré leur jeune âge. Ils se maintenaient à la barque du pêcheur avec un grappin.

Mercurio et Benedetta se levèrent et leur firent face.

Le pêcheur et ses deux hommes gardaient les yeux baissés.

« Qu'est-ce que tu veux ? », demanda Mercurio. Il sentait la colère qui lui faisait battre les tempes.

« Je me suis dit que j'avais encore besoin de sous, dit Zarlino.

— Va travailler, alors », répondit Mercurio. Il regarda autour d'eux. Ils étaient sur un canal à la périphérie de la lagune. On ne voyait pas âme qui vive. Le pêcheur l'avait choisi pour éviter de rencontrer les gardes. Et il avait peut-être été suffisamment bête pour le dire à Zarlino. Ou bien ils étaient tous de mèche. Tout autour, de hautes touffes de roseaux aux extrémités pelées et gelées. Pas d'échappatoire. Personne ne passerait par ici. Et même si quelqu'un passait, il les abandonnerait sûrement à leur destin.

« Les plaisanteries, ça m'a jamais fait rire, dit Zarlino.

— Parce que t'es trop bête pour les comprendre », répliqua Mercurio.

Zarlino fit signe à deux de ses comparses de monter à bord. Le troisième resta pour tenir le grappin. « T'as deux possibilités, l'ami. Ou tu me donnes tes sous ou on te les prend. Dans le premier cas, tu continues vers Venise, dans le second tu finis dans le canal avec la gorge tranchée. À toi de choisir.

— Je serais presque tenté de te croire. Au fond, pourquoi ne pas faire confiance à un gentilhomme comme toi ?

— Tu continues à faire le bouffon, hein ?

— C'est ma nature », dit Mercurio en haussant les épaules et en promenant rapidement son regard dans le bateau. Quand il eut repéré ce qu'il lui fallait, il bondit, vif comme il avait appris à le devenir pour survivre à Scavamorto, aux égouts et aux ruelles de Rome. Il s'empara d'un filet, le lança vers les trois lascars et les cueillit à l'improviste. Ayant l'avantage, il arracha une rame à l'un des rameurs et frappa Zarlino à la tête. Celui-ci gémit, puis s'écroula.

Entre-temps, sans attendre un ordre de Mercurio, Benedetta avait ramassé une petite masse ronde qui servait à assommer les gros poissons, et la brandissait au-dessus des deux autres agresseurs, qui s'agitaient en tentant de se débarrasser du filet. Mais elle frappa dans le vide, la barque tangua, Benedetta perdit l'équilibre et se retrouva entre les bras de Zarlino, qui avait déchiré le filet avec son couteau et cherchait à s'en dégager.

Il attrapa solidement Benedetta, lui enserra le cou de son bras et pointa la lame sur sa gorge. « Fini de jouer, l'ami, fit-il à Mercurio avec un rire mauvais.

Maintenant tu vas aller à la niche, si tu ne veux pas que le sang de cette jolie fille éclabousse ta tunique en futaine. »

Mercurio frémissait de rage. Il soufflait comme un taureau furieux. D'un geste hargneux, il laissa tomber la rame. « On n'a rien d'autre, dit-il en haletant. On est comme toi, des crève-la-faim…

— Habillé comme un paysan, c'est sûr que t'es un crève-la-faim, dit l'autre en finissant de se dégager du filet de pêche sans relâcher sa prise sur Benedetta, qui fixait Mercurio avec une expression mortifiée. Mais tu l'es pas autant que tu veux nous le faire croire.

— Fouille-moi, dit Mercurio en ouvrant sa tunique et en retournant ses poches. J'ai rien d'autre. »

Zarlino réfléchit en le fixant en silence, sérieux. Puis sa vilaine face s'élargit en un sourire. « Je te crois, tu sais ? C'est vrai. Toi, tu n'as rien. » Il glissa la main dans le décolleté de Benedetta, meuglant et palpant. « Et toi, t'as de jolis tétons pas bien gros mais bien goûteux…

— Laisse-la ! fit Mercurio.

— Elle va pas s'abîmer si je fais un petit tour moi aussi. Tu veux la garder pour toi tout seul ? » Et il palpa en même temps l'intérieur des vêtements, puis poussa un cri satisfait. « Ah ! C'est quoi, ça ? » Il sortit le paquet noué et le lança à l'un de ses hommes, son couteau toujours posé contre la gorge de Benedetta.

« Dix-sept pièces d'argent ! s'exclama le comparse après avoir dénoué le paquet.

— Regarde un peu, rit Zarlino. Pour un crève-la-faim, t'avais un joli petit magot. Et peut-être bien qu'il y en a encore plus. » Il retourna Benedetta, la serra contre lui en lui tordant le bras dans le dos.

Il passa le couteau à sa ceinture et lui mit la main sous la jupe.

« Salaud ! hurla Mercurio. C'est tout ce qu'on a ! »

Benedetta tenta de se dégager, mais Zarlino lui tordit le bras plus fort. Elle gémit de douleur et de rage.

« Oh, je vais sûrement trouver quelque chose d'intéressant là-dessous, pas vrai, beauté ? » Il retira sa main, se lécha le majeur et recommença à fouiller sous la jupe, haletant sur le cou de Benedetta. D'une poussée rude il enfonça sa main. « Et on y est. T'aime ça, beauté ?

— Laisse-la, salaud ! », hurla Mercurio.

À cet instant, Benedetta mordit l'oreille de Zarlino avec férocité. Le garçon hurla de douleur et lâcha prise. Elle le repoussa en arrière, contre ses comparses, et recula. Entre-temps Mercurio avait récupéré la rame et la brandissait, prêt à frapper.

« Allez-vous-en. Vous avez eu ce que vous cherchiez.

— Avant qu'elle me morde, on serait partis », répondit Zarlino, une expression de souffrance sur le visage : la partie supérieure de son oreille pendait comme celle d'un chien après un combat. « Avant on serait partis, c'est sûr. Mais maintenant, va falloir qu'elle goûte à un peu plus que mon doigt. » Il se tourna vers ses compères. « Qu'est-ce que vous en dites ? »

Les trois autres ricanèrent. Celui qui tenait le grappin se mit la main à l'entrejambe et se tripota de façon obscène.

« Aidez-nous », dit Mercurio au pêcheur.

Le pêcheur et ses deux rameurs n'avaient pas levé les yeux, fût-ce un instant. Et ils gardèrent la tête baissée.

Mercurio les regarda avec mépris. « Vous ne valez pas mieux qu'eux, dit-il. Vous êtes seulement plus lâches.

— Alors, reprit Zarlino, tu nous la donnes, ta copine, ou faut te couper la gorge ?

— Faudra me couper la gorge. » Aucune hésitation dans la voix de Mercurio.

« Tant pis pour toi. Ça aurait pu t'amuser de regarder, dit Zarlino en riant.

— Regarder quoi ? », fit une voix.

Une barque noire, longue et agile, apparut, comme surgie d'entre les roseaux. À bord, un homme dans la trentaine. Grand, maigre, vêtu de noir. Tiré à quatre épingles. Mais ce qui sautait d'abord aux yeux, c'étaient ses longs cheveux lisses, peignés avec soin, noués en chignon sur le côté droit avec un ruban rouge. Des cheveux si clairs, d'une blondeur si peu courante qu'ils en paraissaient blancs. Il portait des bottes hautes au-dessus du genou, souples, avec une boucle en argent. Il sourit. Mais rien d'amical dans ce sourire.

Mercurio eut l'impression d'un loup qui montrait les dents. Il se sentit glacé.

« Alors, pouilleux, tu me réponds pas ? », dit l'homme, posant comme par distraction la main sur le pommeau d'une épée qu'il portait à la taille, maintenue par une large ceinture vert vif, éclatante au milieu de tout ce noir. Il était debout à la proue. Il semblait n'avoir aucun mal à garder l'équilibre.

Derrière lui se tenaient quatre hommes bien moins sous-alimentés et rustres que ceux de Zarlino, qui était devenu tout pâle.

« Salut, Scarabello, dit Zarlino d'une voix rendue sourde par l'inquiétude. Qu'est-ce que tu fais dans les parages ? »

La barque noire glissa silencieusement jusqu'à insérer sa proue effilée entre les deux embarcations. Scarabello, un pied sur sa barque, posa l'autre avec fermeté sur celle du pêcheur. « La bonne question, c'est : qu'est-ce que tu fais dans ma zone, pouilleux ?

— Ben, voilà, tu vois… ces deux-là, ils me devaient de l'argent et moi… ben, je suis venu le récupérer et… bref, on était en train de plaisanter avec la fille… Elle est mignonne, non ? », enchaîna Zarlino sans reprendre son souffle.

Scarabello le fixait en silence, sans accorder un seul regard aux autres, comme s'ils n'existaient pas. Puis, toujours en silence, il tendit la main, paume ouverte. Il avait les doigts couverts de bagues de toutes formes.

Zarlino ricana, embarrassé. Il haussa les épaules, s'éclaircit la voix, se massa la gorge et finit par faire un signe à son comparse qui avait l'argent. L'autre posa sans hésiter le paquet dans la paume de Scarabello.

« Combien ? demanda Scarabello sans regarder.

— Dix-sept sols, répondit Zarlino. D'argent.

— Et quelle sorte de service peut rendre un pouilleux comme toi pour se faire payer dix-sept pièces d'argent ? demanda Scarabello.

— C'est des étrangers, et je les aidais à aller à Venise. »

Scarabello toisa Mercurio rapidement sans manifester d'intérêt. Puis fixa de nouveau Zarlino. « Même pour s'asseoir à côté du doge sur le Bucentaure, personne ne paierait jamais une somme pareille.

— La somme convenue était un sol d'argent, dit Mercurio. Et on lui a déjà donné.

— Mais ça ne t'a pas suffi, hein, pouilleux ? » Scarabello ne quittait pas Zarlino des yeux. Il avait une voix calme mais qui faisait descendre une chape de glace.

« Non, Scarabello… écoute…

— Eux je m'en fiche, le coupa Scarabello. Mais que tu viennes dans ma zone et que tu penses y faire tes petites affaires, ça me dérange. Tu comprends ça ?

— Écoute… je suis désolé, mais…

— Tu comprends ? Oui ou non ?

— Oui…, dit Zarlino en baissant les yeux.

— Oui », répéta doucement Scarabello.

Mercurio observait la scène en silence. Il était fasciné par la force de Scarabello. Et par sa froideur. Par sa capacité à se contrôler et à contrôler les événements. Aucune trace de colère. Il aurait aimé être comme lui.

« Et qu'est-ce que tu me suggères de faire ? demanda Scarabello.

— S'il te plaît…

— J'ai compris. Tu es tellement bête que tu n'as même pas une idée à me suggérer pour te faire bien entrer dans la tête que tu ne peux pas venir sur mon territoire et t'en tirer comme ça, fit Scarabello. C'est moi qui vais devoir y réfléchir, comme d'habitude. Jamais personne pour m'aider, soupira-t-il théâtralement.

— Enfonce-lui une rame dans le cul, dit Benedetta. Ou plutôt, laisse-moi le faire moi-même.

— Personne t'a demandé ton avis, petite pute, fit Scarabello.

— Excuse-la », dit Mercurio.

Scarabello regarda de nouveau Zarlino. « Remonte sur ton rafiot », ordonna-t-il. Et tandis que Zarlino et ses comparses obtempéraient, il se tourna vers ses hommes, qui lui passèrent aussitôt une hache d'abordage. Avec une grâce de danseur, Scarabello sauta sur la barque de ses concurrents, leva la hache très haut et l'abattit avec force sur le fond.

« Non, je t'en supplie… », pleurnicha Zarlino.

Scarabello donna deux autres coups précis autour de la première fente. L'eau saumâtre commença d'entrer abondamment dans la coque. Scarabello prit les deux rames et les lança au loin. Puis, d'un bond, il retourna dans son embarcation. « Tu as de la chance, pouilleux. Pense à tout ce que tu aurais pu perdre. Une main, un bras, ta langue, tes yeux… Continue la liste pendant que tu nages. » Il poussa la barque vers le milieu du canal. Puis se tourna vers le pêcheur. « Et maintenant, à nous deux. Combien il t'a donné pour faire quelque chose que tu aurais dû me demander, à moi ?

— Un demi-sol, monsieur.

— Alors je me contenterai de deux sols. » Et comme le pêcheur ne bougeait pas, il hurla : « Maintenant ! »

L'autre fouilla ses poches et tendit la somme.

« Bien, fit Scarabello, vous pouvez y aller. » Puis il se tourna vers Mercurio et Benedetta : « J'imagine que vous deviez être dans la corbeille, vu que vous puez comme des merlans pourris. Retournez-y. Mais avant, dites-moi au moins merci.

— Et notre argent ? », demanda Mercurio.

Benedetta lui donna un coup de coude.

Scarabello rit. « T'as un sacré toupet, toi, dis donc !

— D'accord, garde-le, dit Mercurio avec insolence.

« — Tu me donnes la permission, mon garçon ? », demanda Scarabello, qui ne savait s'il fallait s'amuser ou mettre un terme à l'offense.

« Garde-les comme paiement pour notre affiliation, continua Mercurio.

— Affiliation ? demanda Scarabello, étonné.

— Oui. Prends-nous dans ta bande. Comme escroc je suis très fort, et elle, elle fait très bien le guet », dit Mercurio.

Scarabello semblait se divertir du tour que prenait la conversation. « D'où venez-vous, toi et ta petite amie ?

— De Rome, répondit Mercurio. Et ce n'est pas ma petite amie, c'est ma sœur.

— Bizarre, on dirait que vous avez le même âge.

— Je suis plus jeune de presque deux ans, intervint Benedetta. Mon frère s'est toujours occupé de moi. Et il m'a enseigné tout ce qu'il sait de la rue. »

Mercurio se dit que Benedetta était une bonne comparse.

« Et pourquoi vous êtes partis de Rome ?

— Pour des questions de "confort", répondit Mercurio.

— Tu as volé sa tiare au pape ?

— Peut-être. »

Scarabello sourit, en l'évaluant. Puis il se tourna vers le pêcheur. « Emmène-le à Rialto et explique-lui où est l'auberge de la Lanterna Rossa. » Il regarda Mercurio. « Prends-y une chambre. C'est de la merde, mais avec deux sols d'argent tu ne peux guère te permettre plus pendant quelques semaines.

— Je n'ai pas deux sols d'argent. »

Scarabello fit voler en l'air les deux pièces que Mercurio attrapa au vol. « Je viendrai peut-être te chercher », lui dit-il. Il repoussa la barque et disparut silencieusement dans le dédale de fins roseaux d'où il avait surgi.

« Salaud, j'espère que tu vas te noyer ! », hurla Benedetta à Zarlino dont la barque avait coulé et qui essayait de rejoindre la rive à la nage avec ses comparses.

« Je savais rien, dit le pêcheur tout bas.

— Crève donc, espèce de lâche », lui dit Mercurio en le foudroyant du regard. Il fit accroupir Benedetta près de lui et ordonna au pêcheur de les cacher à nouveau dans la grande corbeille en osier.

« Je suis désolé, dit Mercurio à Benedetta quand la barque bougea. Excuse-moi.

— Tu savais que ça se passerait comme ça, hein ? », fit-elle d'un air sombre.

Mercurio récupéra le sac de pièces d'or restantes. Il les fit tinter doucement. « C'était le seul moyen pour sauver ça.

— Pourquoi sur moi et pas sur toi ?

— Parce qu'ils t'auraient tripotée de toute façon. Et s'ils n'avaient rien trouvé, ça aurait pu être pire.

— T'es qu'une merde », râla Benedetta.

Mercurio resta silencieux, puis lui demanda : « Il t'a fait très mal ?

— T'es qu'une merde », répéta Benedetta, mais sans colère, cette fois. Elle ajouta : « Petit frère. »

20

« Tu as une chambre pour ma sœur et moi ? », demanda Mercurio en entrant sans un bonjour à la Lanterna Rossa, qui était un bouge ruga[1] Vecchia di San Giovanni, non loin du marché aux poissons de Rialto.

Le patron de l'auberge était assis sur une chaise bancale. Malingre, la soixantaine, peu de cheveux sur la tête et peu de dents à la mâchoire. Il avait un visage antipathique et se grattait les jambes et l'aine. "Les poux sont en train de le dévorer vivant", pensa Mercurio.

Le vieux ne répondit pas et cracha dans un pot de chambre à côté de la chaise. Sa salive était rouge de sang. « Vous puez comme des harengs pourris, fit-il alors à l'adresse des deux jeunes gens.

— Tu as peur qu'on empuantisse ton palais ? lui répondit Mercurio. Tu as une chambre ?

— Tu as de l'argent ? demanda l'aubergiste.

— Non, pourquoi ? dit Mercurio, d'un air insolent. Faut payer pour venir dans un endroit pareil ? »

Benedetta rit.

1. Rue.

« C'est un sol par semaine, fit le vieux, qui cracha de nouveau dans le pot de chambre.

— Je te prends les poux de tes matelas et en plus tu voudrais un sol par semaine ? dit Mercurio.

— Il y a des gens qui dorment sous les ponts. Quelques-uns survivent. Vous pourriez essayer.

— Je te donne un sol par mois », rétorqua Mercurio.

Le vieux cracha et ferma les yeux, pour indiquer la fin de la conversation.

« Allons chercher quelque chose de mieux que cette merde, dit Mercurio à Benedetta. Scarabello se débrouillera bien pour nous retrouver. »

Le vieux ouvrit les yeux brusquement. « Qui ? demanda-t-il.

— Tu te réveilles ? fit Mercurio.

— Scarabello ? Fallait le dire tout de suite, mon gars. Alors ça fait… un sol pour deux semaines, si vous êtes des amis de Scarabello. »

Mercurio mit les mains dans ses poches et le fixa en silence.

Le patron de l'auberge bougea sur sa chaise, mal à l'aise, se gratta l'aine à nouveau. « Un sol pour trois semaines. Mais toi, tu dis à Scarabello que je t'ai fait un prix d'ami.

— Je lui dirai, oui. Il m'avait assuré que dans cette porcherie, on pouvait dormir pour un sol par mois. »

Benedetta se cacha derrière lui, se retenant de rire.

Le vieux réfléchit un instant. « Bon, allez, malédiction ! T'es un voleur, mon gars.

— Merci du compliment », dit Mercurio.

L'homme, en marmonnant, les accompagna jusqu'à leur chambre, un galetas qu'occupait presque entièrement un matelas de son crasseux. Dans un coin, un pot de chambre qui avait dû servir à Mathusalem. La pièce n'avait pas de fenêtre.

« On étouffe ici, soupira Mercurio. Moi, je sors faire un tour.

— Je viens avec toi », dit aussitôt Benedetta.

Mercurio n'avait jamais vu de ville aussi bizarre. « Il y a trop d'eau », dit-il, mal à l'aise. Mais petit à petit il se laissa gagner par la magie de cet endroit unique, de ces ruelles remplies de gens qui s'affairaient, de boutiques, de marchés, d'étals.

Il voulut d'abord monter sur le pont du Rialto, un pont majestueux fait de deux rampes de mélèze et d'une machinerie extraordinaire qui les relevait au passage des plus grandes galères : tout un système de poulies et d'engrenages laissait filer des câbles et le pont s'ouvrait en grinçant. C'était inouï : on aurait dit de la prestidigitation.

Ce qui frappait le plus Mercurio, c'était le nombre d'embarcations de toutes sortes qui sillonnaient les canaux. Il n'avait jamais vu un tel trafic. Ce n'était que cris, disputes, choc des bois qui se heurtaient. Il y avait plus de barques à Venise que de charrettes dans les rues de Rome.

Tout de suite après le pont, sur la rive où se dressait le marché aux poissons, à côté de l'église de San Giacomo, une vaste zone qu'on appelait les Fabbriche Vecchie, était en pleine effervescence. Un barbier qui arrachait les dents dans la rue lui raconta que cette zone avait été frappée par un terrible incendie l'année précédente, et qu'elle était en cours de reconstruction. Mercurio regarda longuement les tailleurs de pierre et les charpentiers qui y travaillaient sans trêve, et pensa à la complication énorme que c'était de transporter tant de pierres et de briques sur des bateaux. Une infinité de porteurs, chantant dans un étrange dialecte, ne cessait de franchir le pont, poussant des carrioles aux roues de bois plein, larges et plates.

Tous avaient quelque chose à vendre, semblait-il, dans cette ville où la quantité de boutiques était inimaginable : les plus riches avaient des étagères en pierre d'Istrie projetées, et de grands auvents aux couleurs éclatantes. Il y avait un *sotoportego*[1], dit du Banco Giro, où un banquier garantissait officiellement les transactions qu'il notait dans un registre. Ainsi les marchands n'avaient pas besoin de porter leur argent sur eux, ce qui leur évitait d'être détroussés. Et tout près de ce *sotoportego*, calle[2] della Sicurtà, se trouvait un petit palais de deux étages aux fenêtres en ogive et aux vitres colorées qui évoquèrent à Mercurio le glaçage d'un gâteau. Là, on pouvait assurer des navires entiers ou des cargaisons entières d'étoffes, d'épices ou toute autre marchandise en instance d'arrivée ou de départ.

Une marée humaine mouvante envahissait les rues et les *sotoporteghi :* une foule de vendeurs ambulants qui offraient sur leur bras de pauvres marchandises, et plus de prostituées et de mendiants que Mercurio n'en avait vu à Rome en période de Carême. Et au milieu de toute cette foule, naturellement, des escrocs et des voleurs qu'il repéra vite. Les trucs étaient les mêmes partout. Le faux bras, en tissu, tandis que le vrai dérobait discrètement une bourse ou un mouchoir. Le faux aveugle qui butait contre sa victime et en profitait pour la "nettoyer". Les voleurs de bas étage qui se

1. Passage sous un immeuble. Pluriel : *sotoporteghi*.
2. Rue. Pluriel : *calli*.

contentaient d'attraper la marchandise et de se sauver, espérant être plus rapides que leur poursuivant.

« On a de la concurrence », murmura-t-il à Benedetta.

Rialto était le cœur commercial de la ville, et certainement le meilleur endroit pour un escroc : ce serait donc son quartier général. Il y avait de quoi s'amuser.

« Je veux une nouvelle robe, dit Benedetta à la tombée de la nuit. Celle-ci pue trop. J'ai vu une boutique qui a des vêtements magnifiques.

— Tu as un plan ? lui demanda Mercurio.

— Quel plan ?

— On va les prendre comment, ces habits ?

— On va les payer, répondit-elle, étonnée. On a plein d'argent. »

Mercurio hocha la tête. « Bravo. T'es vraiment maligne, tu sais ? » Il avait remarqué qu'au nom de Scarabello, les gens rentraient la tête dans les épaules. Il était connu de tous, et tous le craignaient. « Et si un homme de Scarabello était en train de nous suivre, ou nous voyait, même par hasard ? C'est pas le type à rigoler s'il découvre qu'on l'a pris pour un con.

— Et alors ? demanda Benedetta, déconcertée.

— Et alors, c'est simple : il faut faire comme si on ne l'avait pas, cet argent », répondit Mercurio. Il la regarda. « On ferait quoi si on n'avait pas d'argent ?

— Oh, non ! s'exclama Benedetta.

— Oh, si, petite sœur.

— On a plein d'argent et on va risquer la prison pour vol ?

— Notre argent, il faut l'utiliser pour notre projet.

— Encore ! lâcha Benedetta. On n'en a pas, de projet !

200

« — On en aura un. Du moins, j'espère. Et de toute façon, tôt ou tard, l'argent finirait. Et reconnais qu'on ne sait rien faire d'autre que voler.

— Non…, souffla Benedetta, découragée.

— Si.

— Alors pour aujourd'hui je vais garder ma peau de poisson, dit-elle d'un ton chagrin en montrant sa robe qui puait. On mange quelque chose et on va se coucher. Je suis morte, j'ai les pieds gonflés et les chaussures pleines de boue.

— J'aime te sentir aussi joyeuse, rit Mercurio.

— Va te faire foutre. »

Ils pénétrèrent dans une gargote, où ils mangèrent du poisson cuisiné d'étrange manière. C'était collant, mais les autres clients semblaient apprécier. Puis ils retournèrent vers l'auberge.

Mercurio examinait la foule. Comment parviendrait-il à retrouver Giuditta au milieu de tous ces gens ?

« Tu cherches quelqu'un ? lui demanda Benedetta quand ils arrivèrent à la Lanterna Rossa.

— Moi ? »

Le vieux, à l'entrée, était toujours assis sur sa chaise. Il les regarda avec rancune et cracha dans son pot de chambre.

« À mon avis, c'est pas une chaise, dit Mercurio. C'est son cul qui a pris racine. »

Benedetta rit. « Alors ? Tu cherches qui ?

— Personne. »

Dans la chambre, Mercurio alluma une chandelle et inspecta la pièce. Sans bruit, il écarta une table de bois de la paroi et commença à creuser un trou dans le mur avec une cuillère volée dans la gargote. Il y glissa le sac de pièces et remit la table en place. « Ils cherchent toujours dans le plancher », dit-il à Benedetta.

Ils se regardèrent, gênés.

« Bon, on dort, fit Benedetta. Qu'est-ce que t'attends ?

— De quel côté tu veux dormir ?

— Suffit que tu restes loin », avertit-elle. Elle se coucha du côté gauche et tira la couverture sur elle. « Celle-là, je la prends. Toi, tu as ta tunique fourrée en peau de lapin. »

Mercurio se coucha contre le bord droit. « J'éteins ?

— Éteins », dit Benedetta.

Il souffla sur la chandelle et ce fut le noir. Ils gardèrent quelque temps un silence embarrassé.

« Tu dors ? demanda Mercurio tout bas.

— Non. Qu'est-ce que tu veux ? répondit Benedetta d'un ton désobligeant.

— Je voulais te dire que quand les brigands nous ont pris les chevaux et tout le reste…

— Eh ben ?

— Eh ben… t'as été très courageuse.

— Bon, maintenant tu l'as dit. On dort.

— Oui, t'as raison. Bonne nuit. » Benedetta ne répondit pas.

« Je peux te demander quelque chose ? reprit Mercurio.

— Quoi encore ?

— T'y penses jamais, toi, à Ercole et à l'homme que j'ai tué ? » Benedetta resta silencieuse un instant. Puis, d'une voix moins brusque, elle lui demanda : « Il s'appelait comment, l'ivrogne qui t'a sauvé et qui est mort noyé ?

— Je sais pas…

— T'y penses jamais à… "Je-sais-pas" ?

— Tout le temps », répondit doucement Mercurio. Puis il ajouta : « Et à ce marchand aussi.

— Et moi je pense à Ercole. Et aussi à ce crétin de Zolfo. »

Benedetta avait un ton de voix amical. « Et tu penses quoi ? », ajouta-t-elle.

Mercurio ne répondit pas tout de suite. « Que j'ai peur…

— Ah…

— … et ça me fait un grand froid à l'intérieur. »

Les deux jeunes gens restèrent longtemps silencieux.

« Mercurio…, finit par dire Benedetta.

— Hein ?

— Si tu veux venir plus près, avoir un peu de couverture. » Benedetta se déplaça vers le milieu du lit, en continuant à lui tourner le dos.

Mercurio resta un moment immobile, puis s'approcha, avec raideur.

« N'essaie pas de m'embrasser, fit Benedetta.

— Non », dit Mercurio.

Benedetta soupira, tendit une main derrière elle, prit celle de Mercurio et la posa contre elle. « Si tu te mets pas plus près, on va jamais se réchauffer, dit-elle. Mais pas touche…

— Non.

— Et dis à ce truc que tu as entre les jambes de rester à sa place… enfin, de se tenir tranquille.

— Oui », fit Mercurio, qui se sentit rougir.

Il s'écoula un peu de temps, puis Benedetta dit : « Ça te fait quelque chose que j'aie couché avec ce curé et tous ces autres porcs ?

« — La vie, c'est de la merde. » Dans la voix de Mercurio, il y avait de la colère et de l'embarras.

« Pourquoi t'es toujours en colère ?

— Je suis pas toujours en colère.

— Si, tu l'es. »

Mercurio réfléchit. « J'ai pas envie d'en parler. »

Benedetta resta un certain temps silencieuse avant de demander : « Alors ? Ça te fait quelque chose que je ne sois pas vierge ?

— Quelle importance si une fille est vierge ou pas ?

— Les hommes respectent les femmes seulement si elles sont vierges, tu sais pas ça ?

— Hum… oui, bien sûr que je le sais… »

Benedetta rit doucement. « T'as jamais fait l'amour, c'est ça ?

— Si, au contraire, je l'ai déjà fait.

— Ah oui ? fit Benedetta avec une pointe de malice. Et c'était comment ?

— Ben, disons… disons que nos mains à tous les deux… elles faisaient quelque chose, tu vois ? bredouilla Mercurio, mal à l'aise.

— Qu'est-ce que tu racontes ?

— Ben, c'était pas grand-chose… bref… il y a mieux.

— Menteur, ricana Benedetta. Tu l'as jamais fait.

— J'ai sommeil, on dort. »

Benedetta sourit dans le noir. « Oui, on dort. » Puis elle glissa sa main dans celle de Mercurio.

Mercurio, à ce contact, se raidit.

« Détends-toi, c'est juste pour me réchauffer. »

Mercurio ne répondit pas. C'était vrai. Il n'avait jamais fait l'amour. Il ne savait rien de l'amour. Il resta immobile pendant un temps qui lui parut interminable, les yeux grands ouverts. Et ce fut seulement quand il entendit la respiration de Benedetta se faire plus lourde, qu'il commença à s'abandonner à la fatigue. Il ferma les yeux. Et aussitôt le souvenir de Giuditta revint à son esprit. Il repensa à l'instant où ils s'étaient retrouvés main dans la main, dans le chariot des vivres, à Mestre. Il lui sembla que la même chaleur particulière l'envahissait de nouveau. Il supposa que c'était cela, l'amour. Comme ce qui était arrivé à Anna del Mercato et à son mari. Et si l'amour faisait tout ce remue-ménage dans le ventre, ce n'était pas si mal, sourit-il. Il se concentra sur Giuditta sans résister. Elle pouvait peut-être devenir son projet. Il s'imagina de nouveau dans le chariot, à côté d'elle.

Et il serra la main de Benedetta.

Benedetta lui rendit son étreinte et s'approcha plus près.

Mercurio se sentit rougir de honte. « Pardon, murmura-t-il, embarrassé.

— De quoi ? demanda Benedetta.

— Je croyais que tu dormais.

— Non, dit Benedetta d'une voix douce. Pardon de quoi ? »

Mercurio ôta sa main et se poussa, en lui tournant le dos. « Rien, laisse tomber…, dit-il brusquement. J'ai chaud. »

21

Shimon Baruch, sorti de Rome, avait quitté la via Flaminia pour se cacher dans les bois qui entouraient la ville de Rieti. Au bout d'une semaine, il était revenu sur ses pas, avait repris la via Flaminia et poursuivi vers le nord. Toute cette semaine, il s'était interrogé sur la réponse que lui avait faite Scavamorto, et il hésitait encore entre Milan et Venise. Au début, il était sûr qu'il lui avait menti. Mais Scavamorto était très fort, et il avait de l'affection pour Mercurio : il pouvait avoir dit vrai en supposant que Shimon n'y croirait pas. Ainsi, Shimon avait fini par se persuader que Scavamorto avait dit la vérité.

La via Flaminia traversait les Apennins, rejoignait la côte adriatique puis passait par Rimini, un port ouvert aux Juifs à une certaine époque. Ensuite, c'était la via Emilia qui remontait vers Venise. On restait sur les territoires du pape. Et Shimon avait "son" certificat de baptême. D'ailleurs, si on le cherchait, on n'imaginerait pas qu'il s'était attardé aussi longtemps sur les terres de l'Église.

Vers le soir, en approchant de Narni, la voiture légère de Shimon avait rejoint un coche pénitentiaire avec de petites lucarnes étroites renforcées par deux croisillons de fer, tiré par quatre chevaux flamands aux culs énormes et musculeux. N'ayant pas la place de le dépasser, Shimon roula derrière.

Deux gardes à cheval qui escortaient le coche pénitentiaire s'approchèrent. « Qui es-tu ? Où vas-tu ? »

Shimon mit la main dans sa poche et tendit son certificat de baptême. C'était la première mise à l'épreuve.

« Alessandro Rubirosa, lut un des gardes. Espagnol ? »

Shimon fit signe que non puis montra sa gorge pour indiquer qu'il était muet.

« T'es muet ? », se fit confirmer le garde, haussant la voix comme si en plus il était sourd.

Shimon acquiesça.

« Et où tu vas ? », demanda l'autre garde.

Shimon ne savait pas comment expliquer. Il tenta de dessiner dans l'air une gondole.

« Des chaussures turques ? Quel rapport ? dit l'un.

— Un couteau turc », dit l'autre en désignant le couteau que Shimon portait à la ceinture.

Shimon secoua la tête. Il se demandait comment expliquer.

« Bon, on s'en fout », dit le premier garde.

Shimon mima le fait de dormir et manger.

« C'est plein d'auberges à Narni…, commença le second garde.

— Mais il risque de se perdre. Il fait presque nuit maintenant, intervint l'autre. Tu peux nous suivre jusqu'à l'auberge du Général. C'est propre, pas cher, et on mange bien. »

Shimon hésitait. Quelque chose lui disait de se méfier. Mais c'était sans doute le marchand apeuré d'autrefois qui parlait en lui. Par réaction à cette idée agaçante, il fit signe qu'il était d'accord.

Après quelques lieues, ils prirent un chemin étroit et arrivèrent sur une esplanade herbue, en face d'une maison à étage, rouge brique, dont beaucoup de volets étaient clos.

Le coche pénitentiaire s'arrêta au milieu de l'esplanade. Il pleuvait un peu et il faisait froid. Shimon descendit de voiture. Les gardes ouvrirent la portière du coche et il en sortit une bouffée d'odeurs corporelles. À l'intérieur, cinq hommes étaient assis sur des bancs de bois, enchaînés par les pieds et par les mains à de grands anneaux de fer. Un des prisonniers gémissait, les mains sur son ventre.

« Général ! », hurla l'un des gardes.

Aussitôt commença un va-et-vient plein d'excitation. Le coche pénitentiaire devait être une bonne affaire pour le relais de poste. Deux garçons d'écurie surgirent, portant des baquets remplis d'eau. Les gardes firent descendre les prisonniers et on jeta toute l'eau des baquets dans la voiture pour nettoyer les excréments. Les prisonniers furent emmenés dans la grange. Shimon vit qu'elle était équipée comme une petite prison. Ils furent attachés à une grande barre horizontale qui courait d'une paroi à l'autre, leurs poignets liés de façon à leur permettre de manger. Deux vieilles femmes arrivèrent avec un chaudron de cuivre et une pile d'écuelles, où elles versèrent un bouillon clair qu'elles passèrent aux prisonniers.

« Lui, je crois qu'il n'a pas faim », dit l'un d'eux en désignant celui qui gémissait en se tenant le ventre.

Un des gardes rit, bêtement, avant de se tourner vers l'auberge et d'appeler : « Général ! Y a un client ! »

Un vieillard encore robuste aux cheveux très courts d'un blanc éclatant et à la mèche raide en sortit, accompagné d'une jeune fille jolie mais vulgaire dont il aurait pu être le grand-père.

« Bonsoir, Général, dirent les gardes au vieux d'un ton plein de déférence qu'ils n'auraient pas employé pour un simple tenancier. Ce pauvre homme est muet. C'est un voyageur. Il a besoin de manger et d'une bonne chambre. »

Le vieux regarda Shimon. « Viens », lui dit-il, avant de crier aux deux servantes qui s'étaient occupées des prisonniers : « Préparez pour les gardes ! »

Shimon fixa la fille qui balançait des hanches devant lui en suivant le Général. Mais elle ne sembla même pas le remarquer.

L'auberge, modeste, avait l'air propre. L'un des garçons d'écurie désigna une table à Shimon. Tous les gardes, les deux à cheval et les trois qui voyageaient dans le coche, s'assirent de bonne humeur à une autre table où ils se jetèrent aussitôt sur une carafe de vin rouge. Les vieilles femmes sortirent de la cuisine en apportant deux grands plateaux remplis de nourriture pour les gardes et une assiette pour Shimon. Il y avait du pain frais, du poulet rôti, des saucisses et des petits oignons à l'aigre.

Shimon regarda les saucisses.

"Tu ne seras plus jamais un Juif."

Il prit une tranche de pain qu'il plia en deux et mit une saucisse à l'intérieur. Il mangeait de la viande de porc pour la première fois de sa vie.

"Tu ne seras plus jamais un Juif", se répéta-t-il.

Et il se sentit fort.

La fille, qui descendait de l'étage où le fantomatique Général avait disparu, s'approcha de la table des gardes avec une sensualité nonchalante.

Shimon n'avait jamais vu de fille aussi jolie ni aussi provocante. Ou peut-être ne s'était-il jamais permis d'en remarquer une. Malgré une sensation de danger qui ne le quittait pas, il se sentait irrésistiblement attiré par elle. Il la regardait, assise de dos avec les gardes, boire et rire en l'ignorant.

Bien plus tard, les gardes dirent qu'ils avaient assez bu et voulaient dormir. La fille se leva et, en se retournant, le regarda droit dans les yeux.

Shimon tressaillit.

« Suis-moi », dit-elle en passant près de lui, et elle sortit de l'auberge.

Un des gardes ricana.

Shimon resta immobile, ahuri et surpris. Brusquement, il se leva et la suivit. Elle n'était guère plus qu'une silhouette noire qui balançait des hanches sur le fond à peine moins sombre de la nuit. Avant qu'elle ne disparaisse complètement, il marcha dans ses pas comme un animal domestique.

Il leva les yeux et vit le Général à une fenêtre du premier étage. Il frissonna. Instinctivement, il le craignait. Mais le Général ne l'avait peut-être pas vu : la nuit était profonde, et c'était un vieil homme.

Il se retrouva à l'arrière de l'auberge, et remarqua une porte ouverte. Une faible lueur provenant de l'intérieur. Il s'approcha, retenant les tremblements de ses jambes qui auraient voulu courir.

La fille lui tournait le dos, mais dès qu'il fut à la porte, le souffle court, elle se retourna et vint vers lui. Sa bouche souriait, mais son regard était allumé d'un désir que Shimon, en dépit de son expérience limitée, n'eut aucun mal à interpréter. Elle le tira à l'intérieur par le bras et, avec une sorte de pirouette, se laissa aller le dos contre la porte et la referma.

« Tous les soirs je suis obligée de dormir avec un vieux, dit-elle à brûle-pourpoint. Mais cette nuit le Général ne me cherchera pas, il est occupé avec les gardes. »

Shimon était hébété de la beauté provocante de la fille. La chemisette de gaze qui voilait son décolleté avait glissé sur le côté et laissait entrevoir sa peau, ambrée au creux des seins. Il resta à la fixer en silence.

La fille bougea, passa tout contre lui et prit une cruche de vin. « Viens par là », lui dit-elle en s'agenouillant sur la paillasse.

Shimon la suivit, tel un poisson ferré. Il s'assit et se retrouva à la hauteur de son visage, respirant l'odeur forte de sa bouche, mélange de viande et de vin rouge. Il restait arrimé à ses yeux sombres, mystérieux.

La fille le regarda intensément, pencha un peu la tête sur le côté, puis approcha le bord de la cruche des lèvres de Shimon.

Il but, sentit le vin tiède couler dans sa gorge. Le goût était un peu amer. Il sentit près de ses lèvres le souffle chaud de la fille.

« Tu veux bien faire l'amour avec moi ? », dit-elle alors.

Le cœur de Shimon accéléra.

La fille ôta son corsage de gaze. Son décolleté montrait une généreuse portion de sein. Elle sourit, se leva et lui enleva ses bottes. Puis elle lui offrit une autre gorgée de vin.

Shimon but. Et il sentit encore le léger arrière-goût amer dans sa bouche.

« Comment tu t'appelles ? », demanda la fille.

Shimon lui fit signe qu'il était muet.

« T'es un marchand ? »

Il acquiesça. Sa tête était lourde, la fatigue de ces derniers jours se faisait sentir.

« T'es riche ? »

Sa tête s'appesantissait de plus en plus, malgré sa résistance. Il comprit alors combien il avait été stupide.

La fille le regardait sans parler.

Shimon se rendit compte qu'il était de plus en plus confus.

La fille le fouilla. Très vite, elle trouva la poche secrète à l'intérieur de la botte de Scavamorto et y prit les pièces d'or. Elle en mit une dans sa bouche et la mordit, puis regarda la pièce, satisfaite, et s'exclama : « Sept pièces d'or ! »

Shimon était incapable de bouger. Ses yeux se fermaient, sa tête tournait. Les objets dans la pièce ondoyaient, devenaient flous, changeaient de dimension. Tout était devenu instable, tantôt coloré et strident, tantôt éteint et silencieux. Une oppression dans sa poitrine l'empêchait de respirer, et il sentait dans ses os une fatigue insurmontable. Il réussit juste à penser : "Tu ne veux pas faire l'amour avec moi."

La fille posa la tête sur la poitrine de Shimon. Lui caressa la peau sous la chemise. Lui prit la main et en embrassa le dessus, la paume, chaque doigt avec lenteur. Emmena sa main dans le décolleté de sa robe et la guida jusqu'à son sein chaud et doux. Elle lui prit l'index pour se caresser le mamelon.

« Je suis désolée », murmura-t-elle d'une voix rauque et haletante.

Juste avant de perdre connaissance, Shimon vit du sang. Partout. Le sang sur la poitrine du fou qu'il avait tué, le sang sur les dalles de la sacristie où il avait massacré le curé et sa bonne. Il sentit du sang dans sa bouche, son propre sang qui gargouillait chaque fois qu'il respirait.

Comme quand il avait cru mourir.

Mais cette fois il n'eut pas peur.

"Quel idiot !", pensa-t-il seulement.

Puis tout devint noir.

Il se réveilla le matin, un peu avant l'aube, engourdi, la tête lourde et la vue brouillée. Il n'avait plus de bottes et plus de manteau. Ses chevilles étaient enchaînées à la barre de la grange, à côté des cinq prisonniers. Il vomit.

« Y en a un qui s'est bien amusé, cette nuit », dit un des forçats en riant. Les autres se mirent à rire et les gardes aussi.

« Alessandro Rubirosa…, déclara alors le capitaine des gardes qui tenait son certificat de baptême, tu es accusé d'avoir violé une jeune fille vierge et d'avoir tenté de la tuer. Pour cette raison tu seras emmené dans la prison de Tolentino et tu y seras jugé par une cour ecclésiastique. As-tu quelque chose à dire pour ta défense, muet ? » Et il éclata de rire. Puis il se tourna vers ses hommes. « Chargez-le dans la voiture. On part.

— Allez, debout », ordonnèrent les gardes aux prisonniers. Un des gardes avait dégainé son épée, pendant qu'un autre ouvrait le cadenas qui les maintenait attachés à la barre. On les fit mettre en rang et on les poussa vers le coche pénitentiaire.

Aussitôt dehors, Shimon vit la fille, un peu à l'écart, qui le cherchait du regard. Leurs yeux se rencontrèrent. Elle fit quelques pas en avant et vint près de lui.

« Promets-moi que tu penseras à moi », lui dit-elle.

Shimon la regarda d'un œil glacé. À la lumière du jour elle paraissait plus marquée que la veille. Elle avait sur son visage pâle des cernes sombres soulignés par de petites rides. Ses lèvres étaient moins rouges et moins pleines, son attitude moins effrontée, ou fatiguée, ses épaules moins droites. Et ses yeux brillaient d'une lumière lointaine, triste et mystérieuse à la fois.

Shimon, en la regardant droit dans les yeux, ouvrit grand la bouche et hurla. Le sifflement lancinant atteignit la fille en pleine face.

Un garde lui donna une grande poussée dans le dos, un autre le frappa au visage avec la poignée de son épée.

Tandis qu'il marchait vers le coche pénitentiaire, attaché aux autres prisonniers qui ricanaient et faisaient des commentaires vulgaires, Shimon sentait son corps transi de froid et de fatigue, son esprit encore embrumé par la drogue. Ses pieds nus s'enfonçaient dans la terre humide, glacée. Il avait dans la bouche le goût familier du sang.

Il se retourna pour regarder la fille : "Oui, je penserai à toi", lui dit-il mentalement.

Les gardes l'enchaînèrent au banc.

« On aurait dû le tuer, dit la fille au vieux, suffisamment fort pour que Shimon entende.

— Il te fait si peur que ça ? demanda le Général, en riant.

214

— Il me fait horreur.

— C'est trop dangereux de les tuer, tu sais bien. »

La fille fixait Shimon. Et Shimon la fixait.

Les gardes refermèrent la portière.

"Je penserai à toi", répéta Shimon intérieurement.

La voiture partit. Peu après, le prisonnier qui gémissait le soir précédent se courba sur le banc ; il respirait difficilement.

« Dépêche-toi de mourir, mon mignon, tu me fatigues », fit un des prisonniers.

Les autres rirent. Pas Shimon.

Après une demi-heure, les gémissements s'amplifièrent.

« Dépêche-toi de crever, dit un des forçats.

— Tu veux un coup de main ? », ajouta celui qui était assis à côté. Et il lui envoya un grand coup de coude dans l'estomac.

De nouveau tous se mirent à rire, sauf Shimon.

« Ça te fait pas rire, connard de muet ? », dit le prisonnier assis en face de lui, qui se pencha et lui cracha au visage.

Shimon ne bougea pas.

Comme ils arrivaient au sommet d'une hauteur couverte d'une hêtraie, la respiration de l'homme se transforma en râle. Il poussa un dernier et long soupir, et demeura inerte, ballotté par les cahots de la voiture.

« Eh, il a fini par crever ! hurla aux gardes le prisonnier enchaîné à côté de lui. Jetez-le aux loups ! Je veux pas voyager avec un cadavre ! »

Le coche s'arrêta. La portière s'ouvrit.

À ce moment-là, un trait d'arbalète traversa de part en part la gorge du garde qui venait d'ouvrir. Depuis l'intérieur de la voiture, Shimon et les autres prisonniers entendirent des cris, des chocs sourds. La terre tremblait sous les sabots de nombreux chevaux. Il y eut des jurons et des prières. Puis tout se tut.

Soudain, un visage creusé par la faim, laid et inexpressif, s'encadra dans la portière. Derrière lui une dizaine d'hommes souillés de sang. « T'es libre, chef », dit l'individu au visage creusé.

Celui que tous croyaient mort se releva.

Un des bandits monta dans le coche et lui détacha les chevilles. « Ça fait plaisir de te revoir, chef », dit-il.

L'homme ne répondit pas. Il s'empara du couteau que l'autre portait à sa ceinture et, toujours sans un mot, égorgea le prisonnier qui lui avait donné un coup de coude dans l'estomac. Puis il descendit du coche et dit à ses hommes : « Tuez-les tous. »

Un des bandits monta et enfonça sans hésitation son épée dans la poitrine du premier prisonnier, assis à côté de Shimon.

« Pas lui, dit le chef des bandits en revenant à cheval et en désignant Shimon. Je sais pas pourquoi t'as pas ri, muet… mais aujourd'hui c'est ton jour de chance. »

Les bandits achevèrent les prisonniers, lancèrent à Shimon les clés du cadenas et partirent au galop.

Shimon se libéra, descendit et chercha le capitaine des gardes. Un trait d'arbalète lui était entré par l'œil gauche et ressortait à l'arrière du crâne. Shimon le trouva comique à voir. Il fouilla dans ses poches et récupéra son certificat de baptême. Puis il trouva une pièce d'or, qu'il reconnut : c'était un de ses sept florins, la part du butin qui revenait au capitaine. En fouillant les autres gardes, il trouva un second florin, qu'ils avaient sans doute l'intention de se partager plus tard en le dépensant dans une taverne en compagnie de quelque putain. Cela voulait dire que le Général et la fille avaient les cinq autres.

Il ôta les bottes du capitaine, tapa des talons sur le sol. Les éperons tintèrent. Les bottes lui allaient bien. Il lui prit ses gants de cuir, jeta sur ses épaules sa cape aux armes du pape et se coiffa du casque léger.

Il entendit un gémissement et se retourna. Un des gardes tendait le bras vers lui. « Au secours… aide-moi… » Ce n'était qu'un gosse. Shimon s'agenouilla près de lui et lui tint la tête entre les mains, la posant contre sa poitrine.

Puis, d'un geste sec, il lui tordit le cou.

Il ramassa une épée ensanglantée, une arbalète et des traits, puis détacha les chevaux flamands attelés, donna une claque sur leur puissant postérieur et les regarda s'éloigner. Il saisit par la bride le cheval d'un garde, un hongre blanc qui avait de larges rayures de sang sur l'encolure. Il le nettoya, le calma et monta en selle. Un petit coup léger des éperons du capitaine, et le cheval partit.

"J'arrive", pensa Shimon en se dirigeant vers l'auberge.

22

Le lendemain matin, Mercurio et Benedetta flânaient sur le pont du Rialto en réfléchissant à un moyen de voler des vêtements neufs, quand ils furent approchés par un jeune homme qui avait un bandage sur l'œil.

« Suivez-moi, on va voir Scarabello », dit le borgne.

Ils descendirent du pont et tournèrent tout de suite à gauche, longeant le Grand Canal sur la fondamenta de riva[1] del Vin. Pour éviter de s'enfoncer dans la boue, ils essayaient de marcher sur les vieilles poutres de bois, généralement dédiées au roulage des tonneaux de vin, qu'on déchargeait à cet endroit pour fournir toutes les maisons et les auberges de Venise. Ils prirent le ramo del Fondego, tournèrent à gauche et se retrouvèrent sur le campo[2] San Silvestro.

Scarabello était debout, bras ouverts en croix, devant la boutique d'un fourreur. Dans l'air humide s'élevait l'horrible puanteur des acides de tannerie. Scarabello

1. *Fondamenta :* rue bordée d'un canal. *Riva* : quai de déchargement.
2. Place. Pluriel : *campi*. La seule place à être dénommée *piazza* est la place Saint-Marc.

était vêtu d'une grande et épaisse fourrure. Deux apprentis s'affairaient autour de lui, tenant un pinceau qu'ils trempaient dans une boîte en fer-blanc remplie de teinture noire. Mercurio remarqua qu'à certains endroits, sur lesquels les apprentis insistaient, la fourrure était marron. Difficile de savoir de quel animal il s'agissait. Le poil, hirsute, aurait pu être aussi bien du poil de chien que d'ours. Scarabello mordait de temps en temps dans un morceau de viande planté sur la pointe d'un couteau. Trois de ses hommes, que le borgne rejoignit, étaient assis à l'écart sur des pierres blanches qui dépassaient du mur d'une maison.

« Alors, c'est comment, Venise ? », fit Scarabello quand Mercurio se présenta devant lui. Il n'eut pas un regard pour Benedetta.

« Pleine de volaille à plumer, à ce qu'il me semble », répondit Mercurio. Et il fut encore une fois frappé par la couleur de ses cheveux, presque blancs.

« Et qu'est-ce qui te fait penser que tu peux les plumer ? demanda Scarabello.

— J'imagine que j'ai besoin de ta permission. »

Scarabello approuva d'un sourire. Puis il se tourna vers les deux apprentis, agacé. « Alors, c'est bientôt fini ? »

Ils ne répondirent pas, mais le fourreur sortit précipitamment de sa boutique pour vérifier l'état des opérations. Il hocha la tête. « *Messer* Scarabello, ce n'est pas du travail bien fait, se lamenta-t-il. Il faut fixer la teinture.

— Pas le temps, répondit Scarabello d'un ton sec. C'est bientôt fini ?

— C'est presque terminé », dit tristement le fourreur.

Scarabello fit un signe pour le chasser. Puis il prit une bouchée de viande. « Alors, explique-moi ce que tu voudrais faire, demanda-t-il à Mercurio.

— Je veux des vêtements neufs pour nous deux. Avec ceux-là, on nous renifle à une lieue de distance. »

Scarabello ne fit aucun commentaire.

« Moi je suis un bon escroc, je te l'ai dit, et elle, un bon guetteur, fit Mercurio. Tu nous dis ce que… »

Scarabello le fit taire d'un geste de la main. « Ça suffit, dit-il aux apprentis.

— C'est fini, *messer* Scarabello, dit l'un des deux.

— Mais faites attention, si jamais…, commença l'autre.

— Va au diable », le coupa Scarabello, qui fit signe à Mercurio de le suivre. Il se glissa dans l'étroite calle del Luganegher. Ses hommes suivirent. Benedetta aussi. Scarabello marcha d'un pas vif jusqu'au campo Santo Aponal, où il s'arrêta et indiqua à Mercurio une boutique misérable, déserte. « Il y a cinq ans, là-dedans, est né un monstre à deux têtes, quatre bras et trois jambes. Un garçon et une fille collés l'un à l'autre. C'étaient les enfants du marchand de légumes. » De son couteau qui portait encore le morceau de viande, il désigna un homme penché sur le comptoir. « La fille, ils l'ont appelée Maria, le garçon Alvise. Ils ont survécu une heure. Après, un docteur a emmené le monstre et l'a fait embaumer. Depuis ce jour, plus personne n'est entré dans cette boutique. »

Mercurio regarda l'homme dans son magasin. « Et pourquoi il reste ouvert, alors ?

— Parce que maintenant il travaille pour moi. Tu lui porteras un tiers de ce que tu gagnes. Et lui il me le donnera.

220

— Un cinquième », fit Mercurio.

Le ciel se couvrit de nuages. Un vent humide se leva. Un coup de tonnerre résonna, comme un grondement sinistre.

« Tu n'es pas en position de négocier, mon garçon.

— Un quart.

— T'es dur d'oreille ? »

Mercurio balança la tête. « D'accord.

— Mais ça m'étonnerait que tu me rapportes beaucoup, dit Scarabello en souriant, tourné vers ses hommes qui ricanèrent, amusés. T'as pas l'air d'être un grand voleur. En tout cas t'as pas les idées bien claires.

— Je suis très bon dans l'arnaque, répliqua Mercurio, vexé. Et je suis le roi du déguisement.

— Et en bon Romain, tu es modeste… comme un pape ! »

Les hommes de Scarabello se mirent à rire.

Quelques gouttes de pluie clairsemées commencèrent à descendre d'un ciel de plomb.

« Vous faites un très mauvais couple, dit Scarabello, montrant seulement qu'il avait remarqué la présence de Benedetta. Quelle est la première règle pour être un bon guetteur ? », demanda-t-il.

Mercurio haussa les épaules, comme si la chose ne l'intéressait pas, et répondit : « De ne pas se sauver en laissant son comparse dans la merde quand les choses tournent mal.

— Ça, c'est la règle de base, dit Scarabello. Mais un bon guetteur… doit passer inaperçu.

— Évidemment », fit Mercurio, comme si cela allait de soi.

221

La pluie augmenta d'intensité, mais Scarabello resta au milieu du *campo*. À Benedetta, il dit : « Toi, tu ne passes pas inaperçue. Tu es trop mignonne. »

Le visage de Benedetta s'éclaira et elle sourit.

« Idiote, c'est un défaut, dit Scarabello.

— Idiote, répéta Mercurio, d'un air supérieur.

— Et si un guetteur attire trop l'attention, on fait quoi ? fit Scarabello, tandis que la pluie devenait de plus en plus forte.

— On en change », dit Mercurio avec un rire. Mais il vit que Scarabello ne riait pas. « Je plaisante. Je veux dire… j'ai compris…

— T'es un comique, toi, dit Scarabello.

— Bon, je veux dire… s'il est trop voyant…, bredouilla Mercurio, cherchant une solution pour ne pas devoir reconnaître qu'il n'en savait rien. Si elle est trop mignonne on la retaille au couteau, non ? » Et de nouveau il rit.

« Tu dois exploiter son défaut, imbécile.

— Imbécile, répéta Benedetta.

— Exploiter son défaut. C'est ce que je voulais dire… », marmonna Mercurio, en rougissant.

Scarabello secoua la tête. Ses cheveux, trempés par la pluie, bougèrent comme les tentacules d'un extraordinaire animal blanc. « Tu dois le rendre encore plus évident, de manière que ça devienne un motif de distraction. Ce type de guetteur ne contrôle pas les pigeons discrètement, comme un guetteur normal : il les contrôle… en se débrouillant pour que les pigeons le regardent. Tu me suis ?

— Non, reconnut Mercurio, vaincu. Ça donnerait quoi, en pratique ? »

Scarabello alla vers Benedetta et lui défit les cheveux. De sa main libre, il dénoua le corsage qu'elle avait sous sa robe et le replia à l'intérieur, de manière à lui dénuder la poitrine. Mais il ne s'arrêta pas là et déchira un peu du tissu, qu'il replia aussi vers l'intérieur pour élargir le décolleté jusqu'à ce qu'on voie le bout rose de ses mamelons. Il se tourna vers Mercurio. « T'as compris, maintenant ? Utilise ce que tu as. Ils regarderont ses tétons et toi, tu auras le champ libre… comique. »

Mercurio hocha la tête. Il était trempé comme une soupe. Il vit que les hommes de Scarabello fixaient le décolleté de Benedetta. « Vous devez la respecter. Elle est vierge », dit-il.

Benedetta le regarda avec étonnement et rougit. Puis, gênée, elle lui donna une bourrade sur l'épaule.

Scarabello hocha la tête. « J'en ai plein les couilles de prendre l'eau par votre faute », dit-il et il entra dans la boutique du marchand de légumes.

Celui-ci s'inclina aussitôt en signe de respect quand Scarabello et ses hommes se faufilèrent à l'intérieur. Il n'y avait quasiment pas de marchandise. La boutique était une grande pièce froide au sol de planches brutes et aux murs passés à la chaux, avec juste quelques légumes dans de drôles de corbeilles noires comme le brouillard. Le marchand ne semblait pas avoir peur de Scarabello, il y avait plutôt de la reconnaissance dans ses yeux. Il prit une cassette fermée par un étrange cadenas à cylindre et tendit à Scarabello une poignée de pièces, que celui-ci empocha sans les compter, avant d'y récupérer quatre pièces d'argent. « Tiens, te voilà payé », dit-il.

L'autre lui baisa la main, les yeux brillants. « Merci, que Dieu te bénisse, toujours et pour l'éternité. »

Scarabello retira sa main, mais doucement. Du bout de son couteau il désigna Mercurio. « Paolo, à mon avis ce comique ne nous rapportera pas grand-chose, mais il est engagé. » Il mordit dans son morceau de viande. Du jus lui coula sur le menton, qu'il essuya avec la manche de sa fourrure : il se retrouva avec un grand trait noir courant d'une joue à l'autre sous son nez.

La pluie avait dissous la teinture et sa fourrure était redevenue marron par endroits. Mercurio regarda par terre. Il y avait une flaque noire aux pieds de Scarabello. Aucun de ses hommes n'osa dire quoi que ce soit.

« Ça te va bien, la moustache », dit Mercurio en éclatant de rire.

Scarabello, surpris, le regarda sans comprendre.

Le borgne réagit le premier. Il se mit face à Mercurio, le prit au collet et le repoussa, avec violence. « Ferme ta gueule, connard. »

Mercurio s'agrippa d'abord à ses hanches puis se retrouva contre un des compères, qui l'attrapa par le cou et le rudoya. Mercurio s'agrippa aussi à lui pour ne pas tomber, l'étreignant presque. L'homme le repoussa avec hargne vers un autre, qui l'attrapa comme si Mercurio était une balle, le souleva en l'air et le jeta au sol devant Scarabello. « Demande pardon, fumier ! »

Benedetta retenait son souffle. Paolo regardait ailleurs.

Mercurio trempa le doigt dans la flaque d'encre et se dessina deux moustaches. « Maintenant on est pareils. » Il éclata de rire, sans pouvoir se retenir. « Mais les tiennes sont bien plus grosses…

— Ferme ta gueule, connard », fit le borgne, et il s'apprêtait à lui donner un coup de pied quand Scarabello, ôtant le morceau de viande de son couteau, le lui lança en plein visage.

Le borgne protesta. « Mais…

— C'est à toi de fermer ta gueule ! » Puis Scarabello pointa son couteau vers Mercurio. « Relève-toi », ordonna-t-il. Et au marchand : « Paolo, apporte-moi un miroir. »

L'homme se précipita dans l'arrière-boutique et revint avec un vieux miroir.

Scarabello se regarda. Puis il fixa le borgne. « C'est qui le connard ? Toi ou lui ? dit-il, l'air sombre. Tu m'aurais laissé sortir comme ça, toi, espèce d'imbécile, de peur de me le dire ? cria-t-il. » Il dévisagea ses autres hommes. « Crétins ! »

Ils baissèrent les yeux.

Scarabello se nettoya avec le linge que lui avait tendu Paolo. Puis il le passa à Mercurio, avec un sourire amusé. « Va chez le tailleur du théâtre de l'Anzelo. Il est à moi. Dis que c'est Scarabello qui t'envoie. Si quelque chose te convient, tu le prends. » Il lui donna une pichenette sur la joue. « Je te salue, comique.

— Un instant, Scarabello, dit Mercurio. On peut parler des comptes ? Je te dois un tiers de ce que je vole, c'est ça ? »

Scarabello le regarda, perplexe.

Mercurio alla au comptoir et y posa un couteau, une bourse de velours vert dans laquelle tintèrent des pièces de monnaie, et un foulard rouge. Il regarda le marchand de légumes. « Alors, ça fait combien, Paolo ? Je dois donner ma part au patron.

— Eh, c'est ma bourse ! s'exclama le borgne.

— Et c'est mon foulard ! fit un autre des hommes.

— Mon couteau, espèce de fils de pute ! », dit le troisième.

Scarabello se claqua la cuisse et partit d'un éclat de rire sonore. « Tout compte fait, il va peut-être nous rapporter quelque chose, ce comique ! » Il se tourna vers ses hommes. « Il vous a plumés comme des volailles ! Vous vous imaginiez lui faire peur, et lui il vous faisait les poches ! Grands couillons ! » Il les attrapa par le collet, l'un après l'autre, et leur passa sa manche de fourrure sur le visage, les barbouillant de noir. « Et gare à vous si vous vous nettoyez. Jusqu'à ce soir ! Allez, volaille, prenez vos affaires. » Puis il sortit de la boutique.

La pluie avait cessé et un soleil capricieux faisait une apparition entre les nuages. Le rire de Scarabello retentit dans tout le campo Santo Aponal.

« Je ne l'ai jamais vu rire d'aussi bon cœur, dit Paolo quand les hommes de Scarabello s'en furent allés. Mais j'ai cru qu'ils allaient te tuer, mon garçon. » Il regarda les quatre pièces d'argent qu'il avait dans la paume de la main. « Ne te méprends pas, je suis pas en train d'en dire du mal. Si Scarabello n'avait pas été là, je serais mort. Personne n'achète rien au père d'un monstre. Les gens s'imaginent qu'en achetant chez moi la malédiction va retomber sur eux. » Ses yeux se voilèrent. « Ma femme a eu tellement peur de ce qui l'attendait qu'elle a dit aux curés que c'était ma faute si le monstre était né, parce que je trafiquais avec le diable. Ils m'ont excommunié, ils ont annulé notre mariage et maintenant elle fait la bonne chez les frères, tu vois un peu… C'est pourtant elle qui les a mis au monde, mes enfants, Maria et Alvise, collés l'un à l'autre, les pauvres petits… C'était pas un monstre, tu comprends ? C'étaient juste deux pauvres petits. » Paolo n'essuya pas ses larmes, comme s'il était habitué à sentir ses joues mouillées. « Scarabello est le seul qui ne m'ait pas abandonné. C'est quelqu'un de bien, meilleur que quiconque ici. Tu crois qu'un type comme lui a besoin d'un type comme moi ? »

Mercurio et Benedetta étaient embarrassés. Ils ne savaient que répondre. Ils bafouillèrent quelques phrases de circonstance, puis se firent expliquer où se trouvait le théâtre de l'Anzelo et se faufilèrent au milieu des gens qui encombraient les *calli*.

« Scarabello a dit que j'étais mignonne, fit Benedetta.

— Non, il t'a traitée d'idiote, plaisanta Mercurio.

— Et toi d'imbécile.

— Un imbécile grâce à qui nous aurons des vêtements qui ne puent pas le poisson.

— Te monte pas la tête, t'as juste eu de la chance. »

Ils se lancèrent des bourrades et se mirent à rire. Celui qui les aurait regardés sans connaître leur histoire les aurait pris pour deux enfants insouciants.

Sur le campo dei Sansoni, là où la foule se pressait autour d'un vendeur ambulant d'oiseaux rares arrivés tout droit selon lui du Paradis terrestre, Mercurio aperçut tout à coup une tête pointue, chauve et familière. Il sentit son cœur accélérer dans sa poitrine.

Il appela : « Donnola ! »

L'autre ne l'entendit pas et poursuivit son chemin, marchant d'un bon pas.

« Donnola ! », appela encore Mercurio, en agitant le bras en l'air. « Tu te rappelles qui c'est ? dit-il à Benedetta. Suivons-le.

— Qu'est-ce que t'en as à faire de ce débile ?

— Je veux lui dire bonjour. C'était l'assistant du docteur.

— Et qu'est-ce que t'en as à fiche du docteur ? Allons au théâtre de l'Anzelo. » Et elle le tira dans la direction opposée.

« Lâche-moi ! », dit Mercurio en se dégageant avec une fougue excessive. « Vas-y, je te rejoins », et il commença à courir derrière Donnola. C'était un lien possible avec Giuditta, se disait-il, ému.

Benedetta resta immobile un instant puis courut à son tour.

Mercurio poussait les gens, cherchant à se frayer un chemin, et s'enfila dans une rue étroite au fond visqueux. Par moments, il apercevait la tête de Donnola et criait alors son nom, en faisant de grands signes de bras.

Ils allaient le rattraper quand Donnola se retourna. Il vit un jeune homme qui criait son nom et faisait des gestes qui lui parurent agressifs. Il accéléra donc le pas et, avec sa connaissance des raccourcis, le sema rapidement.

Quand Mercurio arriva sur la riva del Vin, il vit que Donnola était monté dans un bateau, désormais hors d'atteinte. Et dans le même bateau, presque au milieu du Grand Canal, il y avait le docteur. Et avec lui sa fille.

« Giuditta… », dit tout bas Mercurio, qui eut un coup au cœur. Il se mit à courir le long des quais boueux, avec de grands gestes des bras. « Giuditta ! hurla-t-il, Giuditta ! »

La jeune fille se retourna.

Mercurio ne savait pas si elle l'avait reconnu. Mais il pensa que oui parce que, malgré la distance, leurs regards s'enlacèrent. Du moins voulut-il le croire, tandis qu'il s'arrêtait, épuisé, souillé de boue jusqu'aux genoux.

« Giuditta ! », cria-t-il de toutes ses forces.

La jeune fille ne le quittait pas des yeux, mais ne faisait ni signes ni gestes.

« Giuditta… », répéta Mercurio, haletant.

Un peu en arrière, Benedetta avait tout vu. Elle retint rageusement ses larmes et se mordit les lèvres, jusqu'à les faire saigner.

Elle ressentit une haine profonde pour la fille du docteur.

23

« Père, te rappelles-tu le jeune prêtre qui a voyagé avec nous ? dit Giuditta comme la barque virait, abandonnant le Grand Canal.

— Mercurio. Oui, répondit Isacco, distrait.

— J'ai l'impression que je viens de le voir nous faire des gestes sur la rive…, dit Giuditta. Sauf qu'il n'était plus habillé en prêtre. »

Isacco se retourna, soudain attentif. « Ah…, acquiesça-t-il, cherchant à gagner du temps. Eh bien… à cette distance tous les garçons se ressemblent, mon enfant. Ça ne pouvait pas être lui. »

Giuditta, en revanche, savait que c'était Mercurio. Dès qu'elle l'avait vu, elle avait senti son cœur oppressé, comme si quelqu'un appuyait dessus avec sa main, et l'instant d'après elle s'était sentie heureuse. Depuis qu'ils s'étaient pris par la main elle n'avait pas cessé de penser à lui, même si elle essayait d'éloigner cette pensée. Elle ne répondit pas à son père et se contenta de regarder vers le Grand Canal, presque complètement caché maintenant par un petit palais de marbre jaune et vert. Elle ne comprenait pas pourquoi elle n'avait pas répondu à ses gestes. De tout son être elle l'aurait voulu, et pourtant elle était restée immobile, pétrifiée.

Donnola avait fini par reconnaître le jeune homme qui lui courait après, et par rire de sa propre peur. Il allait le dire, confirmant ce que pensait Giuditta, quand il sentit qu'on le tirait par la manche.

« Évitons ce garçon, lui murmura Isacco à l'oreille. C'est une source d'ennuis. » Puis il se tourna vers sa fille. Giuditta ne le regardait pas. « On est encore loin ? demanda-t-il à voix haute au batelier.

— On arrive. À la moitié du rio de la Madoneta, vous descendez et vous faites un petit bout de la salizada[1] San Polo. La maison d'Anselmo del Banco est la plus grande et la plus riche. » Puis l'homme hocha la tête et marmonna à mi-voix : « Une vraie sangsue, cet Anselmo.

— Tu sauras qui appeler si t'as besoin d'une saignée, dit Donnola. Maintenant tais-toi et rame. Le docteur te paie pas pour insulter ses amis, tête de nœud. »

La barque accosta au quai près d'une amarre, et les passagers descendirent. En quelques pas, ils furent sur le campo San Polo, dallé, avec un beau puits couvert au milieu. Des hommes avec de grands balais et de larges pelles de bois s'affairaient à ramasser les ordures.

« Le mercredi, c'est le marché », expliqua Donnola. Puis il pointa du doigt un joli petit palais à deux étages, presque en face de l'église. « C'est là qu'il habite. Anselmo del Banco est un homme très puissant, et en plus, très riche, dit-il avec des airs de conspirateur. Il y a cinq ans, frère Ruffin est venu sur ce *campo* prêcher contre les Israélites devant deux mille personnes,

1. Rue pavée.

231

et il paraît que votre cher banquier a protesté auprès du Conseil des Dix et que le Conseil a éloigné le frère de Venise. Vous n'avez qu'à lui demander. »

Devant la porte d'entrée, Isacco regarda Donnola d'un air gêné. « Je suis désolé mais… », commença-t-il à dire.

Donnola rit. « Je sais, je suis un *goy* et je peux pas entrer chez le banquier. » Il rit de nouveau. « Vous en faites pas, docteur. C'est pas la mer à boire si pour une fois c'est un chrétien qui peut pas entrer quelque part, vous croyez pas ? »

Isacco sourit, amusé. Ce Donnola lui plaisait.

Il frappa. Un serviteur en livrée ouvrit.

« Je suis Isacco da Negroponte et voici ma fille Giuditta. Asher Meshullam nous attend. »

Le serviteur s'inclina, s'écarta pour les laisser entrer puis referma la porte sans un regard pour Donnola. Toujours en silence, il se dirigea vers une cour intérieure où poussaient des orangers et des cédrats. Au milieu, sous une tente de soie jaune et rouge, un petit homme maigre était assis à une table, les mains tendues, paumes ouvertes, vers un brasier posé au centre d'où se dégageait une tiédeur agréable.

« Assieds-toi », dit l'homme à Isacco. Il avait une voix légère, presque féminine, mais une grande force émanait de lui.

« Asher Meshullam, c'est un honneur d'être reçu dans votre maison, dit Isacco.

— Assieds-toi », répéta le banquier, et il donna une petite tape sur un fauteuil damassé à côté de lui. Puis il s'adressa à Giuditta. « Peut-être veux-tu voir de plus près ces plantes exotiques. Les plus grandes sont des *citrus medica*. Les autres sont des oranges douces.

232

Le climat de Venise n'est pas le meilleur pour ces plantes qui aiment le soleil. C'est pourquoi tu les vois un peu éteintes. Mais comme nous autres les Juifs, elles sont fortes et capables de s'adapter. »

Isacco fit signe à Giuditta d'obéir puis s'assit.

Giuditta eut un sourire distant. Les plantes d'Asher Meshullam ne l'intéressaient pas. Mais elle était heureuse d'être un peu seule avec ses pensées. "Je te retrouverai", lui avait dit Mercurio. Et il l'avait retrouvée, il avait crié son nom. Mais pourquoi n'avait-elle pas répondu ? Pourquoi n'avait-elle pas crié le nom de Mercurio ? Pourquoi n'avait-elle pas dit à son père de faire accoster le bateau ? Giuditta n'avait la réponse à aucune de ces questions. « Parce que j'ai peur », murmura-t-elle en caressant la feuille lisse d'un oranger. Puis, d'un geste de colère, elle l'arracha. « Parce que je suis une petite fille. » Elle se tourna vers son père et Asher Meshullam. Personne ne l'avait vue. Elle laissa tomber la feuille. « Parce que je suis une petite fille », répéta-t-elle tout bas. Et elle se dit qu'à Venise elle deviendrait une femme.

Aussitôt seul avec Isacco, le banquier avait repris. « Tu sais comment on appelle les oranges ? Des *porto-galli*[1]. Certains illustres médecins, tes collègues, soutiennent que manger des *portogalli*, quand on en a, peut aider les marins à se préserver du scorbut. Qu'en penses-tu ? »

Isacco savait qu'aucune des questions de celui qui était le chef incontesté de la communauté israélite vénitienne, mais aussi le principal banquier des territoires de la Sérénissime, y compris sur la terre ferme,

1. *Portogallo :* Portugal.

n'était posée sans raison. « Si d'illustres savants soutiennent cette théorie, comment un simple médecin comme moi pourrait-elle la réfuter ? »

Le banquier le regarda intensément, sans sourire mais sans trop de sérieux. « En mer, il y a plus de superstitions que de science. J'ai entendu parler de certaines amulettes prodigieuses... » Et il fixa de nouveau Isacco de ses petits yeux acérés, noirs comme de la poix.

Isacco haussa les épaules, en signe d'ignorance. Mais l'allusion au Qalonimus n'était pas un hasard. Le banquier lui envoyait un message.

Asher Meshullam fit un signe au serviteur, qui prit une cruche d'argent bosselé à poignée d'os, et remplit de vin deux calices en verre soufflé à bordure d'or fin. Le banquier leva le sien. « Il est *casher*, dit-il. Tu te conformes à la Loi, n'est-ce pas ? »

Cette question aussi était une mise à l'épreuve. Si Asher Meshullam gouvernait son peuple et traitait d'égal à égal avec les puissants de Venise, c'est qu'il voyait plus loin que le bout de son nez. Ce n'était pas le moment de mentir effrontément. « Asher, dit-il avec modestie et orgueil à la fois, parce qu'il avait appris que c'était le mélange idéal pour simuler la sincérité, si je devais suivre à la lettre les six cent treize *mitzvot* et les appliquer chaque jour, je n'aurais plus le temps, je crois, de respirer et de travailler. *El-Shaddai*, le Tout-Puissant, est miséricordieux avec son serviteur. Il sait que mon cœur est pur... autant qu'il peut l'être. Et s'il m'arrive d'avoir dans mon verre du vin non *casher*, je dois vous avouer que je le bois quand même. Ce qui est sûr, c'est que je ne mange ni porc ni viande impure. »

Le banquier eut un sourire d'approbation. Il trempa à peine les lèvres dans le verre et le reposa sur la table. « Il y a quelques jours, au port, il y avait un équipage macédonien, reprit-il avec cette façon de parler au hasard de la conversation. Ils parlaient d'un escroc juif qui avait une fille de l'âge de la tienne.

— Ah oui ?

— Ils disaient que cet escroc n'avait pas payé le voyage et les avait roulés.

— Ah, attendez…, fit Isacco en se touchant le front de l'index, comme s'il se rappelait tout à coup quelque chose. On m'a raconté l'histoire autrement. On m'a dit que le Juif les a payés de trois belles malles remplies de cailloux. »

Asher Meshullam rit doucement, satisfait. Il commençait à apprécier son interlocuteur. « Bizarres, ces Macédoniens, dit-il. Qu'ont-ils l'intention d'en faire, de tous ces cailloux ?

— Qui sait ? fit Isacco en hochant la tête. Autant de pays, autant d'usages. »

Asher Meshullam eut un rire amusé, mais bref. « Mon seul souci est que ce Juif puisse être un escroc. Vois-tu, l'équilibre avec les Vénitiens est plutôt instable, particulièrement ces derniers temps. Nous n'avons pas besoin de conflits.

— Je comprends. Mais je crois que ce Juif n'existe pas. Il n'est que le fruit de l'imagination d'une bande d'ivrognes macédoniens. À mon avis, une fois la galère partie, vous n'en entendrez plus parler.

— Comment es-tu arrivé ici ?

— Escorté par la bénédiction de *Ha-Shem*, qu'il soit toujours loué, et par voie de terre, en usant bien

235

deux paires de chaussures, puisqu'il ne nous est pas permis d'aborder dans la lagune.

— Par voie de terre, donc ?

— Par voie de terre », répéta Isacco, sans baisser le regard et en soutenant l'examen des petits yeux d'Asher Meshullam.

Il y eut un long silence. Puis le banquier parla : « C'est ce que je dirai de toi à la communauté et aux *Cattaveri*[1].

— Vous le direz parce que telle est la vérité.

— Je le dirai, Isacco, dit Asher Meshullam en lui serrant le bras de sa main, parce que telle doit être la vérité. »

Isacco acquiesça. Le message était clair. Asher Meshullam n'avait pas cru un seul mot de ce qu'Isacco avait dit. « Qu'il en soit donc ainsi. *Amen*.

— *Amen Selah*, répondit le banquier, qui ôta la main du bras d'Isacco et sourit. Tu es le fils du médecin du *bailo* de l'île de Negroponte. Ce sera ta garantie ici. »

Isacco pencha la tête, en signe de respect et d'humilité. « Que le Saint vous bénisse, Asher Meshullam.

— Apprends à m'appeler Anselmo del Banco, comme tout le monde en ville. Toi-même, tu ne t'appelles pas Isacco da Negroponte. Les Vénitiens aiment les mascarades, souviens-t'en.

— Je m'en souviendrai.

— Prends une maison parmi ton peuple, continua le banquier. La majeure partie d'entre nous habite aujourd'hui dans les quartiers de Sant'Agostin, Santa Maria *Mater Domini* ou ici, à San Polo. Crois-moi,

---

1. Officiers du Trésor public de Venise chargés de faire respecter l'impôt et de surveiller la contrebande, mais aussi les usuriers.

prends une maison parmi ton peuple et puisque tu es médecin, prends-la grande. Ainsi tu seras un grand médecin. Nous aimons les mascarades, nous aussi.

— Merci… Anselmo.

— Et maintenant, montre-moi les pierres dont tu me parlais dans ton message. Je verrai combien je peux t'en donner, fit Anselmo del Banco d'un ton affligé. Malheureusement je dois te dire que les temps sont durs… »

"Quand on fait affaire avec un banquier, il y a un prix à payer", pensa Isacco. Il déposa sur la table les deux émeraudes, les deux rubis et le diamant. « On ne dirait pas à les voir comme ça, mais ce fut un grand poids de les apporter jusqu'ici, ces pierres, croyez-moi.

— Je te crois, Isacco da Negroponte. » Anselmo del Banco le regarda avec un sourire ouvert, presque de petit garçon. « Pourquoi penses-tu que nous, les Juifs, on l'a toujours dans le cul ? » Et il éclata de rire.

24

« Anselmo del Banco dit que la Sérénissime voudrait créer un quartier réservé aux Juifs de Venise », dit Isacco, aussitôt sorti de la maison du banquier. Ce dernier avait estimé les pierres bien au-dessous de leur valeur, mais lui avait tout de même signé une lettre de change pour une somme considérable.

« Et c'est un bien ? demanda Giuditta.

— Non, mon enfant. L'idée est de faire une sorte de *chazer*.

— De quoi ? intervint Donnola.

— Une sorte d'enceinte, répondit Isacco. Un sérail.

— Ah, c'est des bêtises, dit Donnola. Ça se fera jamais. »

Isacco haussa un sourcil. « Je suis heureux d'apprendre que tu connais mieux les affaires de la République qu'Anselmo del Banco, qui traite avec les notables de la Sérénissime. »

Donnola ne releva pas l'ironie : « La position privilégiée de cet usurier, docteur, montre seulement qu'en dépit de toute logique, certains finissent par se retrouver plus haut que des chrétiens comme moi, quoi qu'en disent les proclamations de la Sérénissime.

Alors on en déduit que ce que dit la République est souvent un écran de fumée pour que le petit peuple se tienne tranquille. Et donc, cette histoire de sérail pour les Juifs est une connerie pure et simple, c'est moi qui vous le dis.

— Si c'est toi qui le dis, je ne peux que te croire, fit Isacco. Je transmettrai à Anselmo del Banco qu'il peut être tranquille. »

Donnola haussa les épaules. « Vous croyez ce que vous voulez, docteur. Moi, je vous ai donné mon avis.

— Allons, ne le prends pas mal, dit Isacco en riant, avec un clin d'œil à Giuditta.

— Je le prends pas mal. Mais vous savez quoi ? Votre usurier, il vous croira jamais. Et vous savez pourquoi ?

— Pourquoi ?

— Parce que avec tout votre respect, vous, les Juifs, vous aimez bien vous plaindre.

— Tu trouves ? fit Isacco, sentant monter une pointe d'irritation.

— Oui. Comme tous les marchands. Et vous êtes peut-être pas plus marchands que les autres, mais vous l'êtes sûrement pas moins. »

Isacco pensa à Anselmo del Banco et à l'estimation de ses pierres précieuses. Il avait pensé la même chose, lui aussi. Mais pas question de l'admettre devant un *goy*. « Je ne sais pas... », dit-il.

Donnola rit. « Vous le savez, vous le savez...

— J'ai l'impression que c'est toi qui sais tout, Donnola.

— Allons, ne le prenez pas mal », fit Donnola en imitant l'intonation du docteur quelques instants plus tôt.

Giuditta éclata de rire.

« Avec tout votre respect, docteur, vous les Juifs, vous croyez toujours être la cinquième roue du carrosse...

— Et ce n'est pas le cas ? demanda Isacco. Réponds sincèrement. »

Donnola le regarda. Tout à coup, ses paroles, qui n'étaient qu'une manière de dire, prenaient un poids autre que celui qu'il avait voulu leur donner. « Ben, par exemple...

— Je t'écoute.

— Les Turcs sont pires, dit Donnola, content d'avoir trouvé une échappatoire.

— Mais quel rapport ? Vous êtes en guerre avec les Turcs depuis toujours !

— Justement. Et on considère qu'ils sont pires que les Juifs.

— Donnola, il n'y a pratiquement pas de Turcs à Venise !

— Justement. Mais des Juifs, par contre, il y en a. Alors la cinquième roue du carrosse, c'est les Turcs, pas les Juifs », conclut Donnola avec satisfaction.

Isacco hocha la tête. « Bah... on ne peut pas discuter avec toi. »

Giuditta souriait, amusée.

« Tu te moques de ton père ? lui demanda Isacco.

— Je ne me permettrai pas, répondit-elle, souriant toujours.

— Mais que penses-tu de notre discussion ? », intervint Donnola.

Giuditta regarda son père et se serra contre lui. « Je pense que le docteur Isacco da Negroponte a trouvé un bel os à ronger.

— Cherchons une maison où habiter, dit Isacco, joyeux, en étreignant sa fille.

— Non, docteur. Nous devons d'abord parler avec le capitaine Lanzafame, je vous l'ai dit ce matin, ajouta Donnola. Il m'a donné rendez-vous à midi à son quartier général. Il a besoin de vos services.

— Et où est-il, ce quartier général ?

— Ici, derrière le Rialto, docteur.

— On dirait que tout tourne autour du Rialto.

— Parce que le Rialto est le cœur de la ville.

— Je croyais que c'était Saint-Marc.

— Saint-Marc, c'est pour les politiciens, les intrigants et les visiteurs.

— Bon, alors rendons-nous à ce quartier général, fit Isacco. Mais il ne m'a pas semblé voir de casernes.

— Qui a parlé de caserne ? se mit à rire Donnola. En temps de paix, le quartier général du capitaine, c'est la taverne delle Spade. »

Dans une *calle* toute proche, la calle della Scimia, derrière la Pescheria Grande, se trouvait une taverne tenue par les sœurs de San Lorenzo, ainsi que le précisa Donnola avec dégoût. « Une taverne propre ! », ajouta-t-il, scandalisé.

La taverne delle Spade, quant à elle, n'avait pas du tout l'air tenue par des religieuses : un ivrogne était couché devant l'entrée, et une prostituée lui faisait tranquillement les poches.

« Ce serait mieux que votre fille attende dehors, docteur, suggéra Donnola.

— Hors de question, répliqua Isacco. Ma fille va là où je vais. Qu'est-ce qui te passe par la tête ? Regarde autour de toi…

— Oui, mais à l'intérieur…

241

« — On n'en parle même pas. Fin de la discussion, dit Isacco d'un ton catégorique. Je ne veux pas la laisser dehors. »

Donnola haussa les épaules, ouvrit la porte de la taverne et entra. Isacco le suivit et Giuditta leur emboîta le pas.

Une odeur nauséabonde les agressa aussitôt, pire que celle de la ruelle : un fumet pestilentiel à base de transpiration, de dattes pourries, de fruits écrasés sur le sol et recuits par l'humidité et le sel, de poisson avarié, de poix et de bois, et de latrines jamais nettoyées. Et sur tout cela flottait l'odeur tenace du vin rance. La taverne était grande mais obscure, bien qu'on fût en plein jour. Devant les fenêtres pendaient de lourdes tentures sombres et les flammèches des lampes à huile étaient si basses qu'on distinguait à peine les visages. Dans un coin, Giuditta vit un ivrogne pisser le long d'un mur sans que personne ne lui dise rien. Tandis qu'elle avançait en suivant son père, elle voyait par éclairs un sein, une jupe qui se relevait sur un cul blanc. L'air bruissait de paroles obscènes, de rires vulgaires, de soupirs, de jurons. On aurait dit l'antichambre de l'enfer, pensa Giuditta, mal à l'aise.

Elle s'arrêta quand elle vit une main de femme se glisser sous la houppelande d'Isacco et lui tâter le membre à travers le tissu de son pantalon. « Tu l'as bien grosse, mon amour », dit une voix, comme récitant un couplet. Puis de l'obscurité émergea le visage d'une prostituée passé au blanc de céruse, les joues et les lèvres fardées de pourpre. « Je te suce pour un quart de rouge et une pièce de six bagatins. Une bouche comme la mienne, t'as jamais essayé. » Elle approcha une lampe de son visage. Elle sourit et montra une bouche privée de dents, aux gencives rougies. Giuditta fit un pas en arrière et cria. La femme disparut dans la pénombre et l'on n'entendit plus que son rire, suivi d'un autre rire aviné.

« Ma fille ne peut pas rester ici. Où nous as-tu amenés ? lança Isacco à l'adresse de Donnola.

— Je vous l'avais dit, docteur.

— Tu aurais dû être plus clair ! explosa Isacco. Et toi, attends-moi dehors ! ordonna-t-il à Giuditta en l'emmenant rapidement à l'entrée de la taverne. J'en ai pour un instant. Ne t'éloigne pas et ne parle à personne. » Il la regarda. Elle était pâle. « Donnola est un crétin, et toi tu ressembles à un fantôme », marmonna-t-il. Puis il s'encadra dans la porte et cria : « Capitaine Lanzafame ! »

L'espace d'un instant, le silence se fit dans la gargote. Puis le bourdonnement reprit. Mais une silhouette imposante sortit de l'obscurité. « Ah, tu es là », dit Lanzafame d'une voix empâtée par le vin. Sa chemise était sortie, ouverte sur une poitrine couverte de cicatrices violacées.

Derrière lui surgit Donnola. « Vous nous avez fait demander… », dit-il.

Le capitaine acquiesça. « Allons dehors. »

Quand ils furent à l'air libre, Isacco regarda Lanzafame. Il y avait un fond de tristesse dans son visage, et comme une vieille blessure dans ses yeux.

« T'avise pas de me juger, Juif », dit rudement le capitaine, le doigt pointé sur lui.

Isacco regarda la taverne et haussa les épaules. Des endroits comme celui-là, il en avait vu des dizaines. Il y avait passé des journées entières. Et des hommes qui noyaient leurs pensées dans le vin, comme le capitaine, il en avait vu des centaines. Il avait été ce genre d'homme, lui aussi. « Ce que vous faites ne m'intéresse pas. »

Lanzafame soupira. « Eh bien, moi, je vais te le dire. Et je vais dire à ta fille, qui est si jolie. Je fais ce que je fais parce que celui qui a été à la guerre, il a perdu son âme, il l'a vendue au diable, les remords le tourmentent et il doit se souiller jusqu'à la fin de ses jours pour expier les péchés qu'il a commis. » Il regarda Isacco. Puis Giuditta. Et enfin, il éclata de rire. « C'est ce genre de couillonnades que tu veux entendre, Juif ? »

— Cessez de m'appeler Juif », dit Isacco.

Le capitaine Lanzafame acquiesça vaguement, sans parler. « J'ai besoin de ta science, dit-il ensuite. Quelqu'un… qui va très mal. » Il lui mit la main sur l'épaule et lui parla à l'oreille. Son souffle sentait le vin épicé. La prise sur l'épaule devint agressive. « Si tu la tues, docteur… je te tue. » Il le fixait de ses yeux brouillés par la boisson. « Et l'autre condition, c'est que tu peux pas refuser. » Il éclata de rire à nouveau. Puis, d'un pas instable d'homme ivre, il partit devant eux sans se retourner. « Allons-y ! », lança-t-il.

Arrivés dans la ruga dei Speziali, ils entrèrent par une porte délabrée et montèrent quatre étages d'un escalier étroit et sombre. Le logement du capitaine était une mansarde, sale et dans un grand désordre. Une servante qui avait du mal à marcher, vieille et grasse, était venue ouvrir. Elle ressemblait à une bonne de curé et paraissait plus sale encore que la maison. Le plancher de bois brut était recouvert d'un bon doigt de poussière et de boue séchée. Il y avait une odeur désagréable, de fluides corporels et de nourriture qui a tourné.

« Elle est muette », expliqua le capitaine en désignant la vieille femme.

La servante regarda Isacco et montra son oreille.

« On en a rien à foutre que tu entends, dit Lanzafame. De toute façon, on a pas l'intention de te parler. Bouge-toi, gros cul. » Le capitaine se tourna vers Donnola et Giuditta. « Vous, vous attendez ici. »

La vieille escorta Isacco et le capitaine jusqu'à une chambre au fond d'un bref couloir. L'odeur y était encore plus forte. Une femme, la trentaine, était couchée sur un lit. Elle avait l'air souffrante. Pâle, elle transpirait. Sur le dos de sa main, qu'elle tenait hors des couvertures, s'étendait une large plaie, ouverte presque jusqu'à l'os. Plus haut, sur le bras, une autre plaie sanguinolente, mais moins profonde.

« C'est votre femme ? demanda Isacco.

— Qui ? Elle ? » Lanzafame partit d'un rire grossier. Presque méprisant. Mais, comme si tout à coup il n'était plus soûl, les yeux pleins d'émotion et la voix basse, il dit : « Sauve-la. Je t'en supplie. »

25

Shimon avait décidé de ne pas chevaucher sur la route. Il voulait éviter de rencontrer des gardes de Sa Sainteté, dont il portait l'uniforme. Mais les fourrés étaient plus épais qu'il n'aurait cru et il ne fut de retour à l'auberge qu'à la nuit tombée.

Il décida d'attendre le lendemain et s'installa sur un rocher, à côté d'un torrent, où il alluma un feu. Il n'avait rien mangé, mais ne se sentait pas faible. Il but, fit boire son cheval, et se prépara à attendre le jour.

Il repensait aux événements de la veille, à la fille, à la désarmante facilité avec laquelle elle l'avait ferré. Aussi facilement que Mercurio, d'ailleurs. Shimon avait beau être plein de colère et de haine, être devenu un homme radicalement différent en abandonnant la peur qui le paralysait depuis toujours, il n'avait pas la moindre expérience de la vie. La seule difficulté qu'il eût jamais rencontrée était d'être né juif. Il avait hérité du fonds et des contacts commerciaux de son père, marchand comme lui, lequel avait hérité du fonds et des clients de son propre père. Aucun d'eux n'avait jamais souffert de la pauvreté, mais tous avaient été gouvernés par la peur. La peur de perdre ce qu'on a, la peur d'être juif dans un monde chrétien. La peur d'éprouver de la passion, de la colère, mais de la joie aussi. La peur de vivre.

Shimon sourit, tandis que l'aube commençait à poindre entre les hêtres. Son destin était changé. Et il le devait peut-être à Mercurio qui, en le détroussant, l'avait ruiné. Il l'avait obligé à affronter sa propre nature, étouffée pendant des années. C'était grâce à lui, en fait, qu'il avait enfreint la loi et s'était procuré une arme, qu'il l'avait enfoncée dans le corps d'un ennemi en hurlant sa haine, sa colère, sa rébellion. Contre les hommes et contre Dieu. Au fond, c'était grâce à ce voyou qui, avec cette même arme, lui avait ôté la parole que Shimon en avait une, plus forte encore, qui sortait de son cœur, de ses viscères, de son être de chair et de sang.

Oui, c'était grâce à Mercurio. Et il le remercierait comme il se devait.

Mais pour l'instant il devait remercier la fille qui l'avait fait se sentir aussi stupide, et lui avait donné une leçon. Parce qu'il savait maintenant, après des années et des années de léthargie, ce que ça voulait dire d'être vivant. Il avait senti ce qu'on peut vraiment éprouver pour une femme. Senti la chair entre ses jambes se gonfler de passion. Senti jusqu'à l'ivresse de désobéir à sa propre peur. De risquer. Oui, le risque : il était au centre de la nouvelle ivresse de Shimon. Et les faits avaient prouvé que l'homme qui prend des risques est aidé par les dieux. Peut-être pas le Dieu des Juifs, mais Shimon avait fermé cette porte aussi. Il était sourd au Dieu de ses pères. De nouveaux dieux, païens, sanguinaires, bestiaux, l'avaient protégé. Ils lui avaient fait un cadeau extraordinaire. Injustement condamné à être

247

jeté en prison, il avait été libéré par des événements indépendants de sa volonté. Gracié une seconde fois. Il s'était reconnu dans le brigand qui lui avait sauvé la vie. À cet instant-là, il n'avait pas ressenti la peur de la mort. Il avait ressenti de la colère, peut-être, parce qu'il avait une tâche à accomplir. Mais de la peur, non. Il avait franchi une limite, passé une frontière maintenant. Aucun retour en arrière n'était possible.

Il se leva et se rinça le visage. Il voulut laver aussi son épée, mais cette lame noircie par le sang séché lui donnait un sentiment de puissance. Aussitôt en selle, il éperonna son cheval.

Près de l'auberge, il attacha le cheval à un chêne vert et s'assit sur le sol pour réfléchir. À part le Général et la fille, il y avait dans l'auberge deux vieilles femmes et trois valets d'écurie. Mais c'était la fille qui l'intéressait.

Après quelque temps, il vit que deux valets montaient dans une charrette tirée par un mulet et s'éloignaient. Et qu'aussitôt après le troisième poussait une brouette en direction des bois. C'était le moment d'agir.

Le Général était assis devant l'auberge, sous une tonnelle où il s'était fait porter une carafe de vin. Il but et essuya sa barbe blanche, puis sortit de sa ceinture une pipe courte qu'il bourra.

Pendant qu'il était occupé à l'allumer, Shimon arriva derrière lui. Il le prit par la mèche qui lui retombait sur le front, lui souleva la tête et posa la lame de l'épée sur son cou rugueux. D'un mouvement rapide, il enfonça la lame dans la chair du Général.

Une des deux femmes, qui sortait avec le déjeuner du vieil homme, hurla, lâchant assiette et couverts.

248

Puis elle se pencha, ramassa le couteau et tenta de poignarder Shimon, qui la frappa sur la tête avec la poignée de l'épée. Elle gémit et s'écroula au sol. Shimon ne se soucia plus d'elle et entra dans l'auberge. L'autre vieille, à sa vue, tomba à genoux, fit un signe de croix et commença à prier. Shimon ne la regarda même pas. Il cherchait la fille. En passant devant une fenêtre, il la vit qui s'échappait.

Il sortit en courant et empoigna l'arbalète, qu'il avait déjà chargée. Il ne s'était jamais servi d'une arme pareille. Il respira à fond, s'agenouilla et visa. La fille avait traversé presque toute la cour et s'approchait de la grange. Si elle y arrivait, elle disparaîtrait de son angle de tir. Shimon posa l'index sur la détente et appuya.

Le trait jaillit avec violence, faisant vibrer l'air.

La fille lança un hurlement mais poursuivit sa course. Le trait l'avait frôlée et s'était planté dans le mur de la grange.

Quand Shimon vit qu'elle pénétrait dans le bois, il jeta l'arbalète et courut jusqu'à son cheval. Il monta en selle et la rattrapa en un instant. Il la frappa d'un grand coup de pied. La fille tomba et ne se releva pas. Elle haletait. Elle était écarlate, les yeux remplis de peur.

« Tu veux ton or ? Il est dans la chambre du Général, dit-elle, effrayée. Je voulais pas… je voulais pas… Il m'a forcée… »

Shimon lui fit signe de se remettre debout, puis la saisit par les cheveux et retourna à l'auberge, au pas de son cheval. La fille suivait en gémissant, les mains agrippées à celles de Shimon pour diminuer la tension douloureuse sur sa chevelure.

Ils passèrent devant le cadavre du Général. La fille cria puis éclata en sanglots. « Non… non… je t'en supplie… »

Shimon descendit de cheval. Il la regarda. Lui donna une gifle, avec violence. Il la tuerait, mais elle n'allait pas mourir aussi vite que le Général : elle devait souffrir. Comme Mercurio. Parce qu'ils l'avaient tous les deux humilié.

Il la poussa vers la pièce à l'arrière de l'auberge, là où elle l'avait drogué.

« Tu veux faire l'amour ? pleurnicha la fille. Tu veux faire l'amour ? »

Shimon ouvrit la porte d'un coup de pied, et tira son épée, qui dégouttait encore de sang. Il poussa violemment la fille à l'intérieur puis ferma la porte derrière eux.

Elle s'agenouilla à ses pieds, les mains jointes. « Ne me tue pas ! Ne me tue pas, je t'en supplie… » D'un geste soudain, elle ouvrit sa robe, arrachant les boutons et découvrant un sein généreux. « Tu veux faire l'amour ? » Elle s'approcha de lui, toujours à genoux, et se frotta contre ses jambes. « Tu veux faire l'amour ? répéta-t-elle. Prends-moi… prends moi… » Elle recula jusqu'au lit où Shimon avait perdu conscience. Elle s'y étendit, en se touchant les seins. « Regarde-moi. Je te plais ? Tu as envie de moi ? »

Shimon se dit qu'il aurait dû la tuer dans les bois. Il se sentait faible. Faible comme quand elle l'avait séduit. Il la regardait et pensait au matin précédent, quand on le faisait monter dans le coche pénitentiaire et qu'il l'avait vue défraîchie. Cette image lui revint à l'esprit et le troubla. Parce qu'elle n'était plus la jeune fille à laquelle il n'aurait jamais pu prétendre. Ce matin-là, il avait vu une femme qu'il aurait pu avoir. Et sur le moment, à la voir ainsi vaincue, en son pouvoir, il se sentit encore plus faible. Avant même de se le dire, il savait qu'il la désirait de tout son être.

Il jeta son épée et fit un pas vers la fille.

Elle releva sa jupe. « Oui, viens… oui… », murmura-t-elle en écartant les jambes et en découvrant une touffe de poils clairs. « Viens… je te veux… regarde comme je te veux… », continua la fille, et elle porta la main à sa bouche, se lécha les doigts et la descendit entre ses jambes.

Shimon sentit le sang courir dans tout son corps, comme un ressac : il montait à sa tête puis redescendait instantanément à son entrejambe. Son cœur s'accélérait. Sa respiration devenait haletante. Il s'approcha encore.

La fille tendit la main et lui dénoua son pantalon, avec habileté. Elle avait l'habitude, pensa Shimon. Et de nouveau il se sentit faible. Et seul. La main de la fille saisit son membre. Elle commença à bouger, avec fougue, en essayant de faire se dresser la chair.

Mais Shimon était pétrifié par la sensation qu'il éprouvait. "Tu n'as jamais eu une femme, se disait-il. Ton épouse n'était pas une femme et toi, tu n'as jamais été un homme. Un vrai homme." Il sentit jusqu'au fond de lui toute sa faiblesse. Il fit mine de s'écarter, décidé à empoigner son épée, quand la fille, comme si elle le devinait, le saisit par les flancs et l'attira à elle. Shimon se retrouva couché sur le lit. La fille lui baissa le pantalon, releva sa jupe sur ses hanches et monta sur lui. Elle lui prit la main et l'appuya sur ses seins. Puis elle commença à bouger, allant et venant, se frottant sur le membre mou de Shimon.

Elle haletait : « Oh, oui… comme ça… tu sens comme je te veux ? Oui, tu me fais jouir… oui… » Mais le pénis de Shimon ne semblait pas vouloir se gonfler ni grandir. Il se dit qu'avec son épouse, qui n'était pas une femme, il n'avait jamais failli. Et que là, avec cette fille superbe, il n'y arrivait pas. C'était absurde. Il sentit la peur revenir dans son âme, avec cette sensation de solitude qu'il n'avait jamais voulue admettre. Il était une nullité.

La fille, toujours gémissant, s'écarta de lui et descendit avec sa bouche entre ses jambes. Shimon sentit la chaleur. Le mouvement. Il n'avait jamais pensé qu'une chose pareille pourrait lui arriver. Il en avait entendu parler, mais ne l'avait jamais vécu. C'était merveilleux, il parvenait à se le représenter, et pourtant il ne se passait rien. Il ferma les yeux, porta la main à son front.

Comment était-il possible qu'il se sente si faible, si insignifiant ?

En cet instant il perçut un geste anormal. Quelque chose le mit en alarme. Il ouvrit brusquement les yeux.

La fille empoignait l'épée, mais n'était pas encore prête à frapper. Shimon lui lança un coup de genou et se dressa sur ses pieds, ce qui la surprit. Il lui prit l'épée et la brandit au-dessus d'elle.

La fille savait qu'elle allait mourir. Elle avait raté sa seule chance.

Shimon tenait l'arme au-dessus de sa tête et regardait la fille, qui se protégeait instinctivement avec les mains. Et alors il se vit, avec son pénis tout mou, trempé de la salive de la fille. Il s'imagina, avec cette épée brandie et son pantalon baissé. Et il ressentit de la douleur, pour lui-même. Parce qu'il allait tuer la fille avec ce membre sorti et flasque. Et qu'il avait espéré – il ne se l'avoua qu'à cet instant – faire l'amour avec elle, dès la première fois, et même après qu'elle l'avait trahi, volé, ridiculisé. Même quand elle avait dit au Général qu'il la dégoûtait, il l'avait désirée. Elle avait toujours été plus forte. Et elle le resterait, quand bien même il lui trancherait la tête. À cause de ce pénis flasque, qui avait eu peur d'une femme à laquelle il ne pouvait pas prétendre.

Il porta sa main à son entrejambe, honteux. Puis il baissa son arme.

La fille le regarda sans comprendre.

Shimon remonta son pantalon, arracha le drap, en fit des bandes et lui noua les mains et les pieds.

Non, il ne la tuerait pas. Il n'en avait pas le courage. Pas aujourd'hui.

Il monta dans la chambre du Général et la mit sens dessus dessous jusqu'à ce qu'il ait trouvé ses bottes, son manteau et son or. Il y avait ses cinq florins, plus cinq autres pièces d'or et une vingtaine en argent. Et des bijoux d'homme et de femme. Il regarda dans les armoires, prit des vêtements qui pourraient lui être utiles et les chargea dans la voiture de Scavamorto qu'il trouva dans la grange avec le petit cheval arabe.

Dans la cuisine, il s'empara de touts les vivres possibles. Les vieilles femmes avaient disparu. Il prit du papier et une plume, et se rendit compte alors qu'il avait voulu écrire un mot pour la fille.

Les larmes lui montèrent aux yeux. "Tu es vraiment un faible", se dit-il.

Il sortit, désespéré, se sentant plus seul que jamais, monta sur le siège et fouetta le cheval qui s'élança aussitôt avec nervosité.

Quand il repassa à l'endroit où le coche pénitentiaire avait été attaqué, le soleil se couchait presque.

Sur la petite esplanade entourée de hêtres séculaires, deux grands loups rôdaient, inquiets et furtifs. À l'arrivée de la voiture, ils se réfugièrent dans les bois. Shimon pleurait encore, sans bruit. Il alluma une lanterne. Le petit cheval était inquiet, et ne cessait de taper des sabots sur le sol et de hennir. Dans les fourrés brillèrent une dizaine d'yeux rouges. Les deux loups qu'il avait vus n'étaient que les plus courageux. Il tendit l'oreille. Les autres étaient tapis dans l'obscurité et grognaient, tourmentés par l'odeur du sang.

Shimon ouvrit la bouche et poussa son sifflement effrayant. Puis il fit claquer le fouet en l'air.

Dans le bois, les loups hurlèrent.

Shimon quitta la clairière en se demandant s'il aurait la force de continuer, de mener jusqu'au bout sa recherche et sa vengeance, de tuer Mercurio.

La fille lui avait montré combien il était faible.

Les cris féroces des loups qui se disputaient la chair humaine résonnèrent dans la hêtraie et s'élevèrent jusqu'à la lune.

Mais Shimon ne les entendit pas. Il n'avait dans les oreilles que le rire de la fille. Il était sûr qu'en ce moment elle riait de lui.

26

La vieille femme, soutenue par une jolie jeune fille, entra d'un pas hésitant dans la boutique de l'orfèvre sur le campo San Bartolomeo. Elle s'arrêta à deux pas du comptoir, appuyée sur sa canne, avec une expression douloureuse. Elle serra les dents, ferma à demi les paupières, devint toute rouge.

« Vous vous sentez mal, madame ? », demanda l'orfèvre.

La vieille serrait les dents, secouait la tête.

« Vous vous sentez mal ? », répéta l'homme, inquiet.

Tout à coup elle lâcha un pet sonore.

L'orfèvre rougit. Il regarda la jeune fille qui l'accompagnait et reçut en réponse un sourire.

« Ah, quelle libération ! », soupira la vieille femme. Les traits de son visage, cachés par un chapeau qui lui tombait sur le front et par un maquillage lourd, à base de blanc de céruse, se détendirent. Elle s'approcha du comptoir et parla, laissant voir des dents noires et pourries. « Montre-moi des bagues de valeur, dépêche-toi. »

L'orfèvre demeura interdit. Certes, la vieille n'était pas mal accoutrée. Et même, pour ce qu'on pouvait en voir sous le voile, elle portait une série de colliers avec des pierres énormes qui devaient valoir une fortune. Mais il ne l'avait jamais vue jusque-là. L'orfèvre déplaça son regard vers la jeune fille, qui lui sourit de nouveau, un sourire presque effronté.

« Putain ! », cria la vieille, qui s'était tournée au même instant et l'avait vue lui sourire. Elle leva sa canne et, sans pitié aucune, l'abattit sur le dos de la jeune fille, qui s'était promptement tournée. « Tu n'es qu'une putain !

— Madame… permettez-moi… », intervint timidement l'orfèvre.

La vieille le regarda avec une expression hargneuse, la canne encore levée.

L'homme, d'instinct, fit un pas en arrière.

La vieille se tourna de nouveau vers la jeune fille. « Putain », répéta-t-elle dans un sifflement mauvais. Puis elle se tourna vers l'orfèvre. « Ce n'est pas une servante, c'est une putain, mon cher. Et elle est en train de t'embobiner toi aussi, je parierais. Méfie-toi. Elle n'est pas du genre à garder les jupons baissés et les jambes serrées. »

L'homme déglutit, gêné.

« Alors, cette bague ? le houspilla la vieille. Ou je dois changer de boutique ? Tu n'es pas le seul orfèvre à Venise, je suppose.

— Je n'ai pas le sentiment de vous connaître, madame, dit celui-ci, craintif. Puis-je savoir qui vous envoie dans mon humble boutique ? » Son regard continuait malgré lui à se poser sur la fille qui, feignant d'avoir chaud, avait défait entre-temps un bouton de son corsage.

La vieille ne semblait pas l'avoir remarqué. Elle pointa sa canne, qu'elle manœuvrait comme une arme, en direction de l'orfèvre. « Si ta boutique est humble, alors tes bijoux le seront aussi et ils ne feront pas mon affaire, dit-elle de sa voix rauque et désagréable. Secoue-toi, putain, ordonna-t-elle à sa servante en faisant mine de partir. On nous a mal conseillées.

— Attendez, madame…, dit l'orfèvre pour l'arrêter, ou peut-être à cause de la grimace contrariée de la servante. Dites-moi en quoi je peux vous servir et je ferai en sorte de vous contenter. Je crois comprendre que vous êtes étrangère et… » Il s'interrompit et devint soupçonneux. « Comment avez-vous fait pour arriver dans la lagune, d'ailleurs ? Les étrangers n'ont pas l'autorisation de… »

La vieille tapa sur le comptoir avec sa canne. « Il suffit. Je suis Cornelia della Rovere, descendante de papes, et par mon nom et par ma maison je ne suis étrangère en aucune partie du monde, manant. Veux-tu à présent me montrer oui ou non une de tes fichues bagues ? »

La servante, sans cesser de lancer des œillades à l'homme, acquiesça de la tête pour confirmer les dires de la vieille femme.

« Je vous demande pardon, noble dame…

— Des bagues !

— Tout de suite. »

L'orfèvre regarda la fille et ouvrit une grande boîte en fer d'où il sortit une cassette contenant des bagues.

La vieille ne leur accorda pas un regard. « J'ai dit des bagues. Pas de petites choses qui conviennent pour des putains dans son genre », et elle donna une bastonnade préventive à la servante qui gémit et fixa l'orfèvre d'un regard mortifié.

Celui-ci se mordit la lèvre. Il reposa la cassette et s'approcha d'un coffre-fort fermé par trois cadenas différents. Il les ouvrit l'un après l'autre, pour en extraire une cassette contenant d'autres bijoux, indéniablement plus précieux. Il les posa devant la vieille femme, qui ferma les yeux.

« Celles-ci ne conviennent pas non plus ? », demanda l'orfèvre.

La vieille grinça des dents, devint toute rouge et lâcha un autre pet. « Maudite vieillesse », marmonnat-elle. Puis elle regarda les bagues. Elle en prit une sertie d'un diamant. Elle fronça le nez. La rejeta dans le tiroir.

L'orfèvre la remit en place avec soin. La vieille femme prit une autre bague, avec une émeraude grosse comme un scarabée, qu'elle rejeta à son tour dans la cassette. « Donne-moi mes lunettes », ordonna-t-elle méchamment à la servante.

En lui passant ses lunettes, la fille se pencha sur le comptoir et l'orfèvre aperçut les deux bouts roses de ses mamelons.

La vieille mit ses lunettes puis, d'une main qui tremblait, prit la cassette tout entière et se tourna vers la vitrine. « Il n'y a pas de lumière dans cette boutique », maugréa-t-elle, et elle fit un pas, mais sans sa canne. Et, avant que la servante pût venir la soutenir, elle vacilla et faillit tomber. La cassette lui échappa des mains et les précieux bijoux roulèrent sur le sol.

L'orfèvre, avec un gémissement, s'élança pour les ramasser. La servante s'était penchée elle aussi, pour l'aider, et chaque fois qu'elle lui passait une bague, elle lui effleurait la main, en le regardant dans les yeux, si près que l'homme sentait la chaleur de son souffle.

La vieille ne daigna pas le moins du monde s'excuser pour ce qui s'était passé. Elle fouilla dans le sac à main qu'elle portait et en tira une petite bourse de soie. Elle l'ouvrit de ses mains tremblantes, pendant que l'orfèvre finissait de ramasser ses bijoux et revenait derrière le comptoir, non sans avoir vérifié que rien ne manquait et caressé au passage la petite servante.

« Alors, voyons…, demanda la vieille d'un ton distrait. Combien coûte cette émeraude ? »

L'orfèvre s'apprêtait à répondre quand un nouveau tremblement des mains de la vieille femme renversa le contenu de sa petite bourse. Les pièces roulèrent sur le sol comme auparavant les bijoux. L'orfèvre et la servante se remirent à quatre pattes pour ramasser les pièces de monnaie, et il vit, tout en lui caressant la main, qu'elles étaient d'or sonnant et trébuchant. Quand il se releva, il donna les pièces à la vieille, qui les compta en les rangeant dans sa bourse.

« Il en manque une, dit la vieille.

— Comment cela ? fit l'orfèvre.

— Ah, te voilà sourd, maintenant ?

— Noble dame…

— Combien avions-nous quand nous sommes sorties, putain ? », demanda la vieille à la servante.

La servante regarda l'orfèvre. « Je ne me rappelle pas bien… »

L'orfèvre était tendu. « Vous ne pensez tout de même pas…

— Sale putain ! Tu ne te rappelles pas ? », hurla la vieille, qui abattit avec fureur sa canne sur le comptoir, frappant au passage le coin de la cassette des bagues. La cassette se souleva et les bagues s'en échappèrent, roulant en partie sur le comptoir, en partie sur le sol.

L'orfèvre s'élança de nouveau pour les ramasser, mais la vieille lui donna un coup de canne sur la main. « Je vais appeler les gardes, voleur !

— Noble dame…

— Noble dame mon cul ! On ne me la fait pas, à moi ! » Et elle abattit de nouveau sa canne avec fureur puis se pencha vers l'orfèvre et s'appuya au comptoir. Elle cria : « Gardes ! », en se dirigeant d'un pas incertain vers la sortie.

La servante, qui l'aidait à marcher, regardait l'orfèvre d'un œil triste et mélancolique, comme si elle quittait un amant.

Aussitôt sortie de la boutique et loin de la vitrine, la vieille dame se débarrassa du soutien de la servante, remonta ses jupes et se mit à courir. Et la servante courut derrière elle en riant.

« Le couillon ! », s'écria Mercurio en ôtant le chapeau qui lui cachait la moitié du visage.

« Le cochon ! », s'exclama Benedetta.

L'orfèvre, avec quelques instants de retard, s'était aperçu qu'il lui manquait la bague avec le diamant. Il se précipita dehors. Regarda à droite et à gauche, dans la foule. « Vous avez vu une vieille femme avec une servante ? », demanda-t-il, désespéré, à tout le monde. Mais pas de réponse. Il courut vers la salizada del Fondego dei Tedeschi. Il y avait trop de monde. Impossible de les retrouver. Et il ne pouvait pas laisser sa boutique ouverte. Il fit demi-tour, regarda autour

260

de lui une fois encore, fit un pas en arrière et sentit quelque chose sous son pied. C'était une vessie de porc gonflée d'air, qui, en sortant, produisit une vibration tonitruante.

« Ça, c'est un sacré pet, mon frère ! », dit un passant.

27

« Le mal napolitain…

— Mais non, voyons ! Le mal portugais.

— Sottises ! Ce sont les Français de Charles VIII qui l'ont apporté à Naples, avec leurs putains. Aussi faut-il l'appeler le mal français, indiscutablement.

— Pardonnez-moi, mes estimés confrères, mais c'est en réalité le mal espagnol car il est bien connu que les marins de Christophe Col…

— Assez, bande d'idiots ! hurla le capitaine Lanzafame. Je me fiche complètement de savoir comment on l'appelle ! »

Le propriétaire de la pharmacie de la Testa d'Oro se tut et allongea le cou, étonné et offensé. Les coins de sa bouche s'abaissèrent. Ses petites lunettes tombèrent du bout de son nez, et son jeune aide se pencha promptement pour les ramasser. Les deux médecins qui avaient eu cette discussion animée avec l'apothicaire haussèrent en même temps un sourcil, comme deux jumeaux siamois.

Le capitaine Lanzafame, tout dépeigné et pas rasé, poussa Isacco en avant. « Donnez au docteur Isacco da

Negroponte ce qu'il vous demande, dit-il. Et ne faites pas tant de cérémonies.

— Je vous écoute », dit alors l'apothicaire à Isacco en le toisant. Il se tourna vers les deux autres médecins avec un petit sourire en biais sur ses lèvres exsangues. « Il ne sait pas de quelle maladie il parle, mais il en connaît le médicament. Bien, instruisons-nous, alors.

— Il y a une femme qui va très mal. Que trouvez-vous d'amusant à cela ? dit Isacco. Voulez-vous m'aider, oui ou non ? »

Le capitaine Lanzafame planta son couteau dans le comptoir de l'apothicaire. « Ils vont t'aider, sois-en certain. »

Les quatre spécialistes firent un bond en arrière.

« Ce n'est pas utile, capitaine, dit Isacco en retirant le couteau, qu'il tendit à Lanzafame. Ils m'aideront parce que ce sont des hommes de science, et parce qu'ils en ont fait le serment. N'est-il pas vrai ? »

L'apothicaire balança la tête avec condescendance. Les deux docteurs glissèrent les pouces dans les plis de leur pourpoint, à hauteur des aisselles, comme un couple de danseurs bien rodés. La comédie dictée par l'orgueil impliquait qu'ils ne cèdent pas tout de suite. Mais le jeune aide, moins expert dans l'art de se dérober, dit : « Bien sûr, Monsieur ! », avec un enthousiasme couillon que les trois autres jugèrent répréhensible. Et puisque le scénario était maintenant gâché, ils opinèrent du chef.

« Quel que soit son nom… je n'ai jamais vu cette maladie, dit Isacco. Cela ressemble un peu à la peste, un peu à l'alopécie, un peu à la gale…

— Vous ne la connaissez pas parce que c'est une maladie nouvelle, dit gravement l'un des deux médecins en hochant la tête.

— Et vous avez raison, sous certains aspects, cher confrère, poursuivit l'autre. Car l'essence de la maladie, comme celle des maladies que vous avez citées, entre dans la catégorie de l'*ignis persicus*, tel que Galien l'a décrit.

— Et quelles en sont les causes, alors ? demanda Isacco.

— Les causes supérieures sont à rechercher dans la conjonction astrale de Jupiter et Mars du mois de novembre de l'année 1494. Et aussi dans celle de Saturne et Mars du mois de janvier 1496 », dit un des deux docteurs, tandis que l'autre acquiesçait en fermant à demi les paupières.

Isacco retint une réaction d'agacement. « Et les causes… inférieures ? demanda-t-il en serrant les dents.

— Elles ont leur origine dans la découverte des Amériques, c'est bien connu, intervint l'apothicaire tout en adressant une petite révérence aux deux docteurs. Les indigènes de ces contrées eurent des accointances charnelles avec les singes… auxquels on dit d'ailleurs qu'ils ressemblent admirablement, étant eux-mêmes descendus des arbres depuis peu. C'est de ces animaux qu'ils ont pris la maladie, en particulier leurs femmes qui, à travers leurs répugnantes pratiques sexuelles, l'ont ensuite transmise aux marins de Colomb… » Il écarta les bras, l'air peiné. « … Lesquels l'ont ramenée en Europe.

— En tout cas cette maladie est un instrument de Dieu pour punir les nations chrétiennes scélérates », dit le jeune aide de l'apothicaire, qui lui fit un signe d'approbation.

« Il n'y a rien de plus… inférieur encore ? demanda alors Isacco. Ou de concret ?

— Concret ? » L'apothicaire prononça le mot avec une sorte de dégoût, comme s'il s'agissait d'une obscénité.

Lanzafame se tourna vers Isacco.

Isacco, cédant à sa propre nature, lui arracha son couteau des mains et le planta avec fureur dans le bois du comptoir. « Par la misère ! », cria-t-il.

L'apothicaire poussa un cri de peur aigu.

« C'est une maladie contagieuse, expliqua précipitamment un des deux médecins. Il faut s'abstenir de pratiques sexuelles avec les femmes qui en sont affligées. Mais la corruption des humeurs internes est aussi due aux intempéries excessives de l'air, en particulier l'humidité.

— Et elle est épidémique. Elle se fixe sur les parties honteuses du corps par l'intermédiaire de pustules malignes qui se propagent ensuite à la tête et au corps tout entier », conclut l'autre médecin, qui baissa la tête.

Le capitaine avait les yeux brûlés de trop de vin et trop de peine. Il n'arrivait pas à suivre les propos des médecins. Il fixa Isacco d'un air interrogateur.

« Autrement dit, vous ne comprenez rien à cette maladie », dit Isacco.

Personne ne réagit, par peur.

« Et comment la soignez-vous ? insista Isacco.

— Répondez ! ordonna le capitaine.

— Diète, dit le premier docteur.

— Saignées…, fit l'autre.

— … et purge, conclut Isacco d'un ton chagrin.

— Exactement, dirent à l'unisson les deux docteurs.

— Et de la thériaque, confectionnée par mes soins », dit l'apothicaire avec orgueil.

Isacco regarda Lanzafame. « Diète, saignée et purge, soupira-t-il. Pour le mal de cœur et pour les hémorroïdes, pour le cancer et pour les cals… pour quoi que ce soit, diète, saignée et purge.

— Et de la thériaque, produite dans cette pharmacie, répéta l'apothicaire.

— Ta gueule, couillon ! », pesta Lanzafame. Puis il s'adressa à Isacco : « Et donc ? »

Isacco hochait la tête. Durant cette pénible première journée, il avait failli plus d'une fois avouer à Lanzafame qu'il n'était pas un vrai médecin. Par respect, parce qu'il le lui devait. Mais il avait hésité. En fait, il en savait autant que ces quatre de la pharmacie de la Testa d'Oro. Il était prêt à faire tout ce qu'ils lui suggéraient, si cela pouvait sauver la femme qui gémissait et se lamentait dans le lit du capitaine Lanzafame. Mais en réalité ils ne savaient pas eux non plus comment la soigner.

« Donnez-moi un onguent d'achillée et de prêle », dit Isacco à l'apothicaire. Plus que les remèdes paternels, il se rappelait ceux des vieilles femmes de Negroponte, que les chrétiens brûlaient comme sorcières. « Et aussi de la griffe du diable, de la racine de bardane, de l'encens et du calendula. En teinture-mère.

— Pas de thériaque ? demanda l'apothicaire, offensé.

— Tu peux te la bouffer, marmonna Isacco. Dépêche-toi ! »

L'apothicaire regarda les deux médecins.

« Dépêche-toi ! », lui cria Lanzafame.

Une demi-heure plus tard, ils quittaient la pharmacie.

« J'ai entendu dire que ce moine qui en a après les Juifs a débarqué à Venise, lui dit le capitaine sur le chemin du retour.

— Ah oui ? fit Isacco.

— Il recommence à prêcher ses conneries. Pour le moment, personne ne l'écoute… mais Venise, c'est comme partout, y a plein de couillons.

— Sans doute…

— Va te faire voir, docteur ! Toi et tes "sans doute".

— Merci bien, capitaine.

— Pas de quoi. »

Ils marchèrent d'un pas vif, en silence, jusqu'à la mansarde.

La servante muette les attendait avec impatience. Elle avait préparé du bouillon de poule à la cannelle et aux clous de girofle, comme le lui avait ordonné Isacco. Mais la malade n'avait pas voulu manger, expliqua-t-elle par gestes.

Lanzafame se tourna vers le docteur, angoissé.

« Capitaine…, commença Isacco.

— Mets-toi au travail », l'interrompit aussitôt Lanzafame. Puis il se tourna vers la servante. « Apporte-moi la malvoisie. Et va en racheter. Je ne sors pas ce soir.

— Peut-être ne devriez-vous pas boire autant…, fit Isacco.

— Je ne suis pas ton patient, répondit durement le capitaine. Concentre-toi sur qui tu dois. »

Le docteur se rendit dans la chambre de la malade. Il parvenait à deviner sa beauté, abîmée par la maladie. Distraite par sa souffrance, elle lui lança un regard absent. Elle avait mal aux os et aux articulations, elle était fiévreuse et par moments perdait conscience. Isacco examina ses plaies. C'était comme si les rats avaient rongé sa chair. Il tâta deux autres abcès qui venaient de se former. L'un sur le visage, qui déformait sa pommette, l'autre sur son cou. Ils étaient durs au toucher. Le capitaine lui avait dit que les deux autres plaies avaient commencé aussi sous forme d'abcès.

« Je dois vous examiner… si vous permettez… entre… entre les…, balbutia Isacco, gêné.

— Entre les cuisses ? sourit la femme en parlant d'une voix faible mais pleine de sarcasme. T'as honte, docteur ?

— Non, madame… Je pensais que… »

La femme rit. Un rire fatigué qu'Isacco n'attribua pas à la maladie mais à quelque chose de bien plus ancien. À la vie même, peut-être.

« Un de plus, un de moins, dit la femme.

— Que voulez-vous dire, madame ?

— Regarde entre ses jambes sans faire de cérémonies ! tonna la voix de Lanzafame derrière lui. C'est une putain, t'as pas encore compris ? »

Isacco resta immobile.

La femme, avec le peu d'énergie qui lui restait, écarta les couvertures et releva sa jupe, ouvrant les jambes, les yeux fixés dans ceux du capitaine. « Allez, regarde, docteur… touche, fouille, fais ce que tu veux. Pas vrai, capitaine ? »

Lanzafame ne répondit pas et quitta la pièce.

Isacco nota un ulcère dans les parties honteuses, comme les avait appelées un des deux médecins. Mais il semblait en voie de régression. « Qu'avez-vous mis dessus ? lui demanda-t-il.

— Sûrement pas ce que j'y mets d'habitude », fit la femme avec un rire.

Isacco ne commenta pas sa plaisanterie. Il savait qu'elle avait peur. Et qu'elle souffrait. Il continua de la fixer d'un air sérieux.

« Rien », dit alors la femme.

Isacco nettoya les plaies avec un linge puis étala dessus l'onguent d'achillée et de prêle, qui arrêterait l'hémorragie causée par le nettoyage des plaies. Puis il y appliqua un emplâtre de racine de bardane et de calendula pour aider à la cicatrisation.

Le capitaine était réapparu sur le seuil.

Isacco se leva et le rejoignit. « Capitaine, je dois vous parler…, dit-il d'un trait, parlant à voix basse. Je ne suis pas docteur… Mon père l'était, mais moi j'ai seulement… »

Lanzafame le saisit par le collet de sa houppelande et le fixa de ses yeux clairs et enflammés. « Tu es docteur, dit-il pour finir, sans une once d'hésitation dans la voix, martelant chacune de ses paroles. Je t'ai vu couper et recoudre mes hommes. Et j'ai vu que pour toi, ces histoires d'astrologie, c'est une belle couillonnade. Par conséquent, pour moi, tu es un vrai docteur. » Il l'attira à lui. « Mais qu'elle ne t'entende pas, ou aussi vrai que Dieu existe, je te démolis la gueule. »

Isacco se sentit faible et fort à la fois entre les mains de cet homme. Et il s'étonna énormément de lui avoir fait cet aveu. Un escroc ne révèle jamais ses mensonges. Mais quelque chose changeait en lui depuis que sa femme H'ava, par la bouche de Giuditta, lui avait montré sa nouvelle voie. Son nouveau destin.

« Cela dit, dans certains cas, c'est à moi de manier le couteau, ajouta le capitaine en souriant. Un docteur, ça doit avoir le don de patience et de tolérance. Laisse l'irritabilité à l'homme de guerre. » Il lui posa la main sur l'épaule et le regarda avec respect et admiration. Puis son visage redevint dur. « Ne m'enlève plus jamais le couteau des mains. »

Isacco se fit apporter le bouillon de la servante, et mélangea de l'encens et de la griffe du diable dans la tasse chaude pour combattre la fièvre.

La femme refusa de boire.

Alors le capitaine arracha brusquement le bol des mains d'Isacco, prit une cuillère sale, la nettoya avec le bord de sa chemise et s'assit sur le lit. Il agita la cuillère en direction de la femme et lui dit, d'une voix grave : « Maintenant tu avales ce bouillon ou je t'étouffe et je reprends mon lit, espèce de pute entêtée et capricieuse. »

Dans le regard de la femme passa un éclair de joie.

Le capitaine approcha la cuillère de sa bouche. La femme serra les lèvres. Lanzafame mit la cuillère dans le bol et fit mine de lui donner une claque. La femme le défia du regard et serra encore plus les lèvres. Le capitaine lui envoya une gifle.

« Capitaine…, dit Isacco.

— Te mêle pas de ça, l'arrêta Lanzafame, sans le regarder. C'est une affaire entre un soldat et une pute. » Il approcha encore la cuillère des lèvres de la femme.

Elle prit le bouillon et le lui recracha à la figure.

Le capitaine l'attrapa par le cou. « Il faut bien mourir de quelque chose, dit-il. Que ce soit par cette maladie ou par ma main, ça ne fait pas de différence, hein ? »

La femme le fixait sans rien dire.

Le capitaine lâcha sa prise sur le cou et fit le geste de la frapper. La femme ne ferma pas les yeux et ne se détourna pas pour parer le coup. Mais la main du capitaine s'était arrêtée à un doigt de sa joue. Il la lui frôla rudement, dans une sorte de caresse. « Mange », dit-il. Il lui tendit la cuillère remplie de bouillon et de remèdes.

La femme déglutit. « C'est pas bon. »

Le capitaine goûta le bouillon. « Oui, c'est vraiment pas bon. » Il lui tendit de nouveau la cuillère pleine.

La femme lui arracha le bol des mains et avala tout d'un seul coup. « T'es lent comme un escargot », lui dit-elle.

Ils se regardèrent. Puis Lanzafame se leva et rejoignit Isacco. « Va retrouver ta fille.

— Ça ne sert à rien. Elle est avec Donnola. Ils cherchent un logement.

— Ça ne sert à rien non plus que tu restes ici.

— Je voudrais aller parler avec le plus de médecins possible. Là, je ne soigne pas la maladie, seulement ses symptômes. »

Lanzafame acquiesça, en silence. « Tu es un bon docteur, lui dit-il.

— Je ne suis pas docteur.

— Tu es un bon docteur. » Le capitaine lui tourna le dos et revint auprès de la femme. Il mit une chaise à côté du lit et s'assit.

Isacco, sur le seuil, se retourna pour le regarder.

La femme avait tendu la main vers celle du capitaine.

« Dors », lui dit le capitaine sans prendre sa main.

Elle la tendit encore un peu, faiblement.

Lanzafame soupira. « T'es une pute chiante, dit-il.

— Oui, capitaine. »

Il prit sa main dans la sienne. « Maintenant, dors, Marianna. »

La femme ferma les yeux. « Oui, Andrea. »

Isacco se tourna pour partir. La servante muette le fixait. « À plus tard », lui dit-il en passant près d'elle.

Mais elle lui bloqua le passage. De sa poche, elle sortit une image grossière d'une Vierge à l'enfant, gravée sur un bout de bois. Elle la baisa, la toucha du pouce droit et fit un rapide signe de croix sur le front d'Isacco.

« Je suis juif », lui dit celui-ci.

La servante haussa les épaules, signe que c'était égal, et poussa un cri guttural. « *E yeu tééie…* »

« Lui casse pas les couilles, connasse de muette ! », cria Lanzafame. Il y eut un bref silence puis le capitaine ajouta : « Elle a dit "Que Dieu te bénisse", docteur. »

La vieille servante sourit comme une petite fille édentée.

28

Mercurio et Benedetta restèrent longtemps cachés le long des *fondamente* fangeuses du Grand Canal, derrière le Fontego dei Tedeschi. Mercurio enleva la robe et se rinça le visage pour en ôter toute trace de blanc de céruse et de maquillage. Il mit leurs affaires dans un sac de toile. Puis ils coururent campo Santo Aponal.

Ils entrèrent en riant dans la boutique du marchand de légumes.

« Salut, Paolo. Regarde un peu ça, dit Mercurio en jetant sur le comptoir la bague sertie d'un diamant. C'est l'orfèvre de San Bartolomeo qui nous en a fait cadeau. »

Paolo ouvrit de grands yeux et s'empara de la bague comme on attrape au passage un cafard : elle disparut dans la paume de sa main. « L'orfèvre de San Bartolomeo ? demanda-t-il, à la fois effrayé et stupéfait. Tu es fou ?

— Pourquoi ? demanda Mercurio.

— Son cousin fait partie des Cattaveri.

— Et alors ?

— Et alors… » Le marchand hésitait. « Alors… on ne peut pas…

— Qu'est-ce qu'on ne peut pas ? », demanda Scarabello qui venait d'entrer dans la boutique, avec une nouvelle fourrure, toujours noire. Il nota ce qu'il restait du travestissement de Mercurio. Sous sa tunique, qui s'était ouverte, on voyait encore la partie supérieure de la robe, avec la voilette qui cachait les colliers. Il pointa l'index sur lui. « C'est toi, la vieille dont on parle dans tout le Rialto ?

— Écoute, Scarabello... je suis désolé... je ne savais pas que l'orfèvre..., bafouilla Mercurio, préoccupé. Je veux dire... comment j'aurais pu savoir que...

— C'est toi la vieille qui pète ? » Scarabello éclata de rire.

« T'es pas furieux ? demanda Mercurio étonné.

— Pas du tout ! poursuivit Scarabello. T'es un génie ! Mon garçon, tu es le roi du travestissement ! » Il rit encore plus fort. « Dommage que tu ne puisses pas recevoir les applaudissements que tu mérites, en grand comédien que tu es !

— Mais Paolo a dit... »

Scarabello s'approcha du marchand et lui mit la main sur l'épaule. « Paolo chie dans son froc. Il a l'âme d'un serviteur, pas vrai, Paolo ? »

L'autre baissa les yeux, mortifié.

« C'est pas sa faute, dit Scarabello, sans ironie, en regardant Mercurio droit dans les yeux. On naît chien ou on naît loup. Si tu es né chien, les coups de bâton auront raison de toi. Si tu es né loup, tu mordras le bâton aussi longtemps qu'il te restera du sang dans les veines. » Il fit une pause, en continuant à le fixer. « Es-tu chien ou loup ? »

Mercurio lança un coup d'œil à Paolo. Il ne se reconnaissait pas dans cet homme qui baissait

274

la tête. Mais il n'avait pas non plus la force de Scarabello.

« Alors ? Chien ou loup ?

— Renard. »

Scarabello releva le menton, surpris par cette réponse qu'il n'attendait pas. D'ailleurs, ce garçon ne cessait de le surprendre. Et Scarabello ne savait pas s'il devait s'en réjouir ou plutôt écouter sa propre nature, qui lui disait qu'un garçon comme Mercurio lui ôterait un jour le tabouret du commandement de sous les fesses. Il le regarda en silence et hocha la tête. Il sourit. « Explique-moi une chose, *renard*, à Rialto les gens racontent que la vieille a trompé l'orfèvre parce qu'elle avait des pièces d'or.

— De fausses pièces d'or, dit promptement Mercurio, sentant que la conversation prenait un tour dangereux. Des accessoires de théâtre. Comme le costume de la vieille, comme ces colliers…

— De fausses pièces d'or ? D'après toi, un orfèvre peut se laisser abuser par des pièces qui ne tromperaient même pas le public le plus con ? » Le visage de Scarabello avait perdu toute trace de bienveillance.

Benedetta percevait la tension. Elle alla se mettre à côté de Mercurio.

« Reste là-bas, lui ordonna Scarabello. Tu ne me caches rien, toi ? », fit-il en s'adressant au garçon et en faisant un pas vers lui.

Le loup montrait sa face, pensa Mercurio. Et il pria pour que le renard soit à la hauteur de sa réputation.

« Nous deux, on peut être amis ou ennemis », continua Scarabello, maintenant face à lui, et si près que Mercurio sentait son souffle épicé de vin. « À toi de décider, mon gars. »

Alors, Mercurio, de manière tout à fait inattendue, se jeta sur lui et le serra dans ses bras. « Je te dois beaucoup… »

Scarabello le repoussa, méchamment. « Qu'est-ce que tu fais, imbécile ?

— Excuse-moi… Je te dois beaucoup, répéta Mercurio, la tête basse, l'air humble. Et je te jure fidélité. Pourquoi tu doutes de moi ?

— Tu ne m'auras pas, ricana Scarabello. Écarte les bras.

— Pourquoi ? »

Scarabello sortit son couteau avec une rapidité extraordinaire. « Si je te dis de sauter dans le feu, tu sautes dans le feu. »

Mercurio obéit.

Scarabello commença à le fouiller. Il souleva le voile qui cachait les faux colliers. Il les arracha et les jeta à terre. Il lui prit son sac de toile, fouilla l'intérieur, étala sur le sol la jupe, les gants, les fausses bagues. Il trouva aussi le petit sac à main et la petite bourse à l'intérieur. Il la fit tinter, en fixant Mercurio. Il l'ouvrit et renversa les pièces qu'elle contenait, qui sonnèrent sur le plancher de la boutique. « Baisse ton pantalon », dit-il alors.

Mercurio dénoua son pantalon léger et se retrouva en pantalon court.

Scarabello lui tâta l'entrejambe.

Mercurio rougit à ce contact mais se laissa faire.

« Enlève le reste », ordonna alors Scarabello.

Benedetta tremblait intérieurement.

Mercurio se déshabilla. Il resta le pantalon baissé, vêtu du seul tricot de laine bouillie que lui avait donné Anna del Mercato.

Scarabello souleva le tricot. Il fixa Mercurio droit dans les yeux. Puis, sans détacher son regard, il tendit la main et saisit Benedetta par le bras. Il l'attira à lui, comme en un pas de danse élégant. « Paolo, vérifie que l'or n'est pas sur la fille », dit-il.

Le marchand ne bougeait pas.

« Paolo ! », cria Scarabello.

L'autre s'approcha timidement, pendant que Scarabello maintenait Benedetta par le bras et lui soulevait sa robe de la pointe du couteau. Attrapant le pan de la jupe, il plaqua son couteau sur la culotte en lin. D'un coup sec, il coupa le lacet qui la retenait puis la baissa, toujours de la pointe du couteau. « Fouille », dit-il à Paolo, sans détacher son regard de Mercurio.

Bafouillant des excuses, il enfila sa main.

Benedetta ferma les yeux.

« C'est pas la peine ! Laisse-la », fit Mercurio.

Scarabello ne répondit pas. Il porta le couteau contre la gorge de Benedetta. Puis, toujours fixant Mercurio, il fit descendre la lame jusqu'au décolleté, l'enfila un peu à l'intérieur et souleva le tissu. « Regarde là-dedans, dit-il à Paolo.

— Il n'y a rien », soupira Paolo, tout rouge, après avoir vérifié.

Alors Scarabello, avec cette grâce de danseur qui accompagnait chacun de ses mouvements, fit pirouetter Benedetta sur elle-même et la repoussa. « Enlève ta culotte », lui dit-il. Puis il s'adressa à Paolo : « Cache le costume de la vieille, tout Venise le cherche. » Il regarda Mercurio. Il sourit. « On dirait que tu as dit la vérité, mon gars. »

Mercurio, rasséréné après ce moment de grande tension, se pencha pour remonter son pantalon, et se laissa aller à un soupir de soulagement. Il porta les mains à son visage et ses yeux devinrent brillants. « Merci, Scarabello ! », s'exclama-t-il, montrant toute l'épouvante qu'il avait retenue, et une nouvelle fois il se jeta sur lui et l'étreignit. « Merci… merci…

— Arrête avec ça ! dit Scarabello en le repoussant.

— Excuse-moi, Scarabello, excuse-moi. Merci, merci, merci…

— D'accord. Arrête. Ces manières de femelle, ça me tape sur les nerfs. » Scarabello se tourna vers le marchand, qui était revenu avec une tunique. « Paolo, démonte la pierre et fais fondre l'or. Vite. Je reste dans les parages mais je reviendrai chercher la pierre. » Il pointa du doigt Benedetta. « Et toi, n'attire pas trop l'attention. » Il s'approcha si près qu'il aurait pu l'embrasser. « Ici, à Venise, les voleuses comme toi, on les condamne à être écartelées par quatre chevaux sur la piazza San Marco, et ce qu'il en reste, on le jette dans le canal. T'as compris ? Ils cherchent une vieille et une servante mignonne… »

Benedetta sourit, contente.

« … que l'orfèvre n'aura aucun mal à reconnaître.

— Merci, dit Benedetta.

— Tu as mal compris, fit Scarabello en se dirigeant vers la porte de sortie. J'ai dit une servante… trop conne. »

Mercurio rit.

Benedetta le foudroya du regard.

« Bravo, Mercurio », dit Scarabello en disparaissant.

Mercurio lui courut après. Il le rejoignit et lui demanda, à mi-voix : « Si je cherchais une certaine personne… tu pourrais m'aider, hein ?

— Ça dépend.

— Elle vient d'arriver, dit Mercurio en baissant encore plus le ton et en tournant le dos à Benedetta.

— C'est parce que ta… sœur ne doit pas être au courant ?

— Ben… c'est-à-dire…

— C'est une femme dont elle est jalouse, par hasard ? Méfie-toi de pas rendre les filles jalouses… elles peuvent faire des bêtises. »

Mercurio se raidit. Benedetta approchait. « Donnola, dit-il tout d'un trait. C'est un homme, il s'appelle Donnola.

— Donnola ? » Scarabello le regarda. « Mon garçon, tu as trop de secrets, à mon goût.

— Il s'appelle Donnola, vraiment.

— Je sais parfaitement qui est Donnola. Il ne vient sûrement pas d'arriver à Venise, répondit Scarabello. N'importe qui ici, à Rialto, le connaît. Il est facile comme tout à trouver. Il suffit d'aller au marché et il est là, en quête d'un poulet ou d'un travail à faire. Mais je croyais qu'il s'était enrôlé.

— Il est revenu.

— Donnola… » Scarabello s'en alla en hochant la tête. « Ah, mon garçon, un jour tu me donneras l'occasion de le regretter, je sens ça… »

Mercurio se tourna vers Benedetta. « Partons, lui dit-il.

— Qu'est-ce qu'il racontait sur Donnola ? demanda-t-elle comme elle le rejoignait.

— Qui ? Non, tu as mal compris », fit Mercurio en évitant son regard. Il ne savait pas pourquoi, avec Benedetta il était moins habile à mentir.

Aussitôt qu'ils eurent tourné dans une *calle* étroite, Benedetta le poussa contre le mur. « Comment tu as fait ?

— Quoi ? demanda Mercurio, feignant de ne pas comprendre.

— L'or. Le vrai. Où tu l'as mis ? J'étais sûre qu'ils allaient te tuer.

— Je n'avais pas le vrai, dit Mercurio en riant. Uniquement celui du théâtre.

— Je ne te crois pas.

— Vraiment. Quand ils m'ont fouillé, je ne l'avais pas.

— Allez, idiot ! lâcha Benedetta, agacée.

— C'est pourtant vrai. L'or, ce n'était pas moi qui l'avais… Mercurio joua du bout de son soulier dans la boue… c'était Scarabello.

— Quoi ?

— T'as remarqué que je l'ai serré dans mes bras avant de me laisser fouiller ?

— C'est pas possible… » Mercurio éclata de rire. « Pourtant, si.

— Tu lui as mis dans la poche et après… Non ! C'est pour ça que tu l'as repris dans tes bras. Tu voulais le récupérer ! » Benedetta était admirative. « Et moi qui te prenais pour un con.

— Alors que, comme l'a dit Scarabello, la conne, c'est toi.

— Il a dit mignonne.

— Lave-toi les oreilles. »

Ils étaient arrivés sur le *campiello*[1] del Gambero et se donnaient des bourrades dans la foule, en riant. À ce moment précis, juste devant une boutique de tissus, Benedetta, qui faisait un tour sur elle-même pour ne pas tomber, reconnut la fille juive qui plaisait à

1. Petite place. Pluriel: *campielli*.

Mercurio. Elle aussi les avait vus et faisait un pas vers eux, le bras levé. Le sourire de Benedetta se figea. Elle ressentit la même haine que quelques jours plus tôt.

Sans réfléchir elle jeta les bras autour du cou de Mercurio.

Et l'embrassa.

29

Giuditta, ce matin-là, était radieuse, heureuse comme il lui semblait ne l'avoir jamais été.

Son père l'avait chargée de choisir leur futur logement ; Donnola l'avait escortée dans Venise, lui montrant des lieux suggestifs et magiques, des habitations de rêve, avec des vitres plombées et colorées, des sols pavés de grenaille de marbre, des fresques aux plafonds, des tapisseries sur les murs, des portes historiées, des colonnes de marbre, des rideaux à rayures de couleur. Tout, dans cette ville, semblait plus beau qu'ailleurs.

Une seule chose détonnait.

Depuis quelques jours, Giuditta regardait les bonnets jaunes des Juifs qu'elle rencontrait. Certains si clairs qu'ils en paraissaient blancs, d'autres vifs comme des tournesols. D'autres d'un jaune intense comme le bec des canards. Elle préférait les plus foncés, ceux qui tendaient vers l'orange. Mais tous, sans exception, étaient grossiers, voyants. Une marque, comme le voulaient d'ailleurs les chrétiens. Elle le voyait bien quand elle se déshabillait, le soir, au moment de poser ses vêtements et le bonnet sur la chaise. Il y avait quelque chose de criard. De discordant.

« Tu les choisis comment, tes bonnets ? avait-elle demandé à Donnola, poursuivant son raisonnement.

— Suffit qu'ils ne coûtent pas trop cher.

— Je parle de la couleur, avait-elle expliqué. Si tu as un costume noir, comment va être ton bonnet ?

— Noir, que diable.

— Et si tu es habillé en rouge et violet ?

— Ben…

— Soit rouge…, avait suggéré Giuditta.

— Soit violet !

— Exactement, avait-elle répondu, satisfaite. Merci.

— J'ai rien compris », avait marmonné Donnola.

Giuditta savait en revanche parfaitement où la menaient ses pensées. Les gens du commun avaient la liberté de choisir leur bonnet en fonction de leurs vêtements. Ainsi vêtement et bonnet étaient assortis. À son avis, les gens comme elle, conditionnés par l'usage du bonnet jaune, devraient faire exactement le contraire : choisir leurs vêtements en fonction du bonnet. La solution était là, à portée de main. Simple, au fond. « Laisse tomber, avait-elle dit à Donnola. Des bêtises de femme.

— Ce qui veut dire une embrouille.

— Non, aucune embrouille. » Elle avait regardé autour d'elle. La vie ne lui avait jamais semblé aussi belle que ce matin-là. Elle avait dit à Donnola : « Emmène-moi dans une boutique de tissus.

— Par pure coïncidence, la meilleure est celle d'une de mes connaissances, avait répondu Donnola. Sur le campiello del Gambero.

— Par pure coïncidence… », avait ri Giuditta, tandis qu'ils se dirigeaient vers la boutique.

Mais elle avait une raison particulière pour être aussi heureuse. Un bonheur nouveau et inconnu qui plongeait ses racines dans la nuit précédente. Un rêve qui l'avait laissée le souffle coupé. Et qui l'avait changée.

Depuis plusieurs jours, et surtout depuis qu'elle l'avait vu courir sur la fondamenta del Vin, Giuditta pensait intensément à Mercurio. Depuis qu'elle l'avait vu sans la soutane. C'était donc vrai, s'était-elle dit dans l'obscurité de la chambre de l'auberge qu'elle partageait avec son père. Il n'était pas prêtre. C'était un garçon comme les autres. Un garçon auquel il lui était permis de penser.

Mais cette nuit, elle était allée plus loin. Ses pensées, ses désirs, ses sentiments s'étaient glissés dans son sommeil : elle avait rêvé qu'elle était encore dans le chariot des vivres du capitaine Lanzafame, à Mestre. À côté d'elle, il y avait Mercurio. Leurs mains se frôlaient, puis se prenaient. Leurs doigts se nouaient. Alors Giuditta regardait autour d'elle et ne voyait ni son père ni personne. Ils étaient seuls. Giuditta n'avait pas eu un instant de peur ni d'hésitation. Elle s'était tournée vers lui, les lèvres entrouvertes, et s'était offerte pour un baiser. Et Mercurio l'avait attirée à lui. "Je t'ai retrouvée", avait-il dit en la regardant avec passion. Et il l'avait embrassée.

« Qu'est-ce qu'il y a ? », avait demandé Isacco en la secouant par l'épaule.

Giuditta, dans l'obscurité de la chambre, avait tressailli et s'était réveillée.

« Tu gémissais. Tu as mal au ventre ? » Isacco avait allumé la chandelle. « Que fais-tu avec cet oreiller ? »

Et Giuditta s'était alors aperçue qu'elle avait la bouche contre l'oreiller. « Rien », avait-elle répondu à son père, en rougissant. Elle s'était tournée de l'autre côté pour ne pas le regarder, troublée par l'intensité de son rêve. Et tandis qu'elle cherchait en vain à se rendormir, elle avait senti un fourmillement, là, tout en bas. Quelque chose de nouveau, qui l'attirait et l'effrayait. Elle s'était dit une nouvelle fois qu'elle était devenue femme pour Mercurio. Sans qu'il le sache.

Aussi, ce matin-là, quand elle était sortie de la boutique de tissus et qu'elle l'avait vu à quelques pas d'elle de l'autre côté du campiello del Gambero, comme une vision, comme un cadeau, elle avait eu un coup au cœur.

"Je t'ai retrouvé", avait-elle pensé.

Plus elle le regardait, plus elle sentait en elle la passion chaude et brûlante qui l'avait envahie la nuit précédente du haut jusqu'en bas, et lui avait enlevé toute peur. Elle ne se laisserait plus paralyser. Elle s'élança vers Mercurio. Elle ne savait pas ce qu'elle lui dirait, ce qu'elle ferait. Elle voulait seulement le rejoindre.

"Je t'ai retrouvé", pensait-elle.

Mais sa course soudain s'arrêta. Ses pieds, qui avaient volé légers sur le pavé, se plantèrent dans le sol comme deux harpons. Ses bras tendus vers Mercurio, d'abord doux comme des rubans de soie, se durcirent comme des cintres.

Ses yeux se figèrent sur ce qu'elle voyait. Elle aurait voulu regarder ailleurs. Mais cela lui était impossible.

Mercurio en embrassait une autre.

Giuditta sentit son cœur se fendre. Un flot de larmes lui montait aux yeux. Elle sut que si elle restait là, elle hurlerait. Avec un cri féroce, comme une bête blessée, elle arracha ses pieds aux pavés et ses bras au ciel, tourna le dos et commença à courir.

« Giuditta ! hurla Donnola en la poursuivant. Attends ! »

Tandis qu'elle se sauvait, lourde et livide, Giuditta se disait qu'elle ne savait pas si la joie d'avant était de l'amour, mais cette douleur déchirante, brutale comme un éclat de verre planté dans son cœur, celle-là, oui, c'était sûrement l'amour.

"Mercurio en a embrassé une autre", se répétait-elle en courant.

Elle pensa que l'amour ressemblait à la souffrance. Et à la haine.

Elle arriva tout essoufflée à l'auberge où ils dormaient, courut dans les escaliers jusqu'à la chambre. Elle se jeta sur sa couche, à plat ventre. Sa tête s'enfonça dans l'oreiller qu'elle avait embrassé la nuit même, croyant que c'était la bouche de Mercurio. Elle se sentit idiote et le déchira de part en part, en hurlant.

Quand Donnola arriva sur le seuil de la chambre, il s'arrêta. La pièce était envahie de plumes d'oie.

« Qu'est-ce qu'il y a ? », demanda-t-il, préoccupé.

Giuditta le regarda. Elle avait les yeux rouges de larmes et de colère. Écarlate, elle avait du mal à respirer. « Rien, répondit-elle.

— Allons, Giuditta…

— Rien ! s'écria-t-elle, telle une furie. Rien ! Rien ! »

Donnola ne dit rien. Il posa sur le coffre au pied du lit les tissus qu'ils avaient achetés et s'apprêta à partir.

« Excuse-moi, Donnola », dit alors Giuditta.

Il se retourna. Il ne savait pas quoi faire. S'il devait parler, s'approcher, la prendre dans ses bras.

« Excuse-moi, répéta Giuditta. Je ne voulais pas… »

Donnola, embarrassé, regarda derrière lui, vers la porte.

« Tu peux t'en aller, si tu veux…

— Je n'ai pas la moindre intention de m'en aller, dit d'un trait Donnola, le visage rouge.

— Menteur, sourit Giuditta.

— Parce que tu sais tout, peut-être ?

— Ne te mets pas en colère…

— Mais qui se met en colère, putain de la misère ! »

Giuditta éclata de rire, même si c'était un rire triste. « Toi et mon père, vous êtes vraiment faits l'un pour l'autre. Et aussi le capitaine.

— Ça serait un compliment ? », demanda Donnola, perplexe.

Giuditta le regarda en silence. Puis elle tapa de la main sur sa couche, à côté d'elle. « Assieds-toi là, dit-elle d'une petite voix, enfantine. Prends-moi dans tes bras.

— Qu'est-ce que tu dis ? fit Donnola, qui se tournait à nouveau vers la porte, mal à l'aise. Enfin… c'est-à-dire… oui, bien sûr. » Mais il ne bougeait pas.

« S'il te plaît, insista Giuditta.

— Je t'ai dit oui. Diable, faudrait bien voir. » Gauchement, il s'approcha du lit, s'assit et lui entoura les épaules de son bras, raide et emprunté, avec une lenteur exaspérante.

« Prends-moi dans tes bras, dit Giuditta.

— Qu'est-ce que je suis en train de faire ?

— Serre-moi. »

Donnola déglutit. « Si le docteur entrait… » Il l'attira à lui, avec un peu plus de conviction.

Giuditta posa la tête contre sa poitrine. « Plus fort.

— Tu ne veux quand même pas que je te brise les os ? » Puis, embarrassé, il la prit entre ses bras.

287

Il commença à bercer le haut de son corps, en avant et en arrière, avec vivacité.

« Comme ça, tu vas me faire vomir », dit Giuditta en riant.

Donnola ralentit.

« C'est mieux… », dit-elle. Et elle recommença à pleurer.

Donnola la berçait, sans savoir que dire ni que faire.

« As-tu jamais été amoureux ? lui demanda Giuditta après un certain temps.

— Moi ? Non, bien sûr que non. Non, non… Tu me vois, je ne suis pas spécialement beau. Qui veux-tu qui s'amourache de quelqu'un comme moi ?

— Je t'ai demandé si *toi* tu avais jamais été amoureux.

— Ah, voilà… » Donnola s'agitait, comme si Giuditta était couverte d'orties. « J'avais pas bien compris… Je… bon… peut-être… Mais c'était il y a longtemps. Je me souviens même plus comment elle s'appelait…

— Donnola…

— Agnese… elle s'appelait Agnese. »

Giuditta resta quelques instants en silence. « Et ça te faisait mal dans tout le corps ?

— Écoute, Giuditta… voilà… » Donnola fit une courte pause puis parla vite, presque sans reprendre son souffle : « Tu ne penses pas que tu devrais en parler avec le docteur ? Enfin, c'est-à-dire, c'est ton père et même si ce serait plus logique d'en parler avec une femme parce que entre femmes on se comprend mieux, du moins je crois… En tout cas, si on n'a rien de mieux que son père… Enfin, c'est-à-dire, bref… ce que je veux dire c'est que je ne sais pas si c'est moi la

288

personne qu'il te faut, tu comprends ? Je ne voudrais pas te donner des conseils qui seraient faux et…

— C'est si terrible que ça d'être amoureux ? », le coupa Giuditta. Donnola ne répondit pas tout de suite. Il la serra contre lui, plus fort. En même temps il hochait la tête, retenant une douleur, ensevelie depuis des années, qu'il ne voulait pas s'avouer à lui-même. « Oui…, murmura-t-il enfin, dans un filet de voix.

— Oui », dit Giuditta.

30

« Pourquoi tu m'as embrassé ? demanda Mercurio à Benedetta.

— Pour rire, te monte pas la tête. » Et elle accéléra le pas pour ne pas montrer qu'elle rougissait.

« Attends-moi, lui dit Mercurio.

— Sois pas casse-pieds », fit-elle puis elle se passa discrètement les doigts sur les lèvres. Il lui semblait qu'elles brûlaient encore du contact avec celles de Mercurio. Elle avait été vendue par sa mère à un prêtre et à d'autres vicieux, mais ce baiser était son premier. Elle tourna dans une *calle* étroite et marcha vite jusqu'à un vaste *campo*.

« Regarde qui est là », dit Mercurio, derrière elle. Il la rattrapa, posa la main sur son épaule, lui indiquant un petit groupe de personnes.

« Qui est-ce ? », dit Benedetta, encore distraite par ses sensations.

Mercurio rit. « C'est ce couillon de Zolfo avec son moine !

— Venise ! Repens-toi de tes péchés immondes et répugnants ! », hurlait frère Amadeo, les bras levés, sur les marches de l'oratoire degli Ognissanti, sur le campo San Silvestro. L'air était froid, humide, mais le moine, sous sa vieille robe de bure sale et usée, portait un tricot de laine double maille et des caleçons longs, achetés avec l'argent de Zolfo.

« Venise, repens-toi ! », reprit Zolfo en écho.

Le *campo* était rempli de gens affairés. Quelques-uns se tournaient vers ce prédicateur et ce petit garçon, aux cheveux en étoupe et au teint jaune. Bien vite cependant chacun reprenait sa marche, vaquant à ses occupations. La plupart ne regardaient même pas.

Benedetta voulut courir vers Zolfo mais Mercurio la retint. « Attends », lui dit-il. Ils restèrent à l'écart.

Frère Amadeo, sur les marches, reprit son souffle et gonfla ses poumons. « Venise, repens-toi de tes péchés ! », cria-t-il encore, d'une voix revigorée.

« Repens-toi, Venise ! », répéta Zolfo.

Personne ne s'arrêtait pour écouter le prêche.

« Ils ont l'air de deux crétins, dit Benedetta.

— *Ce sont* deux crétins », répliqua Mercurio.

« Qu'est-ce qu'on fait ? demanda Zolfo au moine. J'ai froid. » Frère Amadeo le foudroya d'un regard féroce. « Comment peux-tu souffrir du froid ? La foi en Christ ne te réchauffe pas assez ? »

Zolfo acquiesça docilement.

Le moine leva les bras au ciel et s'écria, têtu : « Venise, repens-toi de tes péchés immondes et répugnants !

— Arrête un peu de crier ! » brailla de l'autre côté du *campo* une femme sortie sur le seuil d'une auberge à l'enseigne d'un cygne à deux têtes. Elle vacillait sur ses jambes, les veines du cou gonflées. Ses yeux, au regard liquide, avaient du mal à accommoder sa vision.

Frère Amadeo pointa le doigt dans sa direction : « Satan, sors de cette femme ! Je te l'ordonne au saint Nom de notre suprême et très haut Maître !

— Sors, Satan ! », dit Zolfo en écho, l'index pointé lui aussi.

Elle balançait, indécise, voulant rentrer dans sa taverne. Quelqu'un l'appela de l'intérieur. « Il y a un prédicateur », répondit-elle seulement. L'instant d'après, une autre tête se pencha à la porte de l'auberge. Puis une autre, et une autre encore. Ils délibéraient entre eux, tous aussi soûls les uns que les autres. « Qu'est-ce que tu veux, frère ? », hurla un des hommes qui étaient sortis, un grand bonhomme costaud qui s'appuyait sur une rame.

« Repentez-vous de vos péchés ! Le Seigneur vous l'ordonne ! cria frère Amadeo. Chassez le Juif de Venise !

— C'est quoi cette histoire ?, cria la femme, qui s'attendait à la liste habituelle des péchés, vin et fornication en tête.

— Chassez le Juif ! hurla avec plus de fougue encore frère Amadeo, lancé dans sa croisade personnelle. Le Juif est le chancre de Satan ! »

La petite dizaine d'ivrognes, d'un pas incertain, entreprit de traverser le campo San Silvestro. Arrivés aux marches de l'oratoire degli Ognissanti, ils avaient tous un sourire idiot peint sur la face. Sans savoir vraiment ce que voulait le prêcheur, ils entendaient s'amuser un peu à ses dépens. Ils se placèrent devant lui, ondoyant comme des barques à l'ancre. La femme rota. Quelques hommes rirent.

« Qu'est-ce qu'ils t'ont donc fait, les Juifs, frère ? demanda l'un.

292

— Ils ont baisé ta mère ? demanda l'ivrogne qui s'accrochait à sa rame.

— Non, c'est lui, ils l'ont sodomisé ! s'exclama la femme, provoquant un moment d'hilarité générale.

— Repens-toi, pécheresse ! hurla Zolfo.

— Ta gueule, le nain ! »

Zolfo eut un hoquet, et une expression torve.

« Fais attention, petit, ou tu vas prendre feu ! », se moqua la commère.

Les ivrognes autour d'elle rirent grassement.

« Ils vont avoir des ennuis », dit Benedetta à Mercurio, en faisant un pas en avant.

Mercurio la retint de nouveau. « Attends.

— Ève ! Ne t'abandonne pas au péché ! Ne prends pas la pomme que t'offre le Serpent ! hurla à la femme soûle frère Amadeo dont les yeux n'étaient plus que deux minces fentes.

— Ève, elle était pas juive, celle-là ? se mit-elle à rire.

— C'est sûr ! Et Moïse aussi, dit l'un des ivrognes.

— Et le Roi David, ajouta un autre.

— Et Jean-Baptiste ! fit un troisième.

— Si tu vas par là, c'est sûr que le frère aussi il est juif ! », cria le grand costaud qui se retenait à sa rame.

La clique des ivrognes explosa d'un rire sonore.

Frère Amadeo, théâtralement, s'agenouilla. « Notre Père qui êtes aux cieux, et toi, notre Père sur la terre, très saint pape Léon X de Médicis, fais descendre ton pardon sur ces pécheurs…

— Frère, t'y avais jamais pensé à ça, que le premier pape, il était juif ? hurla la femme, la plus acharnée contre lui. Pierre-sur-cette-pierre, le premier pape, le fondateur de l'Église, il était plus juif que n'importe quel Juif qui marche aujourd'hui dans les rues de Venise !

— Ordure ! éructa frère Amadeo en se dressant sur ses pieds.

— Ordure ! », fit Zolfo en écho.

La femme se pencha, ramassa une poignée de boue et la lança contre Zolfo, qu'elle atteignit en plein visage.

« J'en étais sûre, dit Benedetta.

— Ce moine est un imbécile, répliqua Mercurio.

— Il faut aller aider Zolfo », dit Benedetta, qui s'élança.

Tandis qu'il marchait à sa suite, Mercurio remarqua à la gauche de frère Amadeo et de Zolfo, sur les marches de l'église de San Silvestro, un jeune homme habillé avec une rare élégance. Il portait un haut-de-chausses blanc, immaculé, une tunique à manches bouffantes damassées, un bonnet avec une énorme épingle en or, et une chaîne, d'or aussi, à grosses mailles, avec un pendentif incrusté de pierres précieuses. À son côté pendait une épée à poignée de nacre.

Autour de lui, cinq jeunes gens tout aussi bien vêtus ricanaient en assistant à la prédication. Mercurio sentit un frisson le long de son échine.

« Ordure ! répéta frère Amadeo.

— C'est qui, l'ordure ? », dit l'ivrogne qui s'appuyait à sa rame. En un instant, sur sa face altérée par le vin, le rire céda la place à une expression menaçante.

« Frère, retourne à Rome chez ton maître ! hurla la femme en agitant le poing.

— L'ordure, c'est toi, le moine !, tonna un autre ivrogne, au visage écarlate, qui se pencha pour ramasser une pierre.

— Zolfo, viens avec nous ! », dit Benedetta en rejoignant celui-ci.

Le gamin lui lança un regard distant, sans émotion aucune.

« Zolfo… c'est moi… », ajouta Benedetta, déconcertée par ce regard. Elle se tourna vers Mercurio, avec un air de colère. « Qu'est-ce que ce maudit moine lui a fait ? »

Une première pierre vola. Puis une deuxième.

« Viens avec nous, Zolfo, répéta Benedetta, qui l'attrapa par le bras.

— Lâche-moi ! », cria celui-ci, en la repoussant et en se mettant devant le prédicateur, comme un garde du corps pathétique. Une pierre l'atteignit à la jambe, et il gémit.

« Calmez-vous », tenta de dire Benedetta aux ivrognes, qui se rapprochaient de manière menaçante. Puis elle s'élança de nouveau vers Zolfo, et cette fois le tira au bas des escaliers. Zolfo résistait.

Mercurio lui donna une gifle. « Suis-nous, crétin ! » Puis, à Benedetta : « Par là ! », et il les entraîna vers l'église de San Silvestro.

La masse des ivrognes, furieuse, se jetait sur frère Amadeo. « Il nous traite d'ordures ! On va lui faire payer ! »

Voyant comment les choses tournaient, frère Amadeo suivit Zolfo que Mercurio et Benedetta entraînaient.

« Lâche-nous les couilles, frère ! », hurla Mercurio quand il vit que les ivrognes se mettaient à les poursuivre eux aussi.

Sur le chemin qui les séparait encore de l'église où Mercurio avait l'intention de se réfugier s'était placé le jeune homme bien habillé qu'il avait remarqué peu auparavant. Il observait la scène d'un regard amusé et cruel. Immobile, à l'aise, la jambe droite sur la première marche, la main droite enfilée dans la large poche de sa tunique. Son épaule gauche était beaucoup plus haute et plus robuste, et son épée était à sa ceinture côté droit, signe qu'il était gaucher.

Mercurio ralentit et regarda derrière lui. Les ivrognes gagnaient du terrain. Et leur retraite était coupée par le jeune homme et ses compagnons. « Pousse-toi ! », lui cria-t-il.

Le jeune homme sourit. Il avait des dents très blanches, courtes et pointues, comme celles d'un poisson carnivore. Et ses yeux, si écartés qu'ils semblaient disposés de chaque côté de son visage, avaient aussi la fixité vitreuse des prédateurs marins. Inexpressifs et pourtant cruels. Peut-être, pensa Mercurio, parce que c'était des yeux froids, éteints.

Tout à coup, le jeune homme bougea, aussi rapide et disgracieux qu'un crabe. Sa main gauche alla à son épée et dégaina. De la poche droite, en revanche, il sortit un bras court, à la main recroquevillée. Sa jambe droite, qui semblait normale à première vue, était en réalité plus courte et moins développée que l'autre, et restait partiellement pliée. L'épée au poing, il se tourna vers ses compagnons qui, sans hésiter, dégainèrent leurs armes et firent cercle autour de lui. Le jeune homme caracola, montrant une gibbosité qui lui gonflait l'épaule gauche. C'était un monstre difforme.

Croyant qu'il voulait se jeter sur lui, Mercurio se figea. Mais l'autre le dépassa pour les protéger, Benedetta, Zolfo, le frère et lui, suivi de sa petite armée.

« Arrêtez, bande d'idiots ! », cria-t-il aux ivrognes, d'une voix presque féminine, stridente et désagréable.

Un ivrogne lui arrivait déjà dessus, incapable de freiner sa course.

Le jeune homme donna un fendant de son épée à double tranchant. Il coupa la lourde tunique de l'ivrogne à la hauteur de l'épaule. Une tache de sang commença à s'élargir sur le tissu.

L'ivrogne gémit de douleur et s'écroula au sol.

« Ramassez-le, dit le jeune homme avec un profond mépris dans la voix.

— Pardonnez, votre Grâce, dit la femme qui avait cherché querelle au prédicateur. Nous ne vous avions pas vu. Ayez la générosité de nous pardonner, votre Grâce. » Sans perdre de vue la pointe de l'épée, elle se pencha sur l'ivrogne à terre. Avec une force insoupçonnée, elle le tira en arrière, loin de la portée de l'arme. « Mon mari n'avait pas de mauvaises intentions, continua la femme en aidant le blessé à se relever. On n'aurait jamais fait de mal au frère ni au garçon.

— Oui, on plaisantait », dirent en chœur les autres ivrognes.

Le jeune homme se tourna vers frère Amadeo. « Que leur demandais-tu ?

— Qu'on chasse les Juifs de Venise, répondit le moine, retrouvant le courage qu'il venait de perdre.

— Nous sommes prêts à devenir des martyrs ! s'exclama Zolfo.

— Tais-toi donc, crétin », lui ordonna Mercurio.

Le jeune homme rit. « Ton ami a raison. Martyre par la main de quatre ivrognes ? Tu es un crétin.

— Le martyre est notre…, commença Zolfo, d'un ton rageur.

— Tais-toi ! » Frère Amadeo lui donna une claque violente.

Zolfo rentra les épaules, mortifié.

« Qu'est-ce que je t'avais dit, couillon ? fit Mercurio. Si tu cherchais un maître, tu aurais mieux fait de rester avec Scavamorto. Il aurait sûrement été plus miséricordieux. »

Le jeune homme inclina sur le côté sa tête difforme, comme un chien, amusé. Il sourit au frère Amadeo. « Toi, tu sais de quel côté te ranger, hein ?

— Moi, je suis aux côtés de Notre-Seigneur, répondit le moine.

— Et moi je suis un grand seigneur, dit le jeune homme en riant. Je suis le prince Rinaldo Contarini. » Il se tourna vers les ivrognes. « Et maintenant, hurlez : "Chassez les Juifs de Venise !" »

Les ivrognes échangèrent des regards puis, en chœur, dirent : « Chassez les Juifs de Venise !

— Plus fort, pouilleux !

— Chassez les Juifs de Venise ! »

Le jeune Contarini pointa son épée vers l'auberge d'où ils étaient sortis. Sur le seuil se trouvait le patron. « Toi, l'aubergiste, puisque tu ne sais pas tenir tes clients, tu fermes pendant une semaine. À partir de maintenant. Par mon bon vouloir. Et si je te trouve ouvert, je mets le feu à ta taverne. »

L'aubergiste baissa la tête et rentra pour chasser immédiatement les clients assis dans son local.

Le jeune prince se pavana devant ses compagnons, puis s'approcha de Benedetta. « Comment tu t'appelles ? », lui demanda-t-il sans le moindre intérêt dans la voix, en caressant du bout de son épée la peau de son décolleté.

Benedetta ne bougeait pas. Elle ne répondait pas. Elle éprouvait à la fois horreur, peur et attraction, sans oser se le dire. Quelque chose remontait de son passé et l'attirait insensiblement, quelque chose qu'elle fuyait, mais que sa part obscure, à son insu, recherchait. « Maman…, murmura-t-elle, dans un souffle.

« Que dis-tu ? », demanda le prince.

Mercurio la prit par le bras et l'écarta.

Le prince Contarini le regarda avec plaisir. Comme s'il n'attendait que cela. Il lui montra le bout de sa langue, avec une malice presque sexuelle. « Tu sais que si je t'ordonnais de lécher mes chaussures, il te conviendrait de le faire, joli garçon ? Comment oses-tu te mettre entre moi et cette putain ?

— Ce n'est pas une putain. Elle est vierge », répondit Mercurio instinctivement.

Le jeune homme haussa les sourcils. « La chose devient intéressante. Il est si rare par ces temps de trouver une…

— Ne pose pas tes sales pattes sur elle », gronda Mercurio.

Le regard du prince s'illumina de joie. L'instant d'après, il s'élançait pour frapper.

Mais Mercurio était prêt. Il esquiva le coup, saisit le bras du gentilhomme et le tira vers l'avant, en tendant sa jambe devant lui. Le jeune prince perdit l'équilibre et n'évita de tomber que parce qu'un de ses compagnons, plus rapide, l'avait retenu.

« Cours ! », hurla Mercurio à Benedetta.

Benedetta eut un moment d'hésitation puis courut derrière Mercurio. Ils passèrent au milieu des ivrognes, aussitôt suivis par les hommes du prince.

« Cours ! », hurla de nouveau Mercurio. Ils s'enfilèrent dans une *calle* étroite et sombre.

Les hommes de Contarini étaient plus rapides que Benedetta, gênée par ses jupes, et allaient les rattraper. Mercurio se jeta d'instinct vers le campo Santo Aponal. Ils n'y étaient pas encore que la calle del Luganegher fut bloquée par une haute silhouette noire et familière.

« Scarabello ! », s'écria Mercurio, hors d'haleine.

Scarabello et ses hommes s'écartèrent pour les laisser passer. Puis ils se resserrèrent les uns contre les autres, bloquant les hommes du prince. Les adversaires se regardaient en silence. Scarabello et les siens se tenaient droits et tranquilles, main sur le pommeau. Les hommes du prince haletaient, les narines dilatées par la course. Personne ne bougeait ni ne parlait.

Après un temps qui parut interminable, on entendit un piétinement irrégulier. Et au fond de la *calle* apparut le prince difforme, qui avançait péniblement. Il rejoignit ses hommes. Son bras atrophié était écarté, comme l'aile sans plume d'un oiseau. Sa bouche grande ouverte laissait voir ses dents pointues de squale, et un filet de salive lui salissait le menton.

« Nous n'attendions plus que vous, votre Grâce », dit Scarabello, avec une profonde révérence.

300

Le prince Contarini était essoufflé par l'effort. Il se balançait sur ses jambes inégales et oscillait. De nouveau Mercurio se dit qu'il ressemblait à un crabe.

« Scarabello, tu protèges ce jeune criminel ? demanda le prince de sa voix haut perchée, quand il fut en état de parler.

— Oui, en effet, votre Grâce. Il se trouve que c'est l'un de mes hommes », répondit Scarabello, en ouvrant les mains pour s'excuser.

Le prince Contarini sourit et nettoya sa salive de la manche de son somptueux pourpoint. Dans la pénombre de la ruelle, la soie blanche luisait comme la peau vivante d'un animal fantastique ; seuls émergeaient aussi de cette faible lumière les cheveux albinos de Scarabello. Tout le reste semblait ne pas exister.

Mercurio regardait Scarabello avec admiration. Il se tourna vers Benedetta et vit qu'elle, en revanche, fixait Contarini.

« Je veux ce jeune homme, dit le prince. Il m'a offensé et il doit payer.

— Votre Grâce, vous savez que je suis votre dévoué serviteur, répondit Scarabello. Mais, si vous voulez bien me pardonner, je dois vous refuser cette requête. Mes hommes ne répondent qu'à moi de leurs actions. » Il regarda intensément le prince, nullement intimidé. « Et moi seul en réponds au monde. Aussi, votre Grâce, nous devrions discuter vous et moi, si vous avez des doléances qui ne peuvent pas être satisfaites ou reportées. »

Contarini lui adressa un regard impassible. Mais il se mordait férocement la lèvre inférieure, jusqu'à la faire saigner. Quand il parla, sa voix était encore plus

301

stridente. « Dis à ton homme qu'il ne se promène pas tout seul. Sa tête m'appartient, et si l'occasion se présente, je la prendrai. » Il se tourna et fit signe aux siens de le suivre. « Retrouvons ce moine. Il me plaît. Il est dévoré par le mal-être. Il annonce le sang, se mit-il à rire hystériquement.

— Zolfo… », commença Benedetta.

Mercurio lui posa la main sur le bras. « On ne peut rien faire. »

Scarabello les rejoignit.

« Merci, dit Mercurio.

— Je ne l'ai pas fait pour toi, répondit-il. Le prince est fou. Si je lui laisse la bride sur le cou, il prend tout. Mais j'ai une amitié très haut placée, plus haut placée que Contarini. Si haut que seul le doge est au-dessus. Le prince le sait. Il est fou, mais il n'est pas idiot.

— Merci quand même, répéta Mercurio.

— Il t'oubliera, continua Scarabello. Il trouvera quelqu'un d'autre à qui s'en prendre. Mais pour le moment, disparais de la circulation.

— Je vais m'arranger, minimisa Mercurio. Je sais me débrouiller seul.

— Oui, j'ai vu ça », sourit Scarabello. Puis il lui planta son index contre la poitrine. « C'est pas un conseil. C'est un ordre.

— Écoute, Scarab…

— Non, toi, écoute-moi. » L'index de Scarabello le poussa si fort que Mercurio dut reculer de deux pas. « Je te l'ai déjà dit une fois. Je vais te l'expliquer autrement. Si je te donne l'ordre de rentrer dans le trou du cul d'une baleine, tu y rentres, c'est clair ?

— D'accord.

302

— Tu iras sur la terre ferme. Je te trouverai un endroit. Et tu y resteras au moins deux semaines. Je n'aimerais pas voir les *pantegane*[1] trimballer ta tête dans les canaux pour te manger les yeux. Car c'est exactement à ça que tu dois t'attendre avec le prince. Quand il t'aura bien fait souffrir, évidemment. » Scarabello remit ses longs cheveux en place derrière ses oreilles, les rassembla en une queue-de-cheval et les attacha par un ruban rouge en soie tombant jusqu'au milieu du dos. Il lui sourit. « T'as peur d'être tout seul pendant quelques heures ?

— Je vais essayer d'y arriver, répondit Mercurio, passant les pouces dans sa ceinture.

— Comique », dit Scarabello en s'en allant, avec un rire.

Dès qu'il eut tourné le coin de la rue, Benedetta prit Mercurio par la main. « Allons à l'auberge. »

Mercurio regarda ses lèvres. Il la suivit docilement.

Ils montèrent dans la chambre.

« Ferme la porte », dit Benedetta.

Mercurio obéit.

Elle s'étendit sur le lit et déboutonna sa robe, découvrant ses petits seins d'albâtre et ses mamelons roses. Elle avait le souffle court. Elle ne pensait pas au premier baiser qu'elle avait donné à Mercurio. Elle pensait à la peur que lui avait causée le prince Contarini. À la sensation qu'elle avait éprouvée. À cette attirance vers le précipice. Elle regarda Mercurio et pensa qu'il ne ressemblait à aucun des monstres auxquels sa mère l'avait vendue. Elle tendit le bras vers lui. Jamais elle ne pourrait lui faire du mal.

1. Nom donné aux très gros rats de Venise.

Mercurio s'étendit auprès d'elle, immobile, ahuri. Il n'avait jamais embrassé une fille jusqu'à ce jour.

Benedetta lui prit de nouveau la main.

Mercurio se raidit. « Qu'est-ce que tu fais ? », demanda-t-il. Et il se sentit bête.

Benedetta guida sa main, lentement, jusqu'à son sein. Elle la posa dessus.

« Qu'est-ce que tu fais…, répéta Mercurio, mais ce n'était plus une question.

— Tu as peur ? », demanda Benedetta.

Étendu, le regard fixé au plafond, la main immobile sur le sein de Benedetta, avec un étrange bouillonnement du sang dans son pantalon, Mercurio pensa qu'il savait de la vie plus que n'en connaissaient la plupart des êtres humains. Il pouvait survivre dans une fosse d'égout à Rome et dans une cité aussi mystérieuse que Venise, il était capable de monter des arnaques, de se servir d'un couteau, de vider les poches de n'importe qui sans se faire prendre, de mélanger la chaux vive à la terre pour recouvrir les morts ; il s'était battu avec des hommes deux fois plus grands que lui, il avait tué un marchand, tenu tête à Scavamorto et fait la conquête d'un criminel comme Scarabello. Il savait tout de la vie.

Mais il ne savait rien de l'amour.

« Je n'arrive pas à respirer, dit-il.

— Caresse-moi, murmura Benedetta.

— Je n'arrive pas à respirer, je te dis ! lâcha Mercurio, bondissant sur ses pieds.

— Qu'est-ce qui se passe ? », demanda-t-elle, troublée.

Mercurio ne comprenait pas la fureur qui le traversait. Il ne pouvait pas la contrôler. « Je dois partir, dit-il d'une voix étranglée.

— Je viens avec toi. »

Mercurio ne lui répondit pas et sortit en claquant la porte.

Benedetta reboutonna sa robe et se recroquevilla sous la couverture. Elle ferma les yeux. Elle vit le visage effrayant du prince Contarini. Elle porta une main entre ses jambes. Et se sentit souillée.

Mercurio arriva à Rialto, hors d'haleine.

Il chercha le borgne, l'homme de Scarabello.

« Je dois partir immédiatement. Trouve-moi un bateau. »

31

Mercurio descendit du bateau à Mestre.

« Qu'est-ce que je dois dire à Scarabello ? lui demanda le borgne, qui l'avait amené jusque-là. Tu seras où ?

— C'est moi qui reprendrai contact, répondit Mercurio, en s'éloignant.

— Scarabello, il va pas aimer.

— Rien à foutre », dit Mercurio sans se retourner. Il accéléra le pas, pressé de disparaître. En un instant, le brouillard qui montait l'engloutit.

« Mercurio ! », cria le borgne.

Le garçon se retourna : il ne voyait plus ni le borgne ni la barque, et fut soulagé. Il prit une ruelle où il se rappelait avoir vu une petite statue de la Vierge, continua sur une vingtaine de pas puis trouva la rue qu'il cherchait. Sur sa gauche, là où le brouillard était plus épais, il entendait clapoter le canal. Le mur irrégulier de joncs qui croissaient sur la rive atténuait le bruit de l'eau. Sur sa droite, tous les cinquante pas, émergeait du brouillard une chaumine, basse et trapue. Il en passa sept.

Arrivé devant la huitième, il eut une hésitation, ralentit et finalement s'arrêta. Son souffle se condensait devant son visage et se confondait avec le brouillard. Il faisait nuit maintenant. Il s'approcha de la maison, jeta un coup d'œil entre les volets. À l'intérieur tout était éteint. Il eut peur. Se sentit perdu.

La porte était seulement tirée. Mercurio eut un mauvais pressentiment. Il la poussa, doucement.

« Il y a quelqu'un ? », dit-il. Sa voix tremblait tandis qu'il glissait la tête à l'intérieur. Il attendit une réponse. Rien. Silence. « Il y a quelqu'un ? demanda-t-il encore.

— Qui est là ? », entendit-il de la pièce voisine.

Mercurio reconnut aussitôt la voix. Cependant, quelque chose n'allait pas. « C'est Mercurio, dit-il timidement. Celui à qui tu as donné…

— Que Dieu te bénisse, mon garçon », répondit la voix. Sans parvenir à avoir un ton enthousiaste.

« Anna… tu vas bien ? »

On entendit le bruit d'une chaise remuée sur le plancher. Suivi de celui d'un briquet. Mercurio vit un éclair, faible, incertain. Puis la lumière prit de la force et, en tremblotant, se rapprocha.

Anna del Mercato apparut sur le seuil de la grande cuisine. Elle tenait une chandelle. Ses cheveux étaient dépeignés, ses yeux gonflés ; sa respiration se condensait dans l'air. Ce fut alors seulement que Mercurio se rendit compte qu'il faisait un grand froid.

« Tu vas bien ? », demanda à nouveau Mercurio.

La femme sourit. Mais on aurait plutôt dit qu'elle pleurait. « Viens », dit-elle. Elle se tourna et repartit, traînant les pieds dans ses pantoufles.

Mercurio referma la porte au cadenas et la rejoignit dans la cuisine. La grande cheminée était éteinte. Anna del Mercato s'était assise à la table. Posé dessus, le collier que Mercurio avait racheté. La chandelle, en grésillant, faisait briller des gouttes transparentes sur son visage. Mercurio se dit que c'étaient des larmes. Elle ne le regarda pas quand il s'assit en face d'elle. Les yeux fixés sur le collier, elle le caressait doucement, comme si c'était une créature vivante.

« Je ne veux pas le redonner à l'usurier, murmurat-elle, consumée d'une infinie tristesse. Le curé dit que dans l'au-delà on ne peut pas porter de collier... » Elle leva son regard vers lui. Ses yeux étaient si désespérés qu'on aurait dit deux trous. « Je ne le redonnerai pas à l'usurier... » Elle eut à nouveau ce sourire qui ressemblait à des pleurs, tendit la main qui avait caressé le collier et toucha la sienne. « Que Dieu te bénisse, mon garçon, lui dit-elle. Merci.

— Que se passe-t-il, Anna ? », demanda Mercurio.

Elle ne répondit pas. De nouveau, elle fixa le collier. Elle le prit et le serra contre sa poitrine. « Je me moque de ce que dit le curé », reprit-elle, obstinée. Mais d'une voix faible. « Moi, je l'emporterai dans l'au-delà, mon collier. Et si saint Pierre ne veut pas que je le garde, je m'en irai de là aussi. Non, je ne le donnerai pas à Isaia Saraval. Je ne trahirai pas mon bon mari. Pas une seconde fois. Dieu ne peut pas vouloir une chose pareille. Je ne troquerai pas ce collier contre un bout de pain. Non, moi je...

— Anna, calme-toi, l'interrompit Mercurio.

— Non, je préfère mourir plutôt que...

— Anna... » Mercurio lui prit les mains dans les siennes, en se penchant par-dessus la table. « Anna...

— Je suis désolée, mon garçon, je n'ai rien à te donner à manger...

— Qu'est-ce qui se passe ? »

Anna le regarda en silence, avec une grande dignité. Puis elle lui tendit le collier. « Attache-le-moi, mon garçon, lui dit-elle. J'ai froid. Je crois que je vais mourir cette nuit. »

Mercurio bondit sur ses pieds. Sa chaise se renversa. « Ne dis pas de bêtises. Où est le bois ?

— Attache-moi le collier. Je veux l'avoir au cou quand je mourrai.

— Personne ne va mourir, dit rudement Mercurio. Où est le bois ? »

Anna eut un sourire distant. « Il n'y en a plus. »

Mercurio resta un moment immobile à la regarder. La chandelle était bientôt finie. « Attends ici, dit-il d'une voix ferme.

— Où veux-tu que j'aille ? répondit Anna del Mercato.

— Attends-moi ici », répéta Mercurio, qui se dirigea vers la porte. Il avait vu une charrette à bras sur le côté de la maison. Tandis qu'il la poussait sur le chemin, une des roues se mit à grincer. Elle n'était pas dans l'axe. Mercurio espéra qu'elle tiendrait. Il arriva à l'habitation précédant celle d'Anna. Il frappa.

Une vieille édentée, le visage flétri et méchant, vint ouvrir, l'air soupçonneux.

« Qui c'est ? fit une voix de baryton à l'intérieur.

— Un jeune homme, répondit la vieille, qui fixait Mercurio de ses petits yeux ridés. Avec une charrette.

— Dis-lui qu'on n'achète rien, fit la voix de l'homme.

— C'est moi qui achète », dit Mercurio, d'une voix forte.

La vieille ne bougea pas et ne parla pas. Après quelques instants parut derrière elle un homme costaud, une couverture sur les épaules, par-dessus ses vêtements. Il était rubicond, avec un nez grêlé marqué de grosses varices, et il puait le vin. Ses yeux étaient petits comme ceux de la vieille. « Pousse-toi de là », lui dit-il.

Elle se mit sur le côté, rentrant les épaules comme si on allait la frapper. « Ça me plaît pas, marmonna-t-elle.

— Ta gueule, fit l'homme en fixant Mercurio. Ma mère a pas confiance dans les étrangers.

— Il me faut du bois, du pain, du vin, du lard et une soupe », dit Mercurio.

L'homme resta immobile.

« Je peux payer, ajouta Mercurio.

— Combien ? demanda la vieille.

— Ta gueule, m'man ! », cria l'homme, qui leva la main en l'air.

La vieille protégea son visage.

« C'est pour Anna del Mercato, ajouta Mercurio.

— Je croyais qu'elle était déjà morte », marmonna la vieille.

Mercurio eut une réaction de colère. « Vous avez ce que je vous demande ou je vais le donner à quelqu'un d'autre, mon sol d'argent ?

— D'argent ? dit la vieille.

— Ta gueule, m'man ! »

L'homme la frappa vivement sur la tête.

La vieille vacilla et gémit.

« Deux sols », dit l'homme.

Mercurio ne répondit même pas. Il empoigna les manches de la charrette, s'apprêtant à partir.

« Bon, d'accord, un », dit l'homme tout de suite, l'arrêtant du bras. Il se tourna vers sa mère, qui se massait la tête là où il l'avait frappée. « Prends le pain,

310

le lard et mets la soupe dans un pot. Ils nous le rendront demain. » Il sortit et fit signe à Mercurio de le suivre derrière la maison.

« Le vin », dit Mercurio.

L'homme eut un instant d'hésitation. « Et le vin, m'man ! », cria-t-il. Puis il se dirigea vers l'arrière. Il chargea le bois dans la charrette et revint avec Mercurio à la porte d'entrée.

La vieille s'apprêtait à lui tendre les victuailles mais son fils l'arrêta. « Montre l'argent », dit-il à Mercurio.

Le garçon prit une pièce d'argent et la lui mit dans la main.

L'homme fit un signe de tête à sa mère, et alors seulement la vieille chargea les vivres dans la charrette.

Mercurio partit sans dire au revoir.

Il s'empressa de transporter le bois à l'intérieur et alluma le feu dans la cheminée. La chandelle s'était éteinte. Anna del Mercato était toujours assise à la table. Mercurio la fit s'installer près du feu, à l'intérieur de la cheminée, comme elle avait fait pour lui. Elle se laissa déplacer comme un pantin, sans résister ni collaborer. Sa main serrait toujours le collier.

Mercurio la regarda, pendant que le bois crépitait. Puis il sortit chercher les victuailles. Il chauffa la soupe et la versa dans une écuelle sale qu'il avait trouvée sur la table, trancha le pain et le lard, versa le vin et posa le tout sur un tabouret à côté d'Anna.

« Qu'est-ce que j'ai fait pour mériter tout ça, mon garçon ? demanda-t-elle d'une voix brisée par l'émotion.

— Si tu meurs, je ne sais pas où aller », répondit Mercurio.

Anna hocha la tête. Puis elle mangea en silence. Quand elle eut fini, elle but un peu de vin dans un bol ébréché. Son visage émacié reprit des couleurs. Ses yeux recommencèrent à voir le monde autour d'elle. Elle tendit à Mercurio la main tenant le collier.

Mercurio passa derrière elle et le lui attacha.

Elle eut un sourire. « Qu'est-ce que j'ai fait pour mériter tout ça, mon garçon ?

— Je dois rester ici pendant quelque temps. J'ai besoin d'un lit chaud, d'une maison chaude, de soupe chaude. Je ne peux pas vivre dans un trou à rats. Il faut que tu te débrouilles.

— Je n'ai pas un sou, mon garçon, je suis désolée.

— Moi si. Et je te paierai.

— Pourquoi tu m'aides ? » La voix d'Anna était douce.

Mercurio ne répondit pas. Il prit une chaise, l'apporta près d'elle et s'assit.

Anna le regarda. Son visage se détendit. Elle leva un bras qu'elle posa sur l'épaule de Mercurio, qui resta droit sur sa chaise, figé.

« T'es raide comme un hareng saur. »

Mercurio ne savait pas quoi faire. Là encore, il eut l'instinct de se lever et de partir.

Anna l'attira à lui.

Mercurio résistait. « Je n'ai jamais eu de mère. Je ne sais pas comment on fait », dit-il soudain.

La pression d'Anna s'arrêta, un instant. Puis elle recommença à l'attirer vers elle avec encore plus de chaleur. « Pose ta tête, mon garçon », murmura-t-elle.

Elle avait la même voix chaude que le soir où il avait fait sa connaissance, se dit Mercurio. « Où ? », demanda-t-il.

Anna se mit à rire. De cette manière gentille qui ne blessait pas. « Sur mon épaule. »

Mercurio pencha le cou, toujours raide. Il se dit que ce serait bien de fermer les yeux quand il sentit la main d'Anna qui lui caressait les cheveux. Mais il en était encore incapable. « Les habits de ton mari…, dit-il en levant la tête pour la regarder.

— Pose ta tête, l'interrompit Anna, en appuyant dessus pour la remettre sur son épaule. Tu ne sais pas parler avec la tête sur le côté ? »

Mercurio sourit. « Les habits de ton mari… ils sentent le poisson. Je dois les laver.

— Tu aurais pu les apporter. Je te les aurais lavés.

— Oui, dit Mercurio, tandis que la tiédeur du feu lui détendait les paupières.

— On s'en occupera demain, décida Anna.

— Oui…

— Tu es toujours raide comme un hareng.

— Non…

— Si. Tu peux mieux faire.

— Je ne sais pas comment on fait. »

Anna del Mercato sourit. « Il n'y a pas une manière de le faire. »

Mercurio était de plus en plus fatigué.

« Ferme les yeux.

— Oui… »

Anna le regarda. « Eh bien, ferme-les », dit-elle en riant doucement.

Dès qu'il le fit, Mercurio se sentit plus lourd. La main d'Anna lui caressait les cheveux. « Je crois que j'ai compris ce que tu voulais dire l'autre fois.

— À quel sujet ?

— Quand tu disais que les mains avaient quelque chose à voir là-dedans, quand ton mari et toi vous vous êtes connus. »

Anna del Mercato rougit. « Ah oui ?

— Oui… »

Ils restèrent silencieux quelques instants. Anna continuait de lui caresser les cheveux et de l'autre main touchait son collier.

« Je crois que j'ai fait du mal à quelqu'un…, dit Mercurio, à moitié endormi.

— À qui ?

— Une fille…

— Parce qu'elle, elle ne voulait pas ?

— Non… elle voulait… c'était moi qui…

— Si vous avez fait ce que je pense, sourit Anna, je ne crois pas que tu puisses lui avoir fait du mal. »

La respiration de Mercurio devenait de plus en plus lourde. « On n'a rien fait. Je me suis sauvé.

— Tu es amoureux ? » lui demanda Anna. Dans sa voix, il y avait un brin de mélancolie et de joie à la fois.

« Comment on fait pour le savoir ? » Mercurio pensa à l'émotion enivrante qu'il avait éprouvée quand il avait tenu la main de Giuditta dans la sienne. Et à cette sensation si différente, mais tout aussi violente, du sang qui bouillonnait entre ses jambes, quand il avait touché le sein de Benedetta.

« Écoute ce qu'il a à te dire, ce maître-ci, dit Anna en lui touchant la poitrine à la hauteur du cœur. Viens, lève-toi. Mets-toi au lit.

— Oui… »

Anna l'aida à se lever. C'était Mercurio maintenant, à moitié endormi, qu'il fallait bouger comme un pantin. Anna le guida jusqu'à l'angle de la pièce où se trouvait la paillasse, l'y fit s'étendre et posa une couverture sur lui. Elle revint à la cheminée et ajouta deux bûches dans le feu. Puis elle s'assit à côté de lui.

« C'est le Ciel qui t'a envoyé, mon garçon, dit-elle.

— Oui... », balbutia Mercurio.

Anna rit doucement. « Oui », répéta-t-elle.

Mercurio bafouilla quelque chose.

Anna se pencha sur lui « Qu'est-ce que tu dis ?

— Giu... ditta.

— Giuditta. Elle s'appelle comme ça, ton amoureuse ?

— Giuditta...

— Giuditta, oui. » Anna del Mercato lui remonta la couverture jusqu'au menton. « Dors, maintenant. » Elle le baisa sur le front, avec tendresse. « Dors, mon petit. »

32

« Quel projet je pourrais avoir, moi ? demanda Mercurio le matin, au réveil, ouvrant les yeux sur Anna qui trafiquait autour du feu. Retrouver une fille, est-ce que ça peut être mon projet ?

— Non. Ça, c'est un programme », dit Anna del Mercato. Elle n'avait plus l'expression de la veille, même si elle avait peu dormi. À l'aube, elle était sortie dans le froid pour prendre à crédit dans une ferme proche un seau de lait à peine tiré et des biscuits aux raisins secs. À présent elle versait un peu de lait dans une petite casserole qui tenait sur le feu grâce à un système ingénieux de poulies.

« Laisse, je vais le faire, dit Mercurio en bondissant sur ses pieds. Toi, assieds-toi, repose-toi. »

Anna se retourna, une expression furieuse sur le visage. « Comment tu te permets, gamin ? Tu t'imagines que tu peux t'occuper de moi ? Je pourrais être ta mère, espèce de vantard, et toi tu voudrais être mon père ? »

Mercurio s'arrêta net, déconcerté. Il vit cependant qu'Anna n'était pas vraiment en colère.

« Regarde tes mains, continua-t-elle sur le même ton. Elles sont crasseuses. Va te les laver si tu veux manger. Et ne prends plus jamais de nourriture ni de bois chez les voisins. Tu veux qu'ils me voient comme une pouilleuse ? Si tu savais comment ils m'ont regardée ce matin.

— Je voulais aider…

— Tu voulais aider et tu as mal fait. Va te laver. La figure aussi. »

Mercurio sortit de la maison. L'eau était glacée, mais il était heureux d'obéir. Quand il revint, il affichait un sourire idiot. Il montra ses mains.

« Oh, c'est mieux, dit Anna en reprenant son ton de voix familier. Assieds-toi, le lait est chaud. » Elle remplit un bol avec la louche et posa les biscuits sur la table.

« Et alors, c'est quoi, un projet ? », demanda Mercurio, la bouche pleine.

Anna del Mercato hocha la tête. « Tu poses toujours des questions difficiles.

— Excuse-moi, dit Mercurio. Jusqu'ici, je n'avais jamais eu quelqu'un à qui poser des questions. Je ne sais pas comment on fait. »

Anna se tourna d'un bloc, lui présentant son dos et se mordant la lèvre. Ce garçon l'émouvait. Elle écarquilla les yeux, exagérément, pour sécher les larmes qui les avaient embués. « Un projet, c'est quelque chose qui remplit ta vie », expliqua-t-elle en se tournant de nouveau et en s'asseyant à table. Tandis qu'elle parlait, sa main caressait son collier. « Un projet, ça dit qui tu es.

— Ça le dit à qui ?

— À toi, d'abord. Et à ceux que tu aimes et que par conséquent tu respectes. »

Mercurio se fourra deux biscuits dans la bouche, l'un après l'autre, puis il but une gorgée de lait qui les ramollit. « Je pose peut-être des questions difficiles, mais toi, tu emploies des mots difficiles. Je ne sais pas ce que ça veut dire, aimer. Enfin… je ne sais pas si je peux vraiment aimer quelqu'un. Ni même le respecter.

— Tu es un menteur, dit Anna en souriant, de cette manière qui réchauffait le garçon mieux que le feu dans la cheminée. Tu crois que tu n'aimes pas Giuditta ? »

Mercurio s'étrangla avec ce qu'il restait des biscuits dans sa bouche. Il toussa et cracha une bouillie blanche sur la table. « Pardon, prit-il le soin de dire, en passant avec inquiétude la manche de sa veste sur la table pour la nettoyer. Comment tu connais son nom ? », ajouta-t-il en rougissant.

Anna del Mercato le regarda. Elle avait envie de rire, à le voir tout rouge et les oreilles en feu. Mais elle ne voulait pas le blesser. « Tu l'as dit hier soir.

— Ah… » Mercurio baissa les yeux sur son bol.

« Et tu crois vraiment que tu ne sais pas aimer, après ce que tu as fait pour moi ?

— Ben… j'avais besoin d'un endroit où dormir et il faisait un froid de loup. »

Anna del Mercato acquiesça. « Oui, je sais. »

Mercurio remua la cuiller en bois dans son bol.

« Tu en veux encore ? »

Il resta tête baissée. Souffla. Tapota le bord du bol avec la cuillère. « Qu'est-ce que je dois faire, Anna ? finit-il par demander.

— Va chercher cette fille, déjà. Qu'est-ce que tu attends ? Tu ne crois quand même pas que je vais y aller pour toi ? »

Mercurio leva les yeux et sourit.

318

« Et pense à qui tu es. À qui tu veux être. Pour toi, avant tout.

— Qu'est-ce que ça veut dire ?

— Tu ne parais pourtant pas stupide, mon garçon.

— Qui je suis ? »

Anna prit sa main dans les siennes. « Je ne peux pas le savoir à ta place.

— Comment on fait pour savoir qui on veut être ?

— Pour chacun d'entre nous, c'est différent. Quant à savoir comment, ça ne veut rien dire. »

Mercurio se nettoya les lèvres. « Moi, je veux être respectable. »

Anna éclata de rire.

« Vraiment, dit Mercurio.

— Mais tu es respectable.

— Non, je suis un arnaqueur. » Mercurio la regarda droit dans les yeux.

Anna continua de lui sourire.

« Je te dis que je suis un arnaqueur.

— Les arnaqueurs n'offrent pas des colliers à des veuves inconnues…

— Quel rapport ?

— Et ils ne les sauvent pas quand elles se laissent mourir…

— Tu ne te laiss…

— Tais-toi ! Ne m'interromps pas », dit Anna en pointant le doigt sur lui, sérieuse.

Mercurio haussa les épaules.

« Tu es spécial », dit Anna del Mercato.

Mercurio rougit de nouveau. « Personne ne m'a jamais dit ça, bafouilla-t-il.

— Et ça suffirait pour que tu ne le sois pas ?

— Personne ne me l'a jamais dit, répéta-t-il.

— Eh bien, moi, je te le dis. »

Mercurio se taisait et continua à tapoter sa cuillère contre le bord du bol.

« Tu vas me le casser », dit Anna.

Mercurio posa la cuillère sur la table. « Qu'est-ce que je dois faire ?

— Je te l'ai dit. Va chercher cette fille.

— Je veux être spécial pour elle ! s'exclama Mercurio avec emphase.

— Sois spécial pour toi. Et tu le seras pour elle, dit Anna. C'est seulement comme ça que ça marche. Mais si tu cherches à être spécial uniquement pour elle, tu finiras par vous tromper tous les deux. Tu ne trouveras jamais le vrai toi-même et tu lui donneras quelque chose de faux.

— Pourquoi faut-il que ce soit si difficile ?

— Ce n'est pas du tout difficile.

— Moi, je trouve que si.

— Si tu sens que c'est difficile, c'est parce que tu te sers de ta tête.

— Qu'est-ce que ça veut dire ?

— C'était difficile de tomber amoureux de Giuditta ?

— Quel rapport ? Ça, c'est…

— C'était difficile ?

— Non, mais…

— Tu vois ce qui rend les choses difficiles ? Dire *mais*, par exemple. Quelle importance, ce *mais* ? C'est juste un gros bâton dans les roues. Maintenant, réponds : c'était facile de tomber amoureux de Giuditta ?

— Oui.

— Oui, répéta Anna. La vie est simple. Quand elle devient compliquée, ça veut dire qu'on se trompe quelque part. Ne l'oublie jamais. Si la vie devient compliquée, c'est parce que c'est nous qui la compliquons. Le bonheur et la souffrance, le désespoir et l'amour sont simples. Il n'y a rien de difficile. Tu te le rappelleras ? »

Mercurio fit signe que oui.

« Tu es spécial et…

— Je veux devenir riche ! Maintenant je sais ce que je veux ! »

Le visage d'Anna s'assombrit. « C'est ce que tu as compris ? Si j'étais ta mère, là, je te donnerais une claque. »

Mercurio vit qu'elle était sérieuse. Il se sentit mortifié d'avoir parlé. Mais il se rendait compte en même temps qu'il n'était pas loin de comprendre une chose extraordinaire. « Je m'en fiche. Moi, je veux devenir riche », dit-il avec arrogance, en la défiant, soudain debout.

Anna réagit d'instinct. Elle se pencha par-dessus la table et lui donna une claque. « Je ne veux plus jamais t'entendre dire une bêtise pareille. Devenir riche, ça ne veut rien dire. Tu dois vouloir quelque chose qui nourrit le cœur. Ou tu mourras à l'intérieur. »

Mercurio pensa qu'Anna avait sans doute raison. Il sentait sa joue brûler de sa première gifle de fils, et il était heureux. « Pour toi, je suis spécial ? lui demanda-t-il.

— Viens là, mon garçon », dit Anna, la voix brisée par l'émotion. Elle attendit que Mercurio fasse le tour de la table puis le serra fort dans ses bras. Ensuite elle l'éloigna, avec brusquerie. « Tu m'ennuies, tu sais ça, mon petit ? J'ai des tas de choses à faire. Je dois m'occuper du feu, nettoyer la maison et préparer ta chambre... tu ne veux quand même pas dormir par terre comme un sauvage, non ? Et puis, je dois cuisiner un dîner digne de ce nom, et pour ça, je dois aller au marché. Je n'ai pas le temps de philosopher. » Elle le repoussa. « Ôte-toi de mes pattes. Va-t'en. Allez, va-t'en. »

En se dirigeant vers le quai des pêcheurs de Mestre, Mercurio sifflotait gaiement et de temps en temps passait la main sur sa joue qui avait reçu la gifle. Il chercha tout de suite le bateau appelé la Zitella. L'ayant trouvé, il donna un grand coup de pied dans le plat-bord pour attirer l'attention du pêcheur.

« Eh, c'est quoi ces manières ? », dit l'homme en se retournant. Et aussitôt il devint tout pâle.

« Bon, dit Mercurio. Ça veut dire que tu m'as reconnu, hein ? »

Le pêcheur déglutit et fit signe que oui.

« Et tu sais que maintenant je suis un homme de Scarabello et que tu ne peux pas me vendre à Zarlino ? » Mercurio glissa les pouces dans sa ceinture et cracha dans l'eau.

De nouveau le pêcheur acquiesça.

Mercurio sauta dans le bateau. « Bien, alors emmène-moi à Rialto. »

Le pêcheur acquiesça pour la troisième fois. « Je finis de charger et je...

— Non. Maintenant. »

L'homme courba les épaules et s'assit devant les rames.

Mercurio défit les amarres. Il poussa la barque en prenant appui sur le môle. Le pêcheur tourna la proue, pointant sur Venise.

« J'ai un programme. Et pendant ce temps, je pense à mon projet », murmura Mercurio pour lui-même, avec un sourire. Puis il se tourna vers le pêcheur. « Sais-tu quelle est la différence entre un programme et un projet, péquenaud ?

— Non, monsieur.

— Ta mère te l'a pas appris ? »

Et il éclata de rire, tout content.

33

Shimon Baruch entra à Rimini en passant sous l'Arc d'Auguste. Le petit cheval arabe marchait doucement, épuisé par les Apennins. Shimon lui lâcha un peu la bride et le laissa avancer à son rythme. Il traversa le pont de Tibère pour entrer dans la vieille ville. En se tournant vers la droite, il apercevait, au loin, le port commercial et la mer Adriatique, avec ses larges plages de sable clair.

Il arriva à une auberge et descendit de voiture. Elle s'appelait Hostaria de' Todeschi, l'Auberge des Allemands. Aussitôt un palefrenier se précipita, le salua et s'occupa du petit cheval arabe. Shimon entra dans la salle. L'aubergiste était un homme affable et gentil. Quand il comprit que son nouveau client était muet, il se soucia tout de suite de lui faire apporter papier, encre et plume.

« Moi, je ne sais pas lire, votre Seigneurie, s'excusa-t-il. Sans offense, il y a une dame, une veuve, qui pourrait lire pour moi. Mais je dois vous dire qu'elle est juive… »

Shimon se raidit.

« Si la chose vous ennuie, votre Seigneurie, je peux le comprendre. Nous trouverons une autre manière », ajouta aussitôt le tenancier.

Shimon fit signe que non de la tête.

« Donc, cette femme vous convient ? », se fit confirmer l'homme.

Shimon acquiesça.

L'aubergiste se tourna vers sa femme, grasse et rougeaude, en lui ordonnant : « Va chercher Ester. Et dis-lui de se presser ».

En entendant le nom de la femme, Shimon tressaillit. L'histoire d'Esther lui était bien connue, comme à chaque Juif, car elle était célébrée lors de la fête de *Purim*. Et la raison pour laquelle il se sentait particulièrement touché était qu'*Estèr*, en hébreu, signifie "je me cacherai". Et lui, il se cachait. De lui-même et du monde.

« Je suis content que vous n'ayez rien contre les Juifs, votre Seigneurie, dit le tenancier. C'est une époque bizarre, ici, à Rimini. Le mois dernier deux prêteurs sur gages ont été attaqués. Et pourquoi ? Parce qu'on a ouvert deux saints… ça me fait rire, qu'on les appelle "saints"… enfin, deux saints monts-de-piété. Qui font d'ailleurs pareil que les prêteurs sur gages, sauf qu'il y a l'Église derrière… Les curés disent toujours du mal des Juifs, mais ce qu'ils veulent, à mon avis, c'est se faire plus d'argent qu'eux sur notre dos. Malheureusement, le petit peuple ne le comprend pas et il court après l'Église comme…

— Ne le dis pas ! », tonna sa femme, qui surgit derrière lui en compagnie d'une femme menue, à l'air réservé.

L'aubergiste se mit à rire de bon cœur, prit son souffle et dit, avec emphase : « Le petit peuple court après l'Église…

— Ne le dis pas !

— … comme les mouches après la merde ! » Il explosa d'un grand rire sonore.

« Quand les sbires du pape te brûleront sur la place, on verra bien si tu riras, marmonna sa femme, qui poussa en avant la femme qui l'accompagnait. Ester, aide donc mon imbécile de mari. »

Shimon nota qu'Ester avait souri à la plaisanterie de l'aubergiste. Sous son air réservé, c'était une belle femme. Elle avait un visage noble, le nez effilé, des yeux vert sombre comme les scarabées, des lèvres pleines et roses. Elle fit un signe de tête à l'adresse de Shimon, modeste mais nullement impressionnée.

« Eh bien, votre Seigneurie, fit le tenancier, veuillez écrire votre commande et nous veillerons à vous contenter. »

Shimon regarda Ester, qui s'approchait de lui. "Je me cacherai", pensa-t-il.

Ester intercepta son regard et baissa les yeux.

Shimon était soudainement confus. Il avait tenu éloignée de ses pensées la fille de Narni et tout ce qui la concernait. Cependant, il savait parfaitement que cela avait ouvert une brèche dans la dure cuirasse qu'il s'était construite. Le froid qu'il ressentait n'avait pas cessé. Au contraire, il avait augmenté au même rythme que sa solitude.

Il prit la plume, la trempa dans l'encrier et, après une hésitation, écrivit. Quand il eut terminé, il se tourna vers Ester. Il eut l'impression que le regard de la femme avait changé.

« Ce monsieur s'appelle Alessandro Rubirosa... chrétien. Il se dirige vers Venise. Il a besoin d'une chambre... »

Shimon se dit qu'Ester avait une voix mélodieuse, comme certaines chanteuses de son pays lointain.

« ... Et il voudrait prendre un bain chaud avant de dîner.

— Il sera servi, dit l'aubergiste avec égards.

— Pour le dîner, nous avons un cochon de lait rôti à se lécher les babines, ajouta sa femme. Avec des coings et des châtaignes. »

Shimon s'apprêtait à acquiescer quand son regard fut de nouveau attiré par Ester, qui le fixait, et il fit alors signe que non, prit la feuille et écrivit : "Je ne digère pas le porc. Je voudrais un bouillon et du poulet." Tandis qu'Ester répétait ses paroles, il lui sembla qu'elle avait une intonation soulagée.

La femme de l'aubergiste tenta d'insister pour le cochon de lait, mais Shimon fit signe que non, sèchement.

« Ne sois pas entêtée », dit son mari. Il se tourna vers une petite bonne. « Fais-toi aider pour apporter une grande bassine dans la chambre de sa Seigneurie et mets de l'eau à chauffer pour un bain.

— Un bain ? demanda la petite bonne, étonnée.

— Tout le monde n'est pas sale comme toi », répliqua l'aubergiste, qui adressa un signe de tête à Shimon et prit congé. Puis, s'apercevant qu'Ester était encore là, il lui dit qu'elle pouvait s'en aller.

Ester regarda Shimon à la dérobée en partant vers la sortie. Le seuil franchi, elle se retourna vers lui.

Shimon se leva et la rejoignit dans la rue.

« Tu es juif, n'est-ce pas ? », dit tout de suite Ester.

Shimon tressaillit et nia, en secouant vivement la tête.

Ester l'observait en silence. Ses yeux verts et intelligents brillaient. Et ses lèvres charnues étaient à peine relevées en un sourire amusé de petite fille. « Quand tu as pris la plume, tu as failli écrire de droite à gauche, comme on le fait dans notre langue, lui dit-elle. Si tu ne veux pas qu'on sache que tu es juif, apprends à maîtriser ce genre de détail. » Elle sourit.

Shimon sentit qu'elle lui parlait sans la moindre réprobation.

« Et quand tu écris ton nom, ne précise pas que tu es chrétien, ajouta Ester, avec un rire léger. Les chrétiens n'ont pas besoin de se justifier. »

Shimon la fixa sans rien nier. Il avait une sensation étrange. Comme si on lui enlevait un poids des épaules. Ou comme si, au contraire, toute sa fatigue lui tombait dessus d'un seul coup. "Je me cacherai", pensa-t-il de nouveau.

« N'aie pas peur, je ne le dirai à personne, tu peux être tranquille », dit-elle encore, toujours avec ce même sourire compréhensif.

Shimon se rendit compte qu'il n'avait pas pensé un seul instant qu'elle allait le dénoncer. Il se dit que cette femme avait la capacité de défaire les nœuds. Et de pardonner les péchés. Il lui fit signe qu'il voulait l'accompagner chez elle.

Ester acquiesça de la tête et commença à marcher, d'un pas lent.

Tandis qu'ils avançaient au milieu des gens, Shimon effleura le tissu de sa robe, sans qu'elle s'en aperçoive.

Ester ne parla pas jusqu'à ce qu'ils arrivent à une maison à étage, humble mais digne. Alors elle s'arrêta et regarda Shimon dans les yeux. « Tu as été gentil de refuser le cochon de lait », lui dit-elle.

Shimon, étonné, fronça les sourcils pour lui demander des explications.

Ester sourit, sans rien ajouter. Elle ouvrit la porte. Puis, la tête basse, elle dit doucement : « J'espère que tu auras beaucoup de choses à écrire à l'aubergiste. » Elle leva les yeux, sans rougir.

"Ainsi, nous nous reverrons", pensa Shimon. Et il n'eut pas peur de cette pensée. Ni d'Ester.

Le lendemain matin, Shimon écrivit une courte phrase sur une feuille, qu'il donna au tenancier. Celui-ci envoya chercher Ester.

« Je resterai encore quelques jours », lut Ester à voix haute, avec ses deux yeux verts comme deux scarabées qui brillaient sans malice.

34

Donnola se présenta à la porte de la chambre de Giuditta. Comme tous les jours, elle cousait. À ses pieds, jetés par terre, au moins cinq ou six bonnets jaunes de toutes les formes, cousus dans des étoffes différentes.

« Bonjour », dit-il.

La jeune fille répondit avec un sourire distant et reprit son travail.

Donnola hocha la tête, et parcourut le long couloir de la maison où il vivait maintenant avec le docteur et sa fille. Il y avait une chambre pour lui tout seul, avec un grand lit moelleux et une couverture chaude. Il n'avait jamais rien eu de semblable. Et jamais il n'aurait imaginé que ce pût être aussi agréable d'habiter avec quelqu'un, d'appartenir à ce qui devenait, jour après jour, une sorte de famille.

Il atteignit l'entrée. Isacco tapait du pied avec impatience.

« Docteur, je dois vous dire une chose importante…, commença Donnola.

— Partons, en attendant », lui répondit Isacco avec un geste de la main. Il ouvrit la porte de l'appartement et s'engagea dans les larges escaliers.

« Je me fais du souci pour Giuditta, poursuivit Donnola.

— Oui…, bougonna le docteur, en fouillant dans la trousse où il conservait ses remèdes et ses onguents.

— Elle passe tout son temps à coudre, elle ne mange pas ou pas grand-chose, elle est toujours triste, et j'ai même l'impression que sa tristesse grandit de jour en jour…

— Oui, je comprends… » Isacco sortit par la grande porte en arcade soutenue par deux colonnes, au sommet desquelles étaient perchés deux singes de marbre.

« Tout ça à cause d'une déception amoureuse…, reprit Donnola en trottant derrière lui. Et je crois que ça a quelque chose à voir avec ce garçon, ce Mercurio, vous savez ? J'ai découvert qu'il n'était pas du tout prêtre comme il a voulu nous faire croire…

— Oui… », répéta Isacco, qui montait quatre à quatre les marches d'un petit pont de pierre étroit et s'ouvrait un chemin dans la foule déjà dense, à cette heure, dans les *calli* de Venise.

« J'ai entendu dire qu'il travaillait pour un certain Scarabello. Un vaurien, très puissant, qui gouverne toute la faune du Rialto.

— Ah, bien… »

Donnola souffla. « Docteur, vous m'avez dit de tenir ce garçon à distance. Mais depuis dix jours il n'arrête pas de poser aux gens des questions sur moi. Il dit qu'il me cherche parce qu'il veut vous demander quelque chose. Bref, c'est évident qu'il s'intéresse à Giuditta. Moi, je ne vous ai rien dit pour le moment…

— Bien sûr, bien sûr…

— Docteur ! lâcha Donnola. Vous n'avez rien écouté de ce que je vous ai dit ! »

Isacco s'arrêta et le regarda d'un air offensé. « J'ai très bien entendu. Giuditta fait de la couture. Bien, je suis content.

— Non, docteur. » Le visage de Donnola était rouge. « Je vous ai dit que Giuditta allait mal. Très mal. Et elle souffre par amour. »

Isacco acquiesça avec gravité. Puis il hocha la tête. « C'est l'âge. À cet âge on souffre toujours par amour. » Puis il entendit les cloches de l'église voisine dei Santi Apostoli. « Il est tard », dit-il, en accélérant le pas dans la calle del Pistor, où se répandait une douce odeur de pain frais. Il se tourna vers Donnola, qui était resté immobile, et lui fit signe de le suivre. « Écoute, je suis pressé. Je lui parlerai, d'accord ? Maintenant, va à la pharmacie de la Testa d'Oro et prends-y une huile que j'ai commandée. C'est de l'extrait de Palo Santo. Les Indiens d'Amérique s'en servent un peu pour tout et il semble que ça marche. Et si l'apothicaire veut te donner son abominable thériaque, envoie-le se faire voir. Tu as compris ?

— Oui, docteur, fit Donnola, l'air sombre.

— Ensuite tu me l'apportes chez le capitaine.

— Oui, docteur, maugréa Donnola.

— Quoi ? Qu'est-ce qu'il y a ? explosa Isacco, agacé. L'amie de Lanzafame va mal. Très mal. Tu comprends ça ? Elle est entre mes mains et je ne sais pas quoi faire. Tous les médecins avec qui je parle ne me disent que des idioties, eux non plus ne savent pas comment combattre ce mal français… du diable si quelqu'un sait comment il s'appelle. Tu sais comment j'ai entendu parler du Palo Santo ? Parce que je suis allé au port parler avec les marins. La vie de cette femme est suspendue aux rumeurs que les marins rapportent du Nouveau Monde. » Il jeta sur Donnola un regard enflammé. Il se répétait qu'il faisait tout ce qu'il pouvait pour sauver la prostituée qui réchauffait le cœur du capitaine Lanzafame, mais il sentait au fond de lui qu'il n'en faisait pas assez, qu'il n'était pas à la hauteur. Et surtout Marianna se confondait désormais pour lui avec sa femme H'ava. La guérison de la prostituée le rachèterait de son échec, quand sa femme était morte en couches, des années plus tôt. Sauver Marianna serait comme sauver H'ava. « Alors ? Qu'est-ce que tu as ? Qu'est-ce que tu veux ? », demanda-t-il encore, énervé.

Donnola baissa les yeux. « Rien, docteur.

— Bien », dit Isacco, qui se mit en route vers la ruga dei Speziali.

Quand il arriva dans la mansarde du capitaine Lanzafame, la servante muette l'accueillit le visage triste.

Isacco la laissa sur le seuil et se présenta dans la pièce principale, où Lanzafame tournait en rond. Il envoyait des coups de pied dans tout ce qui traînait. Une bouteille de malvoisie vide avait roulé sur le sol. « Il était temps que tu arrives, dit-il agressivement au docteur dès qu'il le vit.

— Je suis là, dit Isacco sans entrer dans la polémique.

— Vas-y, qu'est-ce que tu attends ? », gronda le capitaine.

Isacco entra dans la chambre. Marianna s'agitait. Elle avait le visage creusé, comme si un mois s'était écoulé depuis qu'Isacco l'avait vue, et non une nuit.

Il s'approcha et posa la main sur son front. Il était brûlant. Dans une cuillère, il mit de l'encens et de la griffe du diable, qu'il lui fit boire. Elle avait du mal à déglutir. Puis elle ouvrit grand les yeux et sembla le reconnaître.

« Toute la nuit, ou juste une heure, étranger ? lui demanda-t-elle.

— Je suis Isacco, Marianna… je suis le docteur…

— Tu es soldat ?

— C'est depuis hier que ça dure, cette histoire », expliqua Lanzafame qui apparut dans l'encadrement de la porte.

Isacco lui vit une expression embarrassée.

Marianna rit. « Lanzafame ? Quel nom affreux ! » Elle rit de nouveau. « Je t'appellerai capitaine, je ne peux pas faire l'amour avec toi et t'appeler de ce nom ridicule. »

Isacco se tourna vers le capitaine. Il avait les yeux brillants. Mais c'était peut-être toute la malvoisie qu'il avait déjà bue de si bon matin.

« Vous ne devriez pas boire autant, dit Isacco.

— Me casse pas les couilles », répondit le capitaine, qui partit dans l'autre pièce.

Isacco savait ce que faisait Lanzafame : il croyait que le vin garderait la douleur à distance. Et il comprenait aussi pourquoi il était si embarrassé par ce que disait Marianna. Elle revivait de manière obsessionnelle leur première rencontre. Elle se remémorait les détails d'un moment qui, de toute évidence, avait changé leur vie à tous deux.

« Alors, une heure ou la nuit, beau capitaine ?

— Toute la vie », dit Isacco doucement, en veillant à ce que Lanzafame ne l'entende pas.

Elle eut un sursaut. Ses yeux, embués par le délire, recommencèrent à voir. Elle regarda Isacco. Le reconnut. « Docteur, dit-elle avec une pointe d'angoisse dans la voix, où est Andrea ?

— Comment vous sentez-vous, Marianna ? », lui demanda Isacco.

La prostituée s'accrocha à son bras. Son étreinte était faible. « Où est Andrea ? répéta-t-elle.

— Il est là. Je vais le chercher. » Il alla dans l'autre pièce. « Capitaine… Marianna vous demande. »

Lanzafame ne bougea pas tout de suite. Il prit une gorgée à la bouteille puis vint jusqu'à la porte de la chambre. « Qu'est-ce que tu veux ? demanda-t-il d'un ton brusque.

— Andrea… », dit Marianna, en tendant la main vers lui.

Le capitaine, sur le seuil, hésitait.

« Viens… »

Lanzafame avança jusqu'au lit.

« Assieds-toi… » Il s'assit.

Marianna lui caressa le visage. « Tu ne t'es pas rasé, comme d'habitude… » Elle eut un sourire fatigué. « Si tu te glisses entre mes jambes tu vas me chatouiller », plaisanta-t-elle.

Le capitaine ne dit rien.

Marianna prit une de ses mains dans la sienne et la porta à sa poitrine. « N'aie pas peur. »

Le capitaine eut un rire forcé. « Et de quoi je devrais avoir peur ?

— N'aie pas peur, dit de nouveau Marianna, en le regardant avec des yeux pleins de lumière. Je rêvais de notre première fois, tu sais ?

— Ah oui ? feignit de s'étonner Lanzafame.

— Dans mon rêve, je te demandais si tu voulais passer une heure ou toute la nuit avec moi… et tu me répondais : "Toute la vie." »

Le capitaine se taisait.

« Andrea… je vais mourir…

— Ne dis pas de bêtises.

— Si, je vais mourir…

— La mauvaise herbe ne meurt jamais…

— Écoute-moi, Andrea. »

Le capitaine serra plus fort sa main.

« Je veux que tu appelles un prêtre…

— Tu ne vas pas penser au prêtre, maintenant.

— Je veux que tu appelles un prêtre et que tu lui demandes… » Marianna haletait.

« Quoi ?

— … Et tu lui demandes… de nous marier… »

Il y eut un instant de silence, puis le capitaine bondit sur ses pieds.

« Sale putain, n'essaie pas de m'avoir ! hurla-t-il. N'essaie pas de m'avoir ! »

Isacco apparut à la porte. « Que se passe-t-il ?

— Elle fait semblant de mourir pour m'épouser et me coincer, voilà ce qui se passe, maugréa Lanzafame. Quand t'es putain, tu restes putain toute ta vie ! » Il partit vers la porte, poussa Isacco et se dirigea vers la sortie. « Pousse-toi de là ! cria-t-il à la servante. Je vais à la taverne. Et ne m'appelez que si elle meurt pour de vrai. » Il sortit en claquant la porte derrière lui.

La servante entra dans la chambre. Elle avait de petits yeux, minces comme des fentes. Quand elle vit que le docteur s'était assis sur le bord du lit, elle resta à l'écart.

« Toute la nuit, ou juste une heure, beau capitaine ? dit Marianna, repartie dans son délire.

— Toute la vie », lui murmura Isacco.

La prostituée sourit. Puis elle s'endormit. Pendant toute la journée elle ne cessa de s'agiter. L'encens et la griffe du diable ne faisaient pas baisser la fièvre. Et elle était trop faible, pensait Isacco, pour un bain glacé. Elle n'y aurait pas survécu.

Le soir vint, sans que le capitaine Lanzafame réapparaisse. Le docteur passa la nuit assis dans la chambre de Marianna, qui délirait maintenant sans discontinuer.

Peu avant l'aube, elle eut un accès de toux qui lui coupa la respiration. Elle prononça le nom de Lanzafame, serra convulsivement la main d'Isacco puis eut un spasme, doux, comme un frisson. Elle relâcha sa prise et son corps se détendit. Elle était morte.

À cet instant précis, la porte d'entrée s'ouvrit et Lanzafame apparut. Derrière lui un prêtre portant une soutane aux épaules couvertes de pellicules. Le capitaine pâlit, en entendant la servante pleurer. Il regarda Isacco, qui hocha la tête. Lanzafame avait le visage ravagé par une nuit de beuverie. Il avait attendu l'aube pour se décider. Il se tourna vers le prêtre, l'attrapa au collet et le poussa à l'intérieur de la chambre.

« Fais ton travail, lui dit-il. Donne-lui l'extrême-onction. »

La servante muette éclata en sanglots désespérés, en poussant des cris stridents, comme le braiement d'un âne.

« Tu croyais vraiment que j'allais épouser une putain ? », lui hurla le capitaine. Puis, pendant que le prêtre marmonnait les paroles rituelles en latin, Lanzafame se jeta sur les objets et les meubles autour de lui, et détruisit tout, comme s'il était au cœur d'une bataille terrible. Ensuite, il se laissa aller au sol et regarda Isacco.

« Qu'est-ce que je vais faire maintenant ? », demanda-t-il doucement.

35

Après au moins dix jours de recherches, Mercurio avait le moral plus bas que terre : Donnola semblait s'être évanoui. Il ne fréquentait plus les mêmes gens, ne se montrait plus dans ses tavernes habituelles. Certains disaient même qu'il s'était noyé dans un canal. D'autres, qu'il était devenu l'assistant d'un docteur. Mais ce docteur, à Venise, personne n'en avait entendu parler ni ne savait où il habitait.

Mercurio fit une énième tentative à la taverne de l'Omo Nudo, un local sordide où Donnola passait autrefois ses soirées. Depuis le seuil, il scruta l'intérieur : aucune trace de Donnola.

Quand il sortit dans la calle del Sturion, il vit arriver de la ruga Vecchia San Giovanni un petit groupe de jeunes gens bien habillés. Au milieu d'eux, le plus élégant de tous avançait en boitant et se dandinant comme un crabe, un bras rabougri tendu en l'air pour chercher l'équilibre. Mercurio reconnut le prince Contarini, fit demi-tour et commença à courir en direction de la riva del Vin. Arrivé au coin, il regarda derrière lui. Ni le prince ni ses sbires ne l'avaient vu.

Il poussa un soupir de soulagement et s'apprêtait à remonter le quai quand il aperçut de nouveau le prince : il frappait à la porte d'une habitation misérable. Intrigué, il regarda, et vit Zolfo ouvrir et accueillir le prince avec une révérence. Aussitôt, apparut derrière lui la silhouette du moine. Contarini, avec sa démarche bancale, se glissa à l'intérieur, suivi par ses hommes.

Mercurio revint sur ses pas et alla jeter un coup d'œil par une fenêtre du rez-de-chaussée, d'où provenait une faible lumière. Il vit une chambre misérable, avec deux paillasses sur le sol. À la fenêtre suivante, la pièce était plus vaste, quoique tout aussi pauvre. Il y avait une table et quatre chaises, une cheminée, une écritoire. Rien d'autre. À cette table étaient assis le prince Contarini et Frère Amadeo. Zolfo se tenait derrière le frère, les sbires du prince debout, éparpillés dans toute la pièce. L'un d'eux s'approcha de la fenêtre.

Mercurio s'aplatit contre le mur, retenant sa respiration.

L'homme s'encadra dans l'ouverture, heureusement sans se pencher pour regarder aux alentours. Puis l'un de ses compères s'approcha et lui murmura quelque chose. L'homme se retourna, regardant vers l'intérieur.

« Lis donc, frère », disait la voix du prince.

Quand Mercurio recommença à regarder par la fenêtre, l'homme qui lui tournait le dos lui cachait une grande partie de la pièce mais il s'aperçut que le prince passait au frère Amadeo ce qui ressemblait à une affiche. Le frère se mit à lire à voix basse. À mesure qu'il lisait, ses yeux s'ouvraient de plus en plus.

« Est-ce possible ? s'exclama-t-il à la fin de sa lecture.

« — Je t'avais promis que je t'aiderais dans ta bataille, frère, dit le prince. Ce n'est que le début. Les Juifs auront ce qu'ils méritent. »

Le moine s'agenouilla à ses pieds et baisa la main que le prince s'empressa de lui tendre. « Ceci est la volonté du Christ ! Et vous êtes son apôtre bien-aimé, votre Grâce !

— Cela m'a coûté beaucoup d'argent et beaucoup d'efforts », dit Contarini.

Mercurio, se fiant à son instinct, pensa que le prince mentait. Il ignorait ce dont il était question, mais il était sûr que le prince se vantait d'un succès qui n'était pas le sien.

« C'est juste pour commencer, juste pour commencer, frère, gloussa le prince.

— Dieu vous en tiendra grand mérite, votre Grâce. » Puis le moine saisit Zolfo par la manche et l'obligea à s'agenouiller. « Baise la main de notre protecteur », lui dit-il.

Mercurio vit que Zolfo n'obéissait qu'à contrecœur. "Tu es peut-être moins stupide que je le croyais", pensa-t-il.

« Tu sais maintenant qui je suis et ce que je peux faire pour ta cause, frère, poursuivit le prince. Je veux que tu écoutes ce que j'attends de toi pour que ta croisade, qui est à présent la mienne, aille à bon terme.

— Commandez, dit frère Amadeo, tête baissée. C'est Dieu qui parle par votre bouche. L'humble serviteur que je suis pourrait-il jamais refuser quoi que ce soit à Dieu ?

— Quelles couillonnades !... », ne put s'empêcher de dire Mercurio.

L'homme qui était près de la fenêtre se retourna instantanément. Mercurio s'aplatit à nouveau contre le mur, mais pas assez vite.

« Eh ! », hurla l'homme en se penchant pour essayer de l'attraper.

Mercurio partit en courant vers la ruga del Vin. Il entendit derrière lui la porte s'ouvrir et se refermer en claquant, mais il avait trop d'avance pour qu'on le rattrape. Il remonta le quai en courant jusqu'au pont du Rialto où il se perdit parmi la foule. Il regarda en arrière et ne vit personne. Alors il se dirigea d'un pas vif vers l'auberge de la Lanterna Rossa.

« Où étais-tu passé ? », lui demanda Benedetta quand elle le vit apparaître dans la chambre qu'ils avaient partagée jusqu'à ces dix derniers jours.

Mercurio resta debout sur le seuil, silencieux. Puis, lentement, il entra et referma la porte.

Benedetta avait l'air fatigué, avec de grands cernes qui ressortaient sur sa peau d'albâtre. Dans la pièce flottait une mauvaise odeur.

« Tu as entendu ce que Scarabello a dit, se justifia enfin Mercurio. Je dois me tenir éloigné de Venise pendant quelque temps…

— On est toujours restés ensemble…, dit Benedetta.

— Si tu penses que je vais te voler ton argent…

— J'ai jamais rien dit de pareil », l'interrompit-elle sèchement.

Mercurio acquiesça, gêné. Il avait souvent pensé, pendant ces dix jours, à leur baiser, et à son sein chaud et doux.

« De quoi tu as peur ? », demanda-t-elle. Il y avait un profond chagrin au fond de son regard. Et la honte d'avoir été rejetée. Elle se mit à rire pour cacher ses sentiments. « Qu'est-ce que tu croyais ? Que c'était sérieux ? Tu es vraiment un gamin stupide.

— Écoute… je suis désolé… je…

— Arrête. » Benedetta haussa les épaules et eut un sourire forcé, comme si la chose ne la touchait pas. Elle regarda Mercurio. Il était si beau qu'elle sentit un nœud monter de son ventre à sa gorge et craignit de se mettre à pleurer. Elle rit encore et se tapa la main sur la cuisse. « On ne peut pas te faire une farce sans que tu te fasses prendre comme un pigeon.

— Non, vraiment… Je suis désolé », répéta Mercurio. Benedetta comprit qu'elle ne parviendrait pas à retenir ses larmes.

Elle s'approcha de lui et lui envoya une bourrade. « Tu me casses les pieds. » Puis elle alla jusqu'à la bassine d'eau et fit semblant de se laver la figure.

« J'ai vu Zolfo, dit Mercurio très vite pour changer de sujet et se tirer de l'embarras où il se sentait.

— Où ça ? », demanda Benedetta en se retournant et en s'essuyant le visage. Une mèche de cheveux bouclés, de ce roux cuivré si particulier, lui retombait sur le front.

Mercurio se dit qu'elle était jolie. « Tu trouveras un tas d'amoureux, lui dit-il.

— Va te faire foutre ! lâcha Benedetta. Va te faire foutre, Mercurio.

— Qu'est-ce que j'ai dit ? »

Benedetta le regarda en silence. Il ne lui aurait jamais accordé un regard, se dit-elle, même si elle avait été nue devant lui. Elle sentit une douleur lui traverser la poitrine. « Alors ? Ce crétin, tu l'as vu où ?

« — Il habite avec le moine dans un rez-de-chaussée de la calle del Sturion, derrière la ruga Vecchia San Giovanni…

— Ah…

— Je l'ai vu en venant ici. Et tu sais qui était venu leur rendre visite ?

— Qui ? » Benedetta avait du mal à relancer la conversation comme si de rien n'était.

« Le prince… »

Benedetta sentit cette fois une douleur au ventre, un frisson monter le long de son échine. Elle pensa à sa mère. De nouveau elle se sentit sale.

« Le prince fou… Je ne me rappelle plus comment il s'appelle…

— Contarini, dit doucement Benedetta.

— Ah oui, Contarini, bravo.

— Rinaldo Contarini… », murmura-t-elle. Elle se tourna vers une boîte en bois posée par terre, y prit une longue épingle et rassembla ses cheveux en un chignon approximatif.

« Ils préparent quelque chose, continua Mercurio sans voir le moins du monde le trouble de Benedetta. Ils avaient une affiche et ils disaient que c'était tout ce que méritaient les Juifs… mais j'ai pas compris. Le frère était tout content et le boiteux lui a dit qu'il l'aiderait. Ils forment un vilain couple tous les deux… ensemble, ils font peur.

— Où tu étais passé pendant tous ces jours ? demanda Benedetta à brûle-pourpoint.

— À l'extérieur.

— Où ?

— Pourquoi tu veux le savoir ?

— On est toujours restés ensemble.

344

— Tu l'as déjà dit.

— Va te faire foutre, Mercurio.

— Ça aussi, tu l'as déjà dit.

— On est un couple.

— Qu'est-ce que ça veut dire ? demanda Mercurio avec raideur.

— Détends-toi, couillon, dit Benedetta, une nouvelle fois blessée. On est un couple de voleurs. Tu as oublié ?

— Non…

— Et donc on doit rester ensemble. Là où tu vas, je vais aussi.

— Tu ne peux pas venir là où je suis maintenant…

— Pourquoi ? »

Mercurio n'avait jamais eu quelqu'un comme Anna. « Parce que tu ne peux pas », répondit-il. Il regretta aussitôt cette réponse sèche et ajouta : « Je viens quand même à Venise tous les jours et on peut…

— Oui, j'ai entendu dire qu'il y a un couillon qui se promène partout en demandant qui a vu Donnola », fit-elle. Elle pensa qu'elle aurait mieux fait de se taire. Mais elle ne pouvait pas. « Pourquoi tu le cherches ?

— Comme ça…, répondit Mercurio. Écoute, Benedetta… j'essaie… j'essaie de changer de vie… en tout cas, je crois… c'est-à-dire, pour l'instant je ne sais pas trop bien, mais… mais toi, tu n'y penses jamais ?

— À quoi ?

— À changer de vie ?

— Moi, j'ai changé de vie. Avant, j'étais à Rome et maintenant, je suis à Venise. Avant je donnais mes sous à ce fumier de Scavamorto et je vivais dans une baraque où des porcs passaient leur temps à me tripoter, et maintenant je suis dans une auberge de merde avec un type qui prend la fuite à la seule idée de me toucher... » Elle s'arrêta net. « Je plaisante, dit-elle en rougissant. Pour la dernière partie, je veux dire. »

Mercurio sortit de sa poche la bourse dans laquelle il gardait les pièces d'or. Il compta la part de Benedetta et la lui tendit.

« Tu me renvoies ? lui demanda-t-elle d'un ton insolent, tout en sentant que sa voix tremblait.

— Je te donne ta part...

— Tu me renvoies, répéta Benedetta.

— Non. On travaillera toujours ensemble », dit Mercurio. Il la regarda. Sentit qu'il lui mentait. « En tout cas, j'espère. Mais moi, je veux changer de vie, je veux avoir un projet.

— Encore ces histoires ? Qu'est-ce que vous avez, tous ? Zolfo avec ce moine et toi avec cette vieille conne...

— Ne l'appelle pas comme ça, dit Mercurio, qui s'était figé.

— C'est chez elle que tu es ? demanda Benedetta.

— Ça te regarde pas.

— Donc tu es chez elle.

— C'est pas tes affaires.

— Et si je voulais venir moi aussi ? »

Mercurio la fixa d'un regard inquiet.

Benedetta rit. « Qui voudrait aller là-bas ? Détends-toi, imbécile, dit-elle en essayant d'avoir une expression légère. Sauf que maintenant je sais où tu te caches.

— Je dois y aller », dit Mercurio. Il descendit les escaliers le cœur lourd. Il ne savait pas comment se comporter avec Benedetta. Peut-être aurait-il dû lui

346

dire de venir avec lui chez Anna del Mercato. Mais il ne pouvait pas. Anna était à lui et il ne voulait la partager avec personne.

Au rez-de-chaussée, il traversa l'entrée nauséabonde de l'auberge et sortit dans la *calle*, pris d'un sentiment de culpabilité.

Un peu plus loin dans la rue, il vit alors Isacco qui vacillait, ne tenant pas sur ses jambes. Manifestement soûl, il avançait en s'appuyant aux murs des maisons rongés par le salpêtre. Deux gentilshommes qui passaient près de lui le regardèrent avec désapprobation.

Isacco esquissa une révérence. « Vous avez besoin de mes services de médecin, messeigneurs ? demanda-t-il d'une voix empâtée. J'ai commencé ma courte carrière en tuant ma femme. Et ensuite j'ai tué la putain du capitaine Lanzafame. Si vous avez besoin qu'on tue vos femmes, vous n'avez qu'à m'engager. » Il partit d'un rire grossier, tentant une seconde révérence qui le fit tomber par terre, le nez dans la boue. « Je suis le docteur tueur-de-femmes, à votre service !, hurla-t-il aux deux gentilshommes qui s'éloignaient.

— Docteur ! », s'écria Mercurio en se précipitant vers lui.

Isacco le regarda, les yeux voilés par l'excès de vin. Son sentiment d'échec face à la mort de Marianna l'avait laissé dans un état de prostration, puis jeté dans un désespoir noir. Il ne se rappelait pas combien de bouteilles il avait bues avec le capitaine, combien de fois il s'était écroulé sur lui pour pleurer la mort de H'ava, son épouse, dont il ne cessait de s'accuser ; il ne se rappelait pas que Lanzafame l'avait jeté de chez lui et qu'il avait roulé dans les escaliers. Une de ses lèvres saignait, il avait mal au bras, ses chausses étaient déchirées aux genoux et sur les fesses. Il se rappelait seulement, une fois rentré chez lui, le regard angoissé de Giuditta. Il avait repoussé Donnola qui tentait de le retenir et s'était sauvé, honteux de s'être montré à sa fille dans cet état.

« Docteur, qu'est-ce qui vous est arrivé ? », dit Mercurio en essayant de l'aider à se relever.

Isacco concentra son regard sur lui. Lentement, il le reconnut. « L'arnaqueur !

— Parlez plus bas, docteur », fit Mercurio en le tirant pour l'aider à se mettre debout.

Isacco fixait le garçon et acquiesçait de la tête. Il avait les yeux rouges. Dans sa tête d'homme soûl revint alors sa conversation de la veille avec Donnola à propos de l'état de grande tristesse où se trouvait Giuditta, et de ce garçon qui en était la cause et qui les cherchait dans tout Venise. Il le saisit au collet, d'une étreinte mal assurée. « Laisse ma fille, ordonna-t-il.

— Qu'est-ce que vous dites, docteur ? fit Mercurio, étonné.

— Tiens-toi loin de ma fille ! », cria Isacco avec plus de vigueur.

Aussitôt, un groupe de curieux se forma.

« Vous êtes soûl, docteur. Pourquoi est-ce que je devrais me tenir loin de Giuditta ? Je… »

Isacco leva le poing en l'air, sans la force ni l'envie de frapper. Ce n'était qu'une menace, aussi faible que lui.

« Un Juif qui frappe un chrétien, dit quelqu'un dans le petit groupe de curieux, scandalisé.

— Père, non ! », entendit-on alors crier.

Mercurio vit Giuditta. Il sentit son cœur accélérer. Il étreignit Isacco, l'enveloppant de son corps. « Docteur, arrête ou tu vas avoir des ennuis », lui murmura-t-il à l'oreille. Puis il se tourna vers les gens : « Allez-vous-en, on est amis, on plaisantait. »

Donnola, qui accompagnait Giuditta partie à la recherche d'Isacco après qu'il avait quitté la maison, intervint promptement. Il prit le docteur par l'épaule et le soutint. Il eut un hochement de tête à l'intention de Mercurio, en signe de remerciement.

Mais Mercurio ne le regardait déjà plus et s'était tourné vers Giuditta. Les yeux de Giuditta étaient là, prêts à se perdre dans les siens.

« Pourquoi ? dit Mercurio. Que se passe-t-il ? »

Giuditta secoua la tête. Rien n'avait plus d'importance. Mercurio était là.

« Ça fait des jours que je te cherche… », dit-il. Puis il fit un pas vers elle.

Giuditta se sentait aspirée par un gouffre. Elle ne cessait de se répéter qu'il l'avait cherchée, comme il le lui avait promis. Elle fit elle aussi un pas vers Mercurio. Et pour la seconde fois pensa que plus rien n'avait d'importance.

« Pourquoi tu ne reviens pas dans notre chambre ? », dit à ce moment-là Benedetta, qui s'ouvrait un chemin parmi les curieux et prenait Mercurio par le bras.

Le regard de Giuditta se glaça.

Mercurio regarda Benedetta d'un air ahuri. Tout à coup, il comprit. Quand il se retourna vers Giuditta, il la vit qui reculait, une expression de fureur sur le visage. Elle tendit vers lui un doigt tremblant.

« Tu t'amuses ? demanda Giuditta d'une voix où se mêlaient souffrance et colère.

— Giuditta, non…

— Vous avez dû bien rire de moi, tous les deux ! », dit-elle, blessée.

Benedetta la défiait du regard.

« Embrasse-la, embrasse-la encore ! cria Giuditta, le doigt toujours tendu vers Mercurio. Je l'ai bien vue. Elle me regardait et elle riait. Et toi aussi je te faisais rire, hein ? Quelle idiote je suis ! » Elle se précipita vers Isacco. « Partons, père. »

Le docteur ne comprenait pas bien ce qui était en train de se passer. Il vit seulement que Giuditta pleurait, désespérée. « Ne la cherche pas, où je te tuerai de mes propres mains ! », lança-t-il à l'adresse de Mercurio, avec une expression féroce.

« Giuditta ! », hurla Mercurio.

Mais Giuditta ne se retourna pas.

Mercurio resta immobile.

Les curieux ricanaient et commentaient la scène, comme au théâtre. Au loin, on commençait d'entendre un roulement de tambour.

Mercurio se retourna d'un bloc vers Benedetta. « C'est pour ça que tu m'as embrassé…, lui dit-il d'une voix chargée de haine. Je ne veux plus jamais te voir. Ça ne m'intéresse pas, ce que tu fais. Pour moi tu es morte. » Il cracha par terre, et se fraya un chemin dans la foule en poussant les gens et en criant : « Le spectacle est fini, bande de couillons ! »

Benedetta sentait les yeux de tous sur elle. Elle se dit qu'elle ne devait pas pleurer. Elle se redressa le plus qu'elle put, même si elle avait envie de se plier en deux et de mourir ; elle essaya de sourire, comme si de rien n'était, et se mit en route à pas lents, sans savoir où elle allait, uniquement concentrée sur l'effort énorme qu'elle faisait pour ne pas s'écrouler à terre.

Le martèlement de tambour se rapprochait.

Elle pénétra dans le dédale de ruelles obscures, trouva un coin plus sombre encore, enleva l'épingle de son chignon et, d'un coup décidé, la planta dans sa main, entre pouce et index, se transperçant de part en part.

Ce fut seulement alors qu'elle cria et pleura, en se disant qu'elle criait et pleurait pour une douleur physique, et rien d'autre.

Isacco, Giuditta et Donnola avaient presque atteint la maison de la calle dell'Oca quand ils entendirent un roulement de tambour. Puis la voix lointaine d'un messager de la Sérénissime qui annonçait quelque chose.

« Je suis désolé, ma fille, dit Isacco en s'arrêtant. Je suis désolé pour toi, et je suis désolé de m'être montré dans cet état, je suis désolé pour... »

Giuditta l'étreignit et éclata en sanglots.

Alors elle entendit de nouveau le rythme des tambours, puis une voix de stentor qui annonça : « Aujourd'hui, le 29e jour du mois de mars de l'an de grâce 1516, il est décrété et ordonné que tous les Juifs doivent habiter dans les zones regroupées dans la cour de maisons qui se trouvent dans le Ghetto près de San Girolamo... »

Giuditta et Isacco, muets, se regardèrent.

« ... Et afin qu'ils ne circulent pas la nuit dans les environs, librement, il est décrété et ordonné qu'aussi bien du côté du Ghetto Vecchio où se trouve un petit pont, que de l'autre côté du pont le plus grand, soient construites deux portes, une pour chacun de ces lieux. Et de même il est ordonné et décrété que ces portes soient fermées le soir à minuit et ne doivent rouvrir que le matin au premier coup de la Marangona[1]. Et il est établi que ces portes seront gardées et surveillées par quatre gardes chrétiens, dévolus à cette tâche et payés par les Juifs au prix qui sera jugé convenable par notre Collège. Et qu'ils aient à payer aussi deux barques, avec chacune deux hommes, qui parcourront les canaux autour de ladite zone, sans aucune pause… »

Père et fille restèrent immobiles, dans les bras l'un de l'autre, tandis que les tambours et les messagers défilaient auprès d'eux. Des gamins collèrent sur un mur l'affiche du décret qui venait d'être lu. « Anselmo del Banco avait raison, murmura Giuditta.

— Ils nous mettent en cage, dit Isacco.

— Et moi alors, je vais où ? », demanda Donnola.

Au même instant, Benedetta errait sans but et se rendit compte qu'elle était arrivée, elle ne savait comment, dans la calle del Sturion, là où Mercurio lui avait dit que Zolfo logeait avec le moine.

On entendait encore au loin les tambours. La cité tout entière résonnait de ce rythme martelé. L'air même de Venise vibrait.

« … Et que soient élevés deux hauts murs afin que toutes les sorties soient fermées. Et que soient murées

1. Grosse cloche du campanile de Saint-Marc qui rythme la vie de la ville.

les portes et les fenêtres qui donnent sur les canaux et au-delà, soit vers l'extérieur dudit Ghetto… », annonçait un messager dans la ruga Vecchia San Giovanni.

Benedetta parcourut la *calle* à pas lents, cherchant la maison où elle pourrait trouver Zolfo. Elle n'avait que lui, se disait-elle.

Puis, juste au moment où elle s'approchait d'une porte d'entrée, elle la vit qui s'ouvrait, laissant passer une silhouette bancale. Elle eut un frisson et une sensation de peur, comme si une main l'attrapait aux cheveux et l'entraînait vers le fond, dans le noir le plus noir de son passé. Elle sentit un coup dans le ventre, serra les cuisses et retint son souffle. Et elle sentit son cœur s'arrêter dans sa poitrine, comme une anticipation de la mort.

Elle appuya sur la blessure qu'elle s'était infligée avec l'épingle. Ses doigts se trempèrent de sang. Elle perçut une douleur brûlante et se rendit compte qu'elle avait trouvé ce qu'elle cherchait. Tout ce qu'elle méritait. Elle se sentit sale, comme elle voulait se sentir. Elle s'agenouilla devant l'étrange silhouette bancale.

« Bonsoir, seigneur prince, dit-elle la tête basse.

— Qui es-tu ? fit le prince Contarini, dans l'obscurité de la ruelle.

— Votre humble servante, votre Grâce pleine de lumière.

— Ah, la petite vierge… », dit le prince en fixant Benedetta avec intérêt. Puis il tendit la main et effleura une mèche de ses cheveux. « Cette couleur…, murmura-t-il, laissant la phrase en suspens.

— Benedetta ! s'exclama alors Zolfo, qui venait d'apparaître sur le seuil, un lourd paquet sur l'épaule.

Le frère et moi nous allons habiter chez le prince, tu sais ? »

Le prince Contarini le regarda, sourit puis se concentra de nouveau sur Benedetta. « Il y a de la place aussi pour toi », lui dit-il, faisant claquer sa langue contre son palais, comme face à un plat savoureux.

À Mestre, la barque qui transportait Mercurio avait accosté au quai aux poissons avec un léger bruit sourd.

Mercurio descendit d'un bond agile et poursuivit à pied sans remercier le batelier. Pendant le trajet non plus, il n'avait pas dit un mot. Il était secoué. Benedetta l'avait trahi, se répétait-il sans arrêt. Et Giuditta croyait que lui, Mercurio, l'avait trahie.

Sur la place du marché, il entendit un roulement de tambour. Il vit une petite foule rassemblée qui écoutait un messager de la Sérénissime. Isaia Saraval, devant sa boutique de prêts sur gages, écoutait lui aussi.

« Aujourd'hui, le 29e jour du mois de mars de l'an de grâce 1516, il est décrété et ordonné que tous les Juifs doivent habiter dans les zones regroupées dans la cour de maisons qui se trouvent dans le Ghetto près de San Girolamo. Et afin qu'ils ne circulent pas la nuit dans les environs, librement, il est décrété et ordonné qu'aussi bien du côté du Ghetto Vecchio où se trouve un petit pont… »

Mercurio écoutait, une grande confusion dans la tête. Sa première pensée fut : "Maintenant, je saurai où te trouver, Giuditta." Mais il pensa aussitôt après qu'il était bien placé pour savoir à quoi Giuditta était condamnée. Lui aussi avait été prisonnier. Dans un orphelinat. Dans une baraque des fosses communes, enchaîné la nuit à sa couche. Dans une fosse d'égout, même s'il feignait d'avoir un chez-soi et d'être libre. Il ne savait que trop à quoi elle était condamnée, et il éprouva un grand chagrin, une douleur infinie.

Il retourna jusqu'au quai en courant, lança une pièce de monnaie au batelier et se fit emmener jusqu'au-delà de Saint-Marc, là où les centaines de galères qui sillonnaient toutes les mers du monde venaient jeter l'ancre. Il dit au batelier de ramer autour de chacun des navires de la rade. Il ne savait pas pourquoi il le faisait, mais il respira les odeurs, regarda leurs flancs puissants, leva le nez jusqu'au sommet des mâts, droits comme des fuseaux. Il imagina les rames qui plongeaient dans les vagues, les voiles gonflées par le vent. Et quand il se fut enivré de ces images, il demanda qu'on le ramène à Mestre.

Tandis qu'ils remontaient la route de mer, il comprit pourquoi il avait voulu voir ces navires.

« Je t'emmènerai loin d'ici, Giuditta, dit-il.

— Comment ? », fit le batelier.

Mercurio ne répondit pas. Il souriait à la lune qui se levait dans le ciel.

Il courut chez Anna del Mercato, la réveilla et lui dit, tout excité : « Je veux être libre. Voilà ce que je veux. »

Anna del Mercato se frotta les yeux. Elle s'assit dans son lit. Alluma une chandelle. « Répète, en parlant plus lentement. Ma vieille tête n'arrive pas à courir aussi vite que celle d'un jeune homme.

— Je veux avoir un navire, dit Mercurio. Un navire à moi. Et je veux voyager sur les mers, jusqu'au Nouveau Monde. Et je veux… » Il n'avait presque pas le courage de le dire, si puissant était ce désir en lui. « Je veux trouver un endroit où tout le monde est libre. Et où Giuditta aussi pourra être libre », dit-il tout d'un trait.

Anna del Mercato le regarda, émue. L'enthousiasme de ce garçon était comme le vent du levant, quand il souffle de la mer.

« Est-ce que c'est un projet ? lui demanda Mercurio, les yeux écarquillés comme un gamin.

— Viens-là, embrasse-moi », lui dit Anna. Et quand elle l'eut entre les bras, elle eut honte, parce qu'elle ne pouvait pas s'empêcher de penser que si Mercurio réalisait son rêve, elle le perdrait.

« Est-ce que c'est un projet ? demanda de nouveau Mercurio.

— Oui, c'est un projet splendide, mon petit... »

Il se serra plus fort contre sa poitrine. « Et tu viendras avec Giuditta et moi ? », dit-il.

Anna éclata en sanglots.

Deuxième partie

Printemps 1516

VENISE – MESTRE – RIMINI

36

« Fermez ! », commanda une voix.

Les gonds grincèrent. Les deux battants claquèrent avec un bruit sourd. On entendit crisser les cadenas, fer contre fer.

« Fermé !, dit une voix.

— Fermé ! », dit une autre voix en écho.

Puis ce fut le silence.

La communauté juive était réunie au grand complet sur le campo del Ghetto. Il n'y avait pas eu de programme, de rendez-vous concerté. Ils s'étaient simplement retrouvés là. Et tous avaient cette expression ahurie peinte sur le visage.

C'était la première fois qu'ils étaient enfermés. Ce soir était le premier soir.

Dans le silence qui suivit la fermeture des deux grandes portes, personne ne savait que faire. Les yeux de tous étaient fixés sur les battants cadenassés de l'extérieur.

« Comme des poules dans un poulailler, fit soudain une vieille femme, d'une voix rauque. Quelle horreur ! »

Et dans ce silence, tous l'entendirent.

« Tu aurais pu trouver un autre exemple », lui dit un homme à côté d'elle.

Et tous l'entendirent lui aussi.

« Comme une poignée de punaises dans une tabatière, dit alors la vieille femme. Comme une tribu de cafards dans un pot de chambre. Tu veux que je continue ? »

Une autre voix dit : « Non. »

Le silence se fit à nouveau.

Alors, l'idiot de la communauté, un gamin qui avait toujours la bouche grande ouverte et la bave au menton, commença à entonner, de sa voix disgracieuse, un vieux refrain que l'on chantait aux enfants pour les faire s'endormir : « *Dans le noir il y a une lumière... elle est à l'intérieur de toi... ferme les yeux, tu la verras...* »

Une petite fille de cinq ou six ans, qui se frottait les yeux de sommeil, tendit sa petite main et la mit dans celle de l'idiot.

« *Ferme les yeux, tu la verras... c'est celle de l'ange qui veille sur toi... c'est la lumière du jour de demain...* »

Le père du garçon, ému, prit l'autre main de son fils et la serra fort. Sa mère, à son tour, prit celle de son mari et posa la tête sur son épaule. « Chante, mon enfant, dit-elle doucement.

— *... C'est la lumière du jour de demain... qui sera ton jour, mon trésor... parce que le noir est déjà une lumière à l'intérieur de toi...*

— *... Parce que le noir est déjà une lumière à l'intérieur de moi...* », répétèrent les enfants sur le campo del Ghetto, comme le voulait la chanson.

Et les parents leur firent une caresse et les prirent par la main pendant que l'idiot chantait la fin de la chanson : « ... *Parce que le noir est déjà une lumière à l'intérieur de nous... parce que l'agneau a retrouvé son troupeau... Dors, mon amour, dors... n'aie pas peur, mon ange... parce qu'il n'y a pas de peur dans la lumière.* »

L'un après l'autre, en silence, dans ce nouveau silence, tous les membres de la communauté se prirent par la main, sans se soucier de savoir qui était leur voisin et sans détacher leurs yeux des grandes portes barrées, et ils formèrent une chaîne qui n'avait ni début ni fin.

Alors la voix du rabbin s'éleva, émue et grave : « Demain, à l'aube, quand ils ouvriront, nous serons de nouveau une multitude. Mais ce soir nous ne sommes qu'un.

— *Amèn Selah* », répondirent-ils tous en chœur à cette prière qui n'avait jamais été prononcée avant.

De nouveau le silence suivit.

À ce moment-là, de l'autre côté du mur d'enceinte, quelqu'un cria : « Je t'emmènerai avec moi, Giuditta ! Je t'emmènerai loin de là, je te le jure ! »

Toutes les femmes, les filles et même les petites filles appelées Giuditta se demandèrent de qui il s'agissait, et les plus vaniteuses pensèrent que cela s'adressait à elles, mais seule Giuditta da Negroponte savait que c'était Mercurio. Elle ressentit une profonde émotion : cette voix remuait quelque chose en elle, malgré elle, même si elle s'était juré de ne plus penser à lui.

Son père se tourna vers elle et la regarda.

Giuditta rougit. « Rentrons, dit-elle rageusement. J'ai froid. »

À l'instant même, les gardes qui tournaient en barque autour du quartier des Juifs aperçurent une silhouette sombre au sommet du mur de brique rouge récemment construit. Mercurio avait grimpé sur une poutre qui, tel un petit pont, allait de la bordure d'un étroit canal jusqu'au mur d'enceinte.

« Descends de là ! », hurla l'un des gardes pendant que l'autre armait son arbalète.

Le garçon leva les mains, en signe de reddition, puis se laissa glisser au bas du mur.

Le garde l'attrapa brutalement et le tira assez fort pour le faire tomber sur le fond glissant de la barque. « Qu'est-ce que tu croyais faire, imbécile ? », grommela-t-il. Puis il fit signe à son collègue de prendre les rames et ils allèrent accoster sur la fondamenta dei Ormesini.

Une petite foule de chrétiens curieux s'était rassemblée sur les pierres blanches d'Istrie qui délimitaient les quais donnant sur le rio San Girolamo, juste en face du campo del Ghetto. Eux aussi n'avaient d'yeux que pour les grandes portes barrées. Et même ceux qui disaient détester les Juifs avaient des regards ahuris, comme s'ils ne croyaient pas possible qu'on soit allé jusque-là.

« Par le bon Dieu, dit une femme qui, tenant sa petite fille par la main, faisait un signe de croix, on les a mis en cage. »

Le garde descendit de la barque et s'ouvrit un chemin dans la foule, tirant Mercurio derrière lui jusqu'à un bâtiment trapu au crépi rouge. Il ouvrit la porte et le fit entrer dans une pièce au plafond bas et oppressant. L'air puait le vin rance.

Le garde poussa Mercurio en avant. « Capitaine, nous avons pris ce garçon qui hurlait qu'il allait faire évader une Juive. Peut-être qu'il est juif lui aussi. »

Le capitaine leva les yeux du verre qui était posé devant lui. Il eut du mal à accommoder son regard sur le prisonnier. Puis son visage courroucé se détendit et il éclata de rire. « Le demi-curé ! », s'exclama-t-il.

Mercurio regardait le capitaine Lanzafame en souriant.

« Laisse-nous seuls, Serravalle, dit le capitaine au garde, qui acquiesça et sortit de la pièce en fermant la porte derrière lui. Assieds-toi, demi-curé, fit Lanzafame, soudainement de bonne humeur, en lui désignant un tabouret à trois pieds devant la table. Bois avec moi, dit-il en lui tendant la bouteille.

— Non, merci, je ne bois pas.

— Tu boiras avec moi. Par politesse, mon garçon. »

Mercurio porta la bouteille à ses lèvres et l'inclina vers le haut, en la bouchant du bout de sa langue pour empêcher le vin de descendre. Il fit semblant d'avaler puis la repassa au capitaine.

Lanzafame le regarda en souriant. « Je faisais pareil quand j'étais petit et que mon père voulait m'obliger à boire, dit-il en hochant tristement la tête à ce souvenir. Si j'avais pu continuer à le faire…

— Vous vous trompez, capitaine, j'ai b…

— Demi-curé ! l'interrompit Lanzafame en tapant du poing sur la table. Je veux bien que tu ne boives pas. Ça m'a même fait sourire. Mais ne me remercie pas en me prenant pour un con, parce que je pourrais me mettre en colère.

— Excusez-moi, dit Mercurio en regardant par terre.

« — C'est mieux. » Le capitaine Lanzafame colla ses lèvres au goulot de la bouteille, qu'il vida. « Serravalle ! », cria-t-il.

Le garde se présenta sur le seuil. Il avait de longs cheveux châtains qui bouclaient autour de son visage rond, allongé par un petit bouc. Ses yeux clairs et vifs savaient ce que voulait le capitaine. Il ouvrit une armoire à gauche de la porte, prit une bouteille et la déboucha avec son couteau. Puis il se retira.

« C'était un bon soldat. Un des meilleurs. Et maintenant le voilà à garder les Juifs », marmonna Lanzafame, une note de colère dans la voix. Il fixa Mercurio d'un regard vide.

« Je ne savais pas que c'était vous qui commandiez l'escouade, dit Mercurio pour briser le silence.

— L'escouade ? » Lanzafame le fixa plus attentivement. « Les Cattaveri eux aussi l'appellent comme ça. Huit hommes en tout, quatre à pied et quatre en barque, ça ne fait pas une escouade. Et aucune "escouade" ne monterait la garde autour d'un groupe de Juifs désarmés. Pourquoi, d'ailleurs ? Pour les empêcher de sortir la nuit ? » Lanzafame but une gorgée de vin. « Le matin, on ouvre les portes et les prétendus prisonniers vont librement où ils veulent… les chrétiens entrent se faire prêter de l'argent ou faire des affaires… Tu sais ce que ça veut dire ? Juste une chose. Que les chrétiens ont peur la nuit, mon garçon. Comme les enfants. Ça ne va pas durer longtemps, cette bouffonnerie. »

Mercurio acquiesça, sans savoir quoi dire.

« Elle est où, ta soutane ? lui demanda le capitaine.

— Je l'ai perdue.

— Eh bien, Dieu m'en voudra pas si je dis que ça ne me déplaît pas. Ça me semblait du gâchis que tu sois curé. Et maintenant, qu'est-ce que tu fais ?

— Je veux un navire à moi, dit Mercurio avec emphase.

— De demi-curé à demi-con, on ne peut pas dire que tu fasses un grand pas », commenta Lanzafame en riant.

Mercurio, en revanche, resta sérieux. Impassible. « Un jour, j'aurai un bateau entièrement à moi. »

Le capitaine fut frappé de la force qui émanait de ce garçon. Une force qu'il savait avoir perdue. « C'est une chose tellement absurde et crétine, dit-il avec un mélange de colère et de sarcasme, d'humiliation et de nostalgie pour l'homme qu'il n'était plus capable d'être, que je te jure, là, maintenant, que si jamais tu réussissais je serais ton escorte armée sans même vouloir un seul sou de paie.

— Je vous prends au mot », le défia Mercurio.

Lanzafame le regarda à travers la déception et la faiblesse que le vin infusait dans son âme. Puis il se secoua. « Et c'est qui, la fille que tu veux faire évader ?

— Pas quelqu'un que vous connaissez, dit Mercurio en cherchant à rester vague.

— Bon Dieu, qu'est-ce que tu en sais, toi, des gens que je connais ? »

Mercurio ne répondit pas.

« C'est pas la fille du docteur, par hasard ?

— Quel docteur ?

— Tu commences à me devenir antipathique, mon garçon. » Lanzafame se pencha par-dessus la table et lui toucha la poitrine du bout du doigt. « Et c'est pas bon pour toi. Déjà, ça me casse le cul d'être ici. Héros de Marignan il n'y a même pas un an, et maintenant je dois monter la garde la nuit pour survivre. Tu comprends bien que mon humeur n'est pas à son meilleur. »

Mercurio acquiesça. « Oui, c'est elle. »

Lanzafame soupira. « Ce gamin que tu emmenais avec toi, il s'est acoquiné avec ce frère prêcheur qui empeste Venise ces derniers temps. Une belle paire de couillons », dit-il, changeant de sujet.

« Ouais.

— Tu ne devais pas les remettre, lui et cette fille aux cheveux roux, à un gros bonnet de l'Église ?

— Je devais, oui…

— Mais le gros bonnet n'existait pas, et donc… » Mercurio sourit.

Lanzafame aussi. « Et elle, qu'est-ce qu'elle est devenue ?

— Je sais pas. On s'est perdus de vue.

— Dommage. C'était une jolie fille.

— Si je la vois, je lui dis de venir te rendre visite.

— Je suis trop vieux pour elle. Pour toi, elle est bien. En plus, elle est chrétienne et pas juive…, dit le capitaine. Ça simplifie tout, tu trouves pas ?

— Je suis pas fait pour les choses simples, répondit Mercurio en haussant les épaules.

— Peut-être que tu devrais essayer d'aimer ce qui est simple, au moins tant que je suis de garde ici, rétorqua Lanzafame d'une voix dure. Même si c'est une bouffonnerie et que j'aime pas ça, par nature je fais toujours mon devoir, n'oublie pas ça. Ne te fais plus jamais pincer. Et ne mets pas de drôles d'idées dans la tête de cette petite Juive. Elle aura des ennuis si elle se fait attraper dehors la nuit. »

Mercurio reconnaissait à peine l'homme qu'il avait vu chevauchant son hongre, avec son armure et ses enseignes de guerre. Il n'arrivait pas à retrouver ce regard fier de guerrier qui l'avait tant fasciné. Il en ressentit une grande peine.

Lanzafame, comme s'il s'en apercevait, but une gorgée rageuse et se dressa sur ses pieds, instable. « Maintenant, je te salue, mon garçon. Va ton chemin, j'ai à faire. » Il ouvrit la porte et fit signe à Mercurio de décamper. « Laisse-le s'en aller, Serravalle, dit-il à son homme. Et remonte dans la barque.

— Oui, mon capitaine », dit Serravalle. Il prit Mercurio par le bras et le tira jusque sur la fondamenta dei Ormesini. Il ramassa une pierre et dit : « Va-t'en, espèce de chien. »

Quand Mercurio s'en fut allé, le capitaine Lanzafame but encore, puis il prit un gobelet et des dés, et sortit. Il atteignit la grande porte du Ghetto, comme tout le monde l'appelait maintenant à Venise. Il fit signe aux deux gardes d'ouvrir et entra.

À l'intérieur, Isacco l'attendait.

« Bonsoir, docteur, dit Lanzafame.

— Bonsoir, capitaine, sourit Isacco.

— On joue ?

— Que vont-ils penser de vous, à vous voir avec un Juif ?

— Que vont-ils penser de toi, à te voir avec un goy ? »

Les deux amis s'assirent par terre, le dos au mur. Puis le capitaine lança les dés contre la porte.

« Tu sais qui j'ai rencontré ce soir ? continua Lanzafame.

— Je dois faire semblant de ne pas le savoir ? demanda Isacco en secouant la tête.

— Pourquoi ? Tu le sais ?

— Ses bêtises, il les a hurlées à gorge déployée. » Lanzafame rit. « Il est sympathique, non ?

— Je le trouverais plus sympathique si je n'étais pas le père de Giuditta.

— Ouais, acquiesça Lanzafame. À toi, tire. »

Isacco fit rouler les dés dans le gobelet puis les lança contre la porte.

« Cette bouffonnerie finira bientôt, docteur, dit Lanzafame.

— C'est peut-être une bouffonnerie pour ceux qui regardent de l'extérieur, capitaine. Mais pour ceux qui sont à l'intérieur, ce n'en est pas une. Croyez-moi. »

Lanzafame resta quelques instants silencieux. « Ça finira bientôt, répéta-t-il.

— Ça n'aurait même jamais dû commencer », dit Isacco d'une voix sourde.

Lanzafame ramassa les dés et les lança, distraitement. Puis il passa le gobelet à Isacco, qui en fit autant et avec la même distraction. Le capitaine, pendant qu'il comptait les points, tenait dans sa main un collier fin, sans valeur. Il passa le pouce dessus.

Isacco le reconnut. « C'est à Marianna, n'est-ce pas ? », demanda-t-il.

Lanzafame mit les dés dans le gobelet, mais resta immobile, égrenant le collier comme un rosaire.

« Je ne jouerai plus jamais les médecins, dit Isacco.

— Tu te trompes.

— Capitaine, je ne suis pas médecin. Je suis un escroc.

« — Tous les médecins sont des escrocs, plaisanta Lanzafame.

— Je parle sérieusement. Je suis un pas grand-chose.

— Écoute. » Lanzafame posa le gobelet et attrapa Isacco par le col de sa houppelande. « Je suis pas un curé, et de toute façon t'es pas chrétien. Donc ça n'a aucun sens que tu te confesses à moi, et encore moins que je t'écoute. » Il relâcha sa prise. « Moi, je sais qui tu es. Le reste, ça m'intéresse pas », lui dit-il à sa manière expéditive, avant de baisser à nouveau les yeux vers le collier.

« Elle vous manque ? demanda doucement Isacco.

— Comme l'air, répondit Lanzafame. Et je ne le lui ai jamais fait comprendre. Peut-être que je ne l'avais pas compris moi-même.

— Il y a certaines personnes qui nous entrent dans la peau. »

Lanzafame se tourna vers lui. Il avait les yeux voilés par le vin et par les larmes. « Ta femme t'était entrée dans la peau ?

— Oui, soupira Isacco. Et elle n'en est jamais sortie.

— Joue, docteur, dit Lanzafame en se secouant. J'aime pas quand on devient nostalgiques. »

Isacco tira, mais aucun des deux ne ramassa les dés.

« Peut-être que ta fille Giuditta est entrée dans la peau de ce garçon », dit Lanzafame.

Isacco haussa les épaules. « Tant pis pour lui.

— Ou tant mieux. Nous, nos femmes, nous les avons perdues, lui il vient tout juste de trouver la sienne.

— Capitaine, vous voulez jouer ou parler ? », lâcha Isacco.

Lanzafame lança les dés, en hochant la tête, pensif. « Ce garçon est un faiseur d'ennuis.

— Vous pouvez le dire », marmonna Isacco.

Lanzafame le tapa sur l'épaule. « Mais il t'est sympathique. Reconnais-le. »

Isacco se leva. « Vous pouvez faire semblant de ne pas le savoir, mais *je suis* un escroc, dit-il sérieusement. J'ai quitté l'île de Negroponte parce que désormais tout le monde savait qui j'étais. Et Giuditta n'aurait jamais eu d'avenir, parce que personne, sauf un escroc, n'épouse la fille d'un escroc. Je suis venu ici pour lui donner sa chance. Et que la foudre me réduise en cendres si je la laisse approcher par ce petit escroc après toutes ces lieues de voyage.

— Ce serait un joli tour du destin, non ? se mit à rire Lanzafame.

— Faites votre travail, capitaine. Prenez garde qu'aucun méchant Juif n'aille se promener la nuit pour égorger des enfants chrétiens, dit Isacco, le visage rouge comme un poivron. Moi, je vais dormir. »

Lanzafame rit encore plus. Il attendit qu'Isacco traverse le campo del Ghetto à présent désert. Il le vit se glisser sous les arcades où la boutique de prêt d'Asher Meshullam s'était installée, puis entrer sous une porte sombre. Le capitaine regarda plus haut. Au quatrième étage, une chandelle tremblait derrière une fenêtre. Il imagina une jeune fille juive qui pensait à un garçon chrétien. Son cœur s'adoucit et il ressentit soudain un grand vide. Alors il ordonna aux gardes d'ouvrir la grande porte et retourna d'un pas vif à sa bouteille de malvoisie.

37

Benedetta courait dans les *calli* étroites, les larmes aux yeux. Elle heurta un grand bonhomme, buta, tomba. En se relevant, elle sentit une douleur au genou, et l'homme lui cria quelque chose. Sa robe s'était déchirée. Elle recommença à courir à perdre haleine, avec la peur de mourir étouffée par ses larmes si elle s'arrêtait.

Il y avait deux semaines maintenant que Mercurio avait disparu. Benedetta l'avait attendu à l'auberge, dans l'espoir absurde qu'il reviendrait. Mais il n'était pas revenu. Elle avait bien pensé aller jusque chez Anna del Mercato, se découvrant cependant incapable de supporter l'idée d'un second refus. Peut-être parce qu'elle était trop fière. Ou trop effrayée. Ou trop faible. Elle se sentait seule comme jamais. Alors elle était restée immobile sur la paillasse de l'auberge, à se faire dévorer par les punaises.

Mais ce matin-là, dans son demi-sommeil, elle avait entendu les crieurs publics annoncer dans les rues que le jour d'application du décret de la Sérénissime sur les Juifs était arrivé. Les Juifs seraient enfermés le soir même, quand sonnerait la Marangona, la grande cloche de Saint-Marc. Alors elle avait décidé d'aller voir, poussée par ce désir caché de souffrir tissé dans la trame de toutes les histoires d'amour. Inconsciemment, elle voulait voir si Mercurio y serait, lui aussi.

Mais elle n'était pas préparée à ce qui était arrivé. À ce qu'elle avait entendu. Tout de suite, elle avait reconnu sa voix. Quand il avait crié à Giuditta qu'il l'emmènerait loin de là, avec une telle passion, Benedetta s'était sentie mourir. Elle avait pris la fuite, dévastée par la douleur, l'humiliation, la haine pour cette imbécile de fille juive.

Elle courait maintenant sous les arcades qui menaient au campo San Bartolomeo. Et tandis qu'elle se réfugiait de nouveau dans l'auberge, grimpait les escaliers quatre à quatre et se jetait sur la paillasse qui grouillait de punaises, elle ne savait pas si elle souffrait par amour ou par orgueil. Une chose était sûre : elle ressentait une jalousie profonde à l'égard de Giuditta, qui avait tout sans avoir rien fait.

« Putain, tu le mérites pas ! », hurla-t-elle avant de fondre en larmes, enfouissant sa figure dans l'oreiller de son.

Cette nuit-là, elle eut du mal à s'endormir. Elle essayait de penser au beau visage de Mercurio, comme si elle voulait se faire souffrir encore plus, mais ses traits s'effaçaient dans son esprit. Seul lui revenait le visage de Giuditta. Elle secouait la tête pour essayer de chasser l'image de sa rivale, comme on chasse un bourdon. Puis au visage de Giuditta commença à se substituer celui de sa mère.

Et quand elle s'endormit, sa mère lui suggéra quoi faire.

À l'aube, elle entra dans un bain public derrière le Rialto et se lava comme elle ne l'avait pas fait depuis des semaines, s'enduisit le corps d'un baume à la lavande, et se frotta les dents avec un emplâtre de menthe et de cédrat.

Puis elle alla chez un boucher et acheta ce dont elle avait besoin.

Sa décision était prise.

Elle alla jusqu'au débarcadère des gondoles et demanda une adresse.

Quand elle descendit de la gondole, elle sentit qu'elle avait la gorge nouée. Elle regarda le Grand Canal comme si elle le voyait pour la première fois. Puis elle se tourna vers le palais qui l'attendait. Elle leva la tête vers ses trois étages, scandés de fines colonnes qui se tordaient deux à deux, comme des ponctuations légères sur la façade de marbre vert et jaune veiné de noir. Les fenêtres avaient des vitres aux verres colorés et plombés. Le mince balcon de l'étage noble était abrité par une ample tenture de toile rayée or et pourpre, soutenue par quatre longs bâtons noirs, laqués, décorés de têtes de lion à la crinière dorée.

Elle irait jusqu'au bout.

Un serviteur en livrée vert émeraude et chausses jaunes s'inclina avec déférence quand elle se présenta à l'entrée. « Son Excellence a donné des instructions pour qu'on vous accompagne dans ses appartements », dit-il pompeusement avant de la guider à l'intérieur du palais.

À droite et à gauche du vestibule plongé dans la pénombre s'ouvraient de grandes pièces qui recueillaient la lumière du jour et en démultipliaient le reflet à travers les vitres des grandes fenêtres. Au fond, une verrière aux montants de fer forgé donnait sur un jardin soigné, avec des haies de buis qui se suivaient comme les murs bas d'un labyrinthe. Au centre, une fontaine obscène représentait une femme à moitié nue qui serrait ses seins entre ses mains, et dont les mamelons envoyaient un jet d'eau offert à un angelot qui lui faisait face, les bras levés.

Benedetta sentit un frisson courir le long de son échine quand elle s'aperçut que l'angelot de la fontaine avait un bras normal et un bras rabougri, sa petite main comme contractée par un spasme.

Elle suivit le serviteur dans le vaste escalier qui déroulait ses paliers à l'intérieur de la demeure princière. Ils atteignirent le premier étage et passèrent une large porte à deux battants, en noyer clair couleur de miel, au sommet de laquelle un saint sculpté dans le marbre dispensait une bénédiction. De là, on accédait directement à la galerie, lumineuse et démesurée, avec cinq portes-fenêtres donnant sur le Grand Canal et un balcon spectaculaire ouvrant de l'autre côté, sur le jardin. Les murs de la galerie étaient couverts de tapisseries et de tableaux, depuis la hauteur des yeux jusqu'au plafond à caissons décoré de fantaisies florales. Un peu partout, suivant un schéma géométrique que Benedetta peinait à comprendre, des fauteuils, des divans, des chaises, des coussins, à la manière orientale.

Des hommes du maître de maison, et des chiens, toutes sortes de chiens, de toutes les tailles, étaient installés de manière désordonnée sur les sièges et les divans. Hommes et animaux avaient la même attitude pleine d'ennui. Il régnait dans la pièce une odeur forte et désagréable. Sur un tapis clair, exactement au centre de la galerie, trônait un énorme étron dont personne ne se souciait.

Benedetta s'étonna de voir qu'il n'y avait pas une seule femme.

Certains chiens et trois hommes levèrent les yeux vers elle. Un des chiens aboya, paresseusement. Un homme lui envoya un baiser.

« Par ici, suivez-moi », dit le serviteur en traversant la galerie pour ouvrir une porte, lui indiquant une pièce.

Dès que Benedetta eut franchi le seuil, le serviteur reprit sa marche devant elle, lui montrant le chemin dans un dédale de chambres et de chambrettes, de plus en plus sombres. Enfin, face à une large porte à deux battants revêtue d'un tissu damassé, de chaque côté de laquelle étaient allumés deux grands candélabres muraux avec une douzaine de bougies pleurant des larmes de cire sur le plancher, le serviteur s'écarta, ouvrit l'un des battants et fit signe à Benedetta d'entrer.

« Son Excellence vous rejoindra dès qu'il lui conviendra », dit-il.

Benedetta entra dans la pièce et sursauta quand la porte se referma derrière elle. Elle entendit que le serviteur donnait deux tours de clé et sentit le désespoir la gagner. D'instinct, elle s'accrocha à la poignée, terrorisée. Puis elle s'efforça de se calmer.

"Tu sais bien pourquoi tu es ici", se dit-elle en respirant profondément.

Quand elle était immobile sur la paillasse de l'auberge, à mesure que la douleur de ce silence intérieur devenait plus intolérable, et qu'elle se rendait compte que si elle restait là, couchée, sa haine pour Giuditta la rongerait jusqu'à l'os plus sûrement que les punaises, elle avait décidé d'accepter l'invitation qui lui avait été adressée le jour où Mercurio l'avait chassée. La voix de sa mère le lui avait murmuré à l'oreille. Sa mère la connaissait mieux que tout autre. Sa mère savait qui elle était vraiment.

"Tu sais bien pourquoi tu es ici", se répéta-t-elle.

Entre-temps, ses yeux s'étaient habitués à la pénombre. Elle se trouvait dans une sorte d'anti-chambre, étouffante et sombre, peinte en noir. En face, à travers une lourde tenture, filtrait un peu de lumière. Elle avança et écarta l'un des pans. Elle se retrouva dans une salle immense, bleu et or, étincelante. Mais réduite à l'essentiel. D'une élégance que Benedetta peinait à comprendre. Au centre, une table, simple, aux pieds légèrement galbés, fins. Elle était envahie de parchemins à reliure de cuir. Sous la table, un grand tapis, bleu et or comme le reste de la pièce. Dans un renfoncement semi-circulaire de la pièce était installé un lit en alcôve doré, avec des colonnes marquetées qui soutenaient un voile de gaze presque transparent, brodé de fils d'or. Sur le lit, une courtepointe de soie bleue au centre de laquelle étaient brodées les armes de la famille Contarini. Dans les deux cheminées identiques qui se faisaient face, pétillait un feu de bûches de chêne.

Dans la pièce régnait un parfum léger, du jasmin. Benedetta leva les yeux au plafond. Une fresque y représentait un ciel avec des nuages vaporeux et une jeune fille aux cheveux roux, vêtue de blanc, dont la carnation était aussi claire que la tunique qu'elle por-tait. Elle se balançait sur une escarpolette, souriante.

Au moment précis où elle regardait la fresque, Benedetta entendit une voix perçante qui disait : « Tu te reconnais ? »

Benedetta se tourna mais ne vit personne.

On entendit un rire étouffé. Puis la voix reprit : « Tu ne peux pas encore te reconnaître, n'est-ce pas ? »

Benedetta tentait de comprendre d'où venait la voix.

« Il y a une petite porte à droite du lit. Ouvre-la. »

Benedetta alla à la porte et l'ouvrit. À l'intérieur, elle trouva une tunique immaculée.

« Mets-la », dit la voix perçante.

Benedetta regarda autour d'elle.

« Déshabille-toi et mets-la, répéta la voix. Je veux te voir le faire. »

Benedetta sentit le nœud grossir encore dans sa gorge. "Tu sais bien pourquoi tu es ici", pensa-t-elle de nouveau. Elle glissa la main dans la poche de la robe de quatre sous qu'elle portait. Elle palpa la chose qu'elle avait préparée pour l'occasion. Elle respira profondément. « Je dois uriner », dit-elle. Et elle resta immobile.

Dans la chambre un long silence s'installa.

Puis la voix recommença à parler, plus aiguë encore, agacée : « Tu ne pouvais pas y penser avant, à pisser ?

— Je vous demande pardon, votre Grâce », dit Benedetta humblement.

Il y eut un autre long silence.

« Sous le lit, il y a un pot de chambre… »

Benedetta tressaillit. Elle ne pouvait pas faire ce qu'elle avait à faire sous le regard du maître de maison.

« … Mais ne gâche pas tout. Pisse dans l'anti-chambre, loin de mon regard. Dépêche-toi ! »

Benedetta poussa un soupir de soulagement. Elle s'agenouilla au pied du lit, tendit la main et prit le pot de chambre en métal laqué. Elle se rendit dans l'anti-chambre noire, de l'autre côté de la tenture, releva ses jupes, prit ce qu'elle avait dans sa poche, mouilla la chair entre ses jambes et l'enfila, suffisamment au fond mais pas trop, attentive à ne pas le rompre. Elle se rendit compte que le pot de chambre était vide. N'importe qui se serait rendu compte qu'elle n'avait pas uriné. Alors elle le fit rouler bruyamment sur le sol, puis écarta les tentures, et revint dans la chambre bleu et or.

« Je suis désolée, votre Seigneurie, j'ai renversé le pot de chambre, dit-elle.

— Cela ne m'intéresse pas ! » La voix était irritée.

Benedetta baissa la tête.

Il y eut un nouveau long silence. Puis la voix, retrouvant son calme, parla : « Déshabille-toi. Jette tes affreux vêtements sous le lit, que je ne les voie pas. Et mets la tunique. »

Benedetta commença à se déshabiller.

« Doucement, dit la voix. Un bouton après l'autre… un vêtement après l'autre… »

Benedetta défit un à un les boutons de son corset et l'ôta. Puis, lentement, elle dénoua les lacets de sa robe et la laissa tomber à terre. Elle fit de même pour sa chemise, et resta nue. Elle se pencha pour enfiler la tunique.

« Non ! l'arrêta la voix. Fais d'abord disparaître tes vêtements ! »

Benedetta les ramassa et les poussa sous le lit.

« C'est bien. Maintenant, mets la tunique. »

Benedetta la prit et la fit glisser sur elle. C'était de la soie. D'une douceur extraordinaire, qui lui donna des frissons sur tout le corps, comme une caresse invisible.

« Voilà, dit la voix perçante. Tu te reconnais à présent ? »

Benedetta ne comprenait pas ce que cela voulait dire.

La voix rit tout bas. « Regarde là-haut. »

Benedetta leva les yeux au plafond et se rendit compte qu'elle était habillée comme la jeune fille sur la balançoire. Et qu'elle avait la même couleur de cheveux. Et la même peau d'albâtre.

« Oui… à présent tu te reconnais », murmura la voix avec satisfaction.

Une petite porte, masquée dans le mur, s'ouvrit.

Le prince Contarini s'avança dans la chambre, avec sa démarche de guingois, sa jambe plus courte que l'autre, son bras racorni tendu vers l'extérieur pour chercher l'équilibre et son épaule gauche déformée par sa gibbosité. Il était vêtu de blanc de pied en cap, y compris ses chaussures, légères, décolletées, avec une simple boucle en or, comme les boutons de sa casaque ajustée, cousue sur mesure, avec des manches de longueur différente pour ne pas ajouter à ses défauts.

Benedetta fut tentée de se sauver mais ses jambes étaient de pierre. Elle regardait l'affreux prince avancer vers elle.

Il la prit par la main et la guida jusqu'à l'alcôve. Il la fit s'étendre au milieu du lit puis lui croisa les bras sur la poitrine, comme à un gisant. Il lui sourit en montrant ses dents pointues, avec ce regard cruel et froid. Il posa une couronne de jasmin sur ses mains. Puis il alla au pied du lit et lui écarta les jambes. Il souleva la tunique, découvrant ses cuisses et son ventre. Il observa l'épaisse toison rousse, avec attention, sans la toucher, la tête légèrement inclinée sur le côté. Il renifla l'air. « J'apprécie que tu te sois lavée.

— Merci, votre Seigneurie », répondit Benedetta. Et elle se sentit stupide.

« J'espère que ce que tu as dit est vrai, fit-il de sa petite voix, qui devenait plus rauque d'excitation.

— Je suis vierge, Excellence », mentit Benedetta.

Contarini sourit. « Ce ne sera pas difficile à vérifier. »

Benedetta ferma les yeux.

« Non, dit le prince, qui déboutonnait le devant de ses chausses blanches, où le vêtement déjà se gonflait. Regarde en haut. Regarde cette jolie fille à laquelle tu ressembles sans en être digne. Sais-tu qui elle était ?

— Non, votre Seigneurie…

— Ma sœur bien-aimée, dit le prince Contarini en grimpant sur le lit. Elle si parfaite et moi si imparfait… »

Benedetta sentit la main du prince qui guidait son membre vers elle.

« … Elle, tout, et moi rien… »

Benedetta ne quittait pas des yeux la jeune fille sur la balançoire.

« … Elle morte et moi vivant… »

Benedetta sentit la pointe du membre qui poussait pour entrer en elle.

« Quelqu'un l'a empoisonnée… »

Le prince commença à s'ouvrir un chemin dans son corps.

« … Et puis ce quelqu'un l'a pleurée… »

Benedetta pria pour que le système que sa mère avait utilisé tant de fois, quand elle la vendait, fonctionne. Une fois, une seule encore. Elle pria pour que le prince s'abandonne à la fougue des hommes et ne soit pas délicat comme il l'était en cet instant.

« Tu es vierge ? lui demanda le prince de sa voix perçante.

— Oui…, murmura Benedetta.

— Nous allons voir », dit Contarini, et il poussa son membre en elle avec force.

Benedetta sentit le fin boyau de saucisse, rempli de sang de poulet, qui résistait un instant puis s'ouvrait. Elle cria, comme si elle ressentait une douleur aiguë. Et pensa : "Merci, mère."

Le prince s'agita en elle, de plus en plus vite, jusqu'à ce que son corps disgracié par la nature se contracte en un spasme. Il gémit et s'effondra sur la couronne de jasmin. Il resta immobile quelques instants puis se retira, regardant entre les jambes de Benedetta, anxieux de vérifier. Son visage effrayant s'élargit en un large sourire satisfait. Il plongea le doigt dans le sang sorti du ventre de Benedetta, qui avait taché la tunique blanche, et le renifla. Puis il la regarda. « Tu ne m'as pas menti.

— Non », dit Benedetta.

Le prince hocha la tête. Il se leva du lit et reboutonna son haut de chausses, taché de sang lui aussi. « Tu ne m'as pas menti, répéta-t-il, satisfait. Je te donnerai une vie comme tu ne l'as jamais rêvée », ajouta-t-il.

Benedetta le regarda caracoler jusqu'à la porte dérobée par laquelle il était apparu. Elle resta là, immobile, étendue sur ce lit où elle avait feint d'être vierge comme des années plus tôt, quand sa mère, chaque nuit, la vendait à un nouveau client comme si c'était sa première fois.

À cet instant, elle entendit le bruit d'une serrure qu'on débloquait et la porte de l'antichambre qui s'ouvrait.

« Benedetta, que c'est bien que tu sois venue vivre avec nous et le prince ! », cria Zolfo en se précipitant à l'intérieur de la chambre, tout heureux de pouvoir l'embrasser. Mais dès qu'il la vit nue, avec le sang qui coulait entre ses jambes, il se pétrifia. Il eut une grimace de dégoût et se détourna.

On entendit l'éclat de rire strident du prince.

« Merci, prince, dit tout bas Benedetta, sans se couvrir le pubis. Merci, parce que tu m'aides, comme ma mère, à me voir telle que je suis. » Et elle se sentit submergée par la sensation de dégoût d'elle-même qui l'avait accompagnée toute son enfance.

Mais la haine qui l'enveloppait s'était ouvert un chemin pour se montrer. Benedetta avait trouvé un allié, si elle était capable de piloter sa cruauté.

"Maudite putain", pensa-t-elle avec rage.

38

« Qui est cet homme ? demanda Anna del Mercato.

— Personne », répondit Mercurio.

Anna regarda l'homme grand et maigre qui était venu demander Mercurio quelques instants plus tôt et qui maintenant attendait sur une barque de lagune, large et plate, amarrée dans le canal en face de la maison. Il était habillé de noir, avec d'extraordinaires cheveux longs et lisses, presque blancs, maintenus par un ruban orange, de la même couleur que sa ceinture drapée. « Il est plutôt voyant, pour quelqu'un qui n'est *personne*, dit-elle.

— C'est vrai, fit Mercurio en s'éloignant pour rejoindre Scarabello.

— Ça t'étonne que je t'aie retrouvé, morpion ? », dit ce dernier en souriant.

Mercurio ne répondit pas.

« C'est moi qui suis le maître, dans ce monde. Et aussi *ton* maître, continua Scarabello, sûr de l'étonnement de Mercurio. Je sais toujours tout sur tout le monde. Et spécialement sur mes hommes. »

Mercurio lança un coup de pied dans un caillou. Ses boucles brunes retombèrent sur son front. Il regarda Scarabello.

« Et toi, tu es à moi, non ? dit Scarabello.

— Qu'est-ce que tu veux ? demanda Mercurio.

— J'ai un petit travail pour toi. Monte. »

Mercurio regarda vers la maison. Anna était là, sur le seuil, raide et impassible.

« Il te faut la permission ? dit Scarabello en riant.

— Couillon, répondit Mercurio en sautant dans la barque.

— Allons-y », ordonna Scarabello à ses deux hommes, le visage glacial.

La barque glissa entre les roseaux. Personne ne parlait. On n'entendait que le bruit des rames plongées dans l'eau immobile du canal.

Quand ils furent hors de vue de la maison, Scarabello fit signe à Mercurio de s'approcher de lui. Sur son visage, toujours ce même masque glacial. Quand ils furent face à face, Scarabello, aussi rapide qu'un serpent, le frappa d'un coup de tête en pleine face.

Mercurio tomba en arrière, et sentit le sang couler sur ses lèvres et sur son menton. Ses yeux s'embuèrent de larmes.

Scarabello prit un mouchoir de lin orné de précieuses broderies qu'il trempa dans l'eau du canal, tandis que la barque filait sur l'eau vers Venise. Il tordit le mouchoir, attrapa Mercurio par le col de sa veste, le tira vers lui et nettoya le sang, avec soin. « Tu ne peux pas me traiter de couillon, morpion, lui dit-il. C'est clair ? »

Mercurio sentait le sang battre dans son nez.

Scarabello lui tendit le mouchoir devenu tout rouge. « Garde-le appuyé. »

Mercurio le prit et tamponna le sang qui continuait de lui sortir par les narines.

« Je te disais que j'ai un petit travail qui m'a l'air fait pour toi, reprit Scarabello, comme si rien ne s'était passé.

— Je ne sais pas si je veux continuer les arnaques », dit Mercurio.

Scarabello le regarda en silence. Puis il sourit légèrement. « Pour qui tu m'as pris, mon gars ?

— Qu'est-ce que tu veux dire ?

— Je t'ai donné l'impression d'être un bouffon ?

— Non…

— Alors, pourquoi tu veux me traiter comme un bouffon ?

— Je comprends pas… »

Scarabello soupira et vint s'asseoir à côté de lui. Il lui posa le bras sur l'épaule. « Tu es à moi, tu comprends ? Si je te dis que j'ai un petit travail pour toi, tu le fais. Je m'en fiche que ton Anna de mes deux veuille que tu sois pêcheur, ou paysan, ou savetier ou n'importe quoi d'autre. Toi, tu es un arnaqueur. Et un génie du déguisement. » Scarabello l'attira contre lui. Cela pouvait ressembler à un geste amical. Ou à un début d'étranglement. « Et tu es à moi. » Alors il le lâcha. « Tu sais ce que je pense ? Que tu me vois… avec les yeux d'une fille. » Il rit. « Tu te laisses prendre à mes habits, à mes manières raffinées… et tu me prends pour un autre. Alors que je suis exactement ce que je suis. Regarde mes yeux. C'est uniquement là que tu trouves la vérité. Ils te font peur, mes yeux ? » Il sourit. « Oui, mes yeux font peur… parce que c'est ce que je suis, et rien d'autre. Et comme je suis ton ami, je me fiche de ce que tu veux, de tes crises de conscience. C'est clair ? »

Mercurio acquiesça. Il sentait son nez qui gonflait.

Scarabello sourit, satisfait. « C'est bien. » Il s'assit de nouveau à sa place, croisa ses longues jambes et resta silencieux.

Mercurio réfléchissait. Il cherchait une solution. Il avait cru que sa vie était arrivée à un tournant. Qu'il pourrait se concentrer sur son rêve, posséder un navire et emmener Giuditta au loin. Amour et liberté. Mais à présent, assis dans cette barque, il se rendait compte de l'absurdité de ses projets.

"Tu n'es qu'un gamin stupide", se dit-il, sentant monter la rage en lui.

Il regarda Scarabello. Son nouveau maître. « Qu'est-ce que je dois faire ? »

Scarabello lui fit signe d'attendre.

La barque accosta à Rialto et ils se dirigèrent vers le sotoportego del Banco Giro, où se réunissaient marchands et armateurs. Scarabello fit un signe à un homme bien habillé et partit vers l'église de San Giacomo. L'homme les y rejoignit, et ils se faufilèrent dans les ruines des Fabbriche Vecchie. Il y régnait une puanteur d'excréments et d'urine. Avec une odeur de mortier, de briques cuites au soleil et de bois brûlé pourri par la pluie et l'humidité. Un rat, gros comme un chat, les entendit arriver et se sauva en se glissant entre les pierres et les détritus amoncelés depuis l'incendie. Scarabello, l'homme et Mercurio s'arrêtèrent derrière un mur en ruine, à côté de matériaux de construction.

« J'ai la personne qu'il vous faut, votre Seigneurie, dit Scarabello en désignant Mercurio.

— Un gamin, dit l'homme.

— Si quelqu'un peut le faire, c'est lui », répondit Scarabello.

Mercurio éprouva un sentiment de fierté.

« Deux grands cacatois en toile d'Olona, dit l'homme. En ce moment, il n'y en a pas sur le marché et mon bateau doit lever l'ancre dans une semaine. Les seuls qui en aient une bonne réserve, ce sont ces brigands de l'Arsenal. Mais ils la gardent pour eux, et nous, les armateurs indépendants, on…

— Vous êtes armateur ? l'interrompit Mercurio. Vous avez un navire ? »

Scarabello lui lança un regard mauvais.

Mercurio se tut. Il lui sembla cependant que l'affaire prenait une autre tournure. "Tu es un gamin stupide, c'est sûr, se dit-il en souriant. Mais tu as aussi une chance incroyable."

« C'est un de mes meilleurs hommes, continua Scarabello. Le roi du travestissement. Vous croyez que c'est du sang ? » Il lui ôta le mouchoir des mains. Le jeta dans la poussière. Puis passa un doigt sous le nez de Mercurio et se frotta le liquide rouge sur le bout des doigts. « C'est de la teinture. » Et il rit.

L'armateur ne savait que penser. « Votre Seigneurie, c'est vrai, dit Mercurio. J'ai pas mal. J'ai pas le nez cassé. » Et il poussa sur son nez vers la droite puis vers la gauche, en résistant à la douleur et en ouvrant grand les yeux pour qu'ils ne se remplissent pas de larmes.

Scarabello regarda Mercurio, puis ses hommes, puis l'armateur. Enfin ses yeux se posèrent à nouveau sur le garçon, avec une sorte d'admiration, et il acquiesça de manière imperceptible. Ce jeune homme lui plaisait, même s'il le mettait mal à l'aise. Il avait une nouvelle fois la sensation qu'un jour il lui causerait des ennuis.

« Je peux entrer dans l'endroit que vous avez dit, fit Mercurio. Et je prendrai pour vous ces grands catois de toile à l'aune.

— Grands cacatois de toile d'Olona, le corrigea l'armateur.

— Grands cacatois de toile d'Olona, répéta Mercurio.

— Comme ça… simplement ? s'étonna l'armateur.

— Non. Ce n'est pas du tout simple, intervint Scarabello d'une voix grave. Le garçon prend de gros risques. » Ses lèvres fines se tendirent dans un sourire. « Combien êtes-vous prêt à mettre pour ce risque-là, votre Seigneurie ?

— Débrouillez-vous pour que mon chargement puisse partir pour Trébizonde et vous ne le regretterez pas, dit l'armateur. Il y a autre chose ?

— Oui, dit Mercurio. Quand je vous aurai rendu ce service, vous m'apprendrez comment on achète un navire. »

Scarabello et l'armateur le regardèrent, ébahis. Puis ils éclatèrent de rire, à l'unisson, après quoi l'homme prit congé. Lorsqu'ils furent seuls, Scarabello se dirigea vers la barque qui les avait attendus à Rialto. Mercurio le suivit en silence. Ils montèrent à bord.

« On va où ? demanda alors Mercurio.

— Tu ne sais vraiment pas où est l'Arsenal ? lui demanda Scarabello. T'en as jamais entendu parler ?

— Non. Pourquoi ? »

Les deux hommes qui ramaient se mirent à ricaner.

La barque redescendit le Grand Canal, navigua dans les eaux libres du bassin de Saint-Marc puis, arrivée près de l'église de San Giovanni in Bragora, accosta dans la zone de la Darsena Vecchia[1]. L'eau avait une odeur âcre, de bitume. De grandes taches épaisses et huileuses flottaient à la surface, luisantes,

1. Ancienne Darse.

sans se mélanger à l'eau, colorant de noir les algues qui affleuraient.

« L'Arsenal de Venise est le plus grand chantier naval du monde. Près de deux mille personnes y travaillent. Tu sais combien ça fait, deux mille personnes ? Et en temps de guerre, jusqu'à trois mille, expliqua encore Scarabello, avec une sorte de fierté dans la voix. C'est l'endroit le mieux gardé de Venise. »

Mercurio le suivit sur la *fondamenta*. Ils firent quelques pas puis Scarabello s'arrêta et pointa l'index. « Ça, c'est la Porte de Terre. »

À travers le fin brouillard qui s'était levé, Mercurio vit une très grande porte. Elle lui rappela certains arcs de Rome, même s'ils étaient anciens, alors que cette porte-là avait l'air toute neuve. Sur la droite, deux tours flanquaient la porte sur l'eau. De chaque côté s'élevait une muraille haute et solide, en brique rouge. Deux gardes armés surveillaient l'entrée par la Porte de Terre.

« Mon père était arsenalier, dit alors Scarabello avec dans la voix une intonation qui parut presque triste à Mercurio. Ça veut dire qu'il était un des privilégiés qui travaillent là-dedans. Mais ce grand connard s'est fait prendre à voler des cordages. » Il hocha la tête. « L'Arsenal offre de grands avantages à ses ouvriers, reprit-il. Ils sont entretenus à vie par la Sérénissime et leurs enfants ont le droit d'y travailler. Sauf qu'il y a des règles militaires. Après le déshonneur de mon père, ma mère et moi avons été chassés de chez nous, et abandonnés à notre sort. Ma mère s'est mise à faire… bon, tu te doutes de ce que peut faire une femme. Mais elle avait les poumons faibles et l'année d'après elle est morte de consomption. Et moi, je suis devenu ce que je suis. » Il fixa la Porte de Terre. « J'ai jamais rien regretté. Si mon père ne s'était pas fait prendre, aujourd'hui je serais sûrement ouvrier à l'Arsenal et je me casserais le dos pour quatre sous à construire des navires. Et je me dirais peut-être même que j'ai de la chance. C'est bizarre, la vie… » Il regarda Mercurio. S'emparant d'un bout de bois, il dessina dans la boue le périmètre des murs de l'Arsenal avec la Porte de Terre. Puis il traça un signe. « Les entrepôts des voileries sont là, sur le côté de la Darsena Nuova[1]. Je le sais parce que j'allais voir mon père et il travaillait à côté, dans la Tana, qui est encore plus au sud que les voileries. » Il traça un autre signe, contre les murs d'enceinte. « C'est le grand magasin du chanvre public. Tu verras des cordes et des câbles de toutes les dimensions. Il y a toujours des gens qui vont et viennent. Si j'étais toi, j'irais là après avoir volé les deux grands cacatois. Si on t'arrête, tu dis que ton marangone t'a envoyé vérifier le diamètre des garcettes d'envergure parce que les autres se sont toutes grippées.

— Marangone… garcettes de ver… de verdure.

— D'envergure. Garcettes d'envergure.

— Garcettes d'envergure… grippées… »

Scarabello dessina un canal de l'autre côté des murs. « Ça, c'est le rio della Tana. » Il tendit le bras vers la droite. « Il est là-bas. Et il donne directement sur les eaux ouvertes. Il y a une échelle à l'arrière de la Tana. J'y grimpais toujours quand j'étais gamin, et après je sautais sur la muraille. C'est un sacré saut. Tu peux le faire. Après, quand tu es là-haut, tu te jettes dans le canal. Tu trouves quelqu'un avec une

1. Darse nouvelle.

embarcation qui n'attire pas l'attention, un pêcheur, par exemple, et le tour est joué. Il te récupère et vous vous en allez. » Scarabello sourit et effaça le dessin du bout de sa botte. « C'est quoi cette histoire de navire ? demanda-t-il.

— Un jour, je voudrais avoir un navire à moi », répondit Mercurio tout d'un trait.

Scarabello leva les sourcils.

Et une nouvelle fois Mercurio se sentit un imbécile.

« Étudie un plan pour pénétrer dans l'Arsenal. » Scarabello lui donna une tape sur l'épaule et commença à s'éloigner. « Et vite.

— Qu'est-ce qu'il est devenu, ton père ? », lui demanda Mercurio.

Scarabello s'arrêta. Il se retourna. « Il a été condamné à mort pour haute trahison et noyé dans la lagune.

— Noyé ? dit doucement Mercurio.

— C'est la méthode la plus propre de la Sérénissime. Regarde autour de toi. L'eau ne manque pas. »

Mercurio sentit la peur lui tenailler la gorge.

39

Giuditta se leva de la table où elle était restée assise plus de quatre heures à coudre, tête baissée. Ses doigts lui faisaient mal, et le bout de son index gauche était rouge et gonflé à force d'être piqué par l'aiguille. Au sol et sur la table se trouvaient des dizaines de bonnets jaunes de formes variées, cousus d'étoffes de trame différente et de diverses nuances de couleur. Elle lança un regard dans la chambre de son père. Depuis plusieurs jours Isacco restait couché, la tête dans les mains. La mort de Marianna, l'amie de Lanzafame, l'avait plongé dans le désespoir. Giuditta avait assisté à cette chute sans savoir que faire ni comment l'aider. Au pied du lit, elle vit une bouteille de vin. Elle se glissa dans la chambre, essayant de ne pas faire de bruit, et s'en empara.

« Laisse ça là, dit Isacco sans se retourner, d'une voix rauque.

— Tu te fais du mal, père…

— Laisse ça là ! »

Giuditta tressaillit. Elle n'était pas habituée à ce ton de voix. Elle eut envie de pleurer mais retint ses larmes. Elle reposa la bouteille sur le plancher. « Tu es en train de devenir comme le capitaine… »

Isacco se retourna d'un bloc, grinçant des dents, les narines dilatées. « On ne peut pas rester tranquille, dans cette maison ? »

Giuditta fit un pas en arrière, apeurée.

Isacco tendit le bras vers la bouteille, la saisit et l'agita en l'air. « C'est à cause de ça qu'on ne peut pas me laisser tranquille ? »

Giuditta recula jusqu'à la porte.

« C'est à cause de ça ? », hurla encore Isacco en lançant la bouteille contre le mur. Elle explosa, tachant de rouge la paroi et le plancher. « Voilà ! Le problème est résolu ! » Isacco pointa le doigt vers sa fille. « Et ne t'avise pas de ramasser les morceaux et de nettoyer. Dehors ! » Puis il se rejeta sur sa couche, la tête entre ses mains.

Giuditta sortit de la pièce, effrayée. Elle ferma la porte et se mit à la petite fenêtre qui donnait sur le campo del Ghetto. Elle se mordait les lèvres pour ne pas pleurer.

« *Ha-Shem*, dit-elle tout bas, j'ai besoin de ton aide. Si je n'ai plus mon père… – elle retint un sanglot –, je n'ai plus personne. »

La peur et le désespoir prenaient le dessus. Elle se tourna pour regarder le pauvre logement où ils vivaient. Des plafonds si bas que d'instinct on y marchait courbé, des chambres étroites, des planchers grinçants et pourris, des fenêtres si petites que même ouvertes elles laissaient à peine passer l'air. Deux pièces pour tout faire : dormir, cuisiner et manger. Des habitations misérables dans lesquelles les Juifs étaient tous contraints d'habiter, entassés les uns sur les autres, dans une promiscuité humiliante et pour un loyer bien plus élevé que celui des précédents locataires chrétiens.

Par la minuscule fenêtre, Giuditta voyait des petits garçons jouer sur le *campo* et, plus loin, l'une des deux grandes portes qui étaient fermées le soir, avec ce bruit sourd du bois et ce grincement des chaînes qui donnaient le frisson.

Elle regarda les murs de briques rouges mal assemblées construits en toute hâte autour de la zone pour les enfermer, comme des animaux dans une cage. Elle pensa à la famille qui habitait juste à côté et dont l'appartement donnait sur le *rio* et non sur le *campo*. Leur fenêtre qui ouvrait sur le monde libre avait été murée, comme le prévoyait le décret officiel. Et cette famille de cinq personnes, chaque fois qu'elle s'asseyait à table, avait devant elle ces rangées de briques et de mortier qui bouchaient la fenêtre. Emmurés vivants, se dit Giuditta.

« Je t'emmènerai loin d'ici ! », avait hurlé Mercurio, le premier soir où ils avaient été enfermés.

Giuditta avait encore sa voix dans les oreilles. Tous les jours, elle regardait vers le pont, espérant le voir apparaître. Mais Mercurio n'était jamais revenu, même quand c'était autorisé, même quand les grandes portes de l'enceinte restaient ouvertes. Giuditta commençait d'éprouver une rage sombre, pleine de rancœur. Mercurio était sûrement en train d'embrasser sa Benedetta, se disait-elle. Et ils riaient sûrement d'elle, tous les deux, et de sa naïveté.

"Tu es une idiote", pensa-t-elle, avec colère.

Mais malgré cela, sa main alla toute seule au mouchoir de lin qu'elle portait toujours sur elle. Ce tissu dans lequel leurs deux sangs s'étaient mêlés, quand ils s'étaient rencontrés pour la première fois. Leur "contrat" rédigé par le destin, ainsi que l'appelait Giuditta.

"Pauvre idiote", se répéta-t-elle, avec plus de hargne encore.

On frappa à la porte.

Giuditta sursauta, arrachée à ses pensées. « Qui est-ce ?

— C'est moi, qui veux-tu que ce soit ? »

Giuditta alla jusqu'à la porte, l'ouvrit et se jeta dans les bras de Donnola, qui venait comme chaque jour voir Isacco.

« Eh, calme-toi… C'est quoi cette familiarité tout à coup ? plaisanta-t-il, toujours mal à l'aise avec les gestes d'affection.

— Il est soûl », dit Giuditta, en éclatant en sanglots.

Donnola s'agita, sans savoir quoi dire.

« Il va mal et je ne sais pas quoi faire…, sanglotait Giuditta. Je ne sais pas comment l'aider… »

L'assistant du docteur l'écarta et la tint par les épaules, avec un regard grave. « Il va m'entendre. »

Giuditta baissa la tête.

Donnola alla jusqu'à la porte de la chambre d'Isacco, qu'il ouvrit avec fougue. « Levez-vous, docteur ! dit-il d'une voix décidée. Est-ce vrai, ce que votre fille me raconte ?

— Tire-toi de là ! »

On entendit un bruit violent, quelque chose qui était lancé. Puis un gémissement.

L'instant d'après l'assistant sortait de la chambre en se massant la jambe, avec une grimace de douleur. « Il faut qu'il se calme, dit-il à Giuditta à voix basse.

— Ferme la porte ! », hurla Isacco.

Donnola se précipita, obéissant. Il lança un sourire gêné à la jeune fille. « Il doit bien y avoir un moyen pour lui parler… c'est une question de stratégie, tu comprends ? », bafouilla-t-il.

Giuditta hocha la tête, prit un des bonnets jaunes qu'elle avait cousus et s'en coiffa. « Je sors faire quelques pas.

— Voilà, excellente idée, convint Donnola. Excellente idée ! »

Giuditta ouvrit la porte de l'appartement, le regard effrayé. « Va t'amuser », l'encouragea Donnola avec un faux enthousiasme, aussi inquiet qu'elle de la situation.

Giuditta descendit l'escalier étroit et sombre qui sentait le moisi. La porte de l'immeuble était ouverte. Elle se retrouva directement sous les brèves arcades du *campo*, entre deux boutiques de prêteurs sur gages.

De l'autre côté du pont du Ghetto, elle entendit la voix désormais familière du moine qui prêchait la haine des Juifs. Ce moine qu'ils avaient rencontré dans l'auberge près d'Adria, juste après qu'ils avaient débarqué, son père et elle. Comme s'il les suivait. Ou comme s'il était la voix de ce monde-là.

« Le Seigneur m'a parlé ! hurlait frère Amadeo. Venise, écoute. Tu les as enfermés, mais regarde-les ! Ils sont le malheur ! Ils sont le chancre ! Ils sont les mages et les sorcières du démon ! »

Giuditta baissa la tête, essayant de ne pas écouter cette voix déplaisante. Elle inspira à fond. L'odeur douceâtre de pourriture de la lagune était particulièrement insupportable quand l'air était immobile et lourd, comme ce jour-là. Une brume légère, humide, se déposait à ras du sol, mouillant la terre du *campo*. Giuditta releva sa robe et se dirigea, en cherchant à éviter les flaques de boue, vers une boutique d'étoffes de seconde main où elle achetait parfois des chutes.

« Ce n'est pas le même bonnet qu'hier, n'est-ce pas ? », lui dit Ariel Bar Zadok, l'homme qui gérait le petit magasin.

Giuditta fit signe que non et commença, tête baissée, à fouiller parmi les coupons.

« Il est très joli, intervint une cliente. Où l'as-tu acheté ?

— Je l'ai cousu moi-même, répondit timidement Giuditta, sans lever les yeux.

— Toi ? », fit la femme, étonnée.

Giuditta haussa les épaules puis s'empressa de gagner la sortie. Elle n'avait fait que quelques pas en direction de Cannaregio, quand la cliente du magasin la rejoignit.

« Attends, où tu te sauves ? lui dit-elle en marchant près d'elle.

— Je dois faire des courses, excusez-moi.

— Au marché ?

— Oui, c'est ça.

— Ah, bien. Moi aussi », répliqua la femme en souriant, et elle la prit sous le bras pour aller vers le marché aux légumes, juste après les *sotoporteghi*, de l'autre côté d'une des deux grandes portes qui étaient fermées le soir.

« Venise, écoute-moi ! criait pendant ce temps frère Amadeo. Repens-toi de tes péchés ! Chasse le Juif immonde !

— Ce frère !… », s'exclama la femme. Dans sa voix se mêlaient la colère et la peur.

Giuditta aurait préféré rester seule, mais ne savait pas comment se débarrasser de cette dame.

« Je m'appelle Ottavia, dit celle-ci en secouant la tête, comme si elle voulait chasser la voix du moine. Je sais, je sais, ce n'est pas un prénom juif, mais mon père avait une passion pour les Romains de l'Antiquité… tu sais qui était Octavie, n'est-ce pas ? »

Giuditta fit timidement signe que non.

« La femme de Néron, son épouse-enfant ! Tu parles d'une idée stupide qu'il a eue là, mon fou de père, que le Ciel l'ait en sa gloire. » Elle serra le bras de Giuditta. « Saute ! », dit-elle en se trouvant devant une flaque, et elle sauta par-dessus, en riant.

Giuditta sauta aussi, instinctivement. Et sourit.

« Il suffit d'un petit saut, non ? dit Ottavia.

— Comment cela ?

— Il suffit de faire quelque chose de stupide pour casser la raideur et tout paraît différent… plus léger. » Ottavia lui fit un clin d'œil.

Giuditta sourit de nouveau.

« En somme, si je ne m'abuse, tu es la fille du docteur qui… qui est l'ami de notre gardien.

— Le capitaine Lanzafame.

— Et tu t'appelles ?

— Giuditta.

— Giuditta quoi ?

— Da Negroponte.

— Ah, voilà pourquoi vous êtes si différents de nous ! s'exclama Ottavia. Nous, nous venons presque tous du centre de l'Europe. Nous sommes allemands, en somme. Ça s'entend à l'accent ? »

Giuditta sourit. « Ça se remarque à peine…

— Ça te fait rire ?

398

« — Non…

— Allons, je ne me vexerai pas.

— Un petit peu, oui… »

Ottavia rit de bon cœur. Puis son regard se fit mélancolique. « Notre parler me manque, tu sais ? Ici tout le monde pense que l'Allemagne, c'est seulement froid. Alors que c'est un endroit plein de force et d'énergie… » Elle regarda Giuditta et soupira. « Une femme suit son mari, ma chère. S'il n'y avait eu que moi, je serais restée là-bas, mais mon mari voulait être prêteur sur gages et nous voilà ici. Il s'est mis en affaires avec Anselmo del Banco. » Elle haussa les épaules. « Quel goût on peut avoir à prêter de l'argent, je me le demande. À Mayence, nous étions imprimeurs, sais-tu ? Les meilleurs d'Europe sont tous là-bas. Ici, ça nous est interdit… juste parce que nous sommes juifs. Les Vénitiens peuvent apprendre gratuitement tous les tours de main et les techniques les plus avancées, mais comme c'est une question de race… » Ottavia souffla. « Ce que l'humain peut être bête ! Note que je ne parle pas seulement des chrétiens. Il y a certains Juifs qui ont la tête comme une casserole vide… Mais laissons cela… Je suis bavarde, hein ? » Elle se mit à rire.

Giuditta rit avec elle.

« Passons aux choses sérieuses, dit Ottavia. Parle-moi de ce bonnet. Il est magnifique. Et *Ha-Shem* m'en est témoin : jamais je n'aurais pu imaginer dire une chose pareille à propos de cette horreur qu'ils nous obligent à nous mettre sur la tête.

— Je ne sais que dire…, balbutia Giuditta en rougissant.

— Mon enfant, il faut rougir pour une faute, pas pour un mérite, répondit la femme. Le vendeur de fripes disait que tu as un bonnet différent de celui d'hier. Qu'est-ce que ça veut dire ? Que tu en as plusieurs ? »

Giuditta hocha la tête en signe d'acquiescement.

« Il faut une tenaille pour t'arracher les mots de la bouche, soupira Ottavia. Je peux voir un de tes bonnets et pourquoi pas, t'en acheter un ?

— L'acheter ? demanda Giuditta, surprise.

— Que veux-tu faire ? Me l'offrir ? plaisanta Ottavia.

— Oui, je pensais plutôt…

— Tu es sûre d'être juive ? » Ottavia éclata de rire. « Je plaisante, mon trésor. J'aime bien me moquer de nous comme le font ces chrétiens stupides. Je m'habitue à leurs bêtises, comme ça elles me font moins mal.

— Venez, Ottavia », dit tout à coup Giuditta, en la prenant par le bras et en la ramenant sur leurs pas, vers le campo del Ghetto. Lorsqu'elles furent arrivées, elle lui dit : « Attendez ici, je redescends tout de suite ». Elle courut dans les escaliers et pénétra dans l'appartement.

Elle trouva Isacco et Donnola assis sur deux chaises, l'un en face de l'autre, silencieux, tête baissée. Isacco leva les yeux pour la fixer un instant, le regard brillant. Puis il baissa la tête à nouveau, sans rien dire. Il rota tout bas.

Giuditta prit tous les bonnets qu'elle avait cousus dans ses heures solitaires et descendit en courant, heureuse de sortir de cette maison.

« Voilà, choisissez-en un, dit-elle à Ottavia.

— Écoute, mon enfant, ne me dis pas vous. Ça me fait me sentir vieille.

— D'accord », dit Giuditta avec un sourire. Elle lui tendit les bonnets. « Choisis celui qui te plaît. »

Ottavia les prit et les regarda rapidement, l'un après l'autre. « Tu as un grand talent. » Puis elle eut un sourire malicieux. « Viens », dit-elle en se dirigeant vers le centre du *campo*, où les femmes se tenaient assises en rond.

La plupart échangeaient des potins en épluchant des légumes ou en faisant du raccommodage, un œil sur les enfants qui jouaient autour. Mais certaines, de temps en temps, levaient les yeux vers la fondamenta dei Ormesini, où frère Amadeo continuait de hurler sa haine des Juifs.

« Bonjour, Rachel, dit Ottavia en les rejoignant. Bonjour à toutes. »

Les femmes observaient Giuditta avec suspicion.

Ottavia faisait comme si de rien n'était. Elle s'assit sur une chaise libre, fit signe à la jeune fille de venir près d'elle et commença, avec une grande lenteur, à examiner les bonnets. « Comment as-tu dit que s'appelait ce modèle ? », lui demanda-t-elle, en agitant un bonnet dans l'air.

Giuditta, qui ne s'y attendait pas, ouvrit la bouche et n'émit qu'un son incompréhensible.

« Mayence, tu m'as dit, je crois, fit Ottavia. Le modèle Mayence. » Elle acquiesça, satisfaite. « Très approprié, je dirais. » Elle posa le bonnet sur sa tête. « Il me va bien, Rachel ? demanda-t-elle à l'une des femmes.

— C'est un bonnet jaune, dit Rachel en haussant les épaules, comme si elle se désintéressait de l'objet, avec toutefois une hésitation dans la voix, et un regard qui s'attardait.

— Oui, tu as raison, dit Ottavia en ôtant le couvre-chef, qu'elle fit tourner entre ses mains.

401

Mais ces incrustations, cette combinaison de trames différentes, ces différents tons de jaune… qui sait pourquoi… ça me faisait penser… » Elle s'interrompit et haussa les épaules. « Ah, j'allais encore dire une bêtise. » Elle tendit le bonnet à Giuditta. « Tiens.

— Qu'est-ce que tu allais dire ? demanda l'une des femmes.

— Une bêtise, répéta Ottavia.

— Une de plus ou une de moins… Allez, dis-le.

— En somme, il est si beau qu'on ne dirait pas un bonnet de Juif. J'allais dire que c'est un bonnet comme pourrait s'en acheter une chrétienne, voilà. » Elle haussa encore les épaules. « Tu vois comme je peux être bête, des fois. » Elle se tourna vers Giuditta. « Montre-m'en un autre, allez.

— Et celui-là, montre-le-moi aussi, jeune fille », dit une des femmes en parlant du bonnet qu'Ottavia venait d'essayer.

Giuditta le lui tendit, avec timidité et réticence.

La femme le prit, sous les regards curieux de ses amies, qui regrettaient maintenant de n'avoir pas demandé.

« Oh, celui-ci aussi est vraiment particulier ! s'exclama Ottavia, un nouveau bonnet à la main.

— Modèle Negroponte », dit Giuditta.

Ottavia la regarda en hochant la tête. « Tu aimes bien blaguer, n'est-ce pas ? Tout à l'heure, tu disais que c'était le modèle Cologne.

— Ah, oui », acquiesça Giuditta.

Ottavia lui sourit et lui murmura à l'oreille : « Des villes du Nord, petite !

— Que lui dis-tu ? », demanda une des femmes.

Ottavia se tourna. « Qu'elle doit me faire un prix. Parce que je crois bien que je vais tous les prendre, ces bonnets. Je veux pouvoir en changer chaque jour.

— Comment ça, tous ? fit la femme qui avait pris le premier bonnet, qu'elle serrait contre sa poitrine. Celui-ci est à moi, je m'apprêtais justement à lui demander à combien elle le faisait.

— Moi, je voulais voir cet autre, là, dit la femme qui s'appelait Rachel en désignant un des bonnets que Giuditta avait à la main.

— Le modèle Amsterdam ? intervint Ottavia. Ah non, celui-là, il est pour moi.

— Il n'en est pas question ! », s'exclama Rachel en se levant et en arrachant le bonnet des mains de Giuditta.

En un instant, toutes les femmes étaient debout autour de Giuditta et commençaient à essayer les bonnets.

Quand tout fut terminé, les femmes parties, Giuditta compta l'argent qu'elle avait dans la main. En tout, deux matapans, un sou de douze bagatins et cinq tornesels.

« Pas mal, hein ? », fit Ottavia.

Giuditta ne savait que dire.

« Tu as du talent, petite, répéta Ottavia. Moi aussi, dans mon genre, ajouta-t-elle en lui faisant du coude. Nous pourrions penser à une association, qu'en dis-tu ? »

Giuditta resta ébahie.

« Vraiment ?

— Qu'as-tu à faire d'un talent s'il ne te rapporte rien ? »

Giuditta n'en croyait pas ses oreilles. Elle se rendit compte que c'était la réalisation de tout ce qu'elle avait désiré. Elle regarda les femmes qui s'éloignaient, fières, leur bonnet sur la tête. Elle se dit qu'elles étaient aussi belles qu'elle se les était imaginées. « Vraiment ? », dit-elle à nouveau.

Ottavia acquiesça. Elle sourit. « Je sais qu'en ce moment ton père ne travaille pas… », dit-elle tout bas.

Giuditta se raidit.

« Notre communauté est petite, mon enfant…

— Je n'ai pas envie d'en parler », la coupa Giuditta. Elle pivota sur elle-même et se sauva.

Quand elle arriva aux arcades, elle rencontra une petite fille qui semblait avoir dans les treize ans.

« C'est là qu'il habite, le docteur juif ? lui demanda la petite fille.

— Quel docteur ? dit Giuditta sur la défensive.

— Celui qui a soigné Marianna, la putain.

— Qui es-tu ?

— Ma mère aussi fait la putain. Et c'était une amie de Marianna », dit la petite en baissant la tête. Quand elle la releva, elle avait les yeux pleins de larmes, mais une expression de dignité et de force.

« Ma mère est malade. Elle a la même maladie que Marianna. Marianna lui avait dit qu'il y avait un docteur juif qui avait un grand cœur, et qu'il connaissait des remèdes pour qu'elle ne souffre pas et… qu'il avait tout fait pour la sauver. »

Giuditta frémit. « Ce docteur, c'est mon père, dit-elle avec fierté. Viens. »

Avant d'entrer dans la maison, elle se retourna vers le pont, où elle continuait d'espérer voir Mercurio arriver.

40

« Bon Dieu, qu'est-ce qu'il t'est arrivé ? s'exclama Anna del Mercato quand elle ouvrit la porte à Mercurio et vit son nez enflé.

— Rien, bougonna ce dernier, de mauvaise humeur. Je me suis cogné.

— Contre cet homme qui est venu te chercher ce matin ? demanda Anna en le saisissant par le bras.

— Laisse-moi, fit Mercurio, qui se libéra d'un geste vif.

— Il ne me plaît pas, cet homme.

— Je m'en fous. »

Anna leva la main pour lui donner une claque.

Mercurio l'affronta avec un air de défi.

« Qu'est-ce que tu allais me dire ? fit Anna. Que je ne suis pas ta mère ?

— Exactement », maugréa Mercurio.

Anna baissa lentement sa main. Elle se tourna et partit vers la grande salle.

« Anna, fit Mercurio, qui se rendit compte aussitôt de ce qu'il avait dit. Je suis désolé…

— Non. Tu as raison », répondit-elle en disparaissant dans la grande pièce.

Mercurio hocha la tête, frustré. Il entendait Anna remuer la louche dans la marmite de soupe.

« Je suis désolé », répéta-t-il en la rejoignant.

Anna ne se retourna pas. « Assieds-toi, c'est presque prêt.

— Je le pensais pas…, fit Mercurio en s'approchant.

— Oh, enfin, tu vas t'asseoir, fichu garçon ! s'écria Anna, toujours de dos. Pourquoi tu ne fais jamais ce qu'on te dit ? »

Mercurio comprit brusquement qu'Anna pleurait et ne voulait pas qu'il la voie. Il se mit à table.

« Il s'appelle Scarabello… », commença-t-il à dire.

Anna continuait de tourner la soupe.

« C'est quelqu'un de pas très bien. »

Anna versa de la soupe dans une grande écuelle de terre cuite.

Mercurio la vit s'essuyer les yeux avec sa manche.

« Je suis en nage », dit Anna, et elle se retourna. Elle posa l'écuelle sur la table et s'assit face à Mercurio, après lui avoir donné une cuillère.

« Et toi, tu ne manges pas ?

— J'ai déjà mangé. »

Mercurio plongea la cuillère dans la soupe.

« Tu t'apprêtes à faire une bêtise, c'est ça ? », dit brusquement Anna.

Quand Scarabello l'avait laissé devant la Porte de Terre de l'Arsenal, Mercurio avait fait un tour de repérage. Les gardes à l'entrée étaient armés et ne laissaient approcher personne. Il s'était éloigné pour examiner la muraille. Par endroits, le mauvais état du mortier qui unissait les briques permettait d'avoir une prise pour les mains et pour les pieds. S'il ôtait ses chaussures, il pourrait tenter l'escalade, malgré la hauteur. Autrefois, il avait souvent grimpé dans des maisons pour y trouver quelque chose à voler. C'était faisable. Mais il avait vu un soldat armé d'un long bâton pointu se pencher par-dessus la corniche et inspecter la base du mur d'enceinte. Mercurio était resté à rôder dans les environs, cherchant en vain le point faible. Scarabello avait raison. L'Arsenal était une forteresse imprenable.

« Quelle bêtise ? dit Mercurio. Non… non.

— Ça se lit sur ton visage. »

Mercurio prit une cuillerée de soupe. « C'est bon, marmonna-t-il.

— Raconte-moi ce qui t'est arrivé.

— Rien. » Mercurio laissa tomber la cuillère dans l'écuelle.

« Tu n'as plus l'âge de faire des caprices », dit Anna. Puis, avec douceur, elle ajouta : « Même si tu n'as jamais eu de mère.

— J'ai choisi un rêve trop grand pour moi… », finit par murmurer Mercurio.

Anna soupira. « Mange… »

Mercurio recommença à manger, lentement, vaincu.

Anna montra son nez gonflé. « Je crois qu'il est cassé. » Elle sourit. « Ça te rendra plus intéressant. Tu avais un petit nez de fille. Maintenant tu auras plus l'air d'un homme. » Elle le regarda avec amour. « Il n'y a pas de rêves trop grands… », commença-t-elle à dire. Sa voix était calme. « Les rêves ne se mesurent pas. Ils ne sont ni grands ni petits. »

Mercurio avala une cuillerée de soupe sans regarder Anna.

« Les hommes qui se fixent un but facile, poursuivit Anna comme dans une réflexion intérieure,

407

l'atteignent vite. Arrivés là, ils s'assoient… et ils meurent : ils restent là, sans bouger, pendant toute leur ennuyeuse vie. »

Mercurio ne dit rien. Il était sombre, la tête baissée sur son écuelle.

Anna se leva et alla jusqu'à une pierre du mur dont un œil attentif aurait pu voir qu'elle avait moins de mortier. Elle la déplaça, glissa la main dans l'ouverture et en sortit une bourse qui tinta. Elle dénoua le lacet et versa devant lui les pièces d'or qu'il lui avait confiées. « Tu croyais qu'il y en avait beaucoup ? Eh bien, non, il n'y en a pas beaucoup. Fais-les devenir le double, lui dit-elle. Et quand tu en auras le double, double-les encore. Et quand tu en auras le quadruple, quadruple-les encore. Et puis encore, et encore une fois.

— Et alors ? demanda doucement Mercurio.

— Alors tu t'achèteras un navire ! s'exclama Anna, les mains posées sur ses hanches. C'est bien de ça qu'on parle, non ? Et si l'argent ne suffit pas, construis-le de tes propres mains.

— Facile à dire ! explosa Mercurio, rempli de colère. Dans ce monde de merde, personne ne te laisse jamais faire ce que tu veux !

— Si tu crois que je vais te taper sur l'épaule et te dire "mon pauvre petit", tu te trompes, lui répondit Anna. Tâche de devenir un homme, tu n'es plus un gamin.

— J'y arriverai jamais ! », cria Mercurio. Et il bondit sur ses pieds et courut dans l'escalier. « Je suis juste un petit arnaqueur, moi ! »

Tandis qu'il montait les marches quatre à quatre, Anna éprouvait comme une angoisse, comme un sentiment d'échec. Peut-être semblable à celui qu'éprouvait Mercurio, se dit-elle. Son propre rêve était peut-être trop grand, lui aussi. « Tu as raison ! cria-t-elle, avec la force de l'instinct, juste avant qu'il ne disparaisse dans sa chambre. Tu n'es pas à la hauteur d'une chose aussi extraordinaire ! » Et elle retint son souffle.

Mercurio s'arrêta quelques instants puis redescendit vivement l'escalier. Anna vit qu'il retenait ses larmes de toutes ses forces.

« Tu penses vraiment que je ne suis pas à la hauteur de mon rêve ? », lui demanda Mercurio, étonné et blessé.

Anna le regarda. « Non, je ne le pense pas, répondit-elle.

— Mais il est presque impossible à réaliser », dit Mercurio les yeux baissés.

Anna resta silencieuse.

« Il est… vraiment grand… gigantesque…

— Il est grand parce qu'un navire, c'est grand ? » Anna lui caressa les cheveux et rajusta sa mèche. « Je dois te les couper, sinon bientôt on te prendra pour une fille. » Elle le prit par la main et l'emmena dans la grande pièce. Elle le fit asseoir sur une chaise près du feu. « La grandeur d'un rêve n'a rien à voir avec la taille de la chose que tu veux obtenir, lui dit-elle. Les rêves ne se mesurent pas en perches ni au poids.

— Mais un navire…

— Tu es sûr que ton projet est d'avoir un navire ? », l'interrompit Anna. Elle prit les ciseaux et se mit derrière lui. « Ne bouge pas si tu ne veux pas que je te coupe aussi les oreilles », dit-elle. Puis elle glissa les doigts dans ses boucles brunes et commença à couper.

Elle lui passa dans les cheveux un peigne d'os et fit un pas en arrière pour regarder.

« Je n'y avais jamais pensé… » Mercurio s'arrêta.

Anna coupa les cheveux au-dessus de l'oreille. « Tu n'es qu'un petit arnaqueur, c'est ça ? Un vaurien qui n'a pas d'idéal et pas de rêves. »

Mercurio fronça les sourcils. « Tu ne peux pas comprendre…, marmonna-t-il.

— Regarde-moi. » Anna lui mit un doigt sous le menton et l'obligea à tourner la tête vers elle. Elle vérifia la longueur des cheveux, écourtant ici et là, à coups de ciseaux rapides. Puis elle passa derrière Mercurio pour les finitions et reprit la parole. « Tu ne penses pas que vivre dans une fosse d'égout renfermait déjà ton projet ?

— Quel projet il peut y avoir à vi… »

Anna lui donna une bourrade. « Tiens donc ta langue ! Qui commande ? Ta langue ou toi ? Tu n'as pas fini d'écouter que déjà tu parles.

— J'ai entendu ce que tu as dit, fit Mercurio, vexé.

— Et tiens-toi droit, si tu ne veux pas que je me casse le dos. »

Mercurio soupira.

« Pourquoi vivais-tu dans une fosse d'égout ? », reprit Anna, d'un ton revêche.

Mercurio haussa les épaules et eut un petit rire. « Parce que je n'avais plus envie de rester au chaud dans le palais de mes parents, bien logé, bien nourri… »

Anna lui donna une autre bourrade. « Si tu me prends pour une idiote, on peut s'arrêter là, dit-elle, sérieuse. Essaie de répondre à ma question. On sait tous les deux que tu n'as ni père ni mère, que tu étais pauvre à crever de faim, que la vie est une charogne, que tout le monde t'a toujours traité à coups de pied dans le cul et blablabla et blablabla. » Anna lui agita les ciseaux sous le nez. « Pourquoi tu n'es pas resté avec ce Scalzamorto ?

— Scavamorto, dit Mercurio en souriant.

— Quelle importance ? Ne fais pas le malin avec moi. Je commence à perdre patience !

— Parce que…

— Quelle tête de mule tu fais, Pietro Mercurio des Orphelins de Saint-Michel Archange ! souffla Anna. Être dans une fosse d'égout puante, dans le noir, sans rien à manger, seul comme un chien, c'était mieux que…

— Il nous enchaînait à nos lits ! explosa Mercurio. Comme des esclaves ! Comme si on était à lui !

— Alors que dans ta fosse d'égout tu étais…

— Libre, bordel de merde ! »

Anna fit mine de lui donner une claque. « Attention à ce que tu dis, méchante langue. » Puis elle tendit la main vers le visage de Mercurio et le caressa. « Libre, mon enfant. Libre, oui. »

Mercurio ne savait pas pourquoi il avait envie de pleurer. Il se retint. Mais c'était comme si quelque chose s'était cassé en lui. Ou comme une reddition. Ses pensées étaient confuses.

« Pour quelqu'un qui n'a jamais eu la passion de la mer, c'est bizarre de vouloir tout à coup posséder un navire, reprit Anna. Allons, quelle est la première chose que tu m'as dite à propos de ton rêve ?

— Que j'emmènerai Giuditta avec moi…

— Non.

— Le Nouveau Monde…

411

— Non ! » Anna le secoua par l'épaule. « Rappelle-toi ton émotion !

— Que je voulais… être… » Les yeux de Mercurio de remplirent de larmes.

« Dis-le !

— Libre…

— Répète.

— Je voulais être libre. »

Anna le prit dans ses bras. « Oui, mon trésor. C'est cela que tu veux. Que tu as toujours voulu. Pas un navire, pas le Nouveau Monde, tu ne sais même pas comment c'est, et si ça se trouve c'est peuplé de sauvages. Mais être libre. C'est ça, ton projet. Ça l'a toujours été. » Elle s'écarta et lui prit de nouveau le visage entre les mains, émue. « Toi, la liberté, tu l'as dans le sang. Et dans le cœur. Tu… tu sais vraiment ce que c'est. Et tu veux l'offrir aussi à Giuditta. » Elle le reprit dans ses bras. « Tu as un projet beaucoup plus grand qu'un misérable navire. Tu t'en rends compte ? »

Mercurio la regarda. La chaleur du feu séchait déjà ses larmes.

« Que veux-tu que ce soit, un navire ? », se mit à rire Anna en se levant. Elle prit un balai de paille et poussa les mèches de cheveux vers le feu. Elle en ramassa une, la tint un instant dans sa main et la regarda, les yeux perdus dans le passé. « Merci, mon garçon, dit-elle. Autrefois je coupais ceux de mon mari. C'est beau de le faire à nouveau. » Puis elle jeta les cheveux dans le feu et les écouta grésiller.

Mercurio se dit qu'il n'était pas encore libre. Parce que maintenant il appartenait à Scarabello. Mais avec l'aide d'Anna, tout se résoudrait, pensa-t-il. Et il en éprouva une sensation encore plus chaude que celle du feu dans la cheminée.

Il se projeta dans le passé, vers sa vie d'autrefois, et se vit petit garçon, debout au bord de la fosse commune par-delà la piazza del Popolo, à Rome. Il se souvint de sa colère quand il scrutait les cadavres amoncelés à la recherche de celui de sa mère. Parmi les morts. Espérant la trouver morte. Même s'il n'avait aucune chance de la reconnaître, ne l'ayant jamais connue. Il se rappela – et le comprit alors – que Scavamorto tentait de l'arracher à cette colère en lui faisant jouer à *qui était ma mère*. Il comprit que Scavamorto, à sa manière, comme un maître avec un esclave, avait eu une sorte d'affection pour lui. Et dans son cœur, à cet instant-là, il lui pardonna.

Mais il n'avait jamais cherché un père. Il avait toujours voulu une mère.

Là, devant la cheminée, il éprouvait une sensation nouvelle de plénitude intérieure. Et il eut peur que ce ne soit pas réel.

« Nous deux, on est une famille, hein ? », dit-il alors.

41

« Aujourd'hui, au port, on m'a parlé d'un équipage macédonien qui a voulu détrousser deux Juifs l'an dernier, un père et sa fille. Mais dans leurs malles ils n'ont trouvé que des cailloux. » L'éclat de rire d'Ester retentit, cristallin, plus fort que le bruit du ressac.

Shimon Baruch s'arrêta pour la regarder. Ses pieds s'enfonçaient dans le sable, à la lisière de l'eau.

Elle s'arrêta aussi et répondit à son regard, nullement intimidée. Le vent ébouriffait ses cheveux, soulevant des mèches dans sa coiffure en tresses patiemment enroulées autour du front et retenues par de fines épingles d'os. Un coup de vent plus fort arracha son foulard en soie brodée, fixé sur la partie supérieure de la tête. Ester tenta de le rattraper, mais la brise l'emporta et le fit danser dans les airs comme un papillon. Ester rit de nouveau.

Shimon ne se laissa pas distraire par le vol du foulard. Il continua de fixer les yeux d'Ester, verts comme des scarabées, et ses lèvres pleines et roses.

« Ce n'est pas drôle ? », demanda-t-elle, avec un sourire.

Shimon acquiesça. Il ne sourit pas. Il n'avait pas encore appris. Mais il savait qu'Ester n'attendait pas cela de lui, pas plus qu'elle ne s'attendait à le voir courir comme un gamin sur cette plage où ils se rencontraient tous les jours pour marcher, depuis qu'il avait décidé de s'arrêter quelque temps à Rimini.

Elle rougit un peu, sous son regard intense.

Elle ne s'attendait pas non plus à ce qu'il soit heureux, pensa Shimon.

Ester se tourna pour regarder le foulard, qui s'était envolé dans l'eau et flottait, semblable à un nénuphar. Elle regarda Shimon, lui sourit de nouveau et haussa les épaules. Cela n'avait pas d'importance. Elle voulut reprendre leur promenade.

Shimon Baruch descendit alors dans l'eau, tout habillé, alla jusqu'au foulard, le saisit et revint sur la plage. Il l'essora et le rendit à Ester.

Elle resta immobile, sans rien dire. Puis, quand son regard tomba sur les vêtements trempés de Shimon qui dégouttaient sur ses pieds en formant des taches plus sombres sur le sable, elle éclata de rire, sans pouvoir se retenir.

Shimon la regarda. En même temps qu'il la regardait, il pensait que chaque nuit, depuis que Mercurio avait révolutionné son existence, la mort dormait à ses côtés. Sa tête décharnée lui soufflait au visage son haleine corrompue. Sa vie n'avait plus été qu'une pierre au bord d'un précipice. Une pierre qui avait commencé à rouler, de plus en plus vite, incontrôlable, condamnée au gouffre. Et dans cette chute impossible à arrêter, Shimon avait découvert qu'il n'était pas ce qu'il avait toujours cru. Il avait découvert qu'une férocité dormait en lui, depuis des années, identique à celle

415

de ce monde qui l'effrayait tant. Qu'il était capable de tuer sans ressentir la moindre émotion, le moindre sentiment de culpabilité. Sans avoir peur.

Il avait découvert qu'il pouvait vivre sans Dieu. Ou en dépit de Dieu.

Depuis cinq mois, il était à Rimini. Et de nouveau quelque chose avait changé, de façon radicale. Depuis cinq mois, il se disait chaque soir qu'il partirait le lendemain, et chaque fois il restait. Il s'était demandé pourquoi, mais il retardait la réponse, qui le mettait mal à l'aise. Il était plus simple de se persuader qu'il était prêt à partir le lendemain. Il maintenait intact son projet de vengeance, le but premier de sa vie, en éloignant toute éventuelle réponse embarrassante. "Je suis fatigué, se répétait-il. J'ai juste besoin de me reposer un peu."

La vérité qu'il devait cependant admettre, c'était qu'à son arrivée à Rimini, cinq mois plus tôt, il avait rencontré Ester. Celle dont le nom signifiait "Je me cacherai", comme si elle connaissait l'histoire de l'homme qui prétendait s'appeler Alessandro Rubirosa.

Il l'avait vue, et en écoutant sa voix, il avait tout de suite éprouvé une sensation de légèreté. Elle lui avait ôté un poids terrible des épaules. En même temps, il s'était senti fatigué, très fatigué, ressentant à ce moment-là seulement toute la fatigue accumulée.

Il avait vu Ester, et il s'était senti pardonné, accueilli. Comme si cette femme pouvait pardonner les péchés et accueillir en elle les pécheurs.

« Venez. Vous ne pouvez pas rester mouillé comme un poussin. Vous allez prendre froid. » Ester lui tendit la main.

Shimon esquissa un pas en arrière, regardant fixement cette main.

Elle la retira.

Mais elle n'avait pas l'air offensé, se dit Shimon. Alors elle vint près de lui et ils se mirent en route vers l'Hosteria de' Todeschi, son auberge.

Ester réussit à rester sérieuse quelques pas, puis, de nouveau, elle éclata de rire. « Excusez-moi… », dit-elle, en cachant sa bouche, comme une petite fille. Elle rit encore, montrant les chaussures de Shimon qui, à chaque pas, laissaient sortir un peu d'eau en faisant un bruit comique. « On dirait que vous avez des grenouilles dans vos chaussures, dit-elle, les joues rougissantes sous ses tresses en train de se défaire. Vous ne le prenez pas mal, n'est-ce pas ? »

Shimon fit signe que non. Il ne savait pas comment c'était arrivé ni pourquoi. Il savait seulement qu'en rencontrant cette femme, il avait senti s'ouvrir une brèche dans sa cuirasse. Il avait su à ce moment-là qu'il ne partirait pas de Rimini. Il ne suivrait pas la trace de Mercurio, il n'avait pas envie de se priver de la compagnie d'Ester. En tout cas, pas tout de suite.

Parfois, le soir, quand il se couchait dans sa chambre à l'auberge, des pensées funestes l'assaillaient et il sentait de nouveau le souffle de la mort. Mais c'étaient des pensées sans poids. Légères comme des nuages dans une journée venteuse. L'instant d'après, elles avaient disparu.

Alors son être tout entier se concentrait à nouveau sur Ester. Il repensait à la journée écoulée et imaginait celle qui viendrait. Dans cette sensation d'être suspendu à mi-chemin entre aujourd'hui et demain, il trouvait son équilibre, et un immense plaisir.

Il savait à ce moment-là qu'il n'était pas seul.

« Cela vous embarrasse, les regards des gens ? », lui demanda Ester.

Shimon regarda autour de lui et s'aperçut qu'ils avaient quitté la plage et marchaient entre les maisons. Les passants, en les croisant, se retournaient pour regarder ses vêtements trempés.

Il se rendit compte qu'Ester était la seule personne avec laquelle il ne se sentait pas handicapé par son mutisme. Cette femme avait l'art de lui poser des questions auxquelles il suffisait de répondre par oui ou non. Avec elle, il n'avait pas besoin d'écrire, de faire des gestes, d'espérer qu'elle devinerait. Avec elle tout était simple.

Il secoua la tête. Les gens qu'ils rencontraient n'avaient aucune importance.

Ester acquiesça, satisfaite. « Moi non plus », dit-elle.

Shimon la regarda.

Ce matin-là, remarquant qu'il sortait se promener avec elle tous les après-midi, l'aubergiste lui avait dit : « Elle est juive, mais c'est une brave femme. » Puis il s'était penché vers son oreille et avait murmuré : « Mais ce n'est pas le genre à se convertir, votre Seigneurie. Alors, faites ce que bon vous semble… en liberté, disons comme ça. » Et en s'écartant, il lui avait souri, comme font parfois les hommes entre eux quand ils parlent des femmes. Shimon avait eu un regard glacial. L'aubergiste avait fait marche arrière et avait bafouillé, tête baissée : « Ne vous méprenez pas, votre Seigneurie… » Shimon avait continué à le fixer avec une expression de mépris.

« Voulez-vous entrer chez moi pour vous sécher ? dit soudain Ester en s'arrêtant devant la petite porte où, chaque après-midi, après leur promenade, ils se séparaient. Vous pourriez mettre les vêtements de mon mari le temps que les vôtres soient secs. »

Shimon resta interdit. Il regarda autour de lui.

Ce jour-là, après les insinuations vulgaires de l'aubergiste, pour la première fois depuis qu'il la fréquentait, en marchant près d'elle, au bord de la mer, Shimon avait pensé à son corps nu. À sa chaleur. Et il s'était imaginé en train de l'embrasser.

« Les bavardages des gens ne m'intéressent pas, je vous l'ai dit », ajouta Ester.

Shimon se rappela tout à coup la fille de la taverne de Narni qu'il n'avait pas réussi à posséder, malgré le désir qu'il en avait. Pour la première fois depuis des jours et des jours il pensa qu'il allait devoir partir et reprendre sa traque de Mercurio. "Tu n'auras plus la paix tant que tu n'auras pas retrouvé ce maudit garçon et que tu ne l'auras pas fait souffrir." Il se sentit dos au mur, perçut la rage qui bouillait dans sa poitrine. Il regarda Ester comme il aurait regardé une ennemie. Puis il se tourna brusquement et s'éloigna d'un pas furieux.

Elle ne dit pas un seul mot. N'essaya pas de l'arrêter.

Arrivé à la ruelle où il devait tourner, Shimon regarda en arrière. Il vit Ester qui ouvrait la porte de chez elle, la tête basse. Il vit que ses clés lui échappaient des mains et qu'en se penchant pour les ramasser, elle se passait le dos de la main sous l'œil, comme si elle voulait essuyer une larme.

Il vit de nouveau devant lui le visage corrompu par le vice et le corps provoquant de la fille de Narni, qui l'avait humilié, qui l'avait fait se sentir une moitié d'homme. Sa respiration lui brûla la gorge. Il serra les poings et les mâchoires. Ses ongles se plantèrent dans ses paumes et ses dents grincèrent dans sa bouche.

Ester refermait doucement sa porte quand il s'y précipita. Il la repoussa à l'intérieur, avec violence, les yeux rougis, agrandis par la fureur. Il claqua la porte derrière lui.

Elle lui fit face, sans reculer.

Shimon resta immobile un instant. Il vibrait. Puis il fut sur elle, brutal, sans la moindre attention. Le sang lui était monté à la tête comme une vague que le ressac renvoyait à travers tout son corps en le dévastant puis, dans un jaillissement vertigineux d'écume, le désir avait grandi entre ses jambes. Il poussa contre Ester cette chair raide, colla ses hanches aux siennes, s'accrocha à ses épaules, l'attira à lui. Soulevant ses jupes, il la plaqua contre le mur. Il glissa la main dans sa culotte de toile, arracha le tissu, glissa ses doigts entre ses cuisses.

Ester ferma les yeux et ouvrit la bouche, comme dans un cri muet.

Shimon trouva une touffe rêche de poils. Il les démêla et se glissa plus loin, sentit une résistance charnue, découpée, puis, soudain, la chair céda sous ses doigts et s'ouvrit. Mouillée.

Ester ne respirait plus. Et ses yeux s'agrandissaient. La main de Shimon commença à bouger dans cette bouche chaude, humide, visqueuse qui s'était ouverte entre ses jambes. Il poussa le bout de son doigt sur une petite excroissance, plus dure que le velours qui l'enfermait. Et il écouta le corps d'Ester qui changeait à son toucher. Son autre main se porta au décolleté de sa robe, s'y accrocha et déchira le tissu, jusqu'à dénuder un sein. Il serra le mamelon, avec fougue.

Ester gémit de douleur. Et de plaisir.

Alors Shimon l'embrassa, la mordant presque, l'humiliant par l'arrogance de sa langue qui la violait. Il se dégagea, à bout de souffle. Il fixa les lèvres d'Ester qui brillaient, mouillées par le baiser. Et il vit qu'elle aussi regardait ses lèvres à lui, mouillées du même baiser.

Puis, tout à coup, elle lui prit la main et la poussa fort, serrant les jambes, comprimant sa propre chair, se recroquevillant sur elle-même.

Shimon éprouva une émotion intense, comme si fureur et joie mêlées s'emparaient de lui et le secouaient tout entier. Il fit s'étendre Ester sur le sol, avec brutalité, lui souleva ses jupes et regarda les poils noirs, que sa main avait fouillés. Il vit qu'Ester écartait doucement les jambes, entrouvrant la fente palpitante et humide. Il remarqua qu'elle contractait les muscles de son ventre. Il délaça son pantalon et se poussa en elle comme s'il voulait la tuer avec son arme de chair. Il ressentit une chaleur qu'il ne connaissait pas. Et tandis qu'Ester secondait son mouvement, Shimon sentit de nouveau tout son sang s'affoler et courir dans son corps, tel un ouragan bouillonnant.

Ester lui prit les mains et les porta à ses seins.

Shimon serra les dents, qu'il entendit grincer. Il donna un, deux, trois coups de reins, avec une fougue toujours plus grande.

« Oui… », gémit Ester.

Mais Shimon ne l'entendait plus. Ses oreilles étaient pleines de ses propres gémissements, sa tête s'était perdue dans la sensation fulgurante qui s'accrochait à son épine dorsale comme un parasite féroce. Enfin,

421

il céda de tout son être à ce plaisir qui ressemblait tant à une souffrance.

Puis, laissant Ester le retenir en elle, il sentit un nœud qui se dénouait brusquement dans sa gorge.

Et pour la première fois depuis qu'il était devenu muet, il s'aperçut qu'il était capable d'émettre un son.

« Pleure, lui disait Ester. Pleure… »

42

Dans les environs de San Cassiano, la petite fille désigna un groupe d'immeubles hauts comme des tours, serrés les uns contre les autres. Elle marcha plus vite.

Isacco sentit dans l'air un drôle d'arôme, difficile à identifier. Ce n'était ni un parfum ni une odeur, mais plutôt un mélange de plusieurs parfums et d'odeurs fortes, violentes, sans nuances. Il eut envie de faire demi-tour.

Donnola, comme s'il l'avait deviné, le saisit par le bras et le regarda. Le docteur avait le visage marqué par ces tristes journées pendant lesquelles il s'était laissé aller au désespoir. Il ressemblait à un vieillard. Pour arriver jusqu'ici, de l'autre côté du Rialto, et traverser les ruines de l'incendie des Fabbriche Vecchie, il leur avait fallu près d'une heure. Isacco marchait doucement, sans regarder autour de lui. À chaque pas, Donnola craignait qu'il ne s'arrête et ne change d'avis. La petite fille qui les guidait frémissait d'impatience et ne cessait d'accélérer l'allure, pour se retrouver quelques pas plus loin seule devant eux. Alors elle s'arrêtait et les attendait.

« Ma mère est là », dit la petite fille en pénétrant vivement dans la cour que formaient les bâtiments.

Donnola se tourna vers Isacco et vit qu'il avait le regard perdu. « Venez, docteur… »

Isacco résista dans un premier temps puis céda : « Mais oui, allons tuer aussi cette… »

Donnola ne commenta pas. Pendant des journées entières le docteur était resté enfermé en lui-même, s'accusant de la mort de sa femme et de celle de Marianna. Impossible de discuter avec lui. Mais cette fois quelque chose avait bougé. Il allait reprendre son activité, il allait réagir. Et c'était grâce à cette petite fille, pensa Donnola. Ou peut-être grâce à l'amour de Giuditta. Isacco avait dû voir dans les yeux de sa fille combien elle était fière de son père, pendant que la petite fille répétait les paroles de Marianna à l'article de la mort : elle avait trouvé un bon médecin, avec un grand cœur, et qui n'avait pas de préjugés.

« Il y a près de douze mille putains à Venise », dit Donnola tandis qu'ils entraient, à la suite de la petite fille, par une porte voyante, peinte en rouge écarlate.

« Je peux donc en tuer autant que je veux, commenta Isacco. Il en restera toujours assez…

— Vous allez arrêter de pleurer sur votre sort, docteur ? dit Donnola.

— Donne-moi une raison de rire.

— Par exemple, le fait qu'il y ait douze mille putains à Venise.

— Quel rapport ?

— Soyez un peu plus juif et pensez à combien ça va vous rapporter, au lieu de penser à combien vous allez en tuer. »

Isacco le regarda. Donnola lui plaisait, décidément. Personne ne se serait comporté comme lui. « Merci, Donnola, lui dit-il.

— Merci de quoi ?

— Laisse tomber… » Isacco eut un sourire mélancolique. « Mais merci.

— Faut être fort pour vous comprendre, docteur. Mais tâchez de pas dire de bêtises à votre première cliente. Vous devez faire bonne impression.

— Va te faire foutre, Donnola.

— Ah, là je vous reconnais ! dit son assistant en riant. Allons-y, avant que le cœur de cette gamine nous fasse un malaise. »

Isacco monta les trois marches qui donnaient dans l'entrée de l'immeuble. Aussitôt à l'intérieur, il sentit qu'il était arrivé dans le laboratoire où se distillaient les odeurs qu'on respirait dans la rue : verveine, coriandre, épices orientales, essences de bois, ambre, myrrhe, encens, fleurs exotiques. Et l'odeur de sueur, d'urine et d'excréments, la saleté, les aliments gâtés, des relents de lait caillé et de moisissure. Une Babel olfactive qui lui fit tourner la tête. Il posa la main sur la rampe de l'escalier.

« Vous vous sentez bien ? », demanda Donnola.

Isacco regarda en l'air. Quelques marches plus haut, une femme s'était évanouie contre la balustrade. Un morveux pissait contre le mur. C'était un va-et-vient constant d'hommes et de femmes qui riaient, juraient, crachaient, se palpaient sous leurs vêtements. Les uns se disputaient, certains se battaient, d'autres s'embrassaient, d'autres encore se couraient après. Cris et odeurs formaient une seule et même cacophonie.

La petite fille attendait, impatiente, au-dessus d'une marche couverte de vomissures.

« Bon Dieu, dit Isacco, mais où sommes-nous ? »

Donnola rit. « C'est le Castelletto, docteur. Le quartier des putains.

— Bon Dieu, répéta Isacco.

— Vite, pressez-vous, s'il vous plaît ! »

Isacco hocha la tête et commença à monter les marches. Une prostituée maigre, le nez busqué comme le bec d'un aigle royal, ouvrit sa chemise devant lui, montrant un sein flétri et vide sur une poitrine qui évoquait plutôt celle d'un homme atteint de phtisie. Isacco protégea son visage de sa main, fit une grimace et continua de monter.

« Sodomite ! », hurla la prostituée.

Le docteur se retourna. La femme avait la bouche ouverte sur une petite poignée de dents longues et jaunes. « T'aimes pas les femmes, sodomite ? »

Donnola ne put s'empêcher d'éclater de rire. Alors Isacco se mit à rire aussi, pour la première fois depuis des jours. Pas fort. Mais il rit. Et quelque chose bougea dans son âme. D'un pas vif, deux marches à la fois, il dépassa Donnola et rejoignit la petite fille.

« Attendez, docteur ! criait Donnola, haletant dans l'escalier. Du diable si on vous comprend ! Qu'est-ce qui vous arrive tout à coup ?

— Presse-toi !

— Ma parole, cet homme est fou », marmonna Donnola.

Au cinquième étage, traversant toute une foule d'hommes et de femmes, la petite fille guida Isacco dans un couloir étroit et sombre. La plupart des lanternes étaient éteintes ou cassées. Des dizaines de portes ouvraient sur ce couloir, collées les unes aux autres. Certaines étaient ouvertes, et Isacco, en passant, entrevoyait des corps mêlés dans des ébats sommaires sur des couches crasseuses.

La fille de la prostituée passait devant sans montrer le moindre trouble. Arrivée à une petite porte où était peinte la silhouette maladroite d'une femme provocante et dénudée, elle frappa trois fois puis une seule et dit : « C'est moi.

— Tu es seule ? dit une voix faible à l'intérieur.

— Je suis avec le docteur. »

Un sanglot étouffé leur parvint. Puis : « Entre. »

La petite prit une clé qu'elle portait accrochée au cou et la fit tourner dans la serrure. Avant de pousser la porte, elle se tourna vers Isacco. « Guérissez ma mère, docteur… s'il vous plaît. » Et elle se mordit la lèvre inférieure pour arrêter ses larmes. « Et ne lui dites pas que j'ai pleuré », ajouta-t-elle dans un murmure.

Isacco acquiesça. Mais il se sentit de nouveau écrasé par la responsabilité. Il aurait mieux fait de partir en disant à la petite que sa mère était condamnée, et qu'elle souffrirait toutes les peines de l'enfer avant de mourir rongée par la maladie.

« Me voilà », dit Donnola, qui les rejoignit.

Isacco le regarda : « Qu'est-ce qu'on fait ? », lui demanda-t-il à voix basse.

La petite les fixait.

Donnola, sur le moment, ne répondit pas.

« Faites ce que vous avez fait pour Marianna, dit la petite, les yeux rouges. Même si elle meurt… », et elle retint un sanglot. « … Faites-la mourir heureuse comme Marianna. » Puis elle sortit de sa poche un mouchoir vert qu'elle dénoua, et tendit un marquet au docteur.

Isacco avait la tête lourde de tout le vin des jours précédents. Il huma l'air malsain du couloir et regarda le marquet dans la main de la petite fille. C'était une pièce de monnaie qui ne circulait que parmi les enfants et les crève-la-faim. Il referma la paume sale de la petite autour de la monnaie des pauvres.

« Garde-le pour toi », lui dit-il.

Puis il entra.

43

« Mets-toi aux rames, dit Mercurio en sautant dans la Zitella, la barque du pêcheur qui l'avait emmené à Venise la première fois.

— Où vous voulez aller, votre Seigneurie ?

— Rio della Tana, et ensuite Porte de l'Arsenal. »

L'homme hésita. « Rio della Tana ? demanda-t-il d'une voix plus faible. Il n'y a rien… Juste les remparts… »

Mercurio s'assit à la proue et tourna le dos sans répondre.

« Tonio ! », s'écria alors le pêcheur. Un grand gaillard avec une boucle en or à l'oreille gauche apparut. « Appelle ton frère, va falloir ramer. »

Tonio se tourna. « Berto ! Aux avirons ! », cria-t-il.

L'instant d'après apparut un autre gaillard, plus costaud encore, avec la même boucle d'oreille.

Mercurio les regarda. L'idée de se retrouver au milieu de la lagune avec ces deux géants ne lui plaisait guère.

« Monsieur est un ami de Scarabello », dit alors le pêcheur.

Les deux géants s'inclinèrent à la seule écoute de ce nom. « Votre Seigneurie…, lança l'un des deux à l'intention de Mercurio.

— On va à l'Arsenal », dit le pêcheur.

Les frères s'assirent sur le banc central et remontèrent les manches de leur tunique, malgré le froid.

« On ira plus vite si c'est eux qui rament, dit l'homme. Ils sont *bonevoglie* tous les deux.

— Quoi ?

— On est galériens volontaires, payés à la pièce », répondit Tonio. Il lui montra une marque en cercle sur la peau de son poignet, comme une cicatrice ou un cal. « Même volontaires, on nous enchaîne pendant les batailles, pour qu'on n'ait pas envie de sauter à la mer et de prendre la fuite », ajouta-t-il en riant.

Mercurio hocha la tête devant ce poignet aussi large que son bras.

Le pêcheur largua les amarres et poussa la barque loin du môle.

Tonio et Berto se regardèrent pendant la manœuvre, puis prirent une profonde inspiration et plongèrent les rames dans l'eau.

« Et scie… et vogue… et scie… et vogue… », scanda Tonio.

Les rames de vieux hêtre grinçaient sous la poussée puissante des deux frères.

« Doucement, vous allez me les casser ! » cria le pêcheur, qui était à la barre. »

Ils se mirent à rire mais ne ralentirent pas.

En un instant, la barque atteignit une vitesse que Mercurio n'avait jamais connue. La proue s'enfonçait avec vigueur dans l'eau qu'elle fendait en deux vagues d'écume. Chaque fois que les rameurs disaient "vogue", Mercurio devait se tenir au banc pour ne pas tomber, entraîné par la force qu'ils imprimaient à l'embarcation. Il les regarda. Ils avaient l'air de s'amuser, nullement fatigués en dépit de la sueur qui perlait déjà sur leur visage.

Le brouillard ne permettait pas d'y voir à dix pas, mais le pêcheur les guidait avec assurance dans les canaux bordés de joncs. Mercurio ignorait où ils étaient. Ils avancèrent à cette vitesse folle pendant une demi-heure, sans que les deux géants donnent le moindre signe de faiblesse.

Mercurio était plongé dans ses pensées. Il avait déjà étudié un plan pour entrer dans l'Arsenal. Il n'y en avait pas d'autre possible. Comme il n'y avait pas d'autre relation possible avec Scarabello. Pour le moment, cet homme le tenait. Un jour pourtant, tôt ou tard, ce serait lui qui gagnerait, comme avec les curés de l'orphelinat ou Scavamorto ou les gardes du pape.

« On est au rio della Tana, votre Seigneurie », dit le pêcheur.

Mercurio émergea de ses réflexions. Sur sa gauche s'élevaient les remparts de l'Arsenal. Il leva les yeux. Ce serait un sacré plongeon. Mais avec ces deux géants à la rame on pourrait toujours tenter de les suivre, on ne les rattraperait pas. « Je vais avoir besoin de vous. Tous les trois. Dans quelques jours.

— Qu'est-ce qu'on doit faire ? demanda Tonio.

— Vous devrez m'attendre ici, au coucher du soleil, répondit Mercurio. Quand j'arriverai... il faudra être très rapides.

— Votre Seigneurie, moi je..., intervint le pêcheur.

— Vous serez payés trois sols d'argent chacun.

Les deux galériens s'illuminèrent.

— Votre Seigneurie… », insista le pêcheur.

Mercurio lui pointa l'index sur la poitrine. « Toi, tu as encore quelque chose à te faire pardonner. Je pourrais même te demander ça pour rien. Ou dire à Scarabello que tu as refusé de m'aider. »

Le pêcheur pâlit et baissa la tête.

« Maintenant, emmenez-moi à la Porte de Terre, je veux parler avec des gens de l'Arsenal. À quoi on les reconnaît ? »

Quand ils arrivèrent à la DarsenaVecchia, ils accostèrent à un quai où une énorme péate déchargeait des balles de chanvre brut destiné à fabriquer des cordages.

« Voyez, dit le pêcheur à Mercurio en lui désignant des hommes vêtus de haillons, ceux-là sont de simples manœuvres, des débardeurs. Les autres, avec leur uniforme gris et la rayure blanche et rouge sur leurs chausses… sont des arsenaliers. »

Mercurio lui mit une tape sur l'épaule. « Merci », dit-il. Puis il sauta à terre.

« Votre Seigneurie », appela le pêcheur qui l'avait suivi sur la *fondamenta* et s'arrêta devant lui, la tête basse. Il prit une ou deux inspirations puis parla tout bas, sans lever les yeux de terre. « Je voulais vous demander pardon pour ce qui s'est passé avec Zarlino, la première fois qu'on s'est rencontrés. J'ai été lâche, vous aviez raison. C'est vrai que… » L'homme se torturait les doigts. « Voilà, c'est vrai que je suis lâche… » Il respira à fond, puis haussa les épaules. « Acceptez mes excuses, votre Seigneurie. »

Mercurio ne s'attendait pas à cette situation. Il ne sut que répondre. « Comment tu t'appelles ? finit-il par demander.

— Battista, dit le pêcheur.

— Et moi Mercurio. Arrête de m'appeler "seigneurie". »

Le pêcheur leva la tête et sourit. Il hocha la tête, reconnaissant, et dit : « *Ciao*. »

Mercurio fronça les sourcils « *Ciao* ? Qu'est-ce que ça veut dire ?

— Pour se saluer, la coutume est de dire *schiavo vostro*, "je suis votre esclave". Dans notre langue, *schiavo* se dit *s-ciavo*. Avec le temps, des lettres se sont perdues… on ne sait pas où ! dit-il en riant.

— Il me plaît, ce mot-là, dit Mercurio en lui tapant sur l'épaule. *Ciao*, Battista. »

Le pêcheur le retint, en rougissant. « C'est dangereux ce qu'on doit faire dans le rio della Tana ? Parce que j'ai une femme et deux enfants qui sont encore petits…

— Mais non, mentit Mercurio. C'est une bêtise. *Ciao*, Battista. »

Battista sourit, content. « *Ciao*… Mercurio. »

Le garçon lui fit un clin d'œil, glissa ses mains dans ses poches et passa tout près de la zone de déchargement. Il salua de la tête le groupe d'arsenaliers. Personne ne lui répondit, à part un jeune homme qui devait avoir son âge.

Il avait l'air cordial. Il ferait l'affaire.

Mercurio feignit de continuer tout droit puis se cacha derrière un bâtiment pour l'observer. Le soleil allait se coucher. Bientôt, la péate s'éloigna et une autre barque arriva, large et basse, à fond plat, les armes de l'Arsenal peintes sur le flanc. Les arsenaliers y chargèrent les balles de chanvre, puis la barque vira et remonta le canal en direction de la Porte d'Eau.

Les hommes se saluèrent puis partirent par groupes de deux ou trois vers les logements que leur accordait la Sérénissime.

Il suivit discrètement l'arsenalier qui avait répondu à son salut. Quand il le vit rejoindre ses collègues et entrer dans une vaste construction à deux étages, il fut déçu. Si le jeune homme rentrait chez lui, Mercurio n'avait plus aucun moyen d'engager la conversation avec lui. Mais le garçon réapparut l'instant d'après, lançant des regards alentour pour vérifier que ses camarades étaient loin. Mercurio se tapit dans l'ombre et le vit se diriger d'un pas rapide vers une *calle* sombre. Ce type avait quelque chose à cacher.

L'arsenalier alla jusqu'au milieu de la ruelle où brillait faiblement une lanterne, ouvrit une porte et disparut.

C'était une taverne. Mercurio jeta un coup d'œil par une petite fenêtre. Il vit le jeune homme se jeter avec avidité sur le verre de vin que lui tendait la tenancière. "Tu aimes boire, se dit-il. C'est bon pour moi." Puis il vit l'arsenalier s'asseoir à une table où l'on jouait aux dés. "Et tu aimes jouer de l'argent. De mieux en mieux."

L'arsenalier, qui s'apprêtait à lancer les dés, fit signe à une fille de s'approcher. Elle le rejoignit avec satisfaction et rit quand le garçon, avant de lancer les dés, les frotta sur ses seins. "Et tu aimes les putains, pensa Mercurio. Tu es mon homme."

Mercurio entra dans la taverne sans un regard pour l'arsenalier, alla vers le comptoir où la tenancière s'épouillait avec nonchalance et fit rebondir un matapan sur la surface de bois, assez fort pour qu'on entende le bruit de la pièce aux tables voisines. Dans l'air vicié par l'haleine des clients flottait une odeur de vin rance et de ragoût de viande caramélisée. Il donna une claque sur le derrière de la fille qui s'était laissé frotter les dés sur les seins.

Celle-ci voulut réagir méchamment, mais Mercurio sortit un autre matapan d'argent et le laissa tomber dans son décolleté. Alors elle rit, avec une grimace pleine de malice.

Mercurio s'assit de façon que l'arsenalier le voie. Il invita la fille à s'approcher et poussa vers elle son verre de vin, qu'il n'avait pas la moindre intention de boire. Il savait que c'était son point faible : il ne tenait pas le vin. La fille le but d'un trait et claqua le verre sur le comptoir.

L'arsenalier, qui s'apprêtait à lancer les dés, appela la fille.

Mercurio lui remplit son verre. Elle bougea la poitrine, provocante, en direction de l'arsenalier, et glissa deux doigts dans son décolleté pour récupérer le matapan d'argent. Elle ferma à demi les paupières et haussa les épaules. Puis elle donna un baiser à Mercurio et avala le second verre.

L'arsenalier lança les dés, mécontent, et perdit. Il tapa du poing sur la table et se leva, malgré les protestations de ses camarades de jeu. Furieux, il attrapa la fille par le poignet. « Quand je te dis de venir me porter chance, tu viens. » Il se tourna vers Mercurio, l'air provocant. « T'as quelque chose à redire ? »

Il n'était pas costaud. Mercurio en aurait facilement raison. Il avait l'agressivité de ceux qui ont une position sociale. Comme les nobles, qui se croient mieux nés et par conséquent inattaquables. Ce garçon pensait qu'il avait plus de droits que les autres et que tous le savaient. Pourtant ce n'était pas un dur. Au contraire. Il avait un regard de faible. Mais sympathique aussi, se dit Mercurio. Sa première impression avait été la bonne.

« Oui, j'ai quelque chose à dire, fit Mercurio.

— Quoi ? », dit le garçon en serrant les poings, mal à l'aise.

Mercurio le regarda sans agressivité. « Je pense que cette pute devrait comprendre que c'est un grand honneur d'être choisie par un arsenalier... »

Le garçon fronça les sourcils, pris à contre-pied.

« Je peux t'offrir à boire ? insista Mercurio. Et toi, tire-toi, fit-il à la fille en la poussant.

— Celui-là, je le garde, dit la fille en serrant dans son poing le matapan d'argent.

— Je lui ai donné un matapan pour payer à boire à tout le monde, les amis ! cria Mercurio aux clients de la taverne.

— Un autre matapan ? », s'exclama la tenancière en se penchant rapidement par-dessus le comptoir pour attraper la fille, qui chercha à l'éviter. Mais la femme la saisit aux cheveux et la retint, pendant que deux clients se levaient pour lui prendre la pièce. Ils la remirent à la tenancière et crièrent : « À boire pour tout le monde ! »

La fille regarda Mercurio avec hargne. « Salaud, lui lança-t-elle.

— La vie est dure, dit Mercurio. Je suis désolé.

— Va te faire foutre !

— Tire-toi, casse pas les couilles, fit l'arsenalier, qui s'assit près de Mercurio. On se connaît ? », lui demanda-t-il.

Ils s'étaient rencontrés quelques instants plus tôt, et l'autre ne le reconnaissait pas. Il n'était pas du tout physionomiste, un autre avantage pour ce que Mercurio avait en tête.

« Non, on se connaît pas, lui répondit-il. Tu crois qu'un type comme moi aurait oublié, s'il connaissait un arsenalier ? »

Le garçon bomba le torse.

À cet instant-là, Mercurio sut qu'il l'avait à sa main. Et qu'un jour ou l'autre il se libérerait du joug de Scarabello et déciderait de sa propre vie. Pour le moment, il allait s'amuser avec ce pigeon.

« Raconte-moi comment c'est, ta vie », lui dit-il.

44

Costanza Namez – dite "République" parce qu'elle
était le bien de tous à Venise, en tout cas des hommes –
vivait avec sa fille Lidia dans une chambre misérable
au cinquième étage d'une des "Tours", comme on
appelait ces bâtiments très hauts de Castelletto. Quand
Isacco pénétra dans la pièce, il y régnait une odeur
nauséabonde, due à l'état bien avancé de la maladie,
ou à la simple incurie.

La chambre avait une petite fenêtre, coupée à la
moitié par une paroi construite pour créer une seconde
pièce occupée par une autre prostituée, et ainsi doubler
les gains. Sous cette demi-fenêtre, une couche étroite
où République gisait sur un matelas de son grouillant
de punaises. Un rideau accroché à un fil courait le
long de la pièce, séparant cette partie "privée", si l'on
pouvait dire, de la zone de travail près de l'entrée, où
se trouvait une autre couche misérable mais plus large,
sur laquelle République satisfaisait ses clients.

Mais depuis plus d'un mois, il n'y avait plus de
clients. Le bruit s'était répandu très vite. Tous savaient
que République avait attrapé la maladie contagieuse.

Isacco s'approcha du lit où la femme était couchée. Lidia, assise près d'elle, lui tenait la main. République était en nage, fiévreuse. Le docteur la regarda. Elle était loin d'être belle. L'ovale de son visage était irrégulier ; ses incisives supérieures, grandes et saillantes sous un nez pointu, la faisaient ressembler à un rongeur. Isacco découvrit les qualités de République quand Lidia déshabilla sa mère pour que le docteur puisse l'examiner. Bien que petite, elle avait un sein généreux, rond, blanc comme du massepain et sillonné de fines veines bleutées. Ses hanches étaient rondes et douces, comme un instrument de musique, et la toison de son pubis, plus sombre à la base, était couleur d'or.

« C'est moi qui lui fais la teinture », dit fièrement sa fille, écartant les jambes de sa mère pour montrer à Isacco la première pustule qui y était apparue.

Isacco reconnut les signes de la maladie qui avait mené Marianna à la mort. « Recouvre-la », dit-il à Lidia. Puis il se tourna vers Donnola. « Uva ursina, arnica, griffe du diable, bardane, calendula, grains d'encens… et fais-toi préparer aussi de l'huile de Palo Santo, lui dit-il.

— Et pas de thériaque, ajouta Donnola avec un sourire.

— Pas de cette abominable thériaque », acquiesça Isacco. Donnola sortit. Isacco ôta sa houppelande et son bonnet jaune et remonta les manches de sa chemise. « Au travail, dit-il à la petite fille. J'ai besoin de linges de lin, propres si possible, et d'eau chaude pour rincer les blessures.

— On n'en a pas ici, dit Lidia. Je dois aller chez Bouche d'or.

— Eh bien, vas-y, chez cette… Bouche, fit Isacco, voyant que la petite ne bougeait pas.

— Pas pour le moment. » Lidia baissa la tête et sourit. « Quand on est passés j'ai entendu qu'elle travaillait.

— Ah, je comprends. » Le docteur déplaça le rideau, pour faire entrer un peu de lumière. « Et il y en a pour longtemps, d'après toi ? »

Lidia haussa les épaules.

« Je vois », souffla Isacco. Il s'approcha de la fenêtre. « Comment on l'ouvre ? Ta mère a besoin d'air pur.

— Elle s'ouvre seulement par l'autre côté de la pièce, répondit Lidia.

— Eh bien, vas-y. »

La petite fille posa l'oreille contre la paroi de séparation des deux pièces. « On peut pas. La Cardinale travaille.

— La Cardinale ? »

Lidia rit. « Quirina s'habille toujours en rouge et elle ressemble plus à un homme qu'à une femme. »

Isacco frappa au mur, impatienté. « Ouvre la fenêtre, Cardinale !

— Va te faire foutre, connard ! entendit-on de l'autre côté.

— Elle a même la voix d'un homme, dit Isacco à Lidia.

— Et elle cogne comme un homme, ajouta la petite fille.

— Alors mieux vaut ne pas insister. » Il s'assit sur la couche, à côté de République, et posa la main sur son front. Puis s'adressa à Lidia. « Va voir si on peut au moins faire chauffer de l'eau chez cette… Bouche d'or, tu dis ?

440

— Oui, on l'appelle comme ça parce que…

— J'imagine, la coupa Isacco. Reste devant sa porte jusqu'à ce qu'elle soit libre, et reviens avec de l'eau et du linge, tu seras gentille. »

La petite fille regarda sa mère.

« Je reste avec elle », lui dit Isacco.

Lidia sortit.

Isacco prit un pan de la couverture et nettoya la sueur du front de République.

La prostituée ouvrit les yeux. Ils étaient rouges mais conscients. « Je fais toujours semblant de dormir, parce que ça me fait tellement de chagrin de regarder ma petite fille. »

Isacco fut étonné. C'était une voix extraordinairement belle, déplacée dans cette physionomie.

République sembla comprendre sa pensée. « Je fais le noir dans la chambre et je dis aux hommes ce qui les excite le plus… Ils apprécient beaucoup.

— Je vois ça, dit Isacco. Comment te sens-tu ? Ça a commencé quand ?

— Docteur, écoute, dit République de sa voix sensuelle. Je sais que je vais mourir. Fais-moi mourir doucement, comme tu as fait avec Marianna. Quand je suis allée la voir, ma maladie venait de commencer. Elle m'a dit que tu l'aidais à mourir en paix. Elle te bénissait pour ce que tu faisais. Elle n'a jamais pensé qu'elle pourrait guérir… mais elle m'a dit…

— Arrête maintenant. Tu ne mourras pas. »

République le regarda en silence. « Je n'ai pas d'argent », finit-elle par dire. Et elle rit, de ce rire mélancolique et sage qu'ont toujours les putains, pensa Isacco. « Et je suis pas sûre que tu veuilles être payé en nature. »

441

Le docteur lui sourit.

« Je suis arrivée jusqu'à présent à éviter le métier à ma petite, continua République. Mais après ? Quand je n'y serai plus, comment elle fera ? »

Isacco sentit son estomac se nouer mais ne sut que répondre. Il lui tint la main, tête baissée, espérant que la petite reviendrait vite, et Donnola aussi. Quand il avait pensé que son nouveau destin serait d'être médecin, il n'avait pas imaginé que cela voudrait dire vivre avec la présence constante de la mort, et presque toujours avec l'impuissance. "Mais c'est peut-être là que tu voulais me faire arriver, se dit-il comme s'il parlait à sa femme. Je devais respirer l'odeur de la mort pour accepter la tienne."

La porte s'ouvrit d'un coup et une figure imposante, avec deux seins vastes et fermes qui ballottaient dans une tunique rouge, entra dans la pièce. « C'est toi le casse-couilles de tout à l'heure ? »

Isacco se leva d'un bond. Il mesurait un bon empan de moins que cet être étrange qui, à l'évidence, était la Cardinale. « Je suis désolé… je suis médecin et…

— Comment elle va ? dit la Cardinale.

— Pas bien.

— T'as besoin de quoi ?

— Je veux changer l'air dans la chambre, fit Isacco.

— T'aurais pu le dire avant, marmonna la Cardinale en sortant.

— Oui, je suis bête, dit Isacco tout bas.

— C'est une brave femme », fit République.

La fenêtre s'ouvrit.

« Reste sous les couvertures », lui dit Isacco. Puis il alla dans la pièce à côté, chez la Cardinale. « Merci. Maintenant il faudrait nettoyer un peu. C'est important. »

442

Il crut que la Cardinale allait lui envoyer un coup de poing dans la figure mais elle sortit sur le palier, se pencha par-dessus la rambarde et cria : « Qui a un balai, de l'eau et des chiffons ? Il faut faire le ménage chez République. Allez, gourdasses, me faites pas descendre sinon je viens vous péter les dents ! » Elle se tourna vers Isacco et dit : « Elles arrivent. »

Peu après surgirent deux prostituées armées de seaux, de chiffons et de brosses. L'une d'elles avait même apporté un peu de lessive. Sans rien dire, elles se mirent à genoux et commencèrent à laver le carrelage. La Cardinale, pendant ce temps, débarrassa les vêtements sales, le bric-à-brac, les restes de repas, et jeta la vaisselle sale dans une cuvette où une autre prostituée les lava avec de l'eau et de la cendre.

En un clin d'œil, la chambre avait été remise à neuf et la mauvaise odeur avait presque disparu. Quand Donnola arriva avec les médicaments, et Lidia avec l'eau bouillante et les linges de lin, ils n'en croyaient pas leurs yeux. La fenêtre fermée, on alluma un bon feu dans la cheminée. Une petite foule de femmes s'était rassemblée dans la chambre.

« À présent, je dois soigner République », dit Isacco. Les prostituées acquiescèrent mais ne bougèrent pas. « Tu es sûr que tu sais ce que tu fais, docteur ? », demanda la Cardinale, sceptique.

Isacco lui sourit.

« Allez, pétasses, cassez pas les couilles et tirez-vous ! », tonna la Cardinale en faisant un signe à ses collègues.

Les prostituées quittaient peu à peu la pièce quand des murmures effrayés se répandirent parmi elles.

Tout à coup, un homme habillé de noir, suivi de deux autres dont l'un était borgne, fit son entrée. Il portait au côté une épée dont le fourreau était glissé dans une large ceinture de soie.

« Scarabello… », chuchota Donnola, d'un ton craintif.

Scarabello regarda autour de lui, huma l'air et ne daigna pas remarquer Donnola. Il fixa Isacco, vit la houppelande et le bonnet jaune sur une chaise. Puis son regard se posa sur les prostituées. « Qu'est-ce qu'il se passe ?

— On a nettoyé la… », commença la Cardinale.

Scarabello lui fit signe de se taire. Il respira l'air à nouveau. « Cette pièce doit être libérée, dit-il sans regarder personne en particulier. Vous le savez, hein ? »

Les prostituées baissèrent la tête. Mais personne ne parla.

« Et ma mère, qu'est-ce qu'elle va devenir ? dit Lidia.

— C'est pas mon problème, fit Scarabello d'une voix coupante. Je suis désolé, mais c'est pas mon problème. » Il observa la petite, d'un œil détaché et professionnel. « Sauf si tu la remplaces. »

Lidia devint toute rouge. Ses yeux s'emplirent de peur.

Il y eut un murmure.

Puis Lidia dit : « D'accord.

— Non, Lidia ! gémit sa mère depuis son lit.

— Non, pas d'accord ! intervint Isacco en faisant un pas vers Scarabello. Quel genre d'homme êtes-vous ? Cette femme… »

En un instant, Scarabello avait tiré son épée du fourreau et la pointe aiguisée de l'arme était sous le menton d'Isacco, qui se tut.

Scarabello le fixa en silence. Puis il tourna l'arme vers Lidia. « Alors, on est d'accord, petite. Je me fiche de ce que tu gagnes. Je veux un sol d'argent par semaine et je n'accepterai aucun retard…

— Comment pouvez-vous ? », explosa Isacco, indigné.

Scarabello bondit, rapide, en pivotant sur lui-même, l'épée au bout de son bras tendu. Mais Isacco avait grandi sur le port de Negroponte, au milieu des bagarres. Il fit un saut en arrière pour éviter le tranchant puis, avant que Scarabello ne revienne en place, il se projeta vers l'avant et se retrouva directement au contact, mais à son avantage. Le borgne et l'autre sortirent rapidement leurs couteaux.

« Scarabello, non ! s'écria Donnola en se mettant entre eux, les bras écartés. Non, le docteur ne voulait pas te manquer de respect. Il ne sait pas qui tu es, il est nouveau… Je t'en supplie… »

Les prostituées retenaient leur souffle.

Scarabello fit signe à ses hommes de ne pas bouger. Puis il poussa Isacco loin de lui, d'un coup d'épaule. « Comment fait donc un médecin, juif, en plus, pour connaître les règles du combat ? lui demanda-t-il, avec une pointe de respect dans la voix.

— J'ai grandi dans des endroits pires que celui-ci. »

Scarabello le fixa, avant d'éclater de rire. Il se tourna vers les prostituées. « Vous voyez ? Vous vous plaignez toujours que c'est l'enfer ici, et le docteur vous dit qu'en fait c'est pas si mal. »

Les prostituées restèrent sérieuses.

« Je suis désolé, monsieur, dit Isacco. Mais essayez de comprendre… cette petite est…

— Essaie toi-même de comprendre, docteur ! », dit Scarabello en haussant le ton. Il remit son épée au fourreau et s'approcha de lui, son visage face au sien. « Ce sont les affaires. Les Tours sont un lieu de travail. Et le travail doit rapporter de l'argent, sinon c'est pas du travail. Cette chambre ne lui appartient pas. » Il alla jusqu'au lit ou gisait la prostituée. « République, tu l'as achetée, cette chambre ?

— Non, répondit-elle doucement.

— Pendant toutes ces années, tu as gagné plus d'un sol d'argent par semaine, non ? lui demanda Scarabello, qui se tourna vers Isacco.

— Oui…

— Et il y a des tauliers qui demandent deux, ou même trois sols d'argent pour leurs chambres ?

— Oui…

— Tu étais contente de prendre une chambre chez Scarabello, hein ? J'ai été juste avec toi ?

— Oui…

— Bien. Vous avez entendu ce que vous deviez entendre, docteur. Vous pourrez soigner République quand la petite ne travaillera pas. » Scarabello lança un dernier regard à Isacco.

« Et alors ? intervint la Cardinale. Où est le problème ? Lidia fera la putain. Je m'occuperai de lui apprendre et de lui procurer ses premiers clients. D'accord ? »

République, dans son lit, éclata en sanglots.

« Arrête donc, pauvre pétasse, lui dit la Cardinale, agacée. Scarabello a raison. Ça suffit maintenant. »

République se couvrit le visage avec la couverture.

Scarabello renifla l'air à nouveau. « Ah, toutes les chambres devraient être parfumées comme celle-ci. Tu vas te faire une fortune, petite. Mais tâche de te remplumer un peu, crois-moi. Les sacs d'os, ça leur plaît pas, aux hommes. » Alors seulement Scarabello parut s'apercevoir de la présence de Donnola. « Dis-moi un peu, pourquoi un garçon qui travaille pour moi, un certain Mercurio, devrait avoir tellement envie de te retrouver ? »

Donnola lança un rapide coup d'œil à Isacco. Puis il secoua la tête et haussa les épaules. « Qui peut savoir, Scarabello ? répondit-il en essayant de sourire. Comment tu as dit qu'il s'appelait, ton homme ? »

Scarabello se tourna vers Isacco. Il sourit. « Que de mystères pour un seul docteur !... » Puis il se tourna à nouveau vers Donnola. « À mon avis, c'est une histoire de femme, ajouta-t-il. En tout cas, je lui dirai qu'il peut te trouver ici. J'imagine que tu es l'assistant du docteur, non ?

— Ben, tu sais comment je suis, fit Donnola. Un jour ici, un jour là... »

Scarabello rit et se tourna vers Isacco. « Alors, qu'est-ce que tu penses du Castelletto, docteur ? Tu croyais que vous étiez les seuls à être enfermés, vous les Juifs, hein ? T'as remarqué que les putains sont obligées de se balader avec un foulard jaune autour du cou ? Il y a des ressemblances entre les Juifs et les putains, on dirait. Par conséquent, bienvenue, docteur. Fais comme chez toi. » Scarabello rit encore et s'en alla.

Dans la pièce, un silence lourd descendit. On n'entendait que les sanglots étouffés de République, qui pleurait sous la couverture. Les prostituées regardaient

447

la Cardinale avec réprobation. Mais aucune ne parlait car elles craignaient ses coups de colère.

« T'en fais pas, maman, dit Lidia dans le silence général, d'une voix qui tremblait. Ça me pèsera pas de faire le métier, tu verras… »

République sanglota.

« Pourquoi tu pleures, espèce d'idiote ? fit la Cardinale en s'approchant du lit et en découvrant République d'un geste violent. Tu crois vraiment qu'on va faire de ta fille une putain ? Par la misère, t'es qu'une pétasse imbécile. Scarabello aura son sol d'argent chaque semaine, mais pas question que Lidia fasse la pute. » Elle se tourna vers les autres prostituées, qui la regardaient, ébahies. « Commencez à mettre des sous de côté, gourdasses. Il faut une pièce d'argent par semaine pour République. Et vous pouvez être sûres que Scarabello, s'il a sa pièce, viendra pas vérifier. »

République pleura plus fort encore. Elle saisit la main de sa fille et l'attira à elle.

« Bon, assez pleurniché ! », marmonna la Cardinale. Puis elle donna une claque sur l'épaule d'Isacco. « Te fais pas tuer par Scarabello. On a besoin de toi ici, docteur. Et mets-toi au travail, sinon qu'est-ce que tu fais là ?

— Juste, dit Isacco. Tout le monde dehors ! »

45

Ils étaient vêtus de noir et se tenaient debout, sans parler, deux à la proue et deux à la poupe. Le gondolier, vêtu de noir lui aussi, ramait en silence. L'eau était immobile, limoneuse, une mer d'huile. Le bourreau, sa capuche baissée sur le visage, était assis sur le banc à côté de Mercurio. Celui-ci avait les bras attachés dans le dos et se tenait la tête basse, regardant le fond humide de la gondole et les mains du bourreau, maigres et délicates, avec des doigts longs et fins.

La gondole s'arrêta.

Mercurio releva la tête et regarda autour de lui. Ils se trouvaient dans une zone d'eaux ouvertes. La rive, tant à droite qu'à gauche, n'était qu'une ligne floue bordée de roseaux clairs. On ne voyait aucune habitation. Le silence était si parfait et si absolu que le frisson de la gondole sur l'eau semblait être un blasphème.

Le bourreau lui fit signe de se mettre debout.

Mercurio se leva, instable.

Un des deux officiers à la proue lui attacha au bras gauche le parchemin portant la condamnation pour ce qu'il avait fait à l'Arsenal.

Le bourreau prit une corde et, de ses mains fuselées et habiles, comme une araignée tissant sa toile, tressa la corde et forma un nœud coulant. Il la passa au cou de Mercurio. Puis lui fit signe de se mettre debout sur le banc.

Mercurio monta.

« C'est ici que vous mourez tous », dit le bourreau, et il le poussa.

Mercurio tomba de la gondole. L'eau glacée lui coupa le souffle. Il essaya de sortir la tête pour la garder à la surface, mais il peinait, n'ayant que les jambes de libres. Il se tourna vers la gondole. Tous le regardaient. Le bourreau liait l'autre extrémité de la corde à une pierre carrée, avec un gros trou en son centre. Il leva la pierre au-dessus de sa tête. Le temps s'arrêta. Il la lança en l'air et elle retomba en soulevant une gerbe d'eau.

Mercurio sentit tirer violemment sur son cou. Il essaya de résister. Mais en un instant sa tête était sous l'eau. Pendant qu'il coulait, il donnait de furieux coups d'échine, s'arquant de toutes ses forces, sans pouvoir arrêter sa descente vers le gouffre noir. Il vit la silhouette de la gondole disparaître peu à peu.

Il donna des coups de reins encore plus forts. Soudain, alors qu'il désespérait et sentait ses forces diminuer, la corde se tendit et cessa de le tirer vers le fond.

Mercurio vit le bout de la corde coupé, effiloché. L'espoir lui donna la force de lancer des ruades encore plus fortes. Il banda les muscles de ses bras. Les nœuds qui enserraient ses poignets se défirent. Il commença à nager vers la surface. Mais à mi-chemin de sa remontée, un courant très puissant le poussa de côté et le coinça dans une sorte de grotte, creusée dans un rocher.

Une fois à l'intérieur, il sentit que ses poumons ne tiendraient pas longtemps. Vers le haut, il vit une lumière et comprit qu'il se trouvait dans une sorte de puits. Il nagea le plus vite possible, profitant du courant qui remontait vers la surface. Il voyait la lumière approcher d'instant en instant. Bientôt il pourrait respirer.

Alors que la lumière se rapprochait, sa remontée fut brusquement interrompue par une grille de fer qui lui barrait le chemin. Mercurio tendit la main, la sentit sortir de l'eau. Il sentit la tiédeur du soleil. Il s'agrippa à la grille et la secoua de toutes ses forces, essayant de la desceller du rocher dans lequel elle était fixée.

Tout à coup, il sentit qu'on lui touchait l'épaule.

Il se tourna.

Face à lui, tout près, le visage de l'ivrogne qui s'était noyé dans la fosse d'égout, à Rome. Le même ivrogne qui l'avait sauvé lui disait à nouveau de nager à contre-courant. Et comme alors, l'ivrogne avait la langue gonflée, les yeux injectés de sang, grands ouverts, presque sortis des orbites.

« Mercurio… », disait-il. Il s'agrippait à son épaule et le retenait. « Mercurio… Mercurio… »

Mercurio hurla, avec tout le souffle qui lui restait.

« Mercurio, réveille-toi ! »

Mercurio se retrouva assis dans son lit, haletant, en nage.

Anna del Mercato le secouait par les épaules.

Mercurio porta la main à son cou. Il n'y avait pas de corde, pas de condamnation attachée à son bras, pas de grille ni d'ivrogne. Incapable de parler, il respirait péniblement.

« Tu m'as fait peur, dit Anna. Tu ne te réveillais pas et tu ne respirais plus. Tu étais tout bleu… »

Mercurio déglutit. Il acquiesça, les yeux écarquillés.

« Maintenant, ça va ?

— Oui… »

Anna lui passa la main dans les cheveux. « Tu es trempé. »

Mercurio la regardait sans parler.

« À quoi est-ce que tu rêvais ?

— À rien…, répondit Mercurio en secouant la tête, tandis que sa respiration commençait à redevenir régulière.

— Tu es rentré en pleine nuit. » Mercurio ne répondit pas.

« Essuie-toi et puis descends prendre ton déjeuner. » En sortant de la pièce, elle passa près d'un tas de vêtements gris roulés dans un coin. Elle voulut le prendre.

« Non ! », cria Mercurio.

Anna s'arrêta net, la main tendue. Puis, sans un mot, elle sortit et ferma la porte derrière elle.

Mercurio resta immobile, assis dans le lit, frissonnant.

"Ils ne te prendront pas. Tu ne vas pas mourir", se dit-il.

Demain, il essaierait d'entrer à l'intérieur de l'Arsenal. Et, s'il y parvenait, il volerait les grands cacatois pour l'armateur, comme il l'avait promis à Scarabello. Mais le type de mort auquel il serait condamné s'il se faisait prendre le terrorisait.

Il se leva et alla jusqu'au paquet de vêtements. Il déplia sur le lit le pantalon large qui s'arrêtait aux

452

genoux. Les chausses grises avec la rayure blanche et rouge sur le côté. La tunique à plis, ample et évasée, qui descendait jusqu'en bas du pantalon. Et le bonnet à bandeau étroit dont la partie supérieure devait retomber mollement sur le côté et frôler l'épaule.

"Tu ne vas pas mourir, se répéta-t-il. Tu as un bon déguisement et un bon plan. Tu es plus fort que ces Vénitiens à la con qui noient les gens."

La veille, à la taverne, il avait soûlé l'arsenalier. Il s'était fait tout raconter de l'Arsenal, du nombre considérable d'hommes qui y travaillaient, des différentes tâches à exécuter, des dépôts, des bassins, des *squeri*[1]. Quand ils étaient sortis de la taverne, Mercurio savait tout ce qui pouvait lui être utile, à commencer par les horaires. L'arsenalier avait tellement bu qu'il ne tenait pas sur ses jambes. Ils étaient arrivés dans une *calle* sombre, derrière l'"Enfer", le "Purgatoire" et le "Paradis", les trois grands ensembles de logements construits derrière l'Arsenal pour les arsenaliers et leur famille. Là, Mercurio avait laissé le jeune homme par terre et l'avait dépouillé de son uniforme. Avant de s'échapper dans la nuit, il avait eu soin de tirer la cloche d'une porte pour ne pas le laisser mourir de froid.

Il regardait maintenant avec inquiétude la déchirure bien visible sur le côté de la tunique, là où était fixée la manche gauche : pendant que Mercurio le déshabillait, l'arsenalier s'était copieusement agité et la couture avait cédé. Le tissu, peut-être usé, avait craqué aussi. Un tel détail pouvait attirer l'attention sur lui, alors qu'il devait passer le plus inaperçu possible. Il

1. Ateliers de réparation des bateaux. Singulier: *squero*.

allait devoir garder le bras serré contre le thorax, ce qui rendrait sa démarche peu naturelle. Mais il n'y avait pas d'autre solution.

"Tu vas pas mourir", se répéta-t-il encore.

Puis il descendit à la cuisine, où Anna l'attendait avec une tasse de bouillon chaud, une tranche de lard croustillant, un demi chou-fleur bouilli et un morceau de pain tout juste sorti du four. Il mangea en silence, la tête penchée.

Anna ne lui adressa pas la parole non plus.

Quand il eut fini de déjeuner, il sortit pour éviter les questions. Il flâna sans but, pensant au lendemain. Longeant une partie du Canal Salso, il revint en arrière jusqu'au quai au poisson et confirma l'heure à Battista, puis se retrouva sur la place du marché. La foule emplissait la vaste place rectangulaire. Les étals se touchaient. Le parfum des fruits et des légumes frais se mêlait à l'odeur de ceux qui pourrissaient à terre. De grandes bassines, larges de deux brassées et hautes comme un homme, bouillonnaient d'anguilles. Les coutelas des marchands de poisson claquaient sur les étals trempés ; têtes et queues, jetées au sol, étaient piétinées par les passants. Des jarres ventrues de terre cuite, simples ou ornées, répandaient alentour leurs arômes de vin, de mélasse, de vinaigre et d'huile d'olive. Les vendeurs de tissus chantaient les louanges de leur marchandise. Les bouchers se paraient de colliers de saucisses et de bracelets de viande séchée. Les lainiers criaient le prix de leurs balles de laine cardée.

Mercurio se laissa enivrer par les voix et les odeurs, et marcha, poussé de-ci, de-là, le bras parfois attrapé par un vendeur ambulant. Puis il se retrouva en face d'une boutique abritée par un grand auvent bleu. Il reconnut celle de l'usurier Isaia Saraval, auquel il avait racheté le collier d'Anna. Il s'arrêta devant la porte.

Un des gardiens de l'usurier le regarda de travers.

Mais Isaia Saraval, en le reconnaissant, lui dit « Bonjour, mon bon jeune homme », avec une légère inclinaison de tête pleine de dignité. Il éloigna son garde, qui disparut en conservant son expression agressive.

« Pourquoi n'exposez-vous pas votre marchandise, comme le font tous les autres ? demanda Mercurio, intrigué. Ce ne serait pas mieux pour les affaires ? »

Isaia Saraval sourit tristement. « Cela ne nous est pas possible, dit-il en ouvrant les bras, d'un geste résigné.

— Vous avez peur qu'on vous les vole ?

— Oh, non, non. La loi nous interdit d'exposer devant la boutique les objets mis en gage. Même ceux qui n'ont pas été retirés dans les délais. Si on veut quelque chose, on doit d'abord entrer.

— Pourquoi ? », demanda encore Mercurio, étonné.

L'usurier haussa les épaules et pencha la tête de côté, en serrant les lèvres.

« Parce que vous êtes juifs ?

— Et parce que nous sommes des prêteurs sur gages. »

Mercurio hocha la tête. « Quelle couillonnade !, dit-il.

— Vous voulez voir quelque chose ? dit Isaia Saraval. Je suis disposé à faire un rabais pour un bon client comme vous.

— Le collier, c'était pour le rendre à la femme qui l'avait mis en gage…

— Vous n'avez pas une jeune fille à courtiser ? Une fiancée ? »

Mercurio eut le souffle coupé. Il n'avait pas encore eu le courage d'aller parler à Giuditta, après le premier soir où la communauté juive tout entière avait été enfermée sur le campo del Ghetto. Crier depuis le mur d'enceinte avait été facile, une bravade. La regarder dans les yeux et lui expliquer que Benedetta l'avait manipulé, en revanche, ne l'était pas. Il avait peur qu'elle ne le croie pas et qu'elle ne veuille plus le voir.

Il resta immobile, les yeux dans le vide, pendant que l'usurier le regardait en silence. Puis, petit à petit, l'air revint dans ses poumons et un sourire se dessina sur son visage. « Oui, dit-il. Montrez-moi quelque chose de joli. »

Peu de temps après, il sortit avec un papillon aux ailes en filigrane d'argent et au corps émaillé d'un bleu cobalt intense. Il courut au quai au poisson et demanda à Battista de l'emmener à Cannaregio. Le pêcheur le déposa près du pont sous lequel le Bucentaure faisait son entrée dans le Grand Canal, pour la fête des Noces avec la Mer.

Mercurio suivit la fondamenta Barzini puis celle dei Due Ponti. Il prit par San Leonardo, tourna dans la *corte*[1] et rejoignit enfin la fondamenta dei Ormesini. Là, il attendit presque toute la journée, derrière un immeuble, au milieu des chutes des tissus travaillés dans les ateliers de la zone, épiant le va-et-vient de gens qui entraient et sortaient du Ghetto. Il écouta pendant des heures le moine qui l'avait emmené chez Anna, et se promenait maintenant sur les fondamenta en insultant les Juifs pour inoculer son venin dans le cœur des Vénitiens. Il vit Zolfo qui le suivait,

1. Cour entre des immeubles.

transformé, obéissant comme un petit singe apprivoisé. Il avait les cheveux courts, lavés, et un bel habit propre. Il paraissait même moins maigre. Mais il était mort, pensa Mercurio. Son regard était mort. Mercurio poussa un soupir de soulagement quand ils partirent.

Le soleil s'acheminait lentement vers la fin de sa course, et nulle trace de Giuditta. Mercurio gardait sa main droite dans sa tunique et le bout de son pouce passait et repassait sur la ligne fragile des ailes du papillon en filigrane.

La lumière pâlissait à l'approche du soir quand il la vit arriver. Il sentit son cœur battre plus fort. Et il comprit qu'il n'aurait pas le courage de lui parler.

Il baissa sur son front sa capuche de laine bouillie, rentra la tête dans les épaules et commença à marcher tête basse, d'un pas rapide. De temps en temps il levait la tête pour voir où elle était. À mesure qu'elle se rapprochait, Mercurio avait de plus en plus de mal à respirer. Il ressentait une joie profonde, excitante, une fébrilité qui lui descendait dans les jambes. Il ne pouvait s'empêcher de toucher nerveusement le papillon dans sa poche.

Quand ils furent à seulement quatre pas de distance, Mercurio leva un peu la tête. Giuditta était resplendissante. Plus belle encore qu'il ne l'imaginait chaque soir, quand il se couchait, en fermant les yeux. Ses cheveux plus brillants dépassaient de son bonnet jaune qui, contrairement aux autres Juifs, lui allait bien. Ses lèvres étaient pleines et entrouvertes. Ses yeux profonds sous les sourcils sombres et fournis. Mercurio sentit sa tête tourner sous le coup de l'émotion.

Il fit un autre pas, pensant qu'il trouverait peut-être le courage de lui parler. Mais l'instant d'après sa gorge se serra. Il fit semblant de trébucher et lui tomba dessus, s'accrochant à elle pour ne pas tomber. Il lui toucha l'épaule puis lui prit la main, un instant. Cette main qui avait marqué le début de leur amour silencieux, plein d'espoir et sans promesses.

« Qu'est-ce que tu fais ? dit Giuditta, en essayant de s'écarter.

— Excusez-moi », fit Mercurio, la tête basse, déguisant sa voix, qui avait du mal à sortir. Il se redressa, porta la main de Giuditta à ses lèvres et la baisa, courbé en deux. « Excusez-moi…

— Lâche-moi ! », s'exclama Giuditta, agacée, et elle retira sa main. Elle le repoussa et accéléra le pas vers le pont du Ghetto, suspendu au-dessus du rio di San Girolamo.

Mercurio s'éloigna puis, un instant avant de disparaître dans la calle della Malvasia, se retourna. Son cœur cognait dans ses oreilles. Devant ses yeux, des taches lumineuses.

À ce moment-là, au sommet du petit pont, Giuditta se retourna elle aussi, poussée par une étrange sensation, comme un sanglot intérieur, le souffle coupé. Et, en voyant cette drôle de silhouette encapuchonnée qui la fixait, au coin de la *calle*, à demi cachée comme si elle l'épiait, elle sentit ses joues qui rougissaient, sans aucun motif. Elle lui tourna le dos, effrayée, et mit sa main dans la poche de sa robe. Alors sa main droite sentit quelque chose. Elle le sortit de sa poche. C'était un papillon en émail bleu, avec des ailes en filigrane d'argent. Sa respiration se bloqua dans sa gorge. Elle se retourna. Mais il n'y avait plus personne. Giuditta s'appuya à la rambarde du pont. Ses jambes ne la portaient plus. Elle vit son reflet dans l'eau trouble. Elle sentit que sa vue se voilait sous le coup de l'émotion. Elle regarda encore le papillon qui avait été glissé dans sa poche. Puis elle vit sa main, que l'inconnu avait serrée dans la sienne. Et baisée.

« Mercurio », murmura-t-elle. Et comme si ce nom résumait tout à lui seul, elle répéta : « Mercurio. » L'instant d'après, sans même s'en rendre compte, elle courait vers l'endroit d'où elle était venue, avec dans le cœur un espoir qui l'étreignait comme une souffrance. « Mercurio ! », cria-t-elle. Elle s'étonna de la puissance de son cri. Elle fut tentée de s'arrêter et de se taire, mais au lieu de cela, presque désespérée, elle cria : « Mercurio ! » Et tandis qu'elle courait, elle craignait de l'avoir perdu.

Alors, à l'endroit même où elle s'était éclipsée, la silhouette encapuchonnée reparut.

Giuditta s'immobilisa, comme paralysée.

Mercurio baissa lentement sa capuche. Et lui non plus n'arrivait pas à venir vers elle. « Me voici », dit-il. Mais d'une voix si basse que Giuditta ne pouvait l'entendre.

Ils étaient là, après tant de nuits où ils avaient pensé l'un à l'autre, mais aucun des deux n'était capable de bouger, malgré la force extraordinaire qui les liait et les attirait l'un vers l'autre.

« Il n'y en a pas d'autre », dit-il, toujours trop bas.

Giuditta n'arrivait pas à lire sur ses lèvres, parce que sa vue était brouillée par l'émotion. Alors elle se força à faire un pas. Un seul. Et quand elle se rendit compte qu'elle pouvait en faire un autre, et encore

un autre jusqu'à Mercurio, une voix derrière elle dit :
« Giuditta, viens. »

Le capitaine Lanzafame arriva vers elle et la prit par le bras. « Viens, c'est l'heure de fermer les portes. Ton père t'attend. »

Giuditta se raidit et ses yeux s'agrandirent.

Lanzafame fit signe à Mercurio de s'en aller.

Mais Mercurio ne voyait que Giuditta.

« Allons-y », dit le capitaine, qui la tira vers le Ghetto où il allait l'enfermer.

Giuditta le suivit, résignée, sans opposer de résistance ni collaborer, sans jamais détacher ses yeux de Mercurio, qui maintenant la suivait, à la même vitesse, laissant intacte la distance qu'ils n'avaient pas réussi à combler.

Giuditta se laissa mener sur le pont et de l'autre côté de la grande porte par Lanzafame. Puis, quand il lui lâcha le bras et ordonna à ses hommes de fermer, elle resta immobile, les yeux plongés dans ceux de Mercurio. Il avait quelque chose de différent, se disait-elle. Puis elle comprit. Le nez. Son nez avait quelque chose de différent qui le faisait davantage ressembler à un homme. Et le rendait plus beau.

Mercurio s'était arrêté à l'entrée du pont. Quand il entendit le bruit sourd des vantaux, il bondit. « Il n'y en a pas d'autre ! », cria-t-il, retrouvant le souffle qui lui avait manqué.

Le capitaine et les gardes se campèrent au milieu du pont pour lui barrer la route.

Dans leur dos, du côté du Ghetto, on entendit la voix de Giuditta. « Pose les mains sur la porte », disait-elle.

Mercurio fixa Lanzafame et les deux gardes en haletant, le regard désespéré.

460

Alors Lanzafame et les deux gardes, sans qu'il y ait besoin d'un ordre ou d'une parole, baissèrent les yeux et s'écartèrent.

Mercurio avança doucement. Il les dépassa d'un pas lent. Il atteignit la porte et posa les mains, paumes ouvertes, sur le bois de chêne. « Je suis là, dit-il.

— Je suis là », dit Giuditta de l'autre côté de la porte. Et lentement, à son tour, elle posa les mains ouvertes sur le bois.

« Je te sens, dit Mercurio de l'autre côté.

— Je te sens », fit Giuditta en écho.

46

"Je ne verserai plus jamais une seule larme", s'était juré Benedetta.

Maintenant qu'elle était la maîtresse du prince Contarini, elle avait son argent à disposition.

Elle avait décidé de l'utiliser au mieux.

Et le mieux, selon elle, c'était Reina Bonvicini, connue de tous sous le nom de Reina la magicienne.

« Je vous en prie, entrez, illustrissime Seigneurie », dit une voix de l'autre côté d'un léger rideau bleu nuit richement brodé d'étoiles jaunes.

Benedetta fut saisie par le ton respectueux, autant que par la formule de politesse. Elle se tourna vers la fenêtre de l'antichambre. Elle y vit le reflet d'une jeune femme vêtue d'une robe de soie moirée couleur de châtaigne qui prenait, selon les mouvements de la lumière, des tons orange et rouge chaud. Elle vit les fines dentelles de Burano qui ornaient le décolleté de sa robe, le collier de perles de culture qui donnait de l'éclat à son cou, ses cheveux cuivrés rassemblés en tresses fixées par des épingles, elles aussi de perles. Elle respira son parfum délicat de jasmin mêlé d'essences de bois indiens. En souriant, elle fit une petite révérence amusée à cette figure élégante qui se mirait dans la fenêtre. « Illustrissime Seigneurie », murmura-t-elle.

Puis elle franchit le rideau piqueté d'étoiles.

La pièce où la magicienne recevait ses clients était extraordinaire. Les murs, d'un rouge pompéien, étaient ornés d'un réseau de fins symboles peints à la main. Le long des murs, des étagères ouvertes supportaient des cristaux, des amulettes, des candélabres aux bougies anthropomorphes, des crânes d'animaux, des pattes de lapin et des racines. Une rangée de bocaux de verre montrait des graines, des fleurs séchées, de petites pierres brillantes, de la myrrhe et de l'encens, des serpents et lézards morts, des yeux de verre, des insectes, des coquillages. Des cordes aussi, des plus épaisses aux plus fines, nouées de toutes sortes de manières. Dans un coin, sur un pupitre, un gros livre avec des symboles astrologiques et les orbites des planètes. Par terre, des tapis orientaux superposés, poussiéreux et recouverts de poils. Et deux grands chats angoras, l'un gris et l'autre blanc, dont les queues vaporeuses ondulèrent lentement à l'entrée de Benedetta comme des algues au fond des abysses.

« Les gens les regardent avec suspicion parce qu'ils les croient au service de mon pouvoir, dit Reina la magicienne quand elle se leva pour venir à sa rencontre. Mais ils sont simplement là pour manger les souris, illustrissime Seigneurie », ajouta-t-elle en s'inclinant.

Benedetta était surprise. Elle s'attendait à une vieille femme difforme, ou sans dents, avec un grand nez. Or la magicienne était grande, mince, plaisante, avec de longs cheveux noirs teints lâchés sur les épaules, et habillée comme un homme, à l'orientale, avec de larges pantalons de soie orange serrés à la cheville et une tunique au-dessus du genou, violette et noire, boutonnée jusqu'au col. Ses yeux étaient lourdement maquillés et elle portait aux poignets de lourds bracelets de cuivre munis de clochettes qui tintaient à chacun de ses mouvements.

« Je veux que vous me fassiez… », commença aussitôt Benedetta.

La magicienne leva la main pour l'interrompre. « D'abord, asseyez-vous, illustrissime Seigneurie », dit-elle en lui désignant, dans un coin de la pièce, un canapé bas en cuir au-dessus duquel pendait une mousseline claire. Près du divan était allumée une lampe à deux bras qui représentait un Maure. Devant, une petite table basse ronde laquée de noir avec des symboles magiques dorés. Et une natte de chanvre usée, toute simple, pliée en deux.

Benedetta s'installa sur le divan.

La magicienne s'assit sur la vieille natte, croisant les jambes en un mouvement harmonieux, comme un serpent qui s'enroule lentement sur le sol. Elle fit claquer ses doigts aux ongles soignés.

Aussitôt un jeune homme musculeux entra dans la pièce, les yeux baissés, et posa sur la petite table un plateau contenant deux tasses chaudes et fumantes.

La magicienne claqua de nouveau des doigts et le jeune homme disparut en silence, les yeux baissés, comme il était arrivé.

« Buvez, dit Reina.

— Je n'ai pas soif », répondit Benedetta.

La magicienne sourit. « Ce n'est pas pour vous désaltérer.

— Et pourquoi, alors ?

— Pour nous permettre de mieux parler. » La magicienne prit une tasse et but une gorgée.

Benedetta fixait la sienne avec suspicion.

La magicienne reposa sa tasse, prit celle de Benedetta et en but une gorgée. « Ayez confiance, illustrissime Seigneurie. »

Benedetta prit la tasse, humant le liquide laiteux qu'elle contenait. L'arôme était épicé, piquant, agréable. Elle but une gorgée. Il y avait une amertume, qu'on ne sentait pas sur la langue mais dans la gorge. Elle fit une grimace et voulut reposer la tasse, quand la main de la magicienne l'arrêta avec délicatesse et fermeté.

« On ne le boit pas pour son bon goût », lui dit-elle.

Benedetta eut l'impression que sa voix arrivait de plus loin tout en étant plus puissante. Elle but une autre gorgée. La sentit moins amère, et encore moins la troisième. À la quatrième, elle s'aperçut que sa gorge était devenue insensible. Il lui sembla même qu'elle avait gonflé. Elle porta la main à son cou. Mais elle ne se sentait pas inquiète.

Reina la regardait avec attention. Elle buvait aussi.

Benedetta ressentit soudain un grand calme, comme si elle était détachée de ce qui l'entourait. Son champ de vision s'était rétréci. Au centre, elle voyait parfaitement, peut-être même mieux qu'en temps normal. Les couleurs étaient vives, les ombres bien découpées, les formes rondes et pleines. Mais au-delà, les choses devenaient floues, se confondaient les unes avec les autres, semblaient plongées dans un liquide huileux. Elle tourna la tête d'un geste brusque, à droite puis à gauche.

« Maintenant vous pouvez voir ce que vous voulez vraiment, de tout votre être, dit la magicienne. Ce qui est au centre de votre être, ce qui fonde votre nature. »

La voix de la femme arrivait par vagues aux oreilles de Benedetta. Et les vagues mettaient en évidence certaines de ses paroles, laissant les autres à l'arrière-plan. Ce qui l'intéressait le plus émergeait, tandis que le reste se noyait. Elle n'était ni effrayée ni confuse. Au contraire, particulièrement consciente d'elle-même.

« Les gens viennent me demander toutes sortes de choses, commença la magicienne. Mais bien peu savent ce qu'ils veulent vraiment. La plupart demandent ce qu'ils croient vouloir. Ils demandent ce que les conventions, la société, l'Église leur ont imposé. Ils demandent ce que l'honneur exige, ce que la tradition transmet, ce à quoi la famille s'attend. Ils demandent avec la voix de celui qu'ils voudraient être, mais qu'ils ne sont pas. »

Benedetta sentait que les paroles de la magicienne entraient en elle par absorption, comme si son corps était une éponge.

« Les sentiments sont secrets et complexes, continua la magicienne. Encore plus que le réseau des canaux de notre mystérieuse cité flottante. Vous comprenez, n'est-ce pas ? »

Benedetta acquiesça. Ses paupières se fermaient un peu.

« À présent, illustrissime Seigneurie, voulez-vous me dire comment vous vous appelez, s'il vous plaît ?

— Bene… detta…

— Et en réalité vous vous appelez exactement comme vous l'avez prononcé. Vous êtes une femme "bien dite". »

Benedetta sourit, béate.

« Maintenant, voulez-vous me dire aussi la raison pour laquelle vous m'avez cherchée, par l'intermédiaire de votre noble et puissant protecteur, dont je suis et serai toujours l'humble servante ? »

Benedetta pensa à la raison qui l'avait amenée. « Je ne verserai plus jamais une seule larme », dit-elle tout haut.

La magicienne ne parla pas. Elle se contenta de la regarder intensément.

« Je ne verserai plus jamais une seule larme », répéta Benedetta. La phrase résonna en elle, rebondissant d'une paroi à l'autre de son corps. Puis, tout à coup, elle sentit qu'elle était expulsée. Elle eut peur de se retrouver vide, sans rien à l'intérieur. Elle fixa Reina, la bouche et les yeux grands ouverts, comme si elle cherchait de l'aide.

« N'ayez pas peur, Benedetta, dit-elle aussitôt. C'était quelque chose qui ne vous appartenait pas. Fermez les yeux et écoutez mieux. Que voulez-vous de moi ? Ou plutôt, que voulez-vous pour vous ? »

Benedetta ferma les yeux. Elle entendit un grand bourdonnement, semblable au son du noir dans lequel elle venait de plonger. Puis arriva une tache de couleur. Rouge, palpitante. "Cœur", pensa-t-elle. Elle sentit battre son propre cœur. Calme, régulier. Elle comprit que son cœur ne lui demandait rien. Le cœur en effet disparut. Elle ne savait pas si elle verserait de nouveau des larmes ou pas, mais ce n'était pas ce qui l'intéressait. La souffrance ne l'effrayait pas. "La souffrance, tu sais ce que c'est", se dit-elle. Alors elle replongea dans l'obscurité et dans la musique bourdonnante qui résonnait en elle. Dans cette obscurité commença à s'agiter, ondoyant telle une colonne de fumée dense et lourde, un serpent jaune informe, sinueux, qui se divisa en autant de bras de fumée colorant la totalité du noir. "Jaune", pensa-t-elle. Elle eut la sensation d'avoir trouvé ce qu'elle cherchait.

Elle ouvrit les yeux et regarda la magicienne. Sa vue s'était éclaircie. Son esprit était léger. « Jaune, lui dit-elle.

— Bile, fit la magicienne, en acquiesçant.

— Juive, dit Benedetta.

— À présent, vous savez ce que vous voulez pour vous ?

— Oui, dit Benedetta.

— Quoi ?

— Malheur. Solitude. Désespoir. Faillite. Séparation. »

La magicienne eut un sourire mélancolique. « Beaucoup viennent ici en croyant qu'ils cherchent l'amour, dit-elle doucement. Et découvrent que c'est la haine qui les nourrit.

— Malheur, solitude, désespoir, faillite, séparation… », répéta Benedetta, scandant ses malédictions.

Reina acquiesça. « Construction et destruction. Amour et haine. Notre nature tout entière est là, dans cette croisée des chemins : de ce côté, ou de l'autre. Il n'y a pas de troisième voie.

— Destruction », dit Benedetta.

La magicienne la regarda. « Écoutez-moi bien. Vous devez savoir ce que vous êtes en train de choisir…

— Destruction », dit Benedetta encore plus fort.

Reina la magicienne acquiesça. Elle avait une lueur de chagrin dans le regard. Elle prit une inspiration et recommença à parler. « L'amour nourrit et engraisse. La haine consume et creuse. L'amour enrichit, la haine soustrait. Vous comprenez, Benedetta ?

« — Destruction, répéta Benedetta pour la troisième fois, d'une voix décidée, basse et rauque.

— L'amour réchauffe, continua la magicienne. La haine glace. » Benedetta la fixa sans hésitation ni faiblesse.

« Vous avez choisi, dit alors Reina. Je suis à votre service, mais je ne suis ni votre mal ni votre bien. Ce que je fais, je le fais par votre volonté, et les conséquences ne retomberont pas sur moi. Amen. Dites amen, Benedetta.

— Amen.

— Tout le mal qui est souhaité, un jour ou l'autre, nous revient. Qu'il ne revienne pas sur moi mais sur la personne qui l'a souhaité. C'est clair, Benedetta ?

— Ça ne m'intéresse pas.

— Dites amen.

— Amen.

— J'aurais besoin que vous m'apportiez quelque chose de cette personne. Les cheveux sont l'instrument le plus efficace. Mais un vêtement pourra suffire.

— Vous aurez des cheveux.

— Maintenant, vous êtes prête. Si vous voulez poursuivre, levez-vous et fermez les yeux », dit Reina la magicienne, qui se mit elle-même debout.

Benedetta se leva et ferma les yeux.

La magicienne lui posa une main sur le front et l'autre sur la poitrine, sous le sternum. « De qui voulez-vous la destruction, Benedetta ? Dites son nom, en présence des esprits qui seront vos alliés et que j'invoque. Dites-le !

— Giuditta da Negroponte.

— Qu'il en soit ainsi. »

47

L'aube était encore loin quand Mercurio se leva. Il n'avait pas beaucoup dormi et n'avait cessé de penser à Giuditta. Il était fatigué, excité et effrayé. Mais il était sûr que tout se passerait bien à l'Arsenal. Rien ne pouvait lui arriver. La vie lui souriait.

Giuditta et lui s'étaient parlé, la veille au soir, se répétait-il à l'infini. Ils s'en étaient dit bien plus que Mercurio n'aurait jamais espéré. Peu de mots, mais si importants et si intenses qu'ils contenaient tous leurs sentiments. S'il avait raconté qu'ils s'étaient *touchés* à travers une porte, on l'aurait pris pour un fou. Pourtant, pour Mercurio – et il savait que pour elle c'était pareil – ils s'étaient vraiment touchés. Main contre main.

Il était sûr – il hésita à formuler cette pensée, tant elle était énorme, exaltante – que Giuditta éprouvait exactement pour lui ce qu'il éprouvait pour elle. Ils étaient liés. Ils étaient devenus une seule et même chose.

Pour cette raison, il savait que rien ne pourrait lui arriver ce jour-là à l'Arsenal. Il n'allait pas mourir.

Parce que ce n'était pas son destin, tout simplement.

Son destin était de couronner son amour avec Giuditta.

Il se rinça le visage dans la cuvette d'eau, prit les vêtements de l'arsenalier et commença à les enfiler avec une lenteur rituelle, comme si ces mouvements étudiés l'aidaient à entrer dans le rôle. Quand il eut enfilé la tunique, il serra instinctivement le bras gauche contre sa poitrine pour cacher la déchirure du tissu, et baissa les yeux pour vérifier l'effet produit. On ne voyait rien. Il fit deux ou trois pas, pour essayer de marcher le bras contre le torse. Cela ne faisait pas naturel. Alors il en fit deux autres, en le bougeant juste un peu, et s'assura que la déchirure ne devenait pas trop évidente. Or, elle ne se voyait même pas. C'était bizarre. Il leva le bras.

La déchirure avait disparu.

Anna l'avait recousue.

Mercurio rit.

Il commença à se maquiller. Il prit une touffe épaisse de crins coupée la veille à la queue d'un cheval. Il en prit quelques-uns et posa les autres sur le lit. Puis il plongea le bout de ses doigts dans une écuelle remplie de résine, recueillie en incisant profondément le tronc d'un sapin. Il en tartina ses cheveux du bout des doigts à la hauteur des oreilles et à l'arrière de sa tête, juste sous la ligne du bonnet de l'arsenalier. Alors, par petites mèches, il colla les poils de la queue de cheval à ses propres cheveux. Rapidement, sa chevelure devint longue et fournie. Il se la noua d'un ruban rouge, très voyant. Quiconque le regarderait serait d'abord distrait par ce détail, et ne prêterait pas attention à sa physionomie. Puis il se passa de la résine sous le nez et y colla d'autres crins, qu'il coupa à la bonne mesure.

471

Il avait une moustache, à présent. Et comme touche finale, il se colla d'autres poils sur les sourcils, les faisant devenir épais et presque réunis au centre. Ces quelques éléments, il le savait, suffisaient à le transformer en une autre personne, et l'arsenalier à qui il avait dérobé ses vêtements aurait bien du mal à le reconnaître, d'autant qu'il n'avait sûrement pas l'intention de se signaler.

Satisfait, il descendit l'escalier sans bruit pour ne pas réveiller Anna et se dirigea vers la porte sur la pointe des pieds.

« Viens manger », dit la voix d'Anna dans la cuisine.

Mercurio s'arrêta, la main sur la clenche.

« Il fait froid et la journée va être longue », ajouta Anna.

Mercurio retira sa main et vint dans la cuisine. Il avait honte de se montrer déguisé et maquillé en arsenalier.

Anna éclata de rire. « Tu es vraiment très fort. »

Le déjeuner était sur la table. Mercurio s'assit et commença à manger. « Qu'est-ce que tu fais déjà debout ? », lui demanda-t-il.

Elle le regarda et sourit. « Ce n'est pas seulement pour toi, espèce de grand vaniteux, lui répondit-elle. J'ai trouvé un travail.

— Quel travail ? », demanda-t-il tout étonné, la bouche pleine.

Anna enfila un long manteau de futaine fourré de peau d'écureuil. « Il faut préparer une réception chez un noble qui n'a pas le nécessaire. Il prend des domestiques pour quelques mois. On y fait de tout, mais il faut d'abord nettoyer le palais. C'est une vraie porcherie.

— Quel besoin as-tu de travailler ? fit Mercurio. Nous avons bien assez d'argent.

— Cet argent, c'est le tien. Garde-le. Tu as un rêve ambitieux. Moi, je suis capable de me débrouiller toute seule... » Anna le regarda avec amour. « Et c'est grâce à toi. Tu m'as redonné la force d'y arriver.

— Mais je ne suis pas d'acc... »

Anna l'interrompit d'un geste. « J'en ai besoin pour moi, dit-elle.

— Oui, mais...

— Écoute, tête de mule. » Anna vint près de lui. « Imagine combien ce serait important pour moi de te donner même un demi-sol pour ton projet. » Elle le regarda dans les yeux, avec son franc sourire. « Tu le comprends, ça ? »

Mercurio hocha la tête.

Anna le baisa au front. « Maintenant laisse-moi partir, parce que c'est long pour arriver jusqu'à Venise.

— À Venise ? dit Mercurio en souriant. Alors, ça n'est pas long du tout. » Il la prit par la main. « Viens, lui dit-il en l'entraînant vers la porte.

— Attends... » Anna lui tendit un panier d'osier. Mercurio la regarda sans comprendre.

« Tu ne sais donc pas que tous les arsenaliers apportent leur déjeuner ? »

Mercurio ouvrit le panier. À l'intérieur, une miche de pain enveloppée dans un morceau de lin, deux grosses tranches de lard, deux oignons.

Sur le seuil, Anna lui couvrit les épaules d'un manteau noir, ample et long. « Ne bouge pas. Pas la peine de te faire voir à tout le monde habillé en arsenalier, lui dit-elle avec rudesse en lui nouant le lacet sur le devant. C'est ça, la bêtise que tu t'apprêtes à faire ? », ajouta-t-elle.

Mercurio acquiesça et baissa les yeux.

Anna lui prit la tête entre ses mains gercées et l'attira à elle. « L'archange Michel est avec toi. Il ne peut rien t'arriver. Mais fais attention quand même. Ne commets pas d'imprudences. »

Ils prirent la direction du quai aux poissons. Mercurio lui montra Battista qui attendait à bord de la Zitella, avec Tonio et Berto déjà assis sur le banc, les rames à la main.

« Bonjour Battista, dit Anna.

— Bonjour Anna, répondit le pêcheur, gêné, qui eut du mal à reconnaître Mercurio maquillé et en resta bouche bée.

— Alors, c'est vous, le compère de Mercurio…, dit Anna.

— Compère ? fit Battista, la voix tremblante.

— Allez, je plaisante ! », dit Anna en riant. Puis elle regarda vers Tonio et Berto, qui fixaient Mercurio, étonnés et amusés. « Bonjour, les gars. Votre mère va mieux ? Cette vilaine toux lui a passé ?

— Oui », bafouilla Tonio la tête basse, gêné lui aussi.

Anna allait de nouveau parler quand Mercurio la poussa à bord. « Maintenant tu vas voir qu'il ne faut pas longtemps pour être à Venise », lui dit-il. Puis il s'adressa à Tonio et Berto : « Faisons siffler le vent dans les cheveux de ma mère. »

Anna eut un coup au cœur et sa gorge se noua.

Puis les rames commencèrent à gémir sous la poussée puissante des bras des deux frères.

474

Il y avait bien longtemps qu'Anna n'avait été aussi heureuse. Elle se souvint qu'après la mort de son mari elle avait cru qu'elle ne le serait plus jamais. Elle regarda Mercurio et, croisant son regard, lui dit : « Merci.

— Hein ? », fit Mercurio.

Anna haussa les épaules. « Rien. » Ce garçon était vraiment spécial, capable d'une générosité sans bornes, même si personne ne lui avait jamais rien appris. Elle le regarda un instant encore avec amour puis s'abandonna à la sensation du vent dans ses cheveux.

Bientôt ils pénétrèrent dans le rio della Maddalena et, peu avant d'arriver au *campo*, accostèrent au soto-portego delle Colonette.

Mercurio descendit et aida Anna.

Elle lui montra une entrée sombre, mal entretenue. « C'est là que je travaille.

— Tu es sûre qu'ils ont assez d'argent pour te payer ? fit Mercurio.

— Oui. Ces nobles déchus sont bizarres… j'ai pensé la même chose, mais la cuisinière, qui travaille là depuis des années, m'a expliqué que pour ce genre de réception le maître paie toujours. Il ne veut pas qu'on dise de lui qu'il n'a pas d'argent. Je ne comprends pas tout, mais la cuisinière m'a dit que quand le maître veut faire des affaires, il doit prouver qu'il a la bourse pleine. Et que fait-il ? Quelque chose qui selon moi est une folie : il fait remettre son palais à neuf, puis il s'endette jusqu'au cou pour acheter de l'argenterie, des tableaux, des tapisseries, des tapis, des livrées pour les serviteurs et tout ce qui peut servir à le faire passer pour riche, alors qu'il ne l'est pas. Il donne sa réception, organise un banquet digne de ce nom, conclut son affaire et revend tout ce qu'il a acheté en essayant de rembourser ses dettes. Dis-moi, est-ce que ce n'est pas une folie ? »

Mercurio regardait le palais, sans rien dire, l'œil distrait.

« Tu m'entends ? dit Anna.

— Quoi ?

— À quoi tu penses ? »

Mercurio eut un vague sourire. « Rien, une idée…

— Quelle idée ? »

Mercurio haussa les épaules. « Rien.

— Parfois j'ai l'impression que tu es un homme, lui dit Anna.

— Mais je suis un homme !

— Oui, bien sûr, dit Anna avec un sourire. Maintenant je vais travailler, mais toi, mon enfant, ne grandis pas trop vite. S'il te plaît, fais attention à toi », dit-elle en se dirigeant vers la petite porte du palais.

Le pêcheur rougit.

« Alors ? demanda Tonio quand elle eut disparu. On y va ? »

Tous, l'air sérieux, regardaient Mercurio.

« On y va », répondit-il solennellement en remontant à bord.

Personne ne dit un mot pendant tout le trajet. La tension était palpable. L'humeur n'était pas à la plaisanterie.

Ils accostèrent sur la riva degli Schiavoni, mais en s'enfonçant un peu dans un *rio* latéral discret. Mercurio se leva pour débarquer. Il se tourna vers Battista et les deux frères. « Comment je reconnais un grand cacatois de toile d'Olona ? demanda-t-il, le souffle court.

— Le grand cacatois est la voile la plus petite du grand mât. Celle qui est placée le plus haut, expliqua Tonio. Et toutes les voiles de… de l'Arsenal, si c'est de ça qu'on parle, sont en toile d'Olona. »

Mercurio acquiesça. Il bondit sur la *fondamenta*. Puis, d'un geste sec, il dénoua son manteau et le lança à bord de la Zitella. « Je n'en ai plus besoin pour l'instant. Gardez-le.

— C'est de la folie… », dit Battista, avec un tressaillement en voyant la tenue d'arsenalier. Puis, Berto, de sa voix caverneuse, éclata d'un rire sonore. « Montre-leur qui tu es, mon gars ! s'exclama-t-il. On t'attendra au rio della Tana. »

Battista hochait la tête, effrayé.

« Au rio della Tana, dit Tonio. Le meilleur moment, c'est quand ils rentrent tous chez eux, vers le coucher du soleil. Ils sont pressés et ils feront moins attention à toi. »

Un silence épais descendit.

Battista continuait de hocher la tête.

Mercurio le regarda. « Vous y serez ?

— C'est de la folie…, répéta le pêcheur.

— Tu y seras ? »

Battista leva les yeux et fit signe que oui.

Au même moment retentit dans l'air l'écho vibrant de la Marangona, qui marquait le début de la journée pour tous les Vénitiens.

« Je dois y aller », dit Mercurio. Il leur tourna le dos et partit vers la vaste cour devant le Paradis.

"Quel nom stupide", se dit Mercurio en regardant les trois immenses bâtiments qui abritaient près de deux mille travailleurs avec leur famille.

L'un après l'autre, puis de plus en plus nombreux, les arsenaliers, jeunes et vieux, leur panier de déjeuner en bandoulière, se mirent en route en silence vers les remparts de l'Arsenal, dans la clarté obscure d'une aube sans soleil. Personne ne parlait. Il faisait froid et tous avaient sommeil. Les *calli* résonnaient du piétinement de leurs pas.

Mercurio rentra la tête dans les épaules, descendit son bonnet sur son front et se mêla à la foule des ouvriers. Les *calli* étaient remplies de monde. Ceux qui étaient au centre étaient poussés dans tous les sens, les autres, sur les côtés, se bousculaient contre les murs des maisons. Impossible de s'arrêter, de changer de direction. Mercurio se dit qu'il était une goutte d'eau dans un torrent. Il passerait totalement inaperçu.

À proximité de l'entrée de l'Arsenal, le flot s'arrêta presque. On avançait doucement, un pas, puis on s'arrêtait, un autre pas, et de nouveau on s'arrêtait. Il commença à avoir peur. Y avait-il des contrôles ? Des papiers à présenter ? Que se passait-il ? Il se mit sur la pointe des pieds, essayant de voir plus loin, mais ne discerna rien.

À côté de lui, un arsenalier bâilla. « Quelle connerie le premier tour ! », lui dit-il.

Mercurio acquiesça. « Ouais…

— Mais qu'ils fassent une autre entrée, je dirais, moi… continua l'arsenalier. Tu crois pas ? Quand je pense que tous les matins faut qu'on reste là à piétiner comme du bétail parce que la porte est trop étroite pour qu'on y passe tous. » Il souffla. « Tu sais quoi ? Si un de ceux qui décident et qui font les lois vivait la vie des gens normaux, les choses marcheraient mieux. Tu crois pas ? Si tous les matins ils faisaient la queue

478

comme nous, au milieu d'autres centaines d'arsenaliers, ils élargiraient la porte ou ils feraient une
deuxième entrée.

— Eh, ouais… », dit Mercurio, qui serra les poings
en signe de victoire, discrètement. Le ralentissement
était dû au nombre extraordinaire d'ouvriers, pas à des
contrôles.

Pourtant, en passant sous le grand arc de la Porte
de Terre, il sentit son cœur cogner dans ses oreilles,
comme un tambour affolé. Une goutte de sueur lui
coula le long de la tempe, malgré le froid. Il baissa
la tête et essaya de contrôler sa respiration. Il retint
ses jambes, qui auraient voulu se mettre à courir pour
s'enfuir.

"Pense à Giuditta, se dit-il. Il ne peut rien t'arriver."

Les gardes ne le regardèrent même pas. Il n'était
qu'un parmi tant d'autres. Un arsenalier quelconque
parmi des arsenaliers quelconques. Mercurio rit intérieurement. Et tandis qu'il s'éloignait, il se dit que les
Vénitiens étaient de sacrés prétentieux. Ils se vantaient
de leurs extraordinaires mesures de sécurité, mais en
réalité n'importe qui pouvait entrer dans l'Arsenal.
Facilement, même.

« Eh, toi, où tu vas ? », dit une voix dans son dos.

Mercurio se raidit. "Tu t'es porté malheur tout seul,
espèce d'idiot", se maudit-il. Il ne se retourna pas et
continua à marcher, sans accélérer le pas.

« Toi, l'imbécile, réponds ! », dit encore la voix,
avant qu'une main puissante ne l'attrape par l'épaule.

48

« Je t'interdis de voir ce garçon ! dit Isacco, devant le déjeuner que sa fille lui avait préparé. Tu t'es donnée en spectacle ! Toute la communauté en parle !

— Je me moque bien de ce qu'ils disent », répondit avec fougue Giuditta, qui faillit dire à son père ce qu'on racontait sur lui mais se retint.

« C'est ton peuple, continua Isacco. Et de toute façon, je ne veux pas que tu fréquentes ce garçon…

— Il s'appelle Mercurio, dit-elle avec orgueil.

— Non ! Il s'appelle voleur et escroc, voilà son nom ! s'exclama Isacco. Et par le Saint Béni, je ne t'ai pas emmenée loin de notre île abominable pour te voir finir comme… » Il s'interrompit, devint tout rouge.

« Comme qui ? », dit Giuditta.

Isacco s'agita, prêt à exploser. « Comme ta mère, misère de misère ! » Il resta un instant silencieux, tête baissée sur son écuelle de bouillon, soufflant comme un taureau. « Ta mère n'avait pas le choix. Elle s'était éloignée de la communauté et elle ne pouvait plus prétendre qu'à… eh bien, à quelqu'un comme moi.

— Père… », dit Giuditta en s'approchant, émue.

Isacco l'arrêta d'un geste sec. « Tu ne le verras pas et tu ne le fréquenteras pas, que ce soit clair, répéta-t-il d'une voix ferme. Tu vas te l'enlever de la tête. »

Giuditta s'assit, le dos courbé, les mains sur ses genoux. « Grand-mère me manque », dit-elle doucement.

Isacco la regarda, étonné et soudain mal à l'aise. « Quel rapport ? dit-il.

— Je pourrais lui demander pourquoi j'ai si peur de ce que je ressens… », dit Giuditta dans un chuchotement. Elle leva les yeux sur son père, mais les baissa aussitôt. « Je pourrais me confier à elle, elle me prendrait dans ses bras et je serais en sécurité… »

Isacco se sentit perdu. Il regarda autour de lui, comme s'il y avait quelqu'un à qui confier l'affaire. Il souffla, mais sans colère, plutôt inquiet. Il s'éventa le visage, devenu brûlant. Puis, lentement, il se leva et vint prendre Giuditta par les épaules. Il se pencha sur elle, la serra dans ses bras, maladroitement, et resta quelques instants immobile, les yeux ébahis. « Mais tu ne peux pas te confier à moi, dit-il trop fort. Pas au sujet de Mercurio, en tout cas. »

Giuditta eut un petit sourire. « Et je ne peux même pas te demander ce que c'est, l'amour ?

— Non ! Bien sûr que non ! s'exclama Isacco.

— Même pas pour savoir ce que tu as ressenti la première fois que tu as vu ma mère ? »

Isacco se rejeta vivement en arrière. « Tu veux m'embobiner ! s'exclama-t-il. Misère de misère, tu veux m'embobiner ! » Il s'écarta et commença à tourner en rond dans la pièce, avec une expression butée. « Ce garçon n'est pas bien pour toi. Un point, c'est tout.

— Pourquoi ?

— Tu me demandes pourquoi un voleur et un escroc ne serait pas bien pour toi ? fit Isacco en écartant les bras. La réponse est simple : parce que c'est un voleur et un escroc ! »

Giuditta le fixa en silence. Puis elle acquiesça doucement et baissa la tête. « Tu as raison.

— Bien sûr que j'ai raison », fit Isacco, sur la défensive, observant sa fille. Cette reddition était surprenante.

« Non, tu as raison. Je ne voudrais surtout pas qu'il soit le père de mes enfants, dit doucement Giuditta, comme si elle réfléchissait à voix haute. Comment un voleur et un escroc pourrait-il être un bon père ?

— Tu veux dire que… puisque moi aussi je suis un… » Isacco tapa du pied sur le sol, avec force. « Ah, les femmes ! Le démon en personne vous a fabriquées ! N'essaie même pas… Assez discuté, tu as compris ce que je voulais dire. Moi, c'est moi, lui c'est lui. On n'est pas pareils. »

Giuditta sourit. Son père changerait d'idée. La veille, elle était allée se coucher avec la certitude que rien de mauvais ne pourrait lui arriver dans la vie. Pas après ce qui s'était passé avec Mercurio. Il y avait longtemps que le destin avait scellé pour eux une promesse. Mais c'était eux-mêmes, ce soir-là, qui l'avaient scellée. Et la vie ne pouvait pas préparer certaines rencontres pour qu'ensuite elles n'adviennent pas. Le monde ne pouvait pas être cruel et stupide au point qu'un tel amour n'y triomphe pas. La vie avait tressé leurs deux destins pour n'en faire qu'un, leurs existences séparées pour qu'elles n'en fassent qu'une.

Dorénavant, tout ce qui arriverait ne pourrait être que pour le meilleur.

Elle se tourna vers la nouvelle série de bonnets qu'elle cousait. « Il y a autre chose que je dois te dire… », commença-t-elle.

Isacco, entendant résonner la Marangona, signe que la porte du Ghetto allait s'ouvrir, agita la main. « Il suffit que tu ne regardes pas cet escroc et tu as ma bénédiction, dit-il pour couper court.

— Il s'agit de…

— Je n'ai pas le temps, fit Isacco en jetant son manteau sur ses épaules. La maladie se répand et je ne sais pas comment l'arrêter. » Il ouvrit la porte, vit sa fille contrariée et revint sur ses pas la baiser sur le front. « Nous en parlerons une autre fois… » Il lui prit les mains. « Mais qu'est-ce que tu as fait à tes doigts ? »

Giuditta se dégagea. Elle avait les doigts rouges et abîmés par les aiguilles. « Je fais de la couture…

— Ah, c'est pour ça… » Son regard tomba sur le tas de bonnets jaunes pliés sur le tabouret à côté de la table. Il les montra distraitement. « Ces bonnets ? Mais combien tu en as ?

— C'est de ça que je voulais te parler…

— Pas maintenant, ma chérie. » Il la baisa de nouveau sur le front et sortit.

Giuditta soupira et s'assit, le regard dans le vide. Sa main alla instinctivement au papillon que Mercurio lui avait offert et qu'elle gardait sur son plan de travail. Elle sourit. Tout s'arrangerait. Tout tournerait pour le mieux. Elle regarda ses bonnets. Les choses changeaient déjà. Toutes les femmes de la communauté voulaient une de ses créations. Ottavia en avait même vendu sous le manteau à trois riches chrétiennes. C'était une aventure excitante, et rémunératrice.

Elle tendit le bras vers un bonnet à terminer. L'aiguille et le fil étaient piqués sur le revers. Tirant l'aiguille, elle commença à coudre et fit une grimace. Ses doigts lui faisaient vraiment mal. Si Mercurio les avait vus, il les aurait trouvés vilains. "Non, se dit-elle. Il les couvrirait de baisers." Elle sourit. Puis, s'abandonnant à cette pensée, elle se mit à rire. Dans le silence de la maison, son rire résonna avec gaieté, comme l'eau d'un torrent d'été sur les pierres.

« À te voir ainsi, on croirait que tu es à moitié folle, fit une voix sur le seuil. Alors qu'en fait, tu es peut-être simplement heureuse. »

Giuditta se retourna. « Ottavia ! s'exclama-t-elle.

— Tu ne fermes jamais ta porte ? », dit celle-ci en entrant.

Giuditta lui sourit et reprit son aiguille.

« Arrête, lui dit Ottavia. Regarde-moi ces doigts. » Elle secoua la tête. « On fait de bonnes affaires, mais tu ne peux pas continuer comme ça. D'ailleurs les commandes augmentent… »

Giuditta posa son aiguille. Elle avait le visage fatigué, les traits tirés. Elle caressa les ailes du papillon en filigrane d'argent.

« Si tu tombes malade, adieu les affaires », continua Ottavia. Elle sourit, mais on voyait à son regard qu'elle ne plaisantait pas. « Et ce n'est pas ton père qui pourrait te soigner. Il n'est jamais là. »

Giuditta leva les yeux sur son amie. « Mon père s'occupe de choses très sérieuses. Il n'a pas de temps pour ces bêtises. »

Ottavia alla à la fenêtre. Elle regarda en bas sur le *campo* et prit une longue inspiration, cherchant les mots justes. « La communauté n'est pas aussi convaincue que ce sont des choses... sérieuses. »

Giuditta se raidit. « Mon père fait son devoir de médecin, dit-elle, sur la défensive.

— La communauté pense que les patientes dont s'occupe ton père ne sont pas... convenables.

— La communauté, la communauté..., souffla Giuditta. Tu sais ce que je me dis parfois ? Les chrétiens nous ont peut-être enfermés dans une cage pour la nuit. Mais la communauté, elle, nous enferme...

— Tais-toi, Giuditta, l'interrompit Ottavia. On finit par exprimer des pensées dangereuses, à dire tout ce qui nous passe par la tête. Arrêtons cette conversation, d'accord ? »

Giuditta ne répliqua pas et reprit sa couture.

Ottavia posa la main sur les siennes, avec tendresse. « Inutile de coudre avec ces doigts-là. Tu finirais par faire des taches rouges sur le tissu. » Elle sourit. « Il faut que ce soit jaune, tu te souviens ? Pas rouge. »

Giuditta la regardait, encore contrariée.

« Et tu es vilaine avec ces sourcils froncés, lui fit Ottavia. On ne te l'a jamais dit ? »

Giuditta dégagea ses mains. Elle regarda Ottavia, et son front peu à peu se détendit. Elle aurait pu penser à elle comme à une mère. C'est peut-être le rôle qu'Ottavia voulait jouer pour elle, elle n'avait pas eu d'enfant avec son mari. Mais Giuditta n'avait pas besoin d'une mère, même si elle n'en avait jamais eu. « Veux-tu être mon amie ? », lui demanda-t-elle brusquement.

Ottavia pencha la tête sur le côté, surprise. « Mais *je suis* ton amie.

— Vraiment ?

— Oui. Bien sûr. »

Giuditta serra la main d'Ottavia. « Moi, je suis fière de mon père. Ce qu'il fait est très important », dit-elle en la fixant dans les yeux.

Ottavia lui rendit son regard. Puis, lentement, elle acquiesça. « Je ne suis pas une femme courageuse. Je suis rusée, intelligente, bonne en affaires… mais pour certaines choses je n'arrive pas toujours à penser par moi-même.

— Je ne veux pas que la communauté nous sépare, dit Giuditta.

— Tu as raison.

— Alors, qu'est-ce qu'on fait ? demanda Giuditta avec un sourire.

— C'est-à-dire ?

— C'est toi qui es rusée, intelligente et bonne en affaires, non ? Comment allons-nous le résoudre, ce problème des bonnets ? », dit Giuditta en riant.

Ottavia la prit dans ses bras. « J'y ai déjà réfléchi.

— Dis-moi.

— Nous nous ferons aider par les femmes. Nous les ferons travailler. Et nous les paierons avec un pourcentage à la pièce, dit Ottavia.

— Et les maris, que diront-ils ? Que dira la communauté ?

— Ça, on y réfléchira, ne me donne pas des sueurs froides, répondit Ottavia en ouvrant grand les yeux. D'ailleurs, c'est toi qui t'en occuperas. Je suis celle qui est rusée, intelligente et bonne en affaires, mais la courageuse, la rebelle, c'est toi. »

Giuditta éclata de rire. « Alors nous ferons des bonnets de toutes les couleurs, pas seulement jaunes pour les Juifs. »

Ottavia porta les mains à ses lèvres. « Tu es devenue folle ? Nous ne pouvons pas vendre aux chrétiens ! Les trois que j'ai vendus, c'était comme ça, parce qu'elles me l'avaient demandé, mais se mettre en affaires pour de bon, c'est une chose sérieuse. »

Giuditta sourit. « J'y ai réfléchi. Les chrétiens ne nous permettent de faire que trois métiers. Lesquels ? »

Ottavia hocha la tête. « Tu le sais très bien…

— Lesquels ?

— Prêteur sur gages…, commença Ottavia, hésitante.

— Et puis ?

— Médecin…

— Et ?

— Fripier. »

Giuditta sourit, satisfaite. « Fripier, exactement ! Et que font les fripiers ?

— Ils vendent des vêtements d'occasion. Mais je ne comprends pas…

— Est-ce qu'ils peuvent vendre ce bonnet-là à une chrétienne ? l'interrompit Giuditta en agitant un bonnet tout juste terminé.

— Non ! Bien sûr que non !

— Pourquoi ?

— Oh, ma chérie ! Parce que c'est un bonnet neuf et que…

— Attends. » Elle prit l'aiguille, se piqua le bout de l'index et appuya pour faire sortir une grosse goutte de sang. « Regarde, Ottavia », dit-elle, et elle posa le bout du doigt sur la bande intérieure du bonnet. Le tissu se tacha de rouge.

« Qu'est-ce que tu fais ?

— Tu trouves encore qu'il a l'air neuf, ce bonnet ? Ou c'est un bonnet d'occasion ? »

Ottavia resta bouche bée. « Tu es un vrai démon, Giuditta da Negroponte ! s'exclama-t-elle, éclatant de rire.

— Et je veux faire des robes, Ottavia ! Des robes qui iront avec les bonnets, continua Giuditta, les yeux enflammés par la passion. Il y a si longtemps que j'y pense. Si nous sommes obligés d'avoir des bonnets jaunes, nous assortirons nos robes à nos bonnets, comme les personnes libres, mais dans l'autre sens. »

Son amie la regardait avec admiration et acquiesçait. « Nous pourrions gagner plus d'argent que nos hommes, tu le sais, ça ?

— Non, je ne suis pas bonne pour les calculs.

— Ça pourrait d'ailleurs poser plus de problèmes que le fait de travailler comme eux, dit Ottavia, pensive.

— Mon père se rangera à nos côtés, déclara Giuditta.

— Bien, nous y réfléchirons, dit Ottavia en souriant, quoiqu'elle fût effrayée par ce qu'elle venait d'entrevoir. Nous y réfléchirons…

— Il faut trouver un nom pour notre entreprise, dit Giuditta, tout excitée.

— Quel nom ? Giuditta la fripière ? Ou Giuditta et Ottavia, les fripières du Ghetto ? »

Giuditta prit le papillon en filigrane d'argent de Mercurio et le lui montra.

« Papillon ? fit Ottavia. C'est moche. »

Giuditta rit, amusée. « Mon île était gouvernée autrefois par les Vénitiens et aujourd'hui par les Turcs. Mais la population est grecque. C'est un peuple ancien

et noble. Sais-tu que le papillon, dans leur mytho-
logie, représente l'âme ? Et sais-tu comment les Grecs
appellent l'âme ?

— Non.

— Mais si, tu le sais. Tout le monde le sait, dit
Giuditta en riant.

— Non, vraiment…

— Psyché.

— Psyché ?

— Exactement. Notre entreprise s'appellera Psyché.

— Psyché ?

— Cesse de toujours tout répéter. »

Ottavia hocha la tête. Elle regarda avec plus d'intérêt le papillon en filigrane. « Qui t'a offert ça ?

— Quelqu'un », répondit Giuditta en rougissant.

Ottavia sourit. « À voir comme tu es devenue écarlate, ça ne risque pas d'être une femme ou un vieux
décati. »

Giuditta haussa les épaules.

« Ce n'est pas par hasard… le garçon de la porte ? »

Giuditta ne répondit pas.

« Il n'est pas juif, dit Ottavia. Voilà une autre chose
dont parle la communauté. »

Giuditta baissa les yeux.

Ottavia soupira. « Bon. Ou plutôt, pas bon. Pas bon
du tout. » Elle désigna de nouveau le papillon. « Et
cette chose-là, ce serait ton âme ou la sienne ? »

Giuditta caressa les ailes du papillon. « La nôtre…
dit-elle doucement.

— *La nôtre ?* » Ottavia leva les yeux au ciel, hochant
la tête. « Oh, alors ce n'est vraiment pas bon du tout.
Nous sommes officiellement en train de nous jeter dans
un océan de problèmes. » Elle soupira de nouveau.

« Eh bien, d'accord. Mettons-nous au travail. Une chose à la fois. Maintenant je vais devoir trouver des couturières. Et toi, réfléchis aux modèles de robes. » Elle se dirigea vers la porte. « Ou plutôt, non. Viens avec moi. S'ils doivent nous lapider, qu'ils le fassent au moins quand nous sommes ensemble. »

Giuditta rit, se leva, glissa le papillon dans sa poche, jeta sur ses épaules son lourd manteau de laine bouillie et se prépara à sortir de la maison. « Je dois acheter des tissus, dit-elle en descendant l'escalier.

— Tu devrais t'acheter une nouvelle cervelle, ma fille, répliqua Ottavia. Et en prendre une aussi pour moi. On n'est pas normales, tu sais ? On est en train de faire une vraie folie.

— Oui, répondit Giuditta en riant.

— Misère de misère ! », s'exclama Ottavia en sortant sous les arcades. Apercevant son mari, elle lui dit : « Messire Monnaie, donne-moi un *tron*[1] d'or. J'ai une folie à faire. »

Son mari la regarda en fronçant les sourcils. Puis il sourit, mit la main à la bourse qu'il portait à la ceinture, et lui donna une lire *tron*.

« Tu crois que je plaisante, hein, mon cher mari ? », fit Ottavia. Elle se tourna vers Giuditta. « Messire Monnaie croit que je plaisante. » Elle regarda de nouveau son mari. « Souviens-toi bien de ça. Je t'ai averti que j'allais faire une folie, et toi, tu m'as encouragée », lui dit-elle en lui pointant le doigt sur la poitrine.

Le mari sourit, même si le soupçon le traversa un instant que quelque chose lui avait échappé.

---

1. Monnaie vénitienne marquée du portrait du doge Niccolo Tron.

Ottavia prit Giuditta sous le bras et l'entraîna vers le pont du Ghetto.

En passant devant la grande porte, Giuditta ralentit. Puis elle tendit la main et caressa le bois à travers lequel elle avait touché Mercurio. Elle ferma à demi les paupières et pensa à toutes ces choses qui pouvaient changer d'un jour à l'autre. Le symbole d'une prison soudain transformé en symbole d'amour.

Ottavia la tira par le bras. « On te regarde.

— Je m'en moque », rit Giuditta.

Elles passèrent le pont et commencèrent à marcher sur la fondamenta dei Ormesini, regardant les boutiques de tissus et de dentelles.

« C'est celui-là, ton chrétien ? », dit Ottavia, en désignant un homme dans la trentaine, grand, avec une mâchoire forte et carrée.

Giuditta la regarda. « Non ! s'écria-t-elle. Mercurio n'est pas si vieux et il est bien plus beau ! »

Ottavia prit une voix plaintive. « Mercurio… ces noms qu'ils ont, les chrétiens. Pour les anciens Romains, le dieu Mercure était le protecteur des voleurs. Mais le tien n'est pas un voleur, quand même ?

— Non… Bien sûr que non… » Et Giuditta sourit, gênée.

À ce moment-là, elle vit un gamin maigre déboucher par une *calle* latérale, un vilain bonnet enfoncé jusqu'aux yeux et un tricot de laine à col haut remonté sur le nez. Il fonçait sur elles à toute vitesse.

Tout se passa en un instant.

Le gamin arriva sur elle, lui attrapa les cheveux, presque à l'attache du crâne, et tira, avec une grande violence.

Giuditta sentit une douleur lancinante, une brûlure intense. Elle hurla. Le gamin serrait dans son poing une longue mèche de ses cheveux.

« Salope de Juive ! », cria-t-il et, d'un bond, il lui arracha son bonnet et partit avec.

Pendant qu'il s'enfuyait, aussi rapide qu'il était apparu, Giuditta, ahurie de douleur et de surprise, eut l'impression de le connaître, peut-être à cause de sa peau si jaune.

« Arrête-toi, vaurien ! », hurla un boutiquier. Il essaya de l'attraper mais le gamin esquiva, agile comme un chat. Le boutiquier vint trouver Giuditta. « Ça va ? »

Elle porta la main à sa tête, là où elle avait le plus mal, et sentit qu'il y avait un peu de sang.

Ottavia la prit dans ses bras.

« Vous êtes blessée ? », demanda le boutiquier.

Giuditta avait les yeux écarquillés. « Je ne peux pas rester ici sans bonnet », dit-elle. Elle porta l'autre main à sa tête et baissa les yeux. Elle avait l'impression d'être nue. Elle se précipita vers le pont du Ghetto, qu'elle franchit d'un seul élan.

Ottavia la suivit, la rejoignit sur le campo et l'arrêta. Elle la serra contre elle.

« Giuditta da Negroponte », dit une voix derrière elles.

Les deux femmes se retournèrent. C'était Ariel Bar Zadok, le marchand de tissus du Ghetto.

« Qu'est-ce que vous voulez ? dit rapidement Ottavia.

— Giuditta da Negroponte », reprit Ariel Bar Zadok, avec une sorte de ton officiel et obséquieux.

492

Il fit un pas en avant. « Permettez-moi… Je voulais vous parler affaires et…

— Ce n'est pas le moment, le coupa Ottavia, d'une voix aigre. Vous n'avez pas vu ce qui s'est passé ?

— Non, je…, fit le marchand, mortifié.

— Parlez, Ariel », dit Giuditta dans un filet de voix. Il la distrairait peut-être de ses pensées et de ses peurs.

« Giuditta da Negroponte… voilà. Je voudrais vous fournir en tissus et en tout ce qui vous servira sans que vous ayez à me payer », dit Ariel Bar Zadok en parlant plus vite à mesure qu'il exposait son idée. Il traça dans l'air un geste plein de délicatesse, comme s'il agitait un foulard de soie. « Nous nous mettrons d'accord pour un pourcentage sur vos créations. Et je voudrais aussi l'exclusivité sur la vente de vos magnifiques modèles. »

Giuditta échangea un regard avec son amie, tout aussi stupéfaite.

« Pour l'exclusivité, tout reste à voir, se lança Ottavia en donnant un coup de coude à Giuditta. Faites-nous une proposition dans les règles et nous réfléchirons. »

Pendant ce temps, dans le dos d'Ariel Bar Zadok, une juive pauvre s'était approchée. Elle baissa doucement la tête et joignit les mains pour les saluer. « Madame, si vous avez besoin d'une bonne couturière, je serai heureuse de vous servir.

— Peut-être aurez-vous besoin de deux couturières, dit alors une autre femme, au visage rubicond. Moi aussi je suis douée. Et mon mari connaît parfaitement la coupe des tissus, et il a ses propres outils et ses ciseaux. »

Giuditta regarda Ottavia, stupéfaite. Puis elle se tourna vers le pont du Ghetto et pensa à Mercurio. Elle se répéta que rien de mauvais ne pouvait lui arriver. L'agression de tout à l'heure n'avait été que le geste d'un gamin, se dit-elle. Même sa douleur à la tête était en train de passer. La vie était une chose merveilleuse. Elle se tourna vers l'homme et lui sourit, confiante.

Le gamin courait sur l'interminable succession de petits ponts des *fondamente*. Puis il se faufila dans une *calle* et, aussitôt, s'arrêta. D'une main il serrait la mèche de cheveux de Giuditta, de l'autre son bonnet jaune. Il rejoignit une gondole, et tendit la mèche et le bonnet à une femme élégamment vêtue dont la voilette cachait le visage.

« Tu es le meilleur, Zolfo, dit la femme.

— Merci, Benedetta. »

49

« Alors, l'imbécile, où tu vas ? », répéta la voix, et la main qui l'avait saisi à l'épaule dès son entrée à l'Arsenal l'obligea à se retourner.

Mercurio était face à un grand gaillard chargé de toute une série d'instruments bizarres en bois et en métal. Sa longue barbe grise était pleine de nœuds et des miettes de son petit déjeuner. Il avait des yeux clairs, bleus comme le ciel en été, et une paire de lunettes rondes posées sur un nez gibbeux.

« Alors, t'es muet ? », demanda l'homme, d'une voix rude.

Mercurio regarda autour de lui, bouche ouverte, cherchant quelque chose à dire qui ne le trahirait pas. Autour d'eux circulaient des dizaines et des dizaines d'arsenaliers.

« T'es nouveau, c'est ça ? », demanda l'homme.

Mercurio acquiesça.

« Je le savais. Je l'ai vu à ta façon de marcher. Comme quelqu'un qui sait pas où aller. » L'homme hocha la tête, les lèvres serrées. « Quelle race de couillons ils prennent à l'Arsenal ! marmonna-t-il. Après ils s'étonnent qu'on n'arrive plus à construire trois galères par jour comme autrefois. » Il fixa Mercurio, exprima bruyamment son dégoût et lui allongea une grande claque sur la nuque. Il pointa le doigt vers une baraque en bois, avec un toit en lattes de sapin. « Je sais pas où ils t'ont assigné mais je m'en fous. J'ai besoin de terre au chantier, donc pour le moment tu travailles pour moi. Prends une brouette, novice. »

Mercurio se précipita dans la baraque et en ressortit avec une brouette en bois munie d'une roue à rayons. « Celle-là ? »

Sans répondre, l'homme lui fit signe de le suivre le long d'un large quai. "Tant que je ne suis pas tout seul, il ne peut rien m'arriver", se disait Mercurio.

« Tu sais qui je suis ? demanda l'homme sans se retourner.

— Non, monsieur.

— Je suis Tagliafico, le marangone », dit l'homme, et il dépassa une enceinte de pieux en bois à l'intérieur de laquelle, sous un auvent, s'élevait une petite montagne de terre rouge. « Tu ne sais même pas qui c'est, le marangone, hein ?, demanda l'homme, en s'arrêtant près du tas de terre.

— Je viens juste d'arriver, *messer* Tagliafico…

— Mais comment ils t'ont engagé ? Ah, c'est bien vrai que Venise est en train de couler. On dirait que plus personne veut travailler, maugréa-t-il. Du coup, même les gens comme toi ça finit par être utile. Le *marangone* de l'Arsenal, c'est le maître d'œuvre, le dieu des navires. C'est moi qui les crée. Un navire ne peut pas naître si je ne l'ai pas engendré. Sorti de mes couilles. C'est clair ?

— Très clair, *messer* Tagliafico…

— C'est ça, novice, soupira le marangone. Allez, charge la brouette et on se met au travail. Aujourd'hui tu seras l'assistant des différents maîtres de navire, l'un après l'autre. Et crois-moi, à la fin de cette foutue journée, tu le sauras, ce que t'es venu faire à l'Arsenal. Grouille-toi, on a une galère à faire naître. »

Mercurio prit une pelle et remplit la brouette de terre rouge, fine comme du sable. À peine eut-il terminé que le marangone se dirigea d'un pas décidé en dehors du secteur des terres, tourna sur la droite et marcha en direction du bassin de la Darsena Nuova. Il le longea puis coupa sur un pont de barques plates vers la Darsena Nuovissima[1].

Mercurio s'émerveillait de regarder ce monde démesurément grand, un royaume entier d'eau, étendu comme un lac, contenu entre des quais, des murs, des accostages couverts d'auvents, des cales de halage. Une petite mer sur laquelle donnaient des entrepôts remplis de bois, de cordages, d'outils. Les fonderies étaient en pleine activité et d'épais panaches de fumée s'élevaient au-dessus des toits. Il y avait des copeaux de bois partout, on les entendait craquer sous les pas, comme une invasion de sauterelles. Et le parfum de la résine faisait oublier les eaux fétides de la lagune.

« Au moins, tu es curieux, dit le marangone, en remarquant son intérêt. Mais maintenant marche. »

Mercurio le suivit jusqu'à un gigantesque chantier terrestre : un espace d'au moins quarante pas sur cent couvert d'un auvent en bois dont les larges voûtes reposaient sur des colonnes de granit de quatre ou cinq

1. Toute Nouvelle Darse.

perches de haut, avec des chapiteaux bruts mais puissants pour soutenir les charpentes.

L'autre lui montra une sorte de petite brouette fermée en métal brillant, avec un entonnoir sous le caisson et un levier sur le côté. « Remplis-la. »

Mercurio pelleta un peu de terre rouge dans la petite brouette. La terre descendait par l'embout de l'entonnoir et se déposait sur le sol.

« Le levier, imbécile ! », hurla le marangone en le voyant tenter de boucher l'entonnoir avec la main.

Mercurio fit basculer le levier sur le côté de la petite brouette et le flux de terre rouge s'interrompit.

Un petit garçon souffla alors dans un étrange instrument semblable à un cor mais au son plus aigu, et en quelques instants une véritable foule accourut sur le chantier jusque-là désert. Mercurio vit au premier rang des charpentiers portant des haches et des scies, et toutes sortes d'outils pour travailler le bois, ébauchoirs, poinçons, massettes et gouges. Derrière eux, toute une troupe d'apprentis, jeunes pour la plupart, portaient des scies fixées le long d'une perche, avec des lames dentées et des poignées de part et d'autre. Un autre groupe d'ouvriers portait des bidons ; ils avaient les mains noires, leur visage était sale et leurs cheveux collés comme de l'étoupe. Un bidon plus grand était posé sur le plan métallique d'une charrette percée d'un trou, sous lequel quelques manœuvres préparaient un fourneau. Eux aussi étaient entourés d'une équipe d'apprentis tout aussi noirs et sales, armés de maillets de bois et de ciseaux à pointe plate, et portant des balles de chanvre brut. Tous s'étaient disposés autour du chantier pour assister au spectacle mais sans se mélanger, comme les régiments d'une armée.

Au centre du chantier, le marangone était seul. Il regardait le sol, semblant y lire quelque chose qu'il était seul à voir. Il resta longtemps ainsi, absorbé. Personne ne parlait.

Mercurio avait la sensation que d'un instant à l'autre allait se réaliser un prodige. Et cette sensation était sûrement partagée, à en juger par l'atmosphère générale.

Tagliafico leva les yeux du terrain. Il tourna sur lui-même, les bras écartés, ses compas à la main, fixant les ouvriers, le visage grave. Il y eut un léger murmure, comme l'écho sonore de l'attente. Puis il prit une poignée de terre rouge, alla à grands pas à une extrémité du chantier et en déposa un petit tas. Il s'agenouilla et pointa vers la partie opposée du chantier un instrument complexe constitué de mesureurs et de loupes.

« Mets-toi là avec la *trace*, le nouveau », lui dit-il.

Mercurio sentit le regard de tous sur lui. « La trace ? demanda-t-il tout bas au gamin qui avait joué du cor.

— La brouette, répondit celui-ci. Grouille-toi. »

Mercurio courut de l'autre côté du chantier en poussant la petite brouette. Il s'installa au centre.

Tagliafico lui fit signe d'avancer.

Mercurio démarra aussitôt.

« Doucement ! », hurla le marangone.

Les spectateurs ricanèrent.

Mercurio s'arrêta.

« Bascule le levier et avance en ligne droite jusqu'à moi. »

Mercurio bascula le levier. La terre rouge commença à descendre par l'entonnoir. À mi-chantier, il se retourna pour voir la ligne qu'il avait tracée. Et il dévia.

« Regarde devant toi, couillon ! », cria Tagliafico.

Mercurio obéit. Il sentait tous les regards sur lui. Il rentra la tête dans les épaules, priant pour que l'arsenalier dont il avait volé les vêtements ne soit pas parmi les spectateurs.

Quand Mercurio fut arrivé près de lui, l'homme ferma le levier de la petite brouette puis se tourna vers un homme du groupe des charpentiers. « Maître de hache Scoacamin, je vous confie ce novice. » Il tira Mercurio par l'oreille.

Mercurio eut une grimace de souffrance.

L'assistance se mit à rire.

« Il ne sait pas comment on construit un navire. Aujourd'hui, nous ferons de lui un vrai arsenalier », ajouta Tagliafico d'un ton grave. Tous cessèrent de rire et hochèrent la tête. « Le maître de hache le passera au maître calfateur, et vous le confierez chaque fois à un maître d'art différent. » Tagliafico poussa Mercurio vers le premier homme auquel il s'était adressé.

« Je suis le maître de hache Scoacamin, lui dit celui-ci. Tagliafico t'a fait un grand honneur. Remercie-le en regardant avec attention comment il travaille. Personne n'est meilleur que lui dans le tracé du gabarit. »

Le marangone, tirant derrière lui la petite brouette et s'agenouillant pour mesurer avec ses compas, traça des signes le long de la ligne droite que Mercurio avait dessinée. Il y eut bientôt sur le sol du chantier tout un réseau de lignes rouges, comme une grande toile d'araignée. Quand il eut fini, il était en nage et sa tunique noire était couverte de terre rouge, ainsi que ses mains, sa barbe et les verres de ses lunettes. Il leva les mains au ciel, et tous applaudirent longuement.

Mercurio ne comprenait pas.

« Le navire tout entier est là, lui dit le maître de hache en désignant les signes rouges sur la terre. Maintenant, il nous reste la tâche la plus facile. » Il se tourna vers ses hommes et cria : « Au travail ! »

En un instant arrivèrent trois grandes charrettes sur lesquelles étaient empilées de grosses poutres à section carrée et des poutres plus fines, à section rectangulaire.

« Posez la quille ! », ordonna le maître de hache à un groupe.

Les charpentiers prirent une poutre gigantesque qu'ils posèrent sur un des traits rouges de Tagliafico, et qu'ils coupèrent pour l'adapter à la ligne. Puis, à une vitesse extraordinaire, coordonnés comme des danseurs, ils ajoutèrent une à une des planches, qu'ils encastraient les unes dans les autres. Ils pratiquèrent des trous perpendiculaires et y enfoncèrent de longues chevilles de bois pour fixer entre elles les poutres à la quille.

Le maître de hache ordonna : « *Rode de poupe* et *rode de proue !* » et un autre groupe de charpentiers, après avoir découpé des mortaises, inséra deux éléments courbes, eux aussi de section carrée. L'encastrement était à peine terminé que déjà une série de membrures, les *madiers*, était insérée dans la quille et maintenue par une poutre plus petite, de section rectangulaire, appelée *carlingue*. La coque fut consolidée par des *baux* et l'on installa entre ces baux et la carlingue un ensemble de planches constituant le vaigrage de fond.

Le maître de hache contrôla le travail et ordonna une brève pause, durant laquelle les apprentis, et Mercurio avec eux, débarrassèrent le sol des copeaux, éclisses de bois et autres déchets. Quand ils eurent fini, il ne restait plus trace des lignes de terre rouge. À leur place s'érigeait la silhouette de la future galère, comme le squelette puissant d'un animal mythologique.

Alors, on commença à mettre la *peau* sur le navire, c'est-à-dire les bordages extérieurs, qu'on renforça jusqu'à ce que sonne la cloche du déjeuner.

Après un rapide repas, le maître de hache Scoacamin emmena Mercurio auprès du maître calfateur. C'était l'un de ceux qui avaient les mains noires. L'homme lui fit un signe de tête et le confia à un apprenti.

« Attention à pas te brûler », lui dit celui-ci en lui passant un bidon de poix liquide avec une louche incrustée de noir. Mercurio comprit d'où provenait la couleur de leurs mains. L'assistant versa la poix dans un seau où un autre apprenti avait enroulé une série de bandes de chanvre brut.

Le maître calfateur passa la main entre les planches des bordages. « *Malebête* », dit-il. On lui tendit un ciseau à pointe plate. « *Maillet de calfatage* », dit-il alors, et on lui passa un maillet en bois. Il se tourna vers l'apprenti, qui plongea aussitôt les mains dans le seau et étendit une bande de chanvre trempée de poix bouillante entre les planches du bordé. Pendant que l'apprenti tendait le chanvre, le maître calfateur le poussait entre les planches à l'aide du ciseau, en tapant fort avec le maillet.

Mercurio regarda la coque. Il y avait au moins cinquante calfateurs de chaque côté qui martelaient, les uns au sol, les autres grimpés sur des échelles, et au moins le double d'assistants. Le bruit des maillets qui tapaient était assourdissant et le travail avançait à une vitesse extraordinaire.

Quand ils eurent terminé, la voix du marangone résonna, puissante : « Au bassin ! »

Un silence tendu tomba tout à coup.

Tous les arsenaliers entouraient la galère en construction. Une trentaine d'hommes attachèrent d'épais cordages à la proue du navire et d'autres aux murailles, à drette et à senestre, et les mirent en tension. « Prêts ! », hurla le chef d'équipe. Les apprentis des maîtres de hache firent tomber les longs étais latéraux, tandis qu'un autre groupe commençait à placer des pieux sous la quille, à mesure que la coque était tirée vers l'avant par les deux câbles de proue. La coque se mit bientôt à rouler rapidement sur les pieux vers une goulotte qui plongeait dans une cale de carénage. Le grand bassin en maçonnerie était à sec et le sol était au-dessous du niveau de la Darsena Nuovissima, qui s'ouvrait largement devant. Quand la coque atteignit le centre du bassin, les hommes qui l'avaient tirée jusque-là sortirent en courant de la cale de carénage et harponnèrent les flancs du navire à l'aide de longs bâtons munis de crochets. Les ouvriers se massèrent au bord du bassin ; des engrenages à roues dentelées levèrent la cloison étanche, telle une vanne. L'eau envahit le bassin.

Tous retenaient leur souffle. C'était le moment où l'on vérifiait si la coque était imperméable et si le centrage lui permettait d'être stable.

Mercurio regardait, fasciné, l'eau limoneuse qui écumait en passant sous la vanne de la cloison étanche. La coque de la galère tressaillait, sous la poussée du courant. Quand le bassin fut plein, la cloison fut de nouveau fermée. Le maître calfateur, sous la supervision du marangone, monta à bord. Il avait un ciseau à la main et contrôlait la coque, pied à pied, de bas en haut. À la fin de son inspection, il regarda Tagliafico et hocha la tête.

Alors celui-ci, vers lequel tous s'étaient tournés, leva les mains au ciel et annonça : « La Sérénissime a une nouvelle galère ! »

Ce fut un chœur de cris de joie.

« Fermez la coque ! », ordonna le marangone, avec un sourire satisfait.

En un clin d'œil, Mercurio vit les maîtres de hache, les charpentiers, les calfateurs et les apprentis s'élancer sur la galère en construction pour installer la *paroi de collision* et celle du *presse-garniture*. On ferma les *gavons*, avec leurs caisses d'assiette et leurs puits à chaînes. Les ponts intermédiaires furent créés : le pont de vogue, le pont de coursive, le pont de batterie avec ses écoutilles pour l'artillerie, et enfin le pont de couverte. On forma les estives, les cabines et la cambuse, on jeta les bases du *château*, on mit en place l'*étai de poupe*, les *hanches*, le *balcon,* ainsi que les bouques pour le timon et les passants pour la mâture.

On aurait cru voir une femme qui s'habillait, pensait Mercurio. Et aussitôt il imagina Giuditta. Un jour, il la regarderait s'habiller. Et peut-être chaque matin de sa vie, s'il arrivait à réaliser son rêve.

Un bruit de gonds roulant dans leurs axes le ramena à la réalité. On ouvrait la vanne. On fit sortir le navire du bassin et on le tira le long du côté est des deux darses puis le long du côté sud de la Darsena Nuovissima.

Pendant tout le trajet, Mercurio était à bord, assistant à la naissance des moindres détails. Rien n'était laissé au hasard. Il se rendit compte que les heures avaient passé sans même qu'il s'en aperçût.

Rapidement, avec deux hautes grues de bois, à bras roulant, mues par des engrenages à dents et des cordages de chanvre tressés, on monta les arbres de *mestre*, de *méjane* et de *trinquet*, puis les *vergues*. On fixa la *hune* au sommet de l'arbre de mestre et on tendit tous les cordages. Puis l'on passa à la fabrication des rames : de longs troncs droits de hêtres venus des forêts frioulanes, travaillés et polis jusqu'à leur forme définitive, furent chargés à bord et installés dans les scalmes, à la hauteur des bancs, chacun muni de chaînes et d'anneaux à clé. Petit à petit, on acheva chaque détail de la galère, des différents chomards pour le passage de cordages d'amarre à toute la série des poulies en usage à bord. On chargea les lits de sangle sur lesquels dormirait l'équipage, le pain biscuit, nourriture de base de la chiourme en navigation, une galette cuite et préparée dans les fours de l'Arsenal avec de la farine, de l'eau et une pincée de sel. On monta les bombardes, venues directement de la fonderie de l'Arsenal, et des barils.

« C'est de la poudre, dit un apprenti. Si quelqu'un fait une connerie, on saute tous. »

Quand la galère fut prête, Mercurio comprit que le moment était arrivé. Il descendit du navire et suivit les apprentis qui se dirigeaient vers l'entrepôt des voileries. Étant maintenant connu, il avait une grande liberté de mouvements, mais chacun voulait lui apprendre quelque chose, ce qui, au final, revenait à un contrôle permanent.

« Le marangone a besoin de deux grands cacatois », se décida-t-il à demander à un magasinier.

L'homme le regarda de travers. « Et qu'est-ce qu'il va en faire, ton marangone, de deux grands cacatois pour une seule galère ?

— T'as qu'à lui demander, fit Mercurio, en haussant les épaules.

— Non, moi je lui demande rien du tout.

— Donc je dois lui dire de venir te supplier à genoux, lui-même, en personne, c'est ça ? », reprit Mercurio.

Le magasinier n'était pas préparé à discuter avec un apprenti qui avait le sens de la repartie. Il resta interdit, bafouilla quelques mots incompréhensibles, puis, presque en colère, demanda : « Ben alors, qu'est-ce que tu veux faire ?

— T'es con ou quoi ? dit Mercurio, qui avait compris que la partie tournait à son avantage.

— Con toi-même. Je vais te les chercher, tes deux grands cacatois », maugréa le magasinier, résigné. Il alla dans la salle derrière lui, remplie d'énormes étagères sur lesquelles étaient repliées des dizaines et des dizaines de voiles, choisit les deux que lui avait demandées Mercurio et les fit claquer avec mauvaise grâce sur le comptoir. « Mais tu les porteras tout seul », ajouta-t-il, les poings sur les hanches.

Mercurio chargea sur son épaule les deux lourdes toiles et sortit de l'entrepôt en vacillant.

Il poussa un soupir de soulagement quand il trouva enfin la Tana, puis le magasin du chanvre public.

Il se tourna vers le bassin de la Darsena. Dans la douce lumière du couchant, il regarda avec admiration la galère qu'il avait vue naître de quelques traits de terre rouge tracés sur les dalles. En un seul jour. Le navire était en rade, les voiles affalées. Il vit les arsenaliers, sur le pont de couverte, lever les bras au ciel et sauter sur place. Il ne pouvait pas les entendre, mais il savait qu'ils riaient. Il sentit son cœur se serrer : il aurait voulu être là-bas, avec eux, à faire la fête.

"Sauf que toi, tu n'es qu'un voleur", se dit-il, écrasé par le poids des deux grands cacatois.

Dans la Tana, il marcha d'un pas rapide, feignant d'être très occupé. Nul ne lui prêta attention. Il n'était qu'un arsenalier qui s'attardait avec deux grandes voiles au lieu d'aller chez lui manger et se reposer, comme c'était le cas de chacun après une longue journée.

Mercurio trouva l'escalier arrière, le monta au prix d'un grand effort et se retrouva au sommet dans une pièce avec une vaste fenêtre qui donnait sur les remparts de l'Arsenal. Il regarda en bas. Le saut était périlleux. Mais le plus difficile était de jeter son fardeau par-delà le rempart. Il n'était pas sûr d'en avoir la force. Voyant arriver deux gardes, il s'aplatit contre la paroi. Il les entendit passer. Ils parlaient de femmes, l'un de la sienne et l'autre d'une putain, et ils riaient.

Quand ils se furent éloignés, Mercurio se décida. Assez attendu ou réfléchi : il fallait essayer. Il serra contre sa poitrine un des deux grands cacatois et sauta de la fenêtre sur le rempart. Il atterrit assez aisément sur le chemin de ronde. Penché entre deux créneaux, il vit en bas, dans le rio della Tana, la barque de Battista qui l'attendait. Un sacré plongeon, pensa-t-il.

« Eh », dit-il à mi-voix.

Battista et les deux frères levèrent aussitôt la tête. Tonio lui fit signe de sauter. Battista avait l'air effrayé.

Mercurio s'apprêta à revenir en arrière.

« Qui va là ? », hurla un des gardes en se penchant d'une tour au fond, à l'aplomb du rempart.

Mercurio se rendit compte qu'il n'avait plus le temps de récupérer le second cacatois. Il sentit son cœur s'arrêter. S'il était pris, il serait condamné à la noyade. Il pensa à son cauchemar, revit la face gonflée de l'ivrogne dans les égouts de Rome et le papillon qu'il avait offert à Giuditta, imagina le visage d'Anna del Mercato en larmes à ses funérailles sans cadavre. Il était paralysé par la peur.

"Il ne peut rien t'arriver", se dit-il. Mais il pensa à Giuditta, qui était le but final de toute cette entreprise. Son destin. La raison pour laquelle il ne pouvait rien lui arriver.

« Qui va là ? », hurla encore la voix du garde, plus proche.

Mercurio posa le pied sur un créneau, serra contre lui le grand cacatois et cria, de toutes ses forces, en fermant les yeux. Pendant qu'il tombait, la voile s'ouvrit, se gonfla d'air et ralentit sa chute. Mercurio atterrit à moitié dans la barque à moitié dans l'eau, avec un bruit terrifiant. Sous l'impact, l'air fut expulsé si violemment de ses poumons qu'il faillit s'évanouir.

« Arrêtez ! », crièrent les gardes, au sommet de la muraille.

Tonio et Berto étaient déjà aux rames et les faisaient gémir, ramant de toutes leurs forces. Pendant ce temps, Battista avait récupéré Mercurio et l'avait hissé complètement à bord.

« Remontez aussi la voile ! hurla Tonio. Elle nous ralentit ! »

Un trait d'arbalète tiré par un garde se planta dans le fond de la barque. Battista prit peur et lâcha le grand cacatois, qu'il avait presque entièrement récupéré. La toile se déroula de nouveau dans l'eau.

« Tirez-le à bord, nom de Dieu ! », cria Tonio, d'une voix rompue par la fatigue, tandis qu'il ramait les dents serrées.

Mercurio était encore assommé par le choc. Il se pencha par-dessus bord, mais il était affaibli et ses mains ne répondaient pas bien. Battista, recroquevillé au fond de la Zitella, tremblait de peur.

« Battista ! Aide-moi, aide-moi, j'y arrive pas ! », cria Mercurio.

Le pêcheur baissa la tête et évita son regard, comme il avait fait la première fois, quand Zarlino avait essayé de les voler, Benedetta et lui.

« Lâche ! », lui cria Mercurio, rageusement.

Un autre trait se ficha sur le flanc de la barque, à la poupe. Mercurio ne se tint pas pour battu, et se pencha pour essayer de tirer sur le cacatois. Mais une violente accélération imprimée par les deux frères le fit basculer par-dessus bord. Il se raccrocha au gouvernail.

« Battista ! cria-t-il, la voix brisée par le désespoir. Je t'en supplie ! »

Alors, tout à coup, le pêcheur réagit. Il se leva, se pencha à la poupe et l'attrapa par les bras. Pendant qu'on le remontait dans la barque, Mercurio sentit filer dans l'air un trait d'arbalète. Comme un sifflement silencieux. Battista s'arrêta, un court instant. Mercurio était encore suspendu au-dessus de l'eau.

« Battista !... »

Le pêcheur regardait Mercurio avec une expression étonnée. Puis il serra les dents et le hissa à bord. Mercurio se pencha au-dessus de l'eau pour aider Battista à haler le cacatois.

« Plus vite ! Plus vite ! criait Tonio en ramant vers l'embouchure de la Tana. On y est presque ! »

Mercurio tira de toute la force qui lui restait. Il vit que les mouvements de Battista ralentissaient. « Allez, merde ! T'arrête pas maintenant ! », lui cria-t-il.

Battista sembla reprendre le rythme mais bientôt ralentit de nouveau.

« Vas-y, merde ! », l'encouragea Mercurio.

Et il vit que la toile du grand cacatois commençait à se colorer de rouge.

« Non ! », hurla-t-il alors, comprenant ce qui se passait. Il tira à bord le dernier pan de la voile, complètement trempé de sang. Battista tomba à la renverse au fond de la barque, qui filait maintenant à toute vitesse et se perdait dans les eaux ouvertes du bassin de Saint-Marc. « Battista... Non... »

Le pêcheur haletait, comme un de ces poissons qu'il avait tirés toute sa vie dans le fond de sa barque. « On y est... arrivés... »

Mercurio vit le trait d'arbalète, fiché dans ses côtes. Il était entré de biais, sous son bras.

« T'as vu... Mercurio ?, disait Battista tout doucement, ballotté par les mouvements de rames des deux frères, qui entraînaient la barque loin dans la lagune. T'as vu ? répéta-t-il, et il chercha la main de Mercurio. Je suis pas... un... lâche... »

Mercurio sentit les larmes lui brouiller la vue. « Non… non… t'es pas un lâche… » Il retint un sanglot. « Non… tu es un homme courageux… »

Sur le visage de Battista se forma un sourire, lointain et mélancolique. Puis ses yeux devinrent opaques, tandis que son sang se mêlait à celui des poissons au fond de la barque.

50

"Pourquoi doit-il être heureux ?" : cette question, Shimon Baruch n'avait cessé de se la poser. Elle avait nourri son désir de vengeance à l'égard de Mercurio. Elle sous-entendait que lui, en revanche, était malheureux. Immensément malheureux.

Depuis qu'il avait pleuré entre les bras d'Ester, ce postulat avait cependant perdu toute consistance. Pleurer avait défait un nœud, dilué la douleur, dissous la dureté. Une fois ses larmes séchées, Shimon avait continué de répéter par habitude "Pourquoi devrait-il être heureux ?". Mais il sentait que lui aussi l'était, heureux. Heureux comme jamais.

Mercurio l'avait fait sombrer dans le désespoir le plus profond, un cauchemar dans lequel il avait éprouvé un vertige de peur qu'il n'avait jamais ressenti jusque-là.

Dans cette chute dramatique, Shimon avait tout perdu, pas seulement son argent. Il avait failli y laisser la vie, avec ce coup d'épée à la gorge. Et il y avait laissé sa voix. Mais surtout, il s'était perdu lui-même.

Au bord de la mer, Shimon regardait les vagues écumer sous un ciel de plomb. Sa chute lui avait fait comprendre qu'il n'était pas aussi faible qu'il le croyait : elle avait révélé sa vraie nature. L'homme qu'il était maintenant n'aurait jamais pu reprendre sa vie passée. Il n'était peut-être pas meilleur selon la loi de Dieu ou de son peuple, mais Shimon se moquait bien de devenir meilleur. Il savait qu'il était fort, maintenant. La douleur pouvait le briser, mais pas la peur. Sa vie de lapin s'était terminée le jour où il avait senti la lame de l'épée entrer dans sa gorge.

Mercurio avait tué en lui *Shimon-Baruch-le-lâche*.

Il se leva, épousseta le sable qui recouvrait ses vêtements, et se tourna vers Rimini et la maison d'Ester, là où il parvenait à être heureux. Sur la route, il s'assit sur une pierre miliaire, ôta ses chaussures et regarda le sable clair et fin s'écouler sur le sol, comme une clepsydre qui ne mesurerait pas le temps. Il respira à fond, porta la main à sa gorge et passa le bout de son index sur la terrible cicatrice de la brûlure qu'il s'était infligée pour cautériser la plaie. Il sentit le dessin du lys incandescent et se rappela son incapacité d'alors à ressentir la douleur. À formuler des pensées qui ne soient pas vengeresses. Mais aussi son exaltante sensation de force, de férocité, sa totale absence de peur. Il aurait déjà dû se rendre compte de sa chance à ce moment-là.

Ses lèvres formèrent une espèce de sourire. "Mais tu étais jeune, se dit-il. Tu n'avais que quelques jours." Il émit un bruit semblable à un sanglot, qu'il écouta avec stupeur et avec joie.

Il avait appris à pleurer.

Et maintenant il apprenait à rire.

Il fit un nouvel essai. Comme un gamin qui apprend à siffler. Tout en marchant vers la maison d'Ester, il continua d'essayer de rire en contractant le diaphragme et haussant les épaules, pour laisser sortir de sa bouche muette ce cri disgracieux.

Arrivé à sa porte, il pensa qu'il aimerait parler de Mercurio à Ester, lui faire part de ses réflexions. Perdu dans ses pensées, la main sur la porte, le poing fermé pour frapper, il entendit alors une voix masculine provenir de l'intérieur, et il se figea. Tendant l'oreille, il fit un pas en arrière. Il n'aimait pas le ton de cette voix. Ou il n'aimait pas qu'il y ait un homme dans la maison d'Ester.

Il regarda autour de lui. Personne à l'horizon. Il fit le tour du bâtiment, avec circonspection, en épiant par les fenêtres. Enfin, par la fenêtre sur la grande pièce avec la cheminée, là où ils s'asseyaient souvent pour lire, l'un près de l'autre, où une fois ils avaient fait l'amour, il vit un homme costaud, les épaules rondes et puissantes, les cheveux courts. Une succession de plis sur la peau rosâtre de sa nuque lui rappela le cou d'un cochon. Ses mains étaient courtes, grasses, avec de gros doigts difficiles à plier qu'il agitait en parlant, ou plutôt, en criant.

Ester semblait encore plus petite. Le corps tendu en arrière, comme pour fuir, les bras serrés contre sa poitrine dans un mouvement de défense. Shimon lisait la peur et le désespoir dans son regard.

« Tu n'es jamais qu'une putain de Juive, n'oublie pas que je peux t'écraser comme un cafard », disait l'homme, de dos. Il avait la voix molle d'une personne bête et méchante, et il articulait mal. « Si tu n'as pas de quoi me rendre mon argent, je prendrai ta maison. » Il agita une feuille de papier. « Tout est marqué là. Tout est légal.

— *Messer* Carnacina, dit Ester dont la voix tremblait, ma maison… ma maison… c'est tout ce que
j'ai… c'est tout ce qui me reste…

— Que veux-tu que ça me fasse ? » Carnacina
marcha sur elle.

Ester plissa les paupières, comme s'il allait la frapper.

Shimon, à la fenêtre, écoutait la conversation. Une
part de lui frémissait de colère. Mais au fond de son
être, il était calme. Il n'éprouvait rien.

« *Messer* Carnacina, reprit Ester, ma maison… vaut
beaucoup plus que ce prêt, vous devez en convenir…
et puis je ne saurais pas où aller… »

Carnacina se tapa la main sur la cuisse et rit. « Que
veux-tu que ça me fasse ? répéta-t-il, en riant encore
plus fort. Qui a signé ce papier ? Lis là. Il y a marqué
ton nom, idiote de putain juive. Si tu ne me rends
pas l'argent que je t'ai légalement prêté, je prends ta
maison.

— Je pensais réussir à vous rendre ce prêt en tra-
vaillant, et… » La voix d'Ester était brisée par l'angoisse.

« Demande au muet. Il paraît qu'il vient souvent te
voir. Je ne donnerais pas un sou à une femme maigre
comme toi, mais si tu lui plais… » Il eut un rire vulgaire, qui s'arrêta net. Il la pointa du doigt. « Demain.
Ou la maison est à moi. » Il se tourna pour aller vers
la porte d'entrée.

Shimon le regarda : une face large et plate, des
lèvres démesurément charnues et rouges, des dents
minuscules, un nez en trompette, des joues rubicondes.

Il se cacha en attendant qu'il sorte et porta la
main à son cœur. Les battements étaient réguliers.
Il vit Carnacina qui sortait d'un pas lourd, à grandes

515

enjambées. Et il vit Ester refermer la porte, la tête basse.

Shimon sortit de sa cachette et le suivit. Il ne se demandait même pas pourquoi. Il le vit entrer dans un petit immeuble de trois étages. Un vieux serviteur lui ouvrit la porte, et Carnacina le poussa avec rudesse. Shimon fit le tour pour regarder par les fenêtres. Côté est, vers la plage, il vit l'homme sortir dans le jardin et s'approcher d'une belle roseraie. Avec une étonnante délicatesse, il tailla ses roses, débarrassa les boutons de leurs parasites, fuma la terre, et un sourire presque enfantin s'étala sur son large visage.

Shimon revint à la maison d'Ester. Il se demandait à combien s'élevait sa dette. Question stérile, puisque lui-même n'avait presque plus d'argent et surtout aucune idée de la manière de s'en procurer.

Il frappa. Ester vint lui ouvrir, le sourire aux lèvres, mais Shimon vit qu'elle avait les yeux rouges. Il passa la soirée avec elle et, avant de la quitter, prit discrètement un grand couteau à anguilles. Il embrassa tendrement Ester sur les lèvres puis feignit de se diriger vers son auberge. Mais à peine eut-elle fermé la porte qu'il changea de direction et se glissa dans une ruelle.

Devant l'immeuble de Carnacina, il vit à une fenêtre du premier étage une lumière tremblotante. L'homme faisait sans doute ses comptes. "Les usuriers chrétiens valent bien les prêteurs juifs", se dit Shimon. Il escalada le mur de clôture et se glissa dans le jardin, où il se pelotonna dans un coin. Personne. Tout était plongé dans le silence. Il s'approcha de la roseraie et coupa tout à la base. Avec une froide cruauté. Indifférent aux épines, il prit des roses qu'il frappa contre le sol.

Il se dirigea vers la maison avec le bouquet de fleurs cassées.

Il força la serrure de la petite porte qui donnait sur le jardin et pénétra prudemment à l'intérieur. Tout était dans l'ombre, les serviteurs sans doute couchés. Un escalier menait à l'étage. Il monta silencieusement jusqu'au premier, et tendit l'oreille pendant que ses yeux s'habituaient à l'obscurité. La lumière filtrait d'une porte à droite. Il s'avançait d'un pas décidé quand un bruit monta du rez-de-chaussée : le vieux serviteur arrivait en traînant les pieds, sa chandelle à la main. Le vieil homme vit que la porte du jardin était ouverte. Il approcha la chandelle de la serrure.

Shimon serra plus fort le couteau.

Le vieil homme regarda vers le palier. Puis de nouveau vers la serrure, et de nouveau vers le palier, avant de fermer la porte et de commencer à monter l'escalier en soufflant.

Shimon se rencogna dans l'obscurité et retint sa respiration.

Le serviteur vint doucement frapper à la porte près de laquelle Shimon se tenait immobile, le couteau brandi. Il l'ouvrit.

« Que veux-tu ? bougonna Carnacina de l'intérieur.

— Vous allez bien, maître ?

— Très bien, oiseau de mauvais augure. Va-t'en », répondit Carnacina, de sa voix désagréable.

Le serviteur s'inclina et s'apprêta à fermer la porte. Il vit sur le sol un bouton de rose, qu'il ramassa. Il le regarda puis regarda son maître.

« Ferme ! », hurla Carnacina.

Habitué à être traité comme un chien, le serviteur obéit. À la lueur de la chandelle, il vit une feuille de rose sur le tapis d'escalier. Puis un pétale. Un pas en avant et sa chandelle éclaira une paire de chaussures. Il leva le chandelier au moment même où Shimon abaissait la main qui tenait le couteau.

Il le frappa à la tempe, violemment. Avec le manche du couteau et non avec la lame car, au dernier moment, il ne savait pourquoi, Shimon avait tourné la main.

Le serviteur s'écroula à terre, évanoui.

Shimon bondit pour attraper la poignée de la porte de la chambre de Carnacina et l'ouvrir. Il referma résolument derrière lui.

Carnacina, assis à son bureau, donna un coup sur la table et demanda : « Qu'est-ce que tu veux encore, imbécile ? »

Shimon se plaça derrière lui. Il voyait sa nuque de porc, hérissée de plis rosâtres.

Carnacina se retourna, agacé.

Shimon lui tendait le bouquet de roses brisées.

« Mes… » Puis Carnacina comprit que l'homme qui était en face de lui tenait un couteau et ouvrit la bouche pour appeler à l'aide.

Shimon frappa très vite, du tranchant, en visant la gorge.

Le cri s'étouffa dans le sang. Carnacina porta les mains à sa gorge tranchée, les yeux exorbités.

Shimon lâcha les roses et se mit à rire, de son rire disgracieux, pendant que Carnacina, mourant, tombait au sol.

Shimon fouilla dans les papiers sur le bureau et trouva vite la reconnaissance de dette d'Ester, bien en évidence pour le lendemain. Il la chiffonna. Il ouvrit les tiroirs du bureau sans rien y voir d'intéressant puis fouilla le corps sans vie, et trouva une bourse contenant sept pièces d'or des États Pontificaux et une grosse clé. Il chercha autour de lui et vit le coffre-fort. Il l'ouvrit avec la clé. À l'intérieur, une petite caisse remplie de monnaie d'or et de bijoux. Shimon prit les pièces de monnaie, une petite fortune, et laissa les bijoux.

Regardant le cadavre, il se mit de nouveau à rire, en se tapant sur la cuisse. Il approcha la reconnaissance de dette de la lampe pour y mettre le feu, puis s'en servit pour brûler les livres comptables de Carnacina. Et avec eux, les lourds rideaux. Quand il sortit de la chambre, il regarda l'endroit où le serviteur s'était évanoui et ne vit personne. Il dévala l'escalier et quitta la maison par le jardin, en escaladant le mur.

Tandis qu'il s'éloignait, il entendit crier : « Au feu ! Au feu ! »

Cette nuit-là, il ne revint pas à l'auberge mais frappa à la porte d'Ester. Dès qu'elle eut ouvert, étonnée et peut-être effrayée, il l'embrassa. Ce fut seulement en faisant l'amour avec elle qu'il sentit la glace abandonner son corps et son âme.

Il n'arrivait pas à s'endormir, écoutant, près de lui, la respiration inquiète d'Ester, rêvant peut-être qu'on lui prenait sa maison.

Peu de temps avant l'aube, réfléchissant à cette partie de sa nature qui s'était réveillée et avait supprimé Carnacina comme un buisson de roses, il pensa que sa nature glacée et implacable le conduirait probablement à mener sa vengeance jusqu'à son terme. Que Mercurio soit devenu entre-temps une sorte de bienfaiteur n'avait aucune importance à ses yeux. Sa nature à lui se nourrissait de la mort. "Pourquoi devrait-il être heureux ?", se demandait-il en s'endormant, sentant que la rancune et la hargne revenaient empoisonner son âme.

Quand il se leva, Ester était en train de laver sa houppelande. L'eau dans l'évier était rouge de sang.

On disait en ville que Carnacina était mort dans un incendie.

Mais le serviteur était vivant et pourrait probablement le reconnaître. Shimon comprit alors pourquoi il ne l'avait pas tué. Dorénavant, il ne pourrait plus rester.

51

La nuit, Mercurio rêva de Battista qui prit ensuite la figure du marchand juif qu'il avait tué à Rome. Et, comme alors, Mercurio sentit son corps se couvrir de sang visqueux et collant.

Puis, avec l'absence de logique des rêves, il se retrouva dans un lit avec Benedetta. Comme ce jour-là à l'auberge, Benedetta lui prit la main et la posa sur son sein. Le corps de Benedetta était lui aussi couvert d'un liquide visqueux, mais qui n'était pas du sang.

Mercurio se réveilla en nage, excité.

Il s'obligea à orienter immédiatement ses pensées vers Giuditta. Il se sentait en faute, comme s'il l'avait trompée. Il voulait oublier le plus vite possible ce rêve effrayant et sensuel où se révélait une part de lui qui lui faisait peur.

Le soir où Battista était mort, Mercurio aurait voulu courir retrouver Giuditta. Mais il ne l'avait pas fait : cette mort l'avait sali.

Il se sentait aussi sali par son incapacité à se fixer sur l'image de Giuditta. Sa pensée revenait sans cesse à Benedetta, tel le fer attiré par l'aimant. Il se rappelait ses lèvres, son corps nu, sa peau douce sous ses mains, le mamelon dur entre ses doigts. Il avait beau lutter, une part profonde et incontrôlable de son être s'attardait sur ces images sensuelles et cultivait le désir de caresser encore ce sein, de posséder ce corps.

Il se leva et alla directement plonger son visage dans la cuvette d'eau. L'eau fraîche lui coupa le souffle, et effaça ces pensées qui lui faisaient peur.

Habillé, il se précipita hors de la chambre et s'arrêta : il n'avait pas envie de rencontrer Anna.

Mais elle était là cependant, et semblait l'attendre. Aussitôt elle demanda : « C'est vrai que Battista est mort ? »

Mercurio sentit un poids sur ses épaules. Il baissa la tête et s'avachit sur une chaise près de la table.

« Alors, c'est vrai. »

Mercurio leva sur elle des yeux rouges et désespérés. Il n'arrivait pas à pleurer. Depuis la mort de Battista, c'était comme si les larmes en lui s'étaient taries. « C'est ma faute, dit-il, la voix étranglée. Tout est ma faute. »

Anna vint près de lui avec douceur. « C'était un adulte, il savait ce qu'il faisait…

— Non, non ! », dit Mercurio en tapant sur la table. Loin de l'Arsenal, ils avaient attaché une pierre au cadavre de Battista et l'avaient laissé couler au fond de la lagune. Impossible de rendre à sa veuve un cadavre transpercé par un trait d'arbalète. Après une prière rapide, ils l'avaient abandonné aux poissons et aux crabes. « C'était un homme peureux et je l'ai forcé à m'obéir. Je l'ai menacé, s'il ne m'obéissait pas, de le répéter à Scarabello… Il ne voulait pas, c'était un pêcheur, un brave homme… et je l'ai tué. C'est moi qui l'ai tué !

— C'est donc pour ça que tu as acheté sa barque pour deux pièces d'or, je l'ai entendu dire au marché », dit Anna. Elle s'assit près de lui et lui posa la main sur la cuisse.

Mercurio détourna la tête.

Il était allé trouver la femme de Battista, la veille au soir, et lui avait dit que son mari s'était noyé dans les hautes eaux sans qu'ils puissent retrouver son corps. Elle s'était effondrée dans un gémissement. Sa main tenait encore le couteau à vider les poissons. Son chemisier était couvert d'écailles. Elle avait regardé le couteau, puis l'avait lâché. « Qu'est-ce qu'on va manger maintenant ? », avait-elle dit à voix basse. Et lentement, comme si elle les voyait pour la première fois, ou peut-être pour la dernière, elle avait commencé à ôter les écailles de son chemisier et à les ranger auprès de son couteau. Comme si elle se déshabillait. Mercurio lui avait proposé deux sols d'or pour racheter la barque de Battista, une somme exorbitante. Elle avait pris les pièces et avait mordu dedans, incrédule. Puis, les pièces dans sa paume, elle avait levé les yeux sur lui : « C'est vous qui l'avez tué, hein ? »

Anna lui serra la cuisse.

« Il y a toujours des morts autour de moi », dit Mercurio d'une voix monocorde, comme si ce n'était pas vraiment la sienne. Ou comme s'il n'était pas là. « J'apporte la mort. Je suis maudit…

— Ne dis pas ça… »

Mercurio se tourna brusquement vers Anna.

« Tu sais comment je suis arrivé jusqu'ici ? Tu ne me l'as jamais demandé.

— Tu étais un escroc…

— *Je suis* un escroc !

— D'accord, tu es un escroc, tu as plein de pièces d'or… C'est facile à imaginer…

— Eh bien, tu te trompes, fit-il d'une voix sombre, et il baissa de nouveau les yeux sur le bois taché de la table. Je fuis parce que… parce que j'ai tué un homme. »

Le silence tomba.

« Je n'y crois pas, finit par dire Anna.

— Mais si, tu dois le croire. »

Anna lui releva le visage et le regarda dans les yeux. Longuement. Puis elle dit, avec encore plus de fermeté qu'auparavant : « Je n'y crois pas. »

Mercurio ouvrit la bouche pour parler. Puis, dépassé par une émotion violente, presque féroce, qui le déchira et le bouleversa tout entier, il éclata en sanglots désespérés. Des pleurs sauvages, entre le vagissement et les larmes. Ces larmes qu'il n'avait pas versées pour Battista, ni pour le marchand juif de Rome. Il pleurait pour l'ivrogne noyé dans les égouts en face de l'île Tibérine, et aussi parce qu'il n'avait jamais eu de mère et qu'il pouvait seulement maintenant, avec Anna, se permettre d'entendre cette douleur sans fond, ce vide, ce gouffre qu'il avait dans le cœur.

« Raconte-moi tout », dit Anna d'une voix pleine d'amour en lui caressant les cheveux, quand les sanglots de Mercurio se furent calmés.

Il se tourna vers elle et la prit dans ses bras, enlaçant son corps chaud et protecteur. Il la serra avec fougue, mouilla sa robe avec ses larmes. « Pas maintenant, chuchota-t-il. Je n'y arriverais pas… »

Anna lui donna un baiser dans les cheveux. Elle murmura : « Je suis là. » Puis elle se leva. « Viens, allons dehors. Moi, ça m'a toujours fait du bien de regarder l'herbe, les arbres, le ciel. Je les regarde et je me sens moins seule.

— C'est idiot…, dit Mercurio avec un petit rire.

— Viens », répéta Anna en le tirant par la main.

Mercurio, se leva, s'essuya le visage avec sa manche et suivit Anna sur le seuil de la maison.

Elle l'emmena derrière, où poussaient quelques maigres légumes. Le bras tendu, elle désigna un peu plus loin une énorme construction qui paraissait abandonnée. La partie inférieure était en pierres sèches et la partie supérieure en bois de sapin. « Tu vois ça ? Autrefois, c'était l'étable. Nous étions considérés comme riches. Il y avait de quoi vivre pour deux familles dans cette maison. »

Mercurio regarda le bâtiment, qu'il voyait de la fenêtre de sa chambre sans avoir jamais demandé ce que c'était.

Anna le prit par la main. « Viens », lui dit-elle, et elle l'emmena jusqu'à la porte déglinguée de l'étable. Elle l'ouvrit. À l'intérieur, un oiseau s'envola. Une souris montra sa tête dans la mangeoire. « On a eu jusqu'à cinquante vaches. C'est à cette époque-là qu'il m'a acheté le collier », se souvint-elle avec un sourire, en caressant le bijou que Mercurio avait racheté pour elle. « Et puis il y a eu la disette. Il n'y avait plus d'herbe pour les vaches. Elles sont devenues maigres à faire peur et elles ne donnaient plus de lait. À la fin de l'année, une nuit, des brigands sont descendus du Frioul et nous en ont volé dix. Puis des paysans des alentours sont arrivés, et ils se sont excusés mais ils avaient besoin de viande pour leurs enfants qui mouraient de faim. Ils nous ont pris une vache. Et dix jours après une autre, et une autre encore. Chaque fois ils étaient plus agressifs. Ils ne s'excusaient plus et ils venaient avec des couteaux de plus en plus longs. » Elle soupira et hocha la tête. « Alors est arrivée une épidémie. Toutes les vaches ont été emportées en une semaine. » Elle recula et ferma la porte de l'étable. « On était sur la paille. Mais on était ensemble. » Elle sourit. « On était encore ensemble, mon mari et moi. C'était tout ce qui comptait. Maintenant qu'il est mort, je me rends compte de la chance qu'on avait. » Elle regarda Mercurio. « Je ne sais pas pourquoi je t'ai raconté tout ça. »

Mercurio regardait l'étable, songeur. « Je dois y aller, je reviens vite », dit-il enfin.

Anna acquiesça et le regarda s'éloigner. Elle sourit de nouveau, à sa manière douce : elle savait parfaitement pourquoi elle lui avait raconté cette histoire. Et elle savait aussi où il était si pressé d'aller.

Mercurio frappa à la porte de Tonio et Berto. Il devait absolument voir Giuditta. C'était ce qu'il avait compris de l'histoire d'Anna : quoi qu'il arrive, il devait être avec Giuditta, cela seul comptait.

Il se fit accompagner à Cannaregio dans la barque de Battista, qu'il avait cachée parmi les joncs. Il la repeindrait plus tard, pour qu'elle ne soit pas reconnue par les autorités. Il leur donna rendez-vous au campo Santo Aponal au coucher du soleil pour recevoir leur salaire de Scarabello.

Aussitôt seul, il se dirigea vers le campo del Ghetto. Là, il s'assit et attendit de voir passer Giuditta.

Mais il ne pouvait s'empêcher de penser à Benedetta, à mesure que le temps s'écoulait. Les images sensuelles se bousculaient, sombres et morbides, augmentant son malaise. C'était comme un nuage noir qui s'amoncelait sur sa tête. Sans savoir pourquoi, il éprouva une sensation de danger et de peur.

Le soleil allait se coucher. Mercurio se levait pour aller à son rendez-vous au campo Santo Aponal quand Giuditta apparut sur la fondamenta dei Ormesini. Elle s'avançait au milieu des dentelles et des toiles d'organdi installées devant les boutiques comme autant de luxueuses bannières. Dès qu'il la vit, les nuages qui s'étaient rassemblés au-dessus de sa tête disparurent comme par magie. Il se leva pour aller à sa rencontre. Mais Giuditta n'était pas seule. Un garçon corpulent l'accompagnait, un court et épais bâton à la ceinture.

Giuditta portait des pièces d'étoffe ; elle leva les yeux et le vit. Son visage s'illumina. Elle sourit. Puis elle se tourna, embarrassée, vers son accompagnateur qu'elle désigna du menton à Mercurio, avant de hausser les épaules.

Mercurio ne comprenait pas. Il sentit son sang bouillonner dans ses veines. Il voulait absolument savoir qui était cet individu qui marchait à larges enjambées, regardant autour de lui avec insolence.

Mercurio se planta devant Giuditta. « *Ciao*, lui dit-il en utilisant cette manière de se saluer qu'il avait apprise de Battista.

— J'aime bien ce mot, moi aussi, dit Giuditta.

— Qu'est-ce que tu veux ? », fit tout de suite le garçon, qui se plaça entre eux, la main sur sa matraque.

Mercurio ne le regarda pas. Il fixait Giuditta.

« J'ai été agressée par un petit garçon et mon père a demandé à Joseph de…, commença-t-elle à expliquer.

— Agressée ? l'interrompit Mercurio, préoccupé.

— Tu es le garçon de la porte ! s'écria Joseph, le doigt tendu vers lui.

« — Qui ? demanda Mercurio en fronçant les sourcils.

— Va-t'en. Reste loin d'elle, lui ordonna Joseph, qui devenait agressif. Son père ne veut pas te voir dans les parages. »

Mercurio regarda Giuditta et lut la surprise dans ses yeux. Elle ignorait jusque-là pourquoi son père l'avait flanquée de Joseph.

« Je t'écrase quand je veux, espèce de singe », réagit Mercurio. Joseph gonfla le thorax.

Mais Mercurio vit à ce moment-là une prière muette dans les yeux de Giuditta. Elle était embarrassée et mortifiée, et lui demandait de renoncer, de s'en aller.

« Je plaisante, gros lard », fit Mercurio. Il regarda encore un instant Giuditta, intensément, puis il s'éloigna.

Il n'avait pas tourné au coin de la rue que la colère explosa en lui, incontrôlable. « Sac à merde ! maugréat-il. Sac à merde ! » À un passant qui le regardait avec insistance, il montra le poing et dit : « Qu'est-ce que tu veux, connard ? » Il s'appuya contre le mur lézardé d'un palais et s'efforça de retrouver son calme. Puis il revint sur la fondamenta dei Ormesini et regarda vers le Ghetto.

Giuditta aussi, sur le pont, s'était retournée.

Leurs yeux s'enlacèrent.

Mercurio sentait pourtant que cet échange de regards dans lesquels ils se perdaient ne lui suffisait plus. Il n'acceptait pas d'être exclu. Il lui fallait trouver un moyen de tromper cette surveillance. Toucher Giuditta à travers le bois inanimé de la grande porte ne suffisait plus. Mais, à la seule pensée d'effleurer Giuditta, ses mains se rappelèrent le sein velouté de Benedetta et il prit peur. Il partit au pas de course pour se défouler et faire taire ses pensées. Il arriva sur le campo Santo Aponal tel un taureau furieux.

Sur sa lancée, il demanda à Scarabello, sans même le saluer : « Alors ? C'est combien, ma part ?

— Même pas un marquet, répondit Scarabello, qui fixait dans le dos de Mercurio les deux géants immobiles, bras croisés sur leur poitrine vigoureuse.

— Qu'est-ce que ça veut dire ?

— T'auras pas un sou parce que j'ai rien eu. Les marins sont superstitieux. Et les armateurs encore pires.

— Quel rapport ? demanda Mercurio.

— La voile était tachée de sang », dit Scarabello, avec une pointe de mauvaise humeur. Il regarda encore les deux géants et se toucha le lobe de l'oreille. « Vous avez ces boucles d'oreilles parce que vous êtes des marins ?

— Oui, répondit Tonio.

— Vous embarqueriez sur un navire avec une voile tachée de sang ?

— Non.

— Non ! Bien sûr que non ! » Scarabello écarta théâtralement les bras. « T'as raté ton coup, mon gars. Et tu m'as fait rater le mien.

— Un homme en est mort ! », hurla Mercurio saisi d'une haine profonde, en le fixant de ses yeux rouges.

Scarabello soutint son regard. « La mort de cet homme ne me concerne pas. »

Mercurio continuait de le fixer avec haine, mais il savait que Scarabello avait raison. La mort de Battista ne le concernait pas.

« Pourquoi tu es venu avec ces deux-là ? demanda Scarabello. Tu pensais m'intimider ? »

Mercurio fronça les sourcils. Il n'y avait pas pensé. Mais il comprenait que Scarabello ressentait le même malaise que lui la première fois qu'il avait vu les deux géants. « Non, fit-il. Je voulais te dire qu'on a une barque à nous. Si tu as besoin de faire certains transports particuliers qui ne doivent pas être contrôlés par les gardes, on est l'équipe qu'il te faut. Personne n'est plus rapide que nous.

— T'es toujours le même comique », dit Scarabello. Ce garçon lui plaisait. Et l'impression désagréable qu'il s'en repentirait un jour ne le quittait pas. « J'y penserai. J'ai souvent besoin de transports… rapides. Généralement la nuit. »

Mercurio acquiesça. « Tu sais où me trouver.

— Attends, mon gars », le stoppa Scarabello. Il lui mit la main sur l'épaule et l'emmena à l'écart, en parlant à mi-voix. « Si je te disais que j'ai rencontré ton ami Donnola ? Tu le cherches toujours ? »

Mercurio fit signe que cela n'avait pas d'importance.

« Tu ne le cherches plus ? Ni son ami le docteur ? »

Mercurio secoua la tête.

Scarabello sourit. « Ça veut dire que tu en as marre de la fille du docteur, ou que tu l'as déjà retrouvée ?

— Qu'est-ce que ça peut te faire ?

— C'est juste pour causer, dit Scarabello d'un ton vague. Comme le docteur est en train de se mettre en travers de mes affaires et qu'il me casse les couilles… »

Mercurio se raidit.

Scarabello éclata de rire. « Ah, voilà. Tu n'en as pas encore marre de la petite famille juive.

— Qu'est-ce qu'il t'a fait ? demanda Mercurio.

— Rien. C'est les affaires.

— Quelles affaires ?

— À cause de lui, le Castelletto devient un endroit où les gens n'ont plus trop envie d'aller.

— C'est quoi, le Castelletto ? »

Scarabello écarquilla les yeux. « Mais tu baises jamais, mon gars ? »

Mercurio rougit.

Scarabello éclata de rire. « Tu connais pas le Castelletto ?

— Qu'est-ce qu'il t'a fait, le docteur ? », demanda une nouvelle fois Mercurio.

Scarabello redevint sérieux. Il planta l'index contre la poitrine de Mercurio et l'appuya trois fois avant de parler. « Si tu le vois, dis-lui bien que les affaires, c'est les affaires. Je doute pas qu'il en fasse de bonnes. Mais avant, y avait qu'une putain malade, maintenant il y en a des dizaines. Sauf que les Tours, c'est pas l'hôpital, et je veux pas perdre des clients à cause de lui. J'en ai rien à foutre des autres, moi. Je suis comme les béliers… T'as déjà vu un bélier ? Drôle d'animal. Je les aime bien. Ils tournent pas autour de l'obstacle, ils l'attaquent à coups de cornes et ils le détruisent. Voilà ma philosophie. » Il pinça la joue de Mercurio et lui fit un clin d'œil. « Si tu le rencontres, ton docteur, raconte-lui l'histoire du bélier. Il comprendra. » Puis il fit signe à ses hommes de le suivre. Après quelque pas, il s'arrêta et se retourna, comme s'il se rappelait soudain quelque chose. « J'ai appris que ta belle

531

est devenue la maîtresse du prince fou. Quel goût ! Et quel courage !

— La maîtresse ? » Mercurio éprouva une étrange, désagréable sensation. « Pas possible…

— Tiens, une autre dent sensible…

— J'en ai rien à foutre de Benedetta », dit Mercurio avec une véhémence excessive.

Scarabello se mit à rire.

« J'en ai rien à foutre ! », lui hurla presque Mercurio sous le nez.

Scarabello l'attrapa à la gorge. « Calme-toi, morpion, dit-il d'une ton glacial. J'ai fini de m'amuser », et il s'éloigna, sa fourrure noire ouverte sur le devant et ses cheveux d'argent ondoyant dans l'air.

Mercurio resta au centre du *campo*, fixant sans le voir le puits en pierre d'Istrie. Il était désorienté. Quelque chose bougeait en lui, qu'il ne réussissait pas à discerner.

« Qu'est-ce qu'on fait ? », demanda Tonio en s'approchant.

Mercurio se retourna, comme s'il revenait à la réalité. Il regarda Tonio d'un œil noir. « Tirez-vous, siffla-t-il. Faites ce que vous voulez. »

Et d'un pas furieux, il se rendit à l'auberge de la Lanterna Rossa, où il avait logé avec Benedetta.

« Elle est où ? demanda-t-il au vieux, toujours sur sa chaise.

— Qui ? »

Mercurio donna un coup de pied dans la chaise. Le vieux roula sur le sol. « Elle est où ?

— Elle est partie il y a quelque temps avec un homme du prince Contarini, gémit le vieux en se massant le coude, la tête rentrée dans les épaules.

— Où ?

— Je sais pas, répondit le vieux effrayé, en se réinstallant sur sa chaise. Je te le jure… »

Mercurio s'en alla sans lui accorder un seul regard. À Rialto, il tourna à gauche sur la riva del Vin. Là, il s'assit sur un baril vide et regarda passer les embarcations.

Il repensa à Benedetta. De nouveau, il sentit cette oppression dans sa poitrine, en même temps que l'excitation morbide qui le tourmentait depuis la nuit précédente.

"J'avais promis à Scavamorto de te protéger", se dit-il, et il se sentit coupable.

Puis il se rappela quand Benedetta l'avait embrassé pour faire croire à Giuditta qu'elle était sa petite amie. Il se rappela avec quelle désinvolture et quelle détermination elle avait agi.

Il éprouva de nouveau cette sensation de danger et de peur.

52

« Voici pour toi un calice de vin et de myrrhe, mon frère, tel qu'il fut offert à Notre-Seigneur Jésus-Christ quand il arriva au sommet du Golgotha, pour qu'il supporte les souffrances qu'il allait endurer », dit le prince Contarini, la main tendue vers une coupe de verre soufflé de Murano qu'un serviteur apportait sur un plateau.

Frère Amadeo la prit et la vida d'un trait.

Le prince difforme rit. « Mais Notre-Seigneur, lui, a refusé de se soustraire à la douleur. » Il rit encore. « Je te trouve sage, tout compte fait. » Il se tourna vers la cheminée, dans laquelle brûlait un feu de braises, et fit signe à l'un de ses hommes. Puis il enfila des gants de ferronnier ou de maréchal-ferrant en cuir épais.

L'homme lui passa une pique de fer du diamètre d'un gros clou. Le métal était rouge.

Un des chiens qui assistaient à la scène aboya.

« Tenez-le bien », dit le prince Contarini.

Deux hommes de chaque côté saisirent frère Amadeo par les bras et les maintinrent tendus, les mains posées sur deux morceaux de bois, la paume vers le haut.

Zolfo se serra contre Benedetta.

Le moine, le souffle court et les yeux exorbités, regardait le prince s'approcher avec le bout de fer incandescent.

« Maintenez-le », dit Contarini en pointant la pique vers son bras gauche.

Les deux hommes qui le tenaient serrèrent plus fort.

Frère Amadeo chercha d'instinct à se dégager et ferma le poing.

« Ouvre la main », ordonna le prince.

Lentement frère Amadeo déplia les doigts.

Le prince enfonça avec force la pointe rougie au centre de la paume du frère. La chair grésilla en s'ouvrant, cédant à la pénétration du métal.

Le moine hurla, et se tordit de douleur.

Les chiens aboyèrent de nouveau. Deux d'entre eux grognèrent comme s'ils voulaient se jeter sur les chevilles du frère. Le prince leur lança un coup de pied et ils reculèrent en glapissant.

Zolfo ferma les yeux et appuya sa tête contre la robe élégante de Benedetta. Elle restait immobile, impassible. Elle regarda le fer pénétrer à fond dans la paume et brûler la surface du bois qui était dessous.

Quand l'odeur du bois se superposa à celle de la chair grillée, le prince, avec une expression satisfaite, retira le fer.

Frère Amadeo pleurait et transpirait. « Excellence, dit-il d'une voix faible, je vous en supplie…

— Tais-toi », l'interrompit le prince en tournant autour de lui pour se positionner près de sa main droite. « Tenez-le », dit-il à ses hommes. Puis, voyant que le moine serrait le poing, il ordonna : « Ouvre.

— Excellence… je vous en supplie… non… », gémit frère Amadeo.

— Ouvre la main, siffla le prince Contarini.

— Non, lâchez-le ! », s'écria Zolfo en se précipitant vers le prince.

Benedetta ne fit rien pour le retenir.

Un des hommes du prince frappa Zolfo d'un revers de main violent qui le fit tomber au sol, la lèvre ouverte.

Zolfo se releva et revint s'agripper à Benedetta.

Elle s'écarta. « Tu salis ma robe », lui dit-elle.

Le prince lui adressa un regard satisfait. Puis il fixa le frère. « C'est pour rendre ton chemin et ta croisade plus faciles, moine. Tu ne comprends donc pas que je fais cela pour ton bien, comme Notre-Seigneur fit avec le *poverello* d'Assise, François, quand il lui transmit les saints stigmates ? En ce moment personne ne t'écoute, tes paroles se noient dans la lagune, nul ne s'intéresse à ta bataille contre les Juifs… Mais après ce petit sacrifice, tu passeras pour un saint homme. Et tes paroles sonneront alors comme les trompettes du Jugement dernier. Ouvre la main, allez.

— Excellence, non… », pleura frère Amadeo, désespéré.

Une expression agacée apparut sur le visage du prince. Il posa la pointe rougeoyante sur les doigts du moine dont le poing restait fermé.

Le frère hurla de douleur et ouvrit la main.

Alors le prince abattit la pointe de fer avec violence. Il transperça la chair. Puis, après l'avoir extraite de la main martyrisée, il jeta la pique dans la cheminée. « Te voilà saint ! », s'exclama-t-il en riant.

Ses hommes rirent avec lui et lâchèrent le moine. Les chiens aboyèrent, sans comprendre s'il fallait faire fête ou attaquer. Deux des chiens se battirent et récoltèrent un nouveau coup de pied.

Frère Amadeo se recroquevilla au sol, ses mains tremblaient de douleur.

Zolfo se précipita vers lui et le prit dans ses bras. Le frère l'éloigna d'un coup de coude.

Benedetta regarda Zolfo, qui se retirait à l'écart, mortifié. "Nous avons choisi des maîtres semblables, pensa-t-elle. Parce que nous sommes semblables toi et moi."

« Emmenez-le chez lui et donnez-lui du vin à volonté, ordonna le prince en désignant frère Amadeo, toujours recroquevillé au sol. Il ne se doutait pas qu'il pourrait devenir un saint. Il va devoir s'habituer à cette idée. ».

Contarini se tourna en souriant vers Benedetta.

Elle répondit à son sourire. Et sentit une sorte de frémissement à l'aine. Quelque chose qui ressemblait autant au plaisir qu'à la peur.

« Allons-nous-en, lui dit le prince Contarini en lui tendant son bras atrophié. Les misères humaines qui suivent les grands événements me mettent de mauvaise humeur. »

Benedetta prit son bras, comme une dame bien élevée, et ils quittèrent à pas mesurés la pièce qui sentait la chair brûlée. Sur le seuil, Benedetta se tourna vers Zolfo, collé au moine comme un chien. "Oui, nous avons choisi des maîtres semblables." Elle regarda sa propre main serrée autour du bras difforme du prince : il ne lui avait jamais offert son bras valide. "C'est parce que tous les deux nous ne cherchons que le mépris", se dit-elle en se retournant pour suivre du coin de l'œil la silhouette de Zolfo qui disparaissait.

Le prince rejoignit la chambre à coucher où il croyait avoir pris la virginité de Benedetta et s'assit à son écritoire, encombrée de documents. Il prit dans un tiroir une paire de petites lunettes rondes, les chaussa puis baissa la tête sur des livres de compte, la plume à la main, prêt à la tremper dans l'encrier.

Benedetta ôta son élégante robe, une de celles qui avaient appartenu à la sœur défunte du prince et qu'il lui avait permis de porter après leur première fois. Elle ouvrit la porte à côté de l'alcôve et enfila la tunique blanche du premier jour, encore tachée de sang. Du sang de poulet. Elle prit dans un tiroir le bonnet jaune que Zolfo avait arraché à Giuditta et le serra dans sa main. Enfin, elle se dirigea vers la balançoire que le prince avait fait installer juste devant son écritoire et s'y assit. Elle arrangea la tunique de manière que la tache de sang soit bien visible. Puis elle commença à se balancer, paresseusement.

Le prince feignit de ne pas la voir.

Mais Benedetta savait qu'il la respirait de toute son âme, aussi difforme que son corps. Elle savait que bientôt il lèverait les yeux. D'abord distraitement, puis avec une convoitise croissante. Et tandis qu'elle se balançait, en avant, en arrière, Benedetta serrait contre elle le bonnet jaune, avec haine, pour lui imprimer toute sa malveillance.

Le prince enleva ses lunettes, fit tomber la plume sur l'écritoire et son visage commença à devenir rouge. Il rejoignit Benedetta et la prit là, lui debout et elle sur la balançoire. Et au moment du plaisir, il leva les yeux vers la fresque qui représentait sa sœur morte. Puis il se détacha de Benedetta, et lui ordonna presque avec mépris d'enlever la tunique et de se rhabiller. Enfin, avec son membre tout mou qui sortait encore de ses chausses, il se laissa aller sur le lit, couché sur le dos.

Benedetta remit la robe élégante qu'elle portait avant le coït, noua autour de son cou un collier de perles grosses comme des petits pois et vint s'étendre elle aussi, du côté du bras handicapé. Sa main continuait de serrer le bonnet jaune, dont le prince ne se souciait nullement. Elle attendit que le corps de son seigneur fût complètement détendu.

« Je dois te demander un cadeau, mon amour », dit-elle alors.

Le prince ne bougea pas un muscle. Mais sa voix sonna aussi froide qu'un bloc de glace, aussi tranchante qu'un rasoir. « Si tu m'appelles mon amour ne serait-ce qu'une fois encore, je te fais jeter dans le canal avec une pierre au cou. »

Benedetta sentit la peur lui serrer la gorge. Elle savait que le prince n'aurait pas hésité à le faire. Elle resta silencieuse.

« Maintenant je veux dormir, murmura bientôt le prince. Quand je me réveillerai, tu pourras me demander ce que tu veux. » Il glissa sa main dans son décolleté et lui pinça le mamelon, à lui faire mal. « Et tu l'auras. » Il ôta sa main et respira profondément.

Benedetta, avec délicatesse, lui nettoya le membre avec un bout de drap et le lui remit dans ses chausses.

« Merci », dit le prince Contarini d'une voix que le sommeil éteignait peu à peu.

Quand elle sentit que la respiration de son amant devenait profonde et régulière, Benedetta se dressa sur le coude et regarda le bonnet jaune serré dans sa main. Elle avait appris que de nombreuses chrétiennes, des dames de l'aristocratie ou des courtisanes cultivées, avaient été si charmées par ces formes originales, ce mélange d'étoffes toutes jaunes mais si différentes et si bien assemblées, qu'elles avaient voulu s'acheter des bonnets, bien que la loi interdise aux Juifs de les vendre.

Tout à coup, elle remarqua à l'intérieur, sur le revers, une tache rouge sombre. Cela ressemblait à du sang.

Benedetta caressa le poitrail caréné de son puissant amant, qui se gonflait et se dégonflait à un rythme constant. Il dormait profondément.

« J'ai besoin de ton argent et je ne peux pas attendre… mon amour », murmura-t-elle.

Elle ouvrit la petite bourse de velours et de soie que le prince portait à la ceinture et y prit trois pièces d'or. Puis elle se leva pour aller chercher le sachet qui contenait les cheveux de Giuditta. Elle sortit de la pièce et se fit accompagner par un serviteur chez Reina la magicienne.

« Tu as ce que je t'ai demandé ? », lui demanda celle-ci.

Benedetta lui tendit le sachet contenant les cheveux et le bonnet jaune.

« Il y a une tache à l'intérieur du bonnet, fit-elle, en la lui montrant. On dirait du sang.

— C'est peut-être une sorcière ? », dit la magicienne en riant. Puis elle ouvrit le sachet des cheveux et les sortit. « Ils sont mouillés, dit-elle en faisant une grimace.

— Oui, répondit Benedetta. J'ai craché dessus. »

53

« Tu n'as pas confiance en moi ! s'écria Giuditta, furieuse, en barrant la porte à son père qui s'apprêtait à sortir.

— Je n'ai pas confiance dans ce voleur ! répondit Isacco d'une voix plus forte.

— Cesse de l'appeler ainsi ! », répondit-elle, le visage tout rouge.

Isacco secoua la tête, essayant de se calmer. Mais il ressemblait à un animal en cage. « Je t'interdis de le voir, dit-il, serrant les poings.

— Et comment je pourrais, avec ce gardien que tu m'as collé aux basques ? », siffla Giuditta. Elle était hors d'elle. Elle avait cru que son père avait mis Joseph à ses côtés pour qu'elle se sente plus en sécurité, depuis l'agression par ce gamin qui lui avait arraché une mèche de cheveux et volé son bonnet. Mais elle se sentait trompée. « La nuit, les chrétiens me mettent en cage, fit-elle d'un air sombre, et le jour, c'est mon père.

— C'est pour ton bien, coupa Isacco.

— Évidemment, répondit Giuditta avec un sourire méprisant.

— Tu es jeune, continua Isacco, cherchant à calmer le jeu, bien qu'il sentît le sang lui monter à la tête. Pour l'instant, tu ne comprends pas. Un jour, tu me remercieras.

— Un jour, je m'enfuirai ! », hurla Giuditta avec rage.

Alors Isacco, avant même de comprendre ce qu'il faisait, lui donna une claque.

Giuditta écarquilla les yeux. Bouche bée, elle porta lentement la main à sa joue qui palpitait.

« Mon enfant… », dit doucement Isacco.

Giuditta lui tourna le dos et lui ouvrit la porte.

Isacco aurait voulu prendre sa fille dans ses bras, lui demander pardon. Lui expliquer. Lui dire qu'il regrettait. Mais il resta la bouche ouverte, aussi incapable de parler que de respirer. Il aurait voulu que sa femme soit encore là : elle aurait su quoi faire, alors qu'il était impuissant. Il franchit la porte, presque en s'enfuyant, au moment où Joseph apparaissait dans l'escalier.

« Bonjour, docteur, dit le garçon, la main sur sa matraque.

— Bonjour mon cul ! », lui cracha Isacco au visage, en descendant l'escalier d'un pas lourd. Après quelques marches, il s'arrêta et se retourna vers Joseph. Le doigt pointé, il lui cria : « Tu es renvoyé !

— Mais, docteur…, dit Joseph, étonné.

— Va-t'en ou je te casse la tête avec ta matraque. »

Le garçon, sans comprendre, commença à descendre l'escalier, lentement.

« Plus vite ! »

Joseph le dépassa, la tête baissée comme s'il craignait un coup, et disparut aussitôt.

Isacco descendit encore quelques marches. Puis, telle une furie, il les remonta quatre à quatre jusqu'à la porte de l'appartement et cria : « Si j'apprends que tu fréquentes cet escroc !... » Il agita le poing et claqua la porte.

« Il s'appelle Mercurio !, cria Giuditta derrière le battant.

— Mercurio-de-mon-cul, oui », marmonna Isacco en s'en allant.

Il trouva Donnola qui l'attendait sur la *fondamenta* en plaisantant avec un des gardes. Il le dépassa sans même le saluer.

Donnola le rattrapa. « Nous sommes de bonne humeur, je vois, dit-il en riant.

— Oh, va au diable toi aussi », fit Isacco.

Donnola rit encore plus fort.

Il flottait dans l'air l'odeur âcre du vin bon marché des boutiques autour de la calle della Malvasia. Un vin qui se transformait rapidement en vinaigre et dont les vapeurs pestilentielles donnèrent la nausée à Isacco. Il avança d'un pas plus vif, courant presque.

Devant l'abbaye de Santa Maria della Misericordia, la puanteur de vin aigre fut remplacée par l'odeur, plus subtile, mais tout aussi dérangeante, de chair gâtée et de mort qu'exhalaient les malades et les blessés qui attendaient sur les marches de l'hospice.

Isacco s'interrogeait sur l'évolution de la maladie qui affligeait les prostituées. C'était un véritable châtiment. Le nombre de femmes infectées croissait de jour en jour. Il soignait plus de quarante malades, mais combien étaient-elles en réalité ? La plupart refusaient de se soigner, de peur de perdre des clients, augmentant ainsi la contagion. Le plus inquiétant était l'idée que

543

s'en faisaient les gens, encouragés par les prêtres et les médecins de mauvaise foi : « L'homme a voulu faire l'amour avec les singes, disaient-ils, et il a attrapé la maladie des animaux. »

Dans ce panorama décourageant, seuls le prieur de la Note Scuola Grande di Santa Maria della Misericordia et sa femme, de la confraternité laïque des Battuti qui gérait l'hospice, tentaient comme lui d'affronter la maladie de manière empirique. Devant l'église, au fond de la fondamenta della Misericordia, Isacco aperçut le *zappafanghi*, l'émissaire de la confraternité. Il l'appela d'un geste de la main. Ce dernier, l'ayant reconnu, s'approcha et lui dit que le prieur et sa femme venaient d'accueillir trois hommes qui présentaient les signes du mal français.

« Je peux les voir ? demanda Isacco aussitôt.

— Non, répondit l'homme. Le prieur a demandé la discrétion… » Il se pencha vers lui, avec des airs de conspirateur. « Ce sont des personnes haut placées. Des nobles. Il paraît que l'un d'eux est membre du Conseil des Dix… »

Le médecin acquiesça. Le prieur le mettrait certainement au courant de l'évolution de la maladie dans les jours à venir. Isacco se moquait bien de savoir de qui il s'agissait, seule lui importait l'avancée de la maladie chez les hommes. À première vue, il semblait qu'elle soit plus mortelle encore chez eux. Il prit dans sa sacoche une petite bouteille, qu'il tendit au *zappafanghi*. « Donnez cela au prieur, lui dit-il. C'est de l'huile de Palo Santo. Elle calme les plaies. » Il le salua et fit signe à Donnola qu'ils pouvaient poursuivre leur chemin.

Au Castelletto, ils traversèrent l'entrée sale et malodorante de la Torre delle Ghiandaie et montaient l'escalier quand Isacco s'arrêta et regarda son assistant.

« Donnola… » Isacco soupira, levant la tête vers le cinquième étage. « Que faisons-nous pour ces pauvres femmes ?

— Vous les aidez, docteur, répondit Donnola, d'une voix assurée. Et tout ça pour ne pas gagner grand-chose.

— Je gagne bien plus que je ne mérite, dit Isacco. Quatre femmes sont déjà mortes sans que je puisse les sauver. Pourquoi devrais-je me faire payer ?

— Pour le temps que vous leur consacrez, répondit avec sérieux Donnola. Vous êtes ici du matin au soir. Qui d'autre ferait ça ?

— N'importe quelle dame de compagnie.

— Ah, vous les Juifs, toujours à vous pleurer dessus. C'est pénible, à la fin. »

Isacco sourit. « D'après toi, est-ce que je néglige Giuditta ?

— Vous êtes le seul à le savoir, docteur. Mais s'il y a quelqu'un à qui il faut poser la question, c'est votre fille.

— Tu deviens philosophe et casse-couilles, Donnola, dit Isacco en lui tapant sur l'épaule. Mais merci. »

Au cinquième étage, la Cardinale, qui les attendait, les avait vus arriver. « On a trois malades supplémentaires, dit-elle. Il n'y a plus de place.

— On se serrera, fit Isacco.

— Il y en aurait même deux autres de plus, mais elles disent que… elles disent qu'elles ne…

— Qu'elles ne veulent pas se laisser toucher par un Juif ? »

La Cardinale acquiesça tristement.

« Si seulement elles n'étaient que deux, soupira Isacco. Je suis désolé d'être juif, fit-il en écartant les bras. Mais c'est bien ce que je suis, non ?

— Vous êtes notre docteur, c'est tout », fit la Cardinale.

Donnola passa devant elle et sourit. « Bien répondu. En récompense, un jour je te ferai goûter mon corps, beauté, lui dit-il.

— En récompense, un jour, je te ferai goûter une bonne claque dans la gueule », lui répondit-elle.

Donnola rit et rejoignit Isacco qui, dans le couloir, s'arrêtait devant chaque chambre, avec un salut et un sourire pour chacune des prostituées malades. Donnola alla à la dernière porte du couloir.

« Bonjour, République, dit-il gaiement. Comment tu te sens aujourd'hui ?

— Mieux. »

Donnola regarda Isacco, qui arrivait. « Vous voyez ? Il y en a une qui a l'air de s'en sortir malgré l'incapacité de sa dame de compagnie.

— Ne crions pas victoire trop tôt.

— Docteur, j'ai envie de vous étrangler quelquefois. »

Isacco entra dans la chambre.

Lidia, la fille de République, courut à sa rencontre et se jeta dans ses bras. « Les plaies se referment ! Elles se referment ! Merci, merci !

— Voyons ça », fit Isacco. Il s'assit au bord du lit et vit que République avait les joues moins pâles. La maladie avait desséché son sein généreux mais elle était toujours en vie. Il déplaça la couverture et vérifia les pansements, l'un après l'autre, avec un soin maniaque. "N'oublie jamais que tu n'es pas un vrai docteur", se disait-il.

« Docteur, Marianna est fière de toi, dit République comme si elle avait deviné ses pensées. J'ai rêvé d'elle cette nuit. »

Isacco écouta la voix sensuelle de cette femme qui pénétrait en lui, comme un baume, et le faisait se sentir un homme. Il se mit debout, avec brusquerie. « Oui, dit-il avec sérieux. Effectivement, les plaies vont mieux. »

Les yeux de République devinrent humides. Elle serra les lèvres, retenant le sourire qui l'aurait fait éclater en sanglots.

Isacco baissa les yeux au sol. Dans le silence qui suivit, il sentit une petite main se glisser dans la sienne.

La petite Lidia lui laissa un petit objet froid dans la paume.

Isacco regarda et vit, nettoyé pour l'occasion, le marquet que la petite lui avait déjà offert en paiement la première fois qu'il était entré dans cette chambre. Il se retourna.

Lidia le regardait et secouait la tête. Elle n'accepterait pas un second refus.

Isacco ferma les doigts sur la petite pièce de monnaie des pauvres. "Oui. Tu l'as bien gagné, escroc", se dit-il.

54

« Ôte-toi de là, servante, tu ne vois pas que je veux passer ? ronchonna le gros bonhomme d'une voix plaintive, aiguë et désagréable. Tu veux salir mes chaussures en satin des Flandres ? »

Anna del Mercato retint un mouvement de révolte. Elle baissa la tête, prit le balai-brosse et le seau, et se colla humblement contre le mur, alors que l'homme avait largement la place de passer, malgré la taille de son ventre.

"Connards de riches", pensa-t-elle avec rage.

« Espèce d'idiote, pousse-toi donc ! », s'exclama le maître de maison, Girolamo Zulian de' Gritti, le noble désargenté pour lequel Anna travaillait. Hors d'haleine, les mains au ciel et tout dépeigné, il se précipitait au bas des escaliers à la rencontre du riche visiteur qu'on venait de lui annoncer. Passant à côté d'Anna, il répéta : « Espèce d'idiote, je devrais te renvoyer ! » Il se prosterna presque devant son visiteur. « Pardonnez, messire, les serviteurs… », et il laissa la phrase en suspens.

« Les serviteurs sont idiots par nature », dit le gros homme avec une grimace en direction d'Anna. Il avait une drôle de tête, maigre aux pommettes et au menton, mais avec de grosses joues sur lesquelles poussait une barbe longue et clairsemée.

Anna éprouva autant d'antipathie que de répulsion pour cet homme. Son nez gibbeux, rosâtre, était probablement un signe de goutte ou de quelque autre maladie. Ses yeux étroits, deux fentes, semblaient gênés par la lumière. Et sa bouche s'inclinait vers le bas dans une grimace permanente de dégoût.

« On dit que les nègres sont inférieurs, reprit le gros homme en continuant de fixer Anna, mais je crois que tous les serviteurs le sont. Leur ignorance et leur mesquinerie sont telles qu'on se demande s'ils n'appartiennent pas à une autre race », dit-il avec un profond mépris. Puis il se tourna vers l'entrée du palais et montra deux serviteurs gigantesques, à la peau noire et coiffés d'un turban, qui se tenaient immobiles auprès d'une chaise à porteurs. « Voyez ces deux singes, fit-il. Diriez-vous qu'ils sont humains ? »

Girolamo Zulian de' Gritti eut un rire complice, tout en regardant la chaise à porteurs ornée de colonnes finement sculptées, dorées, et de précieux voiles de soie dans laquelle était arrivé son visiteur. Les seuls costumes des deux serviteurs maures avaient dû coûter les yeux de la tête, se dit-il.

Le gros homme semblait tenir à humilier Anna del Mercato. Il s'approcha d'un pas et renifla l'air. « Au moins, elle ne pue pas comme un animal », dit-il, et il s'éventa à l'aide d'un mouchoir parfumé.

Le maître de maison rit.

Anna sentit qu'elle allait exploser. Elle aurait voulu lancer son seau d'eau sale à la face de ce gros lard répugnant. Elle baissa la tête pendant que l'autre lui tournait le dos et s'adressait au noble désargenté.

« Un Père de l'Église me désapprouverait sans doute, dit le gros homme à ce dernier, mais c'est ainsi que je vois les choses. Qui est en haut est en haut, et qui est en bas... respire l'odeur de mes pets ! » Il rit de sa plaisanterie. « Laissons cela. J'ai l'intention de vous proposer une affaire qui, je pense, devrait vous convenir, excellence.

— Allons, pas de compliments ni d'"excellence" entre nous... Je suis seulement un des nombreux nobles de vieille lignée de cette très noble cité... », se gargarisa Girolamo Zulian de' Gritti. Affamé d'argent et en quasi banqueroute, il ne voyait pas ce que ce gros homme riche pouvait attendre de lui.

« Vous n'avez rien contre les Juifs ? demanda ce dernier tandis qu'ils se dirigeaient vers l'escalier.

— À part le fait qu'ils sont juifs ? », répliqua en riant le maître de maison.

Le gros homme rit avec lui. « Nous allons être d'accord, je le sens déjà. »

Tandis qu'ils s'éloignaient dans l'escalier d'honneur, Anna le foudroya du regard. Puis elle reprit son travail. Elle avait mal aux genoux, aux bras et aux épaules. Ses mains étaient pleines de crevasses. La droite, serrée toute la journée sur le manche à balai, commençait à saigner.

"Je vieillis", pensa-t-elle.

Mercurio, qui s'était aperçu la veille de sa fatigue et de sa main blessée, lui avait demandé de renoncer à ce travail. Mais Anna s'était entêtée. C'était devenu une sorte de défi. Elle ne voulait pas se rendre à l'évidence : elle ne pouvait plus, à son âge, faire certains travaux pénibles.

Elle regarda en direction du gros homme qui haletait et soufflait en arrivant à l'étage supérieur.

"Si ça se trouve, c'est moi qui crèverai avant toi, salaud", pensa-t-elle avec hargne.

Puis elle se tourna vers les deux serviteurs maures près de la chaise à porteurs.

« Donne-leur de l'eau », dit-elle au serviteur chargé de cette tâche. Elle fit un signe aux deux Maures. « Venez boire. »

Ceux-ci lui tournèrent aussitôt le dos.

« Allez au diable vous aussi », maugréa Anna, et elle se remit à frotter le sol, où une magnifique marqueterie de marbre commençait d'apparaître sous la crasse.

« Anna del Mercato ! cria une demi-heure plus tard un serviteur en livrée par-dessus la balustrade de marbre jaune du premier étage.

— Qu'est-ce qu'il y a ? demanda Anna.

— Monte, répondit celui-ci. Le maître et son invité veulent te voir. »

Anna serra les poings et la mâchoire. « Ça ne leur a pas suffi ? », marmonna-t-elle tout bas.

Tandis qu'elle montait l'escalier, tous les serviteurs avaient les yeux sur elle. Des regards de pitié et de peur. Quand les maîtres vous convoquent, ce n'est jamais bon signe.

« Courage, lui dit une vieille édentée en lui touchant l'épaule.

— Merci », répondit Anna. Une marche après l'autre, en s'accrochant à la balustrade et sentant ses genoux craquer, elle arriva en haut des escaliers, où le serviteur en livrée frémissait d'impatience.

« Vite, vite, lui dit-il.

— Je ne suis pas pressée », répondit Anna, qui avança dans le grand couloir menant à la galerie. Elle entendait à chaque pas le bruit de ses chaussures humides sur le sol. Malgré ses prières matin et soir pour que Mercurio ne reste pas un voleur, elle se dit qu'elle aimerait bien le voir détrousser ce maudit bonhomme qui se réjouissait sûrement à la perspective de l'humilier de nouveau.

Le serviteur frappa et annonça : « Anna del Mercato, Seigneur.

— Qu'elle entre », entendit-elle dire à l'intérieur.

Le serviteur s'écarta et regarda Anna.

Celle-ci hésita un instant, puis prit une profonde inspiration et entra.

« Ce serait donc toi Anna del Mercato ? », dit le visiteur d'un ton surpris, quand il la vit.

"Fumier de salaud, pensa Anna. Fais-la-moi courte, ta comédie."

« Il semblerait que je te doive des excuses », continua le gros bonhomme, de sa voix stridente.

Pendant un instant, Anna resta stupéfaite. Puis elle comprit que ces deux-là voulaient s'amuser encore plus à ses dépens. Elle ne répondit pas. Telle une bête de somme, elle baissa la tête. "Vas-y, frappe", se dit-elle.

« Et moi aussi, dit Girolamo Zulian de' Gritti. *Messer* Bernardino da Caravaglio, ici présent, avec lequel je viens de conclure une excellente affaire, et qui jouit de ma totale confiance, de toute mon estime et de ma confiance infinies… »

Le gros homme se déroba : « Allons, noble de' Gritti, n'exagérons pas…

— Si, si, mon cher, répliqua aussitôt le maître de maison, il faut le dire…

— C'est donc un effet de votre bonté », dit Bernardino da Caravaglio en tentant une révérence que son ventre démesuré l'empêcha de mener à bien.

"Assez maintenant, donnez-moi le coup de grâce", pensait Anna del Mercato, la tête baissée.

« *Messer* Bernardino da Caravaglio s'apprêtait à partir, reprit le noble désargenté, quand il m'a dit, sans savoir de qui il s'agissait, que j'aurais bien besoin d'une Anna del Mercato pour organiser l'approvisionnement de ma fête imminente. Il dit que tu le faisais autrefois pour les familles importantes de Venise. C'est vrai ? Est-ce bien toi ? »

Anna leva la tête, ébahie. Sa bouche en resta ouverte de surprise. « Je…

— Mon ami, s'il me permet de l'appeler ainsi, dit que tu n'avais pas ta pareille pour dénicher les meilleures marchandises… au prix le plus bas. C'est vrai ? »

Anna regarda le gros homme auquel elle avait jusque-là souhaité tout le mal possible. Certes, elle avait autrefois aidé quelques familles importantes en difficulté à s'approvisionner à bon prix, grâce à sa connaissance du marché de Mestre, moins cher que les marchés vénitiens. Mais comment cet homme pouvait-il le savoir ? Il connaissait peut-être quelques-unes de ces familles.

« Alors ? insista le noble. C'est toi ?

— Effectivement… Excellence illustrissime…, balbutia Anna.

— Mais enfin, femme, grinça le gros lard, en haussant d'une octave sa voix antipathique. Tu as un talent, de l'expérience… et tu te contentes de gratter les carrelages ? Pourquoi ne pas l'avoir dit plus tôt à ton noble maître ?

— Eh bien… je… » Anna était en pleine confusion. La tête lui tournait. Au bord du malaise, elle s'appuya au dossier d'une chaise pour rester debout. « Je…

— Rentre chez toi, l'interrompit le maître de maison. Repose-toi quelques jours. Puis présente-toi à la cuisine et fais-toi donner la liste de ce qu'il te faut et le crédit nécessaire. Ta paie est quadruplée. Maintenant, va-t'en. » Il fit un geste pour la congédier.

Anna resta bouche bée. Puis elle se secoua, tourna les talons et s'enfuit presque.

Les deux autres éclatèrent de rire dans son dos.

« Anna del Mercato ! la rappela le gros bonhomme alors qu'elle était déjà sur le seuil. Sois plus éveillée à l'avenir.

— Merci, votre Seigneurie, merci », dit Anna en s'inclinant.

Elle sortit, descendit l'escalier sans ressentir ses douleurs aux genoux, lança un coup de pied dans le seau d'eau sale et dit en passant à côté des deux Maures gigantesques : « Votre maître est moins horrible que je le croyais ». Elle disparut par le sotoportego delle Colonette en riant comme une petite fille.

Plus tard, entrant chez elle tout excitée, elle s'écria : « Mercurio, mon garçon ! Tu ne devineras jamais ce qui m'est arrivé !

— Que t'est-il arrivé ? », dit de l'intérieur une voix aiguë et familière.

Anna s'arrêta net, puis s'avança doucement vers la pièce à la cheminée.

Là, assis à leur table, se trouvait le gros Bernardino da Caravaglio.

Anna était abasourdie. Et soudain, tout fut clair.

Le gros bonhomme se mit à rire et enleva les deux morceaux de tissu qui se trouvaient à l'intérieur de ses joues. « Bienvenue », lui dit Mercurio en cessant de déguiser sa voix.

Les yeux d'Anna se remplirent de larmes. Tandis que Mercurio commençait à défaire son costume rembourré, elle s'élança contre lui pour le taper à coups de poing, riant et pleurant à la fois, de joie, d'émotion, de surprise.

Mercurio riait avec elle, tout content. « Idiote de servante, tu aurais bien voulu me poignarder, avoue-le, lui disait-il, tout fier qu'elle ne l'ait pas reconnu.

— Mais comment tu as fait ? lui demanda Anna. Ou plutôt, non : comment j'ai fait ?

— Parce que je t'ai attaquée tout de suite, dit Mercurio en riant. Le truc, c'est d'empêcher le pigeon de réfléchir. De le jeter tout de suite dans un torrent d'émotions. » Il rit de nouveau. « Qu'est-ce que je me suis amusé ! Si tu avais vu ta tête ! J'ai cru que tu allais exploser. Tu n'as même pas reconnu Tonio et Berto !

— Tonio et… » Anna resta bouche bée, une fois encore. « Voilà pourquoi ils détournaient la tête chaque fois que je leur parlais ! Mais où as-tu pris tout ce matériel… la chaise à porteurs…

— Au Théâtre de l'Anzelo, sourit Mercurio. J'ai un crédit chez eux. »

555

Anna se donna une tape sur le front. « Et voilà pourquoi ce gros dégueulasse connaissait mon histoire, dit-elle, comprenant tout à coup. C'est moi qui te l'ai racontée !

— La première fois que nous nous sommes vus, dit Mercurio. Tu m'as raconté qu'au lieu de t'en être reconnaissants, ces salauds, une fois riches, ne voulaient plus de toi parce tu leur rappelais des temps difficiles…

— Tu te souviens de ça… », dit Anna, émue de découvrir qu'il l'avait écoutée. Elle se rappela ce jour où frère Amadeo avait frappé à sa porte avec ces trois gamins sales, mal nourris et effrayés. « Tu étais trempé comme un poussin… et habillé d'une soutane ! J'aurais dû comprendre tout de suite que tu étais un escroc ! »

Mercurio rit encore. Il semblait redevenu un gamin.

Anna le regarda, fière. « C'est vrai que tu es très fort, mon garçon. Tu es un phénomène. Tu as un talent immense. »

Mercurio rougit.

Ce fut au tour d'Anna de rire. Elle le prit dans ses bras et l'embrassa sur les deux joues. Puis elle fit une grimace. « Ah, c'est dégoûtant… il m'est resté plein de tes poils dans la bouche…

— Ce sont les poils du chat de la voisine, dit Mercurio en riant de nouveau. Il aura froid aux fesses pendant quelque temps. » Il finit de se déshabiller, ôta son maquillage puis se dirigea vers la sortie. « Je dois aller voir Isaia Saraval », dit-il.

Mais Anna ne l'écoutait plus. Elle regardait le feu, revivant toutes les émotions et les images de ce jour-là. Elle hochait la tête et souriait, heureuse.

Mercurio entra dans la boutique de l'usurier sur la place du marché. Le noble désargenté avait vite compris l'intérêt de la proposition de Mercurio ; il s'agissait maintenant de convaincre Isaia Saraval.

« Nous établirons une somme hypothétique, expliqua-t-il au prêteur juif. Avec cette somme, le noble chrétien achète tout ce dont il a besoin, y compris des bijoux pour sa femme et pour lui-même : il faut qu'il ait l'air d'être très riche. Tout cela, il l'achète chez vous. Et vous, vous le lui rachetez tout de suite, pour une somme hypothétique elle aussi, sauf que ce sera pour une somme inférieure. Ainsi, il ne vous paiera que la différence, voyez-vous ? Et toute la marchandise qu'il prendra continuera de vous appartenir. Bref, c'est comme si vous lui faisiez payer une location, vous me suivez ? »

Saraval acquiesçait, admiratif.

« Ce n'est pas tout, fit Mercurio. Pourquoi vous contenter de louer vos objets magnifiques qui sont en gage ?

— Pourquoi m'en contenter ? », répéta Saraval, qui ne comprenait toujours pas.

Mercurio rit. « Vous m'avez bien dit que vous ne pouviez pas exposer votre marchandise parce que c'est interdit aux prêteurs juifs ?

— C'est bien ça…

— Sauf que là, ce ne serait pas vous qui exposeriez votre marchandise…

— … mais notre noble chrétien ! s'exclama Saraval. Et donc personne n'enfreint la loi !

— Et si vous lui faites un petit rabais sur ce que nous appellerons d'ores et déjà un loyer, conclut Mercurio, il répandra le bruit parmi ceux de ses hôtes qui souhaitent renouveler l'ameublement de leur maison… Des tableaux, des tapisseries, des tapis, tout ce que vous lui avez loué, y compris des bijoux… Ainsi, chacun de ses hôtes fortunés pourra acheter ce qui lui plaît. Et c'est vous qu'il chargera de traiter ces affaires, parce qu'il prétendra que ces vils et bas commerces l'ennuient. Qu'en pensez-vous ? »

Saraval était sans voix. Il hochait la tête et regardait autour de lui, caressant des yeux toute cette marchandise qui ne resterait plus ici, dans son arrière-boutique, à se couvrir de poussière. Jamais prêteur sur gages n'avait eu jusque-là cette idée. Pourtant, elle était simple. Et comme toutes les idées simples, elle était géniale. « Ce que j'en pense… ce que j'en pense… » Il respira à fond. « Je pense que tu es un cadeau envoyé par *Ha-Shem*, que son nom soit toujours béni. » Il le regarda. « Et j'imagine qu'une idée de ce genre demande une récompense.

— Une récompense élevée, même, dit Mercurio. Je veux un quart de vos gains.

— Un quart ? », fit Saraval. Il réfléchit un instant, puis acquiesça. « Bon. Affaire conclue ! » Il lui mit la main sur l'épaule. « Tu es sûr de ne pas être juif, mon gars ?

— Sûr et certain, répondit Mercurio. Je suis un escroc. »

Saraval resta sérieux un moment, sans savoir s'il fallait le croire ou non, puis il éclata d'un rire fracassant.

55

Mercurio resta bouche bée en se retrouvant devant
l'accumulation d'édifices la plus improbable qui soit,
avec des constructions hautes comme des tours acco-
lées les unes aux autres sans aucune logique.

« Voilà le Castelletto », lui dit le gamin qui l'avait
guidé jusque-là.

Mercurio lui donna un marquet et observa les alentours. La cour au milieu des Tours était emplie d'une
foule incroyable de femmes de tous âges, des petites
filles aux femmes mûres, le visage fardé de blanc de
céruse et les lèvres rouges. Toutes portaient des robes
voyantes et décolletées, et un foulard jaune autour du
cou. Certaines, en passant près de lui, lui firent des
signes obscènes avec leur langue, l'une d'elle releva
ses jupes et agita devant lui son cul rond d'un blanc
crémeux, avant de s'éloigner en se déhanchant.

« T'as juste l'embarras du choix, dit en riant un
homme qui sortait d'une des Tours.

— Je cherche le docteur Isacco da Negroponte, lui
dit Mercurio.

— Un docteur ? Ici ? T'es pas venu pour baiser ?

— Isacco da Negroponte », répéta Mercurio.

L'homme hocha la tête et s'éloigna.

Mercurio se dirigea d'un pas décidé vers le premier bâtiment. Il éprouva une sorte de vertige à respirer l'odeur âcre et fétide du sexe bon marché. Instinctivement, il porta les mains à ses oreilles pour les protéger du tapage des cris qui se répercutaient dans la haute cage d'escalier. Une prostituée s'approcha de lui en tortillant des hanches.

« Tu connais le docteur Negroponte ? », lui demanda-t-il.

La prostituée tendit la main, sans la moindre hésitation, et lui saisit le membre. « Où est-ce que t'as mal, mon trésor ? Je vais te soigner, moi… »

Mercurio la repoussa. « Je cherche le docteur Negroponte, dit-il encore.

— Ici, on cherche des putes, connard », lui répondit hargneusement la prostituée. Elle lui tourna le dos et disparut.

Mercurio regarda autour de lui. Il vit une femme d'un certain âge, immobile au centre d'un vestibule, debout, les jambes un peu écartées. Elle avait des cheveux blancs avec des mèches teintes de rose et de vert.

« Excusez-moi, lui dit Mercurio en s'approchant, vous connaissez le docteur Negroponte ? »

La femme le regarda sans répondre. Elle poussa un soupir de soulagement.

« Je dois le trouver d'urgence », insista Mercurio.

La femme souleva à peine ses jupes et se déplaça. Par terre, une flaque d'urine. « Moi aussi j'avais une urgence, mon joli, dit-elle en souriant.

— Mais le docteur Negroponte, vous le connaissez ?

— Va savoir. J'en connais beaucoup, mais je ne connais pas leur nom. Et même quand ils me le disent, je l'oublie aussitôt qu'ils ont sorti leur machin d'entre mes cuisses. »

Mercurio allait s'éloigner, quand une jolie fille dont le décolleté vertigineux montrait des mamelons clairs couleur d'abricot, lui fit un signe. Mercurio se sentit profondément troublé. Il baissa les yeux, évitant de croiser le regard de la jeune prostituée, et sortit de la Tour, un poids sur la poitrine.

« Attends », dit une voix derrière lui.

Mercurio se retourna. La fille l'avait suivi et s'approchait de lui. Ses seins ballottaient, comme pour l'inviter.

« Non, merci ! », dit-il avec une fougue excessive.

La fille se mit à rire. « Je parie que tu es vierge », fit-elle avec un clin d'œil, tandis qu'elle se rapprochait.

Mercurio voulait partir mais ses yeux le retenaient.

« Roule pas comme ça des yeux, ils vont tomber par terre.

— Oh… pardon…, dit Mercurio, qui fit un grand effort pour se décider à partir.

— J'ai entendu que tu cherches le médecin des putains, l'arrêta la fille, en lui prenant le bras.

— Tu le connais ? », demanda Mercurio, qui ne put empêcher ses yeux de revenir se poser sur le sein découvert de la prostituée.

Elle remonta son corsage. « Comme ça, c'est mieux ? Tu arrives à comprendre ce que je te dis maintenant ? »

Mercurio rougit.

« Oui, c'est sûr que tu es puceau, dit en riant la fille. À la Torre delle Ghiandaie. Cinquième étage. Demande la Cardinale, dit la prostituée en indiquant l'entrée d'une autre tour.

— Merci », dit Mercurio.

La prostituée baissa son corsage et lui agita ses petits seins sous le nez. Puis elle éclata de rire, sans malice, comme une petite fille, et s'en alla.

Mercurio se dirigea à pas lents vers la Torre delle Ghiandaie. De temps en temps, il se retournait vers la prostituée. Elle lui fit un signe de la main, comme aurait fait n'importe quelle fille, et Mercurio lui répondit, en souriant, encore assommé. Son corps et ses instincts s'étaient réveillés. Alors il pensa à Giuditta. Il ne pouvait plus se contenter de toucher le bois d'un portail.

"C'est bien pour ça que tu es ici", se dit-il en franchissant l'entrée de la Torre delle Ghiandaie. Il regarda vers le haut et commença à monter l'escalier qui s'enroulait comme un gigantesque serpent. Dans sa poche tintaient trente et une pièces d'or et sept d'argent. Un petit trésor, le produit de la fête du noble désargenté. Il avait reçu sa part le matin même, deux semaines à peine après avoir eu cette idée. Les affaires avaient marché au-delà des prévisions les plus optimistes et Saraval la lui avait donnée avec enthousiasme. De l'argent arriverait encore car deux nobles dames étaient en tractations pour l'achat d'un collier et d'une bague de grande valeur. Un vrai succès. Mercurio avait toutes ses pièces sur lui, comme un porte-bonheur. En montant l'escalier sale de la Torre delle Ghiandaie, il se répétait la phrase qu'il avait préparée. Une simple phrase, mais qui produirait son effet.

« Qu'est-ce que tu veux ? », lui demanda une gigantesque bonne femme vêtue d'une robe rouge pourpre, quand il arriva au dernier étage. L'odeur de saleté et de sexe avait laissé place à un parfum de propre, de savon et de lessive.

Mercurio la regarda. « C'est le cinquième étage ?

— Qu'est-ce que tu veux ? répéta la grande bonne femme.

— Je cherche la Cardinale.

— Je travaille pas aujourd'hui.

— C'est toi, la Cardinale ? fit Mercurio.

— T'es con ou quoi ? dit la femme.

— Tu connais le docteur juif ? »

Sur le visage de la Cardinale apparut une expression soupçonneuse. « Je te le demande pour la dernière fois, sinon je te jette dans l'escalier : qu'est-ce que tu veux ?

— J'ai quelque chose à lui dire.

— Dis-le-moi et je lui transmettrai quand je le verrai, répondit-elle.

— Non, je dois lui dire personnellement. » Mercurio fit une pause. « C'est important. Ça concerne sa fille. »

Les traits de la Cardinale se figèrent. « Elle va mal ? Il lui est arrivé quelque chose ?

— Non... non... qu'est-ce que tu vas chercher ? »

La Cardinale le toisa un instant. « Reste ici », lui dit-elle. Puis elle se dirigea vers une porte, au début du long couloir. Elle frappa et ouvrit.

De l'intérieur une voix arriva : « Qui est-ce ?

— C'est moi, docteur, répondit Mercurio, qui avait suivi la Cardinale.

— Moi qui ?

— Mercurio.

— Oh, merde ! s'exclama Isacco.

— Je le jette dans l'escalier ? », demanda la Cardinale en attrapant Mercurio par le col de sa casaque.

Isacco apparut sur le seuil. Il avait le visage marqué par les semaines passées à lutter contre le mal français.

Il regarda Mercurio sans le voir. Puis se tourna vers la Cardinale et secoua la tête en signe de dénégation.

La prostituée se figea et eut les larmes aux yeux.

Isacco se tourna de nouveau vers Mercurio. « Entre », lui dit-il. L'invitation n'était pas amicale. Caressant l'épaule de la Cardinale, il dit : « Fais ce qu'il faut. »

Mercurio entra dans la pièce. Il vit une femme étendue sur une couche. Elle avait une expression sereine, en dépit de son nez creusé et mangé par une plaie.

« Bonjour, dit-il tout bas à la femme.

— Elle ne peut plus t'entendre, dit Isacco en refermant la porte. Aujourd'hui, elle a fini de souffrir. » Mercurio recula vivement.

« Je t'ai fait entrer uniquement parce que j'ai une chose à te dire, reprit Isacco qui vint tout près de lui, d'une manière agressive, malgré la fatigue et la frustration qu'on lisait dans ses yeux. Reste loin de ma fille. » Il lui tapa l'index contre la poitrine plusieurs fois et répéta, en détachant chaque mot : « Reste… loin… de… ma… fille. » Mercurio sentit le sang lui monter à la tête. La colère fit vibrer son corps. Les vieilles défenses innées qui se déclenchaient chaque fois qu'il se sentait agressé injustement s'activèrent. Il fit un effort pour se retenir et dire la phrase qu'il avait préparée. Il inspira à fond. « Je suis devenu comme vous… docteur, dit-il d'une voix étranglée. Je suis devenu honnête.

— Toi, c'est écrit sur ton front que tu es un escroc, grogna Isacco en approchant son visage de celui de Mercurio. Tu es un criminel, une racaille.

— Et vous, alors ?

— Tu me menaces ? demanda Isacco en l'attrapant au collet.

— Pourquoi vous avez le droit de changer et pas les autres ? », fit Mercurio, les yeux fous, révolté par l'injustice. Il se dégagea de la prise. « Vous vous prenez pour qui ? »

Isacco le regarda en silence.

« Docteur, écoutez-moi, reprit Mercurio en cherchant à se contrôler. J'ai un travail honnête, maintenant. » Il sortit sa bourse avec les pièces de monnaie qu'il avait gagnées, l'ouvrit, la tendit vers Isacco, sûr de son effet. « Regardez. Je vais devenir riche, en plus d'être honnête, dit-il fièrement.

— Reste loin de ma fille, répéta Isacco sans même accorder un regard à la bourse de Mercurio.

— Je suis amoureux de votre fille ! », cria Mercurio, s'effrayant presque de prononcer la phrase à voix haute.

Isacco allait lui sauter dessus quand la porte s'ouvrit.

Apparurent la Cardinale, les yeux rouges, et deux autres prostituées, tête basse. Elles tenaient une civière. Elles entrèrent en silence et, pleines d'attentions pour leur compagne, comme si elle était encore vivante, déposèrent avec respect son cadavre sur la civière puis l'emportèrent à l'extérieur.

Isacco, d'un pas lent, alla vers la porte, qu'il referma. Il resta la main sur la poignée, tournant le dos à Mercurio. « S'il est vrai que tu aimes Giuditta, dit-il d'une voix grave et basse, rends-toi compte du mal que tu pourrais lui faire. Penses-y, si tu l'aimes. »

Mercurio se sentit mortifié et humilié. Il ferma sa bourse et la remit dans sa casaque. Au fond de lui, il sentait que le docteur avait raison. Il se recroquevilla, presque vaincu. Mais il pensa à Anna, à la confiance qu'elle avait en lui. Et surtout à la façon dont Giuditta le regardait, chaque fois qu'ils se rencontraient. Elle l'aimait aussi, avec la même détermination.

« Non, dit-il. Non ! »

Isacco se tourna vers lui, le visage rouge.

« Je deviendrai honnête ! continua Mercurio. Je deviendrai digne d'elle !

— Oui ? Et après ? » Le docteur était de plus en plus écarlate. « Tu deviendras juif aussi ?

— Oui, s'il le faut !

— Va-t'en, mon garçon. Nos deux mondes peuvent cohabiter mais ne peuvent pas en former un seul.

— Parce que vous n'avez pas d'imagination, répondit d'instinct Mercurio.

— Ça te sert à quoi, l'imagination ? demanda Isacco d'un ton sarcastique, le sourcil relevé.

— On peut imaginer un monde différent. »

Le docteur le regarda en silence. Il hocha la tête. Puis ouvrit la porte. « Va-t'en, mon garçon, répéta-t-il en l'invitant à sortir. Tu n'es qu'un idiot. »

Mercurio marcha lentement, le plus dignement possible. Il passa devant lui et sur le seuil commença à dire : « Je deviendrai…

— Tu ne sais même pas qui tu es, l'interrompit Isacco avec agacement. Comment pourrais-tu savoir ce que tu deviendras ? »

Mercurio se retourna brusquement. « Je suis tous ceux que je veux être !

— Tu vois bien que tu n'es qu'un escroc ! » Isacco le poussa vers l'escalier. « Il faut être indécrottable pour dire une chose pareille. Tu dois être une seule et unique personne, idiot ! »

Mercurio fut blessé. Isacco avait peut-être raison. Il eut peur de ne pas savoir qui il était, de n'être personne. Et cette peur brûla en lui comme de l'alcool pur, déchaînant la colère, cette colère qui l'avait toujours fait avancer. « Vous qui prêchez tant, comment faites-vous pour accepter que votre fille vive en cage, comme un animal ? Quel homme êtes-vous ? Quel père êtes-vous ? Est-ce que Giuditta mérite ça ? »

Isacco bondit en avant, les bras tendus, sans même se rendre compte de ce qu'il s'apprêtait à faire. « Espèce de salaud ! », hurla-t-il, renversant Mercurio dans sa fureur. Ensuite, quand quelques prostituées les eurent séparés, le docteur n'eut pas le courage de regarder Mercurio en face. Parce que Isacco aussi avait peur. Peur que Mercurio n'ait raison. Il avait voulu arracher sa fille à ses racines sur leur île pour lui offrir une vie meilleure, mais était-ce vraiment une vie meilleure ?

« J'emmènerai Giuditta loin d'ici ! cria Mercurio.

— Et moi je t'arracherai le cœur avec mes dents ! », répliqua Isacco, à voix basse. « Faites-le sortir », ajouta-t-il, les yeux à terre.

Mercurio quitta le Castelletto avec un sentiment de rébellion qui l'empêchait de réfléchir. À son mépris, pour ce qu'Isacco avait dit, se joignait un profond sentiment d'incertitude, car ses paroles avaient résonné en lui. Serait-il capable de devenir un homme, un vrai, un de ceux qui ne sont pas obligés de se cacher ou de se sauver pendant toute leur vie ?

Il marchait à pas furieux, sans même regarder où il allait, perdu dans ses raisonnements. Parfois il butait contre un passant mais n'entendait pas ses insultes et ne s'arrêtait pas pour s'excuser. Avec la fin du jour tomba un épais brouillard, qui l'isola encore plus du monde qui l'entourait.

Pouvait-il vraiment aimer Giuditta ? Qu'avait-il à lui offrir ? Isacco l'avait blessé par ses paroles, touchant un nerf à vif. "Qui es-tu ?", se demandait Mercurio. Au docteur il avait répondu : "Je suis tous ceux que je veux être." Mais qui était-il en réalité, sous ses travestissements ?

Quand il se fut répété plusieurs fois cette question il s'arrêta, à bout de souffle, appuyant les mains sur ses yeux avec la force de la colère et du désespoir. Il essaya de se calmer et regarda où il se trouvait. Tout était voilé sous un brouillard dense comme du coton.

Il fit un pas en avant. Sa chaussure s'enfonça dans la boue. Un saut de côté et il se retrouva sur une pierre équarrie, blanche, une pierre d'Istrie, de celles qui délimitaient les canaux. Mais il ne voyait pas d'eau, juste une sorte de cale de halage, ou du moins lui sembla-t-il, faite de planches plates enfoncées dans la boue. Sur toute sa surface poussaient des algues à moitié pourries. Et cela sentait fortement le moisi.

Il suivit la bordure de pierre vers l'endroit où il entendait un clapotis. Là, à mi-chemin entre la terre et l'eau, il se retrouva devant un mur sombre, concave, gigantesque.

« Qui va là ? », fit une voix. Un chien gronda tout bas.

Mercurio ne savait que répondre. « Où sommes-nous ? », demanda-t-il, sans comprendre d'où était venue la voix. Et en même temps il posa la main contre ce mur devant lui. Il était en bois et ondoyait doucement. Comme s'il respirait. Mercurio éprouva une émotion très intense qu'il ne savait pas nommer ni expliquer.

« Tu es au squero de Zuan dell'Olmo, c'est-à-dire moi », dit la voix derrière lui.

Mercurio se retourna d'un coup.

Un chien tigré, aux oreilles dépeignées, maigre, avec une queue fine et un museau tout fripé qui montrait des dents jaunes et usées, s'approcha en grognant. Il semblait plus effrayé qu'agressif.

Mercurio tendit la main vers l'animal.

Le chien recula, puis s'avança de nouveau, réconforté par la présence de son vieux maître, sorti entre-temps de l'épais rideau de brouillard. Le chien renifla la main de Mercurio puis remua la queue.

« Tranquille, Mosè », dit le vieux Zuan dell'Olmo.

Mercurio retenait son souffle, hypnotisé par la masse de bois sombre dont il ne voyait pas la fin, ni à droite ni à gauche ni en haut. « Qu'est-ce que c'est ? demanda-t-il.

— C'est une *caraque*, répondit Zuan.

— Une caraque ?

— Un navire à voiles, dit le vieil homme, en riant doucement.

— Il est grand…, murmura Mercurio.

— J'aurais plutôt dû dire *c'était*, ajouta-t-il, sérieux.

— C'était ?

— Elle va être coulée, dit Zuan, avec une note de mélancolie dans la voix. Dès que je trouve trois sous, il faudra que je la coule, oui…, soupira-t-il.

— Mais pourquoi ? »

Zuan s'avança jusqu'au flanc du navire et y tapa la main. « Tu ne connais foutre rien à la mer, hein, mon garçon ? » Il rit. Mais sans gaieté.

Mercurio haussa les épaules. « Non.

— C'est comme un cheval. Quand il boite, il faut l'achever.

— Et… elle boite ?

— Oui, la pauvre…

— Elle est à vous ?

— Maintenant qu'elle est dans cet état, oui », dit Zuan en riant, un rire empreint de tristesse. Il tapa de nouveau contre le navire. « C'est le bateau sur lequel je me suis engagé tout môme. Et j'ai vieilli dessus. Ces bois-là, ils ont quarante ans », et cette fois, au lieu de taper, il caressa les bordages de la coque. Le navire s'inclina un peu, mu par un ressac paresseux, et grinça en réponse.

De nouveau Mercurio eut la sensation que c'était quelque chose de vivant.

« Et quand l'armateur a décidé de la couler, reprit Zuan, il y a cinq ans… » Il s'interrompit et hocha la tête, comme s'il ne croyait pas lui-même à ce qu'il avait fait. « Ils rigolent tous de moi, ici, ils ont raison… Tu peux penser, toi aussi, que je suis un vieux con qu'a pas toute sa tête… Quand l'armateur a décidé que le temps de la couler était venu, je lui ai demandé de me la donner en échange d'une année de paie. J'arrivais pas à m'en séparer de cette… cette… » Il poussa un petit cri, comme s'il n'y croyait pas lui-même. « Ah ! Vieux con… Je me disais qu'elle méritait d'être coulée par quelqu'un qui l'avait aimée plutôt que par une bande d'inconnus. »

Le chien remua la queue puis donna un timide coup de langue à Mercurio.

Zuan le vit. « Toi aussi, Mosè, t'es un vieux con, dit-il. Qu'est-ce que t'en sais, si c'est quelqu'un de bien ?

Si ça se trouve il va nous couper la gorge à tous les deux pour nous voler.

— Oh non, monsieur ! fit Mercurio. Je n'ai pas l'intention de…

— Je le sais bien, mon gars, dit Zuan en l'arrêtant d'un geste de sa main déformée par la vieillesse et les années d'humidité de ce monde sur l'eau. Il est pas con, Mosè. Si tu étais un criminel, il t'aurait déjà mordu.

— Vous pensez que je ne suis pas un criminel ? demanda Mercurio.

— Bien sûr, répondit Zuan, sans hésiter.

— Vous savez qui je suis ?

— Comment je saurais ? » Zuan le regarda, surpris.

Mercurio le fixait, attendant une réponse. Comme si ce vieil homme pouvait résoudre toutes les questions qu'il s'était posées, et qu'Isacco lui avait posées.

« À mon avis…, reprit le vieux.

— Oui ? fit Mercurio, plein d'espoir.

— T'es un gars qui s'est perdu », dit Zuan en haussant les épaules.

Mercurio le regarda en silence. « Oui, reconnut-il alors. Vous avez raison. »

Zuan indiqua un endroit derrière lui. « Tu suis ce canal à ta droite, c'est le rio di Santa Giustina. Tu vas tout droit jusqu'à ce que tu trouves un autre *rio* sur ta droite, le rio di Fontego. Tu le suis sans jamais t'en écarter et tu arrives à l'Arsenal. Après, tu sauras rentrer chez toi ?

— Oui, répondit Mercurio. Merci.

— On y va, Mosè », fit le vieil homme, et il se dirigea à pas lents vers l'endroit d'où il était venu.

Mercurio posa la main sur la coque, exactement là où Zuan dell'Olmo avait posé la sienne. Il sentit le chanvre et la poix durcie dans les interstices des bordages.

Le navire bougea et grinça, comme s'il lui parlait.

« Pourquoi vous ne le réparez pas ? demanda-t-il à la silhouette qui commençait à se perdre dans le brouillard.

— J'ai pas les sous pour le couler, dit le vieil homme de sa voix triste, tu penses bien que je les ai pas pour le renflouer. » On entendit ses pas, puis plus rien.

Le navire grinça de nouveau, comme s'il avait encore quelque chose à dire.

La main de Mercurio se posa sur sa bourse, avec les trente et une pièces d'or qu'il avait gagnées honnêtement. « Je le trouverai, moi, l'argent ! », cria-t-il au mur de brouillard.

La phrase retentit dans le vide, jusqu'à ce que ses vibrations s'éteignent.

Puis le silence tomba.

Alors, de ce silence, émergèrent à nouveau les silhouettes bancales du chien et de son maître.

« Tu dois être encore plus con que Zuan dell'Olmo, mon garçon », dit le vieux en riant. Et il n'y avait plus cette pointe de tristesse dans sa voix.

56

« Ferme les yeux », dit Ottavia, prenant Giuditta par le bras pour la guider à travers le campo del Ghetto au milieu d'une petite foule de curieux.

Giuditta frémissait d'impatience mais garda les yeux fermés.

Tout s'était passé si vite. En trois semaines seulement sa vie avait été bouleversée. Ses deux rêves se réalisaient.

Le ciel, ce jour-là, était extraordinairement limpide. Bleu comme il est rare à Venise. Tandis qu'elle avançait doucement, guidée par son amie, Giuditta sentait les rayons bienveillants du soleil réchauffer son visage. Elle imagina que cette chaleur était la respiration de Mercurio, ses caresses, ses attentions. Quelque chose à l'intérieur de son corps bougea en profondeur. Giuditta rougit. Depuis leur rencontre de chaque côté de la porte, quand Mercurio lui avait avoué son amour, il arrivait de plus en plus souvent que son corps lui rappelle qu'elle était une femme. Elle rougit encore plus, s'abandonnant au désir qui la traversait tout entière. Ce rêve-là était le premier qui se réalisait.

Le papillon en filigrane d'argent qu'elle serrait dans sa main en était la preuve.

« Tu verras, lui dit Ottavia à l'oreille, quand elles furent à la moitié du *campo*. Tu verras… »

Giuditta sourit. Son second rêve. Celui-là aussi s'était réalisé avec une rapidité extraordinaire. Sous la conduite d'Ottavia, le marchand de tissus Ariel Bar Zadok, chiffonnier du Ghetto, avait été très efficace. Tous deux avaient mis Giuditta au travail et lui avaient fait dessiner dix modèles de bonnets et autant de robes. C'était à peine croyable. Ils lui avaient donné du papier, des crayons, des couleurs, des plumes et des pinceaux, de l'encre. Puis demandé les mesures et proposé des étoffes. Toutes les idées de Giuditta, ils les avaient acceptées. Alors ils avaient enrôlé une équipe de couturières de la communauté et un tailleur. Giuditta avait passé des journées entières avec eux, dans une grande salle qu'Ariel Bar Zadok avait équipée de lampes avec des miroirs qui reflétaient la lumière tout autour, comme dans les théâtres. Les couturières et le tailleur l'avaient félicitée de ses modèles et des idées novatrices, simples mais fonctionnelles, qui les inspiraient toujours.

Et voilà que le grand moment était arrivé.

« Tu es prête ? », demanda Ottavia, en s'arrêtant.

Giuditta sentit son cœur battre dans sa gorge sous le coup de l'émotion. « Attends », dit-elle, à bout de souffle.

Ottavia se mit à rire.

Son rire léger rassura Giuditta. « Je suis prête !, répondit-elle tout excitée.

— Alors, vas-y, Ariel Bar Zadok ! s'exclama Ottavia. On ouvre la boutique ! Et toi, Giuditta, tu ouvres les yeux !

— Repens-toi, Venise ! hurla à ce moment-là une voix de stentor pleine de colère.

— Repens-toi ! », reprit en écho une autre voix, plus jeune mais tout aussi haineuse.

Giuditta se tourna vers l'endroit d'où venaient ces invocations, au-delà du pont sur le rio di San Girolamo. Elle y vit un moine, les mains tournées vers le ciel, entouré d'un groupe de fanatiques.

On l'appelait le Saint, parce qu'il disait avoir reçu de saint Marc lui-même les stigmates du Christ. Mais Giuditta savait bien qui il était. C'était frère Amadeo, le moine qu'elle avait rencontré pour la première fois dans l'auberge où ils s'étaient arrêtés, son père et elle, après avoir débarqué, et qui les avait poursuivis pour les lyncher. Un petit garçon aux airs triomphants se tenait toujours aux côtés du frère. Parce qu'il imitait toujours son maître mais aussi à cause des vêtements voyants que lui imposait le prince Contarini, il avait récolté un surnom nettement moins avantageux : on l'appelait le Singe. Giuditta savait qu'il s'appelait Zolfo, celui-là même qui avait tenté de la poignarder dans le camp du capitaine Lanzafame. Le jour où Mercurio avait pris sa défense.

« Maudit moine ! maugréa Ottavia. Tu ne vas pas nous gâcher l'inauguration. Vas-y, Ariel ! »

Giuditta eut un frisson et un mauvais pressentiment.

« Ne le regarde pas, Giuditta, lui dit Ottavia en la tirant par le bras. Fais comme s'il n'existait pas. » Elle se tourna vers les gens. « Faites comme s'il n'existait pas ! », cria-t-elle. Puis elle donna une petite tape à Ariel Bar Zadok. « Vas-y, Ariel, misère de misère ! »

Mais le marchand ne bougea pas. Il pointa le doigt vers le moine et ses fidèles. « Ils sont en train de brûler nos livres sacrés… », dit-il avec horreur.

Les gens de la communauté se retournèrent. Devant le pont, sur la fondamenta dei Ormesini, des flammes commençaient à s'élever. Les tisserands chrétiens sortaient sur le pas de leur boutique en hochant la tête.

« Les Juifs sont le chancre de Dieu ! hurla le Saint en jetant un énorme livre dans le feu.

— Le chancre de Dieu ! répéta Zolfo le Singe, tourné vers la foule des possédés et les invitant à s'unir au chœur.

— Le chancre de Dieu ! hurlèrent ces derniers, dans une cacophonie où se mêlaient des rires.

— Venise, libère-toi de leur poids ! scanda le Saint, ses mains meurtries par les stigmates tournées vers le ciel. Libère-toi de leurs livres immondes ! »

Les flammes se dressèrent plus haut. Et plus elles grandissaient, plus les fanatiques s'excitaient.

« Peuple de Satan ! », tonna le Saint, en tournant sur lui-même, les bras toujours levés. Il prit un rouleau de parchemin, le montra aux gens puis le jeta dans les flammes.

« La Torah ! », murmurèrent les Juifs réunis sur le *campo*, terrorisés par ce sacrilège. Une vieille femme se mit à pleurer silencieusement, résignée, comme si elle avait déjà vu cette scène tant de fois.

La foule de partisans hurla plus fort, tandis que les flammes montaient.

« Brûle, Sion ! », disait le Saint.

Une dizaine d'exaltés voulut s'élancer vers le pont pour envahir le campo del Ghetto, des bâtons à la main.

Les Juifs prirent peur et reculèrent d'un pas, même ceux qui étaient encore loin. Les enfants s'accrochèrent aux jupes de leur mère.

À ce moment-là, le capitaine Lanzafame sortit de la guérite des gardes, chancelant. Il avait dû boire. Il était suivi par Serravalle et cinq hommes, l'épée dégainée. Lanzafame se précipita sur le feu et, à coups de pied, jeta tout dans le canal. Les livres sacrés grésillèrent en s'éteignant. Une colonne noire de fumée à l'odeur âcre s'éleva dans l'air.

« Dispersez-vous ! cria le capitaine.

— C'est notre plein droit de rester ici ! répondit le Saint.

— Encore toi, moine, dit Lanzafame d'un air sombre en pointant le doigt contre lui.

— Encore toi, soldat de Satan », répondit le frère, se tournant vers sa petite armée pour les enflammer et avoir leur soutien.

Mais Lanzafame n'était pas du genre à se laisser intimider. Furieux, il attrapa le frère par la capuche de son froc. Puis, le tirant derrière lui comme un chien par une laisse, il le jeta au sol. « Moine de Satan ! », lui cria-t-il.

La foule de fanatiques grogna d'un air mauvais, sans trop savoir que faire, pendant que le Saint se relevait, son froc sali par la boue.

« Serravalle ! tonna Lanzafame. Chasse-moi tous ces connards à coups de pied au cul ! »

Serravalle et les soldats chargèrent, lançant quelques coups d'épée dans l'air et frappant à coups de pommeau.

Alors les loups, même les plus malintentionnés, se retirèrent comme un troupeau de moutons, la tête basse. Ils défilèrent en courbant l'échine et se dispersèrent aussitôt à bonne distance.

Seul Zolfo s'arrêta devant Lanzafame, pour le défier. Il le fixa en silence puis cracha par terre, entre les pieds du capitaine.

Lanzafame, sans hésiter, le souleva et le jeta dans le canal. « Je te devais ça depuis la dernière fois qu'on s'est vus, espèce de punaise ! »

Tandis que Zolfo remontait à la surface, crachant l'eau sale, les gens qui avaient assisté à la scène éclatèrent de rire.

Le Saint, sans que personne s'en aperçoive, avait choisi de battre en retraite.

« Frère Amadeo ! l'appelait Zolfo en le poursuivant, dès qu'il fut sorti du canal, frère Amadeo !

— Cours retrouver ton maître ! Cours, le Singe ! », hurlaient les spectateurs.

Lanzafame monta sur le pont du Ghetto. Les poings sur les hanches, les cheveux dépeignés, les narines dilatées, la bouche serrée et les muscles des mâchoires contractés.

L'espace d'un instant, il ressembla au guerrier que Giuditta avait connu.

« Continuez votre vie ! cria le capitaine à la communauté des Juifs effrayés. Il ne s'est rien passé ! » Il les regarda, en silence, immobile, puis fit demi-tour pour revenir à la guérite des gardes. Dans la communauté réunie sur le campo, personne ne bougea.

Un petit garçon vint ramasser un bâton et s'élança contre un ennemi imaginaire. « Je suis le capitaine Lanzafame, moine de Satan ! Je vais te le faire payer !

« — Non, Simone, tenta de l'arrêter sa mère en le tirant par le bras. Non ! Même s'il nous a aidés, c'est un chrétien. »

Le petit garçon la regarda un instant. Puis il se dégagea et répéta : « Maudit moine, je suis le capitaine Lanzafame ! »

Alors deux autres enfants se précipitèrent sur lui, en criant : « Je suis le capitaine Lanzafame ! » Et tous les autres ensuite, en une joyeuse guerre.

Giuditta les observa. Qu'y pouvaient-ils, ces enfants, si aucun Juif n'avait été héroïque, ce jour-là ? Qu'y pouvaient-ils, si tous les hommes de la communauté s'étaient terrés dans leur peur et ne les avaient pas défendus ?

« Le capitaine a raison, dit Ottavia derrière elle. Il ne s'est rien passé. »

Giuditta se retourna pour la fixer. « Il ne s'est rien passé ? », lui demanda-t-elle.

Ottavia était pâle. Elle dit malgré tout : « Courage, inaugurons notre boutique. »

Giuditta regarda aussi Ariel Bar Zadok. Le marchand était gêné. Il ne savait que faire.

« Venez, braves gens ! hurla tout à coup Ottavia en invitant les femmes de la communauté. Venez voir les créations de Giuditta da Negroponte ! » Elle poussa Ariel Bar Zadok et le gronda : « Allez, presse-toi, vieux bouc ! »

Le marchand tenait à la main le pan d'un drap de soie rouge qu'il avait accroché au montant de l'entrée de la boutique, pour ne la dévoiler qu'au dernier moment. Mais il ne se décidait pas à tirer dessus.

Les gens de la communauté traînèrent encore quelques instants sur le *campo*. Tous étaient tournés vers le rio di San Girolamo, où s'élevait encore la fumée du feu qui avait brûlé les livres sacrés. Le rabbin, avec deux bedeaux, tentait de récupérer dans l'eau les feuilles qui n'avaient pas été détruites.

« Venez, Rachel, dit Ottavia en invitant une des premières femmes qui avaient acheté un bonnet à Giuditta. Venez voir ces merveilles.

— Pas aujourd'hui, Ottavia », répondit celle-ci, préférant rentrer chez elle.

Et l'un après l'autre tous les habitants du Ghetto qui étaient présents sur le campo rentrèrent chez eux. Ne restèrent plus que quelques gamins qui jouaient encore avec leurs épées de bois au capitaine Lanzafame et au moine de Satan.

« Et toi, tu ne veux pas voir ? », dit alors Ottavia à Giuditta, la mine défaite.

Giuditta se tourna vers la boutique. Ariel Bar Zadok se tenait sur le seuil, le pan de drap de soie dans la main. Giuditta le trouva irrésistiblement ridicule. Et triste. Elle le serra dans ses bras, lui donna un baiser sur la joue. « Mais oui ! dit-elle tournée vers Ottavia, faussement gaie. Montrez-moi ce que vous avez imaginé.

— Allez, Ariel », fit Ottavia en lui arrachant des mains le pan de drap rouge qu'elle tira. Dans un bruissement, le drap de soie s'envola et dévoila la boutique.

Giuditta, qui s'apprêtait à entrer, resta bouche bée en voyant dans la vitrine une des robes qu'elle avait dessinées, plus belle que tout ce qu'elle avait imaginé.

« Eh bien ? Qu'est-ce que tu en penses ? demanda Ottavia avec un sourire de satisfaction.

— Elle est magnifique… »

Ottavia rit. « Tu le dis comme si ce n'était pas toi qui l'avais créée.

— En effet… ça ne me semble pas réel…, balbutia Giuditta.

— Allons, entre, l'invita son amie. Ariel a tout fait comme tu avais dit. »

Giuditta ne se décidait pas à entrer. Ce n'était pas le bon jour pour inaugurer leur boutique, ils auraient dû remettre les choses au lendemain. Elle regardait autour d'elle, cherchant les mots pour le dire à son amie, quand elle vit une étincelante gondole couverte accoster au débarcadère de la fondamenta dei Ormesini. Il en sortit une femme habillée avec une grande élégance, aidée par deux serviteurs en livrée. Elle se dirigea vers le pont du Ghetto, toujours escortée par les deux hommes.

Giuditta sentit un frisson le long de son échine, sans savoir pourquoi.

La dame avait atteint les premières marches du pont.

« Où allez-vous, madame ? », lui demanda le capitaine Lanzafame, devant la porte de la guérite des gardes, une bouteille à la main.

La dame se tourna vers lui. Elle avait un étrange chapeau sur la tête et une voilette noire, avec de minuscules roses bleues brodées dessus. « Il ne m'est pas permis d'aller où il me plaît ? », répondit-elle d'une voix sensuelle.

Lanzafame fit un pas vers elle, paresseusement. « Quel intérêt pour une noble dame comme vous de venir dans cet endroit ? lui demanda-t-il.

— Vous êtes le… portier ? », dit la femme. Le ton était autoritaire et plein de ce mépris que les aristocrates éprouvent pour la plèbe, mais la voix était légèrement faussée par la tension.

« Il y a eu des petits problèmes avec un moine et quelques excités », lui répondit Lanzafame.

La dame savait parfaitement ce qui était arrivé, puisque c'était elle qui l'avait organisé. Elle huma l'air. « Vous les avez fait rôtir ? »

Lanzafame sourit.

« J'avais entendu dire que vous étiez l'ami des Juifs, fit la femme.

— Vous avez mal entendu, madame, répliqua Lanzafame. Avec tout votre respect, je me fiche complètement des Juifs et des chrétiens. Je suis l'ami de simples individus.

— Alors vous valez mieux que ce qu'on raconte », dit la femme. Elle lui tourna le dos et monta sur le pont.

Il y avait quelque chose de familier dans la voix de cette femme, pensa Lanzafame en la regardant se diriger vers la boutique du chiffonnier.

Benedetta poursuivait son chemin, figée, bombant le torse. Le capitaine ne l'avait pas reconnue. La Juive non plus ne la reconnaîtrait pas. Elle respira profondément. Elle devait être calme et lucide pour faire ce qu'elle avait en tête. La première chose était simple. La magicienne lui avait recommandé d'établir un contact physique après le sortilège, pour l'activer. Le reste était plus compliqué. Mais elle réussirait, elle en était certaine. Comme voleuse, elle était douée. Elle savait bouger les mains sans être vue, rapidement. Elle sourit. Cette fois, elle ne volerait rien. Elle devrait user de toute son habileté pour laisser quelque chose. Quelque chose qui était dans le petit sac de velours broché d'or qu'elle portait à son bras gauche. Le bras du cœur. Le bras de l'amour. Et de la haine.

Giuditta, Ottavia et Ariel Bar Zadok l'avaient regardée s'approcher sans la quitter des yeux. Cette femme avait quelque chose de magnétique.

Giuditta éprouva une nouvelle fois ce frisson désagréable le long de son dos.

« N'est-ce pas aujourd'hui que doit être inaugurée la boutique de Giuditta… Giuditta da… je ne me rappelle pas bien son nom…, dit Benedetta en se touchant le front à travers sa voilette et en s'efforçant de déguiser sa voix.

— Giuditta da Negroponte, lui souffla Ottavia.

— Voilà, acquiesça Benedetta.

— C'est elle ! », dit Ottavia en indiquant son amie.

Benedetta eut un petit cri étonné, comme si elle ne la connaissait pas, puis elle ôta rapidement son gant et tendit la main vers celle de Giuditta, en la lui prenant avec fermeté. « Quel plaisir ! », dit-elle, et elle la retint alors que Giuditta, embarrassée, tentait de la retirer. Elle la serrait avec force, enfonçant les ongles dans sa paume. "Active-toi, sortilège", pensa-t-elle. Alors seulement elle lâcha la main de Giuditta.

Giuditta se sentait mal à l'aise. Cette femme la regardait avec trop d'insistance derrière la voilette qui lui cachait le visage.

« Notre Giuditta n'a pas encore vu sa boutique… », commença à dire Ottavia.

Benedetta leva les yeux pour regarder l'enseigne. Un papillon en bois et une inscription sur les ailes. PSYCHÉ, lut-elle.

« … Si bien que nous vous la montrerons en même temps que nous la lui montrons, Votre Seigneurie, dit Ottavia en riant.

583

— Je suis venue pour les robes, pas pour la boutique, répondit Benedetta. Attendez-moi ici », dit-elle à ses deux serviteurs, et elle entra, non sans avoir jeté un coup d'œil à l'ensemble disposé dans la vitrine et commenté froidement : « Joli. »

« Notre première cliente, chuchota Ottavia surexcitée à Giuditta, avant d'entrer.

— Ottavia… », tenta de l'arrêter Giuditta, qui n'arrivait pas à se libérer de son sentiment d'oppression.

Mais son amie était déjà à l'intérieur, suivant la dame. « Vous voyez ? Couleur sauge sur les murs. Et lavande dans la cabine d'essayage et de couture. » Elle pirouetta sur elle-même. « Le tout très simple. Et vous savez pourquoi ? Parce que ce sont les couleurs des vêtements qui comptent. C'est sur les vêtements que doit se concentrer l'attention des clientes. »

Benedetta ne répondit pas et alla vers un bâton en bois sur lequel des robes étaient accrochées. « Elles sont déjà confectionnées ? » Elle les regarda. « Mais… celle-ci est décousue… et celle-ci aussi… », dit-elle, étonnée.

Ottavia sourit en montrant toutes ses dents. « Madame, c'est cela le secret de nos modèles ! s'exclama-t-elle.

— Qu'ils soient décousus ? », demanda Benedetta, sarcastique.

Ottavia se tourna vers Giuditta. « Allons, explique toi-même à Sa Seigneurie. »

Giuditta ne bougea pas.

« Oui, allons, expliquez-moi donc cette bizarrerie, fit Benedetta.

— Voilà…, commença Giuditta, incertaine. Nos robes sont réparties selon le modèle, la couleur et les… mesures.

584

— Les mesures ? s'exclama Benedetta.

— Les mesures ! », confirma Ottavia.

Giuditta fut un instant distraite de son malaise. Elle regarda en souriant les robes exposées. La boutique était exactement telle qu'elle l'avait rêvée. Et durant cet instant elle oublia la dame voilée et la sensation désagréable qu'elle provoquait en elle. Elle se concentra uniquement sur ce qu'elle voyait. Son rêve avait été réalisé point par point par Ottavia et Ariel Bar Zadok. « Oui. Les mesures, dit-elle fièrement. J'ai imaginé cinq types de corpulence. Et c'est sur ces… tailles, appelons-les ainsi, que nous fabriquons nos vêtements.

— Ce sera un problème s'ils ne sont pas cousus sur la personne, objecta Benedetta.

— S'ils restaient ainsi, bien sûr, reprit Giuditta. Mais ce ne sont pas les modèles définitifs. Il y a la possibilité de faire de petites, mais essentielles corrections. Ce qui vous paraît, à vous, décousu, c'est en réalité notre marque pour élargir ou resserrer un peu, allonger ou raccourcir, que ce soit la jupe ou le corset, ou les manches ou le décolleté. Mais la base est déjà prête.

— Et pourquoi cela ? », demanda Benedetta qui commençait à comprendre que Giuditta avait eu une excellente idée qui pourrait lui faire gagner énormément d'argent. Alors, à la haine s'ajouta l'envie. Et son dessein de lui nuire se renforça.

« Écoutez-moi, recommença Giuditta, prise cette fois par l'excitation de son projet. Quand je vais dans une boutique de couturière, on me montre un modèle, la plupart du temps dessiné. Ensuite, on me montre des tissus. Des pièces inanimées qu'on drape sur moi.

Et la seule chose que je puisse voir, c'est si la couleur va avec mon teint, rien de plus. Quand je sors de la boutique, je me pose deux questions : est-ce que cette robe m'ira bien ? quand l'aurai-je enfin ? C'est ainsi, n'est-ce pas, oui ou non ?

— Oui…, dit Benedetta.

— Ici, en revanche, vous pourrez porter tout de suite le modèle qui vous plaît. Vous pourrez vérifier immédiatement si la robe vous va, et ensuite, en une heure de temps, vous pourrez la récupérer et la porter, sans devoir attendre une semaine parce qu'ici, dans la cabine d'essayage, il y a une couturière à votre entière disposition. » Giuditta regarda Ottavia et Ariel Bar Zadok, au comble de l'euphorie. « C'est une mode…

— … prête à porter ! conclurent en chœur Ottavia et le marchand.

— Ingénieux », dit Benedetta. Elle battit des mains, feignant le détachement, alors qu'un fiel amer lui montait à la gorge. « Une mode prête à porter… ingénieux. »

Giuditta prit Ottavia dans ses bras.

"Maudite putain", pensa Benedetta.

« Vous voulez essayer un modèle ? lui demanda Ottavia.

— Non, répondit Benedetta. Je veux tous les essayer. »

Ottavia porta les mains à son cœur, émue. Puis elle commença à prendre, l'une après l'autre, les robes que Benedetta lui indiquait. Elle les lui apporta dans la cabine d'essayage et la laissa seule avec la couturière.

Benedetta se déshabilla derrière un paravent de satin à trois panneaux, couleur lavande comme les murs, sur lequel étaient brodées des dizaines et des dizaines de papillons. Elle garda son chapeau et sa voilette. Elle passa la première robe. Même sans les corrections de la couturière elle était magnifique. L'étoffe avait un moelleux incomparable. La coupe enveloppante exaltait les formes féminines. La jupe tombait bien droit, d'aplomb, sans défauts. Le sein était moulé et valorisé avec une sensuelle simplicité. Benedetta sentait la haine et l'envie grandir en elle à chaque instant.

Alors elle prit son petit sac de velours broché d'or et l'ouvrit. Elle ôta la robe et, dans un pli intérieur, à la hauteur du cœur, cacha une plume de corbeau.

« Non, celle-ci ne me plaît pas, dit-elle à la couturière. Donnez-m'en une autre. »

La couturière lui passa la robe par-dessus le paravent.

Celle-ci aussi était merveilleuse. Cette maudite Juive avait du talent, pensa Benedetta. Si on ne l'arrêtait pas, elle allait devenir riche et célèbre. Mais aussitôt après elle pensa : "Peut-être vaut-il mieux attendre qu'elle devienne riche et célèbre." Elle savoura la joie maligne de cette pensée. "Plus haut tu es, plus dure sera la chute."

Elle n'essaya pas la robe, mais dans celle-ci aussi cacha une plume de corbeau et une dent de bébé.

« Non, elle ne me plaît pas », dit-elle, et elle s'en fit donner une autre et une autre et une autre encore, jusqu'à ce qu'elle eût caché dans chacune des robes des plumes de corbeau, des dents de bébé, des griffes de chat, de la peau de serpent séchée, des cheveux noués et même une perle cassée avec un petit pic retourné. À la fin, elle prit la première robe qu'elle avait essayée, laissa la couturière la lui ajuster et l'acheta, sans discuter le prix.

« Vous, les Juifs, vous n'avez pas le droit de vendre de la marchandise neuve », dit-elle avant de s'en aller.

Giuditta et Ottavia se regardèrent. Elles se sourirent. Giuditta ouvrit le paquet qui contenait la robe achetée par Benedetta et lui montra le bord du corset, là où il se fronçait pour s'attacher à la jupe. Elle ouvrit les deux pièces de tissu superposées et lui montra une petite tache rouge. « Il n'est pas neuf, dit-elle en souriant. Il est d'occasion, vous voyez ? J'espère que cela ne vous embête pas. »

Benedetta la fixa. « Donc c'est une arnaque. »

Giuditta rougit violemment.

« Je plaisante, ma chère », dit Benedetta. Elle prit sa main dans la sienne et de nouveau pensa : "Active-toi, sortilège !" Puis elle regarda de près la tache, dont elle connaissait déjà l'existence. Il ne lui restait plus qu'une chose à faire. La plus difficile. Parce qu'elle ne dépendait pas seulement d'elle. Il lui fallait la collaboration de sa victime elle-même. « On dirait du sang, dit-elle en montrant la tache.

— Non, ne vous inquiétez pas, répondit aussitôt Giuditta. C'est simplement de l'encre. Mais c'est drôle que vous disiez cela… »

Benedetta nota que Giuditta s'interrompait brusquement et se tournait vers son amie, cherchant un consentement. Et l'autre, en effet, lui fit un signe d'encouragement.

« La première fois, quand il m'est venu cette idée…, reprit alors Giuditta, c'était vraiment une tache de sang. »

Benedetta ne connaissait pas ce détail. Elle sentit un frisson d'excitation courir avec force dans tout son corps.

La chance était de son côté. Il ne lui restait plus qu'à s'en servir et les jeux étaient faits.

« Savez-vous ce que je pense ? dit-elle d'un ton suave. Que le hasard a voulu vous faire un cadeau.

— Quel cadeau ? », demanda Giuditta.

Benedetta se tourna vers Ottavia. Le moment était venu de l'utiliser. « Vous m'avez comprise, vous, n'est-ce pas ? »

Ottavia sourit, en s'approchant. « Peut-être, mentit-elle Mais dites… »

"Merci, idiote", pensa Benedetta.

« Moi non, je n'ai pas compris…, dit Giuditta.

— La concurrence est grande. » Benedetta se tourna d'un air complice vers Ottavia, qui acquiesça promptement.

« Pardonnez-moi, toutes les deux, mais je ne vous suis pas, fit Giuditta. Je vous en prie, Votre Seigneurie, dites. »

Benedetta passa la main sur la tache de la robe qu'elle venait d'acheter. « Vos robes sont plutôt belles… même si elles ne sont pas extraordinaires… » Elle regarda Giuditta. « Pour être spéciales, elles devraient avoir un petit quelque chose de plus.

— Quoi ?

— Du sang.

— Du sang ?

— Dites que ces taches sont du sang, expliqua Benedetta en regardant en l'air comme si l'inspiration lui venait sur le moment. Du sang d'amoureux. Ainsi les femmes achèteront vos robes non seulement parce qu'elles sont belles, mais en espérant aimer et être aimées. Des robes… ensorcelées ! » Puis, sans attendre de réponse, sans leur laisser le temps de penser ni de raisonner ni de faire la moindre objection, elle prit son paquet et sortit de la boutique Psyché dont elle avait été la première cliente, et rejoignit d'un pas rapide sa gondole noire.

Giuditta et Ottavia restèrent silencieuses, se regardant, indécises.

« Du sang d'amoureux ! s'exclama un instant après Ariel Bar Zadok derrière elles. Quelle idée ! Je voudrais l'avoir comme associée, une femme comme celle-là. Même si c'est une chrétienne. »

Alors Giuditta et Ottavia éclatèrent de rire, amusées, puis dirent en chœur : « Du sang d'amoureux ! »

Pendant que son amie continuait de rire, Giuditta reprit son sérieux et pensa au mouchoir sur lequel son sang et celui de Mercurio s'étaient mêlés. Et de nouveau le désir fit frémir son corps et son âme.

« Du sang d'amoureux », soupira-t-elle langoureusement.

57

Il l'avait reconnu, c'était sûr. Et pour quelque raison obscure ne l'avait pas dénoncé, du moins pas encore.

Shimon fit semblant de n'avoir rien vu et continua de marcher. Mais il observait du coin de l'œil le comportement du serviteur qu'il avait laissé en vie la nuit du meurtre de l'usurier chrétien Carnacina qui voulait prendre la maison d'Ester.

Peut-être ne l'avait-il pas dénoncé parce qu'il avait lui-même volé les bijoux de son maître. Ou tout simplement parce qu'il avait peur. Ou parce qu'il voulait le faire chanter, se dit Shimon, caché derrière un petit immeuble, quand il le vit partir en courant vers deux individus tatoués auxquels il fit signe de le suivre. Le serviteur était peut-être encore plus avide que le maître. Il décida d'en avoir le cœur net.

Il sortit de sa cachette et se laissa filer par les deux types tatoués, qui se croyaient discrets.

Après avoir tué Carnacina, il avait parfois eu des nuits difficiles. Il ne rêvait jamais de sang ni de crimes horribles, mais il avait rêvé du buisson de roses coupé le soir du meurtre. Et chaque fois que Shimon rêvait de ce buisson rasé au sol, il se réveillait troublé, comme si cela annonçait quelque malheur.

En réalité, ce qui s'était passé avec Carnacina l'avait profondément secoué. Pas l'assassinat en lui-même, qui n'avait rien remué en lui sur le plan émotif et encore moins sur le plan moral, mais le fait d'avoir tué pour Ester. Comme s'il pouvait y avoir de l'affection dans ce geste brutal.

"Qui es-tu ?", se demandait-il chaque matin, au réveil.

Il était le Juif qui avait abandonné sa femme sans jamais se retourner, l'assassin qui avait plongé ses mains dans le sang de beaucoup d'hommes sans que jamais les battements de son cœur s'accélèrent.

"Qui es-tu vraiment ?"

Et chaque matin, comme une sorte de réponse muette, l'image du visage souriant d'Ester se formait dans son esprit. Chaque matin il pensait avec joie à leur rencontre tranquille de l'après-midi, à leur soirée affectueuse, au plaisir de la regarder dîner en face de lui, au désir de se fondre dans son corps.

"Qui es-tu, alors ?"

Ce jour-là aussi, il était plongé dans ses réflexions, quand il avait vu le serviteur de Carnacina. Et le serviteur l'avait vu. Ils s'étaient reconnus. Son cœur s'était arrêté. Il avait sauté deux ou trois battements, comme s'il s'était enrayé. Un instant de suspension, puis il avait recommencé à battre.

Maintenant, ces deux vauriens le suivaient, essayant de ne pas se faire remarquer. Le démasqueraient-ils ou allaient-ils le faire chanter ? Dans la tête de Shimon, toute autre question s'était apaisée.

Il emmena les deux vauriens en vadrouille ici et là jusqu'au moment où, à proximité de l'auberge, il se décida à prendre le risque. Tournant à l'angle d'une rue, il se cacha. Quand les deux autres arrivèrent, il se campa devant eux et les regarda. Sans peur.

Les vauriens s'arrêtèrent net, décontenancés. En un instant toute leur arrogance avait disparu.

Shimon comprit qu'ils n'étaient pas là pour le tuer.

« Un de nos amis a quelque chose à te demander, dit l'un des deux. Mais il voudrait que ce soit discret. »

Shimon acquiesça. Apparemment, le serviteur était encore plus avide que son maître.

« Ce soir. Après le coucher du soleil », dit l'autre.

Shimon acquiesça de nouveau.

« On viendra te chercher. Où t'habites ? »

Shimon tourna le coin de la rue et indiqua l'Hostaria de' Todeschi.

Les deux vauriens le regardèrent en silence, tentant de récupérer le terrain perdu et de lui faire peur.

Shimon soutint leur regard sans sourciller.

« Après le coucher du soleil », répéta le premier. Ils partirent.

Shimon entra dans une armurerie et acheta un long couteau à la lame légèrement recourbée. Puis il s'enferma dans sa chambre. Il prit une pierre, de l'huile et de l'eau et passa la journée à faire et refaire la lame pour l'affiler de plus en plus, sans aller voir Ester.

Peu avant le coucher du soleil, on frappa à la porte de sa chambre.

Shimon mit le couteau sous sa tunique et ouvrit.

Ester le regardait, souriante comme à l'accoutumée. « Je suis venue voir s'il t'était arrivé quelque chose, dit-elle, sans la moindre réprobation dans la voix. Tu vas bien ? »

Shimon admira comme toujours la capacité d'Ester à ne lui poser de questions que s'il pouvait répondre d'un signe de tête, par oui ou par non, et à ne jamais le faire se sentir impuissant. Mais cette fois, il ne pouvait répondre par oui ou par non. Il se dirigea vers l'écritoire, prit un bout de papier et trempa la plume d'oie dans l'encrier. Il écrivit puis lui remit le billet.

"Va-t'en", avait-il écrit.

Le sourire d'Ester s'effaça. Il y avait de la stupeur dans ses yeux. Mais aussi de la peine. Il tapa du doigt avec détermination sur ce qu'il avait écrit.

"Va-t'en."

Ester laissa tomber le billet à terre et recula, secouant à peine la tête, en un minuscule "non" plein de douleur.

Shimon lui claqua la porte au nez. Il serra les poings et plissa les yeux, essayant de contenir la souffrance que lui-même ressentait. Il posa le front sur la porte et resta là, immobile. Un instant plus tard, il entendit les pas lents d'Ester qui s'éloignaient le long du couloir de l'auberge.

Shimon recommença à aiguiser sa lame. Il attacha le couteau à son mollet et le cacha sous la longue tunique qu'il portait.

Quand le patron de l'auberge lui annonça que deux hommes l'attendaient, il sortit et les suivit jusqu'au port, dans un entrepôt humide et sombre. Avant d'entrer, les deux vauriens le poussèrent contre le mur et le palpèrent autour de la taille et au thorax pour voir s'il avait une arme. Ils firent coulisser la porte et le poussèrent à l'intérieur.

594

Le serviteur était au fond de l'entrepôt, assis sur une caisse. Sur une autre caisse brûlait une chandelle de suif. « Venez », dit-il. Il avait une voix mielleuse.

Shimon pensa qu'il cherchait à imiter son défunt maître. Il avait dû le haïr, être constamment humilié par lui, et maintenant qu'il était libre, tout ce qu'il réussissait à faire, c'était à lui ressembler.

Shimon avança lentement.

Un des vauriens le poussa. Shimon ne réagit pas. Peut-être était-ce lui, cette fois, qui allait mourir. Il revit devant ses yeux le buisson de roses coupé dans le jardin de Carnacina. Le message de son rêve était peut-être qu'il n'avait pas suffisamment aimé la vie.

Alors il s'arrêta, à mi-chemin, pensant à Ester. Il se dit qu'avec elle, en tout cas, il avait commencé à aimer la vie. C'était peut-être pour cela qu'il avait épargné cet homme qui se trouvait maintenant devant lui. Pour s'obliger à partir.

« Qui es-tu ? », demanda le serviteur.

Shimon sourit. La question qu'il se posait lui-même tous les matins.

« T'as volé plein d'argent. J'en veux la moitié ou je te dénonce aux autorités. »

Shimon se baissa, arracha le couteau des lacets qui le maintenaient à son mollet et se retourna d'un coup, le bras tendu, l'arme à la hauteur du cou du premier vaurien. Il y eut un gémissement et la lame s'enfonça dans les chairs. Quand il se fut entièrement retourné, il fut inondé par un jet de sang.

Le serviteur se leva de la caisse et partit en courant vers la sortie.

Shimon se lança à sa poursuite, mais l'autre vaurien lui lança un bâton dans les jambes et le fit tomber, avant de se jeter aussitôt sur lui avec un couteau court, à double tranchant.

Au sol, Shimon réussit à rassembler ses jambes puis à les détendre d'un coup, de toutes ses forces, le frappant en plein abdomen.

L'autre, au moment d'être projeté en arrière, eut le temps de frapper et planta son couteau dans le mollet de Shimon.

Ce dernier resta bouche ouverte, dans un cri muet de douleur. Il sortit le couteau de son mollet puis tenta de se remettre debout et d'achever son adversaire.

Mais d'autres hommes accouraient, appelés en renfort par le serviteur.

Shimon vit un géant se jeter sur lui avec un bâton court et massif. Il sentit le coup lui fracasser les côtes. Il parvint à rouler sur le flanc et à se relever. Il n'arrivait plus à respirer mais s'élança vers la porte. Un autre type le frappa au visage, avec une masse. Shimon sentit son arcade sourcilière s'ouvrir et le sang commença à couler dans son œil. De son poing fermé, il envoya un coup dans la gorge de l'homme. La trachée, à ce contact, craqua. L'homme porta les mains à son cou et s'écroula au sol. Shimon, dans un effort surhumain, enjamba son corps et disparut dans les ruelles derrière le port.

Il resta caché, comme un animal sauvage, haletant et tentant de résister à la douleur. Quand les voix se furent éloignées, il sortit et se traîna vers le seul endroit où il voulait aller.

À la porte d'Ester, il n'eut pas beaucoup à attendre.

Elle ouvrit, le vit couvert de sang et se couvrit la bouche pour ne pas hurler. Elle le fit entrer et voulut le soigner, sans dire un seul mot, comme si elle aussi était devenue muette.

Mais Shimon l'arrêta. Il alla à l'écritoire. Prit du papier et un encrier et commença à écrire, avec fougue.

"Mon vrai nom est Shimon Baruch, je viens de Rome. J'étais un marchand…"

Il écrivait vite, la tête baissée. Le sang de la blessure de son arcade sourcilière coulait sur les feuilles qu'il passait à Ester, pour qu'elle lise toute son histoire, sans censure.

"… Alors je me suis glissé dans la fosse d'égout et j'ai découvert un homme appelé Scavamorto, qui emportait les affaires de ce garçon…"

Il respirait avec difficulté. La douleur au thorax, là où le géant lui avait cassé les côtes, était lancinante.

"… Avant de mourir il m'a dit que le voleur s'appelait Mercurio…"

Ester lisait avec la même fougue. Et quand elle avait fini de lire une feuille, elle la laissait tomber au sol, venait se mettre derrière Shimon pour lire par-dessus son épaule ce qu'il écrivait, plissant les yeux à la lumière tremblotante de la chandelle.

"… La voiture fut attaquée par les brigands et je me rendis compte que j'allais peut-être mourir, et pourtant je n'avais pas peur…"

Le sang commençait à couler plus paresseusement de sa blessure au sourcil. Shimon écrivait. Ester lisait. C'était comme une course entre eux.

"… Et puis tu es arrivée, toi."

Shimon s'arrêta, le visage contracté par la douleur, et regarda Ester.

Ester aussi avait les yeux posés sur lui et retenait sa respiration.

"Je ne suis pas capable de dire ce que j'éprouve pour toi. Je ne le sais même pas…"

Ester le regarda. Puis, tout doucement, elle dit : « Tu m'as défendue contre Carnacina. »

Shimon sentit un coup au cœur.

"Tu le savais ?", écrivit-il.

« Oui. »

Shimon posa la plume d'oie.

« Laisse-moi te soigner », dit Ester.

Shimon fit signe que non. Il l'attira à lui et l'embrassa, la souillant de sang. Puis Ester s'étendit sur le sol et le laissa la prendre, tandis que le sang et les larmes s'écoulaient sur elle.

Shimon comprit enfin le sens du buisson de rose coupé : un amour qui ne fleurirait pas.

Le lendemain matin, il avait disparu.

"Adieu", disait le billet qu'Ester trouva sur l'oreiller près d'elle.

58

Les gardes du Ghetto fermaient la grande porte qui donnait sur la fondamenta dei Ormesini quand ils virent arriver un retardataire. L'homme avançait courant et boitant, comme s'il traînait derrière lui sa jambe droite. Bossu et emmitouflé, il portait un bonnet jaune si grand qu'on aurait dit une capuche. Le Juif monta sur le pont au-dessus du rio di San Girolamo en agitant les mains.

« *Shalom aleichem*, dit-il au garde en haletant.

— Oui, la paix soit avec toi aussi, marmonna Serravalle. Si tu restes dehors, tu vas sentir ta douleur, tu le sais, non ?

— *Mazel tov ! Mazel tov !* fit le Juif, qui avait le nez long et gibbeux, avec des rides qui ressemblaient à des crevasses, et une barbiche de chèvre.

— Encore un qui ne connaît pas un mot de vénitien, soupira Serravalle en s'adressant à l'autre garde. Oui, oui, allez, grouille », dit-il au retardataire.

Le Juif, la tête penchée et le bonnet enfoncé jusqu'aux yeux, boita jusqu'à la première porte des portiques. Il essaya de l'ouvrir mais elle était fermée. Il regarda autour de lui et vit à ce moment-là un des bedeaux du rabbin qui faisait le tour du Ghetto pour vérifier que tout allait bien. Il baissa la tête et traversa le campo en essayant de l'éviter.

« *Shalom aleichem*, frère, dit le bedeau.

— *Aleichem shalom*, répondit le Juif en accélérant le pas, en dépit de sa boiterie.

— Qui es-tu ?

— *Mazel tov !*

— Tous mes vœux à toi aussi, mon frère, répondit le bedeau. Mais je t'ai demandé qui tu es ! Où tu habites ?

— *Mazel tov !* répéta le Juif, qui se faufila presque en courant entre deux immeubles donnant sur le rio del Ghetto.

— Eh ! s'écria l'autre, et il s'élança à sa poursuite.

Le Juif rejoignit un petit jardin potager derrière la *scuola*[1], grimpa sur une façade à mi-hauteur et de là, en s'agrippant à une gouttière comme un chat, gagna un petit toit en avancée. Il y monta et s'y aplatit, devenant invisible.

Le bedeau du rabbin arriva essoufflé. Il inspecta les recoins sombres mais ne trouva pas trace de l'homme qu'il poursuivait. Sa lanterne levée, il regardait autour de lui en se demandant comment son coreligionnaire avait bien pu disparaître dans le néant, quand un objet à la base du mur de clôture du petit potager attira son attention. Il le ramassa, le tourna entre ses mains, sans comprendre de quoi il s'agissait. Soudain, tout s'éclaircit. Il porta l'objet à son nez. Renifla et sourit. « Les enfants… » Il le tourna encore entre ses mains,

---

1. Nom donné à Venise aux associations religieuses, et dans le Ghetto aux synagogues.

admirant la qualité de fabrication et se souvenant que lui aussi, enfant, jouait à ce jeu. Mais il y avait des années qu'il n'en avait plus vu. Surtout aussi bien fait. « Un faux nez en mie de pain », dit-il en riant. Il le mit dans sa poche. Le lendemain il l'offrirait à son fils. « Il est tard, les enfants, s'écria-t-il avec un sourire sur les lèvres. Allez vous coucher !

— Va te coucher toi-même, Mordechai, tu nous casses les couilles ! »

Le bedeau rentra la tête et s'en alla sur la pointe des pieds.

Étendu sur le toit, Mercurio se toucha le nez, s'apercevant seulement maintenant qu'il l'avait perdu. « Bordel de merde », dit-il tout bas. Il porta la main à sa barbe et l'arracha, retenant un gémissement. Il se massa le menton, irrité par la colle de poisson, et remit son béret jaune. Il se laissa glisser doucement, toujours agrippé à la gouttière. Aussitôt à terre, il mit une main dans sa poche pour vérifier s'il n'avait pas perdu en plus l'outil qu'il avait apporté. Prudemment, il revint jusqu'aux portiques. Personne en vue. Il sortit le crochet de sa poche et ouvrit en un instant la serrure rudimentaire de la porte. Il entra et la ferma silencieusement derrière lui.

« Quatrième étage », murmura-t-il, sentant un coup au cœur.

Puis il commença à monter l'escalier étroit. À mesure qu'il montait, il était de plus en plus convaincu qu'il faisait une folie. Il lui semblait que son cœur montait en même temps et tentait de forcer sa gorge. Il sentait ses jambes devenir raides, il avait du mal à les plier. Mais il continua à monter, parce qu'il avait compris depuis sa dispute avec Isacco à Castelletto qu'il voulait être près de Giuditta.

En arrivant au quatrième étage, il était si ému que le crochet lui glissa des mains. L'instrument rebondit de marche en marche, produisant un bruit de métal sur la pierre. Mercurio se plaqua contre le mur, retenant son souffle, sûr que tout le monde dans l'immeuble avait entendu. Mais personne n'ouvrit sa porte. Alors il reprit courage, descendit les marches et chercha son crochet à tâtons. Il le récupéra et remonta au palier du quatrième. Il y avait deux portes. Il tenta de s'orienter, supposant que celle de gauche correspondait à l'appartement qui donnait sur le campo del Ghetto. Mercurio savait que Giuditta habitait l'autre, parce qu'il l'avait vue se pencher à la fenêtre qui donnait sur le campo, quelques jours plus tôt, et faire une chose étrange, qu'il n'avait pas comprise. Il l'avait vue pointer le doigt vers le ciel, comme si elle voulait montrer quelque chose, et rester quelque temps dans cette drôle de position. Puis elle était rentrée à l'intérieur.

Il glissa le crochet dans la serrure et commença à le faire tourner.

Il venait d'accrocher le mécanisme interne et s'apprêtait à le faire jouer quand la porte s'ouvrit à l'improviste, lui arrachant le crochet des mains. La première chose qu'il vit fut un grand couteau brandi en l'air.

« Arrête, c'est moi ! », dit Mercurio en bondissant en arrière.

Dans la lumière de sa chandelle, une longue chemise de nuit en lin qui lui arrivait jusqu'aux pieds, Giuditta était toute pâle. « Toi... », dit-elle doucement, et ses yeux se remplirent de larmes à cause de la peur. Mais la peur céda ensuite à la colère et elle pointa le couteau sur lui, sans s'en apercevoir, comme elle aurait pointé l'index. « Toi…

— Chut !, parle tout bas…, murmura Mercurio en s'approchant de la pointe du couteau et en l'écartant avec sa main. Parle tout bas.

— Tu as failli me faire mourir de peur…

— Je suis désolé, dit Mercurio en bougeant encore d'un pas.

— Qu'est-ce tu fais ici ? demanda Giuditta, bouche bée, ébahie, bouleversée, étourdie par l'émotion, les larmes coulant sur ses joues et les yeux écarquillés, sans réussir à les détacher du garçon qu'elle avait juré d'aimer.

— Je voulais te voir… », dit Mercurio. Il était près d'elle, à moins d'un demi-pas, sentant qu'il n'arrivait plus à respirer.

« Comment tu as fait ? », murmura Giuditta. Elle laissa tomber le couteau, qui se planta avec un bruit sourd dans les lames grinçantes du parquet en bois.

« Je voulais te voir, répéta-t-il, et il combla l'espace qui les séparait d'un demi-pas. Je ne pouvais plus attendre…

— Tu es entré dans le Ghetto pour moi… » Les lèvres de Giuditta se fermèrent à peine.

« Oui. » Les lèvres de Mercurio s'approchèrent.

« Tu m'as fait peur…, soupira-t-elle en offrant les siennes.

— Je suis désolé… »

Les lèvres de Mercurio s'unirent à celles de Giuditta. Puis, lentement, comme si tous deux connaissaient les mouvements et les danses de l'amour sans les avoir jamais pratiqués, les mains de Mercurio enlacèrent Giuditta, commencèrent à lui caresser le dos, et ses mains à elle se serrèrent contre ses hanches, s'agrippant, comme si elle craignait de le perdre. Et leurs lèvres, qui étaient restées collées sagement, bougèrent de leur vie propre, devinrent des animaux en lutte, dont chacun voulait se nourrir de l'autre. Leurs mains, en réponse, serrèrent plus fort, cherchèrent avec plus de fougue, griffèrent, pincèrent et s'enfoncèrent dans la chair de l'autre, sans plus de retenue. Sous cette nouvelle impulsion, leurs bouches osèrent encore plus et leurs langues commencèrent à se mêler, cherchant les profondeurs humides de l'autre.

Tout à coup, comme à l'unisson, les deux jeunes gens s'arrêtèrent. Haletants, épuisés, ils se fixèrent, les yeux agrandis. Les lèvres mouillées et brillantes à la lumière de la chandelle.

Chacun des deux écouta le désir en lui. Là, à portée de main. Ce désir qui faisait d'eux un homme et une femme.

« Je ne l'ai jamais fait, dit Giuditta.

— Moi non plus, dit Mercurio.

— Tu as peur ? demanda-t-elle.

— Non. Maintenant, non. Et toi ?

— Non... Maintenant, non. »

Ils restèrent ainsi, les yeux dans les yeux, avec la sensation du baiser sur les lèvres.

« Tu veux... me voir ? », demanda ensuite Giuditta.

Mercurio acquiesça, doucement.

Giuditta délaça sa chemise de nuit, sans détacher ses yeux des yeux de Mercurio. Elle la laissa glisser au sol. Elle rougit. Mais ne se couvrit pas.

« Tu es belle...

— Qu'est-ce que je dois faire ? »

Mercurio étendit la chemise de nuit sur le palier, tira un peu la porte et attira Giuditta à lui. Il la fit s'étendre sur le palier.

« Tu as froid ? lui demanda-t-il.

— Un peu... »

Mercurio s'étendit sur elle, la recouvrant de son corps et de sa cape.

« Et maintenant ? », dit Giuditta.

Mercurio l'embrassa. Tandis qu'il l'embrassait, il sentit sa propre chair grandir. Et Giuditta, en l'embrassant, sentit sa chair qui fondait. Mercurio laissa sa main courir vers ses seins. Il lui pinça un mamelon. Giuditta ouvrit la bouche et se détacha de son baiser.

« Je t'ai fait mal ?

— Non... »

Mercurio sentit que Giuditta bougeait les hanches, rythmiquement, en se poussant contre lui. Et il se poussa lui aussi contre elle. Il éprouva le besoin de serrer les mâchoires tandis que dans sa gorge montait un gargouillis rauque. Les mains de Giuditta s'agrippèrent à ses fesses et le serrèrent convulsivement contre elle. Mercurio porta la main à ses chausses et les baissa, avec fureur, maladroitement. Les mains de Giuditta l'aidèrent avec la même fureur et la même maladresse. Puis les jambes de Giuditta s'écartèrent et s'enroulèrent autour de lui, le liant à elle. Mercurio sentit sa propre chair vibrer. Il poussa la main entre Giuditta et lui et sentit qu'elle aussi était mouillée. La main de Giuditta rejoignit la sienne. Leurs doigts s'enlacèrent, là, entre leurs deux corps attirés l'un sur l'autre, l'un vers l'autre. Ils commencèrent à se caresser ensemble et ensemble apprirent ce qu'ils n'avaient jamais fait.

« Tu as peur ? demanda encore Mercurio, haletant.

— Non, chuchota Giuditta, qui ouvrit encore plus les jambes.

— Tu le veux ?

— Je le veux... »

Le membre de Mercurio poussa contre Giuditta. Puis, à l'improviste, s'enfonça dans sa chair. Giuditta sentit une déchirure lancinante, brûlante. Elle s'agrippa de toutes ses forces au dos de Mercurio. Mais la douleur passa en un instant et disparut. Giuditta lécha la peau du cou de Mercurio. Elle émit un râle rauque, à mesure que la douleur se dissolvait en une vibrante palpitation, qui la prenait par vagues, à un rythme de plus en plus rapide. Elle sentit que Mercurio gémissait.

« C'est comme ça pour toi aussi ? haleta Giuditta près de son oreille.

— Oui », répondit Mercurio dans un filet de voix.

Puis, à mesure que Mercurio bougeait en elle de plus en plus vite, Giuditta se contracta elle aussi et le serra entre ses jambes et ses bras en essayant de synchroniser leurs mouvements.

Tout à coup, Giuditta écarquilla les yeux.

Mercurio aussi.

Ils se regardèrent, effrayés. Incapables de s'embrasser, de peur de mourir étouffés. Et tandis qu'ils étaient traversés par quelque chose qu'ils n'avaient jamais imaginé, ils se serrèrent et s'éloignèrent à la fois, s'agrippant l'un à l'autre tout en voulant se détacher, jusqu'à rester inertes, l'un sur l'autre, l'un dans l'autre. Respirant doucement.

« Alors, c'est ça..., murmura doucement Giuditta.

— Oui... », dit Mercurio.

De nouveau descendit le silence. Les mains des deux jeunes gens se posèrent sur le visage de l'autre, le caressant doucement, sans plus aucune fougue. Leur souffle se calma. Leur peau sentait le contact de la peau de l'autre.

« C'est *ça*, quoi ? demanda doucement Mercurio.

— L'amour, dit encore plus doucement Giuditta, en rougissant.

— Oui... », dit Mercurio. Il écarta son visage de celui de Giuditta et la regarda. Il n'avait jamais imaginé qu'elle pouvait être aussi belle qu'en ce moment. Même après ce qui venait de se passer entre eux il ne trouva pas le courage de le lui dire. Il lui sourit seulement et l'embrassa.

Giuditta se laissa embrasser, tendrement. Et il lui sembla que ce baiser était encore plus beau que les précédents.

59

« Et maintenant ? », dit Giuditta, dans la pénombre humide du palier, encore nue.

Mercurio, étendu sur elle, lui caressait les cheveux. Sa main s'arrêta, sentant le poids de cette question. Il détacha son regard, évitant les yeux de Giuditta, fixés sur les siens. Puis il fit ce qu'il faisait chaque fois qu'il était en difficulté. « Maintenant habille-toi, sinon tu vas mourir de froid », plaisanta-t-il.

Giuditta ne bougea pas. Elle sourit à peine. Ses yeux se voilèrent d'une légère déception.

Mercurio sentait la pression, la lutte interne. Il n'était pas habitué à parler de ses sentiments. Il ne savait pas par où commencer. Pour la première fois de sa vie, il ne voulait pas perdre la bataille. Il voulait sortir de sa coquille. « Maintenant…, dit-il tout bas, maintenant… » Il sentit que ses yeux se remplissaient de larmes de rage. Il pensa qu'il était stupide. Il savait parfaitement quoi répondre à cette question. Il le savait au plus profond de son âme, au plus vrai de son cœur. Mais il n'arrivait pas à le dire.

Giuditta le regardait, attendant sa réponse. Puis, lentement, elle tourna la tête sur le côté, laissant errer son regard vers la lumière tremblotante de la chandelle qui troublait la pénombre là-bas dans le logement.

Mercurio sentit qu'il était en train de la perdre. « Maintenant je vais t'emmener loin d'ici », dit-il d'un trait, la voix étranglée et un peu aiguë, tournant son visage pour que leurs regards se croisent de nouveau. Il espérait que dans cette obscurité Giuditta ne s'apercevrait pas de la couleur de ses joues. Il savait qu'elles s'étaient empourprées, il sentait parfaitement leur chaleur. Mais il avait gagné. Il l'avait dit. Et maintenant qu'il avait surmonté cet obstacle qui lui avait paru invincible, il ressentit une sorte d'euphorie. « J'ai un navire. » Il repensa à l'épave de Zuan dell'Olmo. « Ce n'est pas grand-chose. » Il sourit. « Et j'ai un travail. Je le réparerai et je t'emmènerai loin d'ici ! répéta-t-il avec fougue.

— Chut, parle doucement », dit Giuditta en riant, le doigt posé sur ses lèvres.

Mercurio vit qu'elle avait une lumière différente dans les yeux. Il lui baisa le doigt puis la main, approchant son visage du sien pour l'embrasser de nouveau sur les lèvres. « Quel bon goût tu as ! »

Elle ferma à demi les yeux.

« Tu dois t'habiller, maintenant, ou tu mourras vraiment de froid », dit Mercurio. Il se détacha de Giuditta et sentit un vide, à la hauteur de l'estomac. « Encore un instant, chuchota-t-il en revenant s'étendre sur elle. Encore un instant. » Il comprit qu'il n'était entier qu'avec elle, mais il n'avait pas encore la force de le lui dire. Il l'embrassa, passionnément, et frissonna de plaisir en sentant les doigts de Giuditta se glisser dans ses cheveux, dénouant les nœuds. Puis il se leva et lui tendit la main. Maintenant qu'elle était sienne, il la trouvait encore plus belle. Sans savoir pourquoi, il eut honte de cette pensée. « Allons, rhabille-toi, lui dit-il.

— Tu t'es déjà lassé de me regarder ? », demanda Giuditta dans un filet de voix, rougissant jusqu'à la racine des cheveux, abandonnée sur sa chemise de nuit, les mamelons durcis par le froid.

Mercurio lui prit la main et la fit se relever. Il l'aida à renfiler sa chemise de nuit. Il se souvint du jour où il était allé à l'Arsenal et qu'en voyant le navire se former, il avait pensé à ce moment où il verrait Giuditta s'habiller. Il rit.

« Pourquoi ris-tu ?

— Parce que j'avais déjà imaginé ce moment », répondit Mercurio en la serrant contre lui. Puis il fit asseoir Giuditta sur la première marche de l'escalier et l'enveloppa dans sa cape. Il s'assit à côté d'elle, le bras autour de son épaule.

« Viens dessous toi aussi », dit Giuditta en ouvrant la cape.

Mercurio se serra plus près encore. Il n'arrivait pas à croire à la merveille de ce moment. « Je t'emmènerai loin d'ici, répéta-t-il, d'un ton plus résolu. Je ne supporte pas de te voir enfermée dans une cage. »

Giuditta abandonna sa tête contre son épaule. Elle sourit, heureuse. « Je ne me sens pas en cage.

— Et comment appelles-tu cet endroit, alors ? frémit Mercurio. Je sais ce que c'est. À l'orphelinat, j'étais en cage, on me frappait, on me fouettait. Certains d'entre nous étaient attachés, la nuit. Et même quand Scavamorto m'a acheté… » Mercurio sentait tout son sang bouillir, mais pour la première fois ce souvenir produisait de la douleur pure et non pas de la colère.

C'était grâce à Giuditta. Il se tourna vers elle, qui le regardait avec des yeux émus.

« Quoi ? fit Giuditta.

— Je sais ce que c'est. Et je ne peux pas supporter que tu sois en cage. »

Giuditta lui prit la main, la porta à ses lèvres et la baisa. « Merci. Mais je ne me sens pas en cage. Au début, peut-être. J'avais peur aussi. Je ne sais même pas de quoi. Peut-être peur que la situation dégénère. Mais maintenant je ne me sens pas en cage…

— Comment fais-tu ? demanda Mercurio, en s'agitant.

— J'ai un truc, dit Giuditta avec un petit rire.

— Quel truc ?

— Ma mère est morte en me mettant au monde, commença doucement Giuditta. Je ne l'ai jamais connue. »

Mercurio la serra plus fort. Cela aussi il savait ce que c'était.

« J'ai grandi avec ma grand-mère…, reprit Giuditta. Et ma grand-mère était amie avec un vieil homme que tout le monde, sur l'île de Negroponte, considérait comme à moitié fou. Mais elle, elle disait que c'étaient des bêtises de gens ignorants… » Elle sourit. « Peut-être parce qu'elle était plus folle que lui. »

Mercurio rit.

« Chut, doucement ou tu vas réveiller mon père. »

Mercurio l'embrassa sur les deux yeux. « Continue.

— Bref, ce vieil homme venait chez nous presque tous les soirs. Ma grand-mère lui donnait à manger, puis ils restaient assis ensemble sous la véranda. Ils parlaient jusque tard dans la nuit. Moi, j'étais petite, et leurs voix arrivaient jusqu'à ma chambre.

Ce bourdonnement m'aidait à m'endormir sans que je me sente trop seule. Je crois que je l'aimais bien moi aussi, cet homme. Un soir, pour moi c'était la nuit, je me suis réveillée en proie à la peur. J'avais fait un cauchemar. Je suis descendue au rez-de-chaussée, d'où venaient les voix, parce que j'avais besoin que ma grand-mère me prenne dans ses bras. J'étais tout endormie, j'avais l'impression de ne pas être entièrement sortie du rêve. En sortant de la maison, j'ai appelé ma grand-mère mais ni elle ni le vieil homme n'a répondu. Ils étaient au milieu de la cour, debout, et avaient le bras gauche levé et l'index pointé vers le ciel étoilé. Je me suis arrêtée. On aurait dit une sorte de rêve. On aurait dit qu'ils étaient ailleurs. Je ne sais pas pourquoi j'ai pensé ça. Je pouvais les voir, mais ils étaient ailleurs. Voilà pourquoi ils ne m'avaient pas entendue. Ils riaient doucement, tendrement, complices. Cela a suffi pour faire passer ma peur et je suis retournée me coucher. Le lendemain soir, comme tous les soirs, j'ai embrassé ma grand-mère pour lui dire bonsoir. Au même moment j'ai vu arriver le vieil homme et je lui ai demandé : "Que faisiez-vous hier soir ?" Alors il m'a prise sur ses genoux puis il m'a dit : "Je vais te révéler mon truc. Comme ça, tu pourras t'en servir toi aussi. Regarde là-haut." Il m'a montré le ciel. "Tu vois les étoiles ? Si tu les regardes, dans quelques instants elles ne seront plus là, elles se seront déplacées. Tu sais pourquoi ? Parce que les étoiles sont les carrosses du ciel. Et tu sais comment on fait pour monter dedans ?" Il tendit mon bras gauche et me fit pointer l'index vers le ciel. "Tu dois te servir de l'index gauche parce que c'est celui du cœur, et le cœur est beaucoup plus fort que l'esprit.

Ensuite, tu choisis une étoile. Regarde-la bien, elles ne sont pas toutes pareilles. Moi, j'aime bien celle-ci, par exemple. Elle a des sièges confortables et à mon âge on a mal aux fesses. Mais toi qui es si jeune, tu peux prendre aussi cette autre, là, tu vois. C'est une des plus rapides. J'ai toujours aimé voyager. Je suis un marin. Mais maintenant plus personne ne veut de moi à bord et je m'ennuie à rester sur cette île. Je me sens en cage." » Giuditta se tourna vers Mercurio qui, fasciné par ce récit, l'écoutait bouche bée, comme un enfant. « Il a vraiment dit "cage", comme toi. Il m'a expliqué que lui, tous les soirs, il chevauchait les étoiles, et ma grand-mère partait souvent en voyage avec lui. Ils avaient visité l'Inde, la Chine, l'Afrique, l'Espagne… » Elle rit. « Même la Lune. "Mais tu dois y croire avec ton cœur", me dit-il à la fin en me tapant le doigt contre la poitrine. » Giuditta abandonna de nouveau sa tête contre l'épaule de Mercurio. Sa voix devint triste. « Mon père n'était jamais chez nous pendant ces années-là. Je souffrais de son absence. Je croyais même qu'il me détestait parce que j'avais fait mourir ma mère… »

Mercurio la serra plus fort contre lui.

« Si bien qu'à partir de ce soir-là, chaque nuit, je me mettais à la fenêtre de ma chambre, je touchais le ciel avec le doigt et je montais sur une étoile. Ensuite je me faisais emporter jusqu'à lui… »

Mercurio comprit enfin ce que Giuditta faisait quand il l'avait vue à la fenêtre de l'appartement du Ghetto.

« En grandissant, j'ai oublié. Mais quand ils nous ont mis en cage, comme tu dis, je me suis rappelé que je pouvais toucher le ciel, chevaucher les étoiles et m'en aller quand je voulais sans que personne ne puisse m'arrêter. »

Mercurio la regarda. Son cœur battait fort dans sa poitrine. « Mais maintenant que ton père est avec toi… où vas-tu ? »

Giuditta rougit et baissa les yeux.

Mercurio sentit une vague d'émotion le bouleverser. Elle n'avait pas besoin de lui dire qui elle allait retrouver. Il lui souleva le menton, caressa ses sourcils noirs et fournis avec son pouce. « Alors demain je t'attendrai », murmura-t-il, d'une voix étranglée. Il approcha ses lèvres des siennes.

« Giuditta ! », entendit-on appeler de l'intérieur du logement.

Les deux jeunes gens sursautèrent.

« Giuditta ! appela encore Isacco. Où es-tu ? »

Mercurio bondit sur ses pieds. Giuditta avait une expression effrayée. Il lui sourit et lui donna un rapide baiser sur les lèvres. Puis il descendit vivement la première rampe d'escalier.

« J'arrive, père ! », répondit Giuditta d'une voix tremblante.

Mercurio lui sourit encore et lui fit signe de rester calme.

« Que fais-tu là, dehors ? »

Giuditta semblait apeurée, incapable de trouver une excuse. Mercurio fit claquer ses doigts. Et dès qu'il eut son attention, il releva les lèvres et fronça le nez, découvrant ses incisives.

Giuditta rit. « Un rat, père !

— Il n'y a pas de quoi rire ! dit Isacco de sa voix revêche tout en traînant les pieds jusqu'à la porte d'entrée. Tue-le avec le balai. »

Mercurio tira une longue langue, croisa les yeux et écarta les bras, comme s'il venait d'être aplati.

Giuditta s'empêcha de rire. « Non, il est trop mignon.

— Un rat, mignon ? » La voix d'Isacco était désormais près de la porte.

Mercurio envoya un baiser à Giuditta.

« Un rat si mignon que j'en suis tombée amoureuse. » Mercurio disparut en bas des escaliers au moment exact où Isacco se penchait à la porte. « Arrête de dire des bêtises, marmonna-t-il en hochant la tête. Viens te coucher. »

60

« J'ai compris ce que c'est, l'amour ! s'exclama Mercurio en rentrant et en trouvant Anna del Mercato occupée à allumer le feu.

— Je me demandais justement où tu étais passé cette nuit, soupira Anna, soulagée. Mais maintenant j'ai ma petite idée », ajouta-t-elle avec un sourire. Elle remua le lait qui bouillait sur le feu. « Tu veux déjeuner ?

— J'ai une faim de loup », dit Mercurio en s'asseyant à table.

Anna coupa une large tranche de pain. Elle versa du lait dans une jatte qu'elle posa sur la table.

Mercurio plongea la tranche de pain dans le lait et y mordit avec voracité.

Anna coupa une autre tranche puis s'assit en face de lui. « Alors ? C'est comment, l'amour ? »

Mercurio sourit, les yeux pleins de lumière. Un peu de lait lui coula sur le menton.

Anna regarda ses yeux. « Oui, c'est ça, l'amour », dit-elle. Puis elle chercha quelque chose dans la poche de son tablier de chanvre gris, qu'elle portait sur une robe couleur de rouille.

On entendit tinter des pièces. Elle les posa sur la table. « Trois lires *tron* d'or et neuf d'argent. Isaia Saraval est passé. Il te cherchait. Il a dit que tu savais pour quoi c'était.

— Il a vendu un collier et une bague ! dit Mercurio en se frottant les mains. Nous allons devenir riches, Anna ! »

Anna sourit, puis posa sur la table d'autres pièces. « Une demi-lire, trois pièces d'argent et seize marquets, dit-elle toute fière. Nous allons devenir riches, répéta-t-elle. C'est ma paie pour la fête. » Elle mit les marquets dans sa poche et poussa les autres pièces au centre de la table. « Prends-les. »

Mercurio vit que ses joues rougissaient. Il poussa ses propres pièces vers Anna, en même temps que les siennes. « Garde-les. Ça vaut mieux.

— Mais elles sont à toi », dit Anna.

Mercurio acquiesça. Il se sentit chanceux. Il avait tout ce qu'il pouvait désirer.

« Saraval m'a dit de te prévenir qu'il allait y avoir une fête à la casa Venier dans deux semaines et une autre au palais Giustinian la semaine suivante. Il va falloir organiser le transport, fit Anna.

— Il y a Tonio et Berto, et la barque de… la barque, quoi.

— J'ai rencontré ces deux garçons. Ils m'ont dit que tu avais encore donné de l'argent à la veuve de Battista.

— Trois sous, fit Mercurio en détournant les yeux.

— Ces sous te seront utiles, dit Anna.

— À elle aussi. Elle n'aurait pas dû rester veuve. »

Anna porta ses mains à sa bouche. « Tu te rends compte de ce que je viens de dire ? murmura-t-elle. Je serais capable de me transformer en bête féroce pour te protéger. »

Mercurio se dit qu'un jour il apprendrait à lui dire combien il l'aimait. « Et Saraval n'a rien dit d'autre ? »

Anna hocha la tête. « Donc, c'est vrai ?

— Quoi ?

— Oh, allez… quand tu fais comme ça, tu es un très mauvais comédien.

— Mais quoi ? », demanda Mercurio, amusé.

Anna sourit. « Il dit que les approvisionnements pour les Venier et les Giustinian, c'est moi qui dois les organiser.

— Tiens donc… », feignit de s'étonner Mercurio avant d'éclater de rire.

Anna se pencha par-dessus la table et envoya une pichenette dans ses cheveux bouclés.

« Tu as dit que tu avais du travail, lui dit Mercurio. Allez, trotte ! » Il engloutit le dernier morceau de pain, but le reste du lait, s'essuya avec sa manche et se leva. Il sembla penser à quelque chose, sourit et prit un peu d'argent. « J'en ai besoin. Je me sauve, dit-il en se dirigeant vers la porte de la maison.

— Mais où tu vas ? Tu viens à peine d'arriver…

— Je dois m'occuper de mon bateau ! cria Mercurio en sortant.

— Quel bateau ? »

La porte claqua.

Anna se leva et vint rouvrir la porte. « Quel bateau ? », cria-t-elle derrière lui.

Mais Mercurio était déjà loin et courait vers le quai des pêcheurs.

Quand il arriva à la barque qui avait appartenu à Battista, il siffla. Tonio et Berto apparurent aussitôt.

« Où on va, chef ? », dit gaiement Tonio. Ils avaient gagné quatorze sols d'argent pour transporter la marchandise de la boutique de prêt d'Isaia Saraval jusqu'au palais du noble désargenté.

« Emmenez-moi au rio di Santa Giustina, dit Mercurio. Au croisement avec le rio di Fontego.

— Que vas-tu faire là-bas ? dit Tonio. Y a que des crève-la-faim dans ce coin-là.

— Occupe-toi de tes affaires et rame », répondit Mercurio, de bonne humeur.

Il ne voulait pas se faire conduire jusqu'au squero de Zuan dell'Olmo, il préférait y arriver seul. C'était son endroit secret.

Pendant que les deux gigantesques *bonevoglie* voguaient à leur vitesse habituelle, Mercurio respirait à fond l'air du matin. La vie ne pouvait pas être plus belle, se répétait-il. En un instant, tout avait changé. Il était devenu honnête. Et sans le moindre effort. Il avait suffi d'une simple idée. Il avait trouvé une occupation qui le mettrait à l'aise, sans plus jamais devoir risquer la galère ou pire. Peut-être que Dieu existait vraiment, après tout. Il avait trouvé Anna, la mère qu'il avait cherchée toute sa vie. Et Giuditta, la femme qui illuminerait son existence. Il riait tout seul de ces pensées.

Tandis qu'ils se faufilaient dans le réseau compliqué des canaux de la lagune, il eut l'impression qu'il y avait toujours derrière eux la même barque, noire, fine. Mais ce fut une pensée fugace, qui ne fit qu'effleurer sa conscience. Il leva les yeux au ciel, limpide et bleu avec quelques petits nuages comme des flocons de laine blanche. Il avait encore la tête dans ces nuages quand Tonio et Berto accostèrent au rio di Santa Giustina.

Il descendit et fit signe aux deux frères de s'éloigner. Il reviendrait seul. Du coin de l'œil, il vit de nouveau la barque noire et fine, qui accostait un peu plus loin derrière lui. Mais de nouveau il n'y prêta pas attention.

Il pensait à la nuit passée avec Giuditta. Il sentit le désir se rallumer dans son corps. Il longea le rio di Santa Giustina vers le squero de Zuan dell'Olmo presque en courant.

La barque noire et fine bougea. Lente. Silencieuse.

Quand Mercurio arriva au bout du canal, il vit ce que le brouillard lui avait caché quelques jours auparavant. Il était au bord de la mer, comme si Venise finissait là. Devant lui, une immense étendue d'eau. Même l'odeur avait changé. Cela ne sentait pas le moisi, ni l'eau stagnante. La sensation piquante du sel pénétrait jusque dans les narines. Et dans l'eau, exactement devant lui, s'élevait un îlot.

Autour de lui, les habitations étaient des baraques en bois. Plus aucune trace du faste vénitien. Des habitations de pêcheurs, basses, oppressantes. Sur le sol comme sur le rivage un peu fangeux et sablonneux, des arêtes de poisson, des chats qui se léchaient les pattes, des barques tirées au sec, de petits débarcadères branlants. Au bout de certains pontons, une bicoque sans fenêtre, avec une petite porte qui donnait sur le ponton. Mercurio remarqua un petit garçon vêtu d'une simple veste. Dessous, il était nu et sans chaussures. D'une main il se triturait le zizi. Sa mère, qui allaitait un nouveau-né, lui donna une grande claque. Le petit cessa de se toucher et se mit à pleurer. La mère lui envoya une autre claque. L'enfant cessa de pleurer. Puis la femme frappa à la petite porte. L'instant d'après en sortit un homme grand et fort qui rattachait son pantalon. La mère poussa le petit garçon à l'intérieur. Mercurio vit qu'il n'y avait rien dans la bicoque suspendue au-dessus de l'eau, sinon un trou dans le sol. C'étaient des latrines. Pendant que le petit garçon déféquait, la porte ouverte, le grand bonhomme détacha le nouveau-né du sein et s'y colla, pour plaisanter. La femme se mit à rire. Quand l'enfant eut fait ses besoins dans les latrines, elle le ramena en le tirant par la main le long du ponton puis le poussa dans la lagune. Le petit s'accroupit et se lava le derrière.

Plus loin, sur sa droite, Mercurio aperçut des filets de pêche carrés suspendus, de ceux qu'on pouvait descendre à l'eau depuis des pontons plus étroits, et une série de petits potagers, avec quelques légumes qui poussaient tant bien que mal. Une vieille femme nettoyait les feuilles de chou en jetant au loin les limaces qui s'acharnaient dessus. Mercurio percevait pleinement la pauvreté de ces gens, obligés de disputer leur nourriture aux limaces. Un gros rat passa dans un ruisseau sale et malodorant qui finissait dans l'eau. Il s'y jeta et nagea, le nez à la surface. Deux gamins lui lancèrent des pierres. Le rat s'enfonça sous l'eau.

Mercurio se rendit compte que les marbres et la splendeur de Venise lui avaient fait oublier tout le reste. Les crève-la-faim qui erraient autour du Rialto, de la piazza San Marco ou le long du Grand Canal avaient l'air moins pauvres, en comparaison. Ici, en périphérie de la ville, la pauvreté était celle qu'il avait connue à Rome, dans les égouts. La pauvreté à l'état pur. Mercurio se sentit à l'aise, parce que c'était de là

621

qu'il venait. La femme qui emmenait chier ses enfants dans des latrines suspendues au-dessus de l'eau, pendant qu'un homme lui suçait le téton ou lui tripotait le cul, aurait pu être sa mère. Un de ces enfants pouvait être né d'un coït dans ces latrines. Un autre, peut-être, avait été abandonné comme lui dans le tour d'un orphelinat. Rien de ce monde abject ne pouvait l'effrayer car il le connaissait.

Il resta là longtemps, à regarder cette misère, à en respirer les odeurs, en écouter les cris, les hurlements, les lamentations. Et il se sentit fort, parce qu'il s'en était sorti.

En se tournant vers la droite, il la vit tout à coup : la raison pour laquelle il était revenu ici. Elle lui apparut tout entière, sans les voiles pudiques du brouillard.

Il se rendit compte que c'était une épave et il eut presque envie de rire. C'était bien pire que ce qu'il avait imaginé. Pourtant, en s'approchant, il se sentit encore plus attiré par elle.

"Elle est comme moi", se dit-il.

La caraque le représentait parfaitement. Elle était Mercurio dans sa fosse d'égout. Il s'arrêta. Se regarda, avec ses beaux habits, ses chaussures à semelle épaisse et solide, son chapeau chaud. Sa main toucha les pièces qu'il avait emportées avec lui. Il les entendit tinter. L'or absorbait sa chaleur et se réchauffait.

"Si j'y suis arrivé, pensa-t-il à l'adresse du navire, tu y arriveras toi aussi."

Il regarda la coque sombre, peut-être pourrie en certains endroits. Sous la ligne de flottaison s'incrustaient des mollusques et des algues. Le grand mât était cassé. La balustre du château de poupe avait complètement disparu. Les quelques voiles qui restaient bougeaient dans le vent comme des toiles d'araignées ou les bannières d'une armée défaite. La hune, les haubans, les vergues, tout évoquait la chute prochaine, comme les branches d'un arbre mort. La roue du gouvernail avait basculé sur le côté, arrachée de son axe. La moitié de la caraque était à sec sur la cale de halage du *squero*, dont le toit effondré se conformait au délabrement général. L'autre moitié, du côté de la poupe, était dans l'eau.

Mercurio inspira à fond l'air saumâtre. Puis il siffla.

On entendit un aboiement, excité et plaintif, presque un jappement. De son allure agile et bancale à la fois, Mosè jaillit de la baraque construite à côté du *squero* et se précipita à sa rencontre en remuant la queue. Mercurio sourit et s'accroupit pour l'attendre. Le chien le rejoignit et commença un ballet autour de lui en bougeant à la fois son postérieur et sa queue, ne sachant s'il devait se laisser toucher ou non, le voulant tout en ayant peur. À la fin, il se décida et laissa Mercurio le prendre, puis s'assit entre ses jambes, agité, mais content.

« Mosè, t'es vraiment qu'un couillon, dit le vieux Zuan dell'Olmo, appuyé sur sa canne à l'entrée de la baraque.

— Allez, Mosè », fit Mercurio en se relevant pour rejoindre le vieil homme. Le chien courait auprès de lui en aboyant.

« Il t'aime vraiment bien, dit Zuan.

— Je l'aime bien aussi, fit Mercurio.

— Bon, vous êtes à égalité. » Zuan se tourna vers la lagune.

« C'est la mer ? demanda Mercurio.

— Non ! », répondit le vieil homme, presque scandalisé. Il désigna un endroit, vers l'est. « La mer est là. » Puis, les mains parallèles, il traça dans l'air un canal en direction du sud et ajouta : « Et elle continue par là, toujours tout droit, comme un immense couloir qui mène jusqu'au grand salon de la Méditerranée. » Il tendit le doigt vers la gauche. « Par là, il y a les marchés d'Orient, la mer Morte, la route vers la Chine. » Il se tourna de cent quatre-vingts degrés. Écarta les mains. Et de ce côté-ci, la Méditerranée, qui unit l'Afrique à l'Europe… » Il joignit les mains en forme d'entonnoir et ramassa les épaules. « Jusqu'à Gibraltar, où… » Il s'arrêta. Ses yeux se voilèrent. Puis, lentement, il ouvrit grand les bras, tout autour de lui, sans limites. « Là-bas, il y a la mer Océan, que je prenais pour la fin du monde quand j'étais gamin… »

Mosè hurla. Mercurio était subjugué. « Alors qu'en fait… », dit-il tout doucement, pour ne pas rompre la magie.

Le vieux Zuan se tourna. « … alors qu'en fait, putain de merde, il y a la terre ! » Il hocha la tête. « Il y a le Nouveau Monde !

— Et c'est comment ?

— Que le diable m'y emmène si je le sais, mon gars. » Et de nouveau les yeux de Zuan se voilèrent de tristesse. « Tu sais ce que ça veut dire pour un marin comme moi de n'avoir jamais pu y aller ? » Il regarda Mercurio et rit, montrant les quelques dents qui lui restaient. « Non, tu n'en sais rien. Tu sais rien de la mer, toi. » Il se tourna vers le navire. « Et tu veux acheter ma caraque ! » Il rit encore. Mais c'était sans moquerie. Et sans cette mélancolie du premier jour, quand ils s'étaient rencontrés. « Qu'est-ce que ça a à voir avec les bateaux, un type comme toi ? demanda-t-il.

— Une fois, je suis allé à l'Arsenal, dit Mercurio. Et… » Il s'arrêta, laissa sa phrase en suspens, pensant à Battista, mort par sa faute.

« Et… ? le pressa le vieux marin.

— J'ai vu naître un navire, répondit Mercurio. Et j'ai compris que rien ne ressemble autant à… la liberté qu'un navire. »

Le vieux Zuan le regarda en silence. Puis il acquiesça, imperceptiblement. « Tu comprends foutre rien à la mer, dit-il doucement, mais t'es pas si con que t'en as l'air. » Il se tourna de nouveau vers son bateau.

Mercurio remarqua que ses yeux étincelaient quand ils se posaient dessus. « Avec ça, on peut aller jusqu'au Nouveau Monde ? », demanda-t-il.

Le vieux le regarda, sérieux. « Ce que tu vois là, c'est un rafiot, une épave. Mais c'était une grande dame. C'est une grande dame, parce que moi, je la vois toujours telle qu'elle était.

— Et donc on pourrait aller dans le Nouveau Monde ? demanda encore Mercurio.

— Cet imbécile vaniteux de Christophe Colomb, que Dieu l'ait en Sa gloire, parce qu'il finira par faire couler Venise à pic, tu verras… comment crois-tu donc qu'il y est allé, dans ce foutu Nouveau Monde ? Avec une caraque et deux caravelles. Et c'était son navire-amiral, le *Santa Maria*. Aussi grande que celle-ci, douze perches de longueur et quatre de largeur. Une caraque, mon gars ! »

Mercurio regarda l'épave qui se balançait paresseusement. Il l'entendit grincer. Il aimait ces bruits.

C'était le navire qui parlait. On aurait même dit qu'il riait.

« Mais toi, tu saurais y aller, dans ce Nouveau Monde ? », demanda-t-il au vieux.

Zuan hocha la tête à droite et à gauche, surpris par cette question. « Je suis vieux…, dit-il.

— Mais tu saurais y aller ?

— Et puis je ne sais pas si Mosè a pas le mal de mer, il s'est jamais embarqué…

— Tu saurais y aller, oui ou non ?

— Putain de misère, mon gars ! Maintenant que tout le monde sait que la mer Océan a une fin, tout le monde sait y aller. Il suffit d'aller à l'ouest et là tu trouves le Nouveau Monde, bordel de Dieu ! » Il cracha par terre, tout ému. Il agita sa canne en l'air, prêt à ajouter quelque chose, qui ne vint pas. Alors il cracha de nouveau. Mosè aboya. Zuan le regarda. « Mais tais-toi donc, couillon ! lui dit-il. T'es même jamais monté dans une gondole ! » Mosè aboya de nouveau.

Mercurio rit et se tourna pour regarder la lagune. « C'est quoi, cette île ?

— Comment, c'est quoi ? C'est la Cavana di Murano.

— C'est quoi ?

— Tu sais vraiment rien, toi, marmonna la vieux. Je m'étonne que tu sois encore vivant, ignorant comme tu l'es. C'est l'endroit où on répare les barques de l'île de Murano, qui est un peu plus loin, pour l'instant on la voit pas. C'est pour ça qu'on l'appelle la Cavana. Mais c'est l'île de San Michele, parce qu'il y a l'église consacrée à l'archange, celui avec l'épée. Tu sais au moins qui c'est, saint Michel Archange, ignorant ? »

Mercurio demeura bouche bée à regarder le vieil homme. Oui, c'était sûr, Dieu existait. Et l'archange

Michel était celui que Dieu avait prédestiné pour qu'il s'occupe de lui, se dit-il. L'orphelinat où il avait grandi portait son nom, et lui-même lui avait été consacré. Puis, quand il avait fui Rome, il était arrivé à Venise mais c'est à Mestre, ville protégée par saint Michel Archange, qu'il avait trouvé une maison et une mère. Aucun doute. Ce navire serait le sien.

« Alors, vieux, tu me le vends ou pas, ce rafiot ? »

Zuan lui envoya un coup de canne. « L'appelle pas comme ça, maugréa-t-il.

— Mais toi-même…

— Moi je peux ! Pas toi ! dit Zuan en agitant sa canne. Toi, elle te connaît même pas. Si c'est moi qui lui dis, elle sait bien que je plaisante… mais si c'est toi… Tu peux pas le dire, rappelle-toi ça. »

Mercurio regarda la caraque. Le vieux était convaincu qu'elle pouvait les entendre. Et quand elle grinça, il se dit qu'il avait peut-être raison. « D'accord, excuse-moi, dit-il. Alors, combien tu veux ?

— Tu sais combien ça coûterait de la remettre à flot ? fit Zuan, sa canne toujours en l'air.

— Combien ?

— Qu'est-ce que j'en sais, moi ? cria le vieux. Je suis pas armateur ! » Il cracha par terre. Mosè s'écarta pour éviter le crachat. « Des centaines de lires *tron*… peut-être même mille… Du diable si je le sais ! J'ai même jamais vu dix lires à la fois !

— C'est ça qu'elle coûte, la caraque ? Dix lires ?

— Tu veux ma peau, mon gars ?

— Dis-moi ton chiffre, vieux. »

Zuan agita sa canne, comme si elle l'aidait à penser. « Attends là », dit-il à Mercurio. Puis il se dirigea vers

627

la caraque. Il posa la main sur la coque. Se tourna. « Viens là toi aussi, couillon !

— Moi ? demanda Mercurio.

— Oui, qui ? répondit Zuan, agacé. Mosè, foutu bâtard de chien tigré, espèce de fils du démon, viens ici tout de suite ! »

Mosè, la queue basse, rejoignit le vieil homme et se coucha à ses pieds en regardant ailleurs, comme pour se donner une contenance.

Après avoir réfléchi, Zuan revint, et d'un ton puéril le mit au défi : « Onze lires *tron* d'or. Là, je voudrais bien voir ce que tu réponds, mon gars ».

Mercurio ne dit rien. Il pêcha les pièces qu'il avait apportées, en compta onze et les tendit au vieux.

Zuan écarquilla les yeux, surpris. Il allongea son cou ridé et regarda les pièces de monnaie dans la main de Mercurio comme si c'étaient des animaux exotiques, sans les toucher. « J'ai même pas des bonnes dents pour savoir si c'est vraiment de l'or ou pas.

— C'est de l'or, je te le jure. »

Zuan secoua la tête, incrédule. « Mais tu vas en faire quoi, d'un bateau ?

— Je veux pouvoir emmener quelqu'un.

— Tu peux aussi bien l'emmener à dos de mulet.

— Je devrai peut-être aller loin. Je cherche un monde libre. »

Le vieux se balança sur ses talons. Il avait l'air de réfléchir. « Oui, alors oui. T'as besoin d'un bateau. Ça pourrait être bien plus loin que tout ce qu'aucun de nous a jamais imaginé. » Il regarda Mercurio. Pointa le doigt dans sa direction et le bougea en l'air. « Toi, tu dois être encore plus con que moi, aussi vrai que

Dieu existe. J'ai pas raison, Mosè ? » Le chien aboya joyeusement.

« Alors, marché conclu ? », demanda Mercurio.

Le vieil homme écarta les bras. « Mais regarde un peu ce qu'il fallait qu'il m'arrive, maugréa-t-il en fixant les pièces d'or comme si elles étaient un malheur. « En tout cas, c'est toi qui vas les garder. Si quelqu'un dans le coin apprenait que j'ai onze lires, j'arriverais pas vivant jusqu'au soir.

— D'accord, je te les garderai,

— Non, dit une voix derrière eux. On va plutôt dire que c'est moi qui les garde. »

Mercurio et le vieux Zuan se retournèrent. Mosè grogna.

« Tiens ton chien ou je lui tranche la gorge », fit Scarabello en descendant de sa barque, noire et fine.

Zuan prit Mosè par son collier de corde. « Pas bouger, couillon.

— À propos de petits chiens bien élevés... on ne dit pas bonjour à son maître ? », dit Scarabello en venant près de Mercurio. Il tendit vers lui une main gantée de noir, paume ouverte. « Donne-les-moi.

— Pourquoi ? Mercurio fit un pas en arrière.

— Elles sont à moi.

— Non, à moi, répondit Mercurio, tendu, vibrant de tout son corps. Je les ai gagnées honnêtement, par conséquent elles sont à moi. »

Scarabello le regarda, plissant un peu les paupières. « Tu es à moi. Et un tiers de ce que tu gagnes, peu importe comment, tu me le dois.

— Non. »

Scarabello ne se troubla pas. Il dépassa Mercurio et descendit dans le *squero*. Il regarda autour de lui, vit une masse à long manche, de celles qui servent à planter des piquets, la prit, s'approcha de la coque du navire, leva la masse et l'abattit avec force sur le bordage. Le bois gémit et se fendit. Scarabello leva de nouveau la masse et de nouveau l'abaissa. Le bois céda d'un coup.

Le vieux Zuan eut les larmes aux yeux.

« D'accord, allez, sept ! hurla Mercurio.

— T'es un sentimental. C'est une faiblesse. Mais je t'admire, tu sais ? », dit Scarabello en laissant tomber la masse à terre. « Je me contenterai de onze, aujourd'hui, continua-t-il en revenant près de lui et en tendant de nouveau la main ouverte. Tu diras à ton ami juif qu'à partir de maintenant c'est moi qui ramasse pour toi. T'auras ta part après. » Il prit les pièces de Mercurio et les fit tinter, l'une après l'autre, en les glissant dans sa bourse. « J'ai confiance en toi, fit-il en souriant et en lui donnant une chiquenaude sur la joue, mais tu sais ce qu'on dit… ne pas avoir confiance, c'est mieux. » Il se dirigea vers sa barque élégante. Avant de monter à bord, il se retourna et montra la caraque. « Tu parles d'une affaire… », et il éclata de rire.

Mercurio le regarda s'éloigner. Quand il eut disparu, il s'assit, visage tourné vers les pontons et les baraques à sa gauche. Il regardait la misère dont il avait eu la présomption de se croire libéré. À présent, il lui semblait qu'il n'avait pas d'échappatoire, qu'il ne s'en sortirait jamais. Il écouta la haine, la colère et le désespoir qui grandissaient en lui, comme autrefois, et redevenaient les maîtres de sa vie.

« Je vais le tuer », dit-il tout bas, d'une voix sombre.

Il entendit le vieux Zuan approcher.

« Ne le laisse pas te prendre ton navire, lui dit-il.

— C'est pour ça que je vais le tuer.

— Ne le laisse pas te le prendre… *maintenant*.

— Qu'est-ce que tu veux dire, vieil homme ? demanda Mercurio, les yeux plissés comme des fentes.

— Regarde comment tu es assis. Tu tournes le dos à ton bateau. À ton rêve. À ton espoir, fit Zuan. La haine te l'a déjà pris. »

Mercurio eut la sensation d'être à la croisée des chemins. Il y avait une profonde vérité dans les paroles du vieux marin. C'était le moment de faire des choix. Et ces choix conditionneraient son avenir. « Qu'est-ce que je dois faire, alors ? », demanda-t-il, conscient de l'importance de ce moment.

Zuan le regarda en hochant la tête. « Putain de bordel de misère, mon gars ! T'es con ? s'exclama-t-il. Tourne-toi ! Il suffit que tu changes de position et que tu te retournes. Ton bateau est là. »

61

« C'est une plaisanterie ! lança Isacco en accélérant le pas. Une plaisanterie pure et simple ! Et vous le savez, capitaine !

— Je me suis informé, répondit calmement Lanzafame, qui marchait à ses côtés. Ce Scarabello est dangereux. Ce n'est pas un simple protecteur de putains, c'est un véritable criminel à la tête d'une organisation. Donc arrête, docteur, et dis-moi plutôt merci. »

Isacco se retourna. Quatre hommes de Lanzafame les suivaient, armés. Et cinq autres, sous les ordres de Serravalle, seraient au Castelletto dans la matinée. Depuis trois jours, depuis que Scarabello avait une nouvelle fois menacé Isacco, le cinquième étage de la Torre delle Ghiandaie était gardé. « Même le doge n'a pas une protection pareille, souffla-t-il.

— Alors tu devrais te sentir important, dit Lanzafame.

— Allez au diable vous aussi, capitaine. »

Lanzafame sourit. « Et ta fille, raconte-moi. Je vois beaucoup de monde dans sa boutique. Elle va devenir plus riche que toi, on dirait.

— On dirait… oui, marmonna Isacco.

— Souris donc, pour une fois. C'est une bonne nouvelle, non ? », fit Lanzafame en lui tapant sur l'épaule.

Isacco retint un sourire, pour ne pas lui donner satisfaction, mais dit : « Je suis très fier d'elle. » Puis il chiffonna sur sa tête son bonnet d'un jaune éclatant, à bandes latérales presque orange. « Pourquoi croyez-vous donc que je garde cette affaire-là sur la tête ? C'est un bonnet de Giuditta, elle l'a fait pour moi, et me l'a offert. Si je n'étais pas fier de ma fille, vous croyez que je me promènerais ainsi attifé ? »

Lanzafame éclata de rire. « Ralentis un peu, lui dit-il alors en lui attrapant le bras. J'ai pas encore bu aujourd'hui, et je me sens faible. »

Isacco secoua la tête. « Vous êtes faible parce que vous buvez, pas parce que vous ne buvez pas. Le vin vous trouble les idées au point de vous faire voir les choses à l'envers.

— J'ai pas envie d'un sermon, docteur », répondit Lanzafame avec une pointe de mauvaise humeur dans la voix.

Ils firent quelques pas en silence. Puis Isacco dit : « Pardonnez-moi. Je ne voulais pas vous faire un sermon.

— Mais si. Je sais que tu le fais pour mon bien, répondit Lanzafame. Et tu as raison…

— Mais ? »

Lanzafame ne répondit pas.

Isacco traversa en silence le pont sur le *rio*. Il savait qu'il devait se taire. Le silence est parfois plus efficace que les discours.

« Si je ne bois pas, j'ai les mains qui tremblent, finit par dire le capitaine.

« — Et boire fait cesser le tremblement ? demanda distraitement Isacco.

— Je ne peux pas supporter ça, Isacco, dit Lanzafame d'une voix faible, vaincue. Regarde. » Il tendit la main. « Elle tremble comme celle d'une fille. » Ils passèrent devant une taverne et Lanzafame faillit s'arrêter.

« Mais plus vous buvez, plus ça augmente, non ? », dit alors Isacco.

Lanzafame regarda encore vers la taverne. « Oui. Et chaque jour c'est pire.

— Donc, sachant que la logique n'est pas une opinion, chaque jour pourrait être meilleur, dit Isacco en souriant. Ne serait-ce que par amour pour la science, vous pourriez essayer.

— Essayer quoi ?

— Passer un jour sans boire.

— Un jour ?

— Oui. Aujourd'hui, par exemple.

— T'es en train de m'embobiner, là ?

— Je tente le coup. Mais vous êtes une tête de mule.

— Peut-être que je pourrais boire juste un ou deux verres, histoire de me remonter, et c'est tout. Celui qui m'achève, c'est toujours le dernier verre.

— Je ne crois pas, capitaine. Moi, j'ai l'impression que c'est le premier, au contraire.

— Quelle idiotie ! Le premier, je le tiens parfaitement.

— Sauf qu'après le premier vous n'arrêtez pas. Les verres vous roulent dans la gorge comme des pierres le long d'une pente. Vous ne contrôlez plus la bête. »

Lanzafame marcha en silence, réfléchissant. « Juste aujourd'hui, tu dis ?

— Juste aujourd'hui.

— Et demain ?

— Serons-nous encore vivants demain ? dit Isacco.

— D'accord. Aujourd'hui.

— Aujourd'hui », répéta Isacco en tournant au coin de la petite rue qui donnait dans le campo del Castelletto, où l'on respirait l'odeur familière de sexe et de misère humaine.

« Docteur ! Docteur ! hurla une des prostituées malades en accourant à sa rencontre, les yeux exorbités. Venez ! Vite ! »

Isacco accéléra le pas derrière elle. Lanzafame courait à ses côtés. Plus loin, là où un petit groupe de femmes s'était formé, ils virent Serravalle les armes à la main, de même que les hommes qu'il commandait.

« Que se passe-t-il ? demanda le docteur en se frayant un chemin entre les prostituées. République ! Tu devrais être au lit ! », dit-il en la voyant debout. Il se tourna vers Lidia, sa fille, qui avait un regard effrayé. « Pourquoi tu as laissé ta mère descendre ? »

La petite fille éclata en sanglots.

Une à une, Isacco vit toutes les prostituées qu'il soignait. « Que faites-vous ici ? Retournez vous coucher ! », ordonna-t-il.

« Serravalle ! fit Lanzafame. Qu'est-ce qui s'est passé, foutredieu ? »

Isacco s'ouvrit un chemin parmi les femmes qui se soutenaient les unes les autres, faibles et frissonnantes. La peur se lisait dans leurs regards.

« Ils sont venus cette nuit, répondit le garde.

— Qui ? », demanda Lanzafame.

Les prostituées se pressaient autour de quelqu'un qu'Isacco ne parvenait pas encore à voir.

« Les hommes de Scarabello.

— Ôtez-vous de là, laissez-moi passer », dit Isacco aux dernières femmes qui lui bouchaient la vue. Elles avaient les joues sillonnées de larmes. Et il la vit.

« Ils ont su qu'on ne montait la garde que dans la journée, pour le docteur, répondit Serravalle. Alors ils sont venus la nuit, ils s'en sont pris à elles, ils les ont frappées et jetées à la rue. Et l'une d'elles… qui s'est défendue… »

Isacco regardait la Cardinale sur le sol. Elle était pâle. Sa robe pourpre était luisante sur son flanc. Mouillée. Et déchirée. Il comprit que c'était du sang, rouge sur rouge. « Cardinale…, lui dit-il en s'age-nouillant. Qu'as-tu fait ?

— Il y en a deux… qui ont atterri… au bas des escaliers… docteur, haleta la grande femme. Les salauds… les salauds…

— Ne parle pas », dit Isacco. Il regarda autour de lui. Désigna les portiques, tandis qu'une petite bruine commençait à tomber du ciel gris et bas. « Emportons-la là-bas.

— Ils ont mis des nouvelles prostituées dans les chambres et ils défendent l'étage, ajouta Serravalle pour conclure.

— Ils *défendent* ? tonna Lanzafame en lançant les bras au ciel.

— Donnola, va chercher ma trousse, presse-toi.

— Elle est où ?

— Au cinquième… » Isacco s'arrêta. « Au cin-quième étage…

— Il y a les hommes de Scarabello, fit Donnola, effrayé.

636

« — Emmène la Cardinale sous les portiques. Ferme-lui bien la blessure. Et appuie fort », ordonna Isacco, qui se dirigea vers la Torre delle Ghiandaie.

« Où tu vas, docteur ? dit Lanzafame en l'arrêtant.

— Je dois récupérer ma trousse ou la Cardinale mourra, répondit Isacco.

— C'est pas à toi d'y aller », dit Lanzafame. Il vit un ivrogne avachi contre un mur, avec une bouteille. Il alla vers lui et la lui arracha des mains, sous le regard ébahi du docteur. « T'inquiète pas, dit-il à Isacco. Rien pour aujourd'hui, on est d'accord. J'en ai besoin pour monter au cinquième. Elle est où, ta trousse ?

— Dans la dernière pièce au fond du couloir.

— Il y a une fenêtre ?

— Oui.

— Je peux la lancer ?

— Tout serait cassé, de cette hauteur. »

Lanzafame fit signe à Serravalle. « Une corde. Assez longue pour que je puisse descendre la trousse du docteur sur un étage. Vite. »

Serravalle, habitué à obéir, bondit, discuta rapidement avec ses hommes, qui s'éparpillèrent dans toutes les directions.

« Va t'occuper de la pute », dit Lanzafame à Isacco. Tandis que le docteur s'éloignait, le capitaine se tourna vers la Torre delle Ghiandaie et son regard monta jusqu'au cinquième étage. « J'arrive », murmura-t-il d'une voix rauque et basse, qui ressemblait à un grognement d'animal féroce. Puis il regarda la bouteille. Le tremblement commençait. Il serra la main, avec rage. « Juste pour aujourd'hui », se dit-il, sentant sa volonté vaciller. Par chance, Serravalle revint.

« Voilà, capitaine », dit-il en lui tendant la corde.

Lanzafame ôta son pourpoint et sa chemise. Enroula la corde autour de sa taille. Puis désigna l'ivrogne. « Va me chercher sa veste. Il a tellement de vin dans le corps qu'il ne s'en apercevra même pas. »

Serravalle déshabilla l'ivrogne.

Le capitaine enfila la veste sale de l'ivrogne pour cacher la corde. « Dernière pièce, côté nord. Monte au quatrième et penche-toi par la fenêtre. Je te descendrai la trousse.

— J'y serai », répondit Serravalle.

Lanzafame détacha son épée et la lui donna. « Ils ne me laisseraient pas passer avec ça.

— Faites attention, capitaine. »

Lanzafame se dirigea vers la Torre delle Ghiandaie. Il entra. Peu avant d'arriver au cinquième étage, il commença à tituber, comme s'il était complètement soûl.

« Va-t'en ou je te vire à coups de pied dans le cul, lui dit un voyou tout en haut de l'escalier.

— Va-t'en toi-même, casse-couilles. Moi, je veux baiser…

— T'as les sous ? »

Lanzafame fouilla dans ses poches et trouva des pièces qu'il sortit, en faisant tomber quelques-unes.

L'autre les ramassa avant lui et en garda une ou deux, certain que l'ivrogne ne se rendrait compte de rien. « Passe. »

Lanzafame fit semblant de trébucher. Se laissa tomber au sol. Puis se releva à grand-peine et se remit à tituber dans le couloir.

« Çui-là, il a de la chance s'il trouve sa bite », rigola le voyou, s'adressant à deux de ses collègues.

Lanzafame arriva à la pièce au fond du couloir. Il vit que la porte était ouverte. Il entra.

« Salut, mon amour », dit une prostituée maigre, la peau mate.

Lanzafame ferma la porte. « Elle est où, la trousse du docteur ? dit-il, en posant sa bouteille sur le sol.

— Quelle trousse ? Qui tu es ? », demanda la prostituée, qui alla vers la porte.

Lanzafame l'arrêta. « Le docteur qui vous aide, vous les putains.

— Laisse-moi. Je sais rien, fit la femme, effrayée.

— Si je trouve pas la trousse, une fille nommée la Cardinale va mourir. Tu t'en fous ?

— Je sais rien pour la trousse du docteur. »

Lanzafame la repoussa en arrière. « Toi, tu bouges pas d'ici », la menaça-t-il. Puis il vit dans un coin une grosse bourse plate, en cuir. Il défit sa veste et déroula la corde, dont il attacha un des bouts à la poignée. Il s'approcha de la fenêtre. Se pencha. Au-dessous, il vit Serravalle, penché lui aussi le nez en l'air.

« Je te la passe. »

La prostituée en profita pour se sauver. Aussitôt dans le couloir, elle commença à crier et appeler à l'aide.

« Merde ! jura Lanzafame.

— Qu'est-ce qui se passe, capitaine ? demanda Serravalle.

— Prends la trousse et porte-la au docteur. » Lanzafame fit descendre la bourse.

— Capitaine…

— Bordel de merde, Serravalle ! C'est un ordre ! » Le garde attrapa la bourse et disparut.

Lanzafame eut à peine le temps de se retourner qu'un homme se précipitait dans la pièce. Lanzafame le mit à terre par un coup de poing dans l'estomac. Puis il récupéra son couteau, cassa la bouteille et, la tenant par le col, se jeta dans le couloir.

Deux hommes arrivaient déjà. Et quatre autres derrière.

Lanzafame frappa d'un coup de pied le premier qui vint à sa rencontre et fendit la face de l'autre avec le tranchant de la bouteille. Les deux hommes hurlèrent, mais n'eurent pas le temps de faire demi-tour : les quatre qui survenaient leur bouchaient toute retraite.

« T'es mort ! », hurla l'un d'eux, et il brandit son poignard.

Lanzafame l'esquiva et transperça l'homme sur son flanc gauche. Il sentit la lame s'enfoncer entre les côtes. L'autre se raidit, les yeux exorbités. Le capitaine retira son couteau et para le coup du second. Mais il se rendit compte qu'il n'allait pas pouvoir résister longtemps. Un instant, il pensa qu'il n'avait échappé à la mort dans tant de batailles que pour mourir au milieu des putains de Venise. Il recula, se défendant comme il le pouvait. Il sentit une brûlure au bras qui tenait le couteau. Il avait été blessé. Sa main s'ouvrit, l'arme tomba. Lanzafame brandit la bouteille et fit des moulinets devant lui. Il vit que la chemise de l'homme en face se colorait de rouge. Il en atteignit un autre à la gorge, mais superficiellement. Entre-temps, un autre coup de couteau le frappa à l'épaule. Sa main allait aussi perdre la prise sur la bouteille. Il serra les dents et pensa que s'il avait cru en Dieu, cela aurait été le moment de prier. Alors, comme dans un rêve, au moment où tout se brouillait déjà, il vit un tourbillon de poignards et d'épées, et enfin les hommes de Scarabello qui prenaient leurs jambes à leur cou.

« Capitaine ! Capitaine ! criait Serravalle à la tête des soldats qui s'étaient jetés dans la mêlée pour sauver leur chef.

— Serravalle ! dit Lanzafame en riant. T'as mis un foutu temps pour monter cinq étages ! »

Serravalle le rattrapa au moment même où il s'écroulait au sol. « T'as mis un foutu temps… un foutu temps… », répéta Lanzafame. Il sentit que ses forces l'abandonnaient. Il gémit de douleur. « Enculé de Serravalle. Tu le sais, que je suis pas capable de dire… merci.

— Alors ne dites rien, dit Serravalle. On va voir le docteur. Aujourd'hui, c'est jour de couture, on dirait.

— Le cinquième étage est à nous ?

— Position conquise.

— Serravalle…, haleta Lanzafame.

— Dites, capitaine.

— Mes mains, elles ont pas tremblé, tu sais ?

— Elles ont jamais tremblé, vos mains, capitaine. »

Au soir, Isacco retourna dans le Ghetto. Lanzafame marchait à côté de lui, ses bandages rouges de sang. Mais le capitaine avait le regard d'un homme. Et il marchait fièrement, parce qu'il savait qu'il avait retrouvé ce regard. Une fois à la grande porte, il salua le docteur, puis se fit emmener dans la guérite des gardes.

Isacco entra sur le campo, le dos courbé. Il était si fatigué qu'il entendit à peine le bruit de la porte qu'on refermait derrière lui. Il enleva son bonnet et se glissa sous les portiques.

« Voilà où nous en sommes, lui dit alors Anselmo del Banco, en sortant de sa boutique de prêteur. Voilà où en est le Peuple Élu. Bonnet jaune et mise en cage, la belle affaire. Tu as entendu parler de ce Saint ? Il échauffe les âmes. Maintenant il s'en va dire partout que le petit chrétien qui a disparu à Torcello a été pris par les Juifs pour des rites de sorcellerie. Il dit que nous offrons le sang des enfants à Satan. Je suis inquiet. »

Isacco haussa les épaules. « Moi, je parle avec les gens du commun, Anselmo. Les Vénitiens n'ont rien contre les Juifs et ils ne croient pas à ces idioties.

— Oui, je le pense aussi, dit Anselmo. Mais en tant que chef de la communauté, je dois toujours veiller, tu ne crois pas ? »

Le docteur hocha la tête, distraitement.

« Je dois veiller sur tout, continua Anselmo, insinuant. Je dois même prévenir d'éventuelles attaques… »

Isacco le regarda. « Anselmo, pourquoi ai-je l'impression que tu essaies de me dire quelque chose ?

— Parce que tu es un homme intelligent, sourit Anselmo del Banco. Et peut-être parce que tu sais, au fond de toi, qu'il y a quelque chose dont tôt ou tard nous devons parler.

— Je suis fatigué, Anselmo. Ça a été une sale journée, crois-moi, dit Isacco. Parle. Ne tourne pas autour du pot.

— Si tu veux que je sois aussi direct…

— Oui, je préfère.

— Alors je serai direct, dit Anselmo del Banco en souriant à nouveau. J'imagine que tu sais pourquoi tu es connu dans la communauté et à Venise.

— Tu tournes encore autour du pot.

— Le docteur des putains, dit Anselmo. » Il ne souriait plus et son regard n'avait maintenant plus rien d'amical.

« Quelle originalité !

— Il n'y a pas de quoi rire, Isacco, fit Anselmo, de plus en plus sérieux. La communauté n'est pas satisfaite de ton activité. Ou plutôt, de ta clientèle. Elle jette le discrédit sur nous tous.

— Discrédit ? » Isacco hocha la tête, un sourire sarcastique sur les lèvres. « Je suis en train d'essayer de lutter contre l'épidémie…

— Ce sont des prostituées, Isacco.

— Ce sont des êtres humains. »

Anselmo le fixa en silence, avec sévérité. « Ça ne t'intéresse pas, les préoccupations de la communauté dont tu fais partie ?

— Ce genre de préoccupation, non.

— Les prostituées sont des êtres corrompus. Méprisables. Leur infamie retombe sur nous.

— Bien. Tu as dit ce que tu avais à dire.

— Non », dit Anselmo. Sa voix se fit basse, presque sifflante. « J'ai fait semblant de croire à l'histoire de ton arrivée à Venise par voie de terre. Mais si on venait à savoir que tu es cet escroc dont parlait un équipage macédonien, que dirais-tu à la communauté ?

— Je rappellerais à tous qu'aux yeux du Seigneur, plus haut que le *Tzadik*, que le Juste, il y a l'homme qui est tombé et qui s'est relevé.

— Et tu penses que ce joli petit discours fonctionnerait avec les autorités vénitiennes… docteur ? »

Isacco le fixa. Il imagina qu'Anselmo del Banco avait ce regard quand il arrivait au point crucial d'une affaire. « Tu me fais du chantage ? »

Anselmo le regarda en silence.

Isacco sentit tout le poids de la menace. À l'instant même, il se rappela les endroits mal famés, pleins de voleurs, d'escrocs et de prostituées qu'il fréquentait jeune homme. Et il pensa qu'il devait y avoir une raison si Dieu avait voulu lui faire prendre ce chemin-là, et si son père s'était entêté à lui enseigner les rudiments de la médecine, à lui, le seul d'entre ses frères. À l'évidence, le dessein de Dieu, ou son destin à lui, était de faire vivre ensemble ces deux réalités qu'il connaissait si bien.

« Fais ton choix », lui intima Anselmo del Banco.

Isacco se souvint des prostituées du port, qui l'avaient accueilli dans leur lit et lui avaient donné du pain, pour l'empêcher de mourir de faim. « Je suis fier d'être le docteur des putains. »

62

Quand elle fit son entrée dans la grande salle de bal, Benedetta savait que les yeux de toutes les dames de la noblesse et des courtisanes étaient pointés sur elle. Elle sentait presque leurs regards supérieurs et hostiles.

Elle avançait au bras du prince Contarini, essayant de ne pas se laisser déséquilibrer par la démarche bancale de son seigneur estropié, consciente que chacune de ces femmes riait d'elle et la méprisait d'être la maîtresse de cet homme répugnant, doté d'une âme aussi difforme que son corps.

Elle se laissa regarder sans jamais croiser leurs yeux. Elle n'avait pas de bijoux moins précieux que les leurs. Elle n'avait pas une coiffure moins à la mode. Elle n'était pas maquillée avec moins de soin. Elle était une dame, en apparence. Comme toutes celles qui étaient là.

Cependant, elle avait quelque chose de spécial.

Elle était plus belle que la majorité d'entre elles. Et cela, elle le lisait dans le regard de leurs hommes.

Et elle portait une robe unique. Une robe qu'elles allaient toutes regarder avec curiosité et avec envie. Toutes.

À cause de cette robe, elles lui adresseraient peut-être la parole car cette robe avait quelque chose de révolutionnaire : de grandes manches bouffantes qui s'élargissaient à la hauteur des avant-bras découvraient deux manches intérieures, plus ajustées, d'une soie légère presque transparente qui laissait deviner la peau sous l'étoffe. Le corset n'était pas rigide, comme dans les robes des autres femmes, mais souple, et s'ouvrait légèrement à la hauteur des seins, créant une sorte de balcon. Benedetta, dès qu'elle avait vu cette conception simple mais novatrice, avait pensé que n'importe quel homme éprouverait le désir de caresser ces deux coupes. À hauteur des hanches, quatre baleines rigides, deux derrière et deux sur le côté, modelaient la taille en la serrant de manière gracieuse. Enfin, la jupe, au lieu d'une cloche lourde cachant la partie inférieure du corps, était composée d'une succession de voiles les uns par-dessus les autres. La forme générale restait la même, mais la finesse des voiles laissait deviner sous l'étoffe délicate chaque mouvement des jambes.

Au centre du grand salon qu'illuminaient des bougies de toutes les couleurs et des lampes à miroirs, le prince Contarini s'arrêta et, avec la grâce d'un crabe, fit une sorte de révérence devant ses hôtes qui l'applaudirent. Il était vêtu de blanc et d'or. Tourné vers l'orchestre, il donna l'ordre de commencer à jouer. Esquissant sans vergogne un pas de danse, il conduisit Benedetta vers un fauteuil à l'écart. Lui-même alla s'asseoir dans un fauteuil posé sur une estrade tapissée de soie bleu azur qui dominait la salle.

Benedetta perçut le soupir de satisfaction des dames présentes, appréciant que le prince, même s'il leur imposait sa maîtresse, ne la place pas au même niveau qu'elles.

Quelques invités formèrent un cercle au centre de la salle et commencèrent à danser pendant que les autres s'amassaient autour d'eux en applaudissant. Ceux qui étaient à côté de Benedetta ne lui adressèrent ni un mot ni un regard.

Elle gardait les yeux fixés devant elle, immobile. Et s'étonna de constater que sous les parfums coûteux dont ils s'étaient aspergés, tous ces nobles puaient. De leurs corps émanaient des odeurs fortes, âcres, de sueur et de mauvaise haleine, de dents gâtées et de cheveux sales. Alors elle se décida à les regarder, l'un après l'autre. Elle sourit en pensant que la différence entre cette salle de bal et une étable à chèvres était qu'ici les chèvres s'aspergeaient de parfum. Elle n'eut plus peur d'aucun d'entre eux, ne se sentit plus inférieure ni intimidée. Elle regarda vers le prince et lui envoya, théâtralement, un baiser. Puis elle arrangea les plis de sa robe et attendit.

Elle vit qu'un groupe s'était formé sur sa droite autour d'une femme assise, vêtue de manière tapageuse avec des cheveux teints en bleu et un décolleté si profond qu'on voyait dépasser, sombres comme deux perles noires, les mamelons de sa minuscule poitrine. Elle était entourée d'hommes, ce qu'elle semblait trouver naturel, tenait à la main un petit livre et déclamait des poèmes qu'elle se vantait d'avoir elle-même composés. À peine eut-elle fini de lire que le petit groupe d'hommes qui l'entourait fit un applaudissement étouffé par les gants de feutre. Alors la femme remit le petit livre dans le sac noué à son poignet gauche et se tourna vers Benedetta. Sans retenue aucune, elle examina sa robe.

Quand la femme se leva, Benedetta remarqua qu'elle était nettement plus grande que les hommes qui ne cessaient de lui tourner autour. Elle s'approcha de Benedetta et il suffit d'un regard au gentilhomme assis à côté d'elle pour que celui-ci se lève d'un bond et lui cède la place, qu'elle prit sans même le remercier. Benedetta vit qu'elle avait des chaussures surélevées, presque des échasses. Elle comprit que ce n'était pas une noble, mais une courtisane. Ces chaussures permettaient de marcher dans les rues boueuses de Venise sans salir sa robe.

La courtisane sourit à Benedetta. « Après moi, elles viendront toutes, ma chère », dit-elle d'une voix veloutée.

Benedetta répondit à son sourire et ne parla pas.

« Comme moi, elles voudront tout savoir de cette robe, fit la courtisane.

— C'est juste une robe. »

La courtisane éclata de rire. « Vous êtes excellente, ma chère.

— Pourquoi ?

— Parce que vous faites comme si de rien n'était. »

Benedetta la regarda en silence. Mais elle savait ce qu'elle voulait dire.

« Gardez vos chichis pour le reste de la basse-cour, fit la courtisane, qui susurra, penchée vers elle : Je suis une putain, comme vous. »

Benedetta sourit. « Que voulez-vous savoir ?

— C'est une des robes que dessine cette Juive dont Venise commence à parler ?

— Exactement.

— Je m'en doutais. » La courtisane tendit la main. « Vous permettez ? » Elle palpa l'étoffe entre ses doigts. « Soie de la meilleure qualité.

— Oui.

— Est-elle aussi douce entre les jambes ? », demanda la courtisane en riant. Benedetta éclata de rire à son tour.

« Mais certainement pas aussi douce que certains bâtons masculins », dit la courtisane, et elle lui prit la main, tout en continuant à rire d'un air complice.

En peu de temps, ce fut toute une procession de femmes, en ordre hiérarchique. La courtisane avait commencé, puis vinrent les dames de compagnie, les femmes de marchand, ensuite les plus jeunes, et enfin, une femme au visage dur, impénétrable, au nez effilé et aux longues mains noueuses couvertes de bagues et de bracelets d'immense valeur.

De loin, la courtisane écarquilla les yeux vers Benedetta, pour lui faire comprendre qu'elle était plus qu'étonnée de voir cette noble dame s'approcher d'elle.

Aussitôt que la dame fut à deux pas de l'endroit où elle était assise, Benedetta se leva et fit la révérence.

La dame sembla apprécier. Mais une expression dure et antipathique réapparut aussitôt sur son visage. « Comment fait-on pour acheter une robe chez une Juive ? », dit-elle.

Benedetta attendit pour répondre. Elle sentait que sa voix allait trembler. Alors qu'elle devait paraître calme, effrontée même, si elle voulait que son plan fonctionne. Douée pour l'arnaque, elle savait que la meilleure technique est toujours l'attaque. « De la manière habituelle, répondit-elle en cachant l'impression que lui faisait cette dame si haut placée, si puissante et si riche. On plonge sa main dans sa bourse et on paie. »

L'aristocrate se raidit, déconcertée par cette réponse. Sa dame de compagnie eut un petit rire et se couvrit la bouche d'un mouchoir brodé.

« Vous êtes spirituelle, dit l'aristocrate.

— Vous êtes généreuse, votre Grâce.

— Bien. Maintenant répondez à ma question. » Sa voix était glaciale.

Et Benedetta se sentit glacée. Cette femme avait pour elle la force de ses ancêtres, des siècles d'histoire, d'énormes patrimoines. Benedetta n'était rien à ses yeux. S'il n'y avait eu la nouveauté de cette robe, cette noble ne l'aurait même pas vue. Il lui fallait donc continuer d'attaquer, alors même qu'elle aurait préféré s'échapper et disparaître. « Elle vous plaît ? lui demanda-t-elle du ton le plus mondain qu'elle parvînt à imiter.

— On ne vous a donc pas appris qu'on ne répond pas à une question par une question ?

— Comme vous venez vous-même de le faire, voyez-vous. » La réponse lui était venue d'instinct. Benedetta se sentit exaltée. Elle y arrivait. Elle combattait à armes égales.

« Il suffit d'un rien pour passer de spirituel à mal élevé », rétorqua l'aristocrate piquée au vif, tandis que se formait autour d'elles un groupe de femmes curieuses, y compris la courtisane, qui souriait ouvertement à Benedetta.

« Je vous demande pardon, votre Grâce, s'inclina Benedetta, mais la réponse était déjà dans ma question. Je vous ai demandé si elle vous plaisait. Si vous m'aviez répondu oui, comme j'ai l'honneur et la présomption de le supposer, je vous aurais dit que c'est exactement ce qui m'a poussée à acheter une robe chez cette Juive. Car, quoique juive, je dois reconnaître qu'elle a du talent. D'elle je me soucie peu, mais j'ai souci de moi-même. Et cette robe, pardonnez mon immodestie, me va très bien. Ne trouvez-vous pas ? »

La dame la regarda longtemps. « Parfois, je me dis que le fait de n'avoir pas reçu une éducation est un avantage, car les gens comme vous sont émancipés de toute une série de règles dont nous peinons à nous débarrasser. Ce qui semblerait être un éloge de l'ignorance », conclut-elle en regardant ses pairs, qui sourirent, satisfaits de la leçon. Alors, la hiérarchie étant rétablie, la dame s'adressa à Benedetta d'un ton beaucoup moins dur et glacial. « En effet, mon enfant. Cette robe vous va à ravir. Mais je ne suis pas sûre que tout le mérite en revienne à la Juive. Vous êtes plutôt... gracieuse. »

La courtisane fit une grimace à l'adresse de Benedetta et, comme la dame s'était tournée pour discuter avec deux autres dames de la noblesse, lui chuchota : « Je suis impressionnée, ma chère. Elle ne m'a jamais parlé comme ça, à moi. Ni à personne, je crois. »

Benedetta eut un coup au cœur. "Tu y es arrivée, se dit-elle en regardant la dame qui se tournait de nouveau vers elle. Le poisson a mordu à l'hameçon."

« Levez-vous donc, grand échalas », dit la noble en chassant la courtisane. Elle s'adressa à Benedetta. « Je ne peux pas me permettre d'aller dans une petite boutique du sérail des Juifs. Mais peut-être, nous disions-nous avec mes amies, ici... », et elle indiqua les dames les plus somptueusement parées de la fête. « Peut-être pourrait-on faire venir cette Juive dans une de nos maisons, sans trop de bruit, pour qu'elle nous montre ses robes. »

Benedetta acquiesça. Elle ressentait une joie intérieure.

« Qu'en pensez-vous ? demanda la dame en la regardant.

— Votre Grâce, répondit Benedetta, je ne voudrais pas me faire de nouveau gronder pour avoir répliqué par une question, mais au risque de vous déplaire, je dois vous le demander : quel poids peut avoir mon opinion à vos yeux ?

— Je croyais que vous étiez l'une de ces petites putains habituelles du prince, dit l'aristocrate, mais vous êtes une jeune fille qui a la tête sur les épaules. Et vous avez du bon sens. »

Benedetta fit une profonde révérence.

« Oui, cette robe tombe parfaitement. Y compris en mouvement, reconnut l'aristocrate. Vous pourriez envoyer un de vos... un des serviteurs du prince, dans la boutique de cette Juive ? Je préférerais que mes serviteurs ne soient pas mêlés, eux non plus, à ces gens.

— Bien sûr, votre Grâce, répondit Benedetta.

— Disons donc pour le Lundi de l'Ange au palais.

— Comme il vous semble bon.

— Vous me feriez une faveur.

— C'est un plaisir pour moi. »

La noble dame s'apprêtait à s'en aller quand elle s'arrêta. « Vous comprenez de vous-même que je ne peux cependant pas vous inviter, n'est-ce pas ? »

Benedetta ressentit l'humiliation. Et la colère. Mais ne les laissa pas voir. « Bien sûr, votre Grâce. »

L'aristocrate regarda de nouveau la robe. « Elle est magnifique.

— Oui, elle l'est, reconnut Benedetta. Cette Juive m'a ensorcelée avec ses robes.

— Ensorcelée ? De quel terme étrange vous usez, dit l'autre avec un petit rire.

— Vous croyez ? Pourtant, c'est ainsi. J'en possède trois et je ne parviens pas à mettre autre chose. » Puis, avec naturel, comme si elle ne l'avait pas prémédité, elle ouvrit le pli du corset et montra une petite tache rouge à l'aristocrate. « Regardez. C'est sa marque distinctive. Du sang d'amoureux. » Elle rit. « Évidemment, je n'y crois pas... »

L'aristocrate ne dit rien, mais se tourna imperceptiblement vers un homme qui avait son âge et faisait le joli cœur avec une petite servante. Benedetta comprit alors la raison de ce regard dur et froid. C'était une femme trompée, une femme humiliée, une femme seule. Et qui avait besoin d'une robe tachée de sang d'amoureux pour se rassurer, pour espérer.

« Elle vous ira à merveille », chuchota Benedetta.

L'aristocrate la regarda un instant sans son masque de froideur. Elle paraissait moins vieille. Et beaucoup plus fragile. Elle avait des siècles d'histoire sur les épaules et portait des bijoux qui valaient une fortune, mais ses sentiments n'étaient pas différents de ceux des autres femmes. Derrière la condescendance affichée de ceux qui se sentent supérieurs, elle avait les mêmes faiblesses qu'une fille comme elle, qui avait grandi dans les fosses communes. L'instant d'après, l'aristocrate était redevenue la femme du monde qui ne peut être touchée par les misères humaines.

Benedetta huma dans l'air une légère odeur d'urine.

Quand la fête fut à son comble, le prince invita Benedetta à danser. Elle se leva et rejoignit le centre de la salle. Tous se taisaient et les regardaient.

Alors Benedetta porta la main à son décolleté, ouvrit la bouche et devint écarlate. L'instant d'après, elle était par terre, évanouie. Pendant qu'un médecin lui donnait les premiers secours, elle se reprit, et commença à trembler et à délirer.

« Mon âme… elle me vole… mon âme… j'étouffe… délacez ma robe… j'étouffe… la robe… la robe… »

On la transporta dans sa chambre à coucher. Deux servantes s'occupèrent de la déshabiller.

Quand le médecin entra dans la pièce, Benedetta allait mieux.

« J'ai enlevé la robe et c'est passé, docteur, lui dit-elle.

— Elle était peut-être trop serrée, supposa le médecin.

— Peut-être…, répondit Benedetta. Mais c'est bizarre… on aurait dit que…

— Que quoi ? demanda le médecin.

— Que ma robe voulait me… non, c'est une bêtise. J'ai dû me faire des idées. » Elle éclata de rire. « Pensez si une robe peut vouloir vous voler votre âme. »

Le docteur rit avec elle.

Mais les deux servantes, qui tenaient encore la robe, la posèrent rapidement sur une chaise et sortirent.

Le Lundi de l'Ange, Benedetta passait comme par hasard devant un imposant palais au moment où la noble dame en sortait, accompagnée de ses amies. Benedetta la salua très discrètement et lui demanda comment s'était passé le défilé de modèles avec la Juive.

« Cette fille a du talent, vous aviez parfaitement raison, dit l'aristocrate, gaiement. Nous lui avons commandé quelques robes. Saviez-vous que sa minuscule boutique s'appelle Psyché ?

— Non, mentit Benedetta. L'âme… quel drôle de nom.

— Psyché et Amour, fit la noble. Et du sang d'amoureux. » Elle rit. « Quelles bêtises !

— Oui, quelles bêtises ! », répéta Benedetta.

L'aristocrate remarqua qu'elle portait la même robe que le soir de la fête. « Ma fille, acceptez un conseil. Ne vous montrez pas toujours dans la même robe.

— Vous avez raison, votre Grâce, dit Benedetta, en hochant la tête. Mais je n'y parviens pas. Il n'y en a aucune qui me plaise autant. Je vous l'ai dit… cette Juive m'a ensorcelée.

— C'est la seconde fois que vous employez ce terme, ma fille, nota l'aristocrate. C'est un terme… compromettant. D'autant que vous logez chez vous…, c'est-à-dire chez le prince, celui qu'on appelle le Saint. Faites attention, il pourrait vous faire rôtir », et elle se mit à rire.

« Je ne la mettrai plus », dit Benedetta en lui souriant. Elle fit une révérence à la noble dame et prit congé.

Elle n'avait pas fait trois pas qu'elle s'écroula au sol, hurlant et se débattant comme une folle.

L'aristocrate et ses amies s'éloignèrent dans la direction opposée. Mais la dame s'arrêta et se retourna vers Benedetta.

Celle-ci, à terre, avait porté les mains à son décolleté. Elle avait le visage rouge, les yeux exorbités et hurlait des phrases vides de sens.

« Non ! Tu ne me prendras pas… Aidez-moi ! Ça me brûle… Enlevez-moi… enlevez-moi cette robe… je brûle ! Je suis… en feu… s'il vous plaît… non ! Non ! »

Puis, là, au milieu du *campo*, tandis que les gens s'amassaient et regardaient sans intervenir, Benedetta arracha le devant de sa robe, dénudant sa poitrine.

« Oh, mon Dieu ! s'exclama l'aristocrate.

— Au secours ! », hurlait Benedetta en lacérant de plus en plus sa robe, en proie à des convulsions. Relevant sa jupe, elle montra son pubis et ses fesses. « Je brûle ! Je suis en feu ! »

Enfin, au moment où la noble dame et ses amies appelaient leurs serviteurs et le portier du palais pour qu'ils viennent à son secours, Benedetta se releva sur les genoux et, dans un ultime et douloureux effort, déchira complètement sa robe, restant nue.

« Regardez ! s'exclama alors une femme. Elle est recouverte de plaies. Elle est brûlée ! »

Tous virent que Benedetta avait le dos violacé, couvert de pustules aqueuses.

« Portez-la à l'intérieur ! », ordonna l'aristocrate à ses serviteurs.

« Non… je vais bien… maintenant je vais bien… », dit-elle avant de s'écrouler au sol, évanouie. À ce moment-là, un grumeau de sang lui sortit de la bouche.

La foule gronda. L'aristocrate se couvrit les yeux.

Les serviteurs du palais la soulevèrent.

La robe lacérée était restée sur le sol, salie de boue. Une femme du peuple se baissa vers le vêtement et prit quelque chose qui sortait d'un pli. Elle la montra aux gens autour. C'était la plume d'un corbeau dont la pointe était recourbée et tachée de sang.

« Sortilège ! cria-t-elle. Pauvre enfant, on lui a jeté un sort ! »

La foule gronda de nouveau. Une vieille femme s'éloigna d'un pas pressé, en faisant une série de signes de croix.

« Sottises ! Superstitions ! », leur dit l'aristocrate d'un ton de reproche. Mais elle regarda la robe par terre, suspicieuse. Puis elle disparut rapidement à l'intérieur de son palais.

Un peu plus loin, dans le petit canal latéral, s'avançait lentement la barque plate qui ramassait les ordures. À la poupe, le grand baquet des excréments. À la proue, celui des autres déchets. De certaines habitations les gens descendaient au bout d'une corde des seaux remplis d'ordures malodorantes. Si la barque ne passait pas, le contenu des seaux finissait dans le *rio* où il restait des jours à flotter, empestant l'air. Une bande de mouettes voltigeait autour des immondices. La caisse de résonance des immeubles qui se serraient de chaque côté du *rio* amplifiait leurs cris, semblables à des rires lugubres.

« Sorcellerie… », murmuraient les gens sur le campo.

63

Giuditta, par la fenêtre qui donnait sur le *campo*, regardait vers le rio di San Girolamo. Isacco était dans sa chambre, endormi. On l'entendait ronfler jusque-là. Au lieu de dormir, elle surveillait les gens qui entraient dans le Ghetto, cherchant Mercurio dans l'espoir qu'il viendrait la voir ce soir.

Mais la grande porte restait vide. Les deux gardes se dandinaient avec ennui, attendant pour fermer que le dernier coup de la Marangona résonne.

Giuditta vit Lanzafame sortir de la guérite des gardes. Elle savait qu'il avait été blessé. Il portait encore des bandages. Son père changeait ses pansements tous les jours mais n'avait rien raconté. Ce que Giuditta voyait surtout, c'est qu'il ne titubait plus, qu'il n'était pas soûl.

La Marangona sonna. Les deux gardes s'étirèrent.

« Fermez ! ordonna Lanzafame.

— Fermé ! », entendit-on répondre de l'autre porte, celle qui donnait sur le Ghetto du côté de Cannaregio.

Du côté de San Girolamo, les gardes commencèrent à pousser les deux battants.

Giuditta regarda vers la fondamenta dei Ormesini, espérant voir arriver Mercurio déguisé en Juif. Mais la *fondamenta* elle aussi était déserte. Durant la demi-heure précédente, Giuditta avait vu entrer l'horloger Leibowitz, deux vieilles lavandières, un grand bonhomme taché de sang qui devait être un *schochet*, un boucher rituel, et une grande fille avec un ballot de paille sur la tête, serré dans une toile blanche nouée comme un foulard. Puis un jeune homme, maigre, sale, avec une jambe en moins, qui avançait avec difficulté en s'appuyant sur deux béquilles. Cela aurait tout à fait pu être Mercurio. Mais personne n'avait gratté à la porte comme convenu.

Les deux battants de la porte sur le rio di San Girolamo se heurtèrent dans une vibration sourde et sinistre avant de s'encastrer l'un dans l'autre. On entendit la grande barre du verrou retomber dans les crampons de métal.

« Fermé ! », hurlèrent les gardes.

Lanzafame retourna dans la guérite.

Giuditta resta à la fenêtre, la tête posée contre la vitre froide. Ce soir, Mercurio ne viendrait pas.

Elle prépara son lit avec indolence. Puis, tendant l'oreille, elle entendit des pas dans l'escalier.

Elle sourit et courut à la porte, qu'elle ouvrit avant même le signal convenu. Son cœur battait fort dans sa poitrine.

Au lieu de Mercurio, elle se trouva face à une jeune fille. La fille au ballot de foin, pensa-t-elle, parce qu'elle avait encore quelques brins de paille dans ses longs cheveux clairs.

« Oh… pardon », dit Giuditta, déçue, qui s'apprêtait à refermer la porte.

La fille leva les yeux et dit : « Attends. Je peux t'embrasser, avant ? »

Giuditta recula, instinctivement, puis elle éclata de rire. « Idiot ! »

Mercurio posa le doigt en travers des lèvres de Giuditta, les yeux brillants d'allégresse. « Tais-toi... Tu veux réveiller tout le monde ? »

Giuditta se jeta dans ses bras. « Comme tu es belle, murmura-t-elle à son oreille, en continuant de rire.

— Viens, lui dit Mercurio en lui prenant la main.

— Attends », fit Giuditta. Elle revint à l'intérieur, prit la couverture de son lit et ferma à demi la porte.

Ensuite, en silence, leurs mains impatientes parcourant déjà le corps de l'autre, ils montèrent jusqu'au toit de l'immeuble, sortirent sur la terrasse et se glissèrent dans une petite cahute, moitié en bois, moitié en maçonnerie. Il y régnait une forte odeur d'excréments d'oiseaux.

« Bonsoir, les amis », dit Giuditta en entrant.

Quelques pigeons, alignés sur un bâton de bois, s'agitèrent en réponse.

« Regarde », dit Mercurio.

Giuditta vit un petit feu qui brûlait au centre de la pièce. Et dans un coin, il avait aménagé une couche avec la paille qu'il avait apportée, recouverte de la toile du ballot. « Quel luxe ! s'exclama-t-elle.

— Et ce n'est pas fini, dit alors Mercurio, en lui tendant un gâteau caramélisé, couvert de brisures de noisettes et fourré au miel.

— Voilà pourquoi je t'aime », soupira Giuditta. Elle prit un pan de la jupe de Mercurio et le fit voleter, en riant. « Ce n'est certainement pas pour ta virilité.

— Imagine ce qu'ils diraient s'ils nous découvraient, dit Mercurio en riant. Deux filles dans un pigeonnier !

— Et une chrétienne, qui plus est, lui répondit Giuditta en riant elle aussi.

— Je suis juive, dit Mercurio en feignant l'offensé. J'ai même mon bonnet. » Il le sortit de sa poche et se le planta sur la tête.

« Mais… » Giuditta était ébahie. « C'est un des miens !

— Je l'ai acheté aujourd'hui. Tu ne t'es même pas aperçue que je suis venu au magasin. Tu étais bien trop occupée à essayer de faire entrer une grosse dame dans une robe affreuse.

— C'était une robe magnifique, mais cette dondon… » Giuditta s'interrompit. Elle regarda Mercurio, sérieuse « J'aurais bien aimé te voir.

— Et moi, j'ai bien aimé t'espionner.

— Tu es odieux… en fait, tu n'es qu'une odieuse gamine.

— À ce propos, dit Mercurio, laisse-moi vérifier si nous sommes toutes les deux pareilles, là, en bas », et il glissa la main sous sa jupe.

Giuditta cessa de rire et glissa ses mains sous la jupe de Mercurio. Puis ils roulèrent sur la paille, écrasant sous leurs corps le gâteau caramélisé. Ils se fondirent l'un dans l'autre, comme ils le faisaient maintenant depuis des jours, chaque fois qu'ils le pouvaient.

Quand ils furent rassasiés, Giuditta se serra contre le torse de Mercurio et se recroquevilla dans son étreinte accueillante et chaude. Elle caressa son dos nu, passa ses doigts entre ses omoplates, et puis plus bas, jusqu'à l'attache des lombes, auxquels quelques instants plus tôt elle s'était agrippée avec passion tandis qu'il se poussait en elle. « Tu as une bonne odeur, lui dit-elle en posant le nez contre sa poitrine. Et j'entends ton cœur battre… » Elle leva les yeux. Le regarda, rougit, baissa de nouveau la tête et posa l'oreille contre son cœur. « Pour moi.

— Pour toi », chuchota Mercurio.

Ils restèrent enlacés. Dehors, la nuit commençait à pâlir.

« On ne parle que de toi, à Venise, dit Mercurio. Tu es en train de devenir célèbre. Et riche, j'imagine.

— J'ai des centaines de modèles en tête ! Ce sera une grande aventure ! »

Mercurio l'écoutait en souriant. Il embrassa ses lèvres charnues.

Giuditta s'écarta. « Tu m'écoutes ? demanda-t-elle.

— Un peu…, dit Mercurio.

— Juste un peu ?

— Tu es trop belle. Je n'arrive pas à me concentrer. »

Giuditta sourit. « Mon père va bientôt se réveiller.

— Ah, c'est bien, je vais pouvoir lui dire bonjour », plaisanta Mercurio.

Giuditta rit de nouveau. « Il faut que je m'habille.

— Non, attends. Laisse-moi toucher encore ta peau. » Il passa ses mains sur le corps de Giuditta, qui s'arquait sous ses caresses.

« Il faut que j'y aille…, chuchota Giuditta.

— Il est tôt. Le coq n'a pas encore chanté, dit Mercurio.

— Il n'y a pas de coq dans le Ghetto, dit Giuditta avec un petit rire.

— Menteuse. »

Giuditta le repoussa, en souriant.

« Reste encore un peu, insista Mercurio, en l'attirant contre lui.

— Tu es fou…

— Oui. »

Giuditta l'enlaça et laissa tomber sa tête contre sa poitrine.

« J'ai essayé de parler avec ton père. »

Giuditta se raidit.

« Je ne suis pas son genre », plaisanta Mercurio. Mais sa voix trahissait une angoisse. « Ton père ne m'acceptera jamais, c'est ça ?

— De quoi tu t'étonnes ? C'est normal, répondit Giuditta. Il est juif et tu es chrétien.

— Qu'est-ce que ça peut nous faire ?

— Comment peux-tu ne pas comprendre ? Pour toi tout est facile. Tu n'es pas enfermé dans une cage. Tu ne dois pas porter un bonnet jaune pour que tout le monde sache que tu es différent. Tu es libre, toi !

— Alors deviens libre toi aussi !

— Et comment ?

— Fais-toi chrétienne !

— Trahir mon peuple ? Trahir mon père ? » Dans la voix de Giuditta s'entendait la condamnation, se disaient sa bataille, son désespoir. « C'est ça, que tu me demandes ? De me couper un bras, un morceau de cœur, la moitié de la tête ? C'est quoi, exactement, que tu me demandes de couper ? »

Mercurio sentit ses yeux se remplir de larmes. Une douleur sans fond l'aspirait, lui ouvrait la poitrine.

« Comment peux-tu… ? », explosa Giuditta. Mais elle s'arrêta. Elle sentit qu'elle allait pleurer, elle aussi. La même douleur lui déchirait la poitrine. Elle resta silencieuse. « Que devrais-je faire, d'après toi ?

Me ranger aux côtés de ceux qui enferment mon peuple dans une cage, comme tu l'appelles ? Ou m'en aller par les rues de Venise avec ce faux Saint crier que mon peuple est au service de Satan ? Qu'il vole des enfants innocents, les égorge et utilise leur sang pour des rituels magiques ? Nous n'avons rien, nous, à part notre condamnation parce que nous sommes juifs. Si je renonce même à ça, alors… qui je suis ? »

Mercurio soupira. « Et donc ma condamnation sera de t'avoir… sans t'avoir. D'être à toi… mais sans l'être. »

Giuditta cacha son visage au creux de son épaule, s'enroulant autour de son torse dans une étreinte désespérée, pour tenter d'étouffer ses pensées et sa douleur.

Mercurio l'écarta. Avec douceur mais avec fermeté. Il la regarda.

« Garde-moi contre toi…, murmura Giuditta.

— Pendant combien de temps ? répondit Mercurio, la voix brisée par l'émotion. Jusqu'à l'aube ? Obligé de te chuchoter que je t'aime parce qu'il m'est interdit de le dire à voix haute ?

— Ne crois-tu pas que c'est tout aussi insupportable pour moi ? » Giuditta l'étreignit de nouveau.

« Oui…, murmura Mercurio. Oui, mon amour… »

Giuditta le regarda. « Et alors ?

— Je suis prêt à devenir juif, lui dit Mercurio. Est-ce qu'ensuite ton père m'acceptera ? »

Giuditta sentit au cœur un coup terrible. « Les chrétiens ne te le permettraient pas.

— Mais ton père m'accepterait ? répéta Mercurio. Et toi, tu serais prête à être mienne ? Je me fiche bien des chrétiens.

— Ils te brûleraient sur un bûcher.

— Mais tu serais mienne ? Réponds.

— Je suis déjà tienne…

— Non. Tu ne l'es pas ! »

Giuditta baissa les yeux.

« Je suis un escroc. Je trouverai un moyen pour devenir juif sans me faire rôtir par les chrétiens. Mais après, tu seras mienne ? »

Giuditta sentait de tout son être que Mercurio était prêt à sacrifier sa vie pour leur amour.

« J'ai un bateau, maintenant, reprit Mercurio. Un vrai bateau. Et un travail qui me permettra de le renflouer. Alors je viendrai te chercher et je t'emmènerai avec moi.

— Tu m'emmèneras où ?

— Dans un endroit où on est libre, Giuditta. Libre. Où il n'y a ni Juifs ni chrétiens mais juste des personnes ! s'exclama Mercurio, la voix teintée de colère.

— Comment fais-tu pour toujours parler de liberté et ne pas comprendre que moi, ce que je veux, c'est la liberté d'être juive ? », dit Giuditta, d'une voix fatiguée.

Mercurio se dressa sur son coude. « Mais c'est… » Il s'interrompit.

« Quoi ? » Giuditta le défiait du regard. « Impossible ? »

Mercurio baissa les yeux. Il se recoucha, en lui tournant le dos.

Giuditta se colla contre son dos, et l'enlaça. Un sombre désespoir noyait toutes ses espérances. Elle pensa que leur amour ne survivrait pas, parce qu'ils appartenaient à deux mondes qui pouvaient seulement se frôler. Ils ne s'en sortiraient jamais. « Tu ne peux pas comprendre. Tu es né libre, dit-elle. Moi pas. J'appartiens au peuple des bonnets jaunes… »

Ils restèrent ainsi, immobiles, sans parler.

Après quelques instants, Giuditta brisa le silence. « Il faut que j'y aille. »

Alors Mercurio lui prit la main et l'ouvrit devant lui. « Toi, tu regardes tes mains et tu te dis : "Elles ressemblent à celles de mon père. J'ai les mains de mon père. Je lui appartiens." Ou bien ton père te raconte que tu as les mains de ta mère, et alors tu te dis : "Je suis pareille à ma mère. Je lui appartiens." » Mercurio parlait d'une voix basse, en caressant les doigts fins de Giuditta. Il se retourna. Il avait les yeux remplis de douleur. Mais sans aucune trace de colère. Il suivit les traits du visage de Giuditta du bout de l'index. « On te dit que tu as les lèvres de ta grand-mère et les yeux de ton grand-père. Tu es une partie de quelque chose. Tu le sais parce que tu as leurs mains, leurs yeux, leurs lèvres, leurs cheveux… même un petit défaut dans la manière de parler te dira que tu es une des leurs. » Mercurio s'arrêta un instant. « Moi, je n'ai jamais su si j'avais les mains de mon père ou de ma mère. C'est peut-être pour cette raison-là que je ne comprends pas pourquoi c'est important d'être juif ou chrétien… Parce que moi, je ne fais partie de rien. Je te demande pardon. »

Giuditta éclata en sanglots. Si fort qu'elle dut enfoncer son visage dans la paille pour ne pas être entendue dans toute la maison. Quand elle réussit à se calmer, elle s'accrocha de toutes ses forces à Mercurio, en s'agrippant à ses épaules avec les ongles, et l'embrassa avec toute la passion qui la dévastait. Et elle l'accueillit en elle. Avec fureur.

64

Quand Giuditta revint dans l'appartement, Isacco venait à peine de se lever.

« Où étais-tu ? lui demanda-t-il, sur ses gardes.

— Sur le toit…

— À faire quoi ? »

Giuditta regarda par la fenêtre et vit Mercurio, habillé en fille, se diriger vers la grande porte qui s'ouvrait à ce moment-là. Elle sentait encore la chaleur de son corps. Elle sentait l'intérieur de ses cuisses coller encore de sa semence. Elle sentait le désir qui ne s'apaisait jamais. « Je voulais voir si l'aube arrive plus vite, là-haut.

— Pourquoi ? »

Giuditta vit que Mercurio, avant de se mêler aux gens qui marchaient sur la fondamenta dei Ormesini, se tournait vers la fenêtre et lui faisait un signe, même s'il ne pouvait pas la voir. Mais dans son cœur, pensa Giuditta, ce cœur si grand et si généreux, il savait qu'elle serait là à le regarder. Parce que lui, il l'aurait fait.

« L'aube veut dire que nous sommes libres. Pour un jour de plus. Seulement jusqu'au soir, mais libres. »

Isacco hocha la tête. Il serra les lèvres. Donna un coup de poing, pas trop fort, dans le mur blanchi à la chaux. « Ça te pèse tellement ? »

Giuditta s'écarta de la fenêtre. Mercurio avait disparu. « Pas à toi ? »

Isacco soupira. Il soutint un instant le regard de sa fille, puis se détourna et déplaça quelque chose sur la table. « Moi, ça me pèse doublement, finit-il par dire. Parce que c'est moi qui t'ai amenée ici. »

Giuditta prit conscience du sentiment de culpabilité de son père. « Tu sais, je suis contente que tu m'aies amenée à Venise.

— À cause de cet esc… » Isacco se mordit la langue « … de ce garçon ? » Il se tourna pour regarder sa fille.

Giuditta resta silencieuse.

Isacco ne lâchait pas son regard. « Tu penses que je suis un mauvais père ? lui demanda-t-il avec dignité. Tu penses que ta mère se serait comportée autrement ? »

Giuditta secoua la tête. « Je n'ai pas connu ma mère. Comment pourrais-je te répondre ? »

Isacco la fixa, revenant au présent. « Il est temps que tu te libères du fantôme de ta mère. C'est une invention de ton esprit. C'est comme une pierre que tu portes dans ta poche. Laisse-la tomber, elle ne te sert à rien. »

Giuditta sentit les larmes lui monter aux yeux.

« Nous nous accrochons au pire pourvu que rien ne change, lui dit Isacco. Sais-tu quel est le point de force dans une arnaque ? demanda-t-il avec un sourire. Même si je ne devrais pas parler d'arnaque, vu… bon, tu me comprends. Le point de force, c'est quand tu sais que ton pigeon a une habitude sur laquelle tu peux compter. Tu sais qu'il refera ce qu'il a l'habitude de faire. Même si cela revient à se passer la corde au cou tout seul. »

Giuditta sourit. « J'essaierai…

— En attendant, tu n'as répondu qu'à une seule de mes questions, dit Isacco. Penses-tu que je sois un mauvais père ?

— Non.

— Qu'est-ce que je dois faire, Giuditta ? », demanda Isacco, en se rapprochant.

Elle s'écarta, sans répondre. « Je te prépare ton déjeuner, dit-elle. Assieds-toi. »

Isacco s'assit à un bout de la table.

« Qu'est-ce qui est arrivé au capitaine ? lui demanda Giuditta en posant la marmite de bouillon sur le feu.

— Rien », répondit son père, et il commença à jouer avec son écuelle en bois.

Giuditta remua le bouillon avec une louche, jusqu'à ce qu'il se réchauffe, sans parler. Puis elle coupa des tranches de pain et les tartina de beurre. Elle remplit l'écuelle, mit le pain beurré sur une assiette qu'elle posa avec fracas devant lui. « Sérieusement, tu veux savoir ce que tu dois faire ? lui dit-elle, soudain agressive. Tu m'as demandé ce que tu devais faire. Tu veux vraiment une réponse ?

— Oui.

— Tu dois me parler comme on parle à une femme, dit Giuditta. Je ne suis pas une petite fille. Je suis une femme.

— Mais je te parle comme à une f…

— Qu'est-ce qui est arrivé au capitaine Lanzafame ? le coupa Giuditta.

— On a des ennuis… au Castelletto…

« — Quel genre d'ennuis ? »

Isacco fit un geste négligent de la main pour minimiser. « Rien… »

Giuditta se retourna d'un bloc. « Quand tu as fini de manger, mets la vaisselle dans l'évier. » Elle se dirigea vers la porte. « Moi j'ai du linge à laver.

— Giuditta…

— Avec tout mon respect, père, dit-elle en sortant de la maison sans se retourner, va au diable. »

Isacco trempa le pain dans le bouillon et y mordit avec fureur. « Malédiction ! », s'exclama-t-il.

Puis il s'habilla et sortit, de très mauvaise humeur, marchant d'un pas vif aux côtés de Lanzafame, qui était en revanche d'humeur allègre.

« J'ai décidé de ne pas boire aujourd'hui non plus, fit le capitaine.

— Tant mieux pour vous.

— Mais demain, je ne sais pas.

— Bien.

— Elle est efficace, ta méthode, continua le capitaine. Tu sais à quoi ça m'a fait penser ?

— Non.

— Quand j'étais petit, mon père allait dans une taverne où il y avait un écriteau : "Demain on fait crédit". Chaque jour je me disais que le lendemain on irait dans cette taverne et que mon père prendrait du vin sans le payer. Mais l'écriteau disait toujours : "Demain…"» Il rit de bon cœur. « T'as compris ?

— Oui.

— On était toujours aujourd'hui et jamais demain. Comme ta méthode.

— Oui, amusant…, dit Isacco, distrait.

— Que je sois pendu si tu n'es pas le plus rigolo des hommes, docteur ! éclata Lanzafame. Un sacré compère. Qu'est-ce qu'on s'amuse avec toi ! »

Isacco esquissa un sourire. « Je hais les femmes.

— T'es en train de virer sodomite ?

— Je hais ma fille, tout particulièrement. Elle me fait passer pour un vrai couillon.

— Et quelle leçon tu en retires ?

— Quelle leçon je devrais en retirer ?

— Que *tu es* un grand couillon ! », répliqua Lanzafame en éclatant de rire alors qu'ils passaient l'entrée de la Torre delle Ghiandaie.

Ils montèrent au cinquième étage et se séparèrent. Lanzafame alla trouver Serravalle pour régler les tours de garde. Isacco commença par la chambre où il avait installé la Cardinale après que les hommes de Scarabello l'avaient poignardée. Déjà assise, la prostituée piaffait d'impatience.

« Tu ne pourrais pas rester au lit au moins aujourd'hui ? lui demanda Isacco après avoir contrôlé ses blessures.

— Non, il y a trop à faire. » Elle regardait de tous côtés.

« Qu'est-ce qu'il y a ? Quelle est ta vraie raison de ne pas rester au lit ?

— Bouche d'or est morte cette nuit. »

Avec elle, ils en étaient déjà à vingt-sept décès. Dans chacune des chambres disponibles au cinquième étage s'amassaient de huit à dix prostituées malades. L'épidémie ne donnait nul signe d'apaisement et se répandait au contraire à une vitesse impressionnante. Isacco avait fait recommander à toutes les prostituées du Castelletto, et aussi à celles du petit groupe de *ca'* Rampani, de bien observer si des plaies étaient présentes sur leurs clients, en particulier sur le pénis. Mais il était difficile de joindre et d'informer près de douze mille prostituées. Sans compter que nombre d'entre elles, même dûment avisées, menaient une vie si misérable qu'elles ne pouvaient pas se permettre de refuser un client qui se présentait. Ainsi le cycle de la maladie était sans fin.

« Je suis désolé », dit Isacco.

L'élan de solidarité qui s'était créé à la Torre delle Ghiandaie était cependant magnifique. Beaucoup de prostituées non contaminées, durant leurs pauses, aidaient leurs collègues malades, nettoyaient par terre, apportaient boissons et vivres. Mais elles amenaient surtout avec elles les potins, les bavardages et la gaieté qui préservaient le moral de toutes.

Jusqu'au moment où l'une d'entre elles mourait.

« Bouche d'or était une grande putain, dit la Cardinale. Et je veux être là pour ses funérailles. »

La dépouille était enveloppée dans une grande toile blanche, puis enlevée par les fonctionnaires de la Sérénissime. Il avait été décrété que les cadavres contaminés seraient brûlés. Chaque fois, Isacco, ému, assistait à la procession des prostituées suivant le corps jusqu'au lieu de son incinération, en dépit de la loi qui leur interdisait, sauf le samedi, de circuler librement dans les rues de Venise. Les autorités vénitiennes avaient bien tenté, au début, de faire respecter l'ordonnance, mais les prostituées avaient tenu bon. L'administration avait eu l'intelligence de comprendre qu'il valait mieux ne pas dresser contre elle une corporation tout entière. Les femmes, après avoir salué une dernière fois leur compagne, rentraient ensuite au

Castelletto sans s'arrêter en chemin dans les tavernes ou les auberges, et sans aborder de client.

Isacco se dirigea vers les deux dernières chambres, où l'on plaçait les patientes en rémission. Quand il entra, les prostituées l'applaudirent. Le docteur répondit par une révérence pleine de gaieté. Il ne devait pas les priver de l'espoir de les guérir, mais en réalité il ignorait comment s'y prendre. Tout ce qu'il comprenait, c'est qu'après vingt et un jours de traitement il y avait un seuil, de quelques jours seulement, après lequel survenait soit la mort, soit la lente régression de la maladie, comme cela avait été le cas pour République. Chaque fois qu'il faisait mine d'accepter ces compliments il se sentait sale, tout en sachant qu'il le devait. Lui qui avait vécu d'escroqueries, il était pour la première fois de sa vie honteux d'une tromperie, alors qu'elle était guidée par une bonne intention.

Il croisa le regard de Donnola. Lui sourit. Son assistant acquiesça, content. Isacco pensa que c'était grâce à lui qu'il était médecin à Venise. Il s'approcha de Donnola. « Tu es pâle. Va te reposer.

— Non. Si tu as le temps, tu n'as pas le temps, disait ma grand-mère, répondit Donnola.

— Et comment tu connaîtrais ta grand-mère, si tu connais même pas ta mère ? », ironisa une prostituée.

Toutes les autres se mirent à rire.

Donnola rit à son tour. Puis il commença à ramasser les pansements sales, qu'il mettait dans un sac. « Je vais aller les brûler », lança-t-il à la cantonade.

Isacco acquiesça, avec gravité. En le regardant sortir avec son sac sur l'épaule, il pensa que c'était la seconde tromperie qu'il avait inventée. Donnola, en réalité, ne brûlait pas les pansements. Ils n'avaient pas les moyens d'en acheter d'autres chaque fois. Donnola les portait chez une femme qui les détachait à la lessive puis les faisait bouillir dans un grand chaudron avec des branches de buis et du vif-argent.

« République, dit Isacco solennellement, toi qui es la plus ancienne, la première à avoir été guérie, vérifie si tout se passe bien dans la chambre blanche. » C'était celle à laquelle n'accédaient que les prostituées hors de danger. Il sortit et se pencha par-dessus la rampe d'escalier. Il vit Donnola qui bavardait avec deux des soldats de garde. « C'était pas toi qui disais que si tu as le temps, tu n'as pas le temps ? lui demanda-t-il.

— Et c'était pas vous qui disiez "Va te reposer" ? répondit Donnola.

— Je plaisantais.

— Moi aussi, docteur, répliqua promptement Donnola. D'accord, j'y vais… » Il fit celui qui bougonnait et commença à descendre l'escalier avec nonchalance. Mais il s'arrêta dès la première volée de marches et bafouilla : « Scara… Scarabello… »

Aussitôt Lanzafame bondit dans l'escalier, suivi par deux soldats, l'arme au poing. Isacco descendit lui aussi, inquiet.

« Voilà le comité d'accueil, dit Scarabello en faisant face aux armes des soldats avec un sourire tranquille.

— Que veux-tu ? lui demanda le capitaine.

— J'ai appris que l'autre jour il y a eu une petite dispute », dit Scarabello, toujours souriant.

Les prostituées et leurs clients commencèrent à se regrouper autour d'eux, curieux.

Scarabello était à l'aise, se déplaçant en comédien consommé. « Mes hommes ont dû prendre mes ordres un peu trop à la lettre, quand j'ai dit que je voulais récupérer le cinquième étage », dit-il, toujours souriant. Il regarda Isacco. « Je crois que le moment est venu de se comporter en gentilshommes et de nous mettre d'accord sur une solution qui convienne à tous les deux, qu'en dis-tu ?

— Ce que j'en dis, moi, c'est que tu dois foutre le camp, grogna Lanzafame.

— La carrière diplomatique n'est décidément pas pour toi, capitaine, plaisanta Scarabello.

— Ça t'a pas suffi de perdre des hommes ? T'as pas compris qu'on est des soldats et pas des bouffons ? » Lanzafame attrapa Scarabello au collet. Le bandage à son épaule se tacha de rouge.

Scarabello n'hésita pas un instant. D'une chiquenaude, doucement, il heurta l'épaule du capitaine, là où elle recommençait à saigner. « Tu devrais peut-être un peu moins t'agiter. Pas vrai, docteur ? dit-il ensuite en se tournant vers Isacco.

— Va-t'en, je ne veux pas de toi ici, lâcha Lanzafame.

— Bas les pattes », fit Scarabello toujours souriant, mais d'un ton qui avait perdu toute sa jovialité.

Le capitaine lui envoya un coup de poing en pleine bouche. « Va-t'en, ordure ! »

Scarabello encaissa sans reculer. Il passa la langue sur sa lèvre fendue, avec sensualité.

Alors Lanzafame perdit la tête. Il se rua sur lui, de toutes ses forces. Il le frappa avec ses poings puis, quand il l'eut jeté à terre, s'acharna sur lui à coups de pied. Et il l'aurait tué si ses hommes ne l'avaient pas arrêté.

Scarabello se releva, sanguinolent. Il rajusta sa chemise noire. Vit qu'elle était déchirée. Réarrangea ses cheveux. Lança au capitaine un regard acéré et glacial. Puis il promena ses yeux sur les balustrades de la Torre delle Ghiandaie.

Les prostituées retenaient leur souffle, comme au théâtre.

« On aurait pu trouver une solution ! », hurla-t-il soudain, les bras écartés, tournant sur lui-même. Il s'approcha de Lanzafame. Il parla bas, d'une voix sifflante, avec le sang qui lui coulait des lèvres et se mêlait à sa salive. « Mais toi, tu as voulu m'humilier. Tu es peut-être un bon soldat. Mais tu serais sûrement un piètre général. Tu m'as mis dos au mur. Et ça, c'est pas une bonne politique. » Il fit un pas en arrière, regardant à nouveau son public. « Si je te laissais faire maintenant, je perdrais la face, et n'importe laquelle de ces putains croirait qu'elle peut me marcher sur la gueule. Ou un de ses clients. Ou un gamin qui vient de s'acheter un couteau. Tu comprends ce que tu as fait ? Si je te laissais faire, j'aurais des centaines de batailles à livrer. » Il reprit son souffle et hurla : « Maintenant, c'est la guerre ! »

Lanzafame l'attrapa de nouveau au collet.

Mais Scarabello continua de parler. « Tu vas découvrir que cette guerre-là n'a rien à voir avec les mascarades auxquelles tu es habitué. Pour les gens comme moi, la guerre est une chose sérieuse. Pas de règles ! Tous les coups sont permis ! »

Lanzafame le repoussa.

« Tu te prends pour un vétéran, mais tu vas bientôt t'apercevoir que tu n'es qu'un novice. » Il fit une révérence théâtrale et se dirigea vers l'escalier.

« Ne te montre plus par ici, ordure ! lui cria Lanzafame.

— Oh, tu peux en être certain », dit Scarabello sans se retourner. Il rit doucement, comme s'il s'amusait vraiment, et il disparut au bas des escaliers.

« Double la garde », ordonna Lanzafame à Serravalle.

Donnola regarda le docteur, lui fit un signe de la tête, puis remit sur son épaule le sac empli de pansements sales.

Isacco sentit un frisson lui parcourir l'échine. Comme une sorte de pressentiment. Il aurait voulu l'arrêter. Mais ils avaient besoin d'autres bandes. Il répondit par le même signe. Il le regarda partir. Et se dit qu'il l'aimait bien.

Donnola se sentait les jambes molles. Depuis des jours maintenant, il demandait à son organisme plus qu'il ne pouvait lui donner. Mais il savait que c'étaient les derniers jours, et qu'ensuite il ne pourrait plus aider le docteur. Il n'avait rien dit, peut-être parce qu'il avait honte. C'était d'abord de la honte qu'il avait ressentie quand, quelques matins auparavant, il avait trouvé sur son propre corps cette plaie qu'il connaissait si bien. Au début, il avait pensé à une irritation passagère. Mais le lendemain elle était encore là, et s'était même étendue. Ces plaies-là, il en voyait tous les jours. Il les nettoyait, les pansait. C'était le mal français.

« Alors, Donnola, si on reprenait notre conversation ? », dit une voix derrière lui, alors qu'il se dirigeait vers la barque sur le rio del Vin.

Donnola sentit son sang se glacer. Il n'eut pas besoin de se retourner pour savoir qu'il s'agissait de Scarabello. Une main forte l'attrapa au collet. Donnola se voûta.

« Ça te dit, de faire une petite promenade avec nous ? », lui demanda Scarabello.

Le borgne et un autre homme de Scarabello saisirent Donnola chacun par un bras, l'obligeant à les suivre.

« Je dois… livrer ça quelque part… », bafouilla Donnola en montrant son sac.

Scarabello le lui prit des mains et le laissa au milieu de la rue. « Voilà. C'est livré. »

Tandis qu'ils s'éloignaient, des gamins ouvrirent le sac, trouvèrent les bandages infectés et commencèrent à se courir après en les déroulant comme des drapeaux.

« Scarabello, je t'en supplie…

— Tu me supplies de quoi ?

— Je fais rien de mal…

— Peut-être, Donnola. Peut-être, dit Scarabello d'un ton compréhensif, en caressant sa tête chauve. Mais tu me sers à faire un exemple. Tu comprends ça, hein ?

— Je t'en supplie…

— Désolé, Donnola. Tu as vu ce qu'ils m'ont fait. Regarde ma tête. Mets-toi à ma place. » Puis il fit un signe à ses hommes, qui poussèrent Donnola derrière l'église de San Giacomo. Arrivés aux chantiers des Fabbricche Vecchie, ils pénétrèrent dans la zone déserte. Là, Scarabello tira son long couteau. « Je suis désolé », répéta-t-il.

Donnola le regarda s'approcher, son coutelas le long de sa hanche. Toute sa vie, bien qu'ayant fait la guerre, il avait eu peur. Et maintenant qu'il allait mourir, la peur avait disparu. Il comprit vite pourquoi : cette plaie l'avait aidé depuis quelques jours à s'habituer à cette idée. Mais il y avait autre chose : "Merci, Seigneur, pensa-t-il. Je n'avais pas compris que tu me faisais un cadeau aussi merveilleux." Il regarda Scarabello, à un pas de lui maintenant. Il regarda son visage tuméfié, sa lèvre fendue par le poing du capitaine Lanzafame. Il vit la déchirure et le sang qui commençait à cailler. Il sourit et glissa la main dans son pantalon. Il planta ses ongles dans la plaie, en la fouaillant. Il sentit une douleur brûlante mais ne s'arrêta pas.

« Qu'est-ce que tu fais, imbécile ? », dit Scarabello en levant son coutelas.

Donnola sortit sa main. Il avait les doigts souillés de sang infecté. Il se lança contre Scarabello pendant que le couteau pénétrait dans son flanc, à hauteur du foie, et lui coupait le souffle. Mais il trouva la force de s'accrocher à lui pendant que la lame ouvrait la blessure mortelle, et de porter sa main ensanglantée à la bouche de Scarabello. Il lui attrapa la lèvre et plongea ses ongles infectés dans la fente ouverte.

« Tu… as… perdu…, murmura-t-il en s'écroulant au sol.

— Qu'est-ce que tu racontes, pauvre con ? fit Scarabello, plein de mépris.

— Pas de règles… c'est toi qui l'as dit… » Donnola sentit que la mort l'attirait entre ses bras noirs. Il était un héros. Personne ne le saurait jamais, mais lui, il le savait. Il ferma les yeux sans cesser de sourire.

Scarabello le regarda mourir, tamponnant sa blessure à la lèvre tandis qu'un mauvais pressentiment lui serrait l'estomac. « Emportez le corps à la Torre delle Ghiandaie. Qu'ils le trouvent au pied de l'escalier.

— Ce sera fait cette nuit, répondit le borgne.

— Pas cette nuit ! Tout de suite !

— Mais comment on fait pour transporter un cadavre en plein jour ?

— Alors, coupez-lui la tête ! hurla Scarabello, dont le visage commençait à se gonfler et se déformer sous les coups reçus. T'es pas capable de transporter une tête dans un sac, en plein jour, espèce de trouillard ? »

65

« Non ! Non ! » Giuditta pleurait, désespérée, et Mercurio lui maintenait la tête contre son torse pour qu'elle ne crie pas trop fort.

« Chut… chut…, lui murmurait-il à l'oreille. Raconte-moi… mais doucement… »

Les pigeons s'agitaient sur leur perchoir.

Giuditta fut secouée d'un terrible sanglot. Puis elle sembla se calmer. Dégageant sa tête de l'étreinte de Mercurio, elle le regarda. Ses yeux étaient rouges, écarquillés. Son visage baigné de larmes. Une expression effrayée, plus encore que douloureuse. « Donnola…, dit-elle.

— Quoi, Donnola ?

— Il est mort…

— Mort ?

— Tué… ils l'ont… ils l'ont… » Giuditta se retint. Elle se mordit la lèvre, avec force, essayant de respirer et de ne pas se laisser aller aux sanglots qui recommençaient à l'oppresser. « Ils lui ont… ils lui ont coupé la tête… » Elle céda et hoqueta de nouveau.

Mercurio la serra fort contre lui. « Donnola, dit-il. Je… Qui peut avoir fait une chose pareille ?

— Mon père dit que c'est un criminel qui a fait ça, sanglota Giuditta.

— Mais qui ?

— Scannarello… ou quelque chose de ce gen…

— Scarabello ? s'exclama Mercurio. Scarabello ? C'est ça le nom que ton père a dit ? »

Giuditta s'écarta. Elle le regarda. « Tu… Tu le connais ? »

Mercurio sentit un poids peser sur son cœur. Et sur ses épaules. Il laissa la haine et la colère s'emparer de lui.

« Mercurio… » La voix de Giuditta était légère comme une prière.

Il la serra entre ses bras. « Ne t'inquiète pas », lui dit-il. Et il répéta : « Ne t'inquiète pas… » Mais c'était comme s'il n'était pas là.

Quand l'aube arriva et que la Marangona fit retentir son premier coup au-dessus de la vie des habitants de Venise, Mercurio quitta le Ghetto. Il se rendit sur le campo Santo Aponal et s'assit devant la boutique de Paolo, grignotant un biscuit au gingembre qu'il avait acheté dans une boulangerie derrière le Rialto. Au fond de sa poche, il serrait le couteau qu'il avait pris chez un armurier.

Paolo le vit de sa fenêtre et descendit avec une tasse de bouillon.

« Je dois parler à Scarabello, lui dit Mercurio.

— Il ne va pas tarder, répondit le marchand de légumes. Le borgne est allé chez toi à Mestre. Il te cherchait pour te donner ta part de je ne sais quel coup.

— C'est pas un coup ! rétorqua Mercurio. C'est de l'argent propre. Un travail honnête. Mais Scarabello, avec ses sales pattes, il faut qu'il salisse tout.

682

« — Parle plus bas, par pitié », murmura Paolo en penchant la tête. Il ouvrit sa boutique et s'installa derrière le comptoir vide, comme tous les jours.

Mercurio le suivit à l'intérieur. « Tu as l'air d'un fantôme. »

Paolo ne bougea pas un muscle. Il resta ainsi, immobile, jusqu'à l'arrivée de Scarabello qui était suivi de quatre hommes armés et bruyants.

« Ah, te voilà, fit ce dernier en voyant Mercurio. Et le borgne, il est où ?

— J'ai à te parler », dit Mercurio.

Scarabello avait le visage déformé par les poings de Lanzafame. La lèvre gonflée et violacée. Un œil au beurre noir. Une arcade sourcilière fendue. De son nez coulait un liquide jaunâtre. Son teint, là où la peau n'était pas bleue et écorchée, était pâle.

Mercurio éprouva un plaisir subtil à le voir dans cet état. Il continuait de serrer la main sur le couteau dans sa poche.

« T'es en train de te faire un paquet de fric. » Scarabello parla, puis s'enfila un doigt au fond de la bouche où une molaire était branlante.

— Non. Toi, tu te fais un paquet de fric, répliqua durement Mercurio. Moi, je le gagne. »

Scarabello rit doucement. « Hier, je suis allé chez ce Juif, Saraval. La fête de la maison Venier t'a rapporté vingt-sept *trons* et huit sols d'argent. Pas mal. Ma part est de neuf *trons* et trois sols d'argent. Le reste est pour toi. » Il lança une bourse vers lui, par terre, comme un os à un chien. « Tout est là-dedans. Et maintenant tire-toi, parce que j'ai à faire.

— Sinon ?

— Sinon quoi, morpion ? » La voix de Scarabello s'était durcie.

— Si je ne m'en vais pas, tu fais quoi ? Tu me coupes la tête ?

— Si tu veux, oui », dit doucement Scarabello en approchant son visage de celui de Mercurio. Son haleine sentait le sang et l'alcool.

Mercurio serra convulsivement sa main autour du couteau. Il aurait suffi de le sortir de sa poche et de lui planter la lame dans la poitrine.

« Je suis désolé pour Donnola », dit-il. Et le masque qu'il avait sur le visage se transforma l'espace d'un instant en quelque chose d'humain. « Mais ça devait être fait. »

Mercurio se rendit compte qu'il n'avait pas la force de le poignarder. Qu'il ne l'aurait jamais. Il était un lâche, un perdant. Il baissa les yeux.

Scarabello lui mit la main sur l'épaule. Puis la main monta, rejoignit la nuque. La lui serra. Cette main était chaude.

Mercurio éprouva presque du plaisir. « Pourquoi ? demanda-t-il tout bas, s'abandonnant à cette étreinte.

— Tu ne peux pas comprendre », répondit Scarabello, tout bas lui aussi.

Mercurio leva la tête. Le regarda.

« Tu ne peux pas comprendre », répéta Scarabello.

Mercurio commença à pleurer doucement. Sans sanglots, sans désespoir. Sans emphase, sans secousses. Ses larmes coulaient librement, sans effort. Toute sa colère était en train de fondre, comme un bloc de glace.

Scarabello l'attira contre lui, la main toujours sur sa nuque, et lui donna de l'autre une pichenette sur la joue.

Puis, avec le pouce, il essuya les larmes qui s'étaient accumulées sous ses cernes comme dans un puits.

Mercurio sortit de sa poche sa main qui serrait le couteau. Son bras vibrait sous la tension.

« Attention, il a un couteau ! », s'écria l'un des hommes de Scarabello, qui fit mine de s'élancer pour défendre son chef.

Mais Scarabello l'arrêta, levant vers lui sa main mouillée par les larmes de Mercurio. « Il va le jeter », dit-il en le regardant, sa main toujours sur sa nuque, sans la serrer.

La main de Mercurio s'ouvrit. Le couteau tomba à terre.

Scarabello acquiesça. Et l'étreignit de nouveau. Puis il se détacha de lui et se pencha. Ramassant la bourse avec l'argent de Saraval, il la lui mit dans la main qui avait serré le couteau. « Rentre chez toi, mon garçon. »

Mercurio fit un pas en arrière. Il se sentait faible, vidé.

« Une dernière chose, dit Scarabello. L'histoire avec le docteur ne s'arrête pas là. Elle se terminera bientôt, mais pour le moment dis-leur qu'aucun d'entre eux n'est en sécurité. »

Mercurio se raidit. Il sentit son sang se glacer. Il pensa aussitôt à Giuditta. « De qui tu veux parler ?

— De personne en particulier. Et de tout le monde. »

Mercurio regarda le couteau par terre.

Scarabello le chassa d'un coup de pied vers ses hommes.

« Débrouille-toi pour faire comprendre au docteur qu'il doit pas rester dans nos pattes. »

Mercurio resta immobile quelques instants, encaissant ce coup terrible.

Les hommes de Scarabello le regardaient comme un animal exotique bizarre. Aucun d'entre eux n'aurait survécu s'il avait sorti un couteau pour tuer Scarabello.

Mercurio sortit de la boutique de Paolo.

L'instant d'après, il courait vers le Castelletto.

Il arriva au cinquième étage de la Torre delle Ghiandaie le souffle coupé, le cœur cognant dans sa poitrine. « Docteur ! Docteur ! », se mit-il à hurler dès le rez-de-chaussée, si bien qu'à son arrivée au sommet les soldats de Lanzafame, le capitaine lui-même et le docteur étaient tous là à l'attendre.

« Tu veux bien te faire entrer dans la tête que je n'ai aucune intention de te parler, mon garçon ? », attaqua aussitôt Isacco.

Mercurio était plié en deux. Il n'arrivait pas à reprendre son souffle. « Scarabello… a dit…

— Tu travailles pour ce criminel ? l'interrompit Isacco. Il fallait s'y attendre ! Vous êtes faits l'un pour l'autre.

— Laisse-le parler, dit le capitaine.

— Scarabello, reprit Mercurio, a dit que personne n'est en sécurité… tant que vous ne céderez pas… » Il le regarda, hochant la tête. « Giuditta… », murmura-t-il.

Isacco se précipita sur le garçon. Il le saisit par le col de sa veste. La veille, ils avaient retrouvé le corps mutilé de Donnola, jeté parmi les gravats des Fabbricche Vecchie. Isacco émit un cri à mi-chemin entre le râle et le rugissement. Il avait les yeux rouges, il était bouleversé par la douleur. « Ton compère a tué Donnola, dit-il, la voix cassée. C'est moi qui ai reconstitué son corps… Je lui ai… » Isacco s'arrêta net. Il sentit qu'il ne serait pas capable de raconter son

686

chagrin de devoir recoudre la tête au tronc. Il serra les poings et grinça des dents, bavant, cherchant à contenir cette souffrance qui le déchirait. En reconstituant sa dépouille, il avait découvert que Donnola était malade. Il serait mort de toute façon. Mais il n'en avait parlé à personne, il avait voulu se rendre utile jusqu'à la fin. « Et toi, tu viens maintenant pour me menacer… » Isacco serra les mâchoires. « Non ! »

Mercurio échappa à sa prise. « Quel foutu sac de merde empli d'orgueil vous êtes ! hurla-t-il.

— Calme-toi, mon garçon, intervint Lanzafame.

— Scarabello pourrait faire du mal à Giuditta ! Vous le comprenez, ça, oui ou non ? »

Isacco, qui s'apprêtait à lui sauter dessus, s'immobilisa. Il baissa les yeux. Puis il regarda Lanzafame.

Le capitaine frémissait. Sa nature de guerrier était en lutte avec l'homme et l'ami.

Isacco se tourna vers les prostituées. Effrayées, elles attendaient, retenant leur souffle.

« Ne nous abandonnez pas, docteur… », dit l'une d'elles.

Isacco regarda à nouveau Lanzafame. Il ne savait que faire.

« Docteur…, dit Mercurio en faisant un pas en avant.

— Il a parlé de Giuditta ? lui demanda Isacco.

— Non, mais… »

Isacco pointa l'index vers lui. Toute sa tension intérieure était désormais canalisée contre Mercurio. « Va-t'en, lui ordonna-t-il d'une voix basse, féroce. Va-t'en, maudit. Va-t'en dire à ton maître qu'il ne nous fait pas peur. Va-t'en, ou c'est toi qui paieras l'addition pour Donnola. »

Lanzafame s'interposa. « Vas-y, mon gars. »

Mercurio ne bougea pas. « Laissez tomber, docteur. Laissez tomber. Vous ne le connaissez pas.

— Vas-y », répéta Lanzafame d'un ton décidé, en le poussant.

Mercurio descendit l'escalier. Lentement. En se retournant de temps en temps. Tous les yeux étaient braqués sur lui. Cela n'aurait servi à rien de dire qu'il n'était pas l'homme de Scarabello. Ils ne l'auraient pas cru. D'ailleurs, ça n'aurait pas été vrai.

« Tu es sûr de toi, docteur ? », demanda Lanzafame quand ils furent seuls.

Isacco ne répondit pas. Il était tout pâle. Il s'en alla le dos courbé et travailla, sans faire de pause, presque jusqu'au soir. Il changea des pansements, étala des onguents, nettoya des plaies, vérifia l'état de ses patientes l'une après l'autre. Il ne s'arrêta pas un instant. Et ce jour-là, pas un seul rire ne retentit dans tout le cinquième étage. Personne ne parlait, sauf en cas de nécessité. Tous avaient les yeux baissés et semblaient retenir leur souffle. Comme si le temps s'était arrêté.

« Attention à ne pas t'entêter, Isacco, lui dit le capitaine Lanzafame alors qu'ils s'apprêtaient à prendre le chemin du retour. Attention. L'entêtement fait prendre des décisions qui vont à l'encontre du cœur. Et ça, ce n'est jamais bon. » Puis il ajouta : « Moi, je n'aurais jamais cédé à la menace de Scarabello. Mais je ne suis qu'un stupide soldat. Et Giuditta n'est pas ma fille. Tu as bien réfléchi ?

— Scarabello ne pense pas à ma fille.

— Comment peux-tu en être sûr ?

— Parce que je l'ai lu dans le cœur de ce garçon. Vous avez vu comme il était effrayé ? Il aurait fait n'importe quoi pour nous convaincre. Il nous aurait chassés de ses propres mains, s'il avait pu.

— Et alors ?

— Scarabello se sert de lui. Il sait peut-être qu'il est amoureux d'elle. Il lui fait croire qu'il va lui faire du mal pour mieux le manipuler. Ce n'est pas à moi, mais à lui, que ce message s'adresse, dit Isacco. J'ai utilisé cette technique tant de fois par le passé…

— Tu paries sur une impression.

— C'est le métier d'escroc qui veut ça. Même si vous vous obstinez à croire que je suis médecin.

— *Tu es* médecin.

— Vous voyez ? commenta Isacco avec un sourire. Qu'est-ce que je vous disais ? »

Lanzafame lui mit la main sur l'épaule. « Tu es sûr de toi ? »

Isacco le fixa en silence. Puis il baissa les yeux et accéléra le pas.

« Docteur, tu es sûr de toi ? », lui demanda encore Lanzafame, en le suivant.

Isacco, de nouveau, ne répondit pas. Il marchait vite, les sourcils froncés, l'air dur. Puis il s'arrêta, non loin d'une masure basse.

Une silhouette, dans l'ombre, se recroquevilla.

Isacco regardait Lanzafame, tout frémissant. « Nous autres Juifs, nous vivons la peur au ventre, jour et nuit. Peur d'être chassés de Venise. Peur d'être enfermés. Peur d'être brûlés. Peur d'être détroussés. Peur d'être obligés de nous convertir. Peur de devoir demander la permission même pour… même pour aller chier ! » Il pointa le doigt vers la Torre delle Ghiandaie, qu'on apercevait par-dessus les toits bas des habitations de San Matteo. « Et aussi vrai que Dieu existe, je ne permettrai pas à ce criminel de m'effrayer lui aussi. » Il fixa encore un instant le capitaine, puis se retourna et reprit sa marche furieuse vers le Ghetto.

La silhouette qui s'était blottie dans l'ombre sortit de sa cachette.

« Maudite tête de mule », maugréa Mercurio.

Dans le ciel s'amassaient et grondaient de gros nuages, noirs et menaçants.

« Puisque c'est ça, c'est moi qui y penserai, à ta fille. »

66

« Je te donnerai la moitié de ce que je gagne, dit Mercurio. Mais ne fais pas de mal à la fille du docteur. »

Scarabello le regarda en silence, un sourcil haussé.

« Je t'en supplie, dit Mercurio.

— Je te l'ai déjà dit, ton point faible, c'est que tu es un sentimental. » Il sourit.

« Je t'en supplie. Elle n'a rien à voir avec ça. »

Scarabello haussa les épaules. Il l'imita : « Elle n'a rien à voir avec ça. Et qu'est-ce que ça veut dire ? »

Mercurio avait les larmes aux yeux. Plus il suppliait Scarabello, plus son inquiétude pour Giuditta grandissait.

« Tu serais prêt à me donner tout ce que tu gagnes pour cette fille ? Tu serais prêt à devenir mon fidèle toutou ?

— Tout ce que tu veux, répondit Mercurio sans hésiter.

— Tout ce que je veux, acquiesça Scarabello avec satisfaction.

— Mais si tu lui fais du mal – et la voix de Mercurio se fit soudain dure, décidée – je te jure que je te tuerai. »

Scarabello s'approcha tout près. Le fixa dans les yeux.

Mercurio soutint son regard.

« Je te crois.

— Tu ne lui feras pas de mal ? » La voix de Mercurio se cassa.

Scarabello le tint en suspens quelques instants encore. « Non. Je ne lui ferai rien. »

Mercurio, soulagé, sentit ses jambes se dérober.

« Tu dois encore me dire merci, dit Scarabello en souriant.

— Merci…

— Suis-moi. Et dis-moi aussi merci de ne pas te prendre ni la moitié ni la totalité de ce que tu gagnes.

— Merci, répéta Mercurio en marchant derrière lui.

— Je suis un voleur honnête, tu ne trouves pas ?

— Oui…

— Eh bien non, en fait. » Scarabello se retourna. Son expression était devenue sérieuse. Il tendit brusquement les mains et lui attrapa les deux oreilles. « Si je voulais la moitié de ce que tu gagnes, ou tout ce que tu as, y compris ta vie, je les prendrais sans te demander la permission. Ça n'arrive pas à rentrer dans ta petite tête, ça, hein ? » Ses lèvres se tordirent en un ricanement. « Je suis pas un voleur honnête, moi. Je suis un homme fort. Et puissant. C'est très différent. C'est clair ?

— Oui…

— Maintenant viens avec moi, et tu verras à quel point je suis fort et puissant. »

Mercurio le suivit jusqu'au palais de la Merceria, où Scarabello retrouva un homme qui portait un masque.

692

« Excellence, dit Scarabello d'un ton à la fois obséquieux et familier, vous avez donc décidé de m'aider ? »

L'homme désigna une escouade de gardes du doge, commandée par un fonctionnaire de la Sérénissime en grand uniforme. « Ils sont à mes ordres. »

Scarabello fit une profonde révérence. « Je vous renouvelle mon amitié, excellence, et je suis à votre service, dit-il, une note amusée, presque ironique, dans la voix.

— Oh, arrête ça. Nous savons très bien tous les deux pourquoi je le fais », répliqua l'autre, avec une intonation de mépris mal dissimulée. Il se tourna et partit.

« L'arrogance que se permet un ver de terre dès qu'il porte ses armes de noblesse brodées sur la poitrine », dit Scarabello en fixant avec insistance la figure masquée qui disparaissait. Et son regard se voila un instant de mélancolie.

« Qui est-ce ? demanda Mercurio.

— Quelqu'un de si haut placé que si tu t'asseyais à côté, t'en aurais le vertige, espèce de morpion, répondit Scarabello. Viens, ajouta-t-il en se dirigeant vers les gardes du doge.

— Nous savons ce que nous avons à faire, affirma le fonctionnaire de la Sérénissime dès que Scarabello fut à portée de voix. Mais je suis dégoûté de le faire pour un homme comme vous.

— Si on t'avait commandé de me laisser te chier sur la tête, tu le ferais aussi, répondit Scarabello. Tu n'es rien de plus qu'un serviteur, sous tes grands airs. Et ton uniforme est un costume de bouffon. Alors me casse pas les couilles avec tes chichis et grouille-toi.

— Je ne vous permets pas de me parler de cette façon, protesta le fonctionnaire, en portant la main à son épée.

— Tu veux me tuer ? dit Scarabello avec un petit rire. Tu te ferais honneur. Tu pourrais sentir que tu es un homme, enfin. »

L'autre devint écarlate de colère. Mais il se contint. L'homme qui lui avait donné ses ordres n'avait pas l'habitude qu'on lui désobéisse.

« Bien. L'affaire est close, dit Scarabello. En avant, marche. »

Mercurio le suivit jusqu'au Castelletto. Quand les Tours furent en vue, il ralentit le pas. « Que veux-tu faire ? demanda-t-il à Scarabello.

— Moi ? Rien… Je reste à l'écart. Ce sont les gardes du Grand Conseil qui s'occuperont de tout.

— Le Grand Conseil ? C'est quoi ?

— Le sommet au-dessus duquel siège l'homme qui me rend ce service.

— Et pourquoi te le rend-il ?

— Parce qu'il me le doit. » Il tapa du doigt sur la poitrine de Mercurio et répéta : « Parce qu'il me le doit. Lui, il est tout là-haut, mais moi, en bas, je le tiens par les couilles. Comment crois-tu donc que ça survit, un homme comme moi ? Grâce à des amis haut placés. » Il se tourna vers le fonctionnaire de la Sérénissime et lui désigna la Torre delle Ghiandaie. « Cinquième étage. Fais ce que tu as à faire. »

L'escouade de gardes du doge, qui formait deux colonnes, suivit son commandant en rangs serrés.

Derrière, Scarabello montait les marches avec indolence, regardant autour de lui, et souriant avec satisfaction aux prostituées et aux maquereaux qui croisaient son regard. Son visage portait encore les traces des coups de poing de Lanzafame. Elles guérissaient. Seule sa lèvre semblait aller plus mal. Elle était gonflée et avait une couleur violacée peu naturelle.

« Que cherchez-vous ? », demanda du haut de l'escalier le capitaine, averti de l'arrivée de l'escouade.

L'officier de la Sérénissime ne s'arrêta pas. Il monta jusqu'à la dernière marche et se plaça face à Lanzafame, dans une pose autoritaire. Puis, d'un sac qu'il portait en bandoulière, il sortit un rouleau de parchemin.

Isacco arriva à son tour sur le palier. Tout autour, les prostituées se bousculaient, penchées sur les balustrades.

« Au nom et pour le compte de la République Sérénissime de Venise, commença à lire le fonctionnaire, et par ordre du Grand Conseil et du Sénat, il est ordonné au médecin juif Isacco da Negroponte et à ses mercenaires…

— C'est nous, les mercenaires ? s'enflamma aussitôt Lanzafame.

— Ne m'interrompez pas, capitaine, je vous respecte comme soldat, mais ce que vous faites ici a été jugé en dehors de vos compétences et de votre charge. Il vous a été donné l'ordre de commander les gardes du campo del Ghetto. Tenez-vous-en aux ordres. »

Lanzafame encaissa le coup en serrant les poings. Il regarda autour de lui. Croisa le regard de Scarabello. « Toi ! », rugit-il, en pointant le doigt dans sa direction.

Scarabello lui éclata de rire au nez.

Mercurio se cacha. Il ne voulait pas qu'Isacco et Lanzafame le voient. Mais il voulait écouter.

« Il vous est enjoint, reprit le commandant de l'escouade, de quitter à l'instant même les lieux, qui sont consacrés à l'exercice de la prostitution, afin de ne pas les contaminer par la maladie dont sont affectées les prostituées et d'éviter de la répandre ultérieurement…

— Nous ne répandons pas le mal français ! protesta Isacco.

— Taisez-vous ! lui intima le commandant. C'est pourquoi il est décrété et ordonné pour des motifs sanitaires que vous déménagiez dudit cinquième étage de la Torre delle Ghiandaie, et il vous est fait défense, toujours au nom et pour le compte du Grand Conseil et du Sénat, de vous installer en aucun autre lieu de la localité dite de Castelletto. »

Lanzafame s'approcha du commandant.

Les gardes du doge portèrent la main à leurs armes.

« Honte à toi. Tu as vendu la République à cette merde, dit Lanzafame en désignant Scarabello. Par conséquent tu ne vaux pas mieux que lui. Ni toi ni celui qui t'envoie. » Il se tourna vers Isacco. « Il faut partir.

— Mais…, dit celui-ci en haussant les épaules.

— Il faut partir, docteur ! hurla Lanzafame, furibond. La politique et les voyous ont gagné ! T'as pas compris ? »

Isacco regarda les prostituées. Elles étaient terrorisées.

« Où irons-nous ? murmura-t-il, s'affaissant presque.

— J'en sais rien ! », hurla encore plus fort Lanzafame. Puis il se tourna vers Scarabello, qui souriait béatement de sa victoire. « Je te tuerai, espèce d'ordure ! Je te tuerai !

— Pas aujourd'hui, en tout cas, se mit à rire Scarabello. Et pas ici. » Il ouvrit grand les bras, comme un comédien cherchant les applaudissements. « Mes douces putains, voici des chambres propres qui se libèrent. Mais le prix reste le même. Pas de majoration. Dites merci ! »

Les prostituées restèrent silencieuses.

« Celle qui ne dit pas merci n'aura pas droit à une chambre », dit Scarabello d'une voix sifflante, avec dureté.

Beaucoup bafouillèrent : « Merci. »

Mercurio, caché sous la rampe d'escalier au quatrième étage, s'éclipsa en essayant de ne pas être vu. Il ne résista cependant pas à la tentation de se retourner vers Isacco. Et il vit l'expression vaincue de son visage pendant qu'il invitait ses malades à récupérer leurs maigres affaires. Il en éprouva une grande peine.

« Tu es un sentimental, morpion », lui dit Scarabello en riant.

Mercurio dégringola les escaliers, la gorge nouée.

« Plus vite », disait le commandant de l'escouade aux malades du cinquième étage.

Lanzafame vint tout près de l'officier. « De toi à moi, tu n'as pas honte ? », lui demanda-t-il, tout bas, sans que les autres l'entendent.

Le commandant baissa les yeux, sans répondre.

« On s'en va, allez ! hurla le capitaine. Docteur, prends tes onguents et tes instruments, allez ! »

En peu de temps, tout le monde se retrouva massé sur le palier. Les gardes s'écartèrent pour laisser passer la pauvre procession. Les prostituées guéries offraient leur bras aux malades. Lanzafame et ses soldats transportaient sur des civières légères celles qui ne pouvaient pas marcher. L'une d'elles venait de mourir.

697

Ils commencèrent péniblement à descendre l'escalier. Quand ils furent dans la cour du Castelletto, ils regardèrent autour d'eux sans savoir où aller.

Mercurio était blotti derrière la colonne d'une des Tours. Il se dit qu'ils ressemblaient à des naufragés. Et que personne ne leur offrirait l'hospitalité. Il les suivit sans se montrer, jusqu'au moment où il les vit s'arrêter sur une esplanade boueuse derrière la Scuola Grande de Santa Maria Della Misericordia. Le prieur de la confraternité des Battuti secouait la tête, tristement. Apparemment, il lui était impossible d'abriter les prostituées dans son hospice.

Mercurio vit que Lanzafame et ses soldats essayaient de monter un campement pour la nuit. Le prieur leur avait donné des tentes. Dans la boue jusqu'aux chevilles, ils essayaient d'allumer des feux. Isacco était assis dans un coin, la tête dans ses mains. Le soir tombait. Il faisait froid. Beaucoup de femmes pleuraient.

Lanzafame s'approcha du docteur. « Tu dois y aller. C'est l'heure », lui dit-il.

Isacco leva la tête vers le capitaine. Il avait l'air étonné. Visiblement, il avait oublié qu'il ne pourrait pas partager le sort des prostituées. Comme chaque nuit, il devait rentrer dans sa cage pour y être enfermé.

Mercurio vit qu'il se levait avec peine.

Lui aussi, rentrant vers Mestre, se sentait vaincu. La Justice avait encore commis une injustice.

Isacco avait parcouru toutes les *fondamente* jusqu'à la grande porte sur le rio di San Girolamo. Il entra dans son immeuble et monta au quatrième étage.

Il s'arrêta devant la porte, parce qu'il ne voulait pas que sa fille le voie dans cet état, et s'assit sur les marches. Ce fut seulement deux heures plus tard que Giuditta, inquiète, le trouva là, endormi.

Le lendemain, dès l'aube, quand les grandes portes s'ouvrirent, Isacco rejoignit le campement. Il trouva les prostituées dans un état pitoyable. L'une d'elles était morte dans la nuit, probablement tuée par le froid, plus que par la maladie.

« On ne peut pas tenir comme ça, lui dit Lanzafame.

— Non… », répondit Isacco. Et il eut la tentation de s'enfuir. Au lieu de quoi, il remonta ses manches et fit son travail, nettoyant et pansant les plaies. Mais il était sans forces, et sans confiance en l'avenir.

Vers le milieu de la matinée, toutefois, le prieur de la Misericordia fit son apparition dans le campement.

Le docteur lança un signe au capitaine. « Venez », lui dit-il. Ils allèrent tous deux à la rencontre du prieur. « Avez-vous changé d'avis ?, demanda Isacco avec un espoir dans la voix.

— Docteur Negroponte, vous savez bien que ce n'est pas la question… », répondit-il, embarrassé. Il laissa son regard errer sur les prostituées. Sans rien ajouter.

Isacco acquiesça tristement. Si elles n'avaient pas été des putains, la Scuola Grande della Misericordia les aurait accueillies. "La *miséricorde* n'est pas pour tout le monde", pensa Isacco.

« Mais il y a une femme, reprit le prieur, qui… eh bien, nous aimerions vous la présenter. Elle est venue aujourd'hui avec une proposition qui ne nous intéresse pas, mais qui pourrait peut-être vous convenir…

— Quelle proposition ? fit Isacco.

« — Vous en jugerez par vous-même. Venez », dit le prieur en repartant vers l'imposant bâtiment de la *Scuola Grande*.

Isacco lança un coup d'œil à Lanzafame, puis suivit le prieur. Lanzafame se joignit à eux.

« La maladie me semble plus mortelle pour les hommes que pour les femmes, observa le prieur tandis qu'ils marchaient, les pieds dans la boue. Votre huile de Palo Santo agit cependant mieux sur les plaies que tout autre onguent.

— J'ai seulement écouté ce que disaient dans le port les marins qui revenaient des Amériques, répondit Isacco. Ce n'est pas mon huile. Je n'ai aucun mérite.

— C'est déjà un mérite que d'écouter, rétorqua le prieur en entrant dans la *Scuola Grande*. Quant à moi, j'utilise aussi du vif-argent. Il semble que cela marche. Cependant, le dosage est difficile à établir. On risque d'empoisonner le malade en soignant ses plaies.

— Du vif-argent ? Intéressant.

— Venez », les invita le prieur en ouvrant la porte du réfectoire. Il désigna une femme tout au fond de la salle. « La voilà. C'est elle. »

Ils s'approchèrent d'une femme de simple apparence.

« Voici le docteur Negroponte, dont je viens de vous parler. »

Isacco vit que la femme regardait son bonnet jaune.

« Le prieur m'a dit beaucoup de bien de vous », commença-t-elle.

Elle avait une voix chaude, pensa Isacco, mais continuait de fixer son bonnet jaune. « Il ne vous a pas dit que j'étais juif, c'est ça ? remarqua Isacco avec une

700

pointe d'agressivité dans la voix. Et que mes patientes sont des prostituées, il vous l'a dit ?

— Je voulais aider le prieur, dit la femme sans relever l'attaque. Il semble qu'il n'ait pas besoin de mon humble secours. Alors que vous, oui, d'après lui. »

Isacco fronça les sourcils.

« Ce que vous faites est bien, et je veux vous aider, poursuivit-elle. Ça m'est égal que vous soyez juif.

— Je vous en remercie, répondit Isacco, se repentant de son agressivité. Comment pouvez-vous nous aider ?

— Je voudrais mettre à votre disposition un endroit, un endroit très grand… qui nécessite quelques travaux… qu'il faut arranger, en somme. Voilà… je voudrais vous offrir un endroit où créer un hôpital. »

Isacco sentit un frisson le long de son échine. Il regarda le capitaine Lanzafame dont les yeux attentifs restaient fixés sur la femme.

« De quel endroit parlez-vous ? fit Isacco.

— Eh bien… il s'agit… il s'agirait de mon étable…, dit la femme, timidement. C'est juste une étable, je sais, mais elle est chaude. Elle pourrait devenir un endroit habitable. Juste à côté, il y a ma maison et je pourrais vous fournir des repas réguliers si quelqu'un m'aide, et…

— Pourquoi ? l'interrompit Isacco.

— Parce que… » La femme regarda à droite et à gauche, comme si elle cherchait une réponse. « Parce que vous faites le bien et que je n'ai plus de vaches et que…

— Parce que Dieu nous l'envoie, voilà pourquoi ! intervint brusquement Lanzafame. Le mien, le tien, le Dieu des putains... quelle importance, misère de misère ? Quel que soit le pourquoi, qu'Il soit béni à jamais. Et que tu sois bénie toi aussi, brave femme ! Dis-lui merci, docteur ! »

Isacco se tourna vers elle. Mais il ne put parler.

« Quand pouvons-nous venir ? demanda Lanzafame.

— Je ne saurais dire..., répondit la femme. Au prieur, j'avais dit dans un mois, s'il s'occupait des travaux.

— Un mois... », murmura Isacco. Il regarda par la fenêtre le campement dans la boue, derrière la *Scuola Grande*. « Dans un mois, elles seront toutes mortes..., dit-il, et il voulut s'en aller.

— Mais si vous pensez qu'elles seraient mieux dans une étable que dehors... », commença à dire la femme.

Le docteur la regarda. Puis il se tourna vers Lanzafame.

« Vous voulez dire qu'on pourrait venir tout de suite ? demanda le capitaine, se faisant l'interprète de la pensée d'Isacco.

— Pour moi, oui, bien sûr. Si vous supportez...

— Nous supportons n'importe quoi pourvu que nous ayons un toit sur la tête, n'est-ce pas, docteur ? », dit Lanzafame en serrant les poings.

Isacco le fixait sans parvenir à prendre une décision.

« Docteur ! cria presque Lanzafame.

— Cela me semble une bonne proposition, intervint le prieur. De plus... » Sa voix se fit embarrassée. « On ne peut pas dire que ce campement, là, dehors... en somme... Les curés de l'église m'ont déjà demandé quand vous alliez partir...

— Docteur ! », répéta Lanzafame.

Isacco se secoua. « Qu'est-ce que nous attendons ? Allons-y ! »

Il fallut presque toute la journée pour transporter les prostituées jusqu'à l'étable, qui se trouvait en dehors de Venise. Les soldats de Lanzafame se mirent à l'œuvre et le soir même l'endroit avait été complètement nettoyé. Par terre, ils avaient répandu une grande quantité de paille propre sur laquelle installer provisoirement les malades, et au centre brûlaient trois feux. Les prostituées avaient des rires de petites filles, comme si elles étaient logées dans un château.

Isacco lui-même sentait la confiance renaître. Ils allaient y arriver.

« À partir de demain, on organisera mieux les choses », dit une voix derrière lui.

Isacco se retourna.

« Bienvenue », lui dit en souriant Mercurio, son bras autour de l'épaule d'Anna del Mercato.

67

"À nous deux", se dit Shimon Baruch en posant le pied à Venise.

Il regarda autour de lui. Le gondolier l'avait laissé à l'embarcadère du Rialto. Il lui avait dit que c'était là que battait le vrai cœur de la ville, pas à San Marco comme le croyaient les étrangers.

L'air de Venise puait, se dit Shimon. Il monta sur le pont de bois du Rialto pour regarder le célèbre Grand Canal. L'eau n'était pas de l'eau, mais de la vase liquide. Elle n'était ni douce ni salée. Trop peu de sel pour qu'elle ne soit pas putrescente, et trop pour en faire l'eau d'un fleuve ou d'un lac. Il regarda autour de lui. Les palais étaient collés les uns aux autres. Le faste de leurs façades de marbre et de leurs rideaux, leurs colonnes et leurs vitraux colorés n'étaient qu'apparence. Dans les *rios* ou les canaux latéraux, ils montraient des flancs de brique, comme les maisons des pauvres. Les gens pissaient contre les murs. L'air stagnait, emprisonné dans des espaces exigus. Venise était une forme, un simulacre. Les barques qui encombraient le Grand Canal ressemblaient à d'énormes insectes aquatiques.

Il détesta tout de suite Venise.

Il descendit de l'autre côté du pont. Même si c'était là le cœur battant de la ville, comme avait dit le gondolier bavard, et par conséquent le lieu où il avait le plus de chances de rencontrer un voyou comme Mercurio, Shimon n'avait pas l'intention de dormir dans un tel chaos. Les gens le poussaient sans faire attention à lui ni aux autres. Sans même paraître ennuyés de ces collisions constantes. Des fourmis, des insectes, pensa-t-il avec le plus profond mépris. C'était donc ça, cette Venise tant célébrée : une cité d'insectes entassés sur des palafittes. Qu'ils les recouvrent de marbres précieux n'en changeait en rien la nature. C'étaient des palafittes plantés dans un marécage, qu'ils appelaient pompeusement lagune.

Depuis le campo San Bartolomeo, il parcourut le sotoportego dei Preti et par là rejoignit la calle dell'Aquila Nera. Il vit une auberge presque cachée, avec peu de clients.

Il entra et montra à l'aubergiste une feuille sur laquelle il avait écrit : "Je cherche une chambre."

« Je ne sais pas lire », répondit l'autre.

Shimon lui mima le fait de dormir.

« Vous voulez une chambre ? »

Shimon acquiesça.

« À la pension », dit l'aubergiste avec un regard obtus.

Shimon resta là à le fixer.

« On entre par-derrière, dans la *calle* », expliqua l'aubergiste en lui indiquant de sortir, puis de tourner à gauche et encore à gauche.

Shimon rejoignit un *campiello* qui n'avait pas de nom, tellement il était petit. C'était plutôt la cour intérieure des immeubles qui l'entouraient. Sur le petit campo donnaient quelques fenêtres étroites protégées par des grilles de fer, et une seule porte, peinte en rouge et noir. Dans un coin de la courette, deux seaux remplis d'ordures. La puanteur était insupportable.

Shimon poussa le battant. À l'intérieur, il faisait noir. Il faillit tomber en trouvant très vite sous ses pieds un escalier. Il n'y avait rien d'autre, juste cet escalier étroit et raide. Les marches étaient glissantes d'humidité. En montant, il s'appuya au mur. Le revêtement s'effrita sous ses doigts. Le mur était spongieux.

Quand il arriva en haut des marches, il se retrouva devant une autre porte. Il poussa pour entrer, mais elle était fermée. Il frappa. Au bout d'un certain temps, il entendit un pas traînant, et un jeune homme à l'air indolent ouvrit. Il le regarda sans rien dire.

Shimon monta la dernière marche et entra, obligeant le jeune homme à se pousser. L'air sentait le renfermé et le moisi, mais un peu de lumière filtrait par une fenêtre, petite et basse, sur sa gauche, donnant sur la calle dell'Aquila Nera. Ils étaient au-dessus de l'auberge. Il lui tendit sa feuille où était écrit "Je cherche une chambre".

« Je ne sais pas lire, dit le jeune homme. Et la patronne non plus. »

Shimon lui fit signe qu'il voulait dormir.

Le jeune homme se retourna et sans répondre se dirigea vers une porte. Il l'ouvrit et dit : « Client. »

On entendit un lit grincer. Puis apparut une femme dans la quarantaine, grasse, avec une face de singe et une ombre de moustache sur la lèvre. Elle noua sa robe de chambre sur le devant tout en passant devant le jeune homme, se frottant presque à lui.

Shimon comprit que la femme profitait de ses services.

« Dites », fit la logeuse. Elle avait des manières désagréables. Shimon lui tendit la feuille.

« Je ne sais pas lire, dit la logeuse.

— Je lui ai déjà dit, intervint le jeune homme.

— Étranger ? », demanda la femme.

Shimon fit signe que non.

« Et alors ? », demanda encore la logeuse.

Shimon déboutonna sa veste et fit voir la cicatrice de sa blessure à la gorge. Puis il siffla par la bouche.

La logeuse fit un pas en arrière. « Muet ? »

Shimon acquiesça.

La femme prit une chandelle et l'approcha de Shimon. Elle voulait regarder sa blessure. Son vilain masque de singe se tordit en une grimace d'étonnement. « Viens voir ! dit-elle au jeune homme. Regarde, misère de misère ! » Elle approcha de nouveau la chandelle du cou de Shimon tandis que le garçon se penchait en avant. Elle éclaira la cicatrice sombre, violacée, sur laquelle on voyait un lys. Gravé dans la chair, à l'envers, en négatif, comme la bordure en relief du duché de Florence.

« Putain de merde ! s'exclama le jeune homme.

— C'est pas avec ça que vous allez payer, quand même ? », dit la logeuse en éclatant de rire.

Shimon ne sourit pas.

Le garçon éclata de rire avec un temps de retard. « Cette pièce-là, elle est pas valable ! », dit-il pour montrer qu'il avait compris.

« Un demi-sol par nuit, dit la logeuse. Une pièce d'argent par semaine. »

Shimon mit la main dans sa bourse et en sortit quatre pièces d'argent.

La logeuse écarquilla les yeux. « Votre Grâce, si vous voulez, je vous suce en prime », se mit-elle à rire.

Le jeune homme s'assombrit.

La logeuse lui donna une tape sur la tête. « Prends les bagages de monsieur, imbécile. »

Shimon lui fit signe qu'il n'avait que son sac, qu'il portait en bandoulière.

La femme l'accompagna dans un minuscule couloir sale et malodorant dont le plancher grinçait à chaque pas. Il était si étroit que le gros cul de la logeuse frottait de temps en temps contre la paroi. Arrivée à une porte basse, elle l'ouvrit. Puis elle entrebâilla les persiennes de l'unique petite fenêtre. La lumière avait du mal à pénétrer. Elle alla vers un meuble bas et rongé d'humidité puis alluma un moignon de chandelle, qui éclaira un pot de chambre rouillé. « Pour chier et pour pisser. Ce bon à rien vous le prendra tous les matins », dit-elle en montrant le jeune homme. Puis elle déplaça la chandelle vers un baquet. « Vous pouvez même y prendre un bain, si vous le commandez d'avance, l'informa-t-elle fièrement. Je vous chauffe l'eau pour trois marquets. C'est un bon prix. Et pour deux autres, je vous donne un morceau de savon. » Enfin, elle lui montra le lit. Dessus, il y avait une couverture tachée.

Shimon acquiesça. Il prit le certificat de baptême qui attestait qu'il était Alessandro Rubirosa, né à Rome en 1471.

« Je vous l'ai déjà dit, je ne sais pas lire, répéta la logeuse. Et je me fiche de qui vous êtes, avec tout mon respect, Votre Seigneurie. »

Shimon rangea son certificat de baptême.

La logeuse s'arrêta sur le seuil. « Ce qui est sûr, c'est que vous serez pas le client à faire du bruit ! » Elle éclata de rire à nouveau puis sortit de la pièce, suivie par le garçon.

« Comment tu le sais, qu'il fera pas de bruit ? demanda-t-il tandis qu'ils s'éloignaient.

— Parce qu'il est muet, imbécile », dit la logeuse.

Shimon ferma la porte et se coucha sur le lit. Ce fut alors seulement qu'il entendit le garçon rire, en réponse à la réplique. Il resta immobile jusqu'au soir, sans bouger un muscle ni penser à rien. Quand la nuit fut tombée, il se leva sans bruit. Il enleva sa casaque et resserra le bandage autour de son thorax. Ses côtes cassées commençaient à lui faire moins mal. Pendant la première semaine, il avait craché du sang. Il s'était dit qu'il n'allait pas s'en sortir. Sa blessure au mollet s'était infectée. Mais il était resté caché dans la campagne, vivant comme un chien errant, au cas où les gardes pontificaux l'auraient recherché. Il avait allumé un feu et brûlé un morceau de bois aiguisé, qu'il avait enfoncé à l'intérieur de la blessure. Le feu l'avait sauvé une fois, pour sa blessure à la gorge, il le sauverait cette fois encore. Et en effet, il l'avait sauvé. Mais quand il marchait trop longtemps, son mollet lui faisait encore très mal. Il s'était aperçu qu'il commençait à boiter. Il pensa à ces chats qui se prélassaient au soleil des rues de Rome, près des ruines du Cirque Maxime, les oreilles coupées par les morsures dues au combat, le poil strié de cicatrices.

Il sortit de la chambre. C'était le pire moment de la journée. Il pouvait éloigner de lui n'importe quelle image, mais pas celle de ce moment où, chez Ester,

709

il s'asseyait dans le fauteuil et l'entendait remuer le dîner dans la marmite, devant la cheminée.

Il descendit dans la rue et commença à marcher.

Il erra sans but, uniquement pour éloigner ce qui lui manquait le plus : l'image d'une maison.

Sa haine à l'égard de Mercurio avait grandi depuis qu'il avait abandonné Ester. Non content de lui avoir pris son ancienne vie, Mercurio lui avait volé la possibilité d'une vie nouvelle.

"Tu ne connaîtras pas la paix tant que tu n'auras pas retrouvé ce maudit garçon et que tu ne l'auras pas fait souffrir."

Rongé par la haine, Shimon arriva sans s'en rendre compte dans un espace gigantesque, libéré de l'oppression des immeubles collés les uns aux autres. Soudain, le monde s'ouvrait. En face de lui se trouvaient une basilique et une haute tour. À droite, le Grand Canal s'élargissait jusqu'à l'infini.

Il était à San Marco.

Il n'y avait plus de limites, plus de frontières.

Il vit alors une foule réunie autour d'une colonne. Il s'approcha. Un homme à demi nu, le regard terrorisé, était attaché par les mains et les pieds à quatre grands chevaux, piaffant d'inquiétude, la bouche écumante.

« Sodomite ! », hurla une femme.

Le bourreau fit claquer son fouet et les chevaux s'élancèrent dans quatre directions différentes. L'homme attaché hurla. On entendit craquer les os et les tendons. Le malheureux émit un ultime hurlement avant de s'évanouir, en vomissant.

Le bourreau, de deux rapides coups de hache, trancha les épaules, et les bras furent aussitôt détachés par la puissance des chevaux. Le sang jaillit sur les dalles. Il trancha alors les hanches de ce qu'il restait du condamné, et les jambes à leur tour se séparèrent du tronc, répandant les intestins sur le sol.

La foule avança puis recula, comme une seule et unique masse.

Dans l'air, l'odeur du sang et de la peur.

Shimon se laissa exalter par cette grandeur terrible.

"À nous deux, Mercurio", se dit-il, tandis que les pigeons s'élevaient dans le ciel, effrayés par l'arrivée d'un énorme vol de corbeaux qui se préparaient à banqueter avec les restes du condamné.

Shimon regarda les oiseaux noirs. Ils lui parurent de bon augure. Il huma l'air. Comme un chien de chasse. Comme s'il pouvait sentir l'odeur de sa proie.

68

« Qu'est-ce que tu as combiné avec mon père ? demanda Giuditta dans le pigeonnier, en se serrant contre le corps chaud de Mercurio. Depuis hier, il n'arrête pas de marmonner contre toi et de dire qu'il s'est fait avoir. »

Mercurio se mit à rire. « C'est vrai qu'il s'est fait avoir. Il n'a rien vu venir, je me suis vraiment bien amusé.

— Mais qu'est-ce que tu lui as fait ?

— Je lui ai offert un hôpital.

— Un hôpital ?

— Eh oui. Au fond, c'est quand même le père de ma bien-aimée, non ? »

Giuditta se mit à rire doucement : « Toi, tu es complètement fou, tu le sais ça, hein ?

— Et toi, tu le sais que cet hôpital est à Mestre ? dit Mercurio en s'écartant d'elle pour la regarder dans les yeux. Tu le sais, ce que ça veut dire ?

— Non…

— Que tôt ou tard ton père se laissera convaincre d'accepter une chambre pour dormir là-bas.

— Mais nous n'avons pas le droit de dormir ailleurs que dans le…

— Tu es vraiment aussi bouchée que ton père, tu sais ? », dit Mercurio en riant.

Giuditta fit une moue mécontente.

Mercurio rit encore plus fort. « J'ai dit Mestre. Tu ne comprends toujours pas ?

— Non.

— Tu es obligée de dormir enfermée dans le Ghetto seulement si tu habites à Venise. Mais à Mestre, il n'y a pas de ghetto. Tu es libre de dormir où tu veux. Il suffit que tu cesses de vivre à Venise et que tu déménages à Mestre.

— Vraiment ? Et où ?

— Ô Seigneur du ciel ! Mais comment tu fais pour être aussi bouchée ?

— Allez, arrête ! Dis-moi !

— Chez moi ! dit Mercurio avec un sourire. Anna a déjà offert une chambre à ton père, pour qu'il puisse être jour et nuit dans son hôpital. Et il y en a une qui est prête pour toi. » Il la serra contre lui et caressa son corps. « Quoi ? Ça ne te va pas de dormir sous le même toit que moi ? »

Giuditta le regarda bouche bée. « Mon père n'acceptera jamais, dit-elle, toute chagrinée.

— On verra », répondit Mercurio. Il se leva de la couche de paille du pigeonnier. S'étira. « Si nous ne commençons pas à faire l'amour dans un vrai lit, nous allons vieillir avant l'heure. »

Giuditta éclata de rire.

« J'ai encore gagné dix-neuf lires d'or, reprit Mercurio. J'aurai bientôt assez pour commencer à

réparer le navire du vieux Zuan. Et alors je t'emmènerai avec moi. »

Giuditta le regarda avec sérieux, sans lui répondre.
Elle sentait qu'elle lui appartenait chaque jour davantage. Elle lui appartenait, se disait-elle, au point de
n'être plus que sienne. Aussi avait-elle écrit une lettre,
qu'elle ne cessait de relire. Parce qu'elle savait que le
jour viendrait bientôt où elle la ferait lire à son père.
C'était une lettre douloureuse. Et en même temps
pleine de joie.

« Et ta boutique, comment ça va ? J'y vois toujours
un grand va-et-vient de clients. »

Giuditta s'illumina. « Oui, dit-elle fièrement. Les
robes plaisent beaucoup. Nous en vendons plus que
nous ne pouvons en coudre. Et nous avons aussi des
dames de la noblesse. C'est… c'est…

— Un succès, conclut Mercurio.

— Oui, un succès.

— Quel que soit l'endroit où nous irons, tu auras ta
boutique », jura Mercurio, la main sur le cœur. Puis il
commença à s'habiller. « Je ne laisserai pas nos douze
enfants t'empêcher de gagner tout cet argent.

— Et toi, que feras-tu ? plaisanta Giuditta.

— Eh bien… je resterai à la maison en pantoufles
et je surveillerai que la gouvernante, jeune et jolie,
payée avec tes énormes bénéfices, nettoie bien le cul
de nos marmots. Puis je m'assurerai que la cuisinière,
tout aussi jeune et jolie, prépare les meilleures viandes
casher. Et je passerai un doigt sur le sol pour être sûr
que la petite servante, encore plus jeune et jolie que les
autres, a bien balayé. »

Giuditta se mit à rire, se leva et se jeta dans ses
bras. « Je ne te donnerai pas la moitié d'un enfant, et

surtout, nous n'aurons pas de domestiques. Je ne veux te partager avec personne. »

Mercurio l'embrassa. Il caressa son dos lisse puis laissa glisser sa main sur ses seins.

Elle recula. « Arrête, il est tard. » Et tandis qu'elle enfilait sa jupe, elle regarda machinalement les coutures intérieures du vêtement. « Sais-tu qu'une cliente a trouvé une plume de corbeau dans une de mes robes ?

— Et qu'est-ce qu'elle faisait là ? demanda distraitement Mercurio, qui boutonnait sa veste.

— Bizarre, non ? répondit Giuditta, pensive. Et une autre une dent de bébé.

— Tu devrais peut-être dire à tes couturières de faire un peu plus attention.

— Je n'arrive pas à me l'expliquer…

— Qu'est-ce que tu voudrais expliquer ?

— Je ne sais pas… c'est bizarre.

— N'y pense plus et presse-toi. La Marangona va sonner et le "docteur des putains" va se réveiller.

— Ne l'appelle pas comme ça, s'assombrit Giuditta.

— Je plaisante.

— Ne plaisante pas là-dessus. »

Mercurio acquiesça, lui sourit, l'embrassa puis descendit l'escalier, prêt à se mêler à la foule qui sortait du Ghetto. Mais un instant après il reparut dans le pigeonnier. « T'ai-je dit que je t'aime ? »

Giuditta se mit à rire, heureuse.

« Pour toujours », lui dit Mercurio. Et il s'en alla.

« Pour toujours », répéta Giuditta. Elle revint dans l'appartement, prépara le déjeuner pour Isacco, lui dit bonjour, lui souhaita une bonne journée de travail, et enfin, restée seule, elle s'assit devant la table et prit dans la fente du mur où elle la cachait tous les soirs la lettre qu'elle avait écrite. Elle la relut.

Cher père,

C'est avec la plus grande douleur que je t'écris la grande joie que je ressens. Je ne sais pas comment je survivrai à cette grande douleur, pas plus que je ne sais comment je pourrais me priver de cette joie. Si j'étais capable de me couper en deux, je te jure que je le ferais. Si j'étais capable d'être à la fois une bonne fille et une bonne épouse, je te jure que je le serais. Si je pouvais éviter de te briser le cœur, je te jure que je l'éviterais. Comme je voudrais ne pas briser le cœur de l'homme auquel j'ai promis le mien. Je prie de toute mon âme qu'advienne un miracle qui nous permette de vivre une existence différente de celle qui s'annonce. Je prie pour pouvoir passer ma vie avec toi, comme je prie pour pouvoir passer ma vie avec l'homme que j'aime. Mais quelle vie sera la mienne, dorénavant, je ne saurais le dire. Sera-t-il possible de l'appeler vie, si pour une moitié, elle est la mort ? Quelle vie peut être celle d'un cœur coupé en deux ?

Je ne sais pas si tu réussiras à me pardonner parce que je ne sais pas si je réussirai à me pardonner moi-même. Mais ma décision est prise.

Chaque fois qu'elle la relisait, elle se sentait le cœur pris dans un étau. Elle s'était livrée tout entière dans cette courte lettre. Mais, au-delà des mots, elle se rendait compte, jour après jour, d'un fait inéluctable. Elle appartenait à Mercurio. Rien ne la retiendrait. Rien. Sa décision était prise. Et c'était vrai. Elle suivrait

Mercurio où qu'il aille. Parce qu'il était sa vie. La vie qu'elle voulait.

« Quel qu'en soit le prix, dit-elle, tout bas mais avec force. Et pour toujours. »

Parfois, le soir, quand Mercurio ne l'emmenait pas dans le pigeonnier froid et malodorant devenu pour elle un palais, Giuditta se demandait si elle avait bien fait de perdre sa virginité. Elle essayait même d'en avoir honte, comme le voulait la société, tant chrétienne que juive. Mais elle n'y arrivait pas. Elle comprenait la règle, elle l'admettait pour les autres, mais pas pour elle. Pas pour eux deux. Parce que Mercurio et elle étaient spéciaux. Eux, ils étaient amoureux. Et leur amour était si grand et si absolu que rien de ce qu'ils faisaient en son nom ne pouvait être mal.

Avec le temps, son père finirait par accepter la vérité. Giuditta en était certaine. Comment aurait-il pu en être autrement ? Comment pouvait-on imaginer qu'un amour aussi pur puisse être un péché aux yeux du Seigneur ? N'était-ce pas justement le Dieu du Monde, qui savait tout et pouvait tout, qui les avait fait se rencontrer ?

Elle pensa à la première fois où elle avait senti la main de Mercurio dans la sienne. Puis à leur premier baiser. Et à la première fois où elle l'avait accueilli en elle et s'était rendu compte que leurs corps se fondaient en un seul et même organisme, et qu'il n'était plus possible de les distinguer ni de les séparer. Est-ce qu'elle le referait ? Oui. Mille fois oui. Sans un seul regret.

« Pour toujours », se répéta-t-elle.

Quand on frappa à la porte, Giuditta fit un bond sur sa chaise. Elle porta la main à son cœur et sourit, revenant à la réalité. Elle laissa la lettre sur la table, se leva et alla jusqu'à la porte.

« Qui est-ce ? demanda-t-elle.

— Giuditta la Juive, répondit une voix d'homme. Ma maîtresse vous demande. »

Giuditta ouvrit. Elle ne connaissait pas ce serviteur.

« Ma maîtresse vous demande, répéta l'homme.

— Qui est votre maîtresse ?

— Vous verrez bien.

— Quand ?

— Maintenant. »

Giuditta était déconcertée, ne savait que répondre.

« La gondole de Madame nous attend.

— C'est pour une robe ?

— Ma maîtresse m'a envoyé vous chercher. Je ne sais rien de plus. »

Giuditta mit une cape de futaine sur ses épaules et suivit le serviteur dans les escaliers puis à travers le *campo*. Tout en marchant, elle se sentait encore enivrée de ses pensées au sujet de Mercurio. Oui, elle le suivrait partout.

La gondole était amarrée sur la fondamenta dei Ormesini. Le serviteur l'aida à monter puis fit signe au gondolier de partir.

En peu de temps, ils atteignirent l'embarcadère privé d'un palais de trois étages sur le Grand Canal. La façade était élégante, finement dessinée. Les fenêtres s'ornaient de légères colonnes de marbre qui s'enroulaient sur elles-mêmes jusqu'à de gracieux chapiteaux, et étaient décorées de petites vitres de couleur plombées.

Le serviteur la fit descendre et lui dit de suivre un domestique en livrée. Celui-ci l'escorta en silence au premier étage du palais. On respirait dans l'air une odeur désagréable d'excréments de chien. Le domestique la fit entrer dans une pièce tapissée de satin damassé. Aussitôt qu'ils furent là, une petite servante s'écarta du mur, comme prise sur le fait.

« Que fais-tu donc ? », lui demanda sévèrement le domestique.

La petite servante rougit et s'éclipsa en hâte.

Le domestique s'approcha du mur et ferma une sorte de petit judas. « Attendez ici », dit-il à Giuditta avant de sortir.

Giuditta ne savait que faire et, attirée par un bruit de voix qui provenait de la pièce voisine, elle s'approcha du petit judas. Elle résista un instant puis, cédant à la curiosité, déplaça la petite fermeture, en satin comme la tapisserie, et regarda.

La première chose qu'elle vit fut une femme de dos. Elle était assise, raide, devant une petite écritoire en bois doré. La pièce tout entière était élégante et raffinée.

Derrière la femme se trouvaient deux serviteurs, encadrant une porte. Plus loin, un homme dans la cinquantaine, à l'air maladif, sûrement un homme du peuple, quoique habillé très correctement. Il tenait à la main un chapeau mou en velours noir. Il était chauve et il transpirait. Son expression était pleine d'inquiétude.

« Je vous en supplie, votre Grâce…, gémit-il, tourné vers la femme.

— Il fallait y penser avant », dit celle-ci, toujours aussi raide.

Giuditta eut l'impression de reconnaître cette voix.

Puis entra un aristocrate. Élégantissime. Et difforme. Il avança dans la pièce sans accorder à l'homme un seul regard. Il jeta seulement un regard complaisant sur la femme toujours de dos.

« Tu aimes bien regarder, n'est-ce pas ? lui dit-il d'une voix grinçante.

— Ta satisfaction est la mienne », lui répondit-elle en se levant, et elle se retourna.

Alors Giuditta la reconnut. C'était Benedetta. Elle eut la tentation de s'échapper. Pourtant elle restait l'œil collé au judas. Et elle vit que Benedetta la fixait. Elle s'écarta, craignant d'être découverte. Mais elle comprit ensuite que Benedetta savait parfaitement qui était là à regarder. Peut-être la petite servante elle-même avait-elle fait semblant de se laisser surprendre. Peut-être devait-elle seulement lui montrer où était le judas, de même que le domestique. Tout avait été fait pour qu'elle regarde.

Quand Giuditta remit son œil au judas, Benedetta lui sourit. Elle se tourna ensuite vers les deux serviteurs qui avaient immobilisé l'homme, lequel pleurait maintenant de désespoir. L'aristocrate difforme avait à la main un rasoir de barbier. Il l'enfonça dans la bouche de l'homme. Celui-ci pleura plus fort.

« Pour ce que tu as dit », fit le noble, et il trancha, par le coin gauche de la lèvre, la joue de l'homme en deux.

L'homme hurla, crachant un jet de sang.

« Nettoyez », ordonna le noble aux deux serviteurs. Il se tourna vers Benedetta. « Tu viens, ma chère ? »

Elle se tourna vers le judas, derrière lequel Giuditta était pétrifiée. « Non. J'ai un rendez-vous. »

720

Giuditta se sentit mal. Elle courut vers la porte pour se sauver mais rencontra le domestique, qui lui dit « Suivez-moi ».

Le cœur battant, elle le suivit dans un long couloir. De petits chiens hargneux se mirent à lui aboyer dessus. Le domestique la fit entrer dans la pièce où Benedetta l'attendait, debout, sur le tapis bleu taché du sang de l'homme auquel on avait entaillé la bouche.

Benedetta la fixa en silence. "Que la destruction, la ruine, le malheur soient sur toi. Jusqu'à la mort", pensa-t-elle. Il n'y avait pas de fond à la haine qu'elle éprouvait pour cette Juive. « *Ciao*, Giuditta, lui dit-elle. Le spectacle t'a plu ? »

Giuditta avait peur. Elle était incapable de parler.

« Cet homme avait dit à mon sujet quelque chose d'inconvenant, fit Benedetta. Et mon prince ne supporte pas qu'on dise du mal de moi. Il est irascible. Et cruel. »

Giuditta hocha la tête. Elle se sentit stupide. Vulnérable.

Benedetta la regardait avec satisfaction. Il n'était pas vrai que l'homme avait dit du mal d'elle. Le prince Contarini ne s'en serait sans doute nullement soucié. En réalité, c'était de lui qu'il avait mal parlé. Mais cela, Giuditta ne pouvait pas le savoir. Et la seule chose qui importait à Benedetta était que la Juive soit suffisamment effrayée pour croire tout ce qu'elle s'apprêtait à lui dire. Elle s'approcha. « Sais-tu pourquoi je suis la maîtresse du prince ? »

Giuditta recommençait à respirer. Elle fit signe que non.

« Parce que cela m'arrange. Maintenant je suis riche, servie et adulée. Respectée. J'ai du pouvoir. »

Elle hocha doucement la tête. « Ça m'arrange pour moi..., reprit-elle. Et pour Mercurio. »

Giuditta fronça les sourcils. « Quel rapport avec... Mercurio ? »

Benedetta fit un pas vers elle. « As-tu senti toute la cruauté qui court dans les veines de mon prince ? »

Giuditta acquiesça d'un rapide signe de tête.

« Il y a un certain temps, Mercurio a offensé le prince. Demande-le-lui, dit Benedetta en la défiant du regard. Le prince me voulait, me désirait. Et Mercurio m'a défendue. Il l'a humilié. Il ne s'est sauvé que parce qu'un criminel très puissant s'en est mêlé. Il s'appelle Scarabello... »

Giuditta resta bouche bée. Elle se rappelait le nom de cet homme. C'était l'homme qui avait tué Donnola.

« Ah, tu le connais ! », s'exclama Benedetta, toute contente. Voilà qui allait faciliter son plan. « Mais le prince a juré, quoi qu'il en soit, de tuer Mercurio. Pourquoi crois-tu qu'il est allé habiter à Mestre ? Sûrement pas parce que c'est une jolie petite ville. Il est là-bas parce qu'à Venise il serait en danger. Et il est en danger chaque fois qu'il y met les pieds. » Benedetta fit une pause, pour laisser à Giuditta le temps de peser le poids de ses paroles. « Pour le moment, j'arrive à tenir le prince en lisière, reprit-elle. Je reste avec lui pour sauver Mercurio.

— Et... donc ? »

Benedetta hocha la tête, pleine de mépris. « Pauvre idiote ! Donc, je n'ai pas l'intention de le sauver pour qu'il prenne du bon temps avec toi. »

Giuditta était en pleine confusion.

« Tu ne comprends toujours pas ? fit Benedetta, haussant le ton. Tu dois éloigner Mercurio. Tu dois lui dire que tu ne veux pas de lui. Et tu dois être convaincante. » Elle lui pinça la joue, comme on fait aux enfants. « Sinon, je cesserai de le protéger.

— Pourquoi fais-tu cela ? », demanda alors Giuditta, encore plus horrifiée.

Benedetta éclata de rire. « Parce que je te hais. Parce que tu ne vaux foutre rien. Et que je ne veux pas que tu puisses profiter de lui grâce à mon sacrifice. » Elle s'approcha de Giuditta. « Aucune de nous deux ne l'aura, ou je laisserai le prince le tuer. »

Giuditta sentit une fureur incontrôlable lui ouvrir la poitrine. « Et tu dis que tu l'aimes ? », s'écria-t-elle, le rouge aux joues.

Benedetta, la voyant s'enflammer de la sorte, eut un coup au cœur. « Qu'est-ce qu'il y a entre vous ? », demanda-t-elle, soupçonneuse. Elle la connaissait, cette lumière dans les yeux d'une femme. Giuditta avait le regard de celle qui sait ce que c'est d'avoir un homme. Le regard de celle qui connaît ses mains et ses caresses. « Tu as couché avec lui ? », lui demanda-t-elle d'une voix sourde, mais sans attendre de réponse, parce qu'elle l'avait déjà lue dans ses yeux. En disant cela, elle sentit une douleur très forte dans sa poitrine. Elle serra les mâchoires et grinça des dents, comme une bête féroce.

Giuditta rougit et fit un pas en arrière.

« Putain ! », hurla Benedetta, et elle leva la main pour la frapper. Mais elle se retint. « Putain de Juive ! répéta-t-elle, haletante. Oui ! Je l'aime au point que je suis prête à le tuer ! » Elle fixa Giuditta. « Mais toi, tu ne pourras jamais le comprendre, dit-elle d'une voix basse et rauque. Parce que tu n'es pas une femme, tu n'es qu'une gourdasse à la chatte qui mouille et au cœur sec.

Une femme est prête à n'importe quoi pour l'homme qu'elle aime. Même à le tuer, oui ! » Elle la regarda avec une haine si intense que Giuditta recula encore d'un pas. « Et toi ? Tu es prête à en faire autant ? Tu es prête à n'importe quoi ? Même à renoncer à lui ? » Elle attendit que sa respiration redevienne régulière. « Je suis en train de te donner l'occasion de te comporter pour une fois en vraie femme dans ta petite vie minable et tiède. Prouve que tu l'aimes, comme tu le dis. Quitte-le. Éloigne-le de toi. » Elle pointa le doigt vers elle. « Et tâche d'être convaincante ! Si j'apprends que tu le vois en cachette… » Elle laissa sa phrase en suspens, en la fixant dans les yeux d'un regard enflammé. Puis tout à coup elle se retourna et s'accrocha à un cordon qui pendait du plafond, sur lequel elle tira avec fureur. La porte s'ouvrit et le domestique apparut. Elle lui ordonna : « Jette-moi dehors cette putain juive ! »

Quand Giuditta se retrouva dans la rue, après quelques pas, elle porta la main à son cœur. Elle n'arrivait pas à réfléchir. À croire à ce qui venait de se passer. Elle s'appuya contre le mur d'une maison, à peine consciente du va-et-vient autour d'elle. Elle respira profondément, tandis que peu à peu l'ouragan d'émotions et de pensées commençait à s'apaiser en elle. Il fallait qu'elle réfléchisse. Comment pouvait-elle être certaine que Benedetta ne lui avait pas menti ? Comment ? D'une seule manière. Cette certitude, seul Mercurio pouvait la lui donner. Elle lui demanderait pour le prince Contarini. Elle lui demanderait… Soudain, tout fut clair. Non. Elle ne pouvait pas lui demander. Si elle le faisait et qu'il lui confirmait la version de Benedetta, il n'accepterait sûrement pas d'arrêter de la voir, parce qu'il comprendrait que sa raison de l'éviter était liée à cette histoire. Et que Benedetta y avait joué un rôle. C'était un trop gros risque, que Giuditta ne pouvait pas courir. Elle ne pouvait pas risquer de voir Mercurio refuser qu'elle le repousse. Était-ce vrai qu'il était parti habiter, sans aucune raison logique, à Mestre ? La réponse était oui. Connaissait-il Scarabello ? Encore oui. C'étaient les seuls éléments qu'elle avait pour prendre une décision.

Elle comprit ce que Benedetta avait voulu dire. Si elle aimait vraiment Mercurio, elle ne pouvait pas prendre le risque de le condamner. Même sans certitude absolue, elle devait l'éloigner d'elle. Elle venait de voir de quoi ce monstre de prince était capable. Et elle avait ressenti toute la haine de Benedetta. Cette histoire était vraie. Elle devait être vraie. Giuditta ne pouvait pas risquer la vie de Mercurio.

« Je t'aime… », dit-elle. Mais elle fut incapable de dire son nom.

Elle s'écroula. Elle n'arrivait plus à respirer, n'arrivait pas à pleurer, n'arrivait pas à raisonner. Elle pensait seulement que sa vie était finie.

Elle resta là, par terre, sans bouger, avec les gens qui passaient près d'elle, jusqu'au soir. Quand la nuit fut tombée, elle se dirigea d'un pas fatigué vers le Ghetto.

Elle était presque arrivée au pont quand elle rencontra son père qui descendait d'une barque.

« Où étais-tu ? lui demanda Isacco.

— Nulle part, répondit-elle dans un filet de voix, la tête basse et sans le regarder.

— Qu'as-tu fait ?

— Rien. »

Ils arrivèrent chez eux en silence. En ouvrant la porte, Giuditta vit la lettre qu'elle avait écrite pour le jour où elle s'enfuirait avec Mercurio, où qu'il veuille l'emmener.

« C'est quoi ? », lui demanda son père.

Giuditta la prit. « Un bout de papier.

— Qu'est-ce qu'il y a dessus ?

— Des bêtises, dit-elle en la jetant dans la cheminée.

— Tu vas bien ? », demanda Isacco.

Giuditta regardait les flammes dévorer sa lettre. Et sa vie.

« C'est à cause de ce… Mercurio ? »

Giuditta se retourna comme une furie, le visage bouleversé par la souffrance et la colère. « Je ne veux plus jamais entendre parler de lui ! Tu entends ? Plus jamais ! »

Troisième partie

Été 1516

VENISE – MESTRE

Troisième partie

69

« C'est fini, je ne veux plus te voir. Ne cherche plus à me rencontrer », dit Giuditta.

Mercurio la regardait avec une sorte de sourire idiot. Il savait qu'elle ne plaisantait pas et, pourtant, il n'arrivait pas à croire que cela puisse être vrai. La nervosité contractait ses lèvres en un spasme qui ressemblait à un sourire. Il eut un gargouillement proche du rire, ou du sanglot. Il regarda autour de lui, cherchant à reprendre son souffle.

Le ciel commençait à s'assombrir. Les rares personnes qui circulaient encore dans la ville franchissaient au pas de course le pont de bois sur le canal de Cannaregio, sans leur prêter aucune attention.

Le matin, Isacco, sombre, presque gêné, lui avait donné un billet lui demandant d'être là, au pont sur le canal, le soir, un peu avant la fermeture des portes. Bizarre, avait pensé Mercurio, qu'Isacco en personne, si obstinément opposé à leur amour, lui remette ce billet. Il se l'était répété en se précipitant au rendez-vous : c'était bizarre. Mais jamais il n'aurait imaginé qu'une telle chose puisse arriver.

Il regarda de nouveau Giuditta. Il discernait à peine ses traits dans cette obscurité sans étoiles et sans lune. Il secoua la tête. « Non…, dit-il.

— Je suis désolée, mais ne cherche plus à me voir », répéta Giuditta. Sa voix semblait venir de loin. Ses yeux étaient froids.

« Pourquoi ? réussit enfin à dire Mercurio.

— Parce que j'ai découvert que je ne t'aime pas », répondit-elle. Son ton était rude. Avec quelque chose de presque compatissant.

Mercurio se sentit mourir. Il lui tourna un instant le dos, essoufflé comme après une course. « Je n'y crois pas, murmura-t-il.

— Je ne veux plus te voir », dit encore Giuditta.

Mercurio eut l'impression d'entendre une fêlure dans sa voix. Il se retourna d'un coup.

Giuditta serra les poings. Elle sentit ses ongles s'enfoncer douloureusement dans sa paume. « Je ne t'aime pas. » Et elle souriait presque, comme si c'était une chose insignifiante.

Mercurio continuait de secouer la tête. « Non. Je n'y crois pas. Je n'y crois pas… je n'y…

— Regarde-moi dans les yeux », l'interrompit Giuditta. Elle avait peur de se mettre à crier d'un instant à l'autre. Mais elle devait rester calme. « Je-ne-t'ai-me-pas », scanda-t-elle.

Mercurio la fixait. Il avait l'impression de ne pas la reconnaître. Il porta les mains à son cœur, tout en continuant de haleter.

« Regarde-moi. » Giuditta attendit que les yeux de Mercurio se fixent sur les siens. Elle espéra que l'obscurité l'aiderait à cacher son angoisse. « Regarde bien. Tu vois de la douleur ? Du désespoir ? Tu vois de la peur ? Du mensonge ? » Son ton maintenant était posé, comme si elle parlait à un enfant pour qui on a de la peine mais pas d'affection. Sauf qu'intérieurement, elle se sentait mourir. « Non, n'est-ce pas ? continua-t-elle en baissant la voix. Tu me regardes dans les yeux et tu vois… ce que tu vois. Rien. Et tu sais pourquoi ? Simplement parce que je ne t'aime pas. »

Mercurio fit un pas vers elle.

Giuditta se raidit.

Il tendit la main pour la toucher.

« Non ! », fit-elle. Elle ne voulait pas d'un contact physique. Elle n'aurait pas pu le supporter. « Non », répéta-t-elle d'un ton plus posé.

Mercurio retira sa main. « Je n'y crois pas… », dit-il encore. Mais faiblement.

« Tu dois te faire une raison.

— Pourquoi ?

— Parce qu'il est arrivé quelque chose que je n'avais pas prévu, répondit Giuditta avec calme.

— Quoi ?

— Ça n'a pas d'importance. Ça n'a plus d'importance.

— Comment peux-tu être aussi cruelle ? » Mercurio hochait la tête, incrédule, assommé. « Je… je… »

À ce moment-là, le dernier coup de la Marangona résonna dans le ciel de Venise.

« Je suis désolée. Je dois y aller », dit Giuditta, et elle pria pour ne pas tomber à terre, brisée, le temps du moins de ces quelques pas qui la séparaient de la grande porte du Ghetto. Elle se tourna et marcha lentement. Raide.

« Giuditta… », l'appela Mercurio.

Elle ferma les yeux et se mordit les lèvres. Mais ne s'arrêta pas.

Plus loin, un musicien des rues pinçait les cordes d'un luth, jouant une mélodie mélancolique.

« Giuditta… », répéta Mercurio.

Elle poursuivit son chemin, pénétrant lentement sous le *sotoportego* qui donnait sur le *campo*.

Le musicien pinçait toujours son luth. La mélodie creusait des abîmes de tristesse. Les notes, dans la caisse de résonance du *sotoportego*, prirent une tonalité spectrale, intensifiée par l'espace restreint. Dans l'air flottait une odeur d'urine mêlée à celle de ces moisissures qui poussent au bas des murs.

Giuditta savait que Mercurio allait la suivre. Elle n'entendait pas ses pas, mais elle percevait toute sa douleur. Cependant, ce n'était pas assez. Pas encore. Elle avait prévu de le faire souffrir beaucoup plus.

Avant d'arriver à la grande porte du Ghetto, elle sourit à un garçon qui l'attendait, ce Joseph que Mercurio avait déjà rencontré quand son père l'avait chargé de la protéger. Giuditta lui caressa tendrement la joue. Puis elle approcha ses lèvres des siennes. Et l'embrassa. Longuement. Langoureusement.

Elle perçut un sursaut derrière elle. Elle se dit que c'était le cœur de Mercurio qui se brisait. Maintenant, il la haïrait. Il penserait qu'elle n'était qu'une putain.

Giuditta prit Joseph par la main et posa sa tête contre son épaule solide puis, retenant son souffle, passa devant les gardes.

Elle entendit dans son dos le bruit sourd des portes qui se fermaient, suivi du grincement des cadenas. Sa bouche s'ouvrit. Ses jambes cédèrent. Joseph se précipita pour la soutenir. Elle le repoussa avec fureur.

732

Elle s'appuya à un mur. S'efforça de respirer et reprit son chemin vers chez elle. Mais elle courait, à présent.

Joseph était resté au milieu du campo. Il savait qu'il ne devait rien faire de plus.

Giuditta franchit la porte de l'immeuble. Elle avait dans la bouche le goût de Joseph, si différent de celui de Mercurio. Elle se plia en deux. Vomit au pied de l'escalier. Enfin, chancelante, elle atteignit le palier du quatrième étage. Elle regarda le plancher sur lequel elle s'était couchée, nue, la première fois qu'elle avait fait l'amour avec Mercurio. Elle pensa au pigeonnier sur le toit. Se dit que plus jamais elle n'irait voir les pigeons, qui avaient été les témoins de son plaisir et de sa joie. Elle entra dans l'appartement et se laissa tomber au sol. Épuisée.

Isacco sortit sur le seuil de sa chambre, déjà en tenue de nuit. « Que se passe-t-il ? Tu te sens mal ? », demanda-t-il, inquiet.

Giuditta ne répondit pas.

À cet instant, on entendit la voix de Mercurio qui hurlait quelque chose, dans la nuit.

Le docteur alla à la fenêtre et ferma en hâte les volets. Il regarda Giuditta, incapable d'aller vers elle. Il resta immobile, debout.

« Ne dis rien… », murmura-t-elle.

Isacco repartit dans sa chambre, effrayé par la douleur de sa fille.

Alors, de nouveau, le hurlement de Mercurio déchira la nuit.

Giuditta ne put comprendre ce qu'il disait.

Mais il lui semblait entendre le cri d'un animal blessé à mort.

70

« Je fais quoi, moi, sans toi ? hurla encore Mercurio contre la grande porte. Je fais quoi ?

— Va-t'en, mon gars », dit un des hommes de garde.

Mercurio ne l'entendit pas. Il cogna contre le bois avec fureur.

« Si tu t'en vas pas, je te chasse à coups de pied dans le cul », menaça le garde.

L'autre soldat fit signe à son collègue de se calmer. Il s'approcha de Mercurio et le prit par le bras. « Désolé, mon gars. »

Mercurio le regarda d'un air égaré. « C'est fini ?

— C'est fini, oui, fais pas d'histoires », dit l'autre garde.

Mercurio se tourna d'un bloc, les poings serrés. Mais il s'aperçut aussitôt que dans son âme il n'y avait de place que pour la douleur.

Alors il s'en alla.

Il ne savait vraiment pas quoi faire.

Il erra toute la nuit, marcha dans des ruelles, des *soto-porteghi*, traversa *campi* et *campielli*, monta sur des ponts de pierre et de bois. Il s'abrita sous les portiques de la piazza San Marco quand une pluie furieuse se mit à tomber. Et s'assit sur une des marches trempées de la Basilique quand il cessa de pleuvoir.

Puis, dès que le soleil se leva, il se secoua et recommença à marcher. Et plus la lumière augmentait, plus il se sentait perdu. Il pensa que la nuit, dans l'obscurité, il pouvait contenir sa douleur. Mais qu'il n'était pas prêt à regarder sa vie à la clarté du jour.

Quand il vit pointer le soleil par-dessus les toits, il se mit à courir dans la direction opposée, comme pour échapper à ce premier jour sans Giuditta.

Il se cacha sous un *sotoportego* jusqu'à ce que la lumière l'atteigne, et il monta alors dans une barque pour se faire amener à Mestre. C'était le milieu de la matinée quand il atteignit la maison d'Anna.

En traversant le potager, il vit Isacco qui le regardait puis baissait les yeux.

Il se sentit humilié, blessé. Il se précipita sur le docteur, les poings brandis. « Qu'est-ce que t'as à me regarder avec ton air sinistre ? cria-t-il. Tu devrais danser au contraire, faire la fête ! T'as gagné ! T'as gagné ! »

Le capitaine Lanzafame se mit entre eux, prêt à parer l'attaque. Mais Isacco le prit par le bras. « Non », se contenta-t-il de dire.

L'espace d'un instant, il croisa le regard de Mercurio.

À ce moment-là, Mercurio se rendit compte qu'Isacco le plaignait. Il se sentit encore plus blessé et encore plus furieux. « T'es désolé, maintenant, hein ? T'es désolé ? », cria-t-il. Les veines de son cou se gonflaient, la salive écumait à ses lèvres, ses yeux semblaient sortir de leurs orbites. « Salaud ! Salaud !

— Mercurio ! », dit derrière lui Anna del Mercato qui, entendant des cris, était sortie de la maison.

Mercurio se retourna. « Va te faire foutre toi aussi ! », lui cria-t-il, avant de prendre la fuite.

Il courut jusqu'à l'embarcadère des pêcheurs et ordonna à Tonio et Berto de le ramener à Venise. Il descendit à Rialto et courut vers le Castelletto.

Quand il fut dans la cour entre les Tours, il regarda autour de lui. Il cherchait la jeune prostituée qui l'avait troublé, avant qu'il ne fasse l'amour avec Giuditta. Mais elles étaient si nombreuses qu'il ne put la trouver.

Alors il se laissa faire par une putain qui l'attira dans sa chambre au rez-de-chaussée. Il lui arracha presque ses vêtements. Il prit son sein flasque entre ses mains, le serra jusqu'à lui faire mal. Il la plaqua sur une mauvaise table où un rat rongeait tranquillement une miche de pain moisi. Il la fit se retourner et lui souleva ses jupes avec fureur. Il lui écarta les jambes, baissa son pantalon et entra en elle, avec violence. Il se poussa dans le corps de la prostituée de toutes ses forces, comme pour s'y perdre. Elle n'était guère plus qu'un réceptacle à ordures qu'il voulait remplir de sa colère, de sa douleur et de son désespoir.

Quand il arriva au plaisir, il grogna, les dents serrées, retenant un sanglot. Il se contracta, en s'agrippant aux fesses grasses de la femme, plantant ses ongles dans la chair.

Elle cria.

Mercurio leva la main serrée en forme de poing, prêt à la frapper dans le dos.

La putain eut peur. « Non, je t'en supplie… ne me fais pas de mal… »

736

Alors Mercurio se détacha d'elle, haletant. Il ouvrit son poing. Attrapa une pièce de monnaie. La lui jeta sur la table. Remonta son pantalon et sortit, chancelant, se sentant comme une bête féroce.

« Bâtard ! Espèce de fumier ! », hurla derrière lui la prostituée, quand il fut assez loin.

Mercurio l'entendit à peine. Il regardait ses mains. Comme si elles étaient couvertes de sang.

Ses jambes étaient sans force. Mais il continua de marcher. Doucement. Traînant les pieds dans la boue.

Il atteignit le rio di Santa Giustina et le longea, jusqu'à l'endroit où il s'élargit sur la lagune. Il vit la petite île de San Michele. La femme avec son bambin devant les mêmes latrines au bout du ponton branlant. L'eau qui pullulait de rats et d'excréments. Il sentit l'odeur des carcasses de poisson qui pourrissaient, empestant l'air. Il vit un ivrogne tomber face en avant dans une mare de boue. Des enfants qui riaient le frappèrent avec des baguettes.

Il laissa sa vue se brouiller. Alors il se revit dans la fosse d'égout devant l'île Tibérine, à Rome. Enchaîné la nuit à un lit de sangle dans le dortoir de Scavamorto, et le jour pelletant la terre et la chaux vive pour recouvrir dans les fosses communes les cadavres des pauvres, qui n'avaient même pas droit à un cercueil. Ou à l'orphelinat de San Michele Arcangelo, dans les chambres glacées. Il vit ses mains rongées d'engelures, ses doigts jaunes et violets, bandés de chiffons, couverts de plaies. Le moine qui brandissait une fine branche de saule et la faisait claquer sur son dos maigre. L'écuelle de bois dans laquelle on ne versait qu'une louche de soupe au réfectoire.

Et puis il vit ce qu'il n'avait jamais vu.

Une femme, identique à la prostituée avec laquelle il venait de baiser au Castelletto, qui avançait, lasse, se traînant presque, sur les marches de l'orphelinat. Elle portait un paquet. C'était un enfant, un nouveau-né. Il se reconnut. La putain le laissait sur la roue, dans le froid, et lui disait : « J'espère que tu vas crever, bâtard. » Elle le disait avec la même rage que celle des hommes qui l'avaient possédée. Comme il l'avait fait lui-même, juste avant.

Rage. Rage qui engendrait la rage. Et qui avait été engendrée par la rage. En une chaîne sans fin.

Mercurio comprit qu'il en était toujours là : prisonnier de sa propre naissance. Comme s'il n'avait jamais quitté la roue, ni l'orphelinat. Les gens comme lui étaient nés dans des sables mouvants. Personne ne s'en était jamais sorti.

Il regarda sur sa droite, encore plongé dans ces sombres réflexions, et n'en crut pas ses yeux.

Zuan dell'Olmo avait tiré le navire au sec. La quille était étayée par de gros troncs. Le toit de l'atelier avait été réparé.

Mercurio s'approcha. Il observa le navire avec lequel il voulait emmener Giuditta loin d'ici, à la recherche d'un monde meilleur. D'un monde libre.

Il se pencha et ramassa une grosse pierre. Puis, de toutes ses forces, il la lança contre la quille.

Derrière lui, il entendit un bruit. Mosè l'avait rejoint mais n'osait pas s'approcher. Il gémissait doucement, remuant la queue, craintif, les oreilles basses.

Mercurio ramassa une autre pierre et la lança de nouveau contre le navire.

Mosè s'enfuit.

« Qui va là ? », dit Zuan dell'Olmo, apparaissant sur le seuil de l'atelier.

Mercurio ne lui répondit pas.

« Ah, c'est toi…, dit le vieux. Qu'est-ce qui te prend ?

— Coule-la.

— Qu'est-ce que tu dis, mon gars ? » Zuan avait la même expression effrayée que son chien.

« Tu te plaignais de ne pas avoir assez d'argent pour la couler, non ? », fit Mercurio d'une voix durcie par la haine. Il chercha dans sa poche onze lires d'or et les jeta par terre. « Eh bien, maintenant, tu en as. Et la caraque est à moi. Et moi je te dis : coule-la. »

Zuan ouvrit sa bouche édentée. Il avait les yeux brillants. Il secouait la tête. Puis il regarda son chien. Il écarta les bras. « Mosè a appris à monter sur un bateau… j'ai fait des essais…, balbutia-t-il comme un gamin. Il a pas le mal de mer… »

Mercurio ne parla pas. Il avait les yeux tournés vers la lagune et vers l'île de San Michele. Mais il ne regardait rien.

« Alors pour finir, tu les as laissés te la prendre… », dit tout bas Zuan. Et dans sa voix la même note triste était revenue.

« Coule-la », répéta Mercurio.

71

« Qu'est-il arrivé ? demanda le capitaine Lanzafame. Tu n'en as plus après ce garçon ? »

Isacco le regarda. « Laissez tomber. Il me fait pitié.

— Qu'est-ce qui s'est passé ? demanda encore Lanzafame.

— Je ne sais pas, mais Giuditta ne veut plus en entendre parler…

— Alors il a raison, ce garçon. Tu devrais être content.

— Ouais. » Le docteur hocha la tête, tristement. « En fait, ça me désole. Il me fait pitié. Le pauvre. Je n'aurais jamais cru.

— Pourquoi ?

— Parce qu'il était vraiment sincère. Et maintenant il va laisser tomber.

— Qu'est-ce que tu en sais ?

— Sa nature sombre va le lui dicter. » Isacco serra les lèvres. « Elle lui dira que… ça ne vaut pas la peine.

— C'est ce qu'il t'est arrivé, à toi ?

— Constamment… Constamment.

— Pourtant te voilà ici. Le docteur des putains qui lutte contre le mal français en dépit de tout et de tous. »

Isacco regarda le capitaine. Ses yeux s'attristèrent. « J'ai plus de chance que lui. Moi, j'ai ma femme qui, où qu'elle soit à présent, garde sa main au-dessus de ma tête. Jour et nuit. Elle me protège. Lui, il n'a personne.

— T'es déjà en train de l'enterrer vivant, ce garçon.

— Bah… Espérons que c'est vous qui avez raison. » Isacco regarda autour de lui. Dans l'étable, les travaux avançaient fiévreusement. « On est en retard. À ce train-là on n'aura jamais fini », marmonna-t-il.

Lanzafame huma l'air. « Regarde le côté positif. Au moins l'odeur de vache a disparu. Donnola avait bien raison, vous autres Juifs vous ne savez que vous lamenter sur votre sort. »

Isacco eut un sourire mélancolique. « Comme il nous aurait été utile ! C'était le meilleur assistant que j'aurais jamais pu souhaiter.

— Je ne peux pas te le rendre, dit Lanzafame d'un ton dur. Mais ce fumier de Scarabello le paiera. Je l'égorgerai de mes propres mains. Je le suspendrai à une poutre, la tête en bas, et je lui ferai sortir tout son sang de la gorge, petit à petit. »

Soudain, à l'extérieur, des cris retentirent.

« C'est quoi, ça ? », dit Lanzafame en s'approchant de la porte.

Isacco le suivit.

« Des Juifs et des putains ! hurlait un homme rubicond, à la tête d'un groupe nourri. On veut pas de ça à Mestre ! Allez-vous-en d'ici !

— Allez-vous-en ! Allez-vous-en ! » hurlait la foule. Certains avaient des fourches et des faux à la main.

Les prostituées capables de tenir debout se massèrent à la porte. Autrefois attirants, leurs visages et leurs corps étaient à présent dévastés par les pustules, les plaies, la faiblesse, la faim, la peur. L'inquiétude se lisait dans leur regard. Elles avaient été chassées de la Torre delle Ghiandaie quelques jours plus tôt. Elles avaient encore dans les os et dans l'âme la frayeur de se retrouver à la rue. Et maintenant, la terreur de perdre le peu qu'elles avaient.

Dès que les gens les virent, ils crièrent plus fort encore. Surtout les femmes, qui craignaient pour leurs maris. « Putains ! Putains !

— Retournez à l'intérieur », ordonna Lanzafame.

Elles étaient pétrifiées.

« Maudites putains ! », cria une femme en se portant en avant. Elle ramassa une pierre et la lança vers l'entrée de l'étable.

Elle atteignit l'une des prostituées au genou. Elle cria et perdit l'équilibre. Dès qu'elle fut à terre, dans la boue qui sentait la bouse de vache, la foule s'enflamma. Elle avança comme un fleuve en crue.

« Arrêtez-vous ! », hurla Lanzafame en dégainant son épée. Mais il était seul. Il avait congédié ses soldats depuis qu'il n'était plus nécessaire de se défendre de Scarabello. « Arrêtez-vous ! »

La foule ralentit, sans cependant s'arrêter. Elle écumait et bouillonnait, comme une vague de ressac qui s'apprête à se fracasser sur la plage.

« Au nom de Dieu, arrêtez ! », cria Anna del Mercato, qui vint se placer face à la foule.

« Ôte-toi de là, Anna ! lui ordonna l'homme qui menait la protestation. Sois maudite pour nous avoir amené ici des putains et des Juifs ! » Il la repoussa et la fit tomber.

Lanzafame s'élança devant elle, son épée brandie contre la foule.

Les gens s'arrêtèrent devant l'arme. Derrière eux, ça poussait et ça criait.

« Venez ! », dit Lanzafame en aidant Anna à se relever. Il savait qu'il ne pourrait tenir ces gens à distance que quelques instants.

Anna avait un regard effrayé. Elle était incapable de bouger.

La foule poussait. Elle était là, tout près, menaçante.

« Vite, femme ! », cria Lanzafame.

Anna, au lieu de se lever, se couvrit le visage de son bras.

« Poussez-vous, je vais l'aider. » Mercurio, qui venait d'arriver, la souleva comme un poids mort. « Allez, courage ! »

Anna sembla se réveiller. Elle s'éloigna en courant pendant que Lanzafame reculait, ralentissant la foule à la pointe de son épée.

Anna se serra contre Mercurio quand ils eurent regagné l'entrée de l'étable. « Pourquoi ? Pourquoi ? répétait-elle.

— Parce que la vie, c'est de la merde, répondit-il durement. Tu n'as toujours pas compris, à ton âge ? » Puis il fit mine de s'élancer vers l'homme qui menait le groupe.

Isacco l'attrapa avec force par sa veste.

Mercurio le fixa d'un regard furieux.

Le docteur soutint son regard sans parler. Il continuait de le retenir d'un geste décidé.

Une volée de pierres partit de la foule.

« À l'intérieur ! À l'intérieur ! », hurla Lanzafame.

Mercurio se libéra de l'emprise d'Isacco, ramassa les pierres que la foule avait jetées et les lui relança, avec toute la rage qui l'habitait.

Certains, dans le groupe, tombèrent, blessés. L'élan de la foule diminua. Beaucoup s'immobilisèrent. Ceux qui avançaient encore, se retrouvant seuls, ralentirent et regardèrent derrière eux. Puis ils crièrent plus fort encore pour compenser le fait qu'eux aussi s'étaient arrêtés. À présent ils reculaient, rentrant dans le rang.

Isacco s'avança. « Quelle gêne vous causons-nous, braves gens ? demanda-t-il.

— On ne veut pas de putains ni de Juifs à Mestre !

— Mais pourquoi ? dit Isacco. Ce sont des femmes malades…

— Des putains ! C'est des putains !

— … et moi je suis médecin…

— Juif ! Sale Juif ! »

Lanzafame s'approcha de lui. « Rentre à l'intérieur, docteur.

— Non ! Je ne veux plus me cacher ! », maugréa Isacco.

Mercurio, sur le pas de la porte, regardait ces gens. Il ne voyait que haine, colère et désespoir. Il voyait les sables mouvants dans lesquels ils se noyaient. Il les voyait déjà morts. Étouffés par leur propre destin. Condamnés. Et il se reconnaissait en chacun d'eux. Puis, de cette foule qui bouillonnait de mauvaises intentions, se détacha un jeune homme. Il avançait doucement, fixant Isacco. C'était un garçon robuste, grand, blond. Il n'avait qu'un seul bras. L'autre était coupé à la hauteur du coude.

Brusquement, tous firent silence. La foule et les assiégés. Tous retinrent leur souffle.

Le jeune homme s'arrêta à quelques pas du docteur.

Mercurio vit qu'il n'y avait ni haine ni colère dans ses yeux.

Le jeune homme sourit à Isacco.

Le docteur le regardait sans savoir comment se comporter.

Le garçon leva son moignon et l'agita dans sa direction. « Celui-là, c'est vous qui me l'avez coupé », dit-il avec gaieté. Il se tourna vers la foule, examina les gens, cherchant quelqu'un. « Susanna ! cria-t-il, en continuant d'agiter son moignon. C'est lui, c'est cet homme-là qui me l'a coupé ! »

La foule bruissa, sans comprendre.

Une jeune fille aux longs cheveux blonds, un enfant au bras, sortit de la masse des gens. Elle regardait le jeune homme et acquiesçait.

Mercurio vit qu'elle souriait elle aussi, accélérant le pas.

Elle rejoignit le jeune homme, lui passa le petit puis s'avança vers Isacco. Quand elle fut devant lui, elle se jeta à terre. Elle lui prit la main et la baisa. « Que Dieu vous bénisse, monsieur. »

Alors le jeune homme, tenant son fils sur son bras sain et brandissant son moignon vers la foule, comme un trophée, s'écria : « C'est lui, c'est le docteur qui m'a sauvé ! »

Au même moment, tandis que la foule murmurait dans la plus grande confusion et que les prostituées revenaient mettre leur nez à la porte, un autre homme, dans la trentaine, privé d'une jambe et s'appuyant sur deux béquilles, se détacha de la foule et vint se ranger

745

aux côtés du jeune homme manchot, après avoir regardé Isacco et lui avoir souri à son tour. Aussitôt la femme de cet homme le rejoignit. Puis deux autres mutilés se redressèrent à grand-peine et vinrent se placer fièrement, épaule contre épaule, avec leurs camarades d'autrefois. Avec eux arrivèrent aussi leurs femmes et leurs enfants.

« C'est grâce à lui que je respire et que je marche encore ! », affirma un autre, auquel il manquait un pied. Il s'appuyait sur une jambe de bois attachée par un lien de cuir à ce qu'il restait de son membre.

Entre la foule et l'étable, un petit régiment pathétique se déploya. À l'un manquait un bras, à l'autre une jambe, à celui-ci juste quelques doigts, cet autre était bancal et cet autre aveugle, cet autre encore avait des cicatrices cachées recousues par Isacco en ces jours lointains où il avait rencontré la troupe des blessés du capitaine Lanzafame.

Isacco était secoué par une profonde émotion.

« Viens me dire maintenant que tu n'es pas docteur », lui murmura à l'oreille Lanzafame.

Le petit bataillon se tourna vers son chef d'autrefois.

« Vous pouvez compter sur nous, capitaine », dit le jeune manchot, au nom de tous les autres.

Lanzafame s'approcha d'eux. « Je n'ai jamais eu une armée aussi extraordinaire, par Dieu ! », s'exclama-t-il, les yeux brillants.

La foule était muette.

Mercurio vit que la haine et la colère s'évaporaient comme gouttes de rosée au soleil. Ces hommes s'étaient dégagés des sables mouvants. Il se tourna vers Anna. « Je suis désolé pour hier… », lui dit-il.

Anna lui prit la main. « C'est beau d'être vivants pour assister à une chose pareille, non ? »

Mercurio ne dit pas oui. Il n'en avait pas encore la force.

« Vous avez besoin d'aide, docteur ? demanda à Isacco l'homme aux béquilles.

— Qu'est-ce qu'on doit faire ? demanda un autre.

— Tout, les gars ! Regardez autour de vous ! fit le garçon manchot.

— Vous, les hommes, vous donnerez un coup de main pour passer les murs à la chaux, dit une jeune fille. Et nous, nous aiderons ces pauvres femmes qui n'en peuvent sûrement plus d'avoir des mains d'homme entre leurs cuisses ! »

Ses compagnes se mirent à rire et allèrent à la rencontre des prostituées.

« Et vous, vous venez nous aider, oui ou non ? », lança à la foule le garçon au moignon.

La plupart baissèrent la tête et s'en allèrent, silencieux. Quelques-uns cependant se joignirent à eux.

Isacco chercha Mercurio. « Tout cela, c'est grâce à toi, mon garçon. Tu t'en rends compte ? Merci. »

Mercurio le regarda d'un œil torve. « Maintenant que vous êtes tranquille pour votre fille, c'est facile d'être généreux, hein, docteur ?

— Mon garçon, je voudrais que tu saches…, commença Isacco.

— On arrête avec ces conneries, d'accord ? le coupa Mercurio. Vous avez obtenu ce que vous vouliez. Mais nous savons tous les deux que si c'était moi qui vous l'avais offert, vous auriez refusé. Donc, pas la peine de faire tant de simagrées.

— Tu as raison. Je te demande par…

— Me demandez rien, docteur ! explosa Mercurio. J'en ai rien à foutre », marmonna-t-il en s'éloignant.

Et parce qu'il ne pouvait pas supporter de regarder tous ces gens qui, toute haine disparue, avaient réussi à se sortir des sables mouvants, il se dirigea vers le centre de Mestre.

Devant la boutique du prêteur sur gages, il rencontra Scarabello. « T'as ma part ? », lui demanda-t-il.

Scarabello tenait à peine sur ses jambes. Il était pâle. Sa lèvre inférieure était tuméfiée, violacée, ouverte en deux par une plaie purulente. Ses habits noirs froissés et sales. Ses cheveux semblaient ternes et plus rares.

« Oui, mon gars… j'ai ta part », répondit Scarabello en faisant signe au borgne.

Ce dernier lui tendit une grosse bourse de cuir noir, lourde, fermée d'un lacet doré.

Scarabello la prit et l'ouvrit.

Mercurio vit que ses mains tremblaient.

Scarabello ôta son gant pour compter les pièces de monnaie. Le dos de sa main aussi était mangé par une plaie infectée. Il vit que Mercurio la fixait. « Je reconnais que j'ai eu des jours meilleurs, dit-il en souriant.

— Je vois ça », grommela Mercurio.

Scarabello fut frappé par son regard. « Tu es devenu un homme, dit-il, avec un léger essoufflement. En quelques jours. »

Mercurio tendit la main. « Donne-moi mon argent. »

Scarabello compta les pièces qu'il lui devait, les déposant une à une dans sa paume. Arrivé à la dernière, il la tint un instant suspendue dans l'air. « Seules les grandes défaites font de nous des hommes. Quelle est la tienne ?

— Occupe-toi de tes couilles », lui répondit Mercurio en lui arrachant des mains la pièce de monnaie.

Le borgne se prépara à intervenir.

« Non, dit faiblement Scarabello. Elle est à lui. »

Mercurio fixait le borgne avec un regard de défi.

Scarabello sourit et dit à son sbire : « À partir d'aujourd'hui, je te conseille de pas trop le chatouiller. Cet homme-là n'a plus rien à perdre.

— T'as toujours été un grand philosophe », dit Mercurio. Il fit mine de s'en aller puis revint sur ses pas. « Et ta grande défaite à toi, c'était quoi ? », lui demanda-t-il.

Scarabello indiqua la plaie à sa lèvre. « Celle-ci », répondit-il. Puis, brusquement, il s'écroula au sol.

Quand Mercurio revint à l'étable en portant Scarabello dans ses bras, un silence tendu s'installa.

Lanzafame dégaina son poignard.

Isacco s'approcha, le regard dur. « Qu'est-ce que tu veux encore ? demanda-t-il à Scarabello.

— Il est malade, dit Mercurio.

— Et alors ? demanda le capitaine, serrant plus fort son poignard.

— Et alors, ici, il y a un docteur, répondit Mercurio.

— Pas pour lui », dit Lanzafame. Il approcha le couteau de la gorge de Scarabello. « Pour lui, il y a moi. » Il le regarda. « Tu te souviens de Donnola ? »

Scarabello sourit faiblement. « Capitaine… vous n'avez pas besoin… de le venger, dit-il dans un filet de voix. Il s'en est déjà… chargé lui-même… » Il toucha sa lèvre. « C'est lui qui m'a fait ce cadeau… Donnola. Il m'a condamné à une mort lente et douloureuse… pas douce et rapide comme celle que me donnerait votre lame… Laissez… laissez-le me tuer… » Il haleta puis s'évanouit.

« Mets-le sur ce lit, ordonna le docteur à Mercurio.

— Que diable as-tu en tête ? lâcha Lanzafame. Cette ordure a décapi…

— Le garçon vient de le dire ! hurla Isacco, tandis que toutes les prostituées se rassemblaient autour de lui. Je suis un docteur et, aussi vrai que Dieu existe, je le soignerai ! »

72

Le domestique entra dans la boutique et regarda autour de lui, déconcerté.

Partout des robes jetées n'importe comment, sur le sol, sur le comptoir, sur les chaises. Même le mannequin dans la vitrine avait été renversé. En tombant, il avait perdu sa tête de bois peint.

« Comment c'est possible ? Une chose pareille ? hurlait Giuditta, telle une furie, en arrachant une à une les robes suspendues sur le long bâton. Qui a fait ça ?

— Calme-toi, il y a du monde », lui dit Ottavia en venant près d'elle.

Giuditta se tourna vers le domestique sans le voir. « Je veux savoir qui a fait ça ! », recommença-t-elle à hurler. Elle n'avait que de la colère en elle. Depuis qu'elle avait chassé Mercurio, elle n'avait pas versé une seule larme. Pas une.

Ottavia la poussa vers la cabine d'essayage. « Occupe-toi de lui, Ariel », dit-elle au marchand de tissu en lui indiquant le domestique.

« C'est toi qui as fait ça ? », cria Giuditta à la couturière. Elle lui montra l'intérieur d'une robe dans laquelle elle avait trouvé un morceau de peau de serpent. « C'est toi ? »

La couturière rentra la tête dans les épaules.

« Comment peux-tu croire ça ? dit Ottavia.

— Les robes sont pleines d'éclats de verre, de peaux de serpent, de plumes de corbeau ! Mes robes ! Et tout Venise…

— Oh, arrête, c'est quoi, "tout Venise" ? », cria Ottavia encore plus fort. Et, tournée vers Ariel Bar Zadok qui était resté planté là, elle dit rageusement « Bouge-toi ! », avant de fermer la porte de la cabine.

Le marchand sembla se reprendre et s'adressa au domestique. « Je t'écoute…

— Je suis venu retirer les robes de leurs illustres Seigneuries mesdames Labia, Vendramin, Priuli, Venier, Franchetti et Contarini.

— Ah oui… » Ariel Bar Zadok regarda autour de lui, déconcerté. Il resta un instant immobile puis leva le doigt en l'air. « Attendez un instant », dit-il en se faufilant dans la cabine d'un pas vif.

On entendit Giuditta crier : « C'est forcément quelqu'un qui travaille pour nous ! Qui d'autre aurait pu faire cela ? »

Le marchand revint dans la boutique en tirant la porte de la cabine derrière lui.

« Mais ça peut être n'importe qui ! s'exclama Ottavia.

— Non ! Les robes ne se trouvent que dans deux endroits, l'atelier de couture et ici ! C'est quelqu'un qui travaille pour nous ! Et ça veut dire quoi ? Que notre merveilleuse communauté n'est pas d'accord ! Ils en veulent au docteur des putains ! »

Ariel revenait avec un paquet volumineux. Il sourit avec embarras. « Voilà, jeune homme. Heureusement la commande était déjà prête et mise de côté... »

Le domestique prit le paquet, regarda une nouvelle fois le capharnaüm et s'en alla.

Ouvrant la porte de la cabine, Ariel annonça : « Nous sommes seuls maintenant ».

Giuditta le regarda. Elle serra les mâchoires. « Nous sommes seuls, répéta-t-elle. En effet, nous sommes seuls. » Elle quitta la boutique et rentra chez elle, où elle s'était barricadée depuis des jours sans répondre aux questions de son père, sans manger. Et sans pleurer.

Pendant ce temps, le domestique, prenant par les *sotoporteghi*, arriva au pont de Cannaregio, où il remit le paquet à Zolfo.

« Merci, Rodrigo.

— La Juive criait comme si on l'égorgeait.

— Si seulement...

— Qu'est-ce qu'elle t'a fait ?

— Elle est juive, et pour moi c'est suffisant. » Rodrigo haussa les épaules.

« Et qu'est-ce qu'elle disait ? demanda Zolfo.

— Ce que tout le monde sait à Venise.

— Quoi ?

— Dis à leurs Seigneuries de faire attention avant de mettre ces robes, fit Rodrigo. Et à notre maîtresse aussi.

— Pourquoi ?

— Dis-leur de vérifier s'il n'y a rien dans les habits, dit le domestique avec des airs de conspirateur, comme s'il avait connaissance d'un grand secret.

— Qu'est-ce qu'il devrait y avoir ? »

Rodrigo regarda autour de lui. « De la sorcellerie, murmura-t-il. Des sortilèges.

— Quel genre de sorcellerie ?

— Tu crois qu'il lui est arrivé quoi, à notre maîtresse ? fit le domestique en baissant un peu plus la voix.

— Arrête avec ces conneries.

— On devrait pas plaisanter avec certaines choses, je te le dis, continua Rodrigo. Tu veux savoir ? Ces robes-là, même si on me les offrait, je ne les donnerais pas à ma petite amie. Même si on me payait, tiens. » Il hocha la tête. « À Venise, on dit qu'elles sont ensorcelées.

— Qui dit ça ?

— Tout le monde !

— Bouffon.

— Écoute un peu, fit Rodrigo en se rapprochant encore. Je connais une bonne qui est amie avec une lavandière qui connaît le portier du palais Soranzo. Il lui a raconté qu'il est arrivé encore pire à une dame qui portait une de ces robes.

— Quoi ? Raconte !

— Sa robe a pris feu…

— Non ?

— Si. C'est un pur miracle si elle n'a pas été brûlée vive… Et quand la dame a réussi à enlever la robe… eh bien, l'amie en question m'a raconté que la peau de serpent qui était…

— Elle l'a vue ?

— Mais non, débile ! fit le domestique, agacé. Je t'ai dit qu'elle est amie avec une certaine lavandière qui connaît bien le portier du palais Soranzo…

— Ah, c'est là que ça s'est passé ?

— Je sais pas. Mais sûrement dans les environs. Arrête de m'interrompre tout le temps. Écoute. Dans la robe, il y avait une peau de serpent. Et pendant que le vêtement continuait de flamber, la peau s'est animée et transformée en serpent, aussi vivant que toi et moi, et le serpent s'est sauvé, tout le monde l'a vu. Alors ? C'est de la sorcellerie, ou pas ?

— Misère de misère ! dit Zolfo en sifflant.

— Je t'aurai averti.

— Merci, Rodrigo. T'es un ami. Je le raconterai autour de moi. Et toi aussi, raconte-le.

— Tu peux en être sûr. En plus, il paraît que sur les robes, il y a des taches, et qu'en fait c'est du sang d'amoureux…

— Elles le disent elles-mêmes, à la boutique.

— C'est vrai. N'empêche qu'il y a un gamin qui a disparu, à Torcello. Et on sait bien que les Juifs font des rites avec le sang des enfants chrétiens…

— Non…

— Si, je te le dis, moi. » Rodrigo indiqua le paquet contenant les robes. « Fais attention. »

Zolfo ouvrit grand les yeux, l'air épouvanté. Puis il rentra au palais Contarini et monta chez Benedetta. Il ferma la porte derrière lui en éclatant de rire puis lui raconta tout, du début à la fin. « Le serpent qui rampe au milieu des flammes de Satan ! »

Benedetta, couchée, acquiesçait, l'air sombre. Elle était pâle, avec des cernes noirs et profonds.

Zolfo s'approcha du lit. « Elles guérissent, tes brûlures dans le dos ? demanda-t-il.

— Oui.

— L'eau bouillante, c'est une chose. Mais tu es sûre que ce poison ne va pas te tuer ?

— J'arrêterai bientôt de le prendre, fit Benedetta. Quand tout le monde sera bien sûr que je suis victime d'un sort, je me ferai bénir et exorciser par ce grand couillon de Saint, et je guérirai miraculeusement…

— Ne le traite pas de couillon ! »

Benedetta sourit. Sans malice. Elle sourit de pitié. « Tu ne vois pas qu'il ne te regarde même plus, maintenant qu'il est célèbre ?

— C'est pas vrai !

— Il est tout gonflé par la vanité… Entouré de lèche-bottes comme il est, il n'a plus besoin de toi.

— C'est pas vrai… », répéta Zolfo, d'un ton déjà moins convaincu.

Benedetta l'interrompit. « Fais ce que tu as à faire et va livrer les robes. » Elle s'enfonça dans les oreillers. L'arsenic que lui avait donné Reina, la magicienne, l'affaiblissait.

Zolfo quitta la pièce. Il cacha dans les plis des robes des orties, des éclats de verre, des queues de lézards, un crapaud desséché, des noix pourries qui ressemblaient à de petits fœtus noirs. Puis il se rendit dans le salon que le prince Contarini avait attribué au Saint depuis qu'il avait acquis une grande popularité.

Frère Amadeo était assis dans un fauteuil au velours épais et moelleux. Il se tenait paumes ouvertes à l'intention des hôtes du jour, placé de façon que le soleil qui filtrait par la fenêtre tombe exactement sur ses stigmates, comme s'ils brillaient de leur propre lumière.

Ses hôtes le regardaient, impressionnés. C'étaient des petites jeunes filles stupides, des vieilles édentées, des maris souffrant de tumeur ou du mal français. Et, bien sûr, quelques aventuriers décidés à profiter des avantages de sa fréquentation.

« Voilà le Singe », dit l'un d'eux en voyant Zolfo approcher. Zolfo n'y prêta pas attention, même si ce surnom lui pesait beaucoup. Il vint vers frère Amadeo pour le saluer.

« Pas là, imbécile, tu me fais de l'ombre », siffla le frère.

Zolfo changea de place. « Je passais vous saluer, frère Amadeo… »

Le Saint lui adressa un regard mauvais. « C'est la troisième fois que tu me salues, aujourd'hui. Tu n'as donc rien d'autre à faire que me bourdonner autour ?

— C'est pas un singe, c'est une mouche ! », plaisanta un des aventuriers.

Le frère éclata de rire.

Zolfo se sentit mourir.

Le Saint, quand l'éclat de rire cessa, le fixa sans expression puis eut un geste d'impatience.

« Cette nuit, j'ai rêvé de la Sainte Vierge, enveloppée d'une sphère de lumière, dit alors Zolfo, récitant la phrase que frère Amadeo lui avait apprise, et elle m'a ordonné de vous dire que l'enfant qui a disparu à Torcello a été enlevé par les Juifs pour leurs rites sataniques. »

Frère Amadeo s'adressa à son auditoire : « C'est la Vierge Marie qui me parle par la bouche de ce simple d'esprit. Il faut chercher l'enfant disparu dans les maisons des Juifs, dans leur temple immonde, dans le lit de leurs rabbins. »

La petite foule s'agita. Tous étaient tendus vers le Saint, attendant que la lumière divine de ses stigmates et la sagesse de ses paroles les purifient de leurs péchés.

« Les Juifs sont le peuple de Satan », murmurèrent-ils en chœur.

Zolfo resta encore quelques instants. Il espérait que frère Amadeo lui adresserait un sourire, un signe confirmant qu'il avait bien joué son rôle. Mais l'autre n'eut plus un regard pour lui. Alors, sans que personne n'y prête attention, Zolfo sortit. Quelques instants après, il était dans la rue, avec le paquet contenant les robes. Il les livra, l'une après l'autre.

Puis il se rendit compte qu'il avait presque peur de revenir au palais. Peur de cette solitude qu'il ne pouvait plus feindre d'ignorer. Frère Amadeo l'avait trahi. Il ne comptait pas pour lui, n'avait jamais compté. Quant à Benedetta, elle ne pensait qu'à elle-même et à sa haine pour Giuditta.

"Tu es seul", se dit-il.

Depuis bientôt un an, il vivait porté par une haine féroce, mais ce fut le chagrin qui envahit son âme. Il sentit une vive douleur à l'estomac, et serra les dents pour ne pas crier. Il mit la main sous sa casaque et appuya sur son ventre.

« Appuie fort… », dit-il.

Mais c'était la voix de Mercurio, ce jour-là, qu'il entendait. Et cette douleur n'était pas la sienne : c'était celle d'Ercole blessé à mort. Il s'effondra à terre, et pleura tout bas.

« T'es où maintenant, espèce de grosse bête ? T'es où ? Tu me manques… tu me manques tellement… »

Il se releva. Et se mit à marcher dans Venise, sans but, imaginant qu'il tenait Ercole par la main, comme autrefois. Il se rappelait sa vilaine figure, et elle lui parut belle. Il pensa à son bon regard d'idiot. Il lui semblait n'avoir jamais rien connu d'aussi chaud. Alors que les yeux de Benedetta et du Saint étaient vides, des yeux morts.

« Tu me manques, espèce d'imbécile », dit-il tout haut en s'aventurant dans une zone de Venise qu'il ne connaissait pas, avec des maisons basses, de brique et de bois. Ses pieds s'enfonçaient dans la boue des ruelles, où les égouts à ciel ouvert charriaient des excréments et où nageaient des rats aussi gros que des chats.

« Où tu es ? », demanda-t-il à Ercole, là-haut dans le ciel.

Il avait d'abord cru que Benedetta lui donnerait de l'amour, mais il n'en avait rien été. Il s'était agrippé à l'espoir que le Saint lui en donnerait. Mais ni l'un ni l'autre ne savaient ce que c'était. Ils étaient des créatures noires, comme lui. Habitées par la haine. Ils n'étaient pas comme Ercole.

Il s'arrêta et répéta : « Où tu es ?

— Ici », lui répondit alors une petite voix rieuse.

Zolfo se retourna.

Derrière une palissade à demi écroulée pointait la tête d'un petit garçon qui n'avait pas cinq ans. Il était sale, avec un pantalon court maculé de graisse, et deux petites jambes maigres chaussées de sabots de bois dont l'un était fendu. Une grosse traînée de morve avait séché sur sa lèvre supérieure. Il souriait. Il tenait un jouet en bois fait de morceaux articulés, imitant si parfaitement un cheval qu'on aurait cru le voir bouger son long cou.

« Ici, je suis ici !, s'exclama encore le petit garçon.

— Je te vois », dit Zolfo, pensant toujours à Benedetta, au Saint et à lui-même comme à des créatures que Dieu avait fabriquées en oubliant de les remplir d'amour. Et dans ce réceptacle vide, le diable avait versé une double dose de haine. « Où est ta maman ? », demanda-t-il alors au gamin, tandis qu'une pensée dictée par sa nature sombre se formait dans sa tête.

L'enfant plaça son pouce dans sa bouche et le suça sans répondre. Puis il agita l'autre main, faisant bouger le cou de l'animal.

Jamais il ne trouverait d'amour auprès de Benedetta et du Saint, se dit Zolfo. Tout ce qu'il pouvait faire, c'était les payer de la seule monnaie qu'ils connaissaient et qui lui vaudrait leur attention. Et peut-être une caresse. Il devait s'abandonner tout entier à la haine qu'il sentait en lui et la mettre à leur service.

Zolfo regarda autour de lui. Personne. Il leva les yeux. Tous les volets étaient clos. « Tu veux un marquet ? », demanda-t-il à l'enfant en lui montrant une pièce de monnaie.

Le petit s'approcha, la main tendue.

« Viens », dit Zolfo en s'enfonçant dans l'obscurité d'un *sotoportego* qui puait l'urine et la moisissure.

L'enfant suivit la pièce qui brillait.

Alors Zolfo prit une pierre coupante et la brandit. S'il tuait cet enfant et en faisait retomber la faute sur Giuditta et sur les Juifs, Benedetta et le Saint seraient fiers de lui.

Il sentit une force obscure l'envahir, comme une fumée toxique. Son corps vibrait, et son âme avec lui. Il se vit frapper l'enfant avec la pierre, le vit mourir, perdre tout son sang. La force obscure qui le possédait le fit se voir en train de rire, de ressentir du plaisir. Il plongeait les mains dans le sang de cet enfant. Un lac de sang qui assouvirait sa colère, sa frustration, sa haine. La douleur s'arrêterait. Cette force en lui, apaisée, se tairait.

Il n'avait qu'à tuer cet enfant sans défense. D'un coup. Un coup sec. De toutes ses forces. Sur la tempe, là où le sang battait. Un seul coup. Il offrirait ce sacrifice à Benedetta et au Saint. Un innocent qui mourrait pour d'autres innocents, se dit-il soudain.

Sa main resta figée, la pierre coupante au bout de son bras qui vibrait.

Le petit lut quelque chose dans le regard de Zolfo, ou sentit dans l'air le souffle de la mort. Son jouet lui tomba des mains et il se sauva.

Zolfo resta encore un instant la main levée. Tandis qu'il se reconnaissait lui-même dans la peur de l'enfant, ses yeux s'emplirent de larmes. Sa main s'ouvrit. La pierre tomba à côté du jouet. Zolfo se laissa glisser à genoux dans la boue. Il prit le jouet. Fit bouger le cou articulé de l'animal.

« Qu'a beau », dit-il tout bas, imitant le langage approximatif d'Ercole.

Il ne savait plus quoi faire. Où aller.

« Zolfo aga peur du noir… »

Il se sentit encore plus seul.

73

Giuditta marchait lentement entre les tables de l'atelier de couture. Elle avait les sourcils froncés, la bouche serrée, les yeux plissés dans une expression dure, froide, distante.

L'ambiance était sinistre. Les couturières travaillaient en silence, les épaules courbées, écoutant les pas lents de Giuditta qui les surveillait.

Au fond de l'entrepôt, le tailleur Rashi Sabbatai prenait les mesures des différents modèles, traçait sur le tissu des traits rapides à la craie puis y faisait courir les lames de ses ciseaux. Mais il était préoccupé, lui aussi, par la présence de Giuditta. Il se sentait mis en accusation.

Ottavia entra dans l'atelier et vint parler à Giuditta. « Qu'est-ce que tu fais ici ? dit-elle tout bas. Sortons. »

Giuditta la regarda distraitement, comme si elle ne la voyait pas.

« Laisse-les travailler, reprit Ottavia. Nous sommes en retard pour les livraisons. Si tu restes ici, elles n'auront jamais le temps…

— De quoi ? demanda Giuditta de la voix rauque de quelqu'un qui n'a pas encore parlé de la journée.

De cacher des plumes de corbeau trempées de sang dans les ourlets de mes robes ?

— Giuditta…

— … Ou des dents de bébé, des cheveux noués, des crapauds séchés, des queues de lézards, des ailes de chauves-souris… ? Elles n'auront jamais le temps de faire quoi ?

— Ça ne peut pas être elles…

— Qui d'autre, alors ? », dit Giuditta en haussant le ton.

Les ciseaux de Rashi Sabbatai s'arrêtèrent de couper. Les aiguilles des couturières s'immobilisèrent. Les têtes et les yeux restaient baissés.

Giuditta laissa errer son regard dans l'atelier.

« Comment peux-tu penser que nos ouvrières pourraient faire une chose pareille ? dit Ottavia en la prenant par le bras, d'un ton plein de reproche. *Tes robes*, comme tu les appelles maintenant, existent grâce à elles. Elles sont les leurs autant que les tiennes. Elles sont fières de ce succès, de l'argent qu'elles gagnent et qui leur permet d'élever leurs enfants, elles sont fières d'être une équipe de femmes qui travaillent comme les hommes…

— Laisse-moi tranquille ! répondit Giuditta en échappant à sa prise.

— Qu'est-ce qui t'arrive ? », lui demanda Ottavia, pleine de compassion.

Giuditta serra les lèvres, résistant à la tentation de dire quelque chose. Elle se tourna vers les couturières. Toutes la regardaient. Elle cria : « Au travail ! » Puis, d'un pas vif, sans se retourner, elle rejoignit l'entrée de l'atelier et sortit dans la rue.

Le ciel était sombre et bas, avec de lourds nuages plats qui formaient un plafond étouffant. Elle se sentait écrasée.

"Qu'est-ce qui t'arrive ?", avait demandé Ottavia.

Pouvait-elle lui répondre que sa vie était finie ? Lui dire que plus rien n'avait d'importance, pas même ses robes ? Que cette violence avec laquelle elle accusait les couturières et surveillait leur travail n'était que la colère terrible qu'elle ressentait contre elle-même ? Pouvait-elle lui dire qu'elle souhaitait la mort de tout le monde, uniquement parce qu'elle désirait la sienne, sans avoir le courage de se l'avouer ?

Elle marchait d'un bon pas, sortit du Ghetto, et les pensées remontaient dans son esprit tel un flot amer incontrôlable qui lui donnait envie de vomir. Et chaque fois que ces pensées devenaient plus douloureuses, elle accélérait le pas comme pour les semer en chemin.

Pouvait-elle dire à Ottavia que sa vie était finie ? Elle ne pensait à rien d'autre. Parce qu'il n'y avait rien d'autre. Il était temps qu'elle le reconnaisse. Et c'était elle qui avait mis fin à sa propre vie. Elle qui avait éloigné Mercurio.

Giuditta s'arrêta bientôt, essoufflée. Ses pensées avaient franchi l'épais rideau qu'elle s'obstinait à mettre devant elles. Maintenant, elle voyait. Elle savait. Elle acceptait. Alors, à la colère se substitua cette douleur lancinante qu'elle avait tenue à distance. Une douleur sourde qui pulsait comme une infection avant de devenir une blessure ouverte et sanguinolente.

Elle porta les mains à son visage. Les appuya sur ses yeux, qui se remplissaient de larmes. Puis, la paume devant sa bouche ouverte, elle gémit, laissant s'exprimer toute la souffrance atroce d'avoir renoncé pour toujours à Mercurio.

Elle leva les yeux, regarda autour d'elle et s'aperçut seulement alors qu'elle était devant le palais où Benedetta vivait avec son terrible et puissant amant. Elle comprit que ses jambes ne l'avaient pas menée là par hasard. Elle regarda la porte d'entrée. Sentit son cœur battre dans sa gorge. Éprouva une peur infinie. Sa mémoire fut envahie par le souvenir de la scène cruelle à laquelle Benedetta l'avait forcée à assister. Elle revit l'homme auquel le prince avait fendu la joue. Sa respiration se bloqua.

Pourtant, elle était venue jusqu'ici. Pourquoi ?

« Tu dois parler avec le prince », se dit-elle à voix haute pour s'encourager.

Si elle lui parlait, elle pourrait peut-être le convaincre de ne pas faire de mal à Mercurio. Mais pouvait-on convaincre un homme aussi cruel ? Cependant, qu'avait-elle à perdre ? Sa vie était finie, de toute façon. Elle devait essayer.

Elle fit un pas vers la porte. Deux hommes en armes et le portier se tournèrent dans sa direction. Ils regardèrent avec mépris son bonnet jaune. Giuditta fit un pas de plus, mais vit alors arriver le Saint suivi d'une cohorte de fidèles qui riaient en brandissant des bâtons. Elle se cacha dans l'ombre et vit le frère se diriger vers le palais.

Le ciel noir commença à lâcher toute l'eau qu'il avait retenue jusque-là. D'abord quelques gouttes, puis une averse froide, qui trempa en un instant tous ses vêtements. La pluie pénétrante s'insinuait entre les épaisseurs de soie, de drap et de futaine.

Elle sentit l'eau glacée courir sur sa peau. Ses muscles se contractèrent de froid.

Le Saint entra au pas de course dans le palais. Il leva ses mains marquées de stigmates vers ses fidèles, qui se dispersèrent.

Giuditta était immobile sous l'eau qui continuait de tomber, incapable d'un seul mouvement même pour s'abriter.

Le Saint allait disparaître à l'intérieur quand il s'inclina profondément, presque jusqu'à terre. L'instant d'après apparut le prince, avec sa démarche bancale. Il donnait le bras à Benedetta, pâle et les yeux marqués de vilains cernes.

Giuditta tressaillit.

Quatre domestiques sortirent en courant du palais, tenant chacun par un coin une grande toile blanche et or hissée sur des poteaux noirs ouvragés. Ils se placèrent devant l'entrée. Le prince et Benedetta scrutèrent le ciel puis le prince se glissa sous la toile, qui le couvrait largement, et commença à marcher. Les domestiques l'accompagnaient, empêchant la moindre goutte de pluie de l'atteindre.

Giuditta fit un pas en avant. Si elle voulait parler au prince, c'était l'occasion.

Ce fut alors que Benedetta la vit. « Rinaldo ! », cria-t-elle.

Le prince Contarini se retourna.

Benedetta leva le bras et le pointa vers Giuditta. « C'est elle », dit-elle au prince.

Il suivit la direction indiquée par le bras de Benedetta et son regard croisa celui de Giuditta. Il la fixa un instant, penchant sur le côté sa tête difforme, apparemment intrigué. Il fit une grimace, qui était peut-être un sourire. Puis il leva son bras infirme, qu'il avait du mal à tendre, et d'un doigt tout tordu la désigna à son tour.

Giuditta était là, au milieu de la rue, trempée, son bonnet jaune avachi pesant sur son crâne. Elle regarda les yeux sans expression du prince, ses dents, son bras estropié, et elle resta bouche bée, saisie de terreur. Elle fit demi-tour et s'enfuit, poursuivie par les éclats de rire du prince et de Benedetta.

Quand elle arriva au Ghetto, hors d'haleine et désespérée, encore sous le choc, la pluie avait cessé. Elle passa le pont et remarqua un groupe de gens qui entouraient l'entrée de sa boutique. Elle s'approcha.

On s'écarta pour la laisser passer.

Elle vit Ariel assis sur une pierre devant la boutique, son bonnet jaune à la main. Sa femme lui tamponnait la tête avec un mouchoir teinté de rouge. Puis elle vit une femme, de dos, la robe déchirée à l'épaule. C'était Ottavia. Elle maintenait son vêtement d'une main pour ne pas rester la poitrine dénudée. Giuditta vit que ses yeux étaient agrandis par la peur. Alors seulement, elle se rendit compte qu'il y avait des morceaux de tissu par terre. De la soie et du velours. La vitrine avait été cassée et des éclats de verre scintillaient, trempés par la pluie, reflétant le gris du ciel.

« Ils sont arrivés sans crier gare… » Ottavia parlait d'un filet de voix.

« Le Saint…, dit une femme derrière elle.

— Ils avaient des bâtons et des pierres et ils criaient… » Ottavia se tut.

« "Sorcière"…, conclut la femme qui avait parlé la première.

767

— Les gardes sont arrivés trop tard », dit Ariel Bar Zadok.

Giuditta regarda de nouveau le désastre, tandis que ses vêtements imbibés de pluie la glaçaient. Elle frissonna. Se tourna vers les gardes à l'entrée du pont. Puis elle ramassa un morceau de soie déchiré.

« Pourquoi ? demanda doucement Ottavia.

— Parce que Dieu nous a abandonnés…, répondit Giuditta.

— Ne dis pas ça », dit Ottavia.

Tous les yeux étaient tournés vers Giuditta.

Un courant d'air fit bouger dans la boue une plume de corbeau à la pointe tachée de rouge, qui dépassait d'un pan de robe déchirée.

« On m'a lancé une malédiction. »

74

Scarabello toucha sa lèvre. La plaie avait détruit une bonne partie de la chair.

Mercurio s'était assis sur le bord du lit de sangle où on l'avait installé, dans un coin de l'étable, tandis que les travaux continuaient de plus belle.

Scarabello désigna Lanzafame. « Il ne me quitte pas des yeux. »

Mercurio se tourna et croisa le regard sombre du capitaine.

« Je crois qu'il ne veut pas risquer de rater ma mort », dit Scarabello avec un sourire. La plaie saigna un peu. Il eut une petite grimace de douleur. Il avait une autre plaie à l'intérieur de la joue. Et une sur l'avant-bras. Deux autres étaient apparues sur le gland et sur le scrotum. Les ganglions sous ses aisselles avaient grossi et étaient douloureux.

Mercurio le voyait s'éteindre. Il était de plus en plus faible et pâle.

« Sais-tu ce qui est le pire ? continua Scarabello. Les plaies et la douleur, j'arrive à les supporter, mais je me suis aperçu que ma tête me joue des sales tours.

À certains moments, je me rends compte que j'ai du mal à réfléchir. »

Mercurio le regardait sans parler. Il n'y avait pas si longtemps, il voulait le tuer. Et maintenant il était là, assis sur son lit, à l'écouter comme un ami. Son seul ami.

« J'ai demandé au docteur, reprit Scarabello. Il m'a dit qu'avant de mourir, beaucoup devenaient fous. » Son regard se voila un instant. « Le docteur ne me cache rien. Il me décrit point par point la maladie et la mort qui m'attend, avec force détails. Il me soigne avec la même attention que les autres, mais… » Il hocha la tête. « … Mais il ne peut pas oublier que j'ai tué son ami. Je l'admire. Chaque fois qu'il vient me soigner, c'est une lutte intérieure terrible pour lui, je le vois bien. Je l'admire vraiment. Je n'aurais jamais été capable d'en faire autant. »

Mercurio acquiesça.

« Et toi ? Pourquoi tu l'as fait ?

— Quoi ?

— M'aider. »

Mercurio haussa les épaules.

« Parce que c'est tout ce que j'ai trouvé. »

Scarabello rit doucement. Il porta la main à sa poitrine et toussa. « Tu es vraiment un sentimental, mon gars. »

Mercurio ne sourit pas.

« Quand ça sera la fin, je te dirai où je cache mon argent, reprit Scarabello. Tu donneras sa part à Paolo, d'accord ? »

Mercurio ne répondit pas. Il continuait de le regarder.

« Quand je serai bon à donner aux vers, le borgne prendra ma suite. Il tiendra le coup quelques mois, pas plus, et les autres lui feront la peau. Après ça, ils s'entretueront. » Scarabello tendit la main vers Mercurio. « Tu comprends que je peux pas demander ça à quelqu'un d'autre, hein ? »

Mercurio acquiesça imperceptiblement.

« Alors, c'est d'accord ?

— D'accord.

— Le reste, c'est pour toi, conclut Scarabello. Arrange cette merde de bateau que tu t'es acheté et fais-en ce que tu veux.

— J'en ai plus besoin, dit Mercurio d'une voix sourde.

— C'est toi qui vois. Prends l'argent, en tout cas.

— Pourquoi ?

— Parce que l'argent, c'est le sel de la vie. »

Mercurio fit un signe de dénégation. « Pourquoi tu fais ça ?

— Ah... » Scarabello le regarda de ses yeux intelligents, en silence, puis dit : « Peut-être parce que moi aussi je suis un sentimental. »

Mercurio hocha la tête. Il se leva.

« Une dernière chose, mon gars. »

Mercurio resta debout, dans l'attente.

« Si je devais... » Scarabello hésita. « Si je devais devenir un fou qui bave et qui raconte des conneries... mets-moi un coussin sur la tête et tue-moi. »

Mercurio se tourna d'instinct vers Lanzafame.

« Lui, il n'aurait jamais assez de pitié, dit Scarabello. Promets-moi. »

Mercurio le fixa. Dans son regard, il y avait de la force. Et derrière cette force une douleur encombrante, qu'il n'arrivait pas à cacher. « On a encore le temps.

— C'est ça, tu es devenu un homme, dit Scarabello. D'un côté, ça me désole pour toi, parce que tu as souffert et perdu une bataille. Mais ça te fera du bien.

— Conneries », fit Mercurio.

Scarabello le regarda avec sérieux. Puis il sourit. « Oui. »

Mercurio s'apprêtait à partir.

« Promets-moi que tu le feras, lui dit Scarabello.

— On a encore le temps », répéta Mercurio. Et il sortit de l'étable, qui commençait à ressembler à un hôpital.

Il regarda autour de lui. L'activité battait son plein. Les femmes de Mestre et les prostituées guéries travaillaient dans le potager et à la cuisine, ou s'occupaient de laver les draps et les pansements. Les hommes fabriquaient des briques, chaulaient, construisaient des lits et réparaient le toit. Tonio et Berto, avec leur barque, ne cessaient de transporter des médicaments, de nouvelles prostituées malades, des amies en visite.

Mercurio était agacé par toute cette vitalité. Il s'en sentait exclu, incapable d'éprouver des émotions, d'avoir des projets. Rien ne lui importait, rien ne valait la peine. Il avait été présomptueux. Il avait cru pouvoir s'arracher aux sables mouvants de son destin, avoir une vie comme tout le monde. Mais non. Ceux qui étaient comme lui étaient condamnés. Et plus il se le disait, plus il sentait la colère et la haine grandir en lui. C'était un moyen de faire taire ses émotions et de garder la douleur à distance. Cette terrible douleur qu'il ne pouvait pas affronter, parce qu'elle était plus grande que lui, parce qu'elle l'aurait tué, il en était sûr.

« Il y a quelqu'un qui te demande », dit Anna derrière lui.

Mercurio se retourna.

« Une jeune fille… », ajouta-t-elle.

Mercurio tressaillit. « Où ça ? », demanda-t-il avec une certaine urgence dans la voix. Son cœur accéléra. « Où ça ? répéta-t-il en haussant le ton.

— Elle t'attend dans la cuisine. »

Mercurio resta un instant immobile, pétrifié, tandis que sa respiration s'arrêtait. Puis il courut vers la maison. Il était impossible que ce soit Giuditta, et pourtant il courait. Il entra dans la maison hors d'haleine. Il était prêt à mourir de joie. Et déjà prêt à être déçu.

La jeune femme tournait le dos. À contre-jour, ce n'était qu'une silhouette dans la pénombre.

Le cœur de Mercurio s'arrêta.

Elle était élégante.

Mercurio fit un pas vers elle.

Ses cheveux étaient maintenus par une épingle précieuse ornée de perles de culture.

« Bonjour, Mercurio. »

Il fit un pas en arrière. Sentit le poids de la déception. Ses épaules retombèrent. « Bonjour, Benedetta… », dit-il. Et une vague de haine l'envahit. Pas dirigée vers Benedetta, mais vers Giuditta. Parce que ce n'était pas elle. Parce qu'elle n'était pas là.

Benedetta le regarda, immobile.

« Qu'est-ce que tu veux ? demanda Mercurio, sur la défensive.

— Comme tu es abrupt », dit-elle en souriant.

Mercurio haussa les épaules. « Nous ne fréquentons pas les mêmes milieux.

— Non, apparemment non. Je peux m'asseoir ?

773

« — Qu'est-ce que tu veux ? demanda une nouvelle fois Mercurio.

— Je ne veux rien. Je viens t'offrir mon amitié.

— Pourquoi ? »

Benedetta fit un pas vers lui.

Mercurio haussa la main, imperceptiblement, pour l'arrêter.

Elle le perçut et avança un peu plus. Elle arriva tout près, au point de sentir l'odeur de sa peau.

« Parce que j'ai fait une erreur.

— Qu'est-ce que tu veux dire ? » La voix de Mercurio s'étrangla.

« Quand je t'ai embrassé..., dit Benedetta d'une voix douce. Je me suis trompée. J'ai fait une erreur.

— Oui...

— Je voulais te demander pardon.

— D'accord...

— D'accord quoi ? Tu me pardonnes ?

— Oui.

— Donc nous pouvons être amis ? »

Mercurio recula. « Tu ne voulais pas t'asseoir ? », lui dit-il.

Benedetta se rapprocha de nouveau. « Tu m'as aidée à échapper à Scavamorto. Et ça, je ne l'oublie pas. Tu t'es occupé de moi, et moi je t'ai trahi. Maintenant je veux qu'on reprenne tout depuis le début. On était une bonne paire de voleurs, on pourrait être une bonne paire d'amis, non ?

— Assieds-toi », fit Mercurio, d'une voix trop haut perchée.

Benedetta le regarda encore un instant puis prit une chaise et s'installa.

« Tu as l'air fatiguée, dit-il, voyant ses cernes creusés. Tu vas bien ?

— Oui. Rien de grave. Un malaise passager. » Elle avait prévu de cesser dès le lendemain de prendre l'arsenic de la magicienne. « Je suis vilaine ? demanda-t-elle en penchant la tête sur le côté.

— Non…

— Je ne suis pas vilaine ? insista Benedetta d'une voix enfantine.

— Non, tu es… belle », murmura Mercurio. Il se rendait compte qu'il était encore attiré par elle.

« Tu es en train de me faire la cour ? », demanda Benedetta.

Mercurio se raidit.

« Je plaisante, dit-elle en riant. Tu n'as jamais eu le sens de l'humour. » Elle le regarda un instant en silence. « Je sais bien que ton cœur bat pour une autre.

— Mon cœur ne bat pour personne. Tu te trompes. »

Benedetta sentit un frisson la parcourir. Cette Juive stupide lui avait obéi. Mais elle voulait en être certaine. « Pourtant tu as créé un hôpital pour le père de ta petite amie », dit-elle avec légèreté, comme si la chose lui importait peu.

« Ce n'est pas ma petite amie ! répliqua Mercurio avec fougue. Je n'en ai rien à foutre d'elle et je ne veux plus jamais la voir de ma vie ! »

Benedetta eut un coup au cœur. Une douleur. La colère de Mercurio était proportionnelle à l'amour qu'il éprouvait encore. Il n'était pas détaché de Giuditta. Il avait serré les poings, grincé des dents. Elle le regarda. Cette fureur le rendait beau. Cette douleur profonde qui le consumait. Il était beau, se disait-elle, et il ne serait jamais à elle. Elle sentait qu'il était attiré par elle, par son corps, sa sensualité. Elle aurait pu le séduire, probablement. Mais elle ne serait jamais capable de le faire souffrir comme Giuditta le faisait souffrir.

Mercurio se tourna vers la fenêtre. Il avait les joues rouges.

Benedetta tapota la chaise devant elle. « Assieds-toi. » Elle devrait se contenter de les avoir séparés, songea-t-elle. Se nourrir de ce malheur. Elle n'aurait jamais rien de plus. « Tu veux me raconter ? »

Mercurio la regarda.

« Tu veux en parler avec une amie qui t'aime sincèrement ? », dit doucement Benedetta. Elle apprendrait à s'en contenter. Elle tendit la main vers lui. « Viens. Tu n'es pas tout seul… »

Mercurio, comme un animal qu'on apprivoise, s'approcha.

« Assieds-toi », répéta Benedetta quand elle eut sa main dans la sienne.

Mercurio s'assit.

« Tu as si mal ? »

Mercurio s'aperçut qu'il ne pouvait plus retenir toute cette douleur en lui. La cacher derrière le paravent de la colère. Effrayé, il eut la tentation de se sauver. Mais il resta. Il serra la main de Benedetta et dit : « Oui. J'ai mal. »

Benedetta lui sourit. « Je suis là », murmura-t-elle.

Alors Mercurio sentit quelque chose se déchirer en lui. Il eut le désir de rendre les armes, de s'abandonner, d'accepter l'idée qu'il n'était pas un homme mais un enfant, comme tous les autres. De reconnaître qu'il était faible et effrayé. Et de se libérer un peu de ce poids trop lourd à porter pour un seul cœur. Il sentit sa force se dissoudre. « Merci », dit-il tout bas. Il posa la tête sur les genoux de Benedetta et commença à pleurer doucement, comme s'il perdait sa sève.

Benedetta regardait droit devant elle, une expression de triomphe sur le visage, et lui passait la main dans les cheveux, démêlant ses boucles comme elle l'aurait fait avec une poupée. « Je suis là, maintenant », lui disait-elle, sentant Mercurio docilement s'abandonner à ses caresses.

75

Du matin jusqu'au soir, Shimon parcourait les environs du Rialto. Affaires, négociations, marchandises, échanges commerciaux, tout passait par là, des plus petites choses jusqu'aux grandes expéditions en Orient. Pas de meilleur terrain d'action pour un voleur que cet immense marché. Chaque jour, des centaines de personnes se pressaient dans ce dédale de ruelles, de *campi* et de *sotoporteghi*. Pour vendre, acheter, manigancer, monter des projets. Et bien sûr voler. N'importe quoi. Dans ce petit quadrilatère où se concentrait toute une humanité, la grande richesse côtoyait la misère la plus noire, mendiants et marchands écrasés dans la même foule. Voix, odeurs, humeurs, tout s'y mélangeait.

Shimon Baruch savait que dans ce quartier, tôt ou tard, il trouverait Mercurio.

Ce jour-là, il avait longuement observé les allées et venues dans la zone du Banco Giro. Les riches marchands d'épices et de tissus orientaux s'y déplaçaient entourés d'énergumènes censés les protéger. Mais c'était quasiment impossible. À certains moments, la foule obéissait à un élan inexplicable qui la faisait se mouvoir, se disperser ou se resserrer comme un corps unique dont aucun animal n'aurait pu contrecarrer la force. L'espace d'un instant, la foule séparait le marchand de ses gardes du corps. Il suffisait qu'un voleur habile soit dans les parages, et c'était fatal pour le marchand.

Bien avant le couchant, alors que la chaleur estivale aspirait l'humidité des canaux et exaltait les odeurs de la ville et des corps, Shimon se rendit dans la zone des Fabbriche Vecchie. Les jours précédents, quand les chantiers de reconstruction fermaient et que les ouvriers rentraient chez eux, il avait remarqué que des zones accessibles, portant encore les marques du terrible incendie qui avait dévasté les édifices, se peuplaient de misérables et de réprouvés. Ils s'installaient parmi les ruines et se construisaient des abris provisoires avec les poutres brûlées qui jonchaient le sol. Rassemblés autour de feux de camp, ils se disputaient un reste de vin rance ou un morceau de lard à griller. C'étaient des vieillards édentés et des jeunes gens au regard fuyant, des femmes prêtes à se vendre et des enfants qui n'avaient pas de temps pour jouer. Des couples s'unissaient dans des étreintes sans retenue, pareilles à celles des chiens qui tournaient autour d'eux. Les autres regardaient, les plus petits pour apprendre comment faire, les plus anciens pour se rappeler ce qu'ils ne faisaient plus.

Shimon se déplaçait avec prudence. L'odeur âcre des corps et des excréments ne le dérangeait pas. Seul le souvenir d'Ester, par moments, le faisait ralentir. Mais il reprenait vite sa chasse, regardant autour de lui avec attention et patience. Il gardait toujours la main posée sur un couteau à lame large et double tranchant qu'il tenait caché sous sa cape, collé à lui par la chaleur, comme par cette colle qu'on fabrique avec les carcasses des chevaux de l'armée.

Un jeune homme s'approcha, le visage sale et le regard méchant. Une de ses joues était gonflée, son œil à demi fermé. « Donne ce que t'as », ordonna-t-il à Shimon en lui soufflant à la figure son haleine fétide. Il avait un bâton court à la main.

Shimon sortit son couteau et le lui pointa sous le menton.

Lâchant son bâton, le garçon fit un bond en arrière. « Va te faire enculer, vieux con », dit-il. Puis il porta la main à sa joue gonflée, là où pourrissaient sans doute ses dents, et s'éloigna avec un gémissement.

Shimon perçut un mouvement sur sa droite. Quelque chose de rouge. Il se tourna rapidement et devina un costume de bonne facture et des cheveux comme de l'étoupe. Il sentit le frisson du chasseur, plus fort que tous ceux qu'il avait ressentis jusqu'alors. Son instinct lui dictait ce que son esprit n'avait pas encore eu le temps de penser. Il suivit la tache rouge, qui se faufilait par une succession de passages étroits ménagés entre les ruines de l'incendie.

Quand la silhouette atteignit une zone abritée par une sorte de toit, elle s'arrêta. C'était un gamin, petit et maigre. Il inspecta les alentours, à la manière des rats.

Le Juif se cacha dans l'ombre. C'étaient ses cheveux qui avaient d'abord attiré son attention et provoqué ce frisson d'excitation. Depuis qu'il n'était plus gouverné par la peur, il avait appris à écouter son instinct.

Le mince personnage regarda à droite et à gauche, puis se retourna.

Et Shimon remercia son instinct.

Ces cheveux et ce teint jaune étaient gravés dans sa mémoire. C'était le gamin qui l'avait suivi sur le marché aux cordes, à Rome, il y avait bien longtemps, presque dans une autre vie. Celui qui l'avait ensuite apostrophé, le désignant ainsi à son comparse, le géant fou, à Sant'Angelo in Pescheria. Il faisait partie de la bande. Dans sa cachette, Shimon sourit. Ils étaient donc tous à Venise. Jamais il n'aurait rêvé avoir une telle chance.

Le capturer aurait été facile. Il aurait pu l'attacher et le torturer, lui placer sous le nez toutes ses questions écrites, pour l'obliger à parler. Mais le gamin ne savait sûrement pas lire. Et si Shimon se montrait, il serait obligé de le tuer pour l'empêcher de donner l'alarme.

Le risque était trop grand. Il laisserait plutôt ce morpion l'amener jusqu'à Mercurio.

Alors seulement il le tuerait. Comme il le méritait.

Il le vit se pelotonner dans un coin, sans doute pour y passer la nuit.

Il suffisait d'être patient.

Sa vengeance était à portée de main.

Il s'assit, sortit de sa poche un morceau de viande séchée qui n'était pas *casher* et le grignota peu à peu, le sel lui piquant la langue. Une extraordinaire sensation de paix l'envahit. Il regarda le gamin qui s'endormait, apparemment épuisé, après avoir joué avec quelque chose. De loin, Shimon ne voyait pas de quoi il s'agissait.

Plus tard, dans la nuit, il s'approcha. Sa main se posa sur son couteau. Ce serait bon de lui ouvrir la gorge en le fixant dans les yeux pendant que son âme quitterait son corps. Mais il devait résister à la tentation. Ce gamin devait le mener jusqu'à Mercurio.

Il serrait encore contre lui l'objet avec lequel il avait joué avant de s'endormir. Shimon s'approcha encore un peu et se pencha. C'était un petit animal. Un cheval.

Ce garçon était très jeune, mais pas au point de jouer comme les enfants. L'animal sculpté devait avoir une valeur sentimentale. Lui rappeler quelque chose. Ou quelqu'un.

Il dormait profondément, la bouche ouverte. Un mince filet de bave coulait sur son menton.

Shimon tendit la main avec une lenteur extrême. Il retenait son souffle. Et il souriait. Il atteignit l'objet, exerça une pression décisive sur le cou mince du petit cheval qui se rompit dans un léger craquement du bois.

Le gamin ne sembla pas avoir entendu.

La tête du petit cheval au creux de la paume, Shimon revint à son poste de guet, caché dans l'ombre d'une balustrade en bois marqueté à demi rongée par le feu. Il serait invisible, même à la lumière du matin. Mais lui, il verrait.

Il tournait et retournait dans sa main le morceau de jouet et se répétait : "Ta tête m'appartient."

À l'aube, le jeune garçon ouvrit les yeux.

Shimon, réveillé, concentrait toute son attention sur lui. Il serra la tête du cheval dans son poing.

Le garçon bâilla, frissonna. Puis regarda son jouet. Écarquilla les yeux, ouvrit la bouche. Fouilla sur lui, puis par terre. S'agenouilla pour chercher dans les gravats, là où il avait dormi. Se releva et inspecta ses vêtements. Puis, quand il eut accepté l'idée qu'il ne retrouverait pas ce qu'il cherchait, il s'assit ou plutôt s'avachit sur le sol, fixant le cheval décapité.

Shimon vit sa vilaine face jaune se contracter en une grimace, et une petite lueur briller sur sa joue. Une larme.

Il sourit de plaisir, serrant toujours la tête du petit cheval. Il respira l'air vicié de cette ville bâtie sur un marécage, et cela lui parut un fumet délicieux. Il le savoura. Un jour, sa vengeance accomplie, il n'aurait plus que ses souvenirs auxquels se raccrocher. Il devait en mémoriser tous les détails.

Le gamin essuya ses larmes et jeta le jouet. Il se leva et s'en alla. Shimon était déjà sorti de sa cachette quand, soudain, le garçon revint sur ses pas. Shimon se tourna brusquement et feignit de chercher quelque chose par terre. Du coin de l'œil, il le vit ramasser son jouet et repartir.

Le Juif recommença à le suivre.

Le gamin se faufila dans le marché derrière Rialto, près du marché au poisson. Il vola une pomme. Puis un morceau de pain. Caché dans une ruelle, il les dévora, visiblement affamé. Il revint au marché et vola un oignon. Le marchand de légumes le vit et le poursuivit. Mais le gamin tourna dans une succession de ruelles, et Shimon craignit un instant de l'avoir perdu.

Il l'aperçut enfin. Appuyé contre un puits au centre d'un *campiello*, il buvait de l'eau dans la louche en bois d'un seau.

Shimon se tapit derrière le coin d'un immeuble.

Le gamin regardait autour de lui, puis baissait les yeux sur le cheval décapité. Et de nouveau regardait alentour.

Shimon se dit que ce garçon ne savait pas quoi faire, et qu'il était peut-être même seul. Il eut peur qu'il ne puisse pas l'amener jusqu'à Mercurio.

Quand il bougea, Shimon le suivit.

Il erra de-ci, de-là pendant une bonne partie de la matinée, apparemment sans but. Mais Shimon finit par comprendre qu'il faisait des cercles. Autour de quoi ?

Vers la neuvième heure, il s'arrêta, sans doute fatigué. Il regarda dans la direction du Grand Canal puis marcha d'un pas décidé et rapide.

Shimon sentit l'excitation grandir.

Cependant, à mesure que le garçon s'approchait de son but, il ralentissait, et Shimon se demanda s'il n'avait pas changé d'idée. Mais non. Il continua jusqu'à un palais seigneurial de trois étages, à la façade élégante. Là seulement il s'arrêta.

Shimon vit le portier le saluer, au lieu de le chasser comme on aurait pu s'y attendre. Il le connaissait donc.

Le garçon resta devant la porte d'entrée, immobile, jusqu'au moment où apparut un moine, peut-être appelé par le portier. Shimon remarqua les plaies sur ses mains. Le frère devait lui aussi le connaître puisqu'il lui parla, en lui jetant des regards durs. L'autre fit non de la tête. Le frère parla de nouveau, avec plus de véhémence. Le gamin secoua de nouveau la tête.

Alors Shimon décida de s'approcher. Il s'était imaginé qu'il rejoindrait Mercurio dans une pension minable ou une taverne. Et voilà qu'il se trouvait face à un moine qui vivait dans un palais. Cela n'avait aucun sens.

Quand il fut suffisamment près, il entendit le moine dire au garçon, d'une voix froide, absolument dénuée de sentiments : « Je te dis de revenir, imbécile !

— Non, répondait le garçon.

— Le Très-Haut a besoin de nous !

784

— Non ! *Toi*, tu as besoin de moi ! » La voix était aiguë mais faible.

Le moine s'approcha du garçon. Vit le jouet. Le lui arracha des mains, le jeta au sol et le piétina.

Shimon frissonna. La souffrance l'excitait.

« Ça fait une semaine qu'on te cherche ! », dit le moine. Il leva la main et frappa le gamin en plein visage.

« Arrête, frère ! », s'exclama une voix de femme provenant du premier étage du palais mais que Shimon ne put voir.

Le gamin recula, la main sur la joue, regardant son jouet en morceaux.

Il allait partir. Shimon se prépara à le suivre.

« Zolfo ! », cria la femme au premier étage.

"Il s'appelle Zolfo", pensa Shimon. C'était sûrement un orphelin. Mercurio et Zolfo : le mercure et le soufre. Les moines des orphelinats n'avaient pas une grande imagination quand il s'agissait de nommer les enfants, se dit le Juif en souriant.

« Je t'ordonne de rentrer et de faire ton devoir ! dit le frère.

— Va te faire foutre ! », cria Zolfo, en colère, même si l'on entendait dans sa voix la douleur et la peur. Puis il tourna le dos et s'enfuit.

« Zolfo ! », hurla encore la femme en apparaissant à la porte d'entrée.

Shimon s'apprêtait à s'élancer derrière le gamin quand il s'arrêta net. Une émotion violente lui gonfla les poumons, bloqua sa respiration. Il resta bouche bée. Elle avait changé depuis ce jour-là, à Sant'Angelo in Pescheria. Elle avait des habits élégants maintenant. Un collier précieux et une chevelure rassemblée en tresses nouées autour de la tête, comme une noble dame. Mais Shimon se souvenait parfaitement d'elle, impossible de se tromper. Ses cheveux avaient la même couleur cuivrée, avec des reflets blonds qui captaient la lumière du soleil. Et cette peau d'albâtre. Il se rappelait avoir songé en la voyant à Suzanne assaillie par les vieillards. Cette fille avait alors éveillé ses sens. Et aujourd'hui encore, violemment.

Il se tourna vers Zolfo qui disparaissait au fond d'une ruelle étroite au flanc du palais. S'il ne bougeait pas, il allait le perdre.

Mais il avait trouvé un trésor bien plus grand, se dit-il.

« Zolfo ! », cria encore la fille.

Shimon pensa qu'elle avait grandi. Quelque chose avait changé dans son regard. Peut-être les vieillards avaient-ils eu satisfaction, cette fois. Elle ne les avait pas chassés. Ou Daniel n'était pas arrivé à temps pour la sauver. Il sourit.

« Imbécile ! », dit la fille au moine. Sa voix était bien différente de celle de Zolfo. Dure, violente, forte. Elle n'avait pas peur du moine. Et elle ne l'aimait pas.

« Fais attention à la façon dont tu me parles, femme », dit le moine.

La fille s'approcha de lui et le fixa en silence. « Tu ne comprends donc pas, idiot, que Zolfo peut nous causer des ennuis, s'il parle ? »

Shimon devint plus attentif encore.

Le moine leva sa main droite, exhibant sa plaie. « Il reviendra, dit-il d'une voix méchante. Il est bien dressé.

— Comme toi, tu veux dire ? », fit la fille avec mépris.

Puis elle regarda dans la direction où Zolfo avait disparu, hocha la tête et rentra à l'intérieur du palais.

Shimon sentit un remuement profond en la voyant rouler des hanches dans la pénombre du vestibule.

La torturer serait un délice.

"À bientôt", pensa-t-il.

76

« Je suis bête », murmura Giuditta en ouvrant les yeux à l'aube, tandis que le son de la Marangona vibrait par-dessus les toits de Venise.

Toute la maison était en désordre. Depuis plusieurs jours, elle avait cessé de ranger, de laver le linge, de coudre. Elle s'était enfermée dans un mutisme hargneux et ne répondait plus que par monosyllabes. Personne ne pouvait l'approcher et encore moins tenter de connaître ses pensées, pas même Ottavia. La vie n'était tout simplement plus intéressante. Elle regardait la vaisselle s'amonceler sans la voir. Elle entendait les bruits de la vie et les paroles échangées sans les écouter. Transportée dans un autre monde, si loin de celui où elle vivait que nul ne pouvait l'y atteindre.

« Je suis vraiment bête », répéta-t-elle cependant ce matin-là, en se levant.

Pour la première fois depuis qu'elle avait renoncé à Mercurio, un sourire lui vint. Elle porta la main à ses lèvres, comme si elle voulait toucher du bout des doigts cette allégresse inattendue.

Elle alla à la fenêtre et vit son père qui prenait la file avec le reste de la communauté devant la sortie du Ghetto, pendant que les gardes ouvraient les grandes portes.

Elle se rinça le visage puis commença à s'habiller. Elle n'avait pas de temps à perdre.

Tout était si simple, maintenant qu'elle avait compris.

La peur, elle s'en rendait compte, l'avait empêchée de réfléchir. Son père le lui avait expliqué un jour à propos de certaines arnaques. Si on met le pigeon dos au mur, il perd la capacité d'évaluer la réalité et les autres solutions possibles. C'était l'essence de l'arnaque : le pigeon ne devait envisager que les possibilités suggérées par l'arnaqueur. Il ne devait pas réfléchir par lui-même.

C'est ce qui s'était passé, pensa Giuditta. La peur l'avait abusée.

Elle n'avait rien vu d'autre que ce que la peur lui suggérait. Ce que Benedetta voulait lui faire voir.

Alors qu'il y avait une solution à portée de main. Elle avait été trop bête pour y penser, mais ce matin, le voile s'était déchiré. Elle n'aurait su dire comment, et cela n'avait pas d'importance. Les choses arrivaient tout à coup. Tout à coup les gens mouraient ou disparaissaient. Tout à coup on tombait amoureux, comme le jour où son sang s'était mêlé à celui de la blessure de Mercurio. Tout à coup elle était devenue femme, quand elle l'avait accueilli en elle, et la vie avait commencé à circuler avec force dans ses veines. Et tout à coup cette vie avait cessé, quand Benedetta l'avait mise dos au mur.

Mais Giuditta savait maintenant qu'il y avait une issue. Pour elle et Mercurio, pour leur amour.

La vie, tout à coup, était redevenue belle et digne d'être vécue. Elle sentit le sang courir à nouveau dans son corps. L'espoir emplir à nouveau ses poumons.

"C'était tellement évident", se disait-elle en riant et en finissant de s'habiller.

Benedetta lui avait inoculé le poison de la peur et elle l'avait laissée faire. Elle s'était abandonnée à la peur, elle avait cessé de lutter, de penser, de vivre.

Mais c'était fini. Elle irait immédiatement trouver Mercurio. Elle lui raconterait tout et lui dirait de s'enfuir. Ainsi le prince ne le trouverait pas. Elle lui dirait aussi qu'elle était prête à partir avec lui, n'importe où. Parce que rien d'autre n'avait d'importance.

Cette fois, elle n'écrirait pas de lettre à son père. Elle lui parlerait en le regardant droit dans les yeux, comme un père le mérite. Et comme le méritait l'amour qu'elle ressentait pour Mercurio. Elle parlerait avec son cœur. Elle ne voulait plus être lâche.

Elle ouvrit la porte et commença à descendre l'escalier. D'en bas montait un bruit de voix énervées auxquelles elle ne prêta pas attention. Elle n'entendait que les paroles qu'elle dirait à Mercurio. Elle ne pensait qu'à son étreinte.

« La voilà ! », dit un homme quand elle fut au rez-de-chaussée.

Giuditta leva les yeux.

Elle vit le Saint, le doigt pointé vers elle. Puis Ottavia, les yeux écarquillés. Derrière, parmi les gens amassés, son père qui la fixait et levait le bras. À côté du Saint, un représentant de la loi en grand uniforme. Près de lui, des gardes armés.

Le représentant de la loi écarta le Saint, fit un pas en avant et dit : « Giuditta da Negroponte, Juive, au nom de la Sérénissime République de Saint-Marc et pour le compte de la Sainte Inquisition, je t'arrête pour crime de sorcellerie ! »

Giuditta vit Ottavia porter les mains à son visage. Elle vit son père pousser les gens pour la rejoindre, en faisant non de la tête. Et le Saint qui souriait avec satisfaction, tandis que le représentant de la loi l'écartait.

"Mercurio", pensa-t-elle.

Puis elle sentit la prise des gardes qui s'emparaient d'elle devant la porte d'entrée et s'ouvraient un chemin parmi la foule.

Elle continuait de penser : « Mercurio. »

Elle sentit le métal froid des menottes autour de ses poignets, entendit tinter les anneaux de fer de la chaîne. Comprit qu'on soulevait ses jupes pour lui passer des fers aux chevilles.

Puis une voix dit : « Avance, Juive. »

Et une autre voix, celle de son père, hurla : « Giuditta ! » La voix du Saint s'écria : « Sorcière ! » Celle d'Ottavia appela : « Giuditta ! », et le chœur des chrétiens répétait : « Sorcière ! » Elle entendit les couturières et le tailleur Ariel Bar Zadok crier son nom en disant : « C'est une injustice ! »

Elle entendit encore la voix son père, désespéré, par-dessus toutes les autres : « C'est ma fille ! Laissez ma fille ! »

Alors seulement, dans tout ce vacarme, elle se rendit compte qu'il n'y avait en elle qu'une pensée : "Je dois aller trouver Mercurio…"

« Avance, Juive », ordonna de nouveau le commandant des gardes en la poussant.

Giuditta fit un premier pas. Les fers qu'elle avait aux chevilles la firent trébucher. Elle tomba les mains en avant dans la boue craquelée par la chaleur de l'été.

Isacco s'avança entre les gardes et l'aida à se relever. Son bonnet jaune lui glissa de la tête.

Giuditta pensa seulement que ce bonnet était comique. Elle le regarda sans vraiment le voir, elle ne distinguait pas ce qui l'entourait. Elle ne voyait que ce qui était loin. Tout ce qui était proche devenait flou.

« Giuditta... », dit Isacco.

Un garde le frappa dans le dos. Isacco eut une grimace de douleur.

Giuditta vit que le garde piétinait le bonnet jaune.

« Et toi, avance », lui répéta le commandant des gardes en la poussant de nouveau.

Giuditta fit de petits pas, rapides, aussi larges que les fers le lui permettaient.

Sur la fondamenta dei Ormesini, une foule plus grande s'était amassée, attirée par l'événement.

« Sorcière ! Sorcière ! », criaient les gens.

Giuditta se retourna. Isacco la suivait. Il courbait le dos. On aurait dit un vieillard. Il la regardait puis se tournait vers les autres, cherchant une aide qu'il ne trouverait pas.

« Justice est faite ! criait le Saint qui marchait devant eux, comme à la tête d'une procession, ses mains tendues vers la lumière. Justice est faite ! Gloire à toi, ô Seigneur !

— Sorcière ! Sorcière ! », criaient les gens, qui s'échauffaient de plus en plus.

Un jeune homme ramassa une pierre et la lança sur Giuditta.

Elle sentit une violente douleur au front, tomba de nouveau.

« Lève-toi », ordonna le commandant.

Giuditta se releva. Ses jambes ne la portaient plus. Quelque chose de chaud lui coula le long du front. Sa vue se brouilla.

« Sorcière ! Sorcière ! », continuait de hurler la foule.

Une autre pierre l'atteignit dans le dos. Puis une autre au menton.

« Ôte-toi de là ! », dit alors une voix forte et autoritaire.

Giuditta sentit quelqu'un la saisir par le bras et la soutenir.

« Ne vous mêlez pas de ça ! », ordonna le représentant de la loi.

Le capitaine Lanzafame porta la main à son épée qu'il dégaina.

Le commandant dégaina la sienne.

« Il était temps que tu te souviennes que tu es armé, lui dit Lanzafame sans relâcher sa prise sur Giuditta, qui avait du mal à rester debout.

— Tu as entendu ce qu'on t'a dit ? Ne te mêle pas de ça ! fit le commandant.

— Mon devoir est de m'occuper des Juifs, répondit Lanzafame. Et vu que tu ne sais pas t'occuper de tes prisonniers et que tu laisses la foule les lyncher sans autre forme de procès, c'est à toi de t'ôter de là !

— Au nom de la Sérénissime…, commença le représentant de la loi.

— Au nom de la Sérénissime ? le coupa le capitaine. S'il arrive quelque chose à cette jeune fille, si à cause de toi elle n'arrive pas vivante alors que ta mission est de l'escorter, je jure que je te coupe la tête après t'avoir dénoncé devant le doge en personne pour n'avoir pas fait ton devoir ! Au nom de la Sérénissime ! »

Le représentant de la loi regarda le commandant. Le commandant regarda les soldats de Lanzafame, qui les avaient encerclés, les mains sur la poignée de leurs armes. Il vit leurs cicatrices et comprit que c'étaient de vrais combattants.

« Protégez la prisonnière ! ordonna-t-il à ses gardes, qui se serrèrent autour de Giuditta.

— Tu vas y arriver ? », demanda Lanzafame à Giuditta.

Elle le regarda. Elle s'était juré le matin même qu'elle ne se laisserait plus dominer par la peur. Mais elle n'était pas préparée à cela. « Je suis bête », dit-elle tout bas, pensant qu'elle aurait dû s'échapper tout de suite avec Mercurio, que si elle l'avait fait, elle ne serait pas ici.

« Qu'est-ce que tu dis ? fit Lanzafame.

— Laisse-nous-la », dit le commandant des gardes.

Le capitaine se tourna vers ses hommes. Il ordonna : « En protection. »

Les soldats se répartirent autour des gardes. Deux fendirent la foule et se placèrent à l'avant. Deux autres restèrent derrière. Serravalle et quatre soldats se mirent sur les côtés. Ainsi, on aurait cru que Giuditta était prisonnière des gardes, lesquels étaient prisonniers des hommes de Lanzafame.

« Soldats de Satan ! », hurla le Saint.

Lanzafame le fixa sans répondre. Puis, passant à côté du jeune homme qui avait lancé la première pierre, il le frappa au visage avec la garde de son épée

794

sans même lui accorder un regard. Le garçon tomba à terre, évanoui, tandis qu'un filet de sang s'écoulait de son nez et de sa lèvre fendue.

La foule se calma. Mais ne cessa pas pour autant de suivre le cortège jusqu'à la piazza San Marco, où le nombre de gens se multiplia.

Ils se remirent à hurler : « Sorcière ! Sorcière ! »

Les soldats dégainèrent leurs épées et maintinrent la foule à bonne distance jusqu'à l'entrée des prisons du palais des Doges.

« Vous ne pouvez pas pénétrer ici, dit le commandant à Lanzafame.

— Laisse son père lui dire au revoir », dit le capitaine.

Le commandant acquiesça. « Dépêche-toi », dit-il à Isacco.

Celui-ci rejoignit Giuditta. Il nettoya le sang sur son visage avec la manche de sa chemise. Il la regardait mais n'arrivait pas à parler.

« Allez, ça suffit, pousse-toi », ordonna le commandant des gardes, préoccupé par la foule qui le pressait.

Isacco ne bougea pas. « C'est ma faute, dit-il à Giuditta en se frappant la poitrine. C'est ma faute, à moi qui t'ai amenée ici.

— Ça suffit, j'ai dit », reprit le commandant.

Lanzafame prit Isacco par le bras, doucement, et le docteur commença à reculer, sans quitter sa fille des yeux.

Alors Giuditta, presque à bout de souffle, lui dit : « Mercurio… »

Isacco la fixait.

« Dis-le à Mercurio », murmura Giuditta.

Puis les gardes se saisirent d'elle et la poussèrent vers l'escalier qui menait aux prisons du doge.

« Gloire à Jésus-Christ, notre Sauveur ! hurla le Saint en regardant la foule. Justice est faite !

— Justice est faite ! », reprit la foule en écho.

77

« Non », dit Mercurio dans un filet de voix.

Isacco le regarda sans comprendre. Il avait le visage marqué par la souffrance et la préoccupation. Ses fortes épaules s'étaient courbées, écrasées par un poids qu'elles ne pouvaient supporter. Ses yeux étaient comme éteints, voilés.

« Non ? », demanda Isacco.

Mercurio ne dit rien.

Ils étaient là, dans cette étable qui ressemblait de plus en plus à un hôpital, à se regarder dans les yeux avec le même effroi.

Les prostituées se déplaçaient doucement, tête basse. Nul ne disait mot.

« Elle a seulement dit : "Dis-le à Mercurio." Rien d'autre… »

Mercurio acquiesça, presque effrayé. Qu'est-ce que cela voulait dire ? Pourquoi Giuditta voulait-elle qu'il le sache ? Elle avait une autre vie, elle avait choisi de le laisser en dehors, de le jeter par-dessus bord. Alors, pourquoi vouloir maintenant qu'il le sache ? Il commença à se sentir agité. S'aperçut que le rythme de sa respiration s'accélérait.

« C'est moi qui l'ai enfermée dans cette prison…, continua Isacco. C'est moi qui l'ai emmenée à Venise… »

Mercurio le regarda, comme s'il prenait conscience seulement maintenant de sa présence. Il sentait une fureur inconnue l'agiter. Il était en colère contre Giuditta, qui l'avait exclu de sa vie et le réclamait maintenant avec une telle violence. « Je n'ai pas assez de force pour deux, docteur. »

Isacco baissa la tête. Il se tassa plus encore.

« Et merde ! s'exclama Mercurio. Arrêtez, docteur !

— Que se passe-t-il ? intervint Lanzafame.

— Vous êtes son ami, capitaine ? dit Mercurio, le visage rouge, troublé par sa propre réaction mais incapable de se dominer. Alors c'est à vous de le consoler ! Cet homme a passé son temps à me foutre des coups de pied au cul et maintenant il voudrait que je… que je… »

Lanzafame le poussa brusquement. « Va-t'en. Il ne veut rien de toi, couillon. » Il prit Isacco par le bras. « Viens, allons-nous-en.

— Où ? demanda le docteur.

— J'en sais rien. Prendre un peu l'air, viens…

— Oui, allez-vous-en. Je m'en fiche de ces conneries », fit Mercurio, l'air sombre. Il serra les poings, grinça des dents. Se mordit les lèvres.

Alors Lanzafame lâcha le bras d'Isacco, se jeta sur Mercurio et le plaqua contre le mur. « Pleure, mon gars ! cria-t-il. Pleure donc, foutredieu ! » Il le regarda longuement puis le lâcha. Il prit de nouveau Isacco sous le bras et lui dit tout bas, avec plus de douceur : « Pleure donc toi aussi, vieil imbécile. »

Isacco le suivit docilement vers l'entrée de l'ancienne étable.

« Il a raison… », dit Scarabello de son lit.

Mercurio se retourna, le visage contracté par une grimace qui lui déformait les traits ; il poussa un cri guttural, comme un râle, qui lui racla la gorge. Il secoua la tête avec violence et cria : « Non !

— Baisse les armes… » La voix de Scarabello était épuisée par la maladie.

Mercurio serra encore plus fort les poings et les dents. Puis il se sauva dehors, sans un mot. Il courut dans la campagne, jusqu'à sentir son cœur prêt à exploser. Alors il se laissa tomber, le visage dans l'herbe qui commençait à blondir, les doigts plantés dans la terre sèche qui pénétrait sous ses ongles. Il resta ainsi, le dos brûlant au soleil. Immobile, incapable de verser une seule larme.

« Dis-le à Mercurio… », murmura-t-il après un temps qu'il n'aurait pas su mesurer, un temps pendant lequel le monde avait cessé d'exister. Il releva la tête. La lumière l'éblouit. « Pourquoi ? », hurla-t-il au ciel.

Il se remit debout et rentra. Il vit Isacco et Lanzafame près de l'abreuvoir. Le docteur était assis sur une pierre, plié en deux par la douleur et le sentiment de culpabilité. Il pleurait. Le capitaine était à côté de lui et regardait le soleil, les bras croisés.

Mercurio ralentit. Il sentit la peur et la colère s'agiter en lui. Mais aussi une sorte d'espoir.

« Pourquoi ? », dit-il tout bas.

Il repensa au jour où Giuditta lui avait dit que c'était fini. Se rappela qu'il l'avait suivie, comme un chien perdu, et l'avait vue embrasser Joseph, le garçon que son père lui avait collé aux basques pour la protéger. De lui.

Il se tourna vers Isacco et un élan de haine l'envahit. "C'est ta faute", pensa-t-il.

Rien n'avait de sens. Mais il devait trouver une réponse à la seule question qui l'intéressait.

« Pourquoi ? », dit-il encore tandis qu'il courait vers le quai au poisson. Il se le répétait encore alors que Tonio et Berto souquaient rapidement pour l'emmener à Venise, au pont de Cannaregio.

Il descendit d'un bond et porta sa main à la poche où il gardait son couteau. Il rejoignit le campo del Ghetto, où il attendit. Il était prêt à tout, mais avant, il fallait qu'il sache.

Dans sa tête, il entendait "Dis-le à Mercurio". Il lui semblait entendre la voix de Giuditta. "Dis-le à Mercurio…"

Enfin apparut Joseph, qu'il avait attendu avec une tension croissante.

Il marchait d'un pas balancé. Mercurio ne se le rappelait pas aussi costaud. Mais il n'avait pas peur. Rien, à ce moment-là, ne pouvait lui faire peur.

Il le suivit jusqu'à ce qu'ils se retrouvent dans une *calle* étroite et sombre. Là, il lui sauta dessus, le couteau à la main, et le pointa sous sa gorge. « Tu me reconnais, salaud ? », lui souffla-t-il au visage.

Joseph acquiesça tout doucement.

« Qu'est-ce qu'il y a entre Giuditta et toi ? », lui demanda Mercurio en poussant la pointe du couteau contre son menton. Et il ne pouvait pas détacher ses yeux de ces lèvres qui avaient embrassé Giuditta. « Réponds, espèce de merde !

— Tu me fais mal, dit Joseph.

— Tu veux sentir ce que ça fait d'avoir mal pour de bon ? » Mercurio, transporté par la rage, enfonça un peu la pointe de sa lame. « Si tu ne réponds pas, je vais te le faire ressortir par les yeux, t'as compris ? »

Joseph souffla un oui. Et à peine Mercurio eut-il relâché la pression du couteau que Joseph, avec une agilité surprenante pour une telle masse, se dégagea de la prise et renversa la situation : il plaqua violemment Mercurio au mur, lui tordit le poignet, faisant tomber le couteau, puis l'immobilisa en lui bloquant le cou. « Je suis peut-être un imbécile. Mais je suis fort et je sais me servir de ma force, dit-il sans colère. La seule chose que je sache bien faire, c'est me battre. »

Mercurio le regardait, plein de rancune.

« Entre Giuditta et moi, il n'y a rien.

— Pourquoi… pourquoi tu l'as embrassée ? dit Mercurio, qui avait du mal à parler.

— Je ne sais pas, répondit Joseph en rougissant. Elle m'a demandé de le faire et je l'ai fait. Je n'ai pas bien l'habitude des femmes, je suis gêné avec elles… » Il regarda Mercurio de son regard bovin. « Maintenant, je vais te lâcher. Fais pas de connerie. »

Mercurio acquiesça doucement.

Joseph relâcha sa prise et fit un pas en arrière.

Mercurio se sentait les jambes molles. Elles le portaient à peine. Dans sa tête, une grande confusion.

« Je suis désolé, dit Joseph.

— Va te faire foutre, gros lard », maugréa Mercurio en s'éloignant. Quand il arriva au pont après le soto-portego del Ghetto, sur le canal de Cannaregio, ses genoux cédèrent. Il s'agrippa à la balustrade en bois.

« Tu ne te sens pas bien, mon garçon ? », lui demanda une vieille servante qui rentrait du marché, les bras chargés de courses.

Mercurio la fixa d'un regard de haine.

La vieille femme baissa les yeux et poursuivit en hâte avec son chargement.

Mercurio se rendit compte qu'à mesure que dans son cœur naissait une faible espérance à laquelle il ne voulait pas encore donner de nom, une colère aveugle montait en lui. Et cette colère lui rendit sa force.

Il rebroussa chemin et courut vers Saint-Marc.

Il arriva hors d'haleine devant l'entrée des prisons du palais des Doges. Deux soldats gardaient la grille. Et derrière eux, cinq autres, dont leur commandant.

Sur la *Piazzetta* se tenait une foule de flâneurs. Tous parlaient de la sorcière.

« Je dois voir…, dit Mercurio en haletant, Giuditta da Negroponte… »

Le soldat le regarda distraitement. « Ôte-toi de là, dit-il.

— Je te dis que je dois la voir », dit Mercurio.

Le soldat se tourna vers lui. « Qui es-tu ?

— Je suis… Je suis…

— Tu n'es personne. Va-t'en », intervint le commandant des gardes en s'approchant.

Mercurio ne bougea pas. Il sentait un frémissement monter le long de son corps. Il déplaçait son poids d'une jambe sur l'autre, et en même temps tendait le cou vers la *loggia* du palais des Doges. L'angoisse qui le dominait maintenant ne cessait de grandir.

« T'as compris, mon garçon ? Va-t'en, répéta le commandant.

— Giuditta ! se mit tout à coup à crier Mercurio. Giuditta, tu m'entends ?

— Mais qu'est-ce que tu crois faire ? », dit le commandant.

Quelques-uns des flâneurs regroupés sur la *Piazzetta* devant la basilique s'approchèrent, intrigués.

« Giuditta ! », continuait de hurler Mercurio, les mains de chaque côté de la bouche, de toute la force de ses poumons. Comme si son souffle pouvait expulser son angoisse par ce cri. « Pourquoi ? Dis-moi pourquoi ! »

À un signe du commandant, les deux hommes qui gardaient la grille tentèrent de le saisir par les bras.

Mercurio fit un bond en arrière et se dégagea. Il hurla de nouveau : « Giuditta !

— Arrête, mon gars, ou je te mets en prison ! », lui intima le commandant.

Les autres gardes, pendant ce temps, avaient fait quelques pas, attendant un ordre.

« Va te faire foutre ! », hurla Mercurio qui avait perdu tout contrôle.

Le commandant bondit et l'attrapa par sa veste. « Tu l'auras voulu, tu es en état d'arrestation ! »

Deux gardes s'emparèrent de lui.

« Giuditta !, continuait de hurler Mercurio en tentant d'échapper à leur prise. Dis-moi pourquoi !

— Tu verras qu'une nuit en prison t'éclaircira les idées ! dit le commandant. Qui es-tu ? Comment tu t'appelles ? »

En haut des escaliers qui menaient aux prisons apparut le Saint, attiré par les cris.

« Toujours dans les parages, foutu moine ! », lui cria Mercurio avec rage.

Le Saint le reconnut et lui lança un regard de mépris.

« Modère tes paroles », lui dit le commandant en s'approchant. Il se tourna vers ses gardes. « Emmenez-le à l'intérieur. »

Alors Mercurio, d'instinct, frappa le commandant d'un coup de tête en plein visage.

Les gardes, désorientés, le lâchèrent un instant. Un instant qui suffit à Mercurio pour faire un bond en arrière.

Le commandant, gémissant de douleur, était au sol, le nez cassé. « Arrêtez-moi ce fumier ! »

Mais Mercurio était déjà loin.

« Attrapez-le ! », hurla le commandant dont le nez pissait copieusement le sang.

« Je sais qui c'est, dit le Saint. Et je crois que je sais où il habite. »

Pendant ce temps, Mercurio traversait toute la piazza San Marco avec les gardes sur les talons, ralentis par leurs armes et leurs uniformes. Il les sema rapidement. Il monta sur une barque de pêcheurs qui rentraient à Mestre. Une fois débarqué au quai au poisson, il partit vers la maison d'Anna.

En dehors de Giuditta, une seule personne pouvait peut-être répondre à sa question.

« Je dois vous parler, docteur », dit-il à Isacco, penché sur une prostituée dont il nettoyait les plaies.

Isacco le regarda. Puis il acquiesça et le suivit hors de l'hôpital.

Ils marchèrent en silence jusqu'à l'abreuvoir. S'arrêtèrent, l'un à côté de l'autre, sans se regarder.

Mercurio se sentait faible mais ne pouvait plus attendre. Il devait savoir, laisser cet espoir contre lequel il avait lutté toute la journée prendre forme ou s'évaporer.

Isacco ne disait rien. Il restait immobile, fixant l'horizon voilé par la brume d'été.

Alors Mercurio prit une inspiration et parla. Il dit seulement : « Pourquoi ? »

Le docteur laissa le son de ce mot entrer en lui. Puis, d'une voix pleine de compassion et de chaleur, il répondit : « Parce qu'elle t'aime, mon garçon. »

Et alors, incontrôlable, la panique explosa.

« Aidez-moi », murmura Mercurio.

78

« *Sigillum diaboli*, dit le Saint. Tu sais ce que ça veut dire, Juive ? »

Giuditta le regardait, terrorisée. Après une nuit dans une cellule noire et froide, on l'avait emmenée, à l'aube, dans cette pièce sans fenêtre au plafond voûté. Des anneaux et des chaînes étaient fixés aux murs. Et au centre de ce local humide se trouvait une table avec d'étranges instruments. Des instruments de torture.

Le Saint se tenait à côté d'un homme musclé. Cet homme était le bourreau. Le Saint se faisait appeler *Inquisitor*.

« Alors, sais-tu ce qu'est le *sigillum diaboli* ? », demanda de nouveau frère Amadeo.

Giuditta fit non de la tête.

« Le bétail est toujours marqué par son maître, qui déclare ainsi sa possession, dit le moine en souriant. Pour la même raison, ton maître, le démon, Satan en personne, t'a certainement marquée. » Il s'approcha d'elle. « Et moi, maintenant, je vais trouver cette marque, sorcière. »

Giuditta eut un frisson de terreur.

« Bourreau, exécute ta mission, dit le Saint. Que la main de Dieu soit avec toi. »

Le bourreau commença à affiler un rasoir sur une bande de cuir.

« Déshabille-toi, lui dit-il, de la voix neutre de celui qui fait simplement son métier.

— Non… », dit Giuditta, les yeux écarquillés. Elle recula d'un pas et croisa les bras sur sa poitrine, comme si elle était déjà nue.

Le bourreau se tourna vers les deux gardes qui l'avaient escortée. « Déshabillez-la, ordonna-t-il.

— Non… », dit encore Giuditta, qui regarda autour d'elle. Quand les gardes s'approchèrent d'elle, elle leur échappa, comme un oiseau affolé. Courant jusqu'à la porte qui la séparait de la liberté, elle frappa de ses mains contre le lourd vantail de mélèze renforcé d'épaisses barres de fer. Elle la griffa de ses ongles. Elle hurla « Non ! Je vous en supplie ! », tandis qu'on s'emparait d'elle.

Les deux gardes la ramenèrent au centre de la salle.

Le bourreau s'approcha. « Si tu t'y opposes, ils t'arracheront tes vêtements, fit-il de sa voix calme, raisonnable. Et quand nous aurons fini, que tu pourras te rhabiller, tu n'auras plus que des vêtements déchirés. Ce sera comme si tu étais toujours nue.

— Je vous en supplie…

— Laisse-les te déshabiller », dit le bourreau.

Alors Giuditta baissa les bras. Pendant que les mains des gardes délaçaient son corset, elle pencha la tête un instant et ses joues furent sillonnées de grosses larmes chaudes et lourdes.

« Par où voulez-vous commencer, *Inquisitor* ? »

Le Saint désigna le pubis.

« Mettez-la sur la table », ordonna le bourreau.

Les deux soldats prirent Giuditta et la hissèrent sur une table en bois munie d'anneaux de fer. Ils lui bloquèrent les poignets au-dessus de la tête, bras tendus. Puis ils lui saisirent les chevilles et les fixèrent.

Le bourreau vint près de la table. Il referma autour de la taille de Giuditta un grand cercle de métal froid qui l'immobilisa. Puis il actionna un levier. La table, dans sa partie inférieure, commença de se diviser en deux. Quand le bourreau bloqua le levier, Giuditta avait les jambes écartées.

Le bourreau lui montra le rasoir. « Si tu ne bouges pas, je ne te couperai pas. »

Puis il se plaça entre les jambes de Giuditta, lui versa sur le pubis une carafe d'eau et de savon, frictionna les poils sans insister, et enfin commença à la raser.

Giuditta ferma les yeux, retenant les cris de désespoir qui voulaient sortir de sa bouche.

Quand le bourreau eut terminé, il versa entre ses jambes, pour la rincer, une carafe d'eau glacée.

« Elle est prête », dit-il en s'adressant au Saint.

Frère Amadeo s'approcha. Il fixait la fleur de chair douce et nue que Giuditta avait entre les jambes, comme toutes les femmes. Il se savait né de quelque chose qui ressemblait à ça. Sa mère avait à peu près l'âge de cette Juive quand elle l'avait mis au monde. C'était cette excroissance charnue, comme une bouche abjecte, qui avait attiré hors du couvent son père, le frère Reginaldo da Cortona, de l'ordre des Frères prêcheurs, moine herboriste. Et l'avait corrompu. Damné.

Il pointa le doigt vers le vagin de Giuditta. « Pinces », dit-il.

Le bourreau le regarda. « À quoi bon ? Si vous ne voulez pas la toucher, je peux le faire moi-même avec les mains.

— Pinces ! hurla presque le Saint. Cette sorcière m'a échappé trop souvent pour que je puisse me fier à tes mains.

— Elle ne risque plus de s'échapper », dit le bourreau.

Frère Amadeo vint tout près de lui. Il mesurait presque deux paumes de moins que lui. Mais ses yeux bleus, petits comme des têtes d'épingle, brûlaient. « Pinces », répéta-t-il doucement.

Le bourreau alla jusqu'au mur où ses instruments étaient accrochés. Il prit des pinces de fer, longues, à pointe plate.

Giuditta le vit s'approcher. Terrorisée, elle ferma les yeux. S'ordonna de penser à autre chose. Elle vit son père, avec cette figure de vieil homme. Elle vit le visage d'Ottavia, qui reflétait sa propre peur. Mais quand elle essaya de penser à Mercurio, en revanche, elle ne put imaginer le beau visage aimé. Il avait disparu de sa mémoire. "Dis-le à Mercurio", avait-elle demandé à son père. Parce qu'elle était sienne et ne voulait pas mourir sans qu'il le sache. Mais alors, pourquoi n'arrivait-elle pas à imaginer ses yeux verts et rieurs ? Et ses belles lèvres qu'elle ·avait si souvent embrassées ?

« Allez, dépêche-toi », dit le Saint.

Giuditta ouvrit les yeux. Elle vit le bourreau s'agenouiller entre ses jambes. Et le frère s'approcher, une chandelle à la main.

Puis elle sentit quelque chose de froid saisir sa peau et tirer pour l'écarter.

« Ouvre plus », dit le Saint.

Le bourreau serra les pinces et élargit encore.

Giuditta se mordit la lèvre inférieure jusqu'à ce qu'elle sente la chair céder et le sang couler dans sa bouche.

« Tu vas la brûler, *Inquisitor*, dit le bourreau.

— Occupe-toi de ton travail, répondit frère Amadeo. Dieu en personne guide mes mains ! »

Giuditta sentit la flamme de la chandelle lui brûler la chair. Elle hurla et s'agita en tous sens. L'anneau qui lui ceinturait la taille lui déchira la peau.

« Il n'y a pas de signe, observa le bourreau.

— Que sais-tu des malices du démon, imbécile ? fit le Saint. Ça, par exemple, tu crois que c'est un simple grain de beauté ? Non ! C'est un baiser de Satan. »

Giuditta sentit de nouveau la flamme de la chandelle sur sa chair. Elle hurla. « Je vous en supplie… je vous en supplie… », et elle pleurait.

« Entends-tu comme cette sorcière sait imiter la voix de l'innocence ? dit le Saint dans un petit rire. On y croirait presque, non ? »

Le bourreau ne répondit pas.

« Chauffe les pinces, ordonna frère Amadeo.

— *Inquisitor*… tu as vu ce qu'il y avait à voir…, fit le bourreau.

— Chauffe-les, répéta le Saint. Et aussi les tenailles pour les seins. Je ferai avouer cette sorcière. J'extirperai la souillure de son corps et de son âme. »

Le bourreau alla vers le brasier. Il y plongea les pinces. Puis il prit sur le mur des tenailles tordues, qui ressemblaient à celles des arracheurs de dents, et les mit à rougir elles aussi dans la braise.

« Coupe les cheveux et les poils des aisselles, dit le Saint. Ensuite, prépare le clystère bouillant et l'écarteur pour l'inspection anale. »

Le bourreau resta un instant immobile, comme s'il allait se rebeller. Puis il se mit au travail.

Pendant ce temps, frère Amadeo s'était approché de l'oreille de Giuditta. « Je te coulerai du plomb fondu dans le corps si tu ne confesses pas tes méfaits, chuchota-t-il. Dans chacun des orifices que Satan a violés. » Il sourit. « Et nous verrons si ton maître vient te sauver. Nous verrons si cela valait la peine que tu lui vendes ton âme.

— Je vous en supplie… je vous en supplie, pleurait Giuditta, incapable de dire rien d'autre. Je vous en supplie… »

Le bourreau s'approcha d'elle, avec le rasoir et un broc d'eau et de savon. Il en versa un peu sur une aisselle, puis la rasa. Il passa à l'autre aisselle. La rasa également. Enfin il lui savonna les cheveux. Il venait de poser le rasoir au sommet de son front quand la porte de la salle des tortures vibra et s'ouvrit.

« Qui ose nous déranger ? », tonna frère Amadeo.

Quatre gardes de la Sérénissime entrèrent et se disposèrent de part et d'autre de la porte. Aussitôt après, un prélat fit son entrée, vêtu d'une soutane noire en apparence modeste mais au tissu moiré. Derrière le prélat s'avança, soutenue par deux clercs tonsurés de frais, la silhouette malingre et charismatique d'un vieil homme coiffé d'une barrette d'où pendait un pompon et tenant à la main une crosse pastorale en or.

« Son Excellence le Patriarche de Venise, Antonio II Contarini », annonça le prélat en noir.

Le bourreau baissa aussitôt la tête. Les deux gardes qui avaient amené Giuditta aussi.

Le Saint courut vers la suprême autorité ecclésiastique de Venise et se jeta à ses pieds en essayant de lui prendre la main pour baiser son anneau.

Le patriarche l'éloigna d'un geste agacé. « Baise-moi sans me toucher, dit-il d'une petite voix légèrement aiguë mais pleine de force. Tes mains me dérangent. »

Le Saint approcha ses lèvres de l'anneau, qu'il baisa sans retenir la main gantée.

« Je vois que j'arrive juste à temps », dit le patriarche en lançant un rapide regard à Giuditta, attachée nue sur la table, et aux instruments mis à rougir dans le brasier. « Éteins tes feux, bourreau, ajouta-t-il.

— Mais… votre Sainteté… », commença frère Amadeo.

Le patriarche le foudroya d'un regard sévère. « Ne te permets pas de m'interrompre. » Il arqua un sourcil. « Quoi qu'il en soit, il paraît que de nous deux, c'est toi le saint. » Il se tourna vers le prélat en noir, riant avec lui. « Siège », ordonna-t-il.

Les deux clercs prirent une chaise et l'aidèrent à s'y installer.

Le patriarche soupira, fatigué. Il porta deux doigts à la racine de son nez qu'il serra, comme pour chasser un mal de tête.

Le prélat approcha une fiole qu'il déboucha.

Le patriarche la renifla. Puis il toussa et sembla mieux. Il remercia d'un signe de tête. « Rome veut depuis longtemps un procès public, même si cela contredit nos règles, dit-il alors, afin d'affirmer et de célébrer l'autorité de l'Église à Venise également, où elle s'estime l'otage du pouvoir temporel du doge et de la politique de notre Sérénissime République de Saint-Marc. » Il fit une grimace. À l'évidence, en tant que noble citoyen de Venise, fidèle à l'idéal d'indépendance de la ville, il ne pouvait trouver agréable cet ordre du chef suprême de l'Église. Mais en tant que serviteur de Dieu, il était contraint d'y obéir. « Donc *fiat voluntas Dei*. » Il regarda le Saint. « Que peut-il y avoir de mieux que ce cas scabreux d'une Juive dont les robes ont ensorcelé les dames de Venise et leur ont volé leur âme ? C'est une affaire dont on parlera partout, qui rencontrera un écho auprès du petit peuple, qui passionnera les chantres et les poètes. Ainsi l'Église… l'Église… – répéta-t-il, emphatique – sauvera les citoyens de la Sérénissime. Ai-je dit les choses comme elles se présentent, Saint ?

— Absolument, Patriarche, dit frère Amadeo en s'inclinant.

— Alors, *Inquisitor*, reprit le patriarche, ne la tue pas avant le procès…

— Non, Patriarche, je…

— Ne m'interromps pas ! »

Le Saint s'agenouilla humblement.

« Ne la tue pas et ne la présente pas au tribunal comme une martyre. Ne la mets pas dans un état si pitoyable qu'elle pourrait susciter de la compassion. As-tu compris ? Nous devons agir autrement que pour un procès à huis clos. Nous devons utiliser l'intelligence que Dieu nous a accordée.

— Oui, Patriarche.

— Je veux qu'elle soit belle. Rappelle-toi, *Inquisitor*, que le mal est toujours séduisant. As-tu entendu parler d'un diable qui offrirait de la merde ? »

Le frère ne répondit pas.

« Dois-je te reposer la question ? dit le patriarche.

— Non.

— Le diable n'offre jamais de la merde, est-ce juste ?

— Absolument juste.

— Il offre le pouvoir, la richesse, la beauté, n'est-il pas vrai ?

— Absolument vrai.

— Et s'il ne semble pas que cette fille ait obtenu le pouvoir, la richesse et la beauté… qui croira qu'elle a fait un pacte avec le diable ?

— Personne.

— Absolument personne, devrais-tu dire. »

Le prélat vêtu de noir se mit à rire.

« Absolument personne, dit le Saint.

— Tu ne m'as été indiqué comme *Inquisitor* que parce que le peuple de Venise te connaît. Tu as acquis une sorte de célébrité grâce à ces… (le patriarche fit une grimace) à ces trous dans tes mains », dit-il pour ne pas les appeler stigmates. Il le regarda, presque avec mépris. Il était évident que le Saint ne lui plaisait pas. « Seras-tu capable de tenir un procès ? lui demanda-t-il alors. Ou vaut-il mieux que je me cherche un autre paladin ?

— Accordez-moi cette chance, patriarche. Je ne vous décevrai pas. Je poursuis cette Juive depuis près d'un an, dit le Saint en s'animant.

— N'en fais pas une affaire personnelle, l'avertit le patriarche. Tu travailles pour moi, qui travaille pour le compte de Sa Sainteté, qui travaille pour la plus grande gloire de Notre-Seigneur.

— Je suis votre humble serviteur, dit frère Amadeo.

814

— Alors, approche-toi. »

Le Saint se releva et approcha son oreille de la bouche du patriarche.

« Une des accusatrices de la Juive est une femme de mauvaise vie, chuchota le patriarche. Le malheur veut que mon pauvre fou de neveu Rinaldo en soit l'amant… Comme tu le sais d'ailleurs très bien, puisque tu te nourris toi aussi de la démence du prince, m'a-t-on dit. »

Frère Amadeo rougit.

« Ne rougis pas comme une pucelle, Saint, dit le patriarche d'une voix glaciale. Là où il y a de la chair en décomposition, il y a toujours des vers et des parasites. » Le patriarche saisit l'oreille du Saint et l'attira plus près encore. « Ce qui m'importe, c'est que le nom de ma famille ne soit associé ni à cette femme ni à ce procès. Du moins, pas officiellement. C'est pourquoi, avant de faire déposer cette putain qui vit avec mon neveu dans le petit palais Contarini, tu l'instruiras comme il se doit. Si le nom de mon neveu n'est pas prononcé, tu auras une récompense. Si en revanche il devait apparaître, explique à cette femme que les braises sont vite allumées sous les fers de notre bourreau. »

Le Saint recula d'un pas. Il acquiesça. « N'ayez crainte. »

Le patriarche fit un signe aux deux clercs. Ils s'approchèrent aussitôt pour l'aider à se lever. Puis ils le soutinrent tandis qu'il faisait demi-tour, sans un seul regard pour Giuditta attachée à la table de torture. Arrivé près de la porte, il se retourna vers le frère, qui l'avait escorté en marchant de biais, courbé en deux. « Les gens de Venise te connaissent. C'est la seule raison pour laquelle cette occasion t'est offerte, malgré ton inexpérience en matière d'inquisition. Je te le redis. Tâche de ne pas l'oublier.

— Je ne l'oublierai pas…

— As-tu lu le livre que je t'ai fait porter ?

— Le *Malleus Maleficarum* ? Bien sûr, Patriarche. C'est un manuel… étonnant, répondit le Saint.

— Tiens-t'en à ces procédures. Apprends-le par cœur. Et cite toujours l'*Approbatio* de la commission des théologiens allemands de Cologne : il faut faire comprendre que l'Église accepte le manuel », dit le patriarche, sachant bien que l'introduction était un simple faux qui ne servait qu'à donner à ce manuel l'*imprimatur* d'une œuvre théologiquement incontestable.

« Je le ferai. Vous pouvez avoir confiance.

— Ne me déçois pas, frère.

— Je ne vous décevrai pas », fit le Saint en levant les mains vers le patriarche.

Celui-ci fixa les stigmates sans se troubler. « Ne fais pas trop le bouffon avec ces trous au tribunal, dit-il avec un profond mépris. Tu n'es pas le jongleur de Dieu. » Puis il s'en alla.

Alors le frère se tourna vers le bourreau. « Détache-la, ordonna-t-il. Tu connais une prostituée ? »

Le bourreau eut une expression étonnée et ne sut que répondre.

« Trouve une prostituée, dit le Saint. Dis-lui de prendre soin de la Juive avec ses baumes, ses onguents et ses huiles. Je veux qu'elle soit lavée, peignée, parfumée. Elle doit transformer la sorcière en une catin excitante. » Il s'approcha de Giuditta qui s'agitait sur la table, nue et humiliée. « Nous devons la faire apparaître pour ce qu'elle est », murmura-t-il en la regardant droit dans les yeux. Il se baissa vers elle, frôlant son visage avec sa bouche, comme un amant qui se livrerait à un rituel raffiné et pervers. « La putain du diable. »

Alors, Giuditta eut vraiment peur.

79

Les gardes du palais des Doges, commandant en tête, firent irruption dans l'hôpital.

« Où est le garçon qui répond au nom de Mercurio ? », demanda le commandant, dont le nez était tuméfié.

Isacco, Anna, le capitaine Lanzafame, les prostituées guéries et celles qui étaient couchées dans leur lit se tournèrent vers eux. Les jeunes soldats mutilés qui venaient chaque jour aider Isacco vinrent aussi à leur rencontre, certains avec des béquilles. Tous regardaient les militaires, l'air surpris de cette intrusion.

À vrai dire, les gardes étaient arrivés quelques instants plus tôt dans des embarcations si voyantes et si bruyantes que n'importe qui, à des lieues alentour, les aurait remarquées quand elles avaient accosté dans le canal devant la maison d'Anna.

Lanzafame fit un pas vers le commandant. « Qui avez-vous demandé ? dit-il, feignant l'étonnement.

— Il s'appelle Mercurio, je n'en sais pas plus.

— Qu'est-ce qu'il a fait ? demanda Anna en s'approchant.

— Ça ne te concerne pas, femme », répondit le commandant.

Isacco et quelques prostituées se regroupèrent également autour des gardes. Tous regardaient son nez.

« Alors ? Répondez, ou vous serez considérés comme ses complices. Je sais qu'il habite ici.

— Vous avez raison et tort à la fois, répondit le capitaine. C'est plus ou moins un vagabond. Parfois il est ici, parfois non. En ce moment, par exemple, il n'est pas là. Et nous n'avons aucune idée de l'endroit où il pourrait être.

— Vous le protégez ? dit le commandant.

— Vérifiez par vous-mêmes.

— Oui, vérifiez, dit Isacco. Mais je vous conseille de ne toucher à rien. » Il désigna les prostituées dans leur lit. « Elles sont contagieuses. »

Les soldats se regardèrent, mal à l'aise. Ils fixèrent les prostituées rongées de plaies.

« Si vous voyez ce criminel, vous avez le devoir de le signaler aux autorités, dit le commandant. Il est recherché, et quiconque lui donne l'hospitalité ou le cache est son complice, et un ennemi de la République. »

Tous le regardèrent en silence, sans acquiescer. Au bout d'un instant, le commandant et ses gardes regagnèrent l'entrée de l'hôpital aussi bruyamment qu'ils étaient entrés.

Lidia, la fille de République, les suivit jusqu'à leurs embarcations. Puis elle rebroussa chemin et annonça : « Ils sont partis.

— Tu peux sortir », dit alors Scarabello.

Mercurio sortit de sa cachette sous le lit de ce dernier. Il était pâle. Les traits de son visage étaient tirés.

« Tu l'as bien arrangé, dit Lanzafame en riant. Il a le nez cassé. »

Mercurio hocha la tête distraitement. Depuis qu'Isacco lui avait dit que Giuditta l'aimait encore, il n'avait cessé d'y penser. Pourquoi avait-elle voulu mettre fin à leur liaison ? La question le taraudait. Mais il y avait plus urgent. Une angoisse, une panique incontrôlable le secouait : allait-il pouvoir la sauver ?

« Alors ? », demanda-t-il à Scarabello, presque à bout de souffle.

Scarabello lui jeta un regard éteint. « Quoi ?

— Tu peux l'aider, oui ou non ? lui répéta Mercurio, qui lui avait déjà posé cette question avant que les gardes n'arrivent.

— Tu ne peux pas rester ici, dit Anna, préoccupée, en s'approchant du lit. Tu dois te cacher. Tu as entendu ? Tu es recherché.

— Oui, d'accord, on y pensera », la coupa Mercurio, qui cherchait sa respiration. Il se tourna de nouveau vers Scarabello, tendu par une urgence que dictait la panique. « Réponds : tu peux aider Giuditta ?

— Comment je… pourrais ? », dit Scarabello en hochant la tête.

Mercurio s'assit sur le bord du lit. « Et cet homme puissant que tu connais ? Celui qui siège tellement haut que si je m'asseyais à côté j'en aurais le vertige ? Tu te rappelles ? »

Scarabello tendit la main et saisit un pan de la veste de Mercurio, si faiblement qu'il avait du mal à retenir la mince épaisseur de lin entre ses doigts. « Pourquoi tu me parles comme à un débile, mon gars ? Je comprends… pour l'instant je comprends.

— Alors réponds, insista Mercurio.

— Ta Giuditta… elle est foutue, souffla Scarabello.

— Non !

— Si, mon gars. Si elle avait volé la bague… du doge en personne… l'homme qui siège en haut du Grand Conseil… aurait pu intervenir. » Scarabello s'interrompit, à bout de souffle. « Mais cette histoire… c'est une histoire d'Église. La Sainte Inquisition… ne relève pas du gouvernement de la Sérénissime… mais directement du pape, à Rome. Tu vois ?

— Non. Il doit y avoir quelque chose qu'on… »

Scarabello essaya de rire mais le souffle lui manqua, tandis qu'il levait le bras pour l'interrompre. « Elle n'a même pas droit à un défenseur. Tu sais ce qu'on dit ? La sorcière, elle est déjà grillée avant même qu'on lui mette le feu… » Il regarda Mercurio et vit le désespoir dans ses yeux.

Mercurio lui prit la main. « Je t'en supplie, aide-moi… »

Scarabello eut de la peine pour lui. La vie de Giuditta ne valait plus un marquet, maintenant. Tous, dans cette salle, le savaient. Même son père. Et ce garçon voulait changer un destin déjà écrit. Il était prêt à prendre sur ses jeunes épaules cette responsabilité. Alors il sentit qu'il ne pouvait pas le décevoir. « Peut-être… »

Mercurio serra plus fort sa main.

Scarabello regarda du côté d'Anna, qui était restée près d'eux. Cette femme le méprisait. Et il pouvait le comprendre.

« Laisse-nous seuls », dit Mercurio à Anna, pensant que le coup d'œil de Scarabello signifiait qu'il voulait lui confier un secret.

Anna déplaça son regard sur Scarabello. Et hocha lentement la tête. Elle ne voulait pas que ce criminel mette la vie de Mercurio en danger. Mais elle ne trouva pas la force de répondre. Elle tourna le dos et s'en alla.

« Peut-être… qu'il pourrait y avoir une occasion qui lui permettrait de s'évader… mais c'est très difficile.

— Comment ?

— Je ne sais pas… pour l'instant je ne sais pas… » Scarabello respirait avec difficulté, tout en cherchant comment donner espoir à Mercurio. « Le point faible, c'est le trajet entre les prisons et le lieu du procès… Si on peut tenter quelque chose… c'est là… » Il agita un doigt en l'air. « Mais même en y arrivant… ils te retrouveraient… si tu t'échappais par la voie de terre.

— Et donc ?

— Donc répare ta caraque, mon garçon. Si tu arrives à faire sortir ta chérie de prison, il ne te reste qu'un moyen… la route de mer. Ils n'y penseront pas… Monte sur ton bateau. Et prie…

— J'ai dit à Zuan de le couler…, fit Mercurio.

— Et tu t'imagines qu'un vieux comme lui va obéir à un gamin ? dit Scarabello en souriant. Je l'ai vu. C'est une vieille tête de mule qui est marié avec sa caraque. Il ne la coulera jamais… je suis prêt à parier…

— Je n'ai pas l'argent pour…

— Mais si, tu l'as. Je te le donnerai… Je te l'ai dit…

— Je te le rendrai.

— T'es vraiment un couillon, mon garçon, fit Scarabello en riant doucement. Regarde-moi… je suis en train de crever. Tu veux le mettre dans mon cercueil ? »

Mercurio secoua la tête. « Tu vas pas mourir.

— Va trouver le vieux…

— Merci.

— Vas-y… »

822

Mercurio se précipita vers la porte de l'étable, et Scarabello le suivit du regard. Il n'arriverait jamais à faire évader la fille du docteur. C'était une folie. Et cette histoire de bateau, une connerie. Mais au moins ça l'occuperait. Ce garçon lui avait toujours plu. Il aurait aimé l'aider. Même s'il ne pouvait lui donner qu'un frêle espoir. C'était déjà quelque chose, se dit-il. Depuis qu'il était dans ce lit, il avait compris que l'espoir est un bien précieux.

Mercurio alla trouver Isacco et Lanzafame près de l'abreuvoir.

« Capitaine, pourriez-vous obtenir qu'on vous confie la mission d'escorter Giuditta entre les prisons et le lieu du procès ? »

Lanzafame le regarda, surpris.

Isacco aussi se tourna vers lui, attentif. « À quoi penses-tu ? lui demanda-t-il.

— Vous pourriez vous faire confier la garde ? », répéta Mercurio à Lanzafame.

Le capitaine hocha la tête. « Et comment ? Ce sont des ordres qui viennent d'en haut, et…

— D'accord, le coupa Mercurio. Mais si je réussissais à vous faire confier la mission et qu'ensuite… quelqu'un fasse échapper Giuditta… vous la tueriez ? »

Lanzafame se tourna vers Isacco. Puis de nouveau vers Mercurio. « Comment peux-tu penser que je ferais une chose pareille, mon garçon ?

— Tu veux l'aider à s'enfuir, dit le docteur, la voix vibrante d'émotion.

— Vous n'essaieriez pas, vous ? », dit Mercurio.

Il y avait de la peur dans ses yeux, pensa Isacco. Mais aussi du courage.

Mercurio revint au pas de course jusqu'au lit de Scarabello. « Combien tu peux demander de faveurs à ton homme puissant ?

— Tant que je suis vivant… crédit illimité…

— J'en ai une, pour commencer. »

Isacco et Lanzafame les rejoignirent et se mirent autour du lit. On aurait dit qu'ils retenaient leur souffle.

« De quoi il s'agit ? demanda Scarabello.

— L'escorte de la prisonnière », dit Mercurio.

Scarabello réfléchit en silence. « Oui… je crois que ça peut se faire… » Il se tourna vers Lanzafame. « Mais vous risquez de rater ma mort, capitaine… »

Lanzafame le fixa. Quelque chose dans son regard avait changé. Et il fronça imperceptiblement la lèvre, comme pour retenir un sourire. « Je prends le risque.

— Que Dieu nous protège, dit Isacco, dont les yeux se mouillaient. Que Dieu nous protège et veille sur Giuditta. »

Mercurio s'adressa à Scarabello : « J'envoie le borgne ?

— Non. C'est toi qui devras aller lui parler. »

Mercurio porta la main à sa poitrine, comme pour ralentir sa respiration angoissée. « D'accord.

— Approche-toi », lui dit Scarabello, et dès que Mercurio se fut penché il murmura à son oreille. « Cet homme-là, des types comme le borgne, il s'en mange un à chaque petit déjeuner. Quand il te recevra, tu dois le regarder droit dans les yeux et lui faire comprendre qu'il n'est pas mieux que toi. Alors, il t'écoutera.

— J'essaierai…

— Et il vaudrait mieux… tout lui demander en même temps… Alors, si d'autres faveurs te viennent à l'esprit…

« — D'accord.

— Attends… » Scarabello prit Mercurio par la main. Il se tourna vers Isacco et Lanzafame. « Laissez-nous seuls, s'il vous plaît… »

Le docteur et le capitaine s'éloignèrent.

Scarabello ouvrit sa chemise. Il attrapa une chaîne d'or autour de son cou et essaya de l'arracher. Mais il était trop faible. Ses doigts couverts de plaies lâchèrent prise, les anneaux tintèrent. Il haleta, épuisé, et fit signe à Mercurio de l'aider.

Mercurio lui ôta la chaîne avec délicatesse. Une longue mèche de cheveux blancs y resta accrochée. Mercurio l'ôta rapidement, espérant que Scarabello ne l'avait pas vue.

« Montre-lui ça… montre-la à Jacopo… Giusti-niani… » Scarabello désigna le sceau accroché à la chaîne. « C'est comme ça qu'il s'appelle… mais ne dis son nom à personne… tu dois… » Il ferma un peu les yeux, comme s'il cherchait le mot juste. « Tu dois… le protéger…

— D'accord », dit Mercurio. Il baissa les yeux sur le sceau en or, orné d'une cornaline sur laquelle était gravé un aigle à deux têtes aux ailes déployées.

« Si je meurs avant… le sceau servira à lui faire croire pendant quelque temps que je suis encore vivant…

— Tu vas pas mourir.

— On meurt tous… un jour ou l'autre. »

Mercurio quitta Mestre, un poids sur le cœur. Tout reposait désormais sur lui. Il fallait qu'il y arrive, qu'il sauve Giuditta.

Il se fit comme d'habitude déposer par Tonio et Berto sur la riva di Santa Giustina, au croisement avec le rio di Fontego. Personne ne devait connaître l'existence de la caraque, surtout maintenant.

Alors qu'il marchait d'un pas vif sur la *fondamenta*, il entendit un roulement de tambour sur le *campo* voisin. Il y vit une petite foule qui se rassemblait autour d'un crieur public.

« Dimanche, jour du Seigneur, par la volonté de notre patriarche Antonio II Contarini, déclamait l'homme d'une voix de stentor, sur la Piazzetta de Saint-Marc près du quai du palais des Doges, en présence des autorités de notre Sérénissime République de Venise, la Sainte Inquisition romaine donnera publiquement lecture et compte-rendu des accusations portées contre Giuditta da Negroponte, sorcière et juive. »

La foule applaudit.

Mercurio comprit qu'il restait peu de temps. Le bûcher se préparait.

Les autres avaient peut-être raison. Giuditta était fichue. Mais Mercurio ne pouvait ni ne voulait abdiquer.

Il atteignit le squero de Zuan dell'Olmo. Il retenait son souffle, en tournant au coin. Il cria : « Où t'es, vieux ? »

Mosè l'accueillit en aboyant de joie.

« Tu ne l'as pas coulée ! dit-il à Zuan quand celui-ci apparut.

— Non, mon gars. Et je ne veux plus de ton argent. Je ne te le vends plus, mon bateau. Je n'ai que faire de tes pièces d'or, je préfère rester ici pourrir avec lui… »

Mercurio éclata de rire et l'étreignit avec un excès d'enthousiasme. Les choses commençaient peut-être à tourner comme il fallait. « Je t'adore, Zuan !

— Diable, qu'est-ce que tu fais, mon gars ? dit le vieil homme, gêné et agacé par ces embrassades dont il voulait se dégager.

— Tu ne dois pas le couler. Tu dois le réparer.

— T'es vraiment con, mon garçon, fit Zuan en pointant le doigt vers lui. Je l'ai compris tout de suite, que t'étais con.

— Il faut que tu le remettes en état. Et vite.

— Comment ça, vite ? Et avec quel argent ?

— Une semaine…

— Une semaine ? Tu vois bien que t'es c…

— Une semaine », le coupa Mercurio. Il avait le regard déterminé. Il serra sa main sur l'épaule osseuse du vieil homme. « C'est une question de vie ou de mort. »

Zuan devint attentif.

« Une fois, j'étais à l'Arsenal. En une journée ils ont construit un vaisseau à partir de rien », fit Mercurio. Il désigna le bateau. « Dans une semaine, la caraque doit être à flot. Et pour l'argent, ne t'en fais pas. »

Zuan hochait la tête pendant que Mosè aboyait, tout excité. « Tais-toi, couillon ! », lui dit le vieux. Mosè aboya encore plus fort, en remuant la queue.

« Et préparez-vous à partir. Tous les deux », dit Mercurio en montrant le chien.

« Je le disais bien que t'étais con. Un con intégral… » Il agita les bras en l'air. « Il faut un équipage pour gouverner un vaisseau, tu y as jamais pensé ?

— Alors trouves-en un ! Moi, j'ai deux *bonevoglie*, ça pourra aller ?

— Il faut au moins vingt hommes, putain !

— Donc il ne t'en reste plus que dix-huit à trouver, mon vieux. » Il le fixa.

« Je ne plaisante pas. Tu dois me croire. »

Zuan leva les mains en signe de renoncement. Dans ses yeux, une lueur de gaieté.

Mercurio le saisit aux épaules. « Regarde-moi », lui dit-il sérieusement.

Mosè jappa puis s'assit, bien sage.

« J'ai besoin de toi, mon vieux. Ne me trahis pas.

— Non… », murmura Zuan. Et tandis que Mercurio disparaissait rapidement, il essuya une larme d'émotion et tenta de donner un coup de pied à Mosè qui l'esquiva et se mit à sautiller autour de lui, tout content. « Grand couillon, tu peux bien rire de ce pauvre vieil imbécile ! Cette fois, on va bien voir comment tu tiens la mer… »

Au loin résonnaient les tambours de l'Inquisition.

80

La piazza San Marco était envahie de lumière. Un soleil impitoyable, féroce. Les gens marchaient, haletant sous la chaleur, à l'ombre des arcades des Paratie Nuove qu'on venait de reconstruire.

L'été s'était abattu sur Venise comme une maladie. L'air était irrespirable, le ciel gris pâle était bas, d'une luminescence indéfinissable, surnaturelle. Les petits canaux étaient déjà à sec. La boue emprisonnait les poissons-chats, et là où elle était sèche, on voyait les traces laissées par les rats. L'eau immobile sentait plus que jamais la pourriture. Les excréments, liquides et solides, humains et animaux, fermentaient vite, courtisés par des volées de mouches. Les cadavres de pigeons, de rongeurs, de mouettes, de chats et même de chevaux se décomposaient rapidement, laissant voir à ciel ouvert les larves qui y grouillaient.

Benedetta était en nage mais marchait d'un bon pas. Elle avait dans une main un mouchoir brodé de précieuse dentelle de Burano, et dans l'autre un laissez-passer que bien peu, en cette période, auraient pu obtenir.

Tout en marchant parmi les gens, elle regarda derrière elle. Elle avait l'impression qu'on la suivait.

Depuis qu'elle était sortie du palais Contarini, il lui semblait avoir entendu des pas, dans les *calli* désertes, qui se calquaient sur les siens, s'arrêtant en même temps qu'elle. Peut-être le prince avait-il collé un serviteur à ses basques. C'était dans sa nature de vouloir tout contrôler. Ces derniers jours, d'ailleurs, il lui avait demandé plusieurs fois où elle était allée. Peut-être le serviteur qui l'avait amenée à Mestre avait-il parlé. Une heure plus tôt, elle était donc sortie seule, sans demander à un domestique de l'accompagner. Et pour se rendre à Saint-Marc, elle avait suivi un trajet plein de détours.

De nouveau, elle se retourna brusquement. Mais ne vit personne. Sortant des Paratie Nuove, elle traversa la place en longeant la basilique jusqu'au campanile, au pied duquel étaient installées des boutiques de marchands de bois. Devant la dernière boutique, une équipe d'hommes empilait des bûches. Benedetta était arrivée au palais des Doges. Elle sentit monter son excitation, en même temps qu'une sensation d'insécurité et d'énervement, sans doute à cause de cette chaleur exceptionnelle.

Elle s'arrêta à l'ombre de l'avant-toit d'une boutique. Par terre, un tapis de copeaux de bois ; dans l'air l'odeur de la résine fraîche. Benedetta essuya son front avec son mouchoir. Puis elle tamponna son décolleté et alla jusqu'à ses aisselles, sous sa robe. Elle respira à fond. S'imposa de se calmer. Détendit ses traits en cherchant à se donner un air détaché et, quand elle se sentit prête, reprit sa marche.

Les mouettes, dans le ciel, lançaient des rires aigus et se massaient sur les pilotis du quai sur le Grand Canal.

Benedetta remarqua que les deux gardes du palais des Doges s'étaient tournés vers elle. Elle sentit la sueur couler le long de son dos et entre ses jambes. Elle ne ralentit pas et ne baissa pas les yeux. Quand elle fut devant eux, sans un mot, d'un geste altier et sans emphase, comme une pratique à laquelle son rang l'avait habituée, elle leur remit le laissez-passer.

Le garde le plus ancien brisa le sceau et lut. Le document était signé par le Saint, l'*Inquisitor*, et contresigné par le prince Rinaldo Contarini. L'homme s'inclina légèrement devant Benedetta, jeta un regard alentour et lui demanda, étonné : « Vous n'avez pas de serviteurs ? »

Elle le fixa d'un regard glacial et répondit : « Je préfère ne pas donner de relief à cette visite. »

Le garde s'inclina de nouveau, puis s'adressa à son collègue : « Accompagne Sa Seigneurie auprès de la Juive. »

L'autre s'inclina à son tour et se dirigea vers la *loggia* des prisonniers.

Benedetta se retourna vers les arcades. La sensation d'être suivie ne l'avait pas quittée. Mais là encore elle ne vit personne de suspect.

Elle rejoignit le garde qui l'attendait à l'entrée des prisons.

Quand elle pénétra dans les boyaux sombres et humides, elle sentit sa sueur se glacer. Elle frissonna. Ils passèrent devant les cellules communes, d'où arrivaient des gémissements et des prières, et d'où provenaient des odeurs pestilentielles. Ils dépassèrent un couloir ouvrant sur des cellules individuelles et arrivèrent au fond, devant une grande porte ancienne en noyer renforcée de traverses de fer forgé. Le garde fit signe à un de ses collègues qui avait un gros trousseau de clés à la ceinture.

Enfin la porte s'ouvrit.

« Restez dehors, dit Benedetta.

— À vos ordres, Votre Seigneurie », répondit aussitôt le garde en lui tendant une lampe à huile. Faites attention, le sol est sûrement glissant. Les prisonniers se pissent dessus. »

L'autre garde renifla à l'entrée de la cellule et rit. Puis il s'écarta.

Benedetta prit la lampe et l'éleva devant elle. L'obscurité était impénétrable. L'odeur forte. Mais pas une odeur d'urine. Elle se dit que c'était l'odeur de la peur. Et se rendit compte qu'elle était impressionnée de franchir ce seuil.

« Elle est… attachée ? demanda-t-elle.

— Elle ne peut rien vous faire, Votre Seigneurie. Soyez tranquille », répondit le gardien de la prison.

Benedetta prit une longue inspiration et entra.

Derrière elle, les deux soldats ricanèrent.

La lampe répandait autour d'elle un faible halo, n'éclairant qu'à quelques pas. Benedetta vit que le sol était fait de grosses dalles de pierre grossièrement travaillées, polies par le temps. Les murs étaient de brique rouge, avec un plafond voûté et de grosses poutres traversières. Une première série de poutres courait parallèlement au sol à quelques pieds de hauteur, et une seconde série à moins d'une perche. Sur les poutres étaient fixés de gros anneaux, des chaînes, des jougs.

Benedetta avança doucement. L'odeur de saleté et d'humeurs corporelles augmentait. Quand, baissant la lampe à la hauteur de ses genoux, elle vit soudain se matérialiser devant elle le visage de Giuditta, elle fit un bond en arrière, effrayée. Reprenant le contrôle de sa respiration, elle continua de s'approcher.

Giuditta cligna des paupières, comme si cette faible lueur l'aveuglait. Elle tourna la tête.

Benedetta s'approcha plus près. Elle la regarda dans les yeux, sans parler, attendant que l'autre la reconnaisse. Puis son regard descendit le long du corps de Giuditta. Elle était recroquevillée sur le sol, et portait une petite robe sale et chiffonnée. À mesure que la lueur de la lampe poursuivait son exploration, Giuditta se pelotonnait contre le mur. En bougeant, elle laissa apparaître un genou écorché. Benedetta vit que ses chevilles étaient emprisonnées dans deux gros anneaux rouillés. Un cercle de fer, avec une chaîne courte, était passé autour de sa taille, l'obligeant à rester assise sur le sol. Ses poignets aussi étaient enchaînés et meurtris. Son visage était sale. Elle avait un regard d'animal en cage.

Depuis trois jours, elle vivait dans cette obscurité ; il ne semblait pas y avoir de fenêtre. L'air était froid, humide et vicié. Pourtant Giuditta restait belle, pensa Benedetta avec un frisson de colère. Elle la haït de toute son âme, plus qu'elle ne la haïssait déjà, parce que même la prison ne l'avait pas vaincue. Ou pas totalement. Elle restait une digne rivale.

« Bonjour, sorcière », dit-elle.

Giuditta soutint son regard. Elle avait les yeux rougis, les joues creusées, les cheveux collés, sales, et les lèvres gercées. « Tu ne me fais… pas peur », dit-elle d'une voix rauque.

Benedetta approcha la lumière de son visage. « Je n'ai pas besoin de te faire peur. » Puis, d'un mouvement circulaire, elle éclaira la cellule. « Non, je n'en ai plus besoin. » Elle rit. Tendit la main, comme si elle allait lui faire une caresse.

Giuditta détourna son visage.

« C'est bon de te voir ainsi, murmura Benedetta.

— Qu'est-ce que tu veux ?

— Qu'est-ce que je pourrais vouloir de plus ? », dit Benedetta en souriant. Elle fit une longue pause, maintenant la lampe devant ses yeux. Oui, Giuditta était encore belle. « Je veux te voir mourir ! », dit-elle avec fureur.

Giuditta, en dépit de tous ses efforts, sentit la terreur lui planter ses griffes dans le ventre. « Pourquoi ? », dit-elle tout bas.

Benedetta la regarda sans répondre. Puis elle lui cracha à la figure, se releva et alla jusqu'à la porte de la cellule. Elle s'arrêta. « Je vais retrouver Mercurio, annonça-t-elle en cherchant le ton le plus léger possible, comme si elle parlait à une amie. Je le console. » Elle revint en arrière. « Et lui, il se laisse volontiers consoler par moi. » Elle resta debout devant Giuditta. « Je ne peux pas le saluer de ta part, tu le comprends, n'est-ce pas ? » Elle se baissa, éclairant de nouveau le visage de son ennemie, et vit qu'elle pleurait. Elle soupira, comme sous l'empire du plaisir, et s'en alla sans plus s'attarder.

Aussitôt sur la place, elle fut frappée par la violence du soleil. Elle avait presque oublié cette chaleur et cette lumière qui se reflétaient sur l'eau de la lagune en une myriade de petits pavés lumineux constamment en mouvement. Elle laissa l'air chaud emplir ses poumons puis, revigorée, se dirigea vers les *fondamente* à côté du quai du palais des Doges.

Elle fit signe à un gondolier et monta dans sa barque.

Tandis qu'elle s'éloignait dans l'embouchure du Grand Canal, elle se retourna encore pour voir si elle était suivie. Elle ne remarqua personne. Alors elle regarda les autres barques et les gondoles. Mais il y en avait des dizaines qui allaient dans toutes les directions.

Elle entendit sur sa gauche un roulement de tambour. Se tourna vers la Punta da Màr, la mince bande de terre qui séparait le Grand Canal du canal de la Giudecca, où elle vit un groupe de va-nu-pieds qui suivait un crieur public.

« Dimanche, jour du Seigneur, par la volonté de notre patriarche Antonio II Contarini, sur la Piazzetta de Saint-Marc près du palais des Doges, en présence des autorités de notre Sérénissime République de Venise, la Sainte Inquisition romaine donnera publiquement lecture et compte-rendu des accusations portées contre Giuditta da Negroponte, sorcière et juive. »

« Plus que deux jours, murmura Benedetta.

— Comment, Votre Seigneurie ? », lui demanda le gondolier.

Elle le regarda avec un sourire angélique. « Emmène-moi à Mestre, mon brave. »

Benedetta le guida jusqu'à l'étroit canal d'irrigation qui passait devant la maison d'Anna del Mercato. Elle débarqua, lui ordonnant de l'attendre. « Je ne resterai pas longtemps », dit-elle en s'éloignant.

Tandis qu'elle marchait vers la maison, toujours avec cette désagréable sensation d'être suivie, elle se retourna vivement. Elle ne vit rien, sinon un bouquet de roseaux qui bougeaient, contrairement aux autres, immobiles dans la chaleur. À une dizaine de pas derrière sa gondole.

"Arrête de t'inquiéter, se dit-elle, tu as gagné."

Elle regarda de nouveau vers les roseaux. Ils ne bougeaient plus. Un courant d'air, pensa-t-elle.

Elle arriva devant la maison. Frappa.

Une petite fille vint lui ouvrir. « Tu es malade ? », lui demanda-t-elle. Et sans attendre la réponse lui désigna la salle derrière la maison. « Va là-bas, c'est là qu'est l'hôpital.

— Malade toi-même, oiseau de mauvais augure, lui répondit Benedetta avec fougue, sentant son sang se glacer malgré la grande chaleur.

— Qui est là ?, lança une voix à l'intérieur, avant que n'apparaisse Anna del Mercato. Ah, c'est toi », fit-elle sans enthousiasme. Elle se tourna vers la petite fille. « Vas-y, Lidia. Ta maman te cherchait pour étendre les pansements à sécher. »

Lidia regarda Benedetta et s'éloigna à petits pas rapides.

Anna, elle, fixait Benedetta mais son regard n'avait rien de sa chaleur habituelle.

« Tu ne m'aimes pas, hein ? lui dit Benedetta d'un ton de défi.

— Pourquoi tu le demandes, puisque tu le sais ?

— Qu'est-ce que je t'ai fait ?

— À moi, rien.

— Alors laisse-moi tranquille. Occupe-toi de tes affaires.

— Mercurio fait partie de mes affaires, dit Anna, sérieuse.

— Ah, c'est vrai que tu es sa petite maman, sa *mammina* », ironisa Benedetta.

Anna ne répondit pas et continua de la fixer.

« Eh bien, il se trouve que je lui plais, à Mercurio.

— Tu ne plairais même pas à un serpent venimeux, répondit Anna.

— Benedetta, quelle surprise ! », s'exclama alors Mercurio qui, venant de l'hôpital, arrivait dans son dos. Il vit le regard tendu d'Anna. « Que se passe-t-il ?

— Rien, répondit celle-ci.

— Il fait une chaleur insupportable. Accompagne-moi à l'abreuvoir, je dois me rafraîchir », dit Mercurio à Benedetta.

Tandis qu'ils s'éloignaient, Benedetta toisa Anna, avec un sourire mauvais. « Va te faire foutre, *mammina* », lui dit-elle.

Mercurio, torse nu, se lavait. « Tu as entendu parler du procès ? », lui demanda-t-il. Il avait un regard inquiet.

« Quel procès ?

— Celui de Giuditta.

— Ah… Giuditta ? » Et tandis qu'elle prononçait son nom, elle se sentit presque faiblir. Elle n'arrivait pas à ôter de son esprit l'image de cette maudite Juive, belle même en prison. Elle essaya de sourire pour ne pas laisser affleurer toute sa haine, et l'incertitude qu'elle avait dans le cœur.

Mercurio était certain que Benedetta était parfaitement au courant du procès, comme tous les Vénitiens. Pourquoi avait-elle fait semblant de ne pas comprendre ? « Oui, Giuditta », dit-elle.

Elle soupira. « Pauvre petite. Quelle affreuse situation ! » Puis elle observa Mercurio. L'eau scintillait sur sa peau. Il était magnifique. « J'ai acheté une de ses robes, moi aussi… tu sais, celles qu'on dit ensorcelées.

— Et elles le sont ? demanda-t-il, attentif maintenant à ses réactions.

— Tu crois à ces bêtises ? dit Benedetta en riant.

— Et toi ? »

Benedetta serra les lèvres, comme si elle réfléchissait. « Pourquoi parlons-nous d'elle ? Ce n'est pas bon pour toi, tu ne crois pas ? Tu devrais faire une croix dessus, comme tu m'as dit que tu voulais le faire.

— Oui, tu as raison, acquiesça Mercurio.

— Tu y penses beaucoup ? », demanda-t-elle, une pointe douloureuse au cœur. Et son visage se contracta en une grimace.

"Elle est en colère", pensa Mercurio.

« Elle n'en vaut pas la peine, dit Benedetta d'une voix rauque pleine de fiel. Tu as vu comment elle s'est comportée avec toi ? Ce n'est peut-être pas une sorcière, mais en tout cas c'est une… » Elle se retint à temps. « Crois-moi, elle n'en vaut pas la peine. Ne pense plus à elle.

— Oui… tu as raison », répondit Mercurio. Il était soudain sur la défensive. « Difficile de ne pas y penser, quand même. Il y a des crieurs publics partout pour annoncer le procès. Même à Mestre.

— Tu n'as qu'à te boucher les oreilles », dit Benedetta en riant.

Il la regarda. Feignit de sourire. « Tu vas mieux. Tu n'as plus ces cernes noirs.

— Je t'avais dit que c'était un malaise passager. Je suis plus jolie ?

— Oui… Et le Saint a quelque chose à voir là-dedans ?

— Avec le fait que je sois jolie ? plaisanta Benedetta.

838

— Avec le procès fait à Giuditta, dit Mercurio, sérieux.

— Le Saint déteste les Juifs, tu sais bien.

— Oui, je sais. Et il habite aussi chez toi…

— Quel rapport ? », demanda Benedetta, déconcertée.

Mercurio eut la sensation qu'elle avait quelque chose à cacher. « Il a été nommé *Inquisitor*, que je sache ?

— Ah oui ? Je ne sais pas, on ne se parle jamais… » Mercurio la fixait en silence.

« Mais oui, c'est vrai, dit alors Benedetta. Maintenant que j'y pense… oui, je crois que oui… Tu veux que je lui en touche un mot ? dit-elle gaiement.

— Tu le ferais ? », lui demanda Mercurio d'un ton froid.

Benedetta s'agita un peu, mal à l'aise. « Tu sais comment il est, ce moine. Il ne m'écouterait pas.

— Évidemment…, fit Mercurio en hochant la tête. Je suis désolé que tu sois venue jusqu'ici. Nous n'avons pas de temps à passer ensemble aujourd'hui, ajouta-t-il, expéditif. J'ai promis au docteur de l'aider…

— Oui, bien sûr », dit Benedetta. Elle posa la main sur le bras de Mercurio. Pencha la tête sur le côté. « Je comprends, ne t'inquiète pas. » Elle approcha sa bouche de son visage. Puis déposa un baiser sur sa joue. « Prends soin de toi », dit-elle en s'en allant.

Mercurio se tourna vers la maison et vit Anna sur le seuil.

« Au revoir, Anna ! », la salua Benedetta d'un ton jovial. Anna ne lui répondit pas et regarda en direction de Mercurio.

Il comprit qu'elle n'aimait pas Benedetta. Lui non plus, d'ailleurs, ne l'aimait pas.

Benedetta se tourna une dernière fois avant d'arriver à la gondole et agita une main en l'air à l'intention de Mercurio. Puis elle regarda vers une rangée de peupliers sur sa gauche, où il lui sembla voir une silhouette sombre, cachée derrière un tronc. Un instant, elle pensa qu'elle s'était sentie suivie à raison. Mais, quand elle monta dans la gondole, elle vit que l'homme en noir restait là, immobile, et ne la suivait pas.

L'homme, en effet, ne bougea pas pendant que Mercurio enfilait une chemise blanche en lin. Il s'agrippa au tronc des deux mains, avec force, griffant l'écorce, comme s'il avait peur de tomber. Comme s'il résistait à un vertige. Puis une larme coula le long de sa joue.

"Je t'ai trouvé, se dit Shimon avec un frémissement. Je t'ai trouvé."

81

« Pourquoi ? », demanda Jacopo Giustiniani.

Le noble avait accepté de recevoir Mercurio dans la salle du Grand Conseil. Deux valets en livrée, aux longs cheveux blonds, l'avaient escorté dans un coin de la salle gigantesque, qui mesurait plus de vingt-cinq perches sur treize, sur une hauteur d'au moins six, sans qu'aucune colonne n'interrompe cet espace démesuré. Mercurio n'avait jamais rien vu d'aussi immense que cette pièce du premier étage du palais des Doges qui donnait sur le quai et sur la *Piazzetta*.

« Parce que… » Mercurio s'arrêta. Scarabello lui avait dit que cet homme ne ferait qu'une bouchée du borgne. Tandis que la lumière qui passait par une des sept fenêtres ogivales l'aveuglait, il se fit la réflexion que Jacopo Giustiniani était différent de l'homme qu'il avait imaginé quand il l'avait rencontré le visage caché sous un masque, avec Scarabello. Il avait un regard doux et des manières raffinées. Et un charisme naturel. « On m'a recommandé de ne pas me montrer faible, dit Mercurio, obéissant à son instinct. Mais il est difficile de ne pas se sentir inférieur à vous. »

L'aristocrate, dont la famille était inscrite dans le Livre d'Or de Venise, ses membres siégeant donc de droit sur les bancs du Grand Conseil qui décidait de l'élection du doge et de la Seigneurie mais aussi du destin de la Sérénissime, plissa un peu les yeux et sourit. Il tournait entre ses doigts le sceau que Mercurio lui avait remis quand il s'était présenté au nom de Scarabello.

« L'homme que je veux vous recommander… c'est-à-dire… que Scarabello vous recommande, est le capitaine Lanzafame, un des héros de la bataille de Marignan. La République l'a humilié en le chargeant de garder l'enceinte des Juifs, mais il n'a pas protesté. C'est un homme honnête et fort, qui a noué amitié avec un docteur qui se dépense pour lutter contre l'épidémie du mal français…

— Attends un instant, mon garçon, l'interrompit le noble en fronçant les sourcils. Nous parlons de ce même médecin que Scarabello a chassé du Castelletto ?

— Voilà, fit Mercurio embarrassé. Je veux dire… je veux dire oui, c'est le même…

— Et maintenant il veut le protéger ? continua Giustiniani.

— Pas lui, mais… c'est-à-dire… » Mercurio était en difficulté. Il n'avait pas pensé à cette contradiction et craignait maintenant d'avoir tout compromis.

« Bon, peu importe. Ce que fait Scarabello ne m'intéresse pas », dit Giustiniani.

Il avait parlé sur un ton particulièrement méprisant. Trop. Comme s'il jouait un rôle, pensa Mercurio. « Bref, il se trouve que la jeune fille accusée, Giuditta da Negroponte, est la fille de ce docteur. Et je pense qu'il serait noble de votre part, Excellence, de lui

842

donner le réconfort d'être escortée par quelqu'un qui la connaît.

— Pourquoi Scarabello tient-il à cette jeune fille ? », le coupa Giustiniani.

Mercurio le regarda. Ou il inventait un prétexte, ou il disait la vérité. Il opta pour la vérité. « Ce n'est pas Scarabello qui tient à Giuditta.

— Ah… » Le noble acquiesça. « Alors, pourquoi Scarabello tient-il à toi ? » Le noble sourit. Un sourire triste, lointain. Il se tourna imperceptiblement vers les deux valets. « Tu es son nouvel ami ? demanda-t-il doucement.

— Non, Votre Seigneurie, répondit Mercurio. Je ne travaille pas pour lui. »

Jacopo Giustiniani le regarda et rit. Un rire léger, amusé. « Je ne parlais pas du travail… » Ses yeux se firent tristes à nouveau, puis devinrent distants. Il fixa Mercurio avec un regard débonnaire. « Il ne t'a pas parlé de lui ni de moi, je vois.

— Que voulez-vous dire, Votre Seigneurie ? », demanda Mercurio, qui ne comprenait pas.

Giustiniani hocha la tête. « Rien… Des bêtises », dit-il de son ton lointain, comme supérieur aux choses terrestres. Et de nouveau, imperceptiblement, ses yeux bleus se portèrent vers les deux valets à l'écart. « Je donnerai des ordres pour que le capitaine Lanzafame soit assigné à la garde de la prisonnière, dit-il, et il fit mine de s'éloigner.

— Votre Seigneurie… le sceau… »

Jacopo Giustiniani regarda l'objet avec lequel il n'avait cessé de jouer jusqu'à cet instant. Un sceau qu'il connaissait bien puisqu'il portait, gravé dans la cornaline, l'emblème de sa famille. Il vit un long cheveu blanc pris dans un des anneaux de la chaîne.

Mercurio eut l'impression que ses yeux bleus s'embuaient. Et il crut l'espace d'un instant qu'il ne le lui rendrait pas.

Mais le noble lui tendit le collier d'or, d'un geste brusque, presque avec colère. Comme s'il brûlait.

« Une autre grâce, Excellence », dit Mercurio en reprenant le sceau.

Jacopo Giustiniani le regarda.

« Giuditta aura un défenseur ?

— Évidemment que non. L'Inquisition ne court pas le risque de perdre.

— Donnez-lui cette occasion, vous qui le pouvez.

— Ce sont des affaires d'Église. Le droit canon prévoit que le procès d'Inquisition doit être mené à huis clos et sans défenseur.

— Mais celui-ci ne se fera pas à huis clos…

— Non. Ils veulent utiliser cette sorcière à des fins politiques, dit le noble, pensif.

— Vous êtes puissant. Donnez-lui la possibilité d'un procès juste, insista Mercurio.

— Tu n'as pas compris, n'est-ce pas ? répondit Giustiniani sans arrogance. Un procès de l'Inquisition n'est jamais juste.

— Donnez-lui cette possibilité, seigneur. Je vous en prie.

— La fille est déjà condamnée. Elle est juive. C'est une sorcière. Et puis, qui la défendrait, à ton avis ? Ce serait forcément un prêtre. Un homme d'Église, qui la considérerait comme sorcière et mécréante, autant que ses accusateurs. Ce serait une farce.

844

« — Nommez un défenseur. » Mercurio s'agenouilla devant lui. Avec dignité. « Vous en avez le pouvoir. »

Giustiniani tendit d'instinct la main vers la tête de Mercurio, vers ses boucles brunes. Mais il s'arrêta, et son regard se fit encore plus distant. « Elle a de la chance, cette Juive », dit-il. « Peut-être est-ce vraiment une sorcière, ajouta-t-il avec un sourire léger. Je verrai ce que je peux faire.

— Que Dieu vous bénisse, Votre Seigneurie, le remercia Mercurio en se relevant.

— Au contraire, Dieu me maudit, jour après jour, depuis bien des années, répliqua Giustiniani.

— Je ne crois vraiment pas, Votre Seigneurie, dit Mercurio en le regardant droit dans les yeux, avec sincérité.

— Va-t'en, maintenant.

— Excellence, croyez-vous qu'il y ait une sortie plus discrète ? », demanda alors Mercurio, qui avait vu en entrant le commandant au nez cassé arriver pour prendre son tour de garde.

Jacopo Giustiniani sourit à peine. Puis il fit signe à l'un de ses valets. « Accompagne-le à la porte sur le quai. »

À sa sortie du palais des Doges, Mercurio entendit le roulement des tambours qui ne cessaient de résonner dans Venise pour annoncer le procès.

« Dimanche, jour du Seigneur, par la volonté de notre patriarche Antonio II Contarini, sur la Piazzetta de Saint-Marc près du quai du palais des Doges, en présence des autorités de notre Sérénissime République de Venise, la Sainte Inquisition romaine donnera publiquement lecture et compte-rendu des accusations portées contre Giuditta da Negroponte, sorcière et juive. »

"Demain", pensa Mercurio avec un frisson, sentant que la peur revenait lui tordre l'estomac.

Aussitôt arrivé à Mestre, il courut voir Scarabello. Il le trouva endormi. La plaie sur sa lèvre découvrait maintenant les dents. Ses cheveux étaient devenus rares et ternes, et d'autres plaies apparaissaient sur sa tête. Sa peau, fragile comme du papier vélin, se tendait sur les os du visage. Même ses doigts semblaient desséchés, ne laissant voir que les os des phalanges. Mercurio se dit qu'il avait déjà l'air d'un squelette.

Scarabello ouvrit les yeux, tout à coup. Il regarda Mercurio sans le reconnaître pendant quelques instants. Puis il sourit. « Les gardes sont revenus. Ils te cherchent. Le commandant en fait une affaire personnelle… » Il reprit son souffle. « Tu ne devrais pas venir ici, au moins pendant quelques jours… Si tu veux, je te trouve une cachette…

— Non, pas besoin. Je me débrouille tout seul. »

Scarabello sourit. « Espèce de comique. »

Mercurio sourit à son tour. « Tu as déjà suffisamment fait.

— Comment ça s'est passé ? demanda alors Scarabello. Il était en colère que je ne sois pas venu moi-même, hein ? »

Ce fut seulement alors que Mercurio comprit que la relation entre Scarabello et Giustiniani devait être compliquée. Plus qu'il ne pouvait imaginer. Mais il eut aussi la certitude que quelque chose d'important enchaînait l'un à l'autre les destins de ces deux hommes forts.

Il se rappela soudain les paroles de l'aristocrate. Et il lui sembla que leur sens était différent de ce qu'il avait compris sur le moment. Il lui avait demandé s'il était le nouvel ami de Scarabello puis, d'un ton mi-satisfait mi-mélancolique, quand Mercurio lui avait répondu qu'il ne travaillait pas pour lui, il avait dit : "Il ne t'a pas parlé de lui ni de moi, je vois."

« Alors, il était en colère ? répéta Scarabello.

— Non… », dit Mercurio, dans l'esprit duquel, malgré son peu d'expérience des relations humaines, une pensée s'ouvrait un chemin. Il vit que Scarabello s'assombrissait, comme s'il le regrettait.

« Je veux dire… en fait, oui. Plutôt. Il s'est pas mal mis en colère », se corrigea-t-il.

Le visage de Scarabello se détendit en une sorte de sourire. Son regard devint distant, comme celui de Jacopo Giustiniani. « Et après, comment ça s'est passé ?

— Bien.

— Tu lui as fait comprendre qu'il ne valait pas plus que toi, hein ? »

Mercurio éprouva une émotion à laquelle il ne s'attendait pas. Il n'arrivait pas à donner un nom à cette pensée qui peinait à se former dans sa tête, mais c'était comme s'il regardait à travers un voile qui ne devait pas être déchiré. « Il m'a dit… de te saluer.

— Ce n'est pas vrai. » Le regard de Scarabello se durcit. Comme effrayé.

« Si, c'est vrai », dit Mercurio. De nouveau il saisit dans son regard la même lumière lointaine qu'il avait vue dans les yeux bleus de Giustiniani.

« Laisse-moi seul », fit Scarabello.

Alors Mercurio lui posa le sceau sur la poitrine et quitta la pièce.

« Merci, mon garçon », murmura Scarabello, sans que Mercurio l'entendît. Il serra le sceau. Puis, du bout de ses lèvres rongées par les plaies, il prononça un nom qui ne les avait plus franchies depuis des années.

Mercurio marchait dans la campagne. Il avait besoin de réfléchir, de rassembler ses forces. Tous pensaient que Giuditta était perdue. Déjà, ils la voyaient morte. Déjà flottait dans l'air l'odeur de la chair brûlée. « Non ! hurla-t-il. Non… » Il sentit la peur grandir en lui. Il ne pouvait pas perdre Giuditta une seconde fois. Il secoua la tête, comme pour chasser la peur.

À ce moment-là, sur sa gauche, entre les buissons en lisière du champ, il vit quelqu'un qu'il reconnut immédiatement.

La colère se substitua alors à la peur. Il se pencha pour ramasser deux pierres, courut vers les buissons et cria : « Va-t'en, espèce de chien ! » Puis il lança les pierres, l'une après l'autre.

Zolfo sortit des buissons, les mains en l'air. « Me fais pas de mal, Mercurio ! pleurnicha-t-il. Me fais pas de mal, je t'en supplie !

— Va-t'en ! Qu'est-ce que tu veux ? Ton moine t'envoie vérifier le mal qu'il nous a fait ? Va-t'en ou je te tue à coups de pierre, espèce de chien galeux !

— Je t'en supplie, je t'en supplie…, dit Zolfo en rentrant la tête et en s'approchant prudemment. Personne m'envoie…

— Va-t'en, je te dis !

— Je me suis sauvé, Mercurio… » Zolfo montra ses vêtements, sales et déchirés. « Je vis dans la rue depuis une semaine… Je suis plus avec frère Amadeo…

— Je ne te crois pas !

848

— Ni avec Benedetta... ils sont méchants... méchants...

— Va te faire foutre, Zolfo ! » Mercurio lui montra sa main. « Qui me l'a faite, cette cicatrice ? Toi, espèce de merde ! Tu voulais tuer une fille qui ne t'avait rien fait ! Et tu viens me dire que c'est eux les méchants ?

— Je t'en supplie, je t'en supplie..., fit Zolfo en approchant encore d'un pas.

— Je ne te crois pas ! »

Zolfo pleurait. Et ses larmes creusaient des sillons dans la crasse de ses joues. « Je ne sais pas où aller... »

Mercurio se pencha pour ramasser une pierre et la lui jeta, le frappant au côté.

« Je ne sais pas où aller..., répétait Zolfo tout en reculant.

— Pour moi tu peux mourir sous les ponts, te noyer dans un canal... Je m'en fiche complètement ! »

Zolfo recula encore puis, voyant Mercurio prendre une autre pierre, se sauva dans la campagne.

Mercurio jeta la pierre au sol, avec rage. Il resta là, immobile au milieu du champ. Il avait du mal à respirer. Le sang battait à ses oreilles. Et peu à peu il sentit la rage décroître et laisser place à la peur. La peur que Giuditta ne meure. La peur de ne pas pouvoir la sauver. « Comment je vais faire ? », murmura-t-il. Ses jambes cédèrent tout à coup. Il se retrouva agenouillé dans le champ. « Je ne sais pas prier, dit-il en joignant les mains. Je ne sais même pas comment t'appeler... » Il regarda le ciel, voilé, chaud. L'air était immobile. « Saint Michel Archange », invoqua-t-il alors, se rappelant cet ange qui le protégeait depuis Rome. Il chercha les mots justes. « Je ne sais pas prier, répéta-t-il, mais est-ce que tu peux m'aider ? » Il ne sut rien dire d'autre. Il resta ainsi, dans l'herbe sèche, avec la terre qui s'émiettait sous ses genoux, jusqu'à ce que la sueur commence à couler de son front.

Alors il se leva et rebroussa chemin.

Anna l'attendait sur le seuil. « Qu'est-ce qu'il t'est arrivé ? Je t'ai entendu crier…

— Rien. Un chien errant.

— J'ai eu peur, lui dit Anna, angoissée. Tu ne peux pas dormir ici. Les gardes sont revenus et le commandant…

— Oui, je sais, la coupa Mercurio. Ne t'inquiète pas. Ils ne m'attraperont pas… » Son regard allait de droite à gauche, inquiet.

« Dis-moi.

— Quoi ?

— Allez, mon garçon. » Et elle lui donna une petite tape sur la joue. « Tu ne peux pas porter ce poids tout seul sur tes épaules.

— Écoute, Anna…

— Depuis que tu sais pour Giuditta, tu n'as pas versé une seule larme.

— Je n'ai pas envie de pleurer…

— J'ai parlé avec Scarabello. Tu sais que je ne l'aime pas. Mais même un être méprisable comme lui t'apprécie. Et tu sais pourquoi ? Parce que tu es quelqu'un de spécial. Il m'a dit que tu t'apprêtes à faire quelque chose de très dangereux.

— Comment peut-il savoir ce que je vais faire, si je ne le sais pas moi-même ? demanda Mercurio en haussant les épaules et en essayant de sourire.

— Tu ne peux pas porter ce poids tout seul », répéta Anna. Elle l'attira contre elle, le serra, lui posa la tête

850

contre sa poitrine. « Comme tu es grand…, dit-elle tout bas.

— Tu veux m'aider, vraiment ? fit Mercurio en l'éloignant avec délicatesse.

— Bien sûr. » Anna le regardait de ses yeux compréhensifs.

« Alors, ne me fais pas pleurer. Parce que j'ai peur de craquer. »

82

La *Piazzetta*, la place rectangulaire devant le palais des Doges, était remplie de monde. Les gens qui affluaient avaient chaud.

La sueur de plusieurs jours imprégnait leurs vêtements, il flottait une odeur âcre, d'oignon et de poisson pourri. Les visages étaient luisants, gras. Les humeurs instables.

Mais ce qu'on respirait surtout dans l'air, c'était l'odeur de la mort imminente. Comme si, dans cet univers de palais suspendus au-dessus de l'eau et dans la lagune tout entière, brûlait déjà le bûcher tant attendu, pour cette sorcière juive qui avait voulu voler l'âme des Vénitiens.

Les autorités avaient construit une estrade devant le quai du palais des Doges. Derrière s'ouvrait le vaste miroir d'eau où débouchait le Grand Canal. Une myriade d'embarcations, depuis les riches gondoles aristocratiques jusqu'aux humbles barques de pêcheurs ou de passeurs, s'y pressaient, collées les unes aux autres.

L'estrade, entièrement revêtue de draps de soie pourpre, était haute de deux perches et comptait deux étages.

À l'étage supérieur, un trône doré à grand dossier. Plus bas, mais visibles y compris des gens massés au fond de la *Piazzetta*, quatre sièges d'apparat où s'étaient assis le Saint, acclamé par la foule, et trois prélats vêtus de noir, à l'air très sérieux. De chaque côté, deux treuils surélevés, d'où partaient deux leviers qui se rejoignaient au centre de l'estrade. D'épaisses cordes de chanvre tressé étaient fixées à une cage en bois posée juste devant le public. Par terre. Vide.

Dans le public, Mercurio et Isacco se regardaient, inquiets et tendus. Aucun des deux ne parlait. On aurait dit qu'ils ne respiraient plus, leurs visages comme sculptés dans la pierre.

Vint le moment où le patriarche Antonio II Contarini fit son entrée, suivi d'une longue traîne pourpre que portaient quatre clercs. La foule se tut. Le patriarche monta l'escalier qui menait au sommet de l'estrade et s'assit sur le trône. Puis il fit un signe vers le palais des Doges.

Alors parut Giuditta, escortée par le capitaine Lanzafame et ses soldats.

Les gens commencèrent à hurler et à l'insulter.

« N'aie pas peur, lui dit le capitaine. J'empêcherai qu'il t'arrive quelque chose. »

Giuditta sentit ses yeux se remplir de larmes. Elle avança lentement, effrayée. Et remplie de honte.

« Dans quel état ils l'ont mise ! », murmura Isacco.

Mercurio, un instant, baissa les yeux, comme s'il ne pouvait supporter cette vision. « Salauds », siffla-t-il entre ses dents.

La prostituée engagée par frère Amadeo avait couvert le visage de Giuditta d'une épaisse couche de blanc de céruse. Puis elle avait passé du vermillon sur ses joues et ses lèvres, qu'elle avait dessinées en forme de cœur. Ses paupières étaient peintes de bistre et de ses sourcils partaient de longues bandes bleu azur. Ses cheveux étaient ramassés au sommet de sa tête, mais de chaque côté partaient deux longues mèches, que la prostituée avait teintes en bleu et en jaune. Elle portait une robe au décolleté si profond qu'on voyait une grande partie de ses seins. Et on lui avait mis aux pieds des chaussures à semelles surélevées d'au moins une paume, comme il était d'usage parmi les courtisanes.

« Qu'est-ce qu'ils t'ont fait ? », dit une voix de femme sur sa droite.

Giuditta se tourna et vit sur le visage d'Ottavia une douleur peut-être plus grande que si on l'avait vraiment torturée.

« Putain ! cria une femme à côté d'Ottavia.

— Sorcière ! », cria une autre.

Giuditta vit qu'étaient là Ariel Bar Zadok, les couturières, le tailleur Rashi Sabbatai, les femmes de la communauté qui avaient été les premières à acheter ses bonnets et aussi Joseph, avec son grand corps encombrant, qui rougit lorsque leurs regards se croisèrent.

« Tiens, putain ! », dit une femme en lui lançant un vêtement.

Giuditta la reconnut : c'était une de ses clientes, et la robe qu'elle lui avait lancée était une de ses créations.

Les soldats de Lanzafame étaient prêts à intervenir. Ils avaient reçu l'ordre de s'assurer qu'il n'arrivait rien à Giuditta. Ils devaient la protéger comme leur bien le plus précieux, avait dit Lanzafame, qui s'ouvrait un chemin parmi la foule en brandissant son épée.

Quand ils furent arrivés au pied de l'estrade, on fit entrer Giuditta dans la cage en bois. Les deux treuils furent actionnés, les cordes de chanvre se tendirent et la cage commença à bouger.

Giuditta, effrayée, s'accrochait aux barres.

« N'aie pas peur », lui dit Lanzafame.

La cage se détacha du sol. Les câbles l'élevèrent en grinçant. À mesure qu'elle montait, le silence se faisait, comme devant un tour de magie.

Enfin, en se balançant, la cage s'arrêta dans les airs.

La foule lança un cri de stupeur.

« Quel cirque ! fit Isacco.

— C'est bien imaginé », dit Mercurio d'une voix sourde. Puis il cria : « Giuditta ! Giuditta ! Je suis là ! »

Un homme à côté de lui le regarda de travers.

« Ne te fais pas remarquer, couillon, dit Isacco tout bas. Ce n'est pas le moment de se faire arrêter. Ou lyncher par la foule.

— Allez vous faire foutre, docteur. Comment vous faites pour rester aussi calme ? »

Isacco le regarda. « Tu vois le calme dans mes yeux ?

— Excusez-moi, docteur.

— Non, mon garçon. Toi, excuse-moi. »

Leurs regards revinrent sur la cage qui se balançait dans les airs. Giuditta était toujours accrochée aux barreaux, terrorisée. Elle regardait les gens dans la foule sans réussir à distinguer personne.

Les gens se turent de nouveau.

Sur l'estrade, le patriarche se leva. « Au nom et pour le compte de Sa Sainteté le pape Léon X de Médicis et par le consentement de notre bien-aimé doge Leonardo Loredan, ainsi que par le consentement des grandes

855

autorités de la République Sérénissime de Venise et sous le patronage de saint Marc, moi, Antonio II Contarini, serviteur de l'Église et de la République, je déclare ouverte la contestation publique à charge de Giuditta da Negroponte, juive, accusée de sorcellerie ! » Il se tourna vers le plan inférieur de l'estrade. « *Inquisitor* Amadeo da Cortona, de l'ordre des Frères prêcheurs, présentez l'accusation. »

Le Saint se leva, s'inclina devant le patriarche puis montra ses mains à la foule qui applaudit aussitôt.

Le patriarche retint un mouvement d'agacement.

Il y eut un instant de silence, au cours duquel Mercurio hurla avec de grands gestes : « Giuditta ! »

Elle se tourna vers la voix. Quand elle eut reconnu Mercurio, elle éclata en sanglots, les forces lui manquèrent, ses jambes cédèrent et elle tomba au fond de la cage. Puis elle parvint à se relever, planta ses yeux dans ceux de Mercurio et ne les quitta plus.

« Peuple de Venise ! commença le Saint, la voici… » Et il désigna Giuditta, suspendue devant l'estrade comme une bête en captivité. « La voici, répéta-t-il. La mécréante ! La Juive ! La sorcière ! » La foule s'agita. « Sorcière ! Maudite !

— La putain du démon ! hurla le Saint.

— Putain ! Sale Juive !

— Le chancre de Venise ! », hurla plus fort encore frère Amadeo.

La foule commença à lancer des pierres.

Lanzafame et ses soldats montrèrent leurs épées.

« Dis-leur d'arrêter, frère ! cria Lanzafame.

— Ils sont le peuple du Seigneur ! répliqua le Saint.

— Frère ! », tonna le patriarche.

Le Saint se tourna.

« Je t'avais averti, dit le patriarche. Ne joue pas les bouffons. »

Les épaules du Saint s'affaissèrent et il se tourna vers la foule. « Calmez-vous ! cria-t-il. Ce n'est pas entre vos mains que le Seigneur a mis sa juste et divine punition, mais entre les miennes. »

La foule s'apaisa.

« N'ayez crainte cependant, reprit le Saint. La punition sera exemplaire et terrible !

— Que Dieu puisse te foudroyer ! », grogna Mercurio tout bas. Puis, en regardant Giuditta, il mit la main sur son cœur.

Elle continuait de pleurer et les larmes faisaient fondre le fard vermillon, qui coulait sur l'épaisseur de blanc de céruse comme des larmes de sang.

« Le procès sera célébré publiquement, annonça le Saint d'un ton solennel, et s'ouvrira demain au collège canonique dei Santi Cosma e Damiano dans la paroisse de San Bartolammeo. » Il avait le visage en sueur, les cheveux collés au crâne.

La foule acclama le Saint.

Mercurio s'agita et regarda autour de lui. Giustiniani avait tenu parole : Lanzafame avait tout de suite été intégré avec ses soldats dans le service de protection de Giuditta. Mais le patriarche n'avait présenté que l'accusateur, sans annoncer aucun défenseur.

Le Saint revint s'asseoir et l'un des trois prélats se leva. Lui aussi transpirait copieusement. « Au nom de Sa Sainteté Léon X de Médicis et de notre bien-aimé patriarche Antonio II Contarini, et selon le rituel de Notre Sainte Mère l'Église, que celui qui a quelque chose à dire parle ! »

Sur la place descendit un silence dense et vibrant. Chacun était sûr que personne ne parlerait.

Mais une voix s'éleva : « Je demande la parole ! »

Les personnalités sur l'estrade, les soldats, le peuple de Venise, tous se tournèrent. Alors, s'ouvrant un chemin dans la foule, entouré de quatre hommes d'armes et suivi de ses deux valets blonds, Jacopo Giustiniani, dans une de ses tenues les plus fastueuses en dépit de la chaleur, et couvert des plus lourds bijoux de sa caste, arriva au pied de l'estrade.

Le patriarche était perplexe. La chose était inédite. « Je vous donne la parole, noble Giustiniani, dit-il en hésitant. Venez. »

Mercurio se fit tout ouïe.

Jacopo Giustiniani grimpa agilement les marches.

Mercurio regarda de nouveau Giuditta.

« Parlez, dit le patriarche à Giustiniani.

— Notre bien-aimée République, commença l'aristocrate en s'adressant au patriarche, reconnaît l'autorité de l'Église de Rome et de Sa Sainteté Léon X, et en respecte les actions. » Puis il se tourna ver la foule. « Et vous, Vénitiens, vous savez bien qui est le pape, et vous le respectez… », dit-il, laissant sa phrase en suspens.

Il y eut un léger murmure de désapprobation. Les Vénitiens craignaient en effet que l'autorité pontificale ne puisse interférer avec leurs affaires, s'ingérer dans les échanges commerciaux. Le peuple comme les autorités connaissaient depuis toujours la nécessité de maintenir l'autonomie de Venise par rapport au pouvoir de l'Église. Et Jacopo Giustiniani le savait mieux que quiconque. Il avait décidé d'utiliser cette antique et solide méfiance à l'égard de Rome. « Mais en même temps, tout en respectant et en aimant le pape, reprit-il, vous aimez et respectez plus que vous ne sauriez dire Venise et ses lois. Vous aimez et respectez la justice administrée par le Lion de Saint-Marc… »

La foule s'anima.

Le patriarche se rendit compte que Giustiniani avait séparé de fait ce que lui-même était parvenu à réunir. Ce procès risquait maintenant d'apparaître comme imposé par l'Église à la République de Venise. « Venez-en au fait, noble Giustiniani, dit-il en cherchant à masquer son irritation.

— Patriarche, et vous, peuple vénitien…, reprit Giustiniani, laissant de nouveau sa phrase en suspens.

— Parlez donc ! », s'exclama le patriarche. Un clerc s'apprêta à lui essuyer le front à l'aide d'un mouchoir en dentelle mais le patriarche écarta vivement son bras.

« Venise, dit alors Giustiniani à la foule, peut-elle, tout en ayant le plus profond respect pour la sainte Église romaine, accepter que se tienne dans la lagune un procès avec un *Inquisitor* mais sans aucun défenseur ? » Il regarda la foule, écarta les bras. « Venise peut-elle changer ses propres règles, subir… si vous me permettez… un rituel qui va contre ses principes ? »

La foule murmura et s'agita. L'idée d'un défenseur n'avait jamais effleuré personne car chacun se régalait par avance du bûcher sur lequel on entendrait grésiller la chair de la Juive. Mais ce n'était maintenant plus une affaire de sorcellerie. C'était un bras de fer entre le pape romain et ceux qui représentaient l'indépendance de la République vénitienne.

« Noble Giustiniani, ce que vous demandez va à l'encontre du décret du pape Innocent II, *Si adversus vos*, et par conséquent je ne peux…

— Pardonnez-moi, et Giustiniani pencha humblement la tête, mais si je me souviens bien, *Si adversus vos* prescrit également un procès à huis clos. » Il regarda intensément le patriarche, qui restait muet. « Ai-je tort ? »

Le patriarche se raidit. Il avait compris où voulait en venir le membre du Grand Conseil. Si l'on faisait une exception en ouvrant le procès au public, pourquoi ne pas en faire deux ? « Noble Giustiniani, je comprends ce que vous voulez dire… », commença-t-il en cherchant ses mots pour reprendre la main.

« Le doge ! », s'exclama à ce moment-là quelqu'un dans la foule, et tous se tournèrent vers le balcon du Palais.

S'interrompant, le patriarche se tourna dans cette direction. Il vit que le doge Leonardo Loredan en personne était apparu au balcon pour être témoin de cette discussion. À l'évidence, sa présence signifiait qu'il appuyait la requête de Giustiniani. Et aussi, pensa le patriarche, que le Grand Conseil et le Conseil des Dix se rangeaient à ses côtés.

« Je comprends vos paroles, reprit le patriarche en souriant et s'inclinant devant le doge, et comme citoyen de Venise, bien que serviteur de Sa Sainteté, je ne peux qu'être d'accord avec vous… » Il regarda la foule. Il fallait qu'il la regagne à sa cause. « C'est pourquoi nous célébrerons un procès selon les règles de la Sainte Inquisition, certes, mais dans le respect de notre ville bien-aimée ! », s'exclama-t-il.

Les gens, jusque-là prêts à condamner Giuditta sans procès, applaudissaient maintenant à la justice.

Mercurio serra les poings en signe de victoire.

Isacco, près de lui, leva les yeux au ciel et murmura : « Sois remercié, *Ha-Shem*. »

Le Saint bondit sur ses pieds. « Je proteste ! », cria-t-il.

Le patriarche le foudroya du regard.

Le Saint baissa la tête et se rassit.

« On va bien rigoler si les deux curés se foutent sur la gueule en public ! s'écria un homme dans le peuple.

— On prend les paris ? », lui rétorqua un autre.

La foule éclata de rire.

Le patriarche fit signe à Giustiniani de s'approcher.

« Bien pensé, Giustiniani, dit-il tout bas.

— L'idée ne vient pas de moi, répondit l'aristocrate, pensant à Mercurio mais sachant que le patriarche penserait au doge.

— Mais je ne peux pas me permettre qu'*Inquisitor* et défenseur se… se battent en public, dit le patriarche d'une voix sourde.

— Bien évidemment. C'est pourquoi j'ai pensé à un prête-nom, un frère que personne ne connaît, sans expérience et… docile. »

Le patriarche sourit avec satisfaction. Il se détendit. C'était de politique qu'il était question, pas de justice. « J'ai plaisir à constater que la plus fine noblesse vénitienne a tout son bon sens. Vous m'avez effrayé, je vous l'avoue. »

Jacopo Giustiniani s'agenouilla et baisa l'anneau pastoral devant tout le peuple rassemblé sur la place devant le palais des Doges.

Le patriarche se tourna vers le doge Loredan et fit à son tour une révérence. « Alors, que la farce commence », dit-il en riant tout bas. Et il laissa cette fois le clerc lui essuyer le front.

« Que la farce commence, répéta Giustiniani. Au nom de notre République bien-aimée.

— Et de la sainte Église, ajouta le patriarche, satisfait.

— Tu as quelque chose à voir avec tout ça ? demanda Isacco à Mercurio.

— Comment je pourrais ? fit celui-ci en haussant les épaules.

— Bien sûr, comment tu pourrais arriver si haut… Pourtant on aurait dit que tu le savais.

— Ne dites pas de bêtises, docteur, répliqua Mercurio, qui ne quittait pas Giuditta des yeux.

— Accompagnez la prisonnière dans sa cellule, en attente du procès ! », annonça un des prélats sur l'estrade.

Les treuils grincèrent à nouveau et la cage commença à descendre.

« Venez, dit Mercurio à Isacco. Essayons de lui parler. » En jouant des coudes, il se fraya un chemin dans la foule pour tenter de rejoindre la cage.

Isacco le suivait.

Quand il fut au pied de l'estrade, Mercurio croisa le regard de Lanzafame.

« Maintenant ? », articula en silence le capitaine.

Mercurio fit signe que non. Il arriva près de lui. « Maintenant, la foule la tuerait », dit-il. Puis il se tourna vers Giuditta qui sortait à cet instant de la cage, protégée par deux soldats.

Giuditta était comme un masque, méconnaissable. La chaleur et les larmes avaient fait fondre son maquillage. Son visage était sillonné de lignes noires, rouges et bleues. Ses deux mèches aussi perdaient leur couleur, gouttant sur sa poitrine. Ses yeux, dans cette débauche de couleurs, étaient animés d'une peur sans nom et sans mesure. « Aide-moi... », dit-elle tout bas en tendant la main vers Mercurio.

Il fit un pas en avant et lui prit la main un instant. La serra. Il essaya de dire quelque chose mais sa bouche resta ouverte et aucun son n'en sortit.

Giuditta voulut retenir la main de Mercurio dans la sienne tandis que les soldats de Lanzafame l'emmenaient pour la soustraire à la furie de la foule.

« Giuditta ! », hurla Isacco, qui n'arriva qu'à ce moment-là.

Elle le vit et éclata de nouveau en sanglots.

« Ma petite fille, dans quel état ils t'ont mise ? »

Mercurio continuait à la regarder, bouche ouverte. Puis la foule se referma autour de l'escorte et Giuditta disparut. Mercurio eut peur que les gens n'aient raison de Lanzafame et de ses soldats mais au bout d'un instant il les vit emmener Giuditta saine et sauve de l'autre côté de la grille du palais des Doges.

« Maudits ! grommela Isacco dans son dos. Maudits !

— Je dois y aller, lui dit Mercurio. Il vaut mieux qu'on ne me voie pas trop. »

Isacco l'arrêta par le bras. « Je me suis trompé sur toi, mon garçon.

— Je dois y aller, docteur. Dites à Anna que pendant quelques jours je ne reviendrai pas à la maison.

— Et où iras-tu ? demanda Isacco.

« — J'ai un endroit sûr, ne vous inquiétez pas.

— Mais tu viendras au procès ?

— Oui, évidemment, répondit Mercurio. Mais je devrai être déguisé. »

Le visage d'Isacco s'assombrit. « Alors Giuditta ne te verra pas…

— Dites-le à Lanzafame et Lanzafame le lui dira. » Mercurio regarda vers le palais des Doges. Il vit le commandant et son nez tuméfié. « Je dois y aller. »

Isacco acquiesça. Puis il se tourna vers Ottavia et Ariel Bar Zadok un peu plus loin. Il vit que ce petit espoir leur avait fait, comme à lui, reprendre un peu de couleurs. Et là-bas, entre deux gardes du corps, il aperçut Anselmo del Banco. Le chef de la communauté marcha vers lui. Mais Isacco n'avait pas envie de lui parler et il s'éloigna dans la foule d'un pas rapide. Pendant qu'il marchait, il vit de loin Mercurio s'entretenir avec le puissant Jacopo Giustiniani.

« Vous avez le doge avec vous, disait Mercurio, admiratif.

— Non, mon garçon, dit le noble avec un sourire. J'ai seulement conseillé au doge de se montrer vers la fin de la présentation, pour les gens de Venise. Et tout ce que le peuple et le patriarche en ont déduit, c'est leur affaire, pas la mienne. »

Mercurio le regarda avec respect. « Si je ne craignais de vous offenser, je vous dirais que vous êtes un escroc magnifique.

— Tu ne m'offenses pas. Que crois-tu donc que c'est, la politique ? » Puis Giustiniani regarda autour de lui. « Je n'ai pas vu Scarabello, remarqua-t-il, une note d'agacement dans la voix. Il ne vient même pas vérifier si j'obéis à son chantage ? »

Mercurio le fixa. Il était certain de ne pas se tromper en sentant autre chose derrière l'irritation de l'aristocrate. Il se dit qu'il méritait peut-être de savoir la vérité. « Scarabello est en train de mourir, Excellence », dit-il.

Les yeux bleus de Jacopo Giustiniani, profonds comme la mer, se glacèrent. Les traits de l'aristocrate se contractèrent imperceptiblement. Puis se détendirent en un sourire exagéré. « Par conséquent, je serai bientôt libre ! s'exclama-t-il théâtralement.

— Oui, Excellence, fit Mercurio, percevant l'angoisse qui tenaillait Giustiniani. Il est à Mestre. Dans l'hôpital d'Anna del Mercato. Tout le monde connaît l'endroit. »

L'aristocrate se tourna vers l'un de ses valets. « Partons, lui dit-il.

— Arrêtez-le ! entendit-on soudain dans le vacarme de la foule. Le voilà ! Arrêtez-le ! »

Mercurio vit le commandant des gardes du palais des Doges le montrer du doigt. Il se cacha immédiatement parmi les gens.

Les soldats se lancèrent à sa poursuite. L'un d'eux était sur le point de l'attraper quand un homme, dans la foule, trébucha et lui tomba dessus, le faisant rouler à terre avec lui.

« Imbécile !, hurla le jeune soldat, furieux que l'incident lui ait fait perdre la trace de Mercurio.

— Pardonnez, Votre Seigneurie, dit Isacco en se relevant et en retenant le soldat sous prétexte d'épousseter son uniforme. On m'a poussé… je suis désolé…

— Vieux con de merde », fit le garde en le repoussant.

Isacco s'inclina humblement et disparut à son tour dans la foule. Au loin, l'espace d'un instant, il entrevit les boucles brunes de Mercurio qui quittait la place Saint-Marc.

"Je me suis trompé sur ton compte, mon garçon. Tu mérites Giuditta."

83

« Ouvre, dit Lanzafame au garde.

— Elle n'est pas là.

— Et où est-elle ?

— Là-haut. Il y a une pute qui la prépare », dit le garde en riant.

Lanzafame lui tourna le dos et monta au premier étage du palais des Doges, suivi de ses soldats, jusqu'à une logette devant laquelle il reconnut les gardes de la prison. « Elle est ici ? », demanda-t-il. Le commandant des gardes se tourna mollement vers lui, le nez gonflé, deux gros cocards aux yeux, tamponnant ses narines avec un mouchoir couvert de morve et de traces de sang. Sans répondre, il se pencha à l'intérieur de la logette. « Elle est prête ? T'as pas bientôt fini ?

— Ça y est », dit une voix de femme à l'intérieur.

Le commandant se tourna vers Lanzafame. « Elle est à vous, capitaine. »

Lanzafame entra dans la petite pièce.

« Arrête de pleurer, connasse ! disait la prostituée, de dos. Tu défais tout le travail que… »

Elle n'eut pas le temps de finir sa phrase. Lanzafame, avec colère, l'écarta et la rejeta contre le mur. « Tais-toi, salope », grogna-t-il. Il posa la main sur l'épaule de Giuditta. « Viens, dit-il avec gentillesse. Nous devons y aller. »

Giuditta acquiesça, en reniflant.

« Viens », répéta Lanzafame en l'entraînant hors de la logette.

Dès qu'ils la virent, les gardes se mirent à siffler et à rire.

Elle baissa la tête en rougissant.

Le capitaine les foudroya du regard et fit signe à ses soldats de se ranger autour de Giuditta. Il resta près d'elle, la soutenant par le bras comme s'il avait peur qu'elle ne tombe, et ils descendirent les escaliers en silence.

« Je suis à faire peur, dit Giuditta d'une petite voix quand ils furent près de la porte qui donnait sur l'extérieur.

— Arrêtez-vous », ordonna Lanzafame à ses hommes. Il regarda Giuditta et son visage maquillé avec lourdeur et vulgarité. Sa robe était si décolletée qu'il ne restait pas grand-chose à deviner de sa poitrine. On lui avait remis aux pieds des chaussures surélevées de courtisane.

« Je suis à faire peur, n'est-ce pas ? »

Lanzafame prit son propre mouchoir et le passa avec énergie sur les yeux de Giuditta, enlevant un peu de la couche épaisse de fard noir passée sur ses paupières. Puis il ôta le vermillon de sa bouche dessinée en forme de cœur. « Voilà. C'est mieux », dit-il. Il baissa les yeux sur son décolleté. « N'y pense pas. » Il fit signe à ses soldats de continuer d'avancer.

Dehors, bien qu'on fût au tout début de la matinée, la lumière du soleil était éblouissante. L'air était chaud et humide, étouffant.

« Sorcière ! Juive ! Putain de Satan ! Maudite !, cria aussitôt la petite foule qui attendait à l'extérieur.

— Dégagez ! », ordonna Lanzafame.

Les deux soldats en tête de l'escouade n'hésitèrent pas à frapper un excité qui avait craché en direction de Giuditta. La foule comprit et s'écarta, suivant le cortège sans plus chercher à créer de problème.

« Ne les écoute pas, dit Lanzafame à Giuditta.

— Et comment ? », tenta de plaisanter celle-ci.

Le capitaine hocha la tête. Ils avaient quitté la piazza San Marco, pris la calle dell'Ascensione, et marchaient à présent dans la salizada di San Moisè. Alors seulement Lanzafame demanda : « Ton défenseur est venu te parler ? »

Giuditta eut une expression étonnée. « Il devait venir ?

— Merde ! laissa échapper Lanzafame.

— C'est grave ? demanda Giuditta, inquiète.

— Non… bien sûr que non… », s'obligea à dire Lanzafame. Il resta silencieux. Ce n'était pas un signe encourageant que le défenseur ne se soit même pas présenté. Il espéra que le procès ne serait pas la farce qui semblait s'annoncer. Ils dépassèrent le campo San Moisè puis tournèrent à droite vers la paroisse de San Bartolammeo, mais avec divers détours pour éviter la calle degli Specchieri où Giuditta aurait vu son reflet dans toutes les boutiques des miroitiers.

En longeant le rio dei Fuseri, à San Luca, le capitaine remarqua une barque. À bord, il reconnut les deux gigantesques *bonevoglie* qui accompagnaient toujours Mercurio. La barque les suivit à distance, presque jusqu'à San Bartolammeo. Puis elle s'amarra à un petit ponton de bois. Lanzafame imagina qu'ils étaient là en soutien.

Beaucoup de gens étaient déjà rassemblés devant le collège canonique dei Santi Cosma e Damiano. Dès qu'ils aperçurent Giuditta, ils commencèrent à s'agiter, comme l'eau plate de la lagune quand elle se ride sous un coup de vent nerveux.

« Restez groupés et ne permettez à personne de s'approcher », dit Lanzafame à ses soldats. Puis il serra le bras de Giuditta. « Sois tranquille. Je veille sur toi. »

Ils fendirent la foule qui s'écartait en insultant la sorcière. Giuditta regardait autour d'elle, cherchant Mercurio. Quand elle l'avait vu la veille, depuis sa cage suspendue, sur la place du palais des Doges, elle avait eu la sensation que tout n'était pas perdu. À ce moment-là seulement, elle avait compris pourquoi elle avait voulu que Mercurio soit averti. Sous son regard, elle se sentait plus en sécurité ; elle pouvait tout supporter, s'il partageait ses souffrances.

« Putain de Satan ! Sorcière ! »

Lanzafame tirait Giuditta par le bras pour lui faire rapidement traverser l'esplanade devant le collège canonique. Mais Giuditta résistait, continuant de chercher Mercurio.

« Il est sûrement déjà à l'intérieur », lui dit le capitaine.

Giuditta se tourna vers lui.

« Il sera déguisé parce que le commandant des gardes le cherche, tu ne le reconnaîtras sans doute pas… mais il sera là.

— Vraiment ? demanda Giuditta d'une petite voix.

870

— Oui, dit Lanzafame pour la rassurer. Mais il faut y aller. Je n'aime pas rester au milieu de tous ces fanatiques. » Il regarda ses soldats. « Pressons ! »

Ils pénétrèrent par l'entrée latérale du collège, surveillée par deux gardes armés qui s'écartèrent aussitôt, et se retrouvèrent dans une salle froide et dépouillée.

« Nous sommes prêts, maintenant », dit le Saint en les voyant.

Entouré d'un petit groupe de clercs et de prélats, le patriarche de Venise fronça les sourcils dès qu'il aperçut Lanzafame. « À l'avenir, j'aimerais que ce soit l'accusée qui nous attende plutôt que l'inverse », fit-il d'une voix agacée.

Lanzafame écarta les bras pour s'excuser. « Je suis désolé, Patriarche, mais la... la maquilleuse demandée par l'*Inquisitor* n'avait pas fini de la préparer. »

Le patriarche se tourna vers le Saint.

« Cela ne se reproduira plus, dit aussitôt le frère.

— Allons, pressons », fit le patriarche en ouvrant le chemin.

Derrière lui prirent place le Saint, les prélats, un dominicain qui avançait prudemment, les clercs et enfin Lanzafame avec Giuditta.

La salle du collège canonique dei Santi Cosma e Damiano était immense, avec un plafond très haut aux travées sombres et des colonnes sur les côtés. Une estrade basse avait été prévue, où prendraient place le patriarche et les prélats du conseil, ainsi qu'une grande table sur la droite pour l'*Inquisitor* et le défenseur. Sur la gauche, une cage dans laquelle on fit entrer Giuditta.

Quand Mercurio la vit, enfermée comme une bête féroce, il eut un coup au cœur. "Résiste", pensa-t-il en essayant de ne pas s'abandonner à sa douleur.

Dans toute la salle, face à l'estrade, s'alignaient des bancs où un public populaire accouru pour le procès était déjà installé. Ceux qui n'avaient pu s'asseoir s'étaient massés au fond et sur les côtés, remplissant chaque espace entre les colonnes. D'autres se pressaient près de l'entrée, espérant au moins entendre. Quant à ceux qui étaient dehors, sur l'esplanade brûlée de soleil, il ne leur restait qu'à imaginer ce qui se passait à l'intérieur.

Le patriarche se dirigea vers le fauteuil au milieu de l'estrade. Il fit signe à l'un de ses prélats en soutane de soie et ceinture de satin de s'asseoir près de lui. Mais Jacopo Giustiniani, d'un bond agile, le devança et vint occuper le fauteuil voisin du patriarche.

« Patriarche, précisa Giustiniani pendant que la foule se taisait, ceci est un événement suffisamment important pour que les autorités de Venise se rangent aux côtés de l'Église. »

Le patriarche se crispa. Il n'avait pas l'intention de partager les mérites du procès.

Giustiniani continua à l'adresse du public : « Vous êtes leur troupeau, mais vous êtes aussi nos concitoyens bien-aimés, dit-il. Ainsi l'on pourra dire qu'au tribunal il y avait des hommes et pas seulement des moutons. »

Les gens se mirent à rire pendant que le noble s'installait.

« Giustiniani, siffla tout bas le patriarche, qu'est-ce qui vous prend ?

— Patriarche, vous le savez. Vous êtes prêtre, mais vous êtes surtout vénitien…, répondit Giustiniani avec un sourire. Venise ne peut pas rester en dehors d'un événement si important. Nous ne pouvons rester en arrière de l'Église, fût-ce d'un seul pas. » Il écarta les bras. « Je sais que vous me comprenez. »

Le patriarche tenta de masquer l'agacement qui l'avait rendu écarlate et sourit à la foule. « Que le procès soit ouvert », annonça-t-il. D'une main, il indiqua le Saint, sur sa gauche. « Le paladin de l'Église, l'*Inquisitor*, frère Amadeo da Cortona. »

"Puisses-tu être maudit", pensa Mercurio.

Le Saint s'inclina devant le patriarche puis se tourna vers les gens, les mains levées, exhibant ses stigmates.

« Venez, *Inquisitor*. Approchez-vous que je vous donne notre bénédiction. »

Le frère s'agenouilla au pied de l'estrade.

« Plus près », dit le patriarche. Quand le Saint fut sur l'estrade, il lui prit le visage entre ses mains. « Je vous baise au nom de notre Seigneur Jésus-Christ… », dit-il en approchant sa bouche de la joue droite du moine. « Cesse de montrer ces trous, bouffon », lui siffla-t-il dans l'oreille en feignant de le baiser. Puis il porta ses lèvres à sa joue gauche. « Et rappelle-toi que nous n'avons pas besoin d'aveux. Le peuple l'a déjà condamnée. Tu dois seulement veiller à ce qu'il ne change pas d'idée. » Il le regarda dans les yeux. « Amen ! ajouta-t-il à voix haute.

— Amen, répondit le Saint qui revint à sa place.

— Et maintenant le défenseur, dit le patriarche d'un ton plus expéditif, pour montrer que celui qu'il allait présenter ne comptait pour rien à ses yeux. Père Wenceslao… quel drôle de nom vous avez, mon père… », dit-il en souriant.

La foule se mit à rire.

« Père Wenceslao da Ugovizza. Où se trouve donc Ugovizza ? » Les gens se tournèrent vers le dominicain

873

assis à la grande table, en tunique et scapulaire blancs avec cape noire à capuche. Celui-ci se leva d'un pas incertain. Ses yeux étaient laiteux, voilés par la cataracte. Il se tourna vers le patriarche sans bien pouvoir le situer. « Excellence, c'est une petite localité dans les Alpes qui appartient aux évêques de Bamberg, en Bavière.

— Vous êtes donc allemand ?

— Non, Excellence…

— Peu importe, coupa le patriarche. Nous ne sommes pas ici pour étudier la géographie, dit-il en s'adressant au public, qui rit de nouveau. Êtes-vous prêt pour votre… charge ingrate, père Wenceslao ?

— À vrai dire, pas exactement, dit le dominicain en faisant le tour de la table avec prudence, les mains en avant pour ne pas tomber. Je ne sais rien des procès d'Inquisition. »

Le patriarche se raidit. « Père, vous n'avez pas à être aussi modeste.

— Non, non. C'est la vérité, Excellence, fit le dominicain.

— Alors, fiez-vous à la volonté du Seigneur.

— Je ferai comme vous m'ordonnez, dit le défenseur en s'inclinant.

— Je n'ordonne pas, corrigea le patriarche, mal à l'aise. Je suggère, simplement.

— Mais toute suggestion de votre part est pour moi comme un ordre », fit humblement le père Wenceslao.

Les gens riaient.

Isacco, dans les premiers rangs, regarda sa fille et lui montra ses deux poings serrés pour l'encourager. Puis, en colère, il murmura à l'oreille d'Ottavia : « C'est

874

une farce, et ils n'essaient même pas de le cacher. » Il échangea un coup d'œil avec Lanzafame.

Le visage du capitaine était sombre. « Sois tranquille », chuchota-t-il néanmoins à Giuditta.

Elle saisit les barreaux de la cage et regarda l'homme qui allait devoir la défendre. Il ne lui avait même pas fait un signe. Son air était hésitant et modeste, et il avait une légère boiterie, peut-être due à la goutte. Ses yeux étaient voilés, et ses joues du rouge vif de ceux qui boivent. Sa tonsure couverte de pustules. Ses mains sales jouaient constamment avec le rosaire pendu à sa ceinture de cuir.

« Sois tranquille, répéta Lanzafame.

— Vous parlez pour vous ou pour moi ? », demanda Giuditta.

Lanzafame baissa les yeux sans répondre.

« Voulez-vous vous entretenir un instant avec l'accusée ? », intervint Giustiniani en s'adressant au père Wenceslao, pour suggérer qu'il serait bon de le faire.

Le dominicain se tourna vers le patriarche, toujours apparemment sans le situer. Il garda le silence puis hocha la tête. « Non… je dirais que non », fit-il en retournant à la table du plus vite qu'il put. « Bonté divine, parlez donc, vous, murmura-t-il au Saint. Sortez-moi de ce guêpier.

— Je demande à pouvoir commencer mon réquisitoire, Patriarche !, s'exclama le Saint avec emphase en se levant.

— Êtes-vous prêt, *exceptor* ?, demanda le patriarche au frère chancelier, un petit homme d'âge moyen assis devant une écritoire avec une plume d'oie à bec d'or, qu'il trempa d'un geste rapide dans un gros encrier.

— Oui, votre Grâce, répondit l'*exceptor,* chargé de retranscrire les actes du procès sur une grande feuille de parchemin.

— Par conséquent, la *quaestio* peut commencer », annonça le patriarche.

"La *bouffonnerie* peut commencer", pensa Mercurio qui cherchait un soutien dans la colère, les jambes tremblantes de peur et d'inquiétude. Il regarda en direction de Giuditta et vit qu'elle le cherchait dans la foule. Le capitaine Lanzafame l'avait certainement avertie qu'il viendrait déguisé. Il sentait l'envie irrésistible de lui faire un signe, pour qu'elle sache sous quel costume il s'était caché. Mais c'était impossible, pour le salut même de Giuditta. S'il était arrêté – et il avait déjà vu le commandant des gardes examiner l'assistance –, Giuditta n'aurait plus la moindre chance. Aussi lourd qu'était ce poids sur ses épaules, il devait le porter seul. Il se concentra sur le Saint. Le regarda avec toute la haine dont il était capable, espérant qu'il meure, là, en cet instant.

Frère Amadeo contourna la table, traversa toute la salle en silence et s'approcha de Giuditta en la menaçant de son doigt pointé, jusqu'à l'intérieur même de la cage, ce qui provoqua un frisson parmi la foule et obligea Giuditta à reculer. « Le nettoyage de Venise a commencé ! », cria-t-il.

Le public suivait la scène bouche bée, fasciné.

« Un bon comédien, souffla Giustiniani au patriarche.

— Un cabot », grommela celui-ci.

— Et les serpents comme toi seront écrasés ! », poursuivit le Saint. Il sortit son bras de la cage et, à grands pas, vint se placer devant l'estrade, face au public. « Aujourd'hui, comme pendant toute la durée de ce procès, je démontrerai que cette... – il laissa la phrase en suspens, comme pour prendre son élan – ... sorcière a comploté avec son maître et seigneur, Satan en personne, pour s'emparer des âmes des femmes de Venise ! » Il se tourna vers la table sur laquelle il avait aligné des plumes de corbeau ensanglantées, des dents de bébé, des cheveux noués et autres objets retrouvés dans les robes de Giuditta. « Les preuves de cette activité de sorcellerie sont ici ! »

Le père Wenceslao se leva pour examiner les preuves. Mais il dut, pour les voir, s'approcher de si près qu'un homme dans la salle s'écria : « Qu'est-ce que tu fais, curé, tu veux les manger ? », suscitant les rires de la foule.

« Silence ! », ordonna le patriarche. Puis il se tourna, furieux, vers le père Wenceslao. « Et vous, asseyez-vous ! »

Le dominicain, gêné, obéit rapidement.

« Venise, écoute ! », reprit le Saint. Il se rendit compte que beaucoup, dans le public, regardaient maintenant le dominicain. « Venise ! cria-t-il plus fort. Écoute ! »

Les gens reportèrent leur attention sur lui.

« La peste de Satan s'est répandue dans nos rues bien-aimées, les emplissant de boue, et dans nos canaux, troublant leurs eaux, reprit le Saint. La peste de Satan a été apportée dans notre ville par cette femme – il montra Giuditta du doigt – et par son peuple. Les Juifs ! Les Youdis ! Assassins d'enfants, déicides, blasphémateurs du Christ et de l'Immaculée Conception, usuriers ! » Le Saint regarda autour de lui. « Les Bonnets Jaunes ! »

De nombreux regards se tournèrent vers Isacco, Ottavia, Ariel Bar Zadok et d'autres membres de la communauté, venus suivre le procès. Mais la plupart des Juifs de Venise, à commencer par leur chef, Anselmo del Banco, s'étaient abstenus, craignant les désordres et les manifestations hostiles.

Les soldats de Lanzafame et les gardes du palais des Doges posèrent la main sur leurs armes, pour montrer à la foule qu'aucun acte d'intolérance ne serait admis.

« Le procès est fait à une femme, en apparence, mais c'est le procès des fils de Satan », dit le Saint.

Giuditta laissa errer son regard sur l'assistance, cherchant toujours à deviner qui pouvait être Mercurio.

Celui-ci eut de nouveau la tentation de lui faire un signe, d'attirer son regard, pour lui prouver qu'il était là, à ses côtés. Mais il se retint.

Isacco vit que sa fille cherchait Mercurio et se mit à le chercher à son tour. Il repéra sur sa droite un homme qui avait plus ou moins la corpulence de Mercurio. Il était habillé de façon misérable et se grattait continuellement. Des cheveux longs et tout ébouriffés recouvraient son visage. Isacco le regarda avec insistance et lui fit un léger signe de tête.

« Qu'est-ce que t'as à me regarder, Juif de merde ? », grommela l'homme.

Isacco commença par baisser les yeux puis, réfléchissant, les releva. « Bien sûr, dit-il tout bas. Normal. » Il croisa le regard de sa fille et lui indiqua l'homme.

Giuditta le regarda intensément.

« Espèce de putain ! », cria celui-ci.

Giuditta se tourna vers son père. Isacco haussa un peu une épaule pour indiquer qu'il n'était pas tout à fait sûr.

« Venise sera bientôt libre ! conclut le Saint. Car le Seigneur Tout-Puissant qui nous guide nous a désigné… la sorcière ! »

La foule applaudit, excitée.

"Tas de merde, se dit Mercurio. Ils se croient au théâtre."

« Avez-vous quelque chose à dire ? demanda alors le patriarche au défenseur.

— Non, Excellence…, dit le père Wenceslao. Je m'accorde à ce qui vient d'être dit par frère Amadeo da Cortona, inspiré par Notre-Seigneur, au nom duquel il parle. *Justus es, Domine, et rectum judicium tuum.*

— Qu'est-ce que t'as dit, curé ? cria une femme du peuple.

— Il a dit que le jugement de Dieu est droit et juste », dit le Saint.

Les gens grondèrent. Même si personne, au début, n'avait éprouvé la nécessité d'un défenseur, tous semblaient mécontents que ce procès n'aille que dans une seule et inéluctable direction.

« Tous des cons », maugréa Isacco, et il regarda de nouveau dans la direction de l'homme au visage caché par ses cheveux.

« Pour vous faire comprendre la gravité des accusations, s'écria le Saint, je veux appeler à déposer comme témoin Anita Ziani, lavandière de son état, qui a assisté à un prodigieux et terrifiant événement ! Qu'on la fasse entrer ! »

Deux gardes escortèrent une femme humblement vêtue, aux mains rougies, qui se tenait tête basse, effrayée par toute cette foule.

« Anita Ziani, dit le Saint en lui relevant le menton pour que les gens la voient, racontez à vos concitoyens, avec vos mots, ces événements sataniques ! »

La femme rougit et sourit nerveusement, laissant voir de grands trous dans sa dentition. « Votre Seigneurie, comme je vous ai déjà dit…, dit la lavandière, tournée vers le Saint.

— Dites-le au public ! fit le Saint en la faisant pivoter. Parlez au public ! »

La lavandière rentra les épaules. « C'était le jour du Seigneur… le vingtième jour de ce mois de mai, et je rentrais à ma boutique après avoir lavé dix paires de drap de lin et vingt…

— Épargnez-nous les détails ! dit le Saint, agacé. Que s'est-il passé ?

— Eh bien, il s'est passé qu'une femme, je ne connais pas son nom, votre Seigneurie… cette femme a commencé à crier des phrases obscènes sur le campiello dei Squelini, là où il y a tous les fabricants d'écuelles, à San Barnaba…

— Les faits ! Les faits ! rugit le Saint.

— La femme criait des phrases obscènes – la lavandière fit un signe de croix sommaire – en blasphémant surtout la Sainte Vierge, et puis, sauf votre respect, elle a soulevé ses jupes et montré ses parties honteuses… c'est-à-dire… celles entre les jambes.

— Et puis ? fit le Saint pour prolonger la tension.

— Et puis de ces parties basses… ici… – la lavandière désigna son entrejambes – est sorti un œuf… petit, vert, qui vibrait comme si à l'intérieur ça s'agitait… »

La foule était muette. Tous écoutaient bouche bée.

« Et en effet…, suggéra le Saint en l'invitant à poursuivre.

— Et en effet cet œuf s'est brisé, poursuivit la lavandière, et il en est surgi une créature affreuse. Avec des yeux jaunes, méchants. On aurait dit une sorte de petit serpent, sauf qu'il avait huit paires de pattes avec des griffes… »

La foule murmura, éberluée et effrayée.

« Et puis ? insista le Saint.

— Et puis la créature monstrueuse s'est échappée. Et la femme qui l'avait engendrée portait une des robes de la Juive. Elle nous a dit que quand elle la portait elle en faisait un par jour, de ces œufs verts de Satan…

— Putain ! Sorcière ! », crièrent certains en direction de Giuditta.

Le Saint acquiesçait en silence, laissant l'épisode se développer de lui-même dans l'imagination de l'auditoire.

« "Et que Dieu me rende aveugle si ce n'est pas la vérité", suggéra le père Wenceslao qui hochait la tête de haut en bas, complètement pris par ce récit. Vous pouvez le dire, brave femme, car jurer devant Dieu contre Satan vaut cent et mille prières.

— Non », balbutia la lavandière.

Le père Wenceslao la regarda, stupéfait. « Comment cela, non ? », demanda-t-il, presque effrayé, et il se tourna aussitôt vers le patriarche.

La lavandière fit un signe de croix.

Le père Wenceslao continuait de regarder en direction du patriarche. « Je suis désolé, je ne voulais pas… », dit-il dans le silence général.

Les gens regardaient maintenant la lavandière et certains ricanaient.

Le Saint écumait comme une bête féroce. « Jure, femme ! », lui intima-t-il.

Terrorisée, la femme ne se décidait pas à parler.

« Jure ! répéta le Saint.

— De toute façon je vous crois, brave femme, même si vous ne jurez pas, dit le père Wenceslao.

— Taisez-vous ! », lui ordonna le patriarche. Les gens se mirent à rire.

« Jure ! hurla le Saint. Ou serais-tu d'accord avec Satan ?

— Je le jure… », dit la femme, qui fondit en larmes.

Le Saint se tourna vers la foule avec un sourire de triomphe. Mais de nombreux spectateurs hochaient la tête.

« Je suis désolé, Patriarche, fit le père Wenceslao en s'approchant de l'estrade, je voulais seulement… » Il écarta les bras. Puis, tourné vers la cage de Giuditta, il pointa vers elle un doigt qui vibrait de colère. « Voilà comment Satan confond nos esprits ! », hurla-t-il, hystérique.

Le public devint bruyant.

« Oh, oublie pas que t'es le défenseur ! », lui cria un homme.

Il y eut des éclats de rire.

Le père Wenceslao s'agita, gêné, regardant les gens de ses yeux opaques, puis dit d'une voix incertaine : « Je suis le défenseur de Dieu !

— Asseyez-vous ! », lui ordonna le patriarche, irrité.

Le dominicain alla à sa place et s'assit, non sans avoir fait trois fois le signe de croix.

« Un imbécile peut faire plus de dégâts qu'une canaille, chuchota le patriarche à Giustiniani. Conseillez-le. Dites-lui qu'il suffit qu'il se taise. »

Giustiniani acquiesça, pensif. Puis il lança un regard plein de mépris au père Wenceslao.

Mercurio regarda l'aristocrate. Il se demanda s'il était vraiment de son côté, comme il le prétendait. En fait, il ne savait pas à qui se fier, mais il n'avait pas le choix.

Pendant ce temps, frère Amadeo s'était approché de la lavandière, et son bras entourait ses épaules. De l'autre main il lui toucha affectueusement le front. « Femme, dit-il d'une voix chaude et calme, l'épreuve que tu as dû soutenir a rendu fous les martyrs et les prophètes. Mon cœur est avec toi. Va en paix et remercie Dieu d'avoir survécu à ta rencontre avec Satan. » Il fit signe aux gardes de l'emmener. Puis il fixa la foule. En silence. Il pouvait percevoir le scepticisme général. Il hocha la tête et ses épaules s'avachirent. « C'est mon noble et pur adversaire le père Wenceslao qui a raison. Immense est le pouvoir de Satan », dit-il à voix basse, mais de façon que tous entendent. Puis il se tourna et sembla vouloir s'en aller.

La foule était soudain muette.

Tandis qu'il se dirigeait vers la table, apparemment vaincu, le Saint s'arrêta, toujours dos à la foule, regarda sur sa gauche, dans la direction où Giuditta était prisonnière, et se dirigea vers elle d'un pas lourd, fatigué.

Il s'accrocha aux barreaux et fixa Giuditta. Il essaya de les secouer, mais il paraissait sans force. Son corps commença à vibrer. D'abord faiblement puis avec de plus en plus de violence. Tout à coup, il jeta la tête en arrière et roula des yeux, semblant possédé par une énergie supérieure. Puis sa force augmenta, accompagnée d'un cri rauque qui sortait de sa poitrine et planait sur le silence de la salle. La prison de Giuditta commença à vibrer, de plus en plus violemment, comme secouée par un tremblement de terre, tandis que le cri animal du Saint prenait de l'ampleur et se transformait en hurlement.

« Putain de Satan ! », s'écria-il avant de s'écrouler au sol, foudroyé.

La foule oublia tous ses doutes et hurla de fureur, demandant la vie de Giuditta.

84

« Et cet idiot qui dit qu'il est d'accord avec le Saint !
s'exclama Isacco, furieux. Le défenseur d'accord avec
l'accusateur, ça ressemble à quoi ? C'est une sinistre
farce ! »

Mercurio hocha la tête gravement ; il était à côté
du lit de Scarabello. Autour d'eux étaient rassemblés
Lanzafame, Anna del Mercato et les prostituées qui
arrivaient à tenir debout. Le découragement se lisait
sur tous les visages.

Seule Lidia, la fille de République, n'était pas près
du lit. Elle était sur le seuil de l'hôpital et scrutait
la pénombre de ce soir d'été, en direction du canal.
« C'est pas juste, marmonnait-elle. J'entends pas ce
qu'ils disent…

— Tais-toi ! Reste dehors pour surveiller si les
gardes arrivent ! », lui ordonna République.

La petite Lidia fit la moue.

« S'il te plaît, lui dit Mercurio. Ma vie dépend de toi.

— Ah bon ? fit Lidia, étonnée.

— Mais oui », répondit-il.

La petite fille, toute contrariété disparue, se redressa
et sortit, fière de sa mission.

République regarda Mercurio puis Anna. Les deux femmes se sourirent. Anna posa la main sur l'épaule de Mercurio.

« Il est tellement bête qu'il a fini par faire naître des doutes dans la tête des gens, sans le vouloir… », reprit Isacco, cherchant à se convaincre qu'il y avait encore de l'espoir.

Mercurio s'apprêtait à répondre mais la main d'Anna lui pressa l'épaule. Il comprit et se retint, sans pouvoir s'empêcher de hocher la tête. « Giuditta avait un regard terrorisé…, dit-il tout bas.

— Oui, fit Isacco en écho.

— Oui, la pauvre fille », dit Lanzafame.

Isacco regarda Mercurio. « Où étais-tu ? demanda-t-il.

— Suffisamment près de Giuditta, répondit Mercurio, d'une voix sourde.

— Elle te cherche, tu as vu ?

— Oui, sauf que vous lui indiquiez cette espèce de singe tout chevelu…

— Ce n'était pas toi ?

— Non, docteur… » Mercurio était gêné. « Mais évitons de nous faire des signes, si on me découvre, on m'arrête et… je ne peux pas me retrouver en prison en ce moment. Vous comprenez, n'est-ce pas ? »

Isacco hocha la tête. « Tu as raison, excuse-moi, mon garçon. Pourtant, je ne suis pas un novice, je devrais le savoir. On dirait que j'ai du bouillon dans la tête depuis que cette histoire a commencé », soupira-t-il, mortifié.

Mercurio regarda Lanzafame. « Dites-lui d'avoir confiance. Dites-lui que je suis là.

— Je le lui ai dit, répondit le capitaine.

— Eh bien, redites-le-lui. Je suis là, et je serai toujours là, dit Mercurio, un profond chagrin dans les yeux. Qu'est-ce qui m'a pris ce maudit jour d'agresser le commandant des gardes ! Je n'aurais pas besoin de me cacher aujourd'hui !

— Inutile de pleurer sur le lait versé, fit Lanzafame. Fais attention. C'est tout ce qui compte.

— Elle sait que tu es là », intervint Anna.

Mercurio se tourna pour la regarder. Et tous en firent autant.

« Une femme le sait, dit-elle. Elle le sent. »

Les yeux de Mercurio se mouillèrent. « Salauds, grommela-t-il tout bas.

— J'ai mon dîner sur le feu, dit Anna. Tu veux manger quelque chose ? »

Mercurio secoua la tête. « Non, il vaut mieux que je m'en aille. »

Les putains, l'une après l'autre, s'approchèrent de lui. L'une le serra dans ses bras, l'autre lui offrit un sourire, toutes cherchèrent à lui transmettre la confiance dont il avait besoin. Elles savaient que ce ne serait pas le procès qui sauverait Giuditta.

Isacco et Lanzafame s'éloignèrent en discutant.

« Et Jacopo, il s'est montré ? », demanda Scarabello avec un filet de voix.

Mercurio le regarda : il était l'ombre de lui-même. « Il a fait plus que se montrer. Il s'est assis à côté du patriarche.

— Et… ? »

Mercurio hocha les épaules. « Je sais pas. Je comprends pas…

« — Tu ne dois pas le lâcher, mon gars, dit Scarabello en essayant de grincer des dents. Rappelle-lui… que je le tiens… par les couilles… »

Mercurio acquiesça.

« Perds pas espoir.

— Non…

— T'as pris l'argent ?

— Oui. »

Scarabello sourit, malgré la douleur que lui causait sa lèvre rongée par la plaie. « Tu aurais été un grand criminel… Tu étais le seul qui aurait pu… prendre ma place…

— Merci, dit Mercurio avec un sourire.

— Maintenant, fais ce que tu as à faire…, dit Scarabello, qui n'avait plus de souffle. Jusqu'au bout.

— Jusqu'au bout », acquiesça Mercurio, et il regarda par terre. Il resta ainsi quelque temps, silencieux, pensif. Quand il releva les yeux, Scarabello dormait, épuisé par la maladie.

Mercurio rejoignit Isacco et Lanzafame. Il serra le bras du docteur. « Tenez bon. J'ai besoin de votre aide.

— Que dois-je faire ? »

Mercurio lui tendit une grosse bourse de cuir tanné, pleine, dont le contenu tintait. « Voilà cent cinquante lires d'or. »

Isacco regarda la bourse les yeux écarquillés, sans la prendre.

« Ça fait un paquet d'argent, murmura Lanzafame.

— Allez à l'Arsenal, docteur, fit Mercurio. Demain. Demandez le marangone Tagliafico, c'est celui qui construit les galères. Dites-lui qu'il doit renflouer un navire. En quelques jours. Payez-le avec ça. »

Isacco prit la bourse.

« Enlevez votre bonnet jaune, ajouta Mercurio. Et coupez aussi cette barbiche de chèvre. Vous ne devez pas ressembler à un Juif. Dites que vous êtes armateur. » Il le regarda. « Grec. »

Isacco le fixait en silence. Mais ses yeux avaient une lueur nouvelle.

« Vous pensez y arriver ? », demanda Mercurio.

Isacco se mit à rire. « Putain si je vais le faire, mon garçon ! » Il pointa le doigt vers lui. « Je suis né pour ce genre d'embrouille », ajouta-t-il en riant encore. Il fixa Lanzafame. « Pense qu'il y a un couillon de capitaine qui croit encore que je suis docteur ! »

Lanzafame et Mercurio éclatèrent de rire avec lui.

Les prostituées se tournèrent vers eux, presque scandalisées. Mais bientôt de timides sourires apparurent. Cela faisait des jours que plus personne ne riait, ici.

« Le navire se trouve au squero de Zuan dell'Olmo, au fond du rio di Santa Giustina, en face de l'île de San Michele », dit Mercurio.

Isacco acquiesça.

« C'est vous qui devez aller à l'Arsenal. Je ne peux pas me montrer, là-bas.

— Mon garçon, dit Lanzafame, y a-t-il un endroit à Venise où tu peux te promener tranquillement ? »

Mercurio sourit.

« J'ai vu ta barque avec les deux rameurs, dit alors Lanzafame. Elle est toujours prête ?

— Si vous ne changez pas d'itinéraire, oui.

— Nous n'en changerons pas. »

Mercurio acquiesça et se dirigea vers la sortie de l'hôpital.

« Capitaine, dit Isacco à Lanzafame, taillez-moi la barbe.

— Tu me prends pour ton barbier ?

— Capitaine, m'embêtez pas. On reprend nos bonnes vieilles habitudes », fit le docteur en se frottant les mains.

Mercurio, en sortant, s'était rendu chez Anna pour la saluer. Il allait entrer quand il vit un bout de papier par terre, devant le seuil. Il le ramassa. Une phrase y était écrite, d'une écriture enfantine et hésitante : « C'est Benedetta qui l'a fait. »

Mercurio se retourna brusquement et, dans les rougeurs du crépuscule il entrevit une silhouette sombre qui se cachait dans les rangées de peupliers. « Va-t'en, Zolfo ! », cria-t-il. Il chiffonna le bout de papier, qu'il jeta rageusement par terre.

« Qu'est-ce qui se passe ? demanda Anna en apparaissant sur le seuil.

— Rien, répondit Mercurio d'une voix sourde en lançant encore un regard vers les peupliers. Un chien errant, comme d'habitude. »

Anna lui caressa la tête. « Fais attention », lui dit-elle d'une voix pleine d'amour.

Mercurio sourit, s'apprêtant à partir. Mais il s'arrêta et, avec gaucherie, la tête rentrée dans les épaules, l'embrassa sur la joue. Puis il s'en alla au pas de course, sans se retourner, le visage rouge.

Anna le regarda, émue, jusqu'à ce qu'il disparaisse, puis elle rentra.

Zolfo, lui, était sorti de sa cachette derrière un buisson de ronces pour se lancer à la poursuite de Mercurio et le supplier de le prendre avec lui, quand il vit sortir de la rangée de peupliers une silhouette noire encapuchonnée. Il se cacha de nouveau. L'homme suivait Mercurio en direction du canal. Zolfo suivit aussi, prudemment.

Il vit Mercurio monter dans la barque avec Tonio et Berto, tandis que l'homme à la capuche noire disparaissait dans une grosse touffe de roseaux et de joncs, d'où il ressortit avec une petite barque légère.

Zolfo s'approcha du canal.

Soudain, un coup de vent rabattit la capuche.

Zolfo sentit son sang se glacer dans ses veines. Incrédule, il se précipita le plus vite qu'il put vers un petit pont branlant où il s'accroupit. La barque passait juste à ce moment-là près de lui : Zolfo n'était qu'à cinq pas de l'homme, qui ramait tête découverte.

« Non…, dit-il dans un souffle, secoué par une émotion violente. Non…, répéta-t-il. Non ! »

L'homme dans la petite barque se retourna. Il regarda vers le pont, et Zolfo l'espace d'un instant croisa son regard. Il craignit d'être découvert, mais comprit vite qu'il était invisible derrière les lames de bois. Il remarqua sur le cou de l'homme une cicatrice horrible en forme de pièce de monnaie. « T'es pas mort… », murmura-t-il.

Dès que la barque se fut éloignée, il sortit de sa cachette et courut vers le canal pour avertir Mercurio ! Mais Mercurio et ses rameurs étaient déjà loin, dans les hautes eaux.

Alors Zolfo, le sang battant à ses oreilles, fit demi-tour et courut vers l'hôpital. Il entra, hors d'haleine, cherchant Isacco et Lanzafame. « Je dois parler à Mercurio ! leur cria-t-il, les yeux exorbités. Je dois lui parler ! »

Tous deux se levèrent d'un bond. Isacco avait le visage couvert de savon, Lanzafame un rasoir de barbier à la main.

Quelques prostituées voulurent s'approcher mais le docteur les arrêta de la main.

« Je vous le jure… il est en danger, dit Zolfo tout essoufflé.

— Pour quelle raison ? Nous lui dirons nous-mêmes. »

Zolfo était bouleversé. L'émotion, la surprise, l'horreur, il était en pleine confusion. « Non. Vous pouvez pas.

— Va-t'en, gamin, dit Isacco.

— Vous comprenez pas… il est en danger !

— Pourquoi ? répéta Lanzafame d'une voix dure.

— Parce que le Juif…, balbutia Zolfo.

— Encore ces conneries ? grogna Lanzafame en faisant un pas vers lui.

— Non, attendez…, dit Zolfo, reculant, les mains en avant.

— Va-t'en, dit le capitaine.

— Dites-lui… que le Juif de Rome… est pas… », balbutia-t-il encore. Il s'arrêta, secoua la tête. « Je vous en supplie, je dois lui dire moi, vous pourriez pas comprendre, gémit-il.

— Qui t'envoie ? Ton moine ou le commandant des gardes ? », demanda Lanzafame, la voix pleine de mépris.

Zolfo le regarda, en continuant à secouer la tête, comme devenu fou. Puis il tourna le dos et se sauva.

Il courut à la maison d'Anna, frappa à la porte avec fureur.

Quand Anna ouvrit, alarmée, Isacco et Lanzafame arrivaient déjà.

« Je vous en supplie, madame, dit Zolfo, jetant des regards inquiets vers les deux hommes qui s'approchaient, Mercurio est en danger… dites-moi où il est… je vous en supplie… le Juif de Rome est pas mort… Il est ici, madame…

— Je t'ai dit de partir, fit Lanzafame.

— Quel Juif ? demanda Anna.

— Je vous en supplie, je vous en supplie…, implora Zolfo, qui porta la main à sa gorge. Il a une… une cicatrice ici… et…

— C'est lui, le Juif ? dit tout à coup Anna.

— Oui… le Juif de Rome…

— Il n'est pas juif, dit alors Anna. Il s'appelle Alessandro Rubirosa. Il est muet, le pauvre homme. Je lui ai donné à manger et il m'a montré son certificat de baptême pour me dire comment il s'appelait…

— Non, non ! s'exclama Zolfo. C'est le Juif ! Pourquoi personne me croit ?

— Peut-être parce que tu nous as déjà tous trahis, gamin, dit Anna d'une voix dure, les yeux devenus minces comme des fentes. Mercurio ne veut pas de toi ici. Va-t'en. Je n'aime pas chasser les gens, mais tu dois t'en aller. »

Le capitaine l'attrapa par le col de sa veste rouge et sale. Il le jeta dehors avec colère.

Zolfo tomba à terre, dans la poussière.

Lanzafame fit mine de lui donner un coup de pied.

Zolfo se sauva. Il courut à perdre haleine, comme s'il avait peur de s'arrêter. Puis, quand il fut épuisé, ses jambes cédèrent et il se retrouva assis dans l'herbe sèche d'un champ. « T'es pas mort… », murmura-t-il.

Il se mit à genoux, ferma les yeux. Revit Ercole qui regardait sa blessure d'où jaillissait le sang et le fixait, étonné. Il le vit s'écrouler au sol, lentement. "Ercole aga mal", avait-il dit dans son langage bizarre.

« T'es pas mort », répéta Zolfo, en se prenant la tête dans les mains.

Il se rappela Ercole étendu sur le lit de sangle de la baraque des fosses communes. Il entendit le cri terrible qu'il avait poussé quand la vie l'avait abandonné. Il vit sa bonne grosse face de fou se tordre de frayeur.

« T'es pas mort ! », cria-t-il en se dressant sur ses pieds, dévasté par la colère, les bras tendus vers le ciel.

Et il sentit qu'il avait une raison de continuer à vivre, maintenant, une vraie raison. Une seule et unique raison.

85

Shimon avait beau ramer de toutes ses forces, l'écart se creusait entre sa barque et celle de Mercurio. Les deux rameurs étaient trop rapides pour lui. Ce devaient être des professionnels, se dit-il avec angoisse.

La chaleur de cet été de feu le faisait transpirer, brûlait ses poumons. Son cœur battait la chamade.

Les dents serrées, il plongeait les rames dans l'eau immobile de la lagune. Shimon détestait de plus en plus cette ville. Tout y était plus difficile. Suivre quelqu'un sur l'eau était une entreprise impossible.

Mais il ne pouvait pas se permettre de perdre Mercurio.

Cela avait déjà failli arriver les jours précédents. Mercurio était sorti à l'improviste et n'était pas rentré dormir dans la maison de Mestre. Et Shimon était passé de l'euphorie de l'avoir retrouvé au désespoir de l'avoir raté.

Tout en continuant de ramer, il se retourna. La barque qu'il suivait venait de se faufiler au milieu des dizaines d'embarcations qui sillonnaient le Grand Canal, il la voyait à peine. Il tenta de ramer à un rythme plus soutenu, mais ses bras commençaient à le lâcher.

Les jours précédents, il avait rôdé avec angoisse autour de la maison de Mestre, devenant si imprudent que la femme l'avait vu et s'était approchée sans qu'il s'en rende compte. Un instant, il avait pensé qu'il serait obligé de la tuer. Mais elle, le prenant pour une personne dans le besoin, l'avait invité à entrer et lui avait offert un repas chaud.

Shimon s'était assis dans la cuisine, la main sur le manche de son couteau. Il n'était rien arrivé. La tension, peu à peu, s'était apaisée. La femme – elle avait dit s'appeler Anna – avait une voix délicate, des yeux purs, des manières aimables. Il lui avait montré son certificat de baptême. Elle savait lire et avait commencé par l'appeler "monsieur Rubirosa", avec respect, même si elle le pensait suffisamment en difficulté pour lui offrir un repas. Shimon avait pointé le doigt sur le certificat pour indiquer son prénom, et elle l'avait appelé, avec un sourire, "monsieur Alessandro".

Shimon avait éprouvé une étrange sensation de chaleur. Il s'était senti à l'aise. Ce n'était pas comme avec Ester car cette femme ne l'attirait pas. Mais elle avait une manière d'être qui réchauffait même une âme glacée comme la sienne.

« J'habite ici avec mon fils », avait-elle dit à un moment.

Il l'avait regardée en pensant : "Et moi, je suis ici pour te le prendre." Puis il s'était levé et il était parti. Il ne pouvait pas rester là.

Shimon continuait de ramer. Avec la fatigue, il ne sentait plus ses bras. Arrivé à Rialto, il ne vit plus la barque de Mercurio. Une fois de plus, il l'avait perdu, se dit-il, étouffant de rage. Il lâcha les rames et laissa

sa barque avancer lentement sur son erre. Les vêtements trempés de sueur et la gorge desséchée par
la soif, il regardait autour de lui en espérant voir la
barque de Mercurio amarrée quelque part.

Il avança doucement. La fureur croissait en lui, jointe
à un sentiment de malaise. Il n'était qu'à un pas de sa
vengeance. Mais il craignait d'être obligé de retourner
à la maison de Mestre pour attendre que Mercurio
y réapparaisse. Or, c'était dangereux, la femme aurait
pu avoir des soupçons. Et Shimon s'était aperçu la
veille que le gamin de la bande rôdait lui aussi dans
les environs. Il ne pouvait pas prendre le risque d'être
découvert. Mercurio se volatiliserait pour toujours.

Il frappa du poing le banc sur lequel il était assis.
Il sentit la douleur vibrer dans tout son bras et remonter
jusqu'à son épaule.

Il reprit les rames. Dans sa main qui avait cogné
le bois, le sang pulsait. Il avança le long du Grand
Canal, mais il avait peu d'espoir maintenant. Il l'avait
bel et bien perdu. Il continua cependant, regardant çà
et là, et longea bientôt le quai à proximité de la piazza
San Marco. La lagune s'élargissait en une sorte de
bassin de mer. Il s'apprêtait à faire demi-tour quand il
décida de suivre quand même la riva degli Schiavoni.
En ramant, il regardait les étals d'où parvenaient des
odeurs de *castradina*, la viande de mouton rôtie et
fumée.

Alors qu'il avait perdu tout espoir, il vit soudain
jaillir d'un canal, à une vitesse folle, une barque qu'il
reconnut aussitôt : c'était celle sur laquelle Mercurio
était monté, et les rameurs étaient les deux géants qu'il
avait déjà repérés.

Mercurio n'était plus à bord.

Shimon se rapprocha de la rive et pénétra dans le canal d'où la barque avait surgi. Sans doute une tentative inutile, à moins que Mercurio ne soit sur les quais. Mais cela valait la peine d'être tenté. L'espoir de le trouver lui fit oublier la faim que l'odeur de *castradina* avait réveillée.

Il passa sous le pont della Pietà et prit le *rio* du même nom. Il allait lentement, observant minutieusement les alentours.

Le rio della Pietà, plutôt large, devenait tout à coup sinueux, comme un serpent couché, chose insolite à Venise, où les canaux étaient plutôt rectilignes. Sur la rive, il vit une place herbue où broutait un troupeau de chèvres. Certaines levèrent la tête à son passage. Sur l'autre rive, un peu plus loin, un groupe de jeunes garçons étaient en compagnie d'un prêtre. En s'approchant, il vit que ce dernier dialoguait à travers une grille avec une religieuse entourée d'un groupe de petites filles aussi sales et mal vêtues que les garçons. Shimon ralentit, instinctivement. Il se rendit compte que tous les bâtiments alentour étaient habités par un nombre inhabituel d'enfants et de religieux, hommes et femmes. Ce devait être un orphelinat.

Le cœur de Shimon battit plus fort. "C'est donc là que tu te caches ?", se dit-il.

Il arrêta la barque sur la rive opposée, remonta sa capuche malgré la chaleur et attendit.

En repensant à la double visite des gardes du doge à la chaumière de Mestre, il imagina que Mercurio devait avoir des ennuis, ce qui ne l'étonna pas, vu que c'était un voleur et un aigrefin. S'il avait des ennuis, il devait se cacher. Pourquoi pas dans l'orphelinat de la Pietà ?

Mais à mesure que le temps passait, Shimon perdait espoir. Dans ce genre d'endroit, il n'y avait que des religieux et des enfants. Mercurio aurait été trop facile à repérer.

Quand le soleil se coucha, il comprit que Mercurio ne pouvait pas être là. Il craignit de l'avoir perdu, une fois de plus.

Deux pistes lui restaient. La femme qui disait être sa mère : elle tenait tant à lui qu'il serait très difficile de lui extorquer des informations. Et la fille aux cheveux rouges. Shimon, en y pensant, se passa la langue sur les lèvres.

Avant de faire demi-tour pour se rendre au palais où vivait la fille, il décida de poursuivre un peu le long du rio della Pietà. Mercurio était peut-être allé plus loin.

Il recommença lentement à ramer. Au croisement avec un canal plutôt large, le *rio* se redressa. Shimon continua le long de ce qui s'appelait maintenant rio di Santa Giustina : il ouvrait sur une partie de la lagune plus large encore que le bassin de Saint-Marc.

La ville y était différente. Sur le canal flottaient des excréments, des animaux morts. Les amarrages étaient constitués de simples pieux, à moitié pourris, plantés dans des rives fangeuses, sans les pierres d'Istrie rectangulaires qu'on voyait ailleurs. Venise y montrait sa face de misère, sans pudeur. Et cette misère puait affreusement, pensa Shimon en fronçant les narines.

Sur sa gauche, il vit des pontons de bois, avec des filets et des latrines. Autour des maisons basses, en bois elles aussi, des potagers rabougris, desséchés par la grande chaleur. Une chèvre squelettique aux mamelles dégonflées se déplaçait lentement, cherchant quelque chose à brouter. Quelques poules grattaient la boue. Un chat aux oreilles effrangées par les combats se promenait avec circonspection le long d'une palissade.

En face de lui, dans les eaux ouvertes, il vit une petite île. Et quelques barques de pêcheurs.

À droite, en revanche, au-delà d'une étendue fangeuse, une sorte de hangar délabré. Dessous, un navire mal en point sur lequel des hommes travaillaient.

Shimon s'apprêtait à faire demi-tour quand lui parvint de l'atelier une voix qu'il reconnut immédiatement.

« Alors, mon vieux ? Quand est-ce qu'il est prêt ? »

Shimon se retourna brusquement et vit soudain Mercurio, qui sortait à l'instant même du navire tiré au sec.

Son cœur recommença à cogner. Le sang à battre dans ses veines.

Le dieu de la Vengeance avait voulu qu'il le trouve. Sa mission était juste. Le dieu de la Vengeance était avec lui.

Shimon amarra sa barque à un ponton, assez éloigné. Il descendit à terre et revint sur ses pas. Sur le chantier du bateau, les ouvriers quittaient le travail. Ils dirent au revoir et partirent.

Mercurio resta avec le vieux, qui s'appuyait sur une canne, suivi d'un chien tigré aux oreilles tordues.

Shimon attendit que la nuit tombe puis s'approcha de la cabane et regarda par une fenêtre sans vitres. Il n'y avait qu'une seule pièce. Dans un coin, un grabat. Plus loin, un autre, improvisé avec de la paille, une couverture trouée jetée par-dessus. C'était probablement là que Mercurio dormait. Entre les deux grabats, un pot de chambre. Aucune intimité. Sur le feu, dans une cheminée délabrée, bouillait une marmite.

Mercurio et le vieux étaient assis à une table crasseuse et mangeaient des petits poissons avec les mains. Le vieux lança une tête au chien, qui l'attrapa au vol en remuant la queue. Tout à coup, le chien lâcha la tête de poisson, huma l'air et se tourna vers la fenêtre en grognant tout bas.

Shimon se dit qu'il faudrait d'abord s'occuper du chien. Mais il avait le temps.

Il recula doucement, sans faire de bruit, et se cacha derrière le navire. La nuit serait douce. Il fallait décider comment tuer Mercurio, en le faisant souffrir le plus possible. Mais il attendrait encore.

« Donne-moi tout ce que t'as, connard », dit soudain une voix rauque derrière lui.

Shimon sentit la pointe d'une arme dans son dos. Il essaya de se retourner.

« Bouge pas, dit la voix, devenue plus aiguë, alarmée. Donne-moi tout ce que t'as », répéta-t-elle.

Shimon pensa que son agresseur avait peur. Il était faible. Et sans doute peu expert : l'arme pointée ne visait aucun organe vital. Il pourrait la lui planter dans la chair, il ne le tuerait pas.

Il leva les mains, en signe de reddition.

« Donne-moi tout, connard », dit encore une fois son agresseur, dont la voix vibrait, proche du spasme.

Shimon baissa la main droite comme pour prendre sa bourse mais saisit son couteau, se pencha en avant et pivota sur lui-même. Il enfonça avec force la lame sous le menton de son agresseur, d'un geste rapide, en poussant vers le haut, vers le cerveau.

Shimon vit que c'était un jeune garçon.

À l'instant où il mourut, ses yeux s'exorbitèrent, sa bouche bava du sang puis il s'écroula. Son arme n'était qu'un bout de bois pointu.

"T'es mort pour rien", pensa-t-il, sans le moindre remords.

Tout s'était passé en un instant. Dans le silence, Shimon tendit l'oreille. Rien, pas un bruit. Il baissa les yeux sur le cadavre. Il devait s'en débarrasser. En bas du navire, il trouva une corde et la prit. Il chercha une pierre suffisamment grosse pour entraîner le corps au fond. L'eau était basse et fangeuse, mais en inspectant les bords il trouva, une dizaine de pas plus loin, un vieux ponton assez bas. Il faudrait traîner le corps à l'extrémité, là où il y avait sans doute plus de fond. Il noua un bout de corde à la pierre qu'il transporta sur le ponton en s'assurant que les planches tenaient. Puis il revint et saisit le cadavre par le col de sa veste pour le traîner, mais après quelques pas, il entendit une déchirure : l'étoffe usée avait craqué. Sur le torse nu du cadavre, la lune éclairait maintenant deux petits seins mous aux grands mamelons sombres, épanouis comme des fleurs.

Une femme.

Shimon vit quelque chose briller à un mamelon et se pencha sur un petit point blanchâtre : une goutte de lait.

Pas seulement une femme, une mère.

Il la traîna rapidement jusqu'au ponton, attacha l'autre bout de la corde aux chevilles de la femme et la jeta dans l'eau.

En revenant, il vit sur les planches un sillage de sang éclairé par la lune. Il retourna vers l'atelier, y trouva un seau de bois et nettoya le ponton. Puis, de nouveau, il tendit l'oreille.

Il entendit alors des pleurs étouffés.

Quelques pas plus loin, sur un tas de bois, un paquet de haillons était posé. Un gros rat mordait dedans. Le paquet s'agitait.

La main de Shimon frappa le rat. L'animal piailla et disparut. Shimon défit le paquet et vit un nouveau-né, laid, sous-alimenté, la peau opaque si ratatinée qu'il ressemblait à un vieillard en miniature. Le rat était revenu et humait l'air en bougeant le nez et en agitant sa grosse queue sans poils. Assis sur ses pattes arrière, il n'avait aucune intention de se laisser voler son repas. Shimon lui envoya un coup de pied, qu'il évita prestement.

Le bébé recommençait à pleurer. Shimon comprit pourquoi sa mère l'avait ainsi enveloppé : pour le protéger mais aussi pour qu'on ne l'entende pas crier.

Shimon le recouvrit puis regarda vers le ponton. Il aurait été plus charitable de l'envoyer rejoindre sa mère au fond de la lagune que de le laisser dévorer par les rats. Mais il se mit à marcher le long du rio de Santa Giustina jusqu'au rio della Pietà, et installa le bébé sur la roue où l'on déposait les orphelins.

"Le hasard t'a sauvé", lui dit-il mentalement. C'était pure coïncidence s'il y avait là un orphelinat.

Il tira la cloche de l'institut et s'en alla en courant.

De retour au *squero*, il regarda à nouveau par la fenêtre du vieux. Mercurio était toujours là. Le chien, de nouveau, grogna. Shimon n'avait jamais tué un animal, mais il y avait une première fois à tout. Il retourna se cacher derrière le bateau.

Pour passer le temps, il sortit son couteau et grava quelque chose dans la coque.

"L'heure du jugement", y lisait-on quand ce fut fini.

Il vit le rat, qui avait suivi l'odeur du sang sur le ponton et rongeait le bois.

Shimon sourit, comme un enfant.

La vie était belle.

86

« Que le témoin soit amené devant la Sainte Inquisition », ordonna le patriarche.

Le Saint regarda la foule et de son bras tendu fit un ample geste vers la gauche, comme pour présenter l'attraction principale d'un spectacle de cirque.

Dans la grande salle du collège canonique dei Santi Cosma e Damiano, le public se tut et tourna la tête.

Mercurio aussi se tourna vers la porte par où allait entrer le témoin. Il était tendu. Jusqu'à présent les déclarations avaient été plutôt vagues, ou trop fantaisistes. À l'évidence, les témoins, essentiellement des femmes, avaient été préparés, mais les gens y croyaient sans y croire. S'ils souhaitaient la mort de la sorcière, leur jugement était suspendu : il restait un petit fil d'espoir. Cependant, ce nouveau témoin avait été annoncé depuis le premier jour avec tant d'emphase que Mercurio craignait qu'il n'ait un grand poids.

Ottavia regardait dans la foule autour d'elle. Isacco n'était pas là, et la matinée était bien avancée. Tout à coup, quelqu'un lui pressa le bras : c'était le docteur.

« Qu'avez-vous fait ? », lui dit-elle en le voyant sans sa barbichette, vêtu de riche manière et sans bonnet jaune.

« J'ai dû passer par l'Arsenal pour faire une commission, fit Isacco. Mais vous, dites-moi plutôt. Comment évoluent les choses ?

— Pas très bien. Le défenseur ne fait rien ou presque, et on vient d'annoncer le témoin-clé.

— Qui est-ce ? », demanda Isacco en regardant Giuditta, qui avait comme tout le monde les yeux fixés sur la porte par où allait entrer le témoin.

Mercurio aussi la regardait s'agripper aux barreaux de sa prison.

On n'entendait pas une mouche voler.

Isacco croisa le regard du capitaine Lanzafame. Il lui fit un signe affirmatif et lui montra ses cinq doigts : le capitaine comprit ainsi que Tagliafico avait accepté la mission et que la caraque de Zuan dell'Olmo serait prête dans cinq jours.

Un murmure traversa la foule.

« La voilà, dit Ottavia.

— Cette putain…, murmura Isacco.

— Vous la connaissez ? », demanda tout bas Ottavia.

Isacco ne répondit pas. Il fixait le témoin qui avançait en gratifiant Giuditta d'un regard de haine et de défi.

« Qui est-ce ? demanda encore Ottavia.

— Une putain, voilà ce que c'est, grommela Isacco.

— Dites votre nom à la cour, afin que l'*exceptor* en prenne note, dit le Saint, après avoir fait s'installer le témoin devant une sorte de pupitre dressé pour l'occasion afin de mettre en relief son témoignage.

906

« Je m'appelle Benedetta Querini », déclara le témoin en regardant avec fierté le public rassemblé devant elle.

"Maudite, pensa Mercurio. Sois maudite !"

Les hommes dans la salle la fixaient avec admiration et désir. Bien qu'elle ne se fût pas vêtue avec trop de faste, pour ne pas s'attirer l'inimitié des femmes, Benedetta était rayonnante. Sa chevelure cuivrée était rassemblée en petites tresses qui s'entrecroisaient, maintenues par des perles de culture. La carnation de son visage et de son décolleté, généreux sans être scandaleux, était lumineuse et transparente. Beaucoup pensèrent : comme de l'albâtre. Sa robe était d'un bleu clair intense, bordée de jaune safran et de fines dentelles de Burano. À son cou, un simple pendentif, une aigue-marine taillée en forme de goutte, s'accordait à la couleur de sa robe. Aux mains, des gants de satin, et seulement deux bagues, d'or blanc et de jade.

Giuditta regardait Benedetta avec tristesse. Elle ignorait ce qu'elle allait dire, mais elle se sentait écrasée par tant de haine.

« Benedetta Querini, commença le Saint en promenant son regard sur la foule, racontez-nous votre histoire… » Il fit une pause, levant une main en l'air, pour préciser : « Une histoire… que vous pouvez raconter parce que vous y avez survécu… miraculeusement. »

Le public fit du bruit, surpris et excité.

« Oui, *Inquisitor* », répondit Benedetta. Elle pencha la tête, semblant réfléchir. « Oui, vous avez raison… c'est un miracle si je suis encore vivante. » Elle releva la tête et fixa le public. Elle avait les yeux brillants, au bord des larmes.

« Maudite sois tu…, murmura Mercurio.

— Et laissez-moi dire à ces braves gens de Venise, poursuivit-elle en se tamponnant les yeux avec un mouchoir précieux, que c'est en grande partie à vous que je dois mon salut, même si vous ne vouliez pas que je le révèle. »

La foule murmura, de plus en plus fascinée.

"Ils ont bien étudié leur affaire", se dit Mercurio qui, rouge de colère, avait du mal à rester tranquille pour ne pas se faire remarquer.

Isacco aussi s'agitait, furieux, regardant autour de lui pour chercher Mercurio, malgré leur pacte. Il vit un jeune moine qui baissa les yeux et rabattit un peu plus sa capuche quand il croisa son regard. Ce pouvait être Mercurio. Il était déguisé en prêtre le jour où ils s'étaient rencontrés. Il se tourna vers Giuditta mais remarqua que Lanzafame le regardait d'un œil sévère, les sourcils froncés. Il abandonna la recherche de Mercurio et revint à Benedetta.

« Ensuite, que s'est-il passé ? demanda le Saint, après avoir théâtralement esquivé, comme s'il voulait réellement cacher à tous son mérite d'avoir sauvé la jeune fille. Dites aux citoyens de la Sérénissime quel risque mortel vous avez couru.

— Un risque mortel, oui, acquiesça gravement Benedetta. Je serai rapide. Comme beaucoup de dames vénitiennes, j'ai été attirée, moi aussi, par ce qu'on racontait au sujet des robes de la Juive. » Elle se tourna vers Giuditta en souriant de manière imperceptible, pour qu'elle soit le seul témoin de sa joie. « Je dirais même que j'ai été sa première cliente », ajouta-t-elle à mi-voix.

Giuditta tressaillit. « Toi ? s'exclama-t-elle ? C'était donc toi ?

— Tais-toi, putain de Satan, si tu ne veux pas qu'on te coupe la langue ! », menaça le Saint en se précipitant vers la cage.

Lanzafame s'approcha des barreaux. « Tais-toi, Giuditta. »

Giuditta se tourna vers le capitaine, la bouche ouverte pour protester.

« Tais-toi », répéta Lanzafame.

Alors Giuditta regarda à nouveau Benedetta qui la fixait d'un air triomphal.

Mercurio bouillait. Il pouvait lire toute la souffrance, la peur et le désespoir dans les yeux de Giuditta, et dans ceux de Benedetta, il voyait la joie mauvaise de faire mal. Il sentit la fureur lui monter à la tête. Il se dit qu'elle allait le payer, d'une manière ou d'une autre. « Même si je dois te tuer de mes propres mains, chuchota-t-il d'une voix frémissante de rage.

— Continuez, fit le Saint à l'adresse de Benedetta.

— J'avais entendu parler des bonnets jaunes qu'elle confectionnait et j'étais curieuse de voir ses robes. Je savais que les Juifs n'ont pas le droit de vendre des vêtements neufs et je m'en suis étonnée. Mais elle m'a montré une petite goutte de sang à l'intérieur de la robe en me disant "C'est du sang d'amoureux". C'était l'astuce pour que ces vêtements ne puissent plus être considérés comme neufs. C'était ainsi qu'elle trompait les autorités vénitiennes… »

La foule devint bruyante.

« Et elle m'a dit que c'était un sortilège pour attirer l'amour sur les femmes qui les portaient. »

Dans le public, au mot de "sortilège", des bruits de voix s'élevèrent.

« Sorcière ! hurla une femme.

— Ensuite ? demanda le Saint afin d'inviter le témoin à poursuivre. Êtes-vous tombée amoureuse ? Ou quelqu'un est-il tombé amoureux de vous ? »

Les gens se mirent à rire. Mais tout bas. Benedetta avait un air si innocent que son histoire touchait les cœurs.

« Non, dit-elle avec un sourire. Mais je suis tombée malade. »

Le public retint son souffle.

« Expliquez-vous mieux, dit le Saint.

— Tout a commencé en sourdine », reprit Benedetta à voix basse comme si elle revivait son propre drame, obligeant les gens à rester muets. « Au début, je n'arrivais simplement pas à mettre d'autres robes que les siennes… Je croyais que c'était parce qu'elles étaient belles, et je dois reconnaître qu'elles l'étaient… »

Certaines femmes dans la salle acquiescèrent.

« Quand j'en parlais, je disais que j'étais "ensorcelée" par ces robes », reprit Benedetta. Elle soupira. « Je ne savais pas à quel point c'était vrai. »

Il y eut des exclamations et des sifflements.

"Je te tuerai ! Je te tuerai !", pensa Mercurio, et il regarda Giuditta qui suivait le récit en pleurant.

« Mais après un certain temps, il s'est passé une chose grave et embarrassante. Douloureuse, même, poursuivit Benedetta. J'étais sur la fondamenta del Forner, à Santa Fosca, quand j'ai été saisie d'une douleur lancinante, comme si quelqu'un mettait du feu dans ma poitrine, comme si le vêtement que je portais était lui-même en train de brûler… et la sensation était si vive que… » Benedetta secoua la tête puis cacha son visage, en signe de grand embarras. « Encore aujourd'hui, j'en ai honte, même si je sais maintenant que tout cela était de la sorcellerie…

— Eh bien ?, insista le Saint.

— Regarde-moi ce duo », maugréa Isacco. Puis il se tourna vers le défenseur, le père Wenceslao, qui ne semblait même pas suivre le récit tant il se désintéressait du procès et du sort de Giuditta. « Espèce de salaud, que *Ha-Shem* te foudroie !

— Eh bien, continua Benedetta, la douleur était telle que je suis tombée à terre presque morte, hurlant et me démenant comme si j'étais possédée par une armée de démons… »

De nombreuses femmes, dans le public, mirent la main devant leur bouche, épouvantées. D'autres s'accrochèrent au bras de leur homme. Des mères bouchèrent les oreilles de leur enfant.

« Et enfin, exactement comme une possédée, je me suis arraché moi-même mes vêtements… et je suis restée… » Benedetta baissa la tête vers le sol. « Nue… »

Le silence fut total.

Benedetta ajouta : « Et j'ai craché un caillot de sang. »

Mercurio regarda Giuditta. Il vit qu'elle avait les yeux voilés par les larmes. Elle secouait la tête de droite à gauche, en signe de dénégation. Il savait ce qu'elle pensait : elle allait être brûlée vive parce que leur amour avait suscité la haine de Benedetta.

Le Saint hochait la tête. « Ce que vous dites, brave jeune fille respectueuse de Dieu, est certainement terrible et impressionnant, mais quel lien cela peut-il avoir avec ce procès ? Pensez-vous que cela dépendait de la robe que vous portiez ? En avez-vous eu la preuve ?

911

— Ce n'est pas vrai ! Tout est faux ! hurla Giuditta tout à coup, d'une voix brisée par le désespoir.

— Taisez-vous ! fit immédiatement le patriarche. Vous avez un défenseur. Vous n'avez pas à parler ! »

"Et tu es bien certain que le défenseur va rester muet, n'est-ce pas ?, pensa Mercurio. Vous pouvez faire ce que vous voulez et continuer à mentir. Il n'y aura jamais personne pour vous contredire !" Il regarda autour de lui. Mais il vit que pour les gens, comme toujours, l'injustice importait peu, tant qu'elle ne les concernait pas.

« Alors, reprit le Saint, avez-vous trouvé des preuves ?

— Voyons, *Inquisitor*…, répondit Benedetta, candide. Je n'y ai même pas pensé. J'ai été secourue, et dès que la robe a été enlevée, je me suis sentie mieux. Mais je n'ai pas fait le lien entre les deux choses. Pas même quand on m'a dit qu'une femme avait découvert dans les plis de la robe arrachée une plume noire de corbeau, à la pointe trempée dans le sang. Même alors, je n'y ai pas pensé. Et cela malgré ma peau couverte de plaies et de vésicules que seule la brûlure d'un feu aurait pu causer.

— Vous n'avez pensé à rien… », répéta tout doucement le Saint. Puis il regarda les gens. « Satan est habile à confondre nos esprits, à souffler son brouillard…

— Et je n'y ai pas pensé non plus quand, des jours plus tard, j'ai recommencé à porter les robes de… de la sorcière, dit Benedetta avec colère, en se tournant vers Giuditta. Je n'y ai pas pensé non plus quand j'ai commencé à me sentir faible, de plus en plus faible, au point que je devais rester au lit des heures durant. »

Elle sourit. « Que j'étais naïve !… Même au lit, je ne voulais pas me séparer de ces robes. »

Des exclamations de stupeur parcoururent la foule. Plus que les récits des témoins précédents, pleins de monstres visqueux aux yeux jaunes et de voix de spectres infernaux, celui de Benedetta frappait leur imagination. Parce qu'il était simple.

« J'étais en train de m'éteindre… comme si quelqu'un me suçait le sang… ou la vie…, dit doucement Benedetta.

— Ou l'âme ! », s'écria le Saint.

Alors la foule s'insurgea, saisie de fureur. Tous demandaient le bûcher. Et si Lanzafame et ses soldats ne s'étaient pas rangés autour de la cage de Giuditta, l'épée dégainée, quelqu'un aurait tenté séance tenante de lyncher la sorcière.

« Du calme ! Du calme ! », cria le patriarche, debout, en lançant au Saint un regard satisfait.

Mercurio le vit et en frémit de dédain. Cette farce ne pouvait avoir lieu que parce que tous étaient d'accord et que personne ne protesterait. Il se tourna vers Giustiniani. Mais le noble non plus n'intervenait pas. Il restait assis, impassible, le regard fixé devant lui.

« Si vous ne m'aviez pas sauvée, par votre exorcisme, dit Benedetta quand la foule se fut calmée, je serais morte et Satan aurait eu mon âme. » Elle descendit du pupitre en courant puis se jeta à genoux aux pieds du Saint, prit une de ses mains dans les siennes et la baisa, théâtralement, en appuyant ses lèvres sur les faux stigmates. Le Saint se déroba de nouveau, la releva et lui traça du pouce un signe de croix sur le front. « Va avec Dieu, ma fille. Tu as rendu un grand service à la lutte contre le Mal, aujourd'hui, lui dit-il en la confiant aux gardes pour qu'ils l'escortent.

— Mais le défenseur ne veut pas poser de questions ? demanda Giustiniani, toujours assis à côté du patriarche.

— Qu'est-ce qui vous prend, Giustiniani ? », dit celui-ci tout bas, pendant que les gardes s'arrêtaient et que tous se tournaient vers le père Wenceslao.

Le dominicain aux yeux blancs leva la tête, confus. « Monsieur…, commença-t-il à dire.

— S'il ne fait rien, les gens penseront que la justice n'a pas été rendue, chuchota Giustiniani.

— J'ai peur de cet imbécile », lui répondit le patriarche à mi-voix.

Le père Wenceslao continuait de regarder le patriarche, silencieusement. « Peut-être… devrais-je parler d'abord avec l'accusée, dit-il enfin.

— Dans quel but ? lui demanda le patriarche.

— Elle pourrait me dire pourquoi nous ne devons pas croire cette brave jeune fille qui vient de témoigner, répondit le dominicain. Ou se repentir et confesser ses méfaits. Vous ne croyez pas, Excellence ?

— C'est à moi que vous le demandez ? »

Le public ricana.

Le père Wenceslao écarta les bras, la tête rentrée dans les épaules. « Oui… oui, je dois parler avec l'accusée…, décida-t-il, à sa manière peu assurée.

— Soit. Vous aurez une heure devant vous pendant que nous irons nous restaurer », dit le patriarche, irrité. Puis il se tourna vers le Saint. « Et vous, *Inquisitor*, retenez le témoin jusqu'à ce que nous ayons compris si votre… digne adversaire a l'intention de l'interroger. »

Le public partit d'un grand éclat de rire.

« Espèces de salauds », chuchota Mercurio. Puis il chercha à croiser le regard de Giuditta, tandis qu'on l'emmenait.

Mais elle marchait la tête basse, les yeux fixes, perdue dans son propre désespoir.

87

« Quoi qu'il te fasse, quoi qu'il se passe, tu m'appelles, dit Lanzafame à Giuditta.

— Qu'est-ce qu'il devrait se passer ? », demanda le père Wenceslao, sur le seuil de la cellule qu'un des frères du collège avait mise à sa disposition.

Le capitaine Lanzafame lança un coup d'œil plein de mépris au dominicain, sans lui répondre. Puis il regarda Giuditta et lui sourit de manière rassurante. « Je suis là, dehors. Tu appelles et j'arrive immédiatement », lui dit-il, et il ferma la porte.

Giuditta regarda le père Wenceslao, puis alla vers la petite fenêtre au fond de la cellule, qui donnait sur la cour intérieure du collège. Elle détestait ce moine et ne comprenait pas ce qu'il lui voulait, puisqu'il était à l'évidence d'accord avec les autres.

« Veux-tu te convertir à la vraie foi ? », lui demanda le père Wenceslao, d'une voix forte.

Giuditta se retourna brusquement. C'était cela qu'il voulait.

« Ce serait mieux pour toi, jeune fille, à voir la tournure que prennent les choses, dit le dominicain. Cela ferait bonne impression.

— Non », répondit résolument Giuditta.

Le père Wenceslao fit un pas vers elle.

« Ne vous approchez pas ou j'appelle le capitaine. »

Le père Wenceslao hocha la tête, en soupirant. « Tu es orgueilleuse et arrogante. Comme tous les Juifs. »

Giuditta redressa les épaules. « Nous, les Juifs… », commença-t-elle.

Mais il l'interrompit d'un geste de la main. « Oui, les discours habituels. L'important, c'est que tu saches que ça va être dur, dit-il, et il fit un autre pas en avant.

— Avec un défenseur comme vous, certainement !, s'exclama Giuditta, chargeant sa voix de tout son mépris.

— Tiens ta langue, jeune fille, et remercie ton Dieu. Tu n'as que moi.

— Alors je suis bien misérable… »

Le père Wenceslao s'approcha encore.

« Restez loin de moi. »

Le moine hocha la tête. « Je ne te touche pas, je veux juste te montrer quelque chose, fit-il en allant vers la fenêtre.

— Quoi ? », demanda Giuditta.

Le père Wenceslao pointa le doigt vers le ciel. « Quand tu es dans ta cellule, la nuit, et que tu as peur, dit-il d'une voix soudain plus chaleureuse, n'oublie jamais de pointer le doigt comme je le fais à la recherche d'une étoile… et demande-lui de t'emmener avec elle. Où tu veux… » Il se retourna, et fixa Giuditta. « Auprès de qui tu veux. »

Giuditta était bouche bée. Maintenant elle reconnaissait cette voix. « Mais vous… » Ses yeux se remplirent de larmes. « Tu… »

Le père Wenceslao sourit.

917

« Mercur… ! », commença à s'écrier Giuditta.

Mercurio lui ferma la bouche, en riant. « Chut, parle tout bas… parle tout bas, mon amour, dit-il en l'attirant contre lui. Parle tout bas, personne ne doit le savoir… »

Giuditta s'écarta. Elle regardait le visage odieux du dominicain et secouait la tête, encore incrédule, reconnaissant pourtant peu à peu sous le maquillage son bien-aimé Mercurio. Elle respirait fort et continuait de hocher la tête.

Il la serra de nouveau contre lui. « Calme-toi, lui murmura-t-il à l'oreille. Je suis là…

— Tu es là…, dit Giuditta en pleurant, abandonnée à son étreinte. Oui, tu es là… tu es là… » De nouveau elle s'écarta, en le fixant. « Mais comment j'ai fait pour ne pas te reconnaître… moi… moi… »

Mercurio rit doucement. « Heureusement que tu ne m'as pas reconnu, mon amour.

— Mais… tes yeux ? » Giuditta était abasourdie, elle avait du mal à parler et à penser.

« C'est un vieux truc », dit Mercurio en souriant. Il prit son visage dans ses mains et caressa ses épais sourcils arqués. « L'homme qui me l'a appris s'appelle Scavamorto. C'est un truc des mendiants voleurs de bourses à Rome. » Il désigna ses yeux. « C'est du boyau de poisson… enfin, la peau des intestins des poissons. Elle est très fine. On la découpe et on fait un petit trou au centre. Je ne sais pas bien comment ça marche, mais on y voit. » Il sourit encore. « Au début, ça brûle un peu…

— Tu as fait tout ça pour moi…

— Je l'ai fait pour nous, répondit Mercurio.

— Mon père le sait ? demanda Giuditta.

918

— Non. Moins de gens sont au courant, mieux ça vaut : ça diminue les risques. »

Giuditta rit presque. « Je n'aurais jamais imaginé être un jour aussi heureuse de ta malhonnêteté.

— Moi non plus. Pour la première fois de ma vie, je remercie Dieu d'être un as de l'embrouille et du déguisement. Je sais maintenant pourquoi ce talent m'a été donné… » Mercurio la regarda à travers le voile artificiel de ses yeux. « Pour te sauver », dit-il solennellement.

Les coins de la bouche de Giuditta s'affaissèrent et elle ferma les yeux, qui se remplirent de larmes. « Excuse-moi… excuse-moi… » Elle sanglota. « Je… » Elle le regarda : « Je t'ai fait très mal, n'est-ce pas ? »

Mercurio devint sérieux. « Je ne croyais pas possible de ressentir une douleur aussi effrayante, répondit-il.

— Je sais…, fit Giuditta. Moi aussi j'ai cru mourir…

— C'est elle, hein ? », demanda Mercurio, la voix pleine de colère.

Giuditta baissa les yeux. « Oui. Elle m'a dit que le prince Contarini te cherchait pour te tuer mais qu'elle te protégerait si je disparaissais de ta vie, et moi… »

Mercurio donna un coup de poing dans le mur, avec fureur. Puis il leva la main, et se calma. « Excuse-moi… »

Giuditta vint contre lui et l'enlaça. « J'avais peur de t'avoir perdu pour toujours, murmura-t-elle.

— Moi aussi, chuchota Mercurio en lui caressant les cheveux.

— Mais comment tu sais le latin ?, lui demanda Giuditta, les yeux fermés, la tête contre sa poitrine.

— Les frères de l'orphelinat de San Michele Arcangelo à Rome me l'ont appris à coups de fouet. Ils voulaient que je devienne prêtre. Je les détestais… et maintenant voilà que je les remercie. Comique, non ? » Il passa la main le long du cou de Giuditta, sentant la douceur de sa peau. « Et puis, il y a Giustiniani qui m'aide. C'est grâce à lui que je suis ici. C'est lui qui a désigné Lanzafame pour assurer ta garde. Il avait le pouvoir de nommer ton défenseur et…

— Pourquoi fait-il ça ? », le coupa Giuditta.

Mercurio était maintenant sûr que ce n'était pas uniquement par peur du chantage de Scarabello. Il se contenta de hausser les épaules. « Giustiniani est le seul au courant. Il me donne ses instructions, aussi bien pour le procès que sur la stratégie… Maintenant, je vais t'expliquer ce que nous devons tenter. » Il serra les mâchoires, hochant la tête. « Tu as vu de quoi ils sont capables. Ils croient que nul ne leur donnera tort, que tous les mensonges sont bons. Ils t'obligent au silence et ils savent que personne ne les contredira, et que je ne leur mettrai pas de bâtons dans les roues. Les salauds. C'est ça, leur justice. Ils peuvent dire exactement ce qu'ils veulent. » Il tenta de se calmer, puis fixa Giuditta d'un regard sérieux. « Tu dois me promettre une chose.

— Tout ce que tu veux.

— Ne change pas ta manière de me regarder. Personne ne doit avoir de soupçons, ou nous sommes perdus.

— J'essaierai…

— Non. » Mercurio la saisit aux épaules. « Tu réussiras. »

Giuditta le serra dans ses bras. « Mais comment ferai-je pour cacher ma joie ? »

Mercurio entendit un bruit de l'autre côté de la porte. Du vacarme, des voix. « Il faut faire vite. Écoute… » Il approcha ses lèvres de son oreille pour lui donner rapidement ses instructions.

« Ouvrez ! disait la voix du Saint de l'autre côté de la porte.

— Qu'est-ce que tu veux, maudit prêtre ? lui répondit la voix du capitaine Lanzafame.

— Je t'ordonne d'ouvrir, fit le Saint. Je suis l'*Inquisitor*.

— Je ne réponds qu'aux ordres du patriarche, répliqua le capitaine.

— Alors, dit Mercurio à Giuditta, nous sommes d'accord ? »

Giuditta fit oui de la tête en souriant.

« Ne souris pas », chuchota Mercurio.

Giuditta sourit encore plus.

« Ouvre, ordonna le Saint.

— Ouvrez ! », cria Mercurio de l'intérieur. Puis il se tourna vers Giuditta. « Pardonne-moi, mon amour.

— De quoi ? », fit Giuditta étonnée.

La porte s'ouvrit.

Et à ce moment-là, Mercurio asséna à Giuditta une claque violente, en plein visage.

Giuditta hurla de douleur et tomba à terre. Elle porta la main à ses lèvres. Elle saignait.

« Salaud ! », fit Lanzafame en entrant pour secourir Giuditta.

Mercurio croisa le regard du Saint et sortit de la cellule en passant près de lui. Il bougonna : « Ces Juifs ! Ils sont impossibles ! »

Frère Amadeo regarda le dominicain qui s'éloignait et eut l'espace d'un instant l'impression qu'il avait changé. « Sorcière ! dit-il de sa voix forte à Giuditta en pointant le doigt vers elle. Quand j'en aurai fini avec toi, je m'occuperai aussi de ton père, tu peux en être sûre. » Il se tourna vers Lanzafame. « Ramenez-la en bas. Le procès reprend. »

L'attention du public se réveilla quand Giuditta fut remise dans sa cage. Durant la pause, les esprits s'étaient refroidis, les gens s'ennuyaient. Le spectacle reprenait enfin.

« Silence ! », ordonna un prélat tandis que le patriarche et Giustiniani rejoignaient leurs fauteuils sur l'estrade.

Pendant qu'ils s'asseyaient, Giustiniani regarda en direction de Mercurio. L'aristocrate aussi avait le visage tendu. Le procès monté de toutes pièces par l'Église touchait à sa fin. On en était au dernier acte. Ensuite, il serait trop tard.

Mercurio respira à fond. Il boita jusqu'au centre de la scène du procès, s'inclina gauchement devant le patriarche.

« Alors ? demanda celui-ci, un sourcil levé et un petit sourire de dédain sur les lèvres. Vous êtes-vous décidé ? »

Mercurio se gratta la tête, qu'il avait couverte de pustules en colorant au jus de betterave rouge des grumeaux de farine d'orge, cuite et recuite jusqu'à devenir collante. « Voici, Excellence... – fit-il avec l'absence d'assurance sur laquelle il avait construit le personnage de Wenceslao d'Ugovizza – l'accusée m'a en effet révélé des détails qui... comment dire ? Qui peut-être devraient être vérifiés... » Il haussa les épaules, écarta les bras et ouvrit grand les yeux. « Même si, franchement…

— Donc vous nous demandez d'interroger Benedetta Querini ? dit Giustiniani.

— Peut-être…, fit Mercurio. Qu'en dites-vous ? »

Le public se mit à rire.

Le patriarche souffla, irrité. « Qu'on fasse venir le témoin Benedetta Querini, ordonna-t-il.

— Je vous en suis reconnaissant, Patriarche », dit Mercurio qui s'inclina plusieurs fois, suscitant de nouveau l'hilarité générale.

Isacco, au premier rang, presque en contact avec lui, lui murmura entre ses dents : « Prêtre vendu. »

Mercurio feignit de n'avoir pas entendu. Puis il accueillit l'entrée de Benedetta comme s'ils étaient à un rendez-vous mondain, en l'escortant personnellement jusqu'au pupitre.

Benedetta s'avança avec suffisance. En montant au pupitre, elle jeta un regard plein de haine à Giuditta.

« Où avez-vous dit que vous habitiez ? », demanda aussitôt Mercurio.

Benedetta se retourna d'un coup. « Je ne l'ai pas dit », répondit-elle, tendue. Le Saint l'avait mise en garde. Son lien avec le prince Contarini ne devait jamais apparaître.

Le patriarche sursauta sur son siège et se pencha vers Giustiniani : « Vous avez averti cet imbécile que le nom de mon neveu et de ma famille ne doit être cité en aucune manière ? demanda-t-il, alarmé.

— Bien sûr, Patriarche, répondit Giustiniani. Et je ne comprends pas… »

Mercurio se retourna brusquement vers le patriarche, les yeux écarquillés, pour faire croire que le maladroit père Wenceslao, une fois de plus, s'était trompé. Il agita les mains en l'air, bouche ouverte, puis bafouilla, confus : « D'ailleurs, en effet, quelle importance, l'endroit où vous habitez ? » Il regarda Benedetta puis de nouveau le patriarche. « N'ai-je pas raison, Excellence ? »

Les gens rirent encore.

Le patriarche, la mâchoire crispée, ne répondit pas.

« Oui, bien sûr…, balbutia Mercurio. Enfin, non, je voulais dire… Qu'est-ce que je voulais dire ? »

Benedetta haussa le sourcil. « Peut-être vouliez-vous que je pose moi-même les questions ? », suggéra-t-elle, en se tournant vers la salle.

Le public éclata d'un rire bruyant.

Isacco regarda Giuditta. Elle ne lui semblait pas aussi inquiète qu'elle aurait dû l'être. Sa fille gardait la main sur la joue, et sa lèvre avait saigné. Mais Isacco n'avait pas l'impression qu'elle se touchait comme si elle avait mal. On aurait presque cru qu'elle caressait sa peau rougie.

« Ah oui, voilà ! s'exclama Mercurio tout à coup en se donnant une tape sur le front. Voilà, répéta-t-il. Je me demandais, Excellence, dit-il en s'adressant au patriarche, comment on fait pour monter une accusation de sorcellerie… »

Le public s'agita.

« Que voulez-vous dire ? fit le Saint.

— Rien, pour l'amour de Dieu…, répondit Mercurio en s'inclinant devant le Saint. C'est juste qu'étant inexpert en matière de procès, comme je vous l'ai dit, j'ai essayé de comprendre comment… comment… Eh bien, je ne sais pas bien expliquer, mais je voudrais demander au témoin… s'il connaît l'accusée, voilà. »

Benedetta le regarda avec un mépris mal dissimulé. « Bien sûr. Elle m'a vendu ses robes ensorcelées.

— Je veux dire, la connaissiez-vous avant ? », demanda Mercurio.

Benedetta haussa les épaules. « Plus ou moins…

— Plus ou moins…, répéta Mercurio, songeur. Par plus ou moins entendez-vous que vous et Giuditta da Negroponte êtes arrivées ensemble à Venise, en voyageant dans le chariot des vivres du capitaine Lanzafame, de retour de la bataille de Marignan, par exemple ? »

Benedetta se raidit. Elle regarda le Saint.

« Quel rapport ? dit le Saint avec arrogance.

— Je ne sais pas s'il y a un rapport… », fit Mercurio, toujours avec son attitude peu assurée, en se tournant vers le patriarche.

Le patriarche regarda la foule. Tous les regards étaient tournés vers lui. Il se rendit compte qu'il n'avait pas le choix. « Eh bien, essayez de le savoir, maudit père Wenceslao ! », s'anima-t-il, feignant de plaisanter.

Le public sourit de la plaisanterie, mais la tension était palpable.

« Je proteste ! », intervint le Saint.

Le patriarche le foudroya du regard. "Trop tard, imbécile !", maugréa-t-il intérieurement.

« Je me demandais, avait repris entre-temps Mercurio, s'adressant à Benedetta, si vous vous rappelez, chère jeune fille, qu'il y avait avec vous un petit voyou nommé… nommé… Zolfo ! Voilà, Zolfo ! Et s'il est vrai que ce même Zolfo a essayé de poignarder l'accusée Giuditta da Negroponte et…

— Non ! s'exclama Benedetta. Elle ment !

925

« — Sur quel point, exactement ? demanda Mercurio en s'avançant vers le capitaine Lanzafame. Je veux dire… nous avons ici le capitaine, le héros de la bataille de Marignan, qui pourrait confirmer…

— Elle ment en disant que…, intervint Benedetta, qui se sentait le dos au mur.

— En disant que…, reprit Mercurio, qui lui fit signe de continuer.

— Que… que Zolfo était un voyou. C'était juste un jeune garçon…

— Mais il a tenté de la poignarder.

— Peut-être… Je ne me rappelle pas bien… »

Mercurio boita vers le public qui bourdonnait, comprenant qu'il se passait quelque chose de nouveau dans ce procès jusque-là à sens unique. « Vous ne vous rappelez pas bien si un de vos amis voulait poignarder une jeune fille qui est à présent enfermée ici dans une cage, accusée d'être une sorcière et…

— C'est une sorcière ! » s'écria Benedetta. Elle désigna Giuditta en regardant le public. « C'est une sorcière ! »

Mais les gens, cette fois, ne s'enflammèrent pas. Pour la plupart, ils ne se tournèrent même pas vers Giuditta. Tous les yeux étaient fixés sur Benedetta.

« Que voulez-vous démontrer, père Wenceslao ? intervint le Saint.

— C'est justement ce que je cherche à comprendre, frère Amadeo, répondit Mercurio, en tapant son index sur sa tempe. Par exemple… Bon, c'est une chose sur laquelle je dois vous demander conseil. » Il feignit de se concentrer, à la recherche des mots justes. « Pardonnez-moi, *Inquisitor*, reprit-il, mais ce garçon qui a tenté de poignarder l'accusée, celui qui

926

voyageait avec votre témoin oublieux... s'appelle... Zolfo, comme... » Il fit un pas vers le Saint, ses yeux voilés de cataracte tournés vers le public. « C'est-à-dire, que ce Zolfo, qui a le nom du parfum de Satan, est celui-là même qui habite avec vous et qui vous accompagne dans vos prêches ?

— Quel rapport ? fit le Saint, haussant les épaules comme s'il s'agissait d'une peccadille.

— Rien, pour l'amour de Dieu, dit tout de suite Mercurio. Je cherche seulement à comprendre combien de coïncidences il y a dans cette histoire... »

Le public s'agita.

« Sommes-nous sûrs que le père Wenceslao est un imbécile ? », demanda tout bas le patriarche à Giustiniani.

Celui-ci ne répondit pas. Admiratif, il regardait Mercurio tisser sa trame d'une main sûre.

« Ce n'est qu'une putain ! hurla tout à coup Benedetta. Rien qu'une putain ! Sorcière ! Sorcière ! »

Les gens ne la suivirent pas.

Mercurio attendit que le silence revienne. Un silence lourd de tensions. Puis, d'un pas hésitant, il alla jusqu'au pupitre et monta la première marche. « Pourquoi exactement serait-elle une putain ? », demanda-t-il.

Benedetta secoua la tête. Elle regarda vers le Saint, cherchant de l'aide.

« Parce qu'elle a un homme que vous auriez voulu avoir ? », lui demanda Mercurio.

Les gens dans la salle murmurèrent, surpris.

« C'est elle qui t'a dit ça, curé ? répondit Benedetta, le regard enflammé. C'est des conneries. Elle veut protéger son cul... »

— Modérez votre langage, jeune fille ! », intervint le patriarche.

Benedetta, le visage rouge, n'arrivait plus à se contrôler.

Mercurio se tourna vers Giuditta et lui fit un petit signe imperceptible.

« Mercurio m'a tout raconté ! dit alors Giuditta en s'adressant à Benedetta. Il m'a dit combien tu étais pathétique quand tu te déshabillais pour lui dans la chambre de la Lanterna Rossa…

— Tu ne sais pas de quoi tu parles, putain !

— Du calme ! ordonna le chancelier en faisant sonner sa clochette.

— Il m'a dit qu'il y a quelques jours, tu lui as caressé les cheveux, en croyant qu'il pleurait, alors que lui il se moquait de toi, continua Giuditta. Il me raconte tout. Et même que ça le dégoûte de te voir te contenter des miettes…

— Putain !

— Faites taire ces deux femmes ! cria le patriarche.

— Il m'a dit qu'il suffirait qu'il claque des doigts pour que tu te jettes à ses pieds…

— Je veux te voir mourir !

— Silence !

— Il m'a dit que tu ne racontes que des mensonges ! Tu dis que tu es la maîtresse d'un homme important, alors que tu n'es qu'une de ses servantes ! » Giuditta se mit à rire, pleine de mépris.

« Putain ! Une putain, voilà ce que tu es ! » Benedetta voulut descendre du pupitre pour aller la frapper mais Mercurio et le Saint la retinrent. Benedetta avait les veines du cou gonflées. Elle cria : « Je suis

928

la maîtresse du prince Contarini et il te fera égorger en prison quand il saura comment tu m'as traitée ! »

Le Saint la gifla. « Tais-toi, malheureuse ! », lui hurla-t-il en la secouant par les épaules.

Benedetta le fixa, sans se rendre encore compte de ce qu'elle avait fait.

Mercurio fit un pas en arrière, se tourna vers Giuditta et acquiesça imperceptiblement.

Isacco, bouche bée, regarda Lanzafame.

Le public était muet.

« J'espère ne pas avoir causé de complications…, bafouilla Mercurio en s'adressant au patriarche, les bras écartés. Je… je…

— Vous avez fait votre devoir de défenseur, père Wenceslao », dit le patriarche en retenant la colère qui bouillait dans ses veines. Puis il se tourna vers Benedetta, le regard féroce. « C'est cette femme qui a fait quelque chose de profondément grave… »

La foule s'agita.

Le patriarche pointa sur elle un doigt vibrant. « Tu as calomnié mon neveu Rinaldo et avec lui la bonne renommée de ma famille tout entière. Sans plus tarder, dans cette salle même, tu seras publiquement désavouée.

— Je n'ai pas bien compris, Patriarche, demanda alors le malheureux père Wenceslao de sa voix ingénue, avec de gros yeux étonnés. Vous voulez dire… que cette femme ment ? »

Benedetta sentit la terre s'ouvrir sous ses pieds.

« Pour aujourd'hui, le procès est clos, dit gravement le patriarche. La cour se retire. » Il se leva, cherchant à ne pas montrer le tremblement de colère qui s'était emparé de lui. Précédé par ses prélats, suivi par ses clercs tenant sa traîne de pourpre, il sortit de la grande salle du collège canonique dei Santi Cosma e Damiano.

Le public, lui, n'avait d'yeux que pour le père Wenceslao.

Mais parmi tous ces regards tournés vers le dominicain qui avait renversé le cours du procès, le plus admiratif était certainement celui d'un homme qui restait à l'écart sans se faire remarquer, la capuche rabattue sur la tête malgré la grande chaleur. Il le fixait avec intensité en triturant une étrange cicatrice sombre en forme de pièce de monnaie au centre de sa gorge.

88

Deux jours plus tard, la foule se pressait de nouveau dans la salle du collège canonique dei Santi Cosma e Damiano. La nouvelle du tournant pris par le procès attirait encore plus de curieux.

Shimon suivait les débats, lui aussi. Mais avec un intérêt bien différent.

La première fois qu'il avait regardé par la fenêtre de la baraque du vieux marin, Shimon avait supposé qu'un repas chaud cuisait dans la marmite. Mais il avait découvert, à l'aube du lendemain matin, que Mercurio y prenait des poignées d'un mélange collant qu'il se passait sur le visage, sur le nez et sur le cou. Il avait assisté bouche bée à la confection de son déguisement : la perruque avec la fausse tonsure, l'attelle nouée autour de la jambe pour feindre une boiterie, les colorants roses ou bruns qui servaient à mettre en relief des pustules, la poix qu'il se passait sur les dents pour qu'elles paraissent plus vieilles, et enfin les boyaux de poisson qu'il lavait puis découpait avec art pour rendre ses yeux aveugles.

Shimon était stupéfait et fasciné. Il avait remarqué que le vieux, mis dans la confidence en raison de l'exiguïté de la cabane, composée de cette seule pièce, l'était tout autant.

Ce matin-là, comme tous les jours, Shimon avait suivi le père Wenceslao, de la cabane du *squero* jusqu'au collège canonique, jouissant d'avance du moment où il le tuerait. Cependant, il avait un certain respect pour lui. Jeune comme il était, il tenait tout un procès d'Inquisition entre ses mains.

Shimon avait pris place sur le côté de la salle, près d'une colonne qui pouvait le cacher un peu. Il regardait la porte par laquelle allaient entrer les acteurs de cette farce. Mais il entendit un piétinement dans son dos et se retourna.

Une petite escouade de gardes du doge, escortant des dames de l'aristocratie, s'ouvrait un chemin dans la foule. En tête venait une vieille femme à l'air dur, hautain, suivie de quelques dames plus jeunes. Toutes cachaient sous un regard altier le déplaisir qu'elles avaient à se trouver en si étroit contact avec le peuple.

Les gardes firent dégager sans égards la première et la seconde rangée de bancs. Les gens se levèrent en bougonnant. Les dames furent installées au premier rang, les gardes derrière, en protection.

Le chancelier du procès et l'*exceptor* firent sonner leur clochette au même moment.

La foule se tut, Shimon se tourna, et par une petite porte latérale entrèrent le patriarche, le noble vénitien qui siégeait près de lui, le petit groupe des prélats et des clercs, le frère accusateur et Mercurio, sous les traits du père Wenceslao.

Giuditta était dans sa cage. Sans vraie raison, car ce jour-là ce n'était pas d'elle qu'on ferait le procès.

Elle était simplement là, exposée comme un animal exotique.

Après quelques instants, Shimon vit apparaître, entre deux gardes, la fille aux cheveux cuivrés qui lui plaisait tant. Elle marchait tête basse, évitant de regarder la foule avec arrogance, vêtue d'une tenue modeste, rapiécée, le bord de ses jupes usé. Elle ne portait ni bijoux ni perles dans ses cheveux, qui étaient dénoués dans le dos. Shimon, en la voyant si faible, vaincue, ressentit pour elle un désir plus fort. Elle lui parut encore plus sensuelle.

Il se tourna vers Mercurio. C'était lui qui l'avait condamnée à cette humiliation. Non seulement la bande s'était dissoute mais une guerre avait éclaté. La raison, c'était la Juive accusée de sorcellerie qui l'avait révélée : Mercurio avait refusé les avances de Benedetta.

Mais aucune des deux ne l'aurait, pensa-t-il avec un sourire. Parce que Mercurio était à lui. Et son temps était compté.

Le patriarche, une fois installé, ouvrit les bras et déclara : « Peuple de Venise, aujourd'hui nous avons la tâche ingrate de dévoiler une tromperie, de démasquer un faux témoin, de révéler un mensonge, de laver une calomnie. » Il pointa son index bagué en direction de Benedetta. « Mais je veux que vous vous rappeliez que pour un témoin qui sera démasqué, nous avons entendu dans ce procès des dizaines de témoins parfaitement crédibles. » Il promena son regard sur la foule. « Aujourd'hui, nous ne prononcerons pas l'innocence de la Juive Giuditta da Negroponte, mais la culpabilité de Benedetta Querini. »

La foule murmura.

Mercurio, en regardant les gens, se rendait compte qu'il avait porté un grand coup au déroulement du procès. Les témoins dont parlait le patriarche n'avaient pas vraiment impressionné le peuple vénitien. Leurs déclarations étaient trop colorées, mal racontées, et Mercurio les avait ridiculisées en jouant les imbéciles. L'intention du patriarche était claire. Il devait sauver le procès, mais ce qui lui tenait à cœur, c'était la renommée de sa famille.

Mercurio avait réussi à avoir la veille une courte conversation avec Giustiniani. Le gentilhomme lui avait dit que le patriarche était furieux. Il obligerait son neveu à réfuter le témoignage de Benedetta. Quand Mercurio lui avait rétorqué que toute la ville savait qu'elle était la maîtresse de Rinaldo Contarini, Giustiniani avait répondu : « La vérité n'a pas la moindre importance. Ce qui compte, c'est ce qu'on affirme, en dépit même de l'évidence. Des jeunes gens de bonne famille, à Rome, sont ordonnés évêques ou cardinaux à quinze ans parce qu'un jour ils deviendront papes. On ne demande pas à ces jeunes gens ou à ces papes de ne pas avoir des bataillons de maîtresses ou de ne pas se livrer à la perversion, mais simplement d'affirmer le contraire. Et tout l'apparat est là pour le confirmer. Rappelle-toi : dans notre monde, la vérité est celle qu'écrivent les puissants. En soi, elle n'existe pas. »

Mercurio traversa la salle avec la démarche claudicante et incertaine du père Wenceslao, et alla jusqu'à la cage de Giuditta.

« Reste en arrière, prêtre, lui dit Lanzafame.

— Non, fit Giuditta, ça me fait p… Ça ne me gêne pas, ajouta-t-elle après un silence. »

Lanzafame la regarda, surpris.

« Qu'on introduise le prince Rinaldo Contarini »,
annonça le chancelier.

Tous se retournèrent.

« Ne sois pas imprudente », murmura Mercurio à
Giuditta.

Elle s'appuya aux barreaux. Prit une longue inspiration. « C'est bon de sentir ton odeur, dit-elle
tout bas.

— Arrête... »

Benedetta, pendant ce temps, s'était tournée vers la
porte à sa droite.

Entra alors le prince, avec son allure bancale,
accompagné de deux écuyers et vêtu comme toujours
d'un blanc resplendissant.

La foule murmura, commentant son infirmité répu-
gnante.

« Je n'admettrai pas de désordre », fit le patriarche
d'une voix dure.

Les gens comprirent d'autant plus vite que tous les
gardes et les soldats présents dégainèrent leur épée.

« C'est moi qui conduirai les débats, continua le
patriarche, pour que frère Amadeo da Cortona puisse
se concentrer sur le procès en sorcellerie. »

Il attendit que son neveu soit assis dans le fauteuil
apporté expressément. Le prince infirme regardait
devant lui d'un air hautain.

Benedetta, pour la première fois de sa vie, éprouva
une sorte de tendresse. Parce qu'elle vit, elle sentit que
son amant avait peur. Peur du patriarche.

« Prince Contarini, commença le patriarche, cette
femme, Benedetta Querini, a affirmé qu'elle était
votre maîtresse. Cela correspond-il à la vérité ? »

Rinaldo Contarini se tourna à peine vers Benedetta, évitant son regard. Il respira profondément et dit de sa voix aiguë : « Non, Patriarche.

— La pauvre, elle me fait de la peine », chuchota Giuditta.

Mercurio la regarda, étonné. Il ne vit pas dans ses yeux la haine qu'elle aurait dû éprouver. Il regarda Benedetta. Et s'étonna de ne pas éprouver lui-même de ressentiment à son égard. La voir là, tête baissée, lui faisait de la peine, à lui aussi. Tout le mal qu'elle avait tramé se retournait contre elle.

« Pouvez-vous nous dire si elle a quelque chose à voir avec vous ? », continua le patriarche.

Le visage du prince devint rouge. Sa bouche se contracta en grimace.

« La vérité est celle qu'écrivent les puissants, dit Mercurio tout bas.

— Quoi ? souffla Giuditta.

— Regarde-les, dit Mercurio entre ses dents, les yeux fixés sur la rangée de dames de la noblesse assises sur le premier banc. Ils sont tous en ordre de bataille pour défendre leur caste. Nous, la plèbe, nous les salissons, comme la boue ou le crottin.

— Tu sais maintenant ce que les Juifs ressentent tous les jours, chuchota Giuditta.

— Alors ? dit le patriarche. Nous attendons, prince. » Il y avait dans sa voix une dureté sans réplique.

Contarini se tourna d'un coup vers Benedetta. Il soutint son regard un instant.

Elle lui sourit, avec bienveillance, espérant le mettre de son côté. Mais ce sourire la perdit.

Le prince se sentit encore plus humilié. La colère lui serra la gorge. « Je ne me souviendrais pas d'elle si elle n'avait pas inventé cette immonde affaire ! s'exclama-t-il. C'est une servante du palais, une parmi tant d'autres. » De nouveau, il se tourna vers Benedetta. Il vit que son sourire avait disparu de son visage. Se dit qu'elle était belle. Et qu'elle avait été la meilleure de toutes pour interpréter le rôle de sa sœur morte. Aucune autre ne s'était balancée de manière aussi sensuelle sur la balançoire de sa chambre à coucher. Il serait difficile d'en trouver une comme elle. Il mentit : « Cette personne ne compte en rien.

— Comment se fait-il qu'elle soit venue témoigner que…, commença le patriarche.

— Je n'en sais rien ! », l'interrompit le prince.

Le patriarche le regarda, courroucé.

« C'est une folle… elle a importuné toutes mes connaissances avec ses divagations. Elles sont d'ailleurs là pour confirmer mes dires, si besoin était. » Et le prince se tourna vers les dames de l'aristocratie assises au premier rang.

Benedetta reconnut la vieille dame qui lui avait demandé d'acheter les robes de Giuditta pour elle. L'autre lui renvoya un regard distant, hostile. Ils la rejetaient à la mer, tous.

On fit alors s'installer sur un banc la magicienne, Reina. Elle avait les poignets liés, les cheveux ébouriffés et le visage marqué par la douleur. Il était évident qu'on l'avait torturée et frappée.

Mercurio regarda Benedetta. À l'entrée de cette femme, elle s'était soudain figée. « Qui est-ce ? demanda-t-il tout bas à Giuditta.

— Je ne sais pas », répondit cette dernière.

Benedetta imagina aisément ce qu'on ferait dire à la magicienne. Elle croisa son regard. "Tout le mal

937

qui est souhaité, un jour ou l'autre, nous revient", avait-elle dit la première fois qu'elles s'étaient vues. Reina l'avait avertie, mais Benedetta ne l'avait pas crue. "Qu'il ne revienne pas sur moi mais sur la personne qui l'a souhaité", avait ajouté Reina. Benedetta sourit tristement. Le mal, au bout du compte, était revenu sur toutes les deux. Alors, poussée par l'instinct plus que par le raisonnement, elle échappa à ses gardes et courut se jeter aux pieds du prince.

« Prince, pardonnez-moi, dit-elle en pleurant. Je demande votre pardon, je ne voulais rien faire de mal… je voulais simplement imaginer que j'étais à vos côtés… que j'étais à vous… Prince, je vous en supplie, je ne demande que votre pardon. » Elle le regarda et joua sa dernière carte. « Je me moque bien de tous les autres, prince. » Elle lança un regard rapide au patriarche, afin que Contarini n'ait aucun doute. « Le seul pardon qui m'importe, c'est le vôtre. »

"Très forte", pensa Mercurio.

« Gardes ! », fit le patriarche.

Tandis que deux soldats s'emparaient d'elle et l'entraînaient sans ménagement, Benedetta croisa le regard du prince. Elle sut qu'elle avait agi comme il le fallait.

« Patriarche, dit le prince, cette femme s'est malheureusement entichée de moi. Elle a menti, c'est vrai. Elle s'est fait passer pour ce qu'elle n'était pas, c'est vrai. Elle a risqué de couvrir de boue ma réputation et celle de ma famille… » Il se leva, tout bancal qu'il était, et tendit son bras difforme. « Pourtant je vous demande de vous montrer indulgent. Pour ce qu'il en est de moi et de mon nom, je n'ai pas l'intention de porter plainte, et j'espère que vous vous montrerez

938

magnanime vous aussi. Il suffira de la mettre à la porte et de l'éloigner du palais. »

Le patriarche serra les poings. Son neveu tentait de lui forcer la main, mais il n'avait pas l'intention de céder.

« Il n'acceptera jamais… », murmura Giuditta.

Mercurio la regarda et vit qu'elle avait dans les yeux un chagrin réel. « Quel geste noble ! intervint-il alors d'une voix forte, en s'écartant de la cage. Oui, quel geste noble ! », répéta-t-il. Il s'agita quelque peu, de cette manière maladroite qu'il avait trouvée pour caractériser le père Wenceslao. « Et voilà pourquoi un noble… est noble, je le comprends mieux à présent. »

La foule se tourna pour le regarder.

Giuditta aussi le regardait, sérieuse et fière.

Puis l'on se tourna à nouveau vers le patriarche.

« Certes, dit à contrecœur le chef du clergé vénitien, l'Église et Venise aimeraient pouvoir se montrer miséricordieuses. » Il regarda son neveu. Puis le père Wenceslao. Puis Benedetta. « Certes », reprit-il, d'une voix contractée par la colère. Il regarda les dames de l'aristocratie prêtes à se ranger à ses côtés, par intérêt de caste, et Reina la magicienne, que la violence et le pouvoir avaient fait plier. Il secoua la tête, essayant de cacher son agacement. Tout ce qu'il avait organisé dans les moindres détails n'avait plus aucun sens.

Giustiniani en revanche n'avait d'yeux que pour Mercurio. Ce garçon lui plaisait de plus en plus, et le surprenait. Il avait la vengeance à portée de main, il aurait pu écraser Benedetta comme un cafard et au lieu de cela il avait pris sa défense. Oui, il l'avait surpris. Cela valait la peine de l'aider. Il se pencha vers l'oreille du patriarche et murmura : « Vous êtes un démon. L'Église s'en sort la tête haute et votre famille aura la réputation d'être miséricordieuse. Compliments à vous et à votre neveu. Belle comédie. Vous l'avez bien instruit. »

Le patriarche se tourna. Giustiniani croyait-il que tout ceci faisait partie de son plan ? Brusquement, la situation lui parut tout autre. Et même, à son avantage. Le patriarche se leva. « Que la miséricorde triomphe, dit-il avec emphase. Vous êtes acquittée, jeune fille. » Il regarda les gens, pendant qu'il se préparait à prononcer une phrase qui allait être un ordre. « Je ne sais pas qui dorénavant vous donnera du travail », et il laissa les mots en suspens pour que tous en comprennent bien le sens, « mais vous êtes acquittée. Remerciez la magnanimité du prince… qui est celle de toute la famille Contarini ».

Benedetta sentit la vie recommencer à couler dans ses veines. Elle s'inclina et tandis qu'on l'emmenait, croisant le père Wenceslao, elle lui demanda à voix basse « Pourquoi ? » Elle n'arrivait pas à croire que l'homme qui l'avait traînée dans la boue ait pu la relever de terre.

Le dominicain la regarda de ses yeux aveugles et ne répondit pas. Puis il se tourna vers Giuditta.

Elle, imperceptiblement, lui sourit.

Les gardes poussèrent Benedetta à l'extérieur.

Mercurio la regarda disparaître. Il se rendit compte qu'il n'était plus attiré par elle, et se sentit libre.

On entendit de nouveau résonner les clochettes.

« Demain seront prononcées les plaidoiries finales, annonça le chancelier.

— Demain, Venise, justice sera faite », dit le patriarche, encore debout. Il écarta les bras et traça dans l'air la bénédiction pastorale. La foule réunie était indécise, ne sachant si elle devait être satisfaite ou déçue. Comme si le spectacle, car c'en avait été un, était suspendu à mi-chemin, soudainement interrompu.

« Patriarche, laissez seulement cette femme dire ce pour quoi elle est ici ! », s'exclama alors le Saint, comme s'il avait deviné qu'il fallait réchauffer l'atmosphère. Il courut presque jusqu'à la magicienne et pointa le doigt sur elle, en fronçant les sourcils et en grinçant des dents. Il se tourna vers le patriarche qui acquiesça après un instant d'hésitation. Le Saint prit alors la magicienne par le bras et la fit se lever. Il l'amena au centre de l'estrade et la tourna vers la foule, la montrant telle qu'elle était, ébouriffée, hâve, les poings liés. « Parle, allez ! »

Reina la magicienne ouvrit la bouche, obéissante. Les fers rougis, la nuit même, lui avaient appris ce qu'elle devait dire. Ce qu'on voulait qu'elle dise. « Benedetta Querini est venue chez moi chercher un… poison pour Giuditta da Negroponte », dit-elle.

La foule devint muette. Quelques vieilles femmes firent un signe de croix.

« Je lui ai répondu que… je ne faisais pas ces choses-là… Mais elle était obsédée. Elle est revenue me voir encore et encore… on aurait dit qu'elle était folle.

— Et quelle fut votre pensée ?

— J'ai eu la certitude qu'elle était… ensorcelée.

— Ensorcelée ? Et comment ? feignit de s'étonner le Saint.

— Parce que son obsession ne se déclarait que lorsqu'elle portait les robes de la Juive », répondit la magicienne en désignant Giuditta.

La foule murmura, stupéfaite.

Mercurio regarda Giuditta avec inquiétude.

« Demain la décision sera prise de brûler la chair d'une sorcière ! », hurla le Saint.

Alors la foule se ranima. Le spectacle recommençait. De nouveau, le frisson de la mort parcourut la grande salle du collège canonique. Et chacun se sentit plus vivant.

Shimon, suivant du regard Mercurio qui boitait, recommença à sourire. Peut-être le public aurait-il une autre surprise, demain. Peut-être n'y aurait-il qu'une seule plaidoirie. Celle de l'accusation.

Et un cadavre de plus.

89

Ce soir-là, à l'hôpital, l'atmosphère était un mélange d'inquiétude et d'excitation.

« Demain », répétait Isacco sans pouvoir rien dire d'autre. Mais dans ses yeux brillait l'espoir.

« Comment va Giuditta ? demanda Mercurio à Lanzafame. Comment a-t-elle pris ce qui s'est passé ?

— Bien, dit le capitaine. Et elle t'envoie ses pensées. Elle est confiante. Pour la première fois depuis son arrestation, je la vois confiante. Elle a changé depuis le jour où son imbécile de défenseur l'a vue… Et dire qu'il voulait la convertir. Je l'ai entendu de mes propres oreilles. Et il lui a même donné une claque, sa lèvre saignait…

— Mais il a lancé une attaque terrible contre cette pute de… » Isacco porta la main à sa bouche, regardant les prostituées autour de lui. « Excusez-moi. »

République se mit à rire, de sa voix sensuelle.

« Les vraies putains, c'est ces femmes-là », dit la Cardinale avec sérieux.

Et toutes acquiescèrent.

« En tout cas ensuite, il l'a sauvée, fit Lanzafame. Mais il a laissé ce Saint démoniaque faire son numéro. J'ai pas confiance.

— On ne comprend pas si c'est un connard ou un gros malin, dit Isacco.

— Il ne s'attendait pas au numéro de frère Amadeo, murmura Mercurio d'une voix rauque. C'était visible. Il ne savait pas qui était cette femme.

— Ç'aurait pu être n'importe qui. Tu l'as regardée ? dit Lanzafame en fermant le poing. Ils l'ont torturée. Elle aurait dit que le prince Contarini était un Adonis si on le lui avait demandé.

— Les autres témoins ne valent pas grand-chose, à mon avis, dit Isacco d'un ton résolu. Avant, je n'aurais pas parié un sol. Mais maintenant… le peuple commence à raisonner avec sa tête.

— Alors il faut s'inquiéter », répliqua Mercurio.

Anna éclata de rire.

Puis elle lui demanda : « C'est maintenant ? Tu dois y aller ?

— Oui, répondit-il.

— Comment avancent les travaux pour le bateau ? »

Mercurio tendit la main vers le docteur. « Grâce à l'armateur grec Karisteas, ils sont pratiquement terminés. Demain on pose les voiles et la caraque sera prête à lever l'ancre. »

Anna regarda Isacco. « Vous êtes drôle sans votre barbe. »

Isacco sourit. « Ces gens… les ouvriers de l'Arsenal… ils sont stupéfiants. » Il se tourna vers Lanzafame. « Vous savez ce que sont les *cafats*, capitaine ?

— Calfats », le corrigea Mercurio.

Lanzafame éclata de rire.

944

« C'est pareil. Ne joue pas les maîtres d'école avec moi, mon garçon, dit Isacco qui se tourna de nouveau vers le capitaine. Bref, vous savez qui c'est ?

— Tu le fais revivre, le pauvre homme, chuchota Anna à l'oreille de Mercurio. J'avais peur qu'il tombe malade… Mais cette histoire de navire l'a complètement absorbé. Tonio et Berto m'ont dit qu'il mène tout le monde à la baguette, même Tagliafico. D'après eux, on le prendrait vraiment pour un armateur. »

Mercurio se mit à rire. « Oui. Il a beau être docteur, il est très fort pour faire semblant d'être autre chose. »

Anna le prit par le bras et ils sortirent de l'hôpital. Aussitôt dehors, elle s'arrêta. « Tu penses vraiment que je suis aussi bête ?

— Que veux-tu dire ? », demanda Mercurio.

Anna lança un regard à l'intérieur. Isacco continuait de parler du bateau à Lanzafame. « Aucun docteur n'a les yeux aussi vifs. Et toi et lui, vous vous entendez trop bien. Je crois que vous êtes sortis du même moule…

— Tu crois ? », fit Mercurio, feignant l'étonnement.

Anna le regarda et sourit. Puis elle lui ébouriffa les cheveux. « Toi aussi, tu es très fort pour raconter des histoires. »

Mercurio rit encore.

Anna regarda le ciel étoilé. Les grillons entonnaient leur chanson monotone. Elle devint sérieuse. « Tout se passera bien. »

Mercurio ne répondit pas.

« Tu as peur ? lui demanda Anna.

— Pour Giuditta. »

Elle le regarda. « Il n'y a rien de mal à avoir peur. Moi, si j'étais à ta place… je me pisserais dessus de peur.

— C'est le cas. »

Anna lui prit la main. « Toi, tu es spécial. N'oublie jamais ça. » Elle lui caressa la joue. « Et quand quelqu'un est spécial, il arrive des choses spéciales. Tout se passera bien, tu verras.

— Tu dis ça parce que tu le penses ou parce que tu l'espères ? » Anna le regarda avec sérieux, de ses grands yeux doux et compréhensifs. Elle répéta : « Tout se passera bien.

— Si nous arrivons à nous enfuir… tu viendras avec nous ?

— Il n'y a pas de "si" : vous arriverez à vous enfuir.

— Tu n'as pas répondu à ma question. »

Anna baissa les yeux. Puis elle fixa de nouveau Mercurio. Secoua doucement la tête. « Non…

— Mais tu es… tu es ma… », protesta Mercurio, incapable de terminer sa phrase.

Anna lui caressa encore le visage, émue. « Oui, je suis ta mère, dit-elle fièrement. Et je ne cesserai jamais de te bénir pour cette joie que tu m'as apportée.

— Et alors… ?

— Alors je serai toujours ta mère. Toujours.

— Mais… »

Anna lui posa un doigt sur les lèvres. « Je serai toujours ta mère et je serai toujours là pour toi, quoi qu'il arrive. Je serai ta mère même quand je serai morte. » Elle lui toucha la poitrine, à la hauteur du cœur. « Et je serai toujours ici. »

Mercurio détourna la tête.

946

Anna lui prit le visage entre ses mains. « Écoute-moi. Mon monde est ici. Je ne me vois pas ailleurs… »

Mercurio détourna de nouveau la tête.

Anna le retint encore. « Regarde-moi », dit-elle.

Mercurio avait les yeux brillants.

« Quand un oiseau apprend à voler, il quitte le nid. C'est comme ça que ce doit être. » Puis son regard s'emplit d'amour et de tendresse. « Tu volais déjà de tes propres ailes quand tu es arrivé ici, dit-elle en souriant, mais tu n'avais jamais eu de nid. »

Mercurio sentait qu'il allait pleurer.

Anna le prit par le bras. « Allons, arrête. Regarde-moi, s'il te plaît. Et si tu as envie de pleurer, pleure… merde ! s'exclama-t-elle. Et pardon si ta mère n'est pas une grande dame. »

Mercurio se mit à rire. Il riait, et ses joues étaient sillonnées de larmes.

« Giuditta et toi, vous avez toute la vie devant vous. Prenez-la. Sans hésiter. Elle est à vous. » Elle le saisit aux épaules. « Tu y as droit, mon garçon, tu comprends ça ? »

Mercurio acquiesça doucement.

« Je veux que tu le dises, fit Anna.

— Quoi ?

— Ne fais pas l'idiot. Je veux que tu dises que tu y as droit.

— J'y ai… droit…

— On dirait que tu en doutes. Que tu demandes la permission. Ne me fais pas dire d'autres gros mots. »

Mercurio n'arrivait pas à parler.

« Dis-le !

— J'y ai droit, putain de merde ! »

947

Anna éclata de rire et le prit dans ses bras. « Voilà, mon garçon. Voilà. » Elle lui caressa les cheveux, puis essuya ses larmes. « Moi, je serai toujours là. Tu ne dois jamais en douter. Toujours.

— Toujours, répéta Mercurio.

— Oui, toujours. »

Ils restèrent silencieux un instant.

Puis Anna l'attira contre elle. « Serre-moi. »

Mercurio la serra fort. « Je n'arrive pas à m'empêcher de pleurer, dit-il avec un sanglot.

— Tant mieux. Tant mieux, mon trésor. » Elle lui caressa les épaules et de nouveau les cheveux. « Rappelle-toi de temps en temps que tu es jeune », lui dit-elle. Elle l'éloigna d'elle, lui releva le visage. « Tu me le promets ? »

Mercurio acquiesça et renifla.

Anna sourit et lui passa sa manche sous le nez.

« C'est dégoûtant ! protesta Mercurio.

— Rien de toi ne me dégoûte, dit-elle. Tu es le sang de mon sang… et la morve de ma morve. »

Mercurio rit.

« Comme tu es beau, mon enfant », lui dit Anna. Elle le prit par la main et l'emmena jusqu'à sa maison. Arrivée sur le seuil, elle dit : « Tonio et Berto, vous avez fini de manger ?

— Oui, nous sommes prêts », répondit Tonio, la bouche pleine.

Mercurio essuya en hâte ses larmes.

Anna le regarda. « Ne t'en fais pas, on ne voit pas que tu as pleuré. »

Il lui sourit. « Parce qu'il fait nuit. »

Anna sourit aussi, tandis que Tonio et Berto venaient jusqu'à la porte.

« Nous voilà, nous sommes prêts.

— Vous avez un bon équipage ? demanda Anna. Je peux vous faire confiance ?

— On a recruté les meilleurs *bonevoglie* sur la place, madame, répondit Tonio. Cette caraque filera comme le vent.

— Bien, dit Anna. Et les marins ? »

Tonio et Berto haussèrent les épaules.

« Zuan m'a dit qu'il a battu le rappel de tous ses compagnons de voyage, fit Mercurio.

— Ah, bien… », dit Anna.

Tout avait été dit.

Mercurio la regarda, tout empoté. « Alors…

— Ben… nous, on va peut-être vous attendre à la barque, suggéra Berto, et Tonio et lui se dirigèrent vers le canal.

— Ce n'est pas un adieu, dit Anna. Vas-y. Et rappelle-toi : moi, je serai…

— Toujours là, conclut Mercurio.

— Oui, toujours. »

Mercurio partit d'un bond. Il ne savait pas s'il la reverrait jamais. Il sentit une douleur au centre de sa poitrine, comme si elle se fendait en deux. Il respira à fond et hurla : « Attendez-moi ! », puis courut rejoindre les deux frères. Il ne voulait pas rester seul, même un instant.

Les deux géants se retournèrent et l'attendirent.

Aucun des trois ne s'aperçut qu'au même instant une silhouette qui les avait précédés jusqu'à la barque sautait à bord et se cachait sous une couverture dans le poste avant.

Tonio, Berto et Mercurio larguèrent les amarres et poussèrent la barque au milieu du canal sans savoir qu'ils avaient un passager clandestin à bord. Après quelques coups de rame, ils croisèrent une gondole fermée. Les deux embarcations se frôlèrent.

Mercurio regarda en direction de la gondole. Il vit seulement une main, accrochée au bord supérieur de la partie couverte. Et il lui sembla voir une bague avec un écusson, éclairée par la pleine lune. Un aigle à deux têtes.

« Qui ça peut bien être ? », demanda Tonio.

Mercurio ne répondit pas. Mais il vit que la gondole se dirigeait vers la maison et l'hôpital.

La gondole s'arrêta au ponton. Le gondolier sauta à terre et attacha son embarcation à un pieu parmi les joncs. Puis il se pencha vers l'habitacle. « Nous sommes arrivés, Excellence. Voulez-vous descendre ?

— Pas encore », fit une voix à l'intérieur.

Le gondolier ne répondit rien. Pendant près de deux heures, il resta immobile, jusqu'au moment où l'homme parla de nouveau : « Ils ont éteint les lumières ?

— Oui, Excellence.

— Fais-moi descendre », dit la voix.

Le gondolier ouvrit la portière et maintint l'embarcation. Puis il tendit le bras. L'homme à l'intérieur de la gondole le saisit pour descendre et se dirigea d'un pas incertain vers l'hôpital, suivi du gondolier. Arrivé sur le seuil, il hésita, comme s'il voulait faire demi-tour. Puis il se tourna vers le gondolier et dit : « Attends-moi à la barque.

— Oui, Excellence. »

Alors l'homme, précautionneusement, mit le pied à l'intérieur. La grande salle était faiblement éclairée. Juste quelques chandelles ici et là. Tout le monde dormait. À l'exception d'un malade qui lisait, sur la gauche, au fond de la salle. L'homme alla vers lui. Quand il fut à sa hauteur, il s'arrêta, sans rien dire.

Scarabello leva les yeux de son livre. Il avait un regard lointain, perdu dans ses propres pensées. Mais il reconnut aussitôt le visiteur. « Jacopo…

— Salut, Scarabello », dit Giustiniani.

Scarabello le fixa. Instinctivement, il porta la main à sa bouche pour cacher le désastre de sa plaie qui avait maintenant rongé toute sa lèvre. Mais ensuite, lentement, il baissa sa main. Son regard se fit dur et cynique. « Tu es venu me voir mourir ? »

Giustiniani le regarda, à la faible lueur de la chandelle. « Non, dit-il, je suis venu te rendre visite. »

Les yeux de glace de Scarabello se plissèrent. Surpris. Ou peut-être effrayés.

« Je peux m'asseoir ? », demanda Giustiniani.

Scarabello n'arrivait pas à parler. Il s'écarta un peu sur le côté du lit, avec peine.

Giustiniani s'assit sur le bord.

Ils se regardèrent en silence.

« C'est le garçon qui te l'a dit ? », demanda enfin Scarabello.

Giustiniani acquiesça.

« Il n'aurait pas dû me faire ce coup-là.

— Moi, je suis content qu'il l'ait fait. »

Les deux hommes se regardèrent encore en silence.

« Je te fais peur ? demanda ensuite Scarabello.

— Non…

— Tu as toujours été un mauvais menteur. »

Giustiniani ne répondit pas.

« Je n'aime pas ta pitié », dit Scarabello.

Giustiniani le fixa intensément. Ses profonds yeux bleus semblaient pétiller dans la lumière tremblotante de la chandelle. « Ton pire défaut a toujours été l'orgueil, lui dit-il. Je n'éprouve pas de pitié.

— Et quoi, alors ? » La voix de Scarabello eut comme une hésitation.

« De la douleur. »

Scarabello se tourna vers la salle. « Qu'est-ce qui t'a pris de venir ici ? maugréa-t-il. Un homme comme toi ne peut pas se montrer dans un endroit pareil.

— Tu as fini ? », l'interrompit Giustiniani.

Scarabello soupira. « Oui…

— Bien. »

De nouveau, le silence s'installa.

« Tu aideras le garçon, même quand je serai mort ? demanda Scarabello après un certain temps.

— Pourquoi tu y tiens tant ? »

Scarabello le regarda. « Pas pour ce que tu crois.

— Non ?

— Non », répondit Scarabello. Il regarda Giustiniani puis, lentement, comme s'il avouait un terrible crime, il ajouta : « Personne ne prendra jamais ta place ».

Les mains des deux hommes se touchèrent. Juste un peu. Virilement.

« Alors pourquoi ? demanda Giustiniani.

— Parce qu'il est un peu comme nous. Il rêve d'une liberté qui n'existe pas… »

Ému, Giustiniani acquiesça. « Je l'aiderai si j'en ai l'occasion.

— Tu dois faire ce que je te dis… Rappelle-toi que je te tiens par les couilles… », fit Scarabello.

Giustiniani sourit : « Bouffon. »

De nouveau le silence tomba.

« C'est très douloureux ? », demanda alors Giustiniani.

Scarabello haussa les épaules. « J'ai toujours pensé que je mourrais poignardé dans le dos…, dit-il. Je n'ai pas peur de la douleur… mais ça… je ne m'y attendais pas… »

Giustiniani acquiesça doucement.

« Je commence à perdre la tête, tu sais ? Cette maladie fait mourir fou… » Scarabello fit une sorte de sourire. « Ça m'humilie plus que ce… » Il désigna la plaie à sa lèvre.

Giustiniani le fixait sans le quitter des yeux.

« D'après les calculs du docteur, il me reste entre cinq et sept jours… mais moi, je voudrais mourir avant… » Il baissa les yeux sur le livre, tapa l'index dessus. « J'étais en train d'essayer de lire… mais je n'en suis plus capable… je ne comprends pas ce qui est écrit… » Il regarda Giustiniani. Intensément. « Il n'y a qu'une seule manière de mourir avant… j'avais demandé au garçon de le faire… »

Giustiniani n'arrivait pas à le quitter des yeux. Il avait cessé de respirer.

« … Mais le plus beau, ce serait que tu le fasses, toi. »

Le noble sentit son cœur s'arrêter dans sa poitrine. Il se leva d'un bond. Lui tourna le dos. « Non, je ne peux pas. »

Scarabello ne dit rien.

Giustiniani resta tourné, immobile. Il fixait la rangée de lits, devant lui, dans la pénombre. « Je ne suis pas un assassin », dit-il, respirant l'odeur des médicaments et de la consomption des chairs. Quand il se retourna,

Scarabello avait les yeux dans le vague. Giustiniani eut peur que la démence ne le lui ait déjà pris. Comme ça, en un battement d'ailes. Il s'assit sur le bord du lit, angoissé, et il appela : « Scarabello… »

Scarabello se tourna pour le regarder et ne dit rien.

Mais Giustiniani sut qu'il était là, avec lui.

Scarabello acquiesça doucement. Avec sérieux.

Alors Giustiniani lui ôta délicatement l'oreiller de sous la tête.

Scarabello lui sourit. Avec un regard reconnaissant et plein d'amour. Puis il ferma les yeux et attendit.

Giustiniani, tandis que sa vue se voilait, posa l'oreiller sur le visage de Scarabello et commença d'appuyer.

Scarabello ne se rebella pas. À la fin seulement, il tendit la main et la lui serra autour du poignet. Mais pas pour se défendre. Ni pour l'arrêter. Juste pour le toucher. Une dernière fois.

Puis son corps eut un sursaut et il ne bougea plus.

Giustiniani enleva l'oreiller et le remit sous sa tête. Il peigna ses beaux cheveux d'un blanc éclatant et resta là, immobile, anéanti par la douleur, serrant la main inerte de Scarabello, jusqu'au moment où il sentit que l'homme qu'il avait toujours aimé devenait froid.

Alors, comme un fantôme, il se traîna hors de l'hôpital.

90

La barque de Tonio et Berto s'amarra près du squero de Zuan dell'Olmo en pleine nuit. Mercurio descendit d'un bond. Ses pieds s'enfoncèrent dans la boue de la rive. Tonio le suivit pendant que Berto amarrait la barque à un pieu.

En dépit de l'heure tardive, le *squero* était éclairé de plusieurs grands feux de bois, et l'on entendait brailler des chants.

Quand Mercurio, Tonio et Berto se furent éloignés de la barque, Zolfo rabattit la couverture dans le poste avant et descendit à terre. Il avançait prudemment, se déplaçant d'un coin à l'autre des nombreuses baraques qui se dressaient aux alentours, se baissant derrière les palissades des jardins, se cachant derrière les arbres. Il n'avait pas peur d'être découvert par Mercurio. Il n'était pas la proie mais le prédateur. Il était à la chasse.

Car Zolfo cherchait le marchand juif qui avait tué Ercole.

Il comprenait enfin que ce n'étaient pas les Juifs qu'il haïssait mais cet homme-là. Il aurait pu être turc, musulman, chrétien, cela revenait au même : c'était l'assassin d'Ercole qu'il haïssait. Il remerciait le ciel et le destin que cet homme soit encore vivant. Parce que maintenant, il avait les idées claires. Et il avait un but.

Il se recroquevilla dans un coin sombre et se prépara à attendre.

Plus loin, sur la cale de halage du *squero*, il vit des feux, des gens, plein de gens, qui buvaient et faisaient la fête. Ils regardaient un grand navire qui se balançait paresseusement sur l'eau.

« Vous avez fait un travail extraordinaire », dit Mercurio à Zuan en admirant la coque brillante, les mâts droits, les voiles sur les vergues.

Mosè l'avait accueilli en aboyant.

Zuan but une longue gorgée d'une carafe de vin qu'il passa à Mercurio.

« Merci, je ne bois pas », dit celui-ci. Puis il regarda autour de lui. Il vit beaucoup d'hommes d'un certain âge. « Et ton équipage, où est-il ? », demanda Mercurio, craignant déjà la réponse.

De fait, Zuan lui désigna les hommes qui étaient là.

« On dirait un hospice », dit Mercurio.

Zuan, au lieu de se vexer, éclata de rire. « Ces marins-là sont les plus expérimentés de tout Venise. »

Mercurio continuait de les regarder, préoccupé. « Je n'en doute pas. Avec tous les hivers qu'ils ont traversés, manquerait plus qu'ils n'aient pas d'expérience... »

Zuan rit de nouveau. Il était un peu ivre. Il leva sa carafe en direction de ses hommes et ceux-ci répondirent en levant les leurs. Puis il se tourna vers Mercurio. « Ces marins-là ont navigué en croyant que le monde finissait là-bas... à l'horizon de l'océan... » Il pointa le doigt vers l'ouest. « Et puis voilà qu'on s'est mis

956

à raconter qu'il y avait un Nouveau Monde... » Il les montra. « Regarde-les, ils seraient prêts à payer pour le voir. Ils sont heureux comme des gamins. Malgré les douleurs de l'âge, tu ne pourrais pas trouver de meilleur équipage. La joie, c'est comme avoir le vent en poupe...

— Qui te dit que nous ferons route vers le Nouveau Monde ?

— Mon garçon, tu as monté un truc trop gros pour t'arrêter en Turquie ou en Afrique ou même en Chine, dit Zuan en riant. Trop gros.

— Le bateau y arrivera ? demanda Mercurio.

— *Shira* nous emmènera où nous lui dirons de nous emmener, répondit fièrement Zuan.

— *Shira* ? dit Mercurio, qui entendait pour la première fois le nom de la caraque. C'est quoi ce nom ? Qu'est-ce que ça veut dire ?

— J'en sais rien, fit Zuan. Mais te mets pas en tête de le changer. Ça porte malheur. Tu lui ôterais son âme.

— Si tu le dis. » Mercurio haussa les épaules.

« Hier, pendant qu'on la mettait à l'eau, Mosè a levé la patte et lui a pissé dessus. » Il se tourna vers le chien et lui donna une gentille tape sur la tête. « Et ça, ça porte bonheur. »

Mosè aboya, tout content.

« Couillon », lui dit Zuan. Mosè aboya plus fort.

Zuan et Mercurio se mirent à rire.

« Demain ? demanda ensuite Zuan.

— Je ne sais pas, vieux. Mais dis à tes hommes de se tenir prêts.

— Ils le seront », dit Zuan. Il se tourna vers les marins. « Bande d'ivrognes ! cria-t-il. Rentrez chez vous ! Et que ceux qui y arrivent encore baisent leur femme, cette nuit. Parce que pendant un bon bout de temps vous n'en verrez pas, des femmes ! »

Ce fut un chœur d'éclats de rire. Puis les marins se dirigèrent vers leurs habitations. Beaucoup chancelaient, ivres.

« Je répète, on dirait un hospice, dit Mercurio.

— Un marin, ça se juge en mer, pas à terre, fit Zuan. Et toi, la mer, t'y connais foutre rien... je répète. »

Mercurio sourit. Il fit un signe à Tonio et Berto, pour s'assurer qu'ils suivraient le trajet de Lanzafame et de Giuditta le lendemain matin, comme chaque jour. Puis tous se saluèrent.

Quand le *squero* fut désert, Mercurio et Zuan descendirent le long de la cale de halage et restèrent là, debout, à regarder la caraque.

« Elle est belle, hein ? », dit le vieux, avec fierté. Mercurio acquiesça, sérieux. « Oui. Elle est très belle.

— Les gens disent que la Juive peut s'en sortir.

— Tu peux arrêter de l'appeler la Juive ?

— Elle est pas juive ? »

Mercurio secoua la tête. « D'accord, appelle-la comme tu veux, vieux bouc. » Il le regarda. « Qu'est-ce que ça veut dire qu'elle peut s'en sortir ? Ils croient qu'elle est coupable ou qu'elle est innocente ?

— Parfois je m'étonne de voir comme t'es con, mon gars, soupira Zuan. Les gens s'en fichent de savoir si la Juive est coupable ou innocente, comme ils s'en fichent de savoir si une chose est vraie ou non. Tout le monde le sait, que ce procès, c'est une farce...

— Et alors ?

— Le peuple l'a compris depuis longtemps, que la justice est une connerie inventée pour les jobards.

— D'accord. Et alors ?

— Et alors ils parient sur le fait que la Juive s'en sortira.

— Ils parient…, dit Mercurio avec une pointe d'amertume.

— Bien sûr, fit Zuan. C'est très sage de parier.

— Sage ? demanda Mercurio, sarcastique.

— Sage, oui, monsieur je-sais-tout. Quand tu es un crève-la-faim, ta vie tient à un coup de dés… donc oui, c'est plus sage de pas la prendre trop au sérieux. » Il vit que Mercurio avait l'air préoccupé. Il lui tapa sur l'épaule. « Les gens, ils trouvent le père Wenceslao plus sympathique que ce Saint fanatique. Et ça, ça compte beaucoup. »

Mercurio respira à fond, comme s'il manquait d'air. Zuan sourit. « C'est comme si c'était fait. Aie confiance.

— Oui…, dit Mercurio d'une voix faible.

— Tu sais déjà ce que tu vas dire demain ? demanda Zuan.

— Plus ou moins…

— Parle avec le cœur, mon gars. Parle aux gens. C'est pas une question de justice. Enflamme-les. Amène-les de ton côté. C'est ça le jeu. Si t'as plein de gens de ton côté, pour les puissants c'est plus difficile de s'en foutre.

— Oui…

— Quoi, oui ? T'as rien écouté de ce que je t'ai dit, hein ?

— Non, dit Mercurio en riant. Excuse-moi.

— Va te faire foutre, mon gars. Je vais dormir.

— Te vexe pas…

— Allez, Mosè, fit le vieux marin en s'acheminant vers la baraque. Va dormir, toi aussi. Demain sera une dure journée.

— J'ai pas sommeil.

— Alors je te le redis : va te faire foutre », dit Zuan, et il partit en riant.

Mercurio aussi se mit à rire. Puis il s'assit sur le rebord du *squero* et resta là, les jambes pendantes, à regarder son navire.

« *Shira*…, dit-il tout bas. Ça me plaît. » Il observa la coque brillante. Essaya de sourire. Mais il sentait le poids du lendemain sur ses épaules. Il avait peur de se tromper, de ne pas réussir à sauver Giuditta. Tout dépendait de lui. Il posa la main sur sa poitrine. Prit une respiration profonde. Déplaça son regard juste un peu sur la gauche, vers la lagune. La lune pleine dessinait les contours de l'île de San Michele. « Merde, j'ai toujours pas appris à te prier, saint Michel Archange… », dit-il. Il se donna une claque sur la cuisse, en levant les yeux. « Pardon, je voulais pas dire "merde"… » Il regarda de nouveau l'île. Il ajouta : « Aide-moi… »

Il entendit un bruit derrière lui. Il ne se retourna pas « Tu n'arrives pas à dormir toi non plus, maudit vieux ? »

Personne ne répondit.

Alors Mercurio se retourna, alarmé. Il scruta la nuit, éclairée par la pleine lune et les feux qui s'éteignaient lentement. Il ne vit personne. Il soupira. Regarda de nouveau vers la caraque.

Et de nouveau entendit un bruit.

Il se leva d'un bond. Le *squero* était désert. Mais Mercurio se sentait agité. « Calme-toi », se dit-il. Il regarda encore alentour. Rien. Se tourna vers la cabane de Zuan. Pensa qu'il ferait mieux d'aller dormir. Le vieux avait raison.

Il remonta la cale de halage la tête basse, songeur.

Tout à coup, au sommet de la pente, il vit devant lui des bottes noires.

Il fit un bond en arrière, effrayé.

Pas assez vite.

Une lame brilla dans la nuit. Rapide comme la griffe d'un chat. Mercurio sentit un coup sur son flanc gauche, comme un coup de poing. Puis une chaleur, comme si on y avait mis le feu. Et une douleur qui lui enleva toute force dans les jambes et lui brouilla la vue. Il se rendit compte qu'il allait tomber mais quelque chose le maintenait debout. Il comprit que c'était l'homme qui l'avait poignardé, et qui faisait tourner la lame dans la plaie. Il essaya de voir qui c'était mais n'y parvint pas. La nuit s'était remplie de mille lueurs.

Puis l'homme retira la lame et Mercurio tomba, comme un sac.

Il n'arrivait pas à bouger. Il n'arrivait pas à fuir, il n'arrivait pas à penser.

L'homme fut sur lui. Il enleva sa capuche noire.

Mercurio ne le voyait pas encore.

L'homme poussa un cri effrayant, comme un sifflement, en approchant son visage du sien.

Alors Mercurio le reconnut. « Toi…, balbutia-t-il. T'es pas… mort. Je… t'ai pas… tué », dit-il.

Puis il vit que Shimon levait son couteau.

À ce moment-là, on entendit un grognement féroce.

Mosè bondit et mordit le bras de Shimon.

Le couteau tomba.

Shimon, une expression de douleur et de rage sur le visage, attrapa le chien par le cou et la queue. Il le souleva de terre, tourna sur lui-même et le lança contre un des montants du *squero*.

Mosè vola dans les airs et heurta avec violence le gros poteau carré de bois de hêtre. On entendit un bruit sourd, puis un glapissement.

Shimon regretta de ne pas avoir tué le chien. Il lui avait fait grâce, et c'était une erreur. Il se tourna pour reprendre son couteau.

À ce moment précis, il se retrouva face au visage d'un gamin, contracté par la haine.

« Salaud », dit Zolfo tandis qu'il lui enfonçait le couteau dans l'estomac. « Salaud », répétait-il en retirant la lame pour la lui enfoncer à nouveau dans le ventre.

Les yeux de Shimon s'exorbitèrent. Il ne sentait pas encore la douleur. Il était juste envahi par la stupéfaction. "Non", pensait-il. Il se tourna vers Mercurio qui essayait de se relever. Il sentit la lame du couteau lui entrer dans le dos. "Non", pensa-t-il, tombant presque sur Mercurio.

« Salaud… salaud… », répétait Zolfo qui pleurait, bavait, grognait comme un animal enragé. Il continuait de plonger son couteau dans le corps de Shimon.

« Arrête…, dit Mercurio en tendant la main vers lui. arrête… Zolfo… arrête-toi… »

Zolfo fit un pas en arrière. La lune faisait briller le sang qu'il avait sur les mains. Il lâcha le couteau. Et finalement fondit en larmes. Comme jamais il ne l'avait fait depuis la mort d'Ercole.

« Zolfo… », dit doucement Mercurio. Il ne sut rien ajouter d'autre. Il se tourna vers Shimon, qui le regardait : un filet de sang sortait par sa bouche. Il s'approcha. « Pardonne-moi…, lui dit-il. Pardonne-moi… »

Shimon le regarda, étonné. Il n'avait pas peur de mourir. "C'est donc aussi simple ?", se demanda-t-il. Il éprouva une grande paix. Il se sentit enveloppé d'un silence réconfortant et se rendit compte que plus rien ne lui importait de ce garçon qui avait été le but de sa vie récente. Il ne le haïssait plus. Il y avait un beau silence dans son cœur, enfin. Il sourit. Et il mourut.

Dans la nuit, on n'entendait plus que les pleurs étouffés de Zolfo.

« Tu m'as… sauvé… », dit Mercurio.

Zolfo le regarda, comme s'il ne comprenait pas. « Moi ? », dit-il.

Mercurio porta la main à son flanc. L'appuya sur la blessure. Gémit. Puis montra le cadavre de Shimon. « Il faut qu'on le fasse disparaître. »

Zolfo acquiesça tout en continuant à fixer ses mains couvertes de sang.

« Qu'est-ce qui se passe ? demanda Zuan depuis le seuil de sa baraque.

— Rien, répondit Mercurio.

— Mosè est là ? Il va bien ? demanda le vieux, une pointe d'angoisse dans la voix. J'ai rêvé que… »

Mercurio vit que Mosè se relevait, en boitant.

« J'ai rêvé qu'il couinait…

— Il va bien, dit Mercurio. Il s'est pris une torgnole… par un chat…

— Grand couillon de chien », maugréa Zuan. Puis, tandis qu'il rentrait dans la baraque, il dit : « Viens dormir, mon gars.

— Oui… »

91

« La parole est à la défense », annonça le chancelier.

La foule se tourna vers le père Wenceslao.

Mercurio était tête basse, coudes posés sur la table. Immobile. Le patriarche le regarda. Giustiniani aussi, les yeux rouges, brouillés par la douleur depuis la mort de Scarabello.

Mercurio ne bougeait pas. Il avait du mal à respirer.

Zolfo, au premier rang, se leva, inquiet.

« Assieds-toi, gamin », dit tout bas Zuan qui était près de lui et, tendu, ne quittait pas Mercurio des yeux.

La foule murmura.

« Père Wenceslao, dit le patriarche impatienté. Alors ? »

Mercurio serra les dents. Leva la tête. Il acquiesça avec difficulté. Puis, se tenant au bord de la table, il se mit debout. L'effort lui coupa le souffle. Il regarda en direction de Giuditta.

Elle sourit, de manière imperceptible.

Non, elle ne savait rien, pensa Mercurio. Il sourit à son tour, montrant ses dents noircies par la poix. Puis il se tourna vers la foule. Il intercepta le regard préoccupé de Zolfo. Lui envoya un signe pour le rassurer.

De même à Zuan. Fit un pas. Sentit que ses jambes le portaient à peine. Sa blessure lui faisait mal. Le vieux l'avait bandé serré, ce matin. Il lui avait dit qu'il ne pouvait pas aller au procès dans cet état. Mercurio l'avait regardé et avait secoué la tête. « Si tu essaies de m'arrêter, je coule ta caraque avec les dernières forces qui me restent. » Puis il s'était maquillé en père Wenceslao, et s'était fait amener au collège canonique par Tonio et Berto.

Il fit un autre pas. Regarda la foule.

La plaidoirie du Saint avait été exceptionnelle. Avec peu d'éléments, il avait réussi à semer le doute dans l'assistance. À son arrivée au collège en début de matinée, Mercurio avait l'impression que la victoire était à portée de main. Les gens voulaient que Giuditta soit sauvée, comme une revanche contre le pouvoir, contre ce qui était écrit d'avance. Mais la plaidoirie du Saint avait été si inspirée, si passionnée, si violente, que le public était maintenant comme au milieu d'un pont, à mi-chemin entre deux rives et ne sachant vers laquelle se tourner.

Mercurio regarda les gens et sourit, jouant la désinvolture. Zuan lui avait dit de parler avec son cœur. Y parviendrait-il ? Il ne savait même pas s'il serait capable de pousser sa voix. Son sourire s'éteignit sur ses lèvres. Il transpirait et craignit que la sueur ne fasse couler son maquillage.

« Frère Amadeo…, commença-t-il à dire.

— Plus fort ! », cria quelqu'un dans la salle.

Mercurio se sentit submergé par le désespoir. Il s'agrippa au bord de la table. Sa vue, par moments, se brouillait. Il se tourna vers Giuditta. Elle aussi, à présent, le regardait avec inquiétude : elle devinait que quelque chose n'allait pas. Mercurio eut peur. Il ne pouvait pas laisser tomber. Il ôta sa main de la table, fit un pas décidé vers le public. Il sentit une vive douleur au côté et retint un gémissement. Serra les dents. « Frère Amadeo, répéta-t-il en forçant sa voix – de nouveau, cette douleur –, a si bien parlé que je voudrais l'entendre à nouveau, depuis le début. » Il hocha la tête. « Il m'a bercé avec ses paroles. »

Les gens ne comprenaient pas, et attendaient en silence.

« Vraiment…, reprit Mercurio. Il m'a bercé… » Il désigna l'endroit où il avait été assis. « Vous l'avez vu, je m'étais endormi. »

La foule éclata de rire, amusée.

« Non, je ne plaisante pas… », et en bougeant il sentit que sa blessure se rouvrait. Il serra de nouveau les dents. Tenta de faire en sorte que personne ne s'en aperçoive. « Je suis vraiment admiratif, frère Amadeo », dit-il au Saint, qui le fixait d'un regard sans aménité. Mercurio reprit son dialogue avec la foule, tandis qu'il rejoignait la cage de Giuditta et s'accrochait à un barreau, pour se tenir. « Rendez-vous compte, cette mémoire extraordinaire qu'il a ! Tous ces témoins qu'il nous a rappelés… » Il se tourna vers le Saint. « Merci. Merci vraiment », lui dit-il avant de se tourner à nouveau vers les gens en hochant la tête. « Moi, sincèrement, je ne me rappelais pas un seul de ces témoins inutiles… »

Une nouvelle fois, la foule éclata de rire.

« C'est ça, mon gars », dit Zuan à voix basse.

Zolfo fixait frère Amadeo. Ils s'étaient regardés, avant l'ouverture des débats, et le Saint ne l'avait même pas salué. Mais Zolfo ne s'en était pas inquiété, le frère ne comptait plus à présent. Zolfo avait repris sa vie en main. Quand ils avaient jeté le cadavre du marchand juif dans la lagune, il avait compris qu'il avait une nouvelle chance.

« Mercurio, c'est le meilleur », dit-il à Zuan, tout fier.

Le vieux le regarda et acquiesça.

Mercurio fixa la foule, en silence. La douleur était si aiguë qu'elle lui coupait le souffle. Il resta ainsi, bouche ouverte, espérant les tenir en attente jusqu'au moment où il pourrait recommencer à parler. D'une main, il continuait de serrer le barreau de la cage. De l'autre il désigna les gens du peuple, l'un après l'autre, comme si ce geste voulait dire quelque chose.

Et la foule, de fait, le suivait en silence, captivée.

« Quel est le seul témoin dont nous nous souvenons tous ? », dit enfin Mercurio, au prix d'un grand effort.

Beaucoup, dans le public, hochèrent la tête. Certains dirent même quelques mots.

Mercurio peinait à respirer. Il désigna l'une des femmes qui avaient parlé et lui fit signe de répéter.

« La maîtresse du prince Contarini, dit la femme. Enfin, non, ajouta-t-elle en se frappant la tête de manière théâtrale, c'était juste la servante du prince. »

Les gens se mirent à rire.

Le patriarche rougit mais ne dit rien. Il s'accrocha des deux mains aux accoudoirs dorés de son fauteuil et les serra avec colère.

« Elle est là ! », dit un homme dans le public en désignant un point au fond de la salle.

Les gens se retournèrent. Certains se soulevèrent, d'autres se mirent debout, tous tendirent le cou.

De même le patriarche et toutes les personnalités sur l'estrade. De même le Saint. Et Mercurio. Et Zolfo.

Benedetta, appuyée dos au mur, sentit tous les yeux posés sur elle. Elle regarda Giuditta bouche bée, comme si elle allait dire quelque chose.

Mercurio se figea.

Mais Benedetta n'avait pas de colère dans les yeux. Elle ne parla pas, se contentant de reculer en silence, suivie par tous les regards, et sortit de la grande salle, la tête rentrée dans les épaules.

Zolfo eut un coup au cœur. Il se dirigea vers la sortie, fendant la foule, tandis que le chancelier criait : « Du calme ! Du calme ! » Arrivé à la porte, Zolfo chercha Benedetta dans la foule qui se massait sur l'esplanade, sans la voir. Alors, un poids sur le cœur, il revint s'asseoir à côté de Zuan.

« Tu la connais ? », demanda le vieux

Zolfo le fixa. « Peut-être, dit-il, perdu dans ses pensées. Peut-être…

— Du calme ! Du calme ! », continuait à crier le chancelier.

Mercurio, pendant ce temps, se tenait des deux mains aux barreaux. Il sentait ses forces le quitter. La voix du chancelier résonnait dans ses oreilles comme en écho. Les visages dans la foule se brouillaient, l'air devenait irrespirable, son cœur ralentissait de plus en plus. La sueur coulait le long de son front et il sentait son maquillage fondre. La lumière qui entrait par les grandes fenêtres était comme une lame douloureuse.

Il se tourna vers Giuditta, les yeux exorbités, la bouche ouverte. Il haletait.

« Que se passe-t-il ? », dit-elle soudain inquiète, en s'approchant jusqu'à le toucher à travers les barreaux.

Mercurio secoua la tête.

Dans la grande salle du collège canonique régnait un silence inhabituel. Les regards étaient tournés vers la silhouette insolite du dominicain agrippé aux barreaux de la cage de l'accusée, presque courbé en deux, ses mains glissant lentement.

« Je suis… désolé… », dit Mercurio tout bas.

Giuditta, qui le fixait, épouvantée, baissa les yeux. Ce qu'elle vit l'effraya encore plus. Elle murmura : « Mon amour… » Tous virent qu'elle tendait la main vers lui, touchant son flanc gauche.

« Je suis… désolé… », répéta Mercurio, et il lâcha la cage. Il fit un pas en arrière, chancelant.

Et là où Giuditta avait posé la main, chacun put voir une large tache rouge qui s'étalait sur la tunique blanche.

Mercurio eut une sorte de soubresaut et tomba à genoux. La foule retenait son souffle.

Giuditta porta la main à sa bouche, et ses yeux se remplirent de larmes.

« Mon gars… », dit Zuan.

« Mercurio… », dit Zolfo.

Giustiniani, bien qu'écrasé par sa propre douleur, se mit lentement debout.

Un instant, le temps sembla s'être arrêté.

Alors le Saint bondit sur ses pieds et pointa le doigt vers Giuditta, levant l'autre main en l'air pour montrer ses stigmates. Il hurla : « Sorcière ! Fille de Satan ! »

Les gens le regardèrent. Puis tournèrent les yeux vers Giuditta.

Giuditta fixait Mercurio, en secouant la tête.

« Fille de Satan ! », recommença à tonner le Saint. « Tu as pris jusqu'à l'âme de ce bon serviteur de Dieu pour qu'il te sauve ! Tu l'as ensorcelé lui aussi ! »

La foule commença à s'enflammer.

Giuditta regarda les gens et ôta la main de sa bouche : elle avait le sang de Mercurio sur les lèvres.

« Tu as pris jusqu'à son sang ! », hurla le Saint de toutes ses forces.

Alors la foule devint folle. Elle oublia tout ce qu'elle avait pensé jusque-là et hurla avec le Saint : « Sorcière ! Fille de Satan ! Tu brûleras en enfer ! Au bûcher ! Au bûcher ! »

Mercurio se tourna vers Lanzafame, qui avait dégainé son épée, suivi de ses soldats, et s'était placé en protection de la cage. Il l'appela : « Capitaine… »

Lanzafame se tourna vers lui.

Le maquillage de Mercurio commençait à couler. « C'est maintenant ou jamais, capitaine, lui dit-il.

— Mais, tu…, fit Lanzafame, qui le reconnut confusément.

— Maintenant ou jamais, répéta Mercurio. Emmenez-la… La barque vous attend… Vous savez où…

— Oui, je sais où, fit Lanzafame.

— Allez-y…, haleta Mercurio, qui essayait d'empêcher ses yeux de se fermer.

— Mercurio ! cria Giuditta.

— Sauvez-la… », dit encore Mercurio à Lanzafame.

Le capitaine ouvrit la cage. « Protection ! »,
ordonna-t-il à ses hommes, pendant que les premiers
fanatiques cherchaient à forcer le bloc des gardes du
doge. « Viens, Giuditta, lui dit-il en la prenant par le
bras.

— Que faites-vous ? », cria le patriarche en se dressant sur ses pieds. Et il s'apprêtait à donner l'ordre
aux gardes de les arrêter quand Giustiniani, surmon-
tant l'hébétement de sa propre douleur, le saisit au
poignet.

« Que faites-vous, Patriarche ? dit-il avec férocité.
Vous voulez qu'elle soit lynchée ? »

Le patriarche regarda d'un air ahuri la main de
Giustiniani qui lui enserrait le poignet. « Comment
vous permettez-vous ?

— Asseyez-vous ! », ordonna Giustiniani, avec une
telle fougue que le patriarche ne put qu'obéir. Le gentilhomme se tourna vers Lanzafame. « Emmenez-la ! »,
cria-t-il. Puis il pointa le doigt vers le commandant des gardes du doge : « Ne laissez passer personne ! »

Lanzafame serra plus fort encore le bras de Giuditta.
Il se tourna vers Mercurio. « Mon garçon…

— Allez-y…, dit Mercurio avec un filet de voix,
toujours à genoux, balançant la tête, sans force, le
regard voilé.

— Mercurio, non ! cria Giuditta.

— En avant ! lança Lanzafame en l'emmenant de
force avec lui.

— Non ! Non ! », hurlait Giuditta.

Mercurio se tourna pour la regarder. Il essaya de lui
sourire. Mais il fut tout à coup aveuglé par une grande

lueur. Et juste avant que Giuditta ne disparaisse par la porte latérale, il s'écroula au sol, le visage contre le carrelage.

Les bruits, les clameurs, ses peurs se turent.

Le monde entier devint muet. Et tout noir.

92

« Putain de merde, mon garçon, je me suis bien fait avoir ! Je t'avais pas du tout reconnu ! disait Isacco, haletant sous le poids de Mercurio. Et t'avise pas de mourir, parce que je viens te chercher à coups de pied dans le cul jusque dans l'enfer des chrétiens !

— Où... où on est ? », chuchota Mercurio. Ouvrant les yeux, il voyait Venise à l'envers.

« Tu es sur mon épaule, mon garçon. Et tu pèses un âne mort, dit le docteur. Ou plutôt, c'est moi qui suis dessous et qui peine comme une mule.

— Par ici, par ici ! indiqua Zolfo courant devant eux.

— Va devant, retiens-les ! », lui cria Zuan, qui fermait le groupe. Zolfo se mit à courir le long du canal.

« Qu'est-ce... qu'il s'est... passé ? », demanda Mercurio. Puis il gémit.

« T'as mal ? demanda Isacco.

— Oui...

— Serre les dents. C'est bon signe.

— Qu'est-ce qu'il s'est passé ?

— C'est facile de bavarder quand on est perché sur la mule, haleta Isacco. Mais pour la mule c'est moins facile... »

Mercurio toussa.

« Je t'ai fait rire, hein ?

— Non...

— Allez, tiens bon, on est arrivés. »

Quand il avait vu Lanzafame emmener Giuditta, Isacco était sorti pour les rejoindre à l'arrière du bâtiment. Giuditta l'avait regardé de ses grands yeux implorants. Elle avait dit : « Mercurio. » Cela avait suffi. Isacco était revenu dans la grande salle. Il s'était assuré que Mercurio était encore vivant puis, aidé par Zuan et Zolfo, l'avait chargé sur son épaule. À présent il se hâtait vers le quai du rio dei Fuseri, à San Luca, où Lanzafame avait dit qu'ils attendraient aussi longtemps que possible.

Zolfo apparut au fond de la calle delle Schiavine. Il sautillait d'un pied sur l'autre et hurlait : « Allez, grouillez-vous !

— Va te faire foutre, souffla Isacco. Grouille-toi mon cul. » Il donna une petite tape sur la tête de Mercurio. « T'es là, mon garçon ?

— J'ai fr... froid », balbutia Mercurio.

Zuan, en passant devant une boutique vide, attrapa sur l'étal une *schiavina*, comme on appelait les grosses et lourdes couvertures de laine fabriquées dans cette rue, et la jeta sur Mercurio.

« On est arrivés, fit Isacco. Me lâche pas maintenant, après tout le mal que je me suis donné. Je voudrais pas que ce soit pour rien.

— Vous êtes... un vrai Juif, docteur..., plaisanta Mercurio.

— Ah, je te préfère comme ça », rétorqua Isacco, qui accéléra le pas.

974

Au moment où ils tournaient pour arriver au canal, Zuan vit qu'une fille les suivait. Elle avait les cheveux cuivrés et la peau blanche, transparente comme l'albâtre. Il lui sembla reconnaître celle que tous avaient montrée du doigt au procès en disant qu'elle était la maîtresse ou la servante d'un prince.

« On y est, dit Isacco en voyant la barque de Tonio et Berto amarrée près du pont dei Fuseri.

— Mercurio ! », cria Giuditta en courant à sa rencontre.

Isacco n'en pouvait plus. Il posa Mercurio sur le sol, essoufflé au point de ne pouvoir parler. Zuan arriva à son tour.

« Giuditta… », murmura Mercurio.

Elle fut aussitôt près de lui. « Mercurio… », dit-elle.

À ce moment-là, un des soldats de Lanzafame qui surveillait leurs arrières cria « Halte-là ! »

Tous se retournèrent.

C'était Benedetta. Elle fit un pas en avant, regardant Giuditta.

« Va-t'en ! dit Mercurio, en essayant de marcher.

Benedetta ne le regardait pas. Elle continuait de fixer Giuditta, la bouche ouverte, comme si elle voulait dire quelque chose.

Tous la regardaient.

« Je regrette…, dit Benedetta.

— Ne l'écoute pas, Giuditta ! fit Mercurio. Va-t'en, Benedetta… Ça ne t'a pas suffit ce… ce que tu as fait… ? Chassez-la… »

Benedetta avait toujours les yeux fixés dans ceux de Giuditta. On aurait dit deux blessures sombres, emplies de douleur.

Giuditta non plus ne pouvait détacher d'elle son regard. Elle posa la main sur la poitrine de Mercurio, comme si elle voulait le faire taire.

« Je regrette…, répéta Benedetta tout bas.

— C'est pas… vrai ! », s'exclama Mercurio, qui essayait d'attraper la main de Giuditta et de la secouer.

« Je ne peux plus rien faire… regarde-moi… », dit Benedetta en se retournant un court instant vers Mercurio, ouvrant les bras comme pour montrer sa nouvelle misère.

Giuditta hocha la tête. Doucement, juste une fois.

Benedetta sentit les larmes lui monter aux yeux. Elle les retint. Hocha la tête elle aussi, une fois, avec le peu de dignité qui lui restait, puis dit du bout des lèvres : « Merci. »

Giuditta la fixa encore un instant, sans colère, sans rancœur. Elle se sentit soudain libérée. Alors elle se tourna vers Mercurio et lui sourit, pleine d'espoir.

Quand Benedetta vit à quel point ils étaient unis, elle eut un coup au cœur et commença à reculer, lentement. Puis elle se retourna et s'éloigna.

« Chargez-le dans la barque, vite », dit Lanzafame en désignant Mercurio.

Les soldats le transportèrent à bord, suivis d'Isacco, Giuditta, Zolfo et Zuan.

Mais Zolfo continuait de regarder Benedetta qui s'éloignait. Tandis qu'on larguait les amarres, il se rappela le temps où ils étaient arrivés tous ensemble à Venise, après s'être enfuis de Rome. Il se rappela qu'à Mestre, quand il avait décidé de partir avec frère Amadeo, Benedetta n'avait pas hésité : elle avait sauté de la barque pour le suivre et l'arracher aux griffes du frère. Il se rappela qu'à cette époque-là Benedetta était différente, avec un regard autre. Et se dit que peut-être ses yeux allaient redevenir comme avant.

Alors, sur une impulsion, il sauta sur le quai.

« Zolfo… qu'est-ce que… tu fais ? », dit Mercurio.

Zolfo le regarda : pour la première fois depuis si longtemps, il y eut dans ses yeux une lueur d'espérance. Peut-être que Benedetta et lui pourraient recommencer ensemble. Il regarda vers la calle dei Fuseri. Benedetta marchait lentement, les épaules courbées. « Elle est toute seule, Mercurio, dit-il en hochant la tête en signe d'excuse. Elle a besoin de moi… »

Mercurio acquiesça, ému. « Vas-y… », dit-il.

Les yeux de Zolfo se remplirent de larmes. Il articula : « Merci.

— Cours… », lui dit Mercurio.

Zolfo sourit puis se sauva, courant sur la boue séchée par la chaleur de l'été. Il cria : « Benedetta, attends-moi ! »

Mercurio se tourna vers Giuditta, qui le regardait. Et il sut ce qu'elle pensait. Elle aussi se rappelait le jour de leur arrivée à Mestre, quand il avait sauté à l'eau en la laissant sur l'embarcation des héros de Marignan pour rester avec ses compagnons de voyage. Elle hocha la tête. « Non, cette fois je ne sauterai pas…, souffla Mercurio.

— Tu en serais bien incapable », dit Lanzafame en riant, tandis que la barque s'écartait du quai.

Mercurio ne rit pas. Il se perdait dans les yeux de Giuditta. « Parce que maintenant je sais où est ma place. »

Giuditta lui prit la main. Elle regarda au fond de la calle dei Fuseri où Zolfo avait rejoint Benedetta. Ils étaient arrêtés et semblaient parler avec animation.

« Que vont-ils faire maintenant ? demanda Giuditta.

— Des arnaques, du vol », dit Mercurio avec une pointe de légèreté et de complaisance dans la voix. Il ôta sa perruque avec sa fausse tonsure. « C'est tout ce que nous savons faire…

— Montre-moi ça, dit Isacco. Et puisqu'on en parle, ferais-tu confiance à un faux docteur ?

— Plus qu'à un vrai… », répondit Mercurio, qui s'étendit.

Avec un couteau, Isacco coupa sa tunique sur le côté. Il regarda la blessure et hocha la tête.

Les yeux de Giuditta se remplirent de larmes.

« Qui diable t'a fait ce bandage ?

— Moi, fit Zuan.

— Continue à faire le marin, ça vaudra mieux », maugréa Isacco. La barque avait pris de la vitesse. Elle filait le long du rio San Mosè et en quelques instants se retrouva sur le Grand Canal. Ils virèrent à bâbord pour se diriger vers la riva degli Schiavoni.

« Le garçon doit être pansé et recousu, dit Isacco au capitaine. Il faut aller à Mestre, à l'hôpital.

— N'y pense même pas, docteur, répondit le capitaine.

— Si, il le faut, dit Giuditta.

— Non, répéta Lanzafame. On ne va pas se balader dans Venise avec toi, il n'en est pas question. Dans pas longtemps, quand ils verront qu'on n'arrive pas à la prison, ils lanceront une vraie battue.

— Mais…

— Il n'en est pas question, dit sèchement Lanzafame. Maintenant, on va au bateau. Puis le docteur ira avec ces deux *bonevoglie* à Mestre où il prendra ce qu'il lui faut, et il reviendra. S'il y a une chance de ne pas

978

se faire rattraper, c'est la seule. Tout autre plan est exclu. » Il regarda Mercurio. « J'ai pas raison, mon gars ?

— Parfait… » Mercurio releva la tête et se tourna vers Tonio et Berto. « C'est le moment de montrer qui vous êtes », dit-il. Puis, avec le peu de souffle qui lui restait, il s'essaya à crier : « Ramez ! »

Tonio et Berto firent grincer les rames tant ils mettaient de force dans la vogue, arquant leur dos puissant.

Ils venaient à peine de débarquer leur chargement humain au squero de Zuan qu'ils étaient déjà repartis avec Isacco seul à bord. On transporta Mercurio, dont Giuditta ne lâchait pas la main. On l'étendit sur le pont de la caraque.

Mosè tournait autour de Mercurio, hurlait à la mort et remuait doucement la queue.

Zuan avait eu juste le temps de faire monter à bord tout son vieil équipage, et les *bonevoglie* recrutés avaient à peine plongé leurs rames dans l'eau que Tonio et Berto étaient déjà de retour.

À bord, il y avait aussi Anna, pâle et épouvantée.

« J'ai pas réussi à la faire rester là-bas, mon garçon, je suis désolé », plaisanta Isacco en grimpant sur le pont du navire avec sa trousse à instruments, et un grand sac rempli d'herbes médicinales et d'onguents.

Giuditta était toujours près de Mercurio, malheureuse.

« Ils sont fous à Venise ! dit Tonio. Quel bordel ! La moitié des Vénitiens voudrait rattraper la sorcière et l'autre moitié la cacher dans sa propre maison. »

Isacco ouvrit sa trousse.

979

« Mon petit », dit Anna effrayée en s'agenouillant à côté de Mercurio.

Il lui sourit faiblement.

Anna tourna son regard vers Giuditta, qu'elle voyait pour la première fois. C'était donc la jeune fille pour laquelle Mercurio avait changé le monde. Elle se dit qu'elle avait de la chance. Si elle n'avait pas eu un mari comme le sien, elle l'aurait enviée. Au lieu de cela, en voyant comment Giuditta regardait Mercurio, le léger sourire qu'elle avait sur les lèvres s'élargit. Elle lui ouvrit son cœur. « Si tu ne le sauves pas, plus question d'hôpital, pour toi. Dieu m'en est témoin, dit Anna à Isacco.

— Arrête donc, espèce de casse-pieds, répondit celui-ci d'un ton bourru. Laisse-moi travailler. »

Anna fit un signe de croix, ferma les yeux et commença à prier.

Mercurio sentit l'aiguille de suture lui entrer dans la chair et cria.

Mosè fit un bond en arrière, en aboyant de peur.

« Exagère pas, mon garçon, fais pas ta fille », dit Isacco. Il se tourna vers Lanzafame et ses soldats. « Il ne le savait pas, lui, que je suis un boucher. »

Lanzafame se mit à rire.

Mosè regardait le docteur et grognait tout bas.

« J'ai encore des points à faire. Alors arrête de pleurnicher. Serre les dents. Et dis à ce chien d'éviter de me mordre, s'il te plaît.

— Calme, Mosè... », dit Mercurio. Le chien s'assit près de lui et lui lécha le visage. Mercurio sentit l'aiguille entrer dans sa chair, gémit en serrant la main de Giuditta.

« Tâche de ne pas briser la main de ma fille, ajouta Isacco.

— Va te faire foutre, docteur », dit Mercurio.

Quand il eut fini, Isacco étendit un onguent d'achillée et de prêle sur la blessure, pour arrêter l'hémorragie. Puis il appliqua un emplâtre de racine de bardane et de calendula pour la cicatrisation. « Tu as bien regardé ? demanda-t-il à Giuditta. C'est toi qui devras le faire, tous les jours, jusqu'à ce que la blessure soit guérie. »

Giuditta acquiesça. Isacco lui confia les pots contenant l'onguent et l'emplâtre. Puis il lui donna deux petites bouteilles. « Encens et griffe du diable. Tu le dissous dans une tasse de bouillon ou même seulement dans de l'eau chaude. Ça servira à combattre la fièvre.

— D'accord…, dit Giuditta d'une voix faible.

— Il ne va pas mourir, mon petit, lui chuchota Isacco à l'oreille. Mais ne le lui dis pas, sinon il recommencerait à bouger trop vite, tu comprends ? »

Giuditta fondit en larmes et se jeta au cou d'Isacco. « Oh, père…

— Oh, fille ! fit Isacco en écho, l'écartant de lui. C'est quoi tous ces chichis ? » Mais bientôt ses yeux aussi se remplirent de larmes. Il cogna du poing avec colère contre le pont du navire. « Du diable ! Tu vois ? Tu es contente ?

— Père, dit Giuditta en souriant derrière ses larmes, tu es mal dégrossi et insupportable. » Elle le prit dans ses bras. « Mais je t'aime tellement… tellement… » Elle se détacha de lui. « Donc, tu ne viendras pas avec nous ? »

Isacco baissa les yeux. « Ma petite fille… Je…

— Quand un oiseau apprend à voler, il quitte le nid. C'est comme ça que ça doit se passer, dit Mercurio.

— C'est quoi ces conneries, mon garçon ? », fit Isacco.

Mercurio rit et regarda Anna, qui vint près de lui. Elle caressa ses cheveux collés par la sueur.

Puis elle tendit la main et prit celle de Giuditta. Elle la regarda en silence, acquiesçant de la tête.

Giuditta était toute raide, comme si elle craignait le jugement d'Anna.

« Mercurio m'avait dit que tu étais belle… », commença Anna. Mais elle s'interrompit aussitôt. Elle leva les yeux au ciel, secouant la tête. « Oh, je ne sais pas quoi dire ! Dans ces moments-là on croit toujours qu'il faut trouver quelque chose de spécial à dire… » Elle sourit, embarrassée. « Même une femme ignorante comme moi s'imagine pouvoir… Ma pauvre Anna, va donc au diable ! », ajouta-t-elle tout bas. Elle attira Giuditta contre elle. « Laisse-moi te serrer dans mes bras, ma petite fille. Laisse-moi te serrer dans mes bras et c'est tout. »

Giuditta s'abandonna à l'étreinte, gauchement.

« Tu n'es pas une petite fille, je le sais bien », lui murmura Anna à l'oreille. Elle l'écarta et la regarda dans les yeux. « C'est que nous avons plus peur pour vous que vous-mêmes, mes enfants. Je suis désolée », dit-elle d'une voix qui se brisait.

Alors Giuditta, tout à coup, l'embrassa sur la joue. Trois fois. « Une fois pour ma mère, parce que je n'ai jamais pu le faire. Une pour ma grand-mère, parce que je voudrais pouvoir encore le faire. Et une pour la mère de Mercurio, parce que je sais combien je te dois », lui dit-elle.

Anna rougit, baissa les yeux et se tourna vers Mercurio.

« À présent je suis plus tranquille, lui dit-elle en cherchant à se donner une contenance. Elle prendra soin de toi. »

Giuditta sentit son estomac se nouer. Elle essaya de cacher les émotions qui la traversaient.

Anna évita de la regarder parce qu'elle savait qu'elle ne résisterait pas, elle non plus, à l'émotion. Elle caressa presque avec fureur le front de Mercurio. Puis devint sérieuse. « Tu es brûlant, dit-elle d'un ton chagrin.

— Évidemment, il a de la fièvre ! s'exclama Isacco. Tu parles d'une découverte ! »

Anna regarda Giuditta. « Tu as bien de la chance de partir, lui dit-elle. Pense à nous qui devons rester avec lui. »

Giuditta rit, mais l'instant d'après elle pleurait. Elle étreignit son père.

Isacco la tint serrée fort. « Tu es ma petite fille, lui dit-il tout bas dans l'oreille. Ne l'oublie jamais. Tu es ma petite fille. »

Giuditta sanglota.

« Je suis désolé de jouer les trouble-fêtes mais si nous ne commençons pas à bouger, ils nous trouveront », dit Lanzafame.

Isacco se détacha de Giuditta et le regarda. « Vous avez dit *nous*, capitaine ? demanda-t-il, étonné.

— J'ai trahi Venise, docteur. Je ne regrette pas de l'avoir fait… mais franchement je voudrais garder ma tête accrochée à mon cou pendant quelques années encore. » Il regarda Mercurio et la chiourme. « Et puis, ces gens ont besoin de quelqu'un qui sache manier une épée. »

Isacco ressentit une profonde douleur. « Alors, aujourd'hui je vous perds aussi. Je vous confie ma fille, dans ce cas », ajouta-t-il en désignant Giuditta.

Lanzafame acquiesça, sérieux. « J'ai une dette envers toi, docteur. Tu m'as guéri.

— De quoi ? fit Isacco, étonné.

— De l'esclavage du vin.

— C'est vous qui avez tout fait, capitaine, répondit Isacco.

— Non. Tu m'as donné la méthode.

— Un jour après l'autre…, sourit Isacco avant d'acquiescer, satisfait. Ça marche, hein ?

— Ça marche. »

Les deux hommes se regardèrent longuement, dans le silence général. Tous sentaient la force et la noblesse de cette amitié.

« Mets ça à ton cou », dit Zuan, qui surgit du néant.

Mosè aboya, tout content.

Isacco se tourna et resta bouche bée. « Je ne peux pas y croire… »

Zuan tenait à la main un lacet de cuir usé et noirci par le temps. Suspendu à ce lacet, un sachet de cuir encore plus crasseux.

« Je ne peux pas y croire… », répéta Isacco.

Giuditta sourit, tout aussi étonnée.

« Tes médecines, c'est rien comparé à cette amulette, dit fièrement Zuan à Isacco. Celui qui l'a faite, c'est un vrai médecin avec des couilles, pas un type comme toi. Grâce à ça, j'ai jamais eu le scorbut, pendant toutes ces années de navigation. Ça s'appelle…

— …le Qalonimus, murmura doucement Isacco.

— Ah, tu le connais toi aussi, hein ? » dit Zuan, satisfait. « Puis il se tourna vers Mercurio. Tu dois savoir que cette amulette miraculeuse a été inventée par un médecin qui avait recueilli les dernières volontés d'une sainte martyrisée par les barbares, et donc…

— Mais comment tu fais pour croire à toutes ces bêtises ? dit Isacco en riant.

— Moi, j'y crois, intervint Giuditta. Père, tu ne vois pas que *Ha-Shem* nous bénit, qu'il nous envoie un signe ? dit-elle avec un sourire. Peut-être que c'est le dernier Qalonimus qui reste… et il me parlera de toi. Maintenant je suis sûre que tu seras avec moi. »

Isacco l'embrassa et sourit. « Comme c'est bizarre… Mais laisse *Ha-Shem* en dehors de ça, dit-il, d'un ton bonhomme. Je ne voudrais pas qu'il se rappelle que je suis un filou », ajouta-t-il à son oreille. Zuan, pendant ce temps, avait passé au cou de Mercurio l'amulette qui avait enrichi Isacco autrefois.

« Ça pue… », dit Mercurio.

Isacco éclata de rire. « Ça doit être les crottes de chèvre. »

Giuditta lui envoya un coup de coude.

Puis, tout à coup, un grand silence tomba. Le soleil se couchait derrière les toits de Venise. Tout le monde baissa la tête. Il n'y eut plus un mot. Plus un sourire.

Le temps était venu.

« Vous devez y aller, fit Anna del Mercato. Bientôt il fera nuit. » Mercurio la regarda, les yeux voilés de larmes.

Anna alla près de lui, lui passa le doigt sur les sourcils et l'embrassa. « Je suis fière de toi… père Wenceslao da Ugovizza. » Puis elle alla jusqu'à l'échelle et fut la première à descendre à terre.

Isacco la suivit, en silence.

« Docteur, dit Mercurio, faites-vous donner de l'argent par Isaia Saraval, l'usurier de Mestre. Il m'en doit. Utilisez-le pour l'hôpital. »

Isacco acquiesça. Mais une pensée encore le tourmentait.

Il fit demi-tour et se précipita vers Giuditta, la saisit aux épaules. « Je n'ai pas mal fait de t'emmener à Venise, n'est-ce pas ? » Giuditta se tourna vers Mercurio. « Non, père. Au contraire.

— Ta mère serait fière de toi.

— Et elle est fière de toi, père », répondit Giuditta.

Alors Isacco l'embrassa une dernière fois, descendit à terre et rejoignit Anna del Mercato. À côté d'eux, les femmes des marins de Zuan. Elles étaient toutes vieilles et savaient qu'elles ne reverraient pas leur mari. Mais c'est une chose à laquelle toutes les femmes de marin sont préparées.

La caraque se détacha lentement du quai.

La chiourme de Zuan hissa les voiles.

Les *bonevoglie*, au rythme scandé par Tonio et Berto, plongèrent les rames dans l'eau de la lagune.

Zuan se mit au gouvernail.

Lanzafame se déplaça à tribord. Mosè, fou de joie, se mit à courir en rond sur le pont du navire en aboyant.

« Arrête, couillon ! », cria Zuan.

Puis, en craquant, comme les vieux os de son équipage, la caraque *Shira* prit le large et pointa vers la mer.

Aucun de ceux qui étaient à bord ne savait ce qui les attendait. Aucun ne connaissait le Nouveau Monde, ne savait s'ils y arriveraient ni ce qu'ils y trouveraient.

Mais c'étaient des marins, et ils ne seraient pas morts contents s'ils n'avaient pas essayé.

Giuditta, quand on ne vit plus le squero de Zuan, à la poupe, prit une cuvette avec de l'eau, un linge et s'assit à côté de Mercurio. « Que tu es vilain, mon amour », lui dit-elle. Et elle commença à lui enlever doucement son maquillage.

Mercurio sourit, fatigué. Il avait les yeux brillants de fièvre.

« Pendant quelque temps, j'aimerais te reconnaître, dit Giuditta. Plus de déguisements. Promis ?

— Promis... »

Giuditta le regarda. « Tu m'as sauvé la vie. »

Mercurio la fixait en silence.

« Et tu me donnes une vie que je n'aurais jamais pu avoir. Tu es vraiment un filou... »

Mercurio lui prit la main, à grand-peine. La serra. Si faiblement qu'elle s'en émut.

Alors, pour ne pas pleurer, Giuditta regarda devant elle, au-delà de la proue du navire. Elle se rappela son arrivée à Venise. Quand son père et elle avaient débarqué de la galéasse macédonienne, à l'embouchure du Pô. Elle se rappela le fleuve qui s'était ouvert devant eux, mystérieux comme leur avenir. Elle se souvint d'avoir pensé que leur vie passée était terminée et qu'une nouvelle vie commençait. Avec de nouvelles règles.

Jamais elle n'aurait cru éprouver de nouveau ces sensations, et en si peu de temps.

Dans l'obscurité de la nuit elle regardait la mer en face d'elle, mystérieuse comme son avenir. Un moment, elle eut peur. Puis elle baissa les yeux sur Mercurio, qui dormait, une expression heureuse sur le visage, serrant encore sa main pour lui faire comprendre qu'ils allaient y arriver.

Alors Giuditta se sentit en sécurité.

Elle leva les yeux vers le ciel et la nuit, pointa le doigt vers la seule étoile qu'elle connaissait depuis l'enfance et dit : « Guide-nous. »